Josyane Savigneau

Marguerite Yourcenar

L'invention d'une vie

Gallimard

Josyane Savigneau est née dans le Poitou le 14 juillet 1951.
Journaliste au *Monde* où elle est entrée en 1977, elle y dirige, depuis avril 1991, le service littéraire.

à Yannick Guillou
à Deirdre Wilson

INTRODUCTION

> *Il est incroyable que la perspective d'avoir un bio-*
> *graphe n'ait fait renoncer personne à avoir une vie.*
> Cioran

8 février 1986. Pour la troisième fois, Marguerite Yourcenar se retrouvait seule. Jerry était mort ce matin-là à Paris, à l'hôpital Laennec. Jerry, trente-six ans, le compagnon de voyage de ces six dernières années, grâce auquel elle avait comme renoué avec sa jeunesse : Jerry qui, s'il existait un ordre des choses, aurait dû lui tenir la main au soir du dernier passage. Comme elle avait tenu la main de son père Michel, un jour de l'hiver 1929. Michel, le seul témoin de son enfance, son seul lien avec la petite Marguerite de Crayencour qu'elle avait été, était mort à Lausanne le 12 janvier 1929. Elle n'avait pas vingt-six ans. Un éditeur français venait d'accepter son premier roman, *Alexis ou le Traité du vain combat*, qui paraîtrait en novembre de la même année. Une certaine Marg Yourcenar – elle reprendra vite son prénom, Marguerite – commençait sa vie. Seule. Michel de Crayencour, avec l'élégance qu'il avait toujours manifestée à son endroit, se retirait discrètement, effaçant avec lui ce nom qui rattachait Marguerite à une autre histoire, à une

11

famille qui, pas plus qu'elle n'en avait eu pour lui, le lettré aventureux et déraisonnable, n'avait de place pour une « Yourcenar », libre, nomade et studieuse, au patronyme créé par elle-même – anagramme presque parfaite de Crayencour toutefois. La mort de Michel était une disparition, non un abandon. Au contraire. Une dernière fois, il incitait sa fille à se vouloir sans liens obligés, et seule à décider. Et elle en fut si occupée pendant des années que Michel de Crayencour ne lui redevint proche que fort longtemps après, quand elle en fit le personnage d'un de ses livres.

Cinquante ans plus tard, le 18 novembre 1979, un demi-siècle tout juste après la publication d'*Alexis*, Grace Frick, elle, l'abandonnait. Elle s'éteignait, après vingt ans d'une lutte, héroïque vraiment, contre un cancer. Grace, une histoire qui tenait en peu de mots : quarante années passées ensemble. Grace, avec son sens maniaque de l'organisation, ses bizarreries, ses emportements. Grace, l'Américaine qui l'avait fait vivre sur « sa » terre, lui avait fait adopter sa nationalité. Grace la méticuleuse, l'indignée, l'insaisissable. Grace, qui emportait avec elle l'irremplaçable regard quotidien sur une œuvre qu'elle avait rendue possible. A l'aube de cet hiver, basculaient dans un passé révolu quatre décennies de vie à deux. Pourtant elle rendait à Marguerite une manière de liberté, celle de reprendre la vie errante, de boucler la boucle avant de quitter la vie à son tour, de rejoindre l'existence d' « avant », le voyage, seule (rarement) ou avec des compagnons de rencontre. Finalement, il n'y eut plus qu'un seul compagnon : celui que Grace lui avait choisi, le jeune Jerry Wilson, venu en octobre 1978 à Petite Plaisance avec une équipe de télévision française. Une origine commune – le sud des États-Unis –, la passion partagée pour la langue française leur avaient fait nouer en peu de jours une amitié complice. Grace déclinante, et qui, sans vouloir l'admettre, se savait condamnée, avait recommandé Jerry, comme secrétaire, à Marguerite.

Aujourd'hui, en 1986, comme en 1929, comme en 1979, mais cette fois-ci en plein milieu de l'hiver nord-américain, de l'interminable hiver gelé du Maine, la mort de Jerry était plus qu'un retrait, plus qu'un abandon, c'était une désertion. Survivre à Grace était une situation que Marguerite avait eu le temps d'envisager. Pour apprivoiser cette idée incongrue, survivre à Jerry qui était son cadet d'un demi-siècle, elle n'avait eu que quelques mois. Depuis qu'à l'évidence, il avait cette maladie dont il savait courir le risque en ne changeant rien à ses habitudes de vie. Depuis deux mois surtout, où son SIDA était entré dans la phase qui ne pouvait qu'aboutir à une fin rapide. Ces deux mois, Marguerite les avait passés au téléphone. Et comme Grace dans les tout derniers temps, Jerry la haïssait de la voir lui survivre. On n'en aura pas fini de sitôt de réfléchir aux ressemblances de Grace et de Jerry.

1986 : Marguerite Yourcenar allait sur ses quatre-vingt-trois ans. Pour la première fois – elle devait le noter quelques semaines après la mort de Jerry, alors que les forces lui revenaient –, l'idée n'en était plus abstraite : « Vivre est très difficile ; et soudain je me sens ce que je ne m'étais jamais sentie : *vieille*. » La vieillesse, elle en parlait pourtant volontiers. Ses amis n'osaient guère l'interroger, mais les journalistes s'y risquaient parfois. Ainsi, au *Monde*, à Paris, en décembre 1984, elle avait répondu avec ce sens de la litote qui, chez elle, n'était pas dérobade mais souci d'exactitude : « Quand je relève de maladie, je me sens, je ne dirais pas très vieille, mais très près du bord des choses *. » Puis, il y avait eu « l'horrible année 1985 et ses ombres fatales », comme elle l'écrivait dans un carnet de notes intimes. Et, en septembre, pour elle, l'accident cardiaque, le quintuple pontage coronarien à l'hôpital de Boston. Toutefois, le sentiment de vieillesse ne venait pas alors de sa maladie à elle, si épuisante fût-elle. Elle se sentait immensément faible mais Jerry était encore vivant. Il avait besoin d'elle. Besoin d'un appartement à Paris, où il souhaitait se faire soigner. Besoin de ne manquer de rien. Elle n'aurait pas supporté l'idée de lui faire défaut. Il suffisait bien d'être si loin, de savoir qu'elle ne serait pas à son côté au moment ultime. Jerry disparu, la mort, pour la première fois, lui devenait indifférente. Elle le dirait un jour, sans mentionner Jerry, devant sa tombe à elle, auprès d'une jeune femme bouleversée d'avoir lu sur la petite dalle noire du cimetière de Somesville : « Marguerite Yourcenar 1903-19... » : « Je ne crains pas la mort. Le moment, désormais, m'importe peu. Cela n'a pas toujours été le cas. Cette inscription, qui vous rend mélancolique, me rassure, me réconforte. Tout est en ordre. Je suis tranquille. Cela peut être dans dix minutes, dans six semaines, dans quelques mois ou quelques années... Je ne cherche ni à hâter ni à provoquer, mais je suis prête. Et j'ai fait graver les deux premiers chiffres, 19... parce que je pense que l'an 2000 n'est pas pour moi. »

Le 8 février 1986, elle ne pouvait que noter sur son agenda « mort de Jerry ». Et noter au 15 février « Il y a une semaine que Jerry est mort ». Pourtant, derrière la femme accablée par le deuil et l'âge, demeurait une

* « La Bienveillance singulière de Marguerite Yourcenar ; un certain goût de la langue et de la liberté », entretien avec Josyane Savigneau, in *Le Monde* des Livres, 7 décembre 1984.

existence entière de ténacité, d'obstination, et de certitude d'être « quelqu'un ». Marguerite Yourcenar ne disparaissait pas avec Jerry Wilson, quelque envie qu'elle ait eue, par la suite, de le faire croire à certains. Derrière cette pose de vieille dame qui avait besoin de se raccrocher à la certitude d'une ultime affection passionnée, Marguerite Yourcenar veillait. Une force qui avait triomphé de toutes les dépressions, une volonté, spectaculaire pour tous les autres et insoupçonnée d'elle-même, une persévérance qui l'avait menée jusqu'ici, à travers les passions et les blessures, et qui la conduirait au bout de la route, l'accompagnant dans l'étrangeté de ce sentiment nouveau, inexpérimenté jusqu'alors : le détachement.

Elle n'aurait peut-être pas aimé se l'entendre dire, tant Jerry, après sa mort, était devenu à ses yeux la figure pure et mythique de la jeunesse, du dernier signe de vie mais, des raisons de survivre, il en demeurait. Une au moins : écrire. Il fallait se remettre à *Quoi ? L'Éternité*, le dernier volume de la trilogie familiale. *Le Tour de la Prison*, le récit des derniers voyages, était interrompu. Peut-être ne serait-il jamais terminé. *Quoi ? L'Éternité*, lui, devait l'être. Elle s'arrêterait à l'année 1937, celle de la rencontre avec Grace. Après... Certains de ses amis estimaient qu'elle devait continuer. Non pas pour prévenir tout travail de biographe – le peut-on, et, au fond, le veut-on ? –, mais pour donner « sa » version des faits. Le relatif secret, sinon le mystère, de son existence, excitait les imaginations. Parler des années de Grace n'empêcherait pas la diversité des interprétations mais éviterait sans doute la dérive dans le fantasme et la fiction.

Pour l'heure, il fallait consentir à ce que les choses suivent leur cours, honorer l'engagement prévu, le 26 février à New York, pour la remise de l'insigne de commandeur de la légion d'honneur et de la médaille d'or du National Arts Club. Les photos de cette soirée donnent l'image d'une femme devenue frêle, le teint transparent, reprenant doucement pied dans le monde, sortant amaigrie, pâle, d'une intense fatigue et d'une extrême souffrance morale. Mais, de cliché en cliché, le sourire las fait place à une sorte d'énergie retrouvée, à un certain contentement d'être venue, de se voir, une fois de plus, célébrée et reconnue, enfin d'avoir, sans aucun soutien, triomphé de soi-même.

Un départ pour l'Europe est prévu le 20 avril. Première étape : Amsterdam, comme tant de fois. Pourquoi ce voyage ? Était-ce seulement parce que voyager avait été son mode de vie le plus constant ? Était-ce pour lutter contre cette vieillesse qui menaçait de gagner la partie ? Pas nécessairement. Pour rester, il eût fallu plus d'énergie que pour bouger. Se mettre au travail. Se laisser porter par l'amitié et l'efficacité de Jeannie, la secrétaire, et de DeeDee, plus qu'une infirmière. Renoncer à entendre et à parler le français, sauf lors des rares visites d'amis. Et chaque jour, écrire. Seule. Mener à bien sans reprendre souffle *Quoi ? L'Éternité*, finir, peut-être, *Le Tour de la Prison*. Cette force-là, elle ne l'avait plus. Rester eût signifié combattre, avec la plus grande fermeté possible, la vieillesse. Elle pensait ne plus le pouvoir. Sa façon de s'accepter vieille n'était ni rester, ni repartir à la découverte de lieux inconnus, mais refaire. Alors elle referait les promenades du temps de Grace et du temps de Jerry, elle reverrait l'Europe, l'Angleterre à laquelle elle était liée depuis l'enfance et le séjour qu'elle y fit avec Monsieur de Crayencour, elle retournerait au Maroc, elle passerait plusieurs jours à Bruges, dans l'intimité de Zénon, de Grace et de Jerry, marcherait dans la rue où, jadis, elle promenait chaque jour la

16

chienne Valentine. Le temps de la découverte avait passé. Ce n'était plus pour elle. Quoique... Irait-elle au Népal, étape prévue lors du séjour en Inde en 1985 avec Jerry, et annulée parce qu'il était malade? Finalement, pour avoir vécu jusqu'au bout, il était nécessaire de voyager jusqu'au bout. Le départ s'imposait.

Et si la mort la surprenait pendant ce périple? Elle qui avait tant pensé, tant dit, tant écrit qu'il ne fallait pas mourir par inadvertance, mais au contraire ne rien manquer de cette expérience ultime, du dernier passage; elle qui voulait mourir les yeux ouverts, sentir la mort s'insinuer en elle, vivre cette mort en quelque sorte, éprouvait désormais une espèce d'indifférence. Comme elle l'avait dit, elle était prête. Qu'importaient la date, le lieu et les conditions. Pourvu qu'elle ne restât pas des mois entiers dépendante de tel ou tel qui devrait la soigner. La mort serait peut-être même, sinon plus douce, du moins plus sûre en voyage : on n'avait pas forcément à portée de main un de ces hôpitaux où l'on s'acharne à vous faire survivre. Mais, tout de même, fallait-il « passer » accidentellement, sans s'en apercevoir? Elle ne l'avait jamais pensé et ne parvenait toujours pas à l'admettre. Ce rite d'accompagnement, qui lui tenait lieu de croyance à défaut de foi, elle l'avait accompli avec son père et avec Grace, au chevet de qui, alors que les paroles ne l'atteignaient plus, la petite boîte à musique jouait une ariette de Haydn. Ce rite de passage, déjà omis avec Jerry, elle en serait probablement elle aussi privée. Comme elle avait commencé sa vie aux mains des nourrices et des bonnes, elle allait l'achever aux mains des médecins et des infirmières. Dévoués, certes, aimants même, si l'on songeait à DeeDee. Si elle mourait à Petite Plaisance, l'attention, l'amour, la perfection des soins ne lui feraient pas défaut.

Mais manquerait à jamais la communauté de langue et de culture dont on a besoin au dernier soir ; le poids d'un passé commun, même s'il n'est que littéraire, d'une histoire commune. Qu'elle se détermine à partir ou se résolve à rester, autour de son lit de mort, on ne parlerait pas « sa » langue. On aurait au mieux lu ses livres dans une traduction, au pis rien du tout. Elle serait donc sans doute privée de ce qui, au-delà des mots, se partage, et qui, d'un seul regard, d'une pression de la main, permet le « passage du témoin », garantissant, au moment où l'on va sombrer, une survie, même provisoire. Plus qu'un souvenir en tout cas. L'assurance que, le lendemain matin, quelqu'un continuerait de la faire vivre en prenant soin de ce qui avait fondé sa vie : ses mots, son œuvre, qu'avec une certaine malice elle aimait à désigner comme « les quelques livres qu'il m'est arrivé d'écrire ». A cause de cette incertitude même – qui serait à son chevet lorsque tout s'achèverait ? – l'indécision n'était pas de mise. Il fallait partir. S'en aller, se conformer à ce qu'elle avait toujours été, nomade, à cette errance qui semblait entraver le travail littéraire restant à faire, mais qui, seule, le rendait possible.

Le voyage – « ce bris perpétuel de toutes les habitudes, cette secousse sans cesse donnée à tous les préjugés », comme elle l'avait fait dire à l'empereur Hadrien –, l'errance, la cassure, la mort... N'était-elle pas née sous leur signe, dans cette maison de Bruxelles aujourd'hui détruite, comme le furent tous les lieux où elle séjourna, sauf Petite Plaisance, cette modeste « maison de campagne » qu'elle se préparait à fermer de nouveau ?

Elle repartit.

« Le temps n'est plus où l'on pouvait goûter *Hamlet* sans se soucier beaucoup de Shakespeare : la grossière curiosité pour l'anecdote biographique est un trait de notre époque, décuplé par les méthodes d'une presse et de *media* s'adressant à un public qui sait de moins en moins lire. Nous tendons tous à tenir compte, non seulement de l'écrivain, qui, par définition, s'exprime dans ses livres, mais encore de l'individu, toujours forcément épars, contradictoire et changeant, caché ici et visible là, et, enfin, surtout peut-être du *personnage*, cette ombre ou ce reflet que parfois l'individu lui-même (c'est le cas pour Mishima) contribue à projeter par défense ou par bravade, mais en deçà et au-delà desquels l'homme réel a vécu et est mort dans ce secret impénétrable qui est celui de toute vie » : dans l'essai qu'elle consacre en 1981 à Mishima – *Mishima ou la Vision du vide* –, Marguerite Yourcenar remet d'emblée ironiquement en cause la pertinence de l'investigation biographique. Elle a également souvent protesté, dans diverses interviews, contre « l'excès actuel du " culte de la personnalité " chez les écrivains ».

Pour ce qui concerne l'analyse et l'appréciation de l'œuvre, on ne peut que partager ce point de vue : ce que signifie une œuvre qui veut s'inscrire dans la durée est plus lié à la manière dont elle est lue qu'aux raisons pour lesquelles elle a été écrite. Encore faut-il noter la distinction opérée par Marguerite Yourcenar elle-même entre « écrivain », « individu » et « personnage ». On peut alors penser qu'il n'est pas vain de se donner les moyens de distinguer l'un des autres, d'apprécier cet écart – dont on doute qu'il doive tout à la désinvolture et à l'oubli nonchalant des faits et des dates – qui se creuse entre la « personne » et le « personnage », puisque ce dernier relève aussi d'une forme de fiction, d'une sorte de premier degré de l'œuvre. Et n'est-ce

19

pas justement le « personnage » de Marguerite Yourcenar, « cette ombre ou ce reflet que l'individu lui-même
contribue à projeter », comme elle le dit, qui lui
commandait d'affirmer l'insignifiance de la biographie,
alors même qu'elle s'employait, avec une minutie
confinant à l'obsession, à recenser, annoter, archiver
les témoignages des grands ou petits événements de sa
vie? Taxer dès lors l'entreprise biographique d'insignifiance apparaît bien comme un défi ironique lancé au
chercheur, sommé de décrypter des informations suc-
cessivement pléthoriques, lacunaires et contradictoires.

Tranquillement assurée qu'elle était, et serait plus
encore à l'avenir, « la proie des biographes », comme
elle l'écrivait en septembre 1977 à son neveu Georges
de Crayencour, elle voulait leur laisser le moins possible d'espace de découverte et d'interprétation. « Je
suis mieux placée que quiconque, ajoutait-elle dans la
même lettre, pour savoir que les biographes, même
quand ils ne sont pas volontairement malveillants, se
trompent presque toujours parce qu'ils n'ont sur les
gens dont ils parlent que des informations super-
ficielles. » Et elle précisait pour justifier certains fragments d'*Archives du Nord*, le second volet de sa trilogie
familiale, et notamment le passage sur la désertion de
son père : « un auteur de biographies quelconque
aurait un jour ou l'autre découvert ces détails en
tâchant de s'informer sur mes ascendants : j'aime
mieux que ce soit moi qui les présente avec le plus
d'humanité possible ». Ainsi Marguerite Yourcenar
avait-elle décidé de prendre les devants. D'abord en
livrant elle-même les matériaux nécessaires à la
compréhension d'une généalogie dont elle ne mésesti-
mait ni l'importance ni les séductions. Et en en propo-
sant une analyse qui ne manquerait pas de faire auto-

rité et, pouvait-elle escompter, frapperait d'illégitimité toute autre lecture.

Avec une feinte sollicitude qui n'était pas exempte d'une ironie bien dans sa manière, elle s'est donc montrée continûment soucieuse d' « aider » ses biographes à venir. C'est ainsi qu'elle a gardé des doubles de tous ses messages ou lettres adressés à des correspondants plus ou moins proches. Elle les archivait, de même que la quasi-totalité du courrier qu'elle recevait. Ces archives sont, pour une large part, rassemblées aux États-Unis et déposées à l'Université de Harvard, à la Houghton Library. Mais Marguerite Yourcenar a décidé d'en faire conserver une partie sous scellés pour une période de cinquante ans après sa mort, le temps de passer du souvenir à l'histoire *.

Cette disposition a déjà été mise à mal, puisque, dans divers colloques consacrés à Marguerite Yourcenar, la liste plus ou moins incomplète ou déformée de ces documents a été mentionnée. C'est pourquoi il ne m'a pas paru inconvenant ni illégitime de mentionner dans ce travail ce que je pouvais moi-même en savoir. Voici donc la liste des papiers scellés, dans les termes où l'a établie Marguerite Yourcenar lorsqu'elle les a envoyés :

1938 : Genève, Lausanne, Beaune, Paris, Capri, Sorrente, Sierre, Lausanne, Paris : lettres à Grace Frick.

1938 : lettre à Alice Parker annonçant un départ pour l'Autriche en décembre 1938.

---

* Le protocole de scellage prévoit que « ce matériel est donné à la Houghton Library aux conditions suivantes : a) ces documents doivent être conservés sous *scellés* pendant une période de cinquante ans après ma mort ; b) au cours de cette période de cinquante années, personne ne peut être autorisé à examiner ces documents. Aucune copie ne doit en être faite et ni le contenu, ni même l'existence de ces documents, ne doivent être rendus publics ».

Quelque cinquante pages d'un journal intime couvrant les années 1935 à 1945.

Quelques notes prises entre 1945 et 1954.

Une courte note de 1980.

Des lettres à Grace Frick, en 1939 : Athènes, Chalcis, Sierre, Lausanne, Paris, Bordeaux.

1940 : des lettres à Grace Frick, dont Marguerite Yourcenar était fréquemment séparée : New York, Hartford, Maine et quelques autres lieux des États-Unis.

1940 : une courte carte à Lucy Kyriakos, jamais envoyée en raison de la mort de sa destinataire. (Contrairement aux instructions, ce document est en consultation libre à Harvard : le texte, en anglais, est anodin, mais se termine par *Love*, mot qui, bien qu'ayant en anglais une connotation relativement banale, est tout à fait inhabituel sous la plume de Marguerite Yourcenar dans sa correspondance, et qui signale l'intimité qu'elle a entretenue, avant-guerre, avec cette jeune femme grecque.)

1979-1980 : journaux intimes en forme de lettres adressées à Madame Carayon (correctrice d'épreuves et amie de Marguerite Yourcenar).

Les papiers personnels (lettres, carnets) trouvés dans la maison à sa mort doivent être scellés pour cinquante ans ; les manuscrits et travaux littéraires en préparation doivent être pris en charge chez Gallimard, par ses exécuteurs littéraires.

Comment interpréter ce choix de ce qui était immédiatement destiné à devenir public et de ce qu'il paraissait opportun de réserver à l'appréciation de l'avenir ? Est-ce pour « cacher » – et surtout « se cacher » ? Sans doute pas : ce qu'il convenait de dissimuler à la postérité a été purement et simplement supprimé. Marguerite Yourcenar a ainsi détruit pendant l'été de 1987, qui devait être le dernier de sa vie, de nombreux documents. Elle affirmait « faire des rangements ». Elle a brûlé beaucoup de papiers dans la cheminée, rapportent sa secrétaire et son infirmière. A qui s'en désolait, elle répliquait, moqueuse : « j'aurais pourtant pensé que ce geste vous plairait ». Mettait-elle soudain en pratique cette phrase de René Char, « un poète doit laisser des traces de son passage, non des preuves. Seules les traces font rêver » ? L'eût-elle connue qu'elle l'eût probablement approuvée, car c'est en ne laissant apparaître que des traces d'elle-même qu'elle était devenue ce personnage lointain, étrange, qui intriguait et qui avait contribué à attirer vers ses livres un public toujours plus nombreux. Mais elle cédait aussi, en éliminant sans s'accorder plus longtemps le loisir de l'indécision, à la fois à l'urgence d'une fin de vie pressentie et, avec une jubilation certaine, au désir permanent de brouiller les cartes, comme elle l'avait toujours fait, y compris dans ses œuvres : il n'est de plus sûr moyen d'écarter l'investigateur de pistes importantes que d'en fausser d'insignifiantes.

Dans cette volonté de rétention de documents, on peut voir également, et plus simplement (puisqu'à l'évidence une de ces correspondances au moins – celle qu'elle a entretenue avec Grace Frick – est une correspondance amoureuse), le vœu que nul ayant connu Marguerite Yourcenar, l'ayant côtoyée, ne sache et surtout ne rende publics ces propos intimes, ce discours amoureux qui, si grand écrivain qu'on soit, risquent de ressembler à tous les propos amoureux avec ce qu'ils ont de naïvetés, de mièvreries, d'impudeurs et de ridicules. D'autres apporteront la réponse, en 2037. Mais il suffit pour comprendre sa réticence de lire, par exemple, les extraits des lettres échangées par

Natalie Barney et Liane de Pougy au moment de leur liaison (en particulier dans le *Portrait d'une séductrice* de Jean Chalon, livre que Marguerite Yourcenar connaissait bien) pour mesurer le malaise que provoque, non la révélation d'une intimité, mais le dévoilement de sa manifestation la plus privée, la plus secrète : le billet amoureux.

Pour ce que Marguerite Yourcenar a laissé libre d'accès, « sans aucune restriction », on a d'abord le sentiment, devant l'ampleur de ces correspondances soigneusement répertoriées par leur auteur, reproduites en double ou triple sur papier pelure, photocopiées, recopiées – de la main de Grace Frick la plupart du temps –, d'être en présence de la totalité des échanges épistolaires avec un interlocuteur, et que rien n'a été ici dérobé au chercheur. Gage apparent de cette exhaustivité : même des réponses à des cartes de vœux, stéréotypées et sans importance, ont été gardées. Singulier pour quelqu'un qui aurait véritablement récusé l'intérêt biographique.

Minutie et abondance trompeuses cependant : dès que l'on rencontre des correspondants de Marguerite Yourcenar et qu'ils donnent accès aux originaux de cette correspondance supposée exhaustive, on s'aperçoit que Marguerite Yourcenar a relu soigneusement ses doubles de lettres et les a triés avant de les envoyer à Harvard. Tout comme elle a relu les agendas que tenait Grace Frick au jour le jour, et les a parfois annotés. C'est dire combien elle a tenté de contrôler par anticipation toute démarche interprétative concernant sa vie, tout comme elle a voulu orienter, délimiter le champ des critiques et des chercheurs dans les multiples notes, préfaces, bibliographies, commentaires ou autres « carnets » qu'elle ajoutait à ses ouvrages.

De même a-t-elle fréquemment rusé avec la chronologie. « Le sentiment du temps m'a toujours fait défaut », écrit-elle dans *Quoi? L'Éternité*. « Oui, je tiens un journal, mais de façon très intermittente, parfois avec des intervalles de vingt ans », répondait-elle à l'enquête du *Monde* du 9 juillet 1982. « Je le fais – c'est, je crois, la raison la plus fréquente – pour ne pas perdre tout à fait pied dans " cette eau qui coule " (...) Je consigne tout cela, quand je le fais, de la façon la plus elliptique, quasi sténographique. Ces textes ne sont absolument pas faits pour être publiés; toute sincérité s'évanouirait si on croyait qu'ils pourraient l'être, et ils ne signifieraient presque rien livrés sans commentaires au lecteur. »

« Ne pas perdre pied dans cette eau qui coule » lui était une préoccupation constante. Était-ce pour cette raison que Grace Frick, à la fin de certains de ces agendas annuels, refaisait des chronologies récapitulatives de la vie de Marguerite Yourcenar, comme si par ce geste répétitif, presque obsessionnel, elle contribuait à conjurer les érosions du temps? Reste qu'on se demande ce qui serait arrivé sans le secours de ces agendas. Car, malgré leur présence, la « chronologie » que Marguerite Yourcenar – un des rares auteurs à y être entré de son vivant, en 1982 – a établie pour l'édition de la Pléiade est plus qu'approximative. On remarquera d'ailleurs qu'elle ne l'a pas signée : l'édition porte « avant-propos de l'auteur et chronologie » et non « avant-propos et chronologie de l'auteur ». On possède parfois trois dates différentes pour un même fait : celle de la « chronologie » de la Pléiade, celle des agendas de Grace Frick, tenus au jour le jour, ou celle encore donnée dans la préface d'un livre. Ainsi en va-t-il d'une malle qui devait devenir fameuse (elle renfermait un fragment des futurs *Mémoires d'Hadrien*) : l'édition de la Pléiade assure que cette malle, réex-

pédiée de Suisse où Marguerite Yourcenar l'avait abandonnée avant-guerre, lui est parvenue, aux États-Unis,
en 1948. Dans plusieurs interviews, Marguerite Yourcenar date l'arrivée de la malle de 1947. Enfin, dans
l'agenda tenu par Grace Frick et elle au jour le jour, la
date – certainement la bonne – est celle du 24 janvier
1949...

Quelle est, dans ces confusions, la part du volontaire? Il s'agit sans doute souvent d'une réelle indifférence envers l'exactitude chronologique. Peut-être
aussi d'un jeu avec ses exégètes et, justement, ses biographes; un amusement à se dire « puisque c'est la
date que je donne, elle devient la vraie ». De même,
quand on faisait remarquer à Marguerite Yourcenar
qu'elle donnait une citation erronée, elle rétorquait :
« aucune importance, c'est mieux ainsi ». Ainsi avait-
elle l'habitude de transformer la formule de Cocteau :
« le temps des hommes, c'est de l'éternité pliée », en
une autre, légèrement différente, toujours attribuée à
Cocteau : « le temps, c'est de l'éternité pliée »... Et c'est
presque à regret qu'elle a consenti, dans *La Voix des
choses*, à citer ce qu'il avait vraiment écrit.

Profondément, de sa vie ne l'intéressait que ce qui
pouvait être prétexte à reconstruction littéraire. En
familière qu'elle était de l'œuvre de Gide, elle a sans
nul doute médité cette phrase de son *Journal*, en date
du 3 janvier 1892 : « La vie d'un homme est son
image... On peut dire alors ceci que j'entrevois comme
une sincérité renversée (de l'artiste) : il doit, non pas
raconter sa vie telle qu'il l'a vécue, mais la vivre telle
qu'il la racontera. Autrement dit : que le portrait de lui
que sera sa vie, s'identifie au portrait idéal qu'il souhaite ; et, plus simplement, qu'il soit tel qu'il se veut. »

Restituer, réinterpréter ses lignées maternelles et
paternelles, son enfance et son adolescence l'a pas-

sionnée. « L'autobiographie ! s'écriait-elle en 1986 en apprenant le sujet d'un colloque sur son œuvre qui allait se tenir en Espagne, mais on pourrait dire qu'aucune de mes œuvres n'est autobiographique [*Quoi? L'Éternité* n'est pas encore terminé] ou que toutes le sont. » A partir d'un incident vécu, elle peut élaborer une fiction – ce qui est commun à beaucoup d'écrivains – puis réinterpréter un moment de sa vie à la lumière de cette fiction, ce qui l'est moins.

Pour autant, il ne s'agira pas, dans cette enquête biographique, de tenter une analyse ou un commentaire de l'œuvre, projet qui relèverait d'une tout autre méthode, mais seulement de retracer un itinéraire qui entretient avec la création un rapport indiscutablement nécessaire, mais tout aussi indiscutablement insuffisant. Car elle pour qui toute œuvre littéraire était « faite d'un mélange de vision, de souvenir et d'acte, de notions et d'informations reçues au cours de la vie par la parole ou par les livres, et des raclures de notre existence à nous », comme elle le signalait dans la postface à *Un homme obscur*, aurait probablement souscrit à ce que Frederic Prokosch disait de son propre livre, *Voix dans la nuit* : « Dans *Voix dans la nuit*, tout est vrai. Tout a réellement eu lieu. Visages, endroits, voix, tout était bien là. Mais tout cela n'a repris vie qu'une fois les masques de la mémoire placés sur les visages effacés, et une fois que les ombres du temps ont commencé à s'allonger sur les paysages incertains. »

Pour Marguerite Yourcenar, la frontière était plus que floue entre la réalité et la fiction. Elle affirmait tranquillement passer plus de temps en compagnie de Zénon que de ses amis et parfois « se tourner vers lui » pour un avis, un conseil. Et elle avait noté la date de naissance qu'elle attribuait à Zénon, le 24 février, à côté de celle de sa mère, le 24 février aussi. Elle s'était plu à faire naître Zénon le même jour que sa mère : approximation, une fois de plus, puisqu'elle est démentie par les documents familiaux sur lesquels la date de naissance de Fernande de Cartier de Marchienne est le 23 février...

Faire une biographie, et singulièrement celle de Marguerite Yourcenar, ne peut être, au sens où l'entendait Aragon dans *La Semaine sainte*, que tenter d'approcher « la vérité d'un mensonge ». Non qu'il s'agisse d'entendre sous ce dernier terme une falsification continûment délibérée, mais plutôt la série de décalages, d'amnésies et pour tout dire de fiction qu'est, sinon toute vie, du moins tout regard porté sur une vie. « Tout nous échappe, et tous et nous-mêmes », écrit Marguerite Yourcenar dans le *Carnet de notes de « Mémoires d'Hadrien »*. « La vie de mon père m'est plus inconnue que celle d'Hadrien. Ma propre existence, si j'avais à l'écrire, serait reconstituée par moi du dehors, péniblement, comme celle d'un autre ; j'aurais à m'adresser à des lettres, aux souvenirs d'autrui, pour fixer ces flottantes mémoires. Ce ne sont jamais que murs écroulés, pans d'ombre. » Ce qui revient à dire que le mot d'Aragon peut évidemment s'inverser et la biographie devenir, en toute bonne foi, le mensonge d'une vérité si l'interprétation ne se soumet pas aux faits et si les faits eux-mêmes ne sont pas traqués au-delà de la relation faussement objective qui en est donnée. Mais aurait-on tant envie d'en prendre le risque, d'essayer de restituer cet itinéraire singulier, de retrouver l'intuition de cette existence, si Marguerite Yourcenar ne l'avait pas engagée sur des chemins où les traces demeurent, sinon effacées, du moins brouillées, et si ce parcours n'était pas celui d'une irrégulière à la liberté buissonnière ?

Certes, les « ombres du temps » ne sont pas encore assez longues sur Marguerite Yourcenar pour que le dessin puisse en dégager à coup sûr toutes les nuances et tous les contrastes. D'abord, on l'a dit, parce que la proximité de sa mort ne permet pas d'utiliser tous les documents pour avérer ou infirmer telle ou telle hypothèse : ce travail ne veut que proposer des pistes dont d'autres sauront mesurer la validité. Ensuite parce que, pour qui écrit ici, le souvenir est encore si vif d'une confiance qui alla parfois jusqu'à la confidence qu'en faire état tiendrait plus de l'indiscrétion que de l'information. Mais du moins peut-on tenter de tracer, pour tous ceux qui ne l'ont jamais croisée, la silhouette d'une femme qui a traversé le siècle en solitaire, altière, parfois distante, souvent bienveillante, et qui a su atteindre une manière de sérénité sans jamais se laisser gagner par l'indifférence, avide de préserver jusqu'au bout de son chemin les plaisirs ténus de la vie quotidienne, les vigilances intellectuelles, les éblouissements amoureux.

Première partie

Le nom sous le nom

CHAPITRE 1

L'enfant et les servantes

La maisonnée était sinon tendue, du moins affairée
et impatiente, le 7 juin 1903, dans l'immeuble cossu
situé au 193 de l'avenue Louise à Bruxelles – une
« maison [qui] a disparu il y a une quinzaine d'années,
dévorée par un building », écrit Marguerite Yourcenar
dans *Souvenirs pieux* : Madame de Crayencour, qui
avait eu trente et un ans quelques mois plus tôt, le
23 février, allait accoucher de son premier enfant.
Cette jeune femme, Fernande, était issue d'une famille
belge, les Cartier de Marchienne. Marguerite Yourcenar a consacré un livre entier, *Souvenirs pieux* précisément – qui porte en épigraphe ce texte Zen « quel était
votre visage avant que votre père et votre mère se
fussent rencontrés ? » –, à tenter de retracer le parcours de cette famille, dont elle résume en quelques
mots les origines dans la « chronologie » de la Pléiade :
« Fernande de Cartier de Marchienne sortait d'une
ancienne famille originaire de Liège, établie au
XVIIᵉ siècle dans le Hainaut, dans la localité de ce nom.
Son " oncle " ou plus précisément le cousin germain
de ses parents, à la fois du côté paternel et du côté
maternel, Octave Pirmez, poète et romancier sur-
nommé " le solitaire d'Acoz ", fut l'un des essayistes

33

marquants de la Belgique du XIXe siècle [1] *. » Marguerite Yourcenar ne pouvait manquer de faire un sort à
cette ascendance littéraire, fût-elle modeste.

Fernande avait convaincu son mari de louer cette
maison de l'avenue Louise, car elle préférait, pour son
accouchement, Bruxelles et son pays natal au Mont-
Noir, la demeure familiale des Cleenewerck de Crayencour, située dans le nord de la France, près de Saint-
Jans-Cappel. La « dynastie » des Crayencour est le sujet
du second volet de la trilogie familiale de Marguerite
Yourcenar, *Le Labyrinthe du Monde*, mais, comme les
Marchienne, elle les évoque brièvement au début de la
« chronologie » de la Pléiade, en signalant sa propre
naissance : « M. de Crayencour sortait d'une vieille
famille du nord de la France. Le berceau de cette
famille semble avoir été Caestre, près de Cassel. Les
ascendants de Michel de Crayencour s'étaient depuis
plusieurs siècles enracinés à Bailleul, puis ses parents
s'étaient fixés à Lille peu avant sa naissance. Son père,
Michel-Charles, riche propriétaire, avait été longuement conseiller de préfecture, puis président du
conseil de préfecture du Nord. Sa mère, Noémi
Dufresne, avait pour père Amable Dufresne, président
du tribunal de Lille, lui-même fils d'un notaire de
Béthune. »

Avenue Louise, tout était prêt, en ce début de juin,
pour l'arrivée de l'enfant. Les domestiques – Aldegonde, Barbara, Azélie – étaient sur le pied de guerre,
attendant les premières douleurs pour envoyer chercher le médecin. Monsieur de Crayencour n'était pas
inquiet. Lui qui allait avoir cinquante ans deux mois

* Les notes appelées par chiffres sont regroupées en fin de volume,
p. 689.

plus tard avait déjà connu l'alternance familiale des naissances et des morts. On ne saura jamais s'il était plutôt heureux ou légèrement ennuyé de devoir être père pour la seconde fois. Sans doute se forçait-il à prendre la chose avec indifférence. Il s'entendait mal avec le fils que lui avait donné sa première épouse, Berthe. Ce garçon de dix-sept ans, prénommé Michel, comme lui-même, selon la tradition familiale qui exigeait qu'à chaque génération le fils aîné portât ce prénom, ne lui inspirait que de la méfiance. Il le trouvait renfermé, silencieusement hostile, et l'avait toujours ressenti comme un ennemi. Monsieur de Crayencour avait derrière lui une vie d'extravagances et d'aventures que son fils, silencieusement mais ostensiblement, réprouvait. Il avait promené son élégance insouciante dans presque toute l'Europe, de tables de jeu en soirées galantes, et se « ranger » n'était guère dans sa manière. Il avait pourtant accédé au vœu de Fernande, qui voyait en la maternité la seule manière d'être vraiment femme.

Cette situation banale en forme de début de roman bourgeois ne mériterait pas qu'on s'y arrêtât si elle n'était à l'origine du destin de celle qui allait devenir Marguerite Yourcenar. Car tout se passa comme, aux heures les plus sombres, Fernande l'avait craint. Marguerite Yourcenar l'a raconté avec précision dans *Souvenirs pieux*. Un récit recréé quelque soixante-dix ans après sa naissance et au terme de multiples recoupements. Car, dans son enfance, il ne fut pas question de ce moment, et Fernande, rarement mentionnée, n'était désignée que comme « la mère de Marguerite ».

Au terme d'une nuit d'intenses souffrances, Fernande mit au monde le lundi matin 8 juin 1903, à 8 heures, une petite fille que l'on prénomma Marguerite, Antoinette, Jeanne, Marie, Ghislaine.

« La belle chambre avait l'air du lieu d'un crime. Barbara, tout occupée des ordres que lui donnait la garde, n'eut qu'un timide coup d'œil pour le visage terreux de l'accouchée, ses genoux pliés, ses pieds dépassant le drap et soutenus par un traversin. L'enfant déjà scindé d'avec la mère vagissait dans un panier sous une couverture. Une violente altercation venait d'éclater entre Monsieur et le Docteur, dont les mains et les joues tremblaient. Monsieur le traitait de boucher. Azélie sut habilement intervenir pour mettre fin aux éclats de voix mal réprimés des deux hommes : Monsieur le Docteur était épuisé et ferait bien d'aller se reposer chez lui ; ce n'était pas la première fois qu'elle, Azélie, prêtait son assistance dans un accouchement difficile. Monsieur ordonna sauvagement à Barbara de reconduire le docteur. (...)

Avec l'aide d'Aldegonde, appelée à la rescousse, les femmes rendirent au chaos les apparences de l'ordre. Les draps salis du sang et des excréments de la naissance furent roulés en boule et portés dans la buanderie. Les visqueux et sacrés appendices de toute nativité, dont chaque adulte a quelque peine à s'imaginer avoir été pourvu, finirent incinérés dans les braises de la cuisine. On lava la nouvelle-née : c'était une robuste petite fille au crâne couvert d'un duvet noir pareil au pelage d'une souris [2]. »

Après une courte amélioration, l'état de santé de Fernande se dégrada, et en dépit des soins d'un nouveau médecin, elle mourut, le 18 juin dans la soirée, d'une fièvre puerpérale et d'une péritonite. Sa mort fut probablement déclarée le lendemain, puisque c'est la date du 19 juin qui figure sur son « Souvenir pieux », ces plaques commémoratives ornées de fleurs ou de médaillons que l'on pose sur les tombes. En ces quelques jours, quand elle comprit qu'elle ne survivrait pas, Fernande eut le temps de faire une recommandation à son époux en présence de sa sœur, Mademoiselle Jeanne – « la tante infirme » dont parlera souvent Marguerite –, et de la gouvernante allemande, toujours désignée comme « la Fraülein », mais à laquelle pourtant la petite fille juste née devait son prénom (elle s'appelait Margareta) : « Si la petite a jamais envie de se faire religieuse, qu'on ne l'en empêche pas. » « Monsieur de C. ne me transmit jamais ce propos et Jeanne eut la discrétion de le taire [3] », commente Marguerite Yourcenar qui ajoute : « Il n'en fut pas de même de la Fraülein. Chaque fois que j'allais passer quelques jours chez celle qui était pour moi la tante Jeanne, Mademoiselle Fraülein me rabâchait ces dernières paroles maternelles, ce qui me rendit insupportable la pauvre vieille Allemande dont m'irritaient déjà les câlineries et les taquineries bruyantes. Dès cet âge de sept ou huit ans, il me semblait que cette mère dont je ne savais presque rien, dont mon père ne m'avait jamais montré l'image (Mademoiselle Jeanne avait d'elle une photographie parmi d'autres placées sur le piano, mais ne prit guère la peine de me le faire remarquer), empiétait indûment sur ma vie et ma liberté à moi, en essayant ainsi de me pousser par trop visiblement dans une direction quelconque. Le couvent, certes, me tentait fort peu, mais j'eusse sans doute été aussi rétive si j'avais su qu'à son lit de mort elle avait envisagé mon futur mariage, ou désigné l'institution où j'aurais à être élevée. De quoi se mêlaient tous ces gens-là ? J'avais l'imperceptible recul du chien qui détourne le cou quand on lui présente un collier [4]. »

Les photos de Fernande sur son lit de mort, que Marguerite n'a vues qu'adulte (elle a toujours affirmé n'avoir vu aucun portrait de sa mère avant l'âge de trente-cinq ans), la montre le ventre déformé par l'infection, aussi gonflé que si elle n'avait pas encore accouché. Monsieur de Crayencour se retrouvait veuf pour la seconde fois en quatre ans. Et, d'après ce que l'on peut supposer de la mort de sa première épouse, Berthe, et de la sœur de celle-ci, Gabrielle, morts dues probablement à des manœuvres abortives, deux fois veuf pour des raisons liées à la procréation. « J'ai dit ailleurs que la mort de Berthe secoua Michel sans l'avoir navré, précise Marguerite Yourcenar. Après avoir réexaminé de près le peu que je sais des faits, je le suppose au moins bouleversé. En tout cas, il semble revenu au Mont-Noir avec l'intention de s'y fixer pour de bon, ce qui paraît chez lui l'aveu d'une défaite [5]. »

Berthe était une femme qui aimait le risque. Son fils, lui, pense qu'elle était surtout soumise à son mari, encore que le style même de sa narration laisse soupçonner que l'imagerie convenue prévaut ici sur la réalité : « J'avais alors quatorze ans, et je pus goûter toute l'amertume de mon malheur. Je perdais une mère douce et bonne qui me chérissait tendrement..., raconte Michel-Fernand-Joseph. Que de fois j'ai vu de grosses larmes perler au bord de ses grands yeux noirs alors qu'elle me quittait pour suivre les incessantes pérégrinations de mon père... Au revoir mon petit homme, me disait-elle en étranglant un sanglot [6]. »

Marguerite Yourcenar, au contraire, l'imagine et la recrée fantasque comme son époux. Les faits ne la démentent pas. Aventureuse, excellente cavalière, elle avait suivi Monsieur de Crayencour à travers l'Europe et n'avait pas hésité, un jour de ruine, à se faire engager avec lui dans un cirque pour y gagner de quoi conti-

nuer la route. « A Vienne les trois voyageurs [Michel,
Berthe et Gabrielle] sont de nouveau à court, écrit
Marguerite Yourcenar. A en croire Michel, ce fut cette
dèche qui les décida à reprendre la route de l'Occident
dans le sillage d'un cirque, où ils font un numéro de
haute école et donnent un coup de main pour l'entretien des chevaux. Je suppose plutôt que l'attrait de la
sciure de bois, des loges de velours rouge, des alezans
qui tournent la queue aux flonflons cuivrés de
l'orchestre, l'odeur de sueur et de fauve y fut pour
quelque chose. Renoir, Degas et Manet les ont aimés
comme eux [7]. »

En revanche, « la pauvre Fernande » comme la
désigne parfois sa fille, douce et un peu craintive, se
protégeait, se surveillait. Elle aimait le voyage plus
pour le rêve que pour l'aventure : « le style un peu fade
de ces rêvasseries, relève Marguerite Yourcenar,
n'empêche pas qu'elles ne contiennent l'essentiel : le
besoin d'aimer, que Fernande ennuage de littérature,
et le besoin de jouir, qu'elle ne s'avoue pas [8] ».

Marguerite Yourcenar a évoqué, à la fois dans *Souvenirs pieux* et dans *Archives du Nord*, ce qui avait pu
conduire Michel de Crayencour à épouser le
8 novembre 1900, à quarante-sept ans, la jeune Fernande âgée de vingt-huit ans, et pourvue d'une « tendre
sollicitude pour un homme qui a passé par des
épreuves qu'elle n'ignore pas [9] ». Ce qui ne signifie pas
qu'elle les comprenne. Et elle résumera ainsi leurs
trois années de vie commune :

> « Il y a quelque chose d'émouvant dans
> ces consolations et ces promesses faites par
> un fragile être humain à un autre, mal cica-
> trisé. Les promesses furent tenues autant
> qu'il était en Fernande de les tenir. L'avenir
> (...) dura un peu plus de trois ans (...) Trois

39

ans d'une valse lente à travers l'Europe, qui était cette fois celle des musées, des parcs royaux, des sentiers de forêt et de montagne; trois ans de conversation et de lecture, d'amour aussi, et d'un bonheur traversé certes çà et là de malentendus et de disputes entre cet homme vite impatient et cette femme vite blessée. Mais bonheur quand même, puisque Michel, au revers de l'image mortuaire de la jeune femme, faisait écrire qu'au lieu de pleurer parce qu'elle n'était plus, il fallait se féliciter de ce qu'elle eût été. Il ajoutait, ce qui est un douteux éloge, qu'elle " avait essayé de faire de son mieux ". (...) Le passé avait été, sinon aboli, du moins momentanément effacé. Ce n'est pas rien que trois ans de presque bonheur au côté d'une jeune femme différente, dans un éclairage changé, dans une intimité que semble emplir une musique de Schumann, pour un homme de quarante-six ans *[sic]* qui a beaucoup et violemment vécu [10]. »

Ce « presque bonheur », bien qu'il ne fût pas né d'une passion réciproque, ou justement parce qu'il n'était pas né d'une telle passion, aurait pu durer des années si la fragile Fernande n'avait pas été victime de ce qu'elle redoutait par-dessus tout : mourir en couches.

Monsieur de Crayencour, lui, ne savait pas ce qui l'emportait, du chagrin, de l'embarras ou de la lassitude quand il revint au Mont-Noir à la fin de juillet, avec la petite Marguerite et la garde Azélie. « Un monsieur tout en noir, dans lequel les porteurs et le contrôleur reconnaissent sans peine Monsieur de C., descend d'un train à Lille et prend le tortillard pour Bailleul où l'attendent les chevaux de Madame Noémi et leur cocher, Achille, écrira Marguerite Yourcenar. Monsieur de C. tient en laisse un chien basset, Trier, relique de Fernande qui l'a acheté en Allemagne durant le voyage de fiançailles. Derrière lui, objets de sa sollicitude, marchent deux dames en noir elles aussi, que l'œil des employés de la petite gare reconnaît bientôt pour des personnes de service. L'une est Barbe, ou Barbra, comme je l'appellerai plus tard (...). L'autre est la garde, Madame Azélie (...). Madame Azélie porte dans ses bras la petite couchée sur un oreiller recouvert d'une taie blanche ; pour plus de sûreté, la nourrissonne y est ligotée par de grands nœuds de satin [11]. »

La perspective de devoir à la fois supporter sa mère, Noémi, et veiller sur cette enfant à laquelle il devait assistance n'était pas pour réconforter Michel. Surtout dans ce « château », qu'il ne parvenait pas à aimer, en dépit du charme campagnard du lieu. « Le " château " où j'ai passé la belle saison, racontera plus tard Marguerite Yourcenar, de 1903, année de ma naissance, à 1912, était une gentilhommière en briques, construite à grand renfort de tourelles, dans ce style Louis XIII qu'affectionna l'époque romantique. La date de 1824 était gravée sur sa façade (...) Si les bâtiments étaient quelconques, la vue de la terrasse était très belle et très beaux aussi les grands pâturages en pente et les bois [12]. » Selon Georges de Crayencour, le château du Mont-Noir fut construit en 1815 par Charles-Augustin Cleenewerck. C'est sur les instances de l'épouse de ce dernier que le patronyme de Crayencour fut adjoint officiellement au nom de famille, à la suite d'un jugement du tribunal de Hazebrouck le 19 juin 1858 [13]. Ce nom, comme il est d'usage, était celui d'une terre appartenant à la famille Cleenewerck.

Dans une des premières lettres qu'elle adressa à son demi-neveu Georges de Crayencour, à Noël 1966, Marguerite évoque ce Mont-Noir restitué beaucoup plus tard dans *Quoi ? L'Éternité* [14]. La légende prêtait au lieu un invraisemblable défilé de pièces :

41

« Le Mont-Noir aurait eu cent chambres (comme l'antique Thèbes avait cent portes!). J'y ai parfois repensé depuis et n'ai jamais pu en retrouver plus d'une trentaine. En trichant un peu et en ajoutant la petite maison du concierge, qui existe encore, l'écurie, devenue plus tard garage, et la buanderie où je lavais tous les samedis mon gros mouton, on arriverait à une quarantaine de chambres tout au plus. Ainsi grandissent les légendes. (...)

Il y aurait aussi beaucoup à dire sur les personnes qui ont vécu sous ce toit », poursuit Marguerite à l'adresse de son demi-neveu; « depuis votre redoutable arrière-grand-mère – " Madame Cleenewerck " – comme votre grand-père aimait à l'appeler, jusqu'aux domestiques, le cocher Achille, le jardinier Hector, la cuisinière Julienne, la Grosse Madeleine et la Petite Madeleine, et le maître d'hôtel-valet de chambre Joseph qui buvait les fonds de bouteilles en chantant des chansons alors à la mode, ou qui avaient été à la mode dix ans plus tôt (" L'brave général Boulanger "). Tous ces gens-là et quelques autres encore vivaient dans les sous-sols, la grande cuisine toute noire où brillaient des cuivres, la laiterie avec ses pots de grès pleins de beurre salé, et la " salle des gens " avec sa grande table ronde située juste en dessous de la salle à manger des maîtres, et plus gaie que celle-ci.

Voilà pour une partie au moins du décor, que j'ai enregistré avec des yeux de toute petite fille, un peu avant l'époque où votre mère est la première fois venue au Mont-Noir. La plupart des gens qui parlent du passé le font soit sur un ton de plaisanterie et de supériorité, comme pour s'excuser d'avoir connu un état de choses si

42

" suranné ", soit nostalgiquement et en voyant tout en beau. Les deux attitudes sont erronées : il y avait à prendre et à laisser dans cette vie au Mont-Noir, comme partout ailleurs.

... Le reste est pour le livre que j'écrirai peut-être un jour [15]... »

Noémi (« Madame Cleenewerck ») n'aimait que celui qu'on continuait de nommer « le petit Michel » bien qu'il fût un grand jeune homme – le demi-frère de Marguerite, qu'elle désignera toujours comme Michel-Joseph [16]. « La maîtresse du lieu née Noëmi Dufresne, d'une haute famille bourgeoise de Lille, assez affolée par les extravagances financières et les gaspillages de son fils (elle eut encore deux filles mortes toutes deux tragiquement), y réunit bientôt un conseil de famille qu'elle présidait éclairée de ses notaires (...) pour tenter de sauvegarder la part destinée à son petit-fils unique Michel, Fernand. Ces précautions n'eurent, semble-t-il, guère d'effet; Noëmi mourut le 16 avril 1909. Quelles dispositions avait-elle pu bien ou mal prendre? Les a-t-on respectées [17]? »

Georges de Crayencour, le fils du « petit Michel », dit aujourd'hui que sa demi-tante, Marguerite Yourcenar, a fait de Noémi un portrait-charge, « injuste et excessivement noir ». De fait, Marguerite n'est pas tendre pour Noémi : « Et penchons-nous maintenant sur cet abîme mesquin : Noémi, écrira-t-elle dans *Archives du Nord*. Je ne l'ai connue qu'octogénaire, tassée et alourdie par l'âge, allant et venant dans les corridors du Mont-Noir, comme, dans un récit de Walter de la Mare, l'inoubliable tante de Seaton rôde dans sa maison vide, devenue aux yeux des enfants qui la regardent l'épaisse incarnation de la Mort, ou, pis encore, du Mal. Mais le prosaïsme de Noémi ne favorisait pas les épouvantements. (...) Cette vieille femme qui avait toute sa vie craint la mort finit seule au Mont-Noir d'un arrêt du cœur. " Du cœur? " s'écria un voisin de campagne facétieux. " Elle ne s'en était pourtant pas beaucoup servi. " [18]. »

Marguerite Yourcenar a instinctivement – et volontairement aussi sans doute – repris à son compte l'animosité de son père contre cette mère qui, disait-il, ne l'avait jamais aimé. A cela s'ajoute tout ce qu'elle a senti elle-même du déplaisir de Noémi à l'avoir pour petite-fille, et plus encore à la voir séjourner au Mont-Noir. A en croire Marguerite Yourcenar, Noémi « sait à peine qu'elle mourra; elle sait que ses parents décéderont et qu'elle héritera d'eux (...) On ne lui a pas dit que les choses méritent d'être aimées pour elles-mêmes, indépendamment de nous, leurs incertains possesseurs. (...) Elle est vertueuse au sens ignoblement étroit qu'on donne à ce mot, à l'époque, quand on l'emploie au féminin, comme si la vertu pour la femme ne concernait qu'une fente du corps. Monsieur de C. ne sera pas un mari trompé. Est-elle chaste? Seuls ses draps pourraient nous répondre. Il se peut que cette robuste épouse ait eu des sens fougueux, que Michel-Charles savait contenter, ou, au contraire (je penche pour cette alternative, car aucune femme comblée n'est acariâtre), qu'une certaine pauvreté de tempérament, un manque de curiosité ou d'imagination, ou les conseils qu'Alexandrine-Joséphine a dû lui donner, l'ont détournée des plaisirs " illicites ", et même des plaisirs permis [19] ». A lire ces lignes, on ne s'étonne pas que Marguerite se soit sentie peu attirée par ce genre de « vertu »-là et qu'elle ait, beaucoup plus tard, préféré s'approprier le mot en lui donnant un sens moins conventionnel et plus romain.

Monsieur de Crayencour, ennuyé de l'inévitable cohabitation, fût-elle provisoire, avec sa mère, encombré de ce bébé que Noémi ne voulait pas même voir, imaginait difficilement son avenir. Il ne se doutait certainement pas alors qu'il allait un jour s'intéresser à sa fille, qu'elle lui redonnerait le goût de l'étude et de la littérature, et que commençait là, au Mont-Noir, le parcours singulier d'une femme exceptionnelle. Il n'aurait osé rêver que Marguerite suivît sa pente à lui, au moins pour ce qui était du nomadisme – « on n'est bien qu'ailleurs » – et de la liberté solitaire. Et pourtant elle le fit, y ajoutant, certes, une forme de conjugalité et une obstination au travail qu'il eût prise, peut-être, pour un acharnement excessif. Monsieur de Crayencour avait fait de la dissipation un art. Sa fille saurait que pour laisser une œuvre littéraire – ce qui devait être très vite son unique préoccupation véritable – il fallait se contraindre, ou du moins accepter de se faire contraindre.

Sur les années d'enfance de Marguerite, nous n'avons guère que son propre témoignage, particulièrement dans *Quoi? L'Éternité*, le dernier volume de sa trilogie familiale. D'abord à cause de l'âge auquel elle est morte – quatre-vingt-quatre ans – ce qui exclut l'abondance de témoins; ensuite parce qu'elle a vécu seule avec son père, qu'ils ont beaucoup déménagé, beaucoup voyagé, et qu'elle n'est jamais allée à l'école, recevant seulement l'enseignement de professeurs particuliers. Il n'existe donc aucun de ces carnets de notes qui, témoignant d'un goût précoce pour la littérature ou l'histoire, donnent le sentiment rassurant de causalités retrouvées, aucun de ces condisciples si précieux pour les biographes, si prolixes en petits détails, plus ou moins enjolivés ou noircis avec le temps, mais qui permettent tout de même de brosser le portrait d'un enfant lors de sa première expérience sociale. Elle-même « a cru longtemps avoir peu de souvenirs d'enfance ». « J'entends par là ceux d'avant la septième année, écrit-elle dans *Quoi? L'Éternité*. Mais je me trompais : j'imagine plutôt ne leur avoir guère jusqu'ici laissé l'occasion de remonter jusqu'à moi [20]. »

En tentant de remonter le cours de cette première et lointaine mémoire, Marguerite Yourcenar se souvient de ces prairies fleuries du début du siècle, dont nous avons désormais la nostalgie. « Une gerbe de coqueli-cots, trois bleuets égarés nous émeuvent, confiait-elle à la fin de sa vie, alors qu'en ce temps-là c'était un foi-sonnement, une inondation de couleur comme dans ce tableau de Monet où une femme est perdue dans les coquelicots. »

Elle se rappelle aussi les animaux, la chèvre dont Michel, son père, avait doré les cornes, le mouton, et le basset Trier, le chien que Fernande avait choisi, qui avait voyagé avec les jeunes mariés pendant leur courte vie conjugale, et qui, au Mont-Noir, veillait le berceau du bébé sans mère. Elle retrouve moins bien dans sa mémoire les objets et les jouets, sauf peut-être un banal poupon, que, comme tous les enfants, elle préférait aux « jouets de riches » : « Tout un hiver, une poupée de dix sous, un bébé articulé en celluloïd m'apprit la maternité. Hasard ou présage, je l'appelai André, nom qu'allaient porter deux hommes qui me furent chers, sans que mes émotions à leur égard eussent rien de maternel [21]. »

Toutefois, comme il ne faut pas oublier que Margue-rite Yourcenar ne s'est jamais vraiment intéressée à sa vie personnelle que pour la reconstruire et en faire un objet littéraire, la plus grande prudence s'impose face aux « informations » contenues dans sa trilogie familiale. De plus, quand Marguerite Yourcenar évoquait *Quoi? L'Éternité*, elle disait « mon roman ». Une manière de prévenir ceux qui n'en auraient pas déjà été certains que le témoignage brut, le « vécu », n'étaient en rien son propos. La plupart des personnages dont elle fait le portrait dans *Quoi? L'Éternité* l'ont sans doute séduite, intéressée, voire fascinée dans l'enfance. Encore que, selon elle, l'intérêt des enfants pour les adultes soit quasi inexistant.

> « Cette indifférence totale [des enfants] à certains faits, cette ardeur passionnée dans d'autres occurrences seraient plus banales qu'on n'imagine si l'on acceptait davantage chez l'enfant la présence obscure d'une personnalité adulte, et d'une conscience déjà individualisée, avant la mise au pas due aux consignes et à l'abêtissement dû aux modes. Je lutte ici, presque désespérément, non seulement pour n'évoquer que des souvenirs sortis tout entiers de moi, mais encore pour éviter toute image douceâtre de l'enfance, tantôt faussement attendrie, agaçante comme un mal de dents, tantôt gentiment condescendante. L'enfant, d'instinct, ne communique pas avec l'adulte ; très vite, ce que lui disent les grandes personnes lui semble faux, ou du moins sans importance [22]. »

Les personnes qui ont accompagné ou croisé son enfance n'ont été vraiment aimées par Marguerite Yourcenar que quand elle en a fait des personnages, des figures à mi-chemin entre le réel et la fiction – avant même de leur assigner une place dans son univers littéraire –, puis quand elle a commencé à les décrire, à les écrire. Elle l'a souvent dit, y insistant à propos de son père, alors que c'est probablement celui pour lequel c'est le moins vrai, profondément, tant elle a partagé avec lui ses années de formation. Il ne faut pas, pourtant, surévaluer l'importance de ce père, comme on le fait trop souvent, disant qu'il a été « l'homme de sa vie ». Pour les amateurs de clichés psychanalytiques, il est nécessaire qu'un homme lui ait « caché » tous les autres pour qu'elle ait décidé de vivre avec une femme...

Il est clair que pendant des années les personnages des livres qu'elle écrivait, Hadrien ou Zénon, ont recouvert, pour Marguerite Yourcenar, le souvenir de Monsieur de Crayencour. Il lui est redevenu présent quand elle en a fait un héros d'*Archives du Nord*.

Il serait également sage de se garder de faire de Monsieur de Crayencour un « nouveau père » avant la lettre, portant une attention passionnée au nouveau-né, puis aux progrès de la petite fille, bien que cette image soit confortée par la légende familiale, comme la rapporte Georges de Crayencour : « Le père de la petite Marguerite, Dieu sait pourquoi, lui pressentait toutes les qualités. En homme intelligent, éclectique et riche, il semble avoir voulu se consoler de ses grandes tristesses, ou en tout cas de ce qu'on peut normalement lui prêter comme telles, en se vouant à l'éveil intellectuel de sa fillette devenue pour lui le centre du monde. Une de ses nièces par alliance, une tante à moi, femme brillante, bonne et indépendante, ajoutait qu'il était d'une grande bonté foncière et aveuglément généreux. Ils vécurent, sa fille et lui, comme dans une sorte de passion, " les yeux dans les yeux ", s'inquiétant des moindres moments de présence ou d'absence. Son fils du premier lit était trop différent de lui et, supposait-il, d'elle [23]. »

Cette vision idyllique est largement tempérée par Marguerite Yourcenar elle-même : quand elle n'est

48

encore qu'une fillette de trois ans, Monsieur de Crayencour en a cinquante-trois et il n'entend pas que le mode de vie qu'il s'est choisi soit bouleversé par cette enfant. La jugeant « robuste » – comme le souligne à de nombreuses reprises Marguerite Yourcenar (elle qui dira plus tard avoir toujours été de santé fragile...) –, il l'emmène avec lui dans le midi de la France, où il aime à séjourner en hiver, à cause du climat et des casinos. Mais là, comme au Mont-Noir ou dans « le bel hôtel » de la famille, 26 rue Marais à Lille, où l'enfant et lui passent les hivers de 1903 et 1904, il voit peu Marguerite, la laissant aux mains du personnel compétent. « Michel ne change pas vraiment de vie pour l'enfant. Je ne dis pas qu'il lui fasse beaucoup de sacrifices, néanmoins il rentre le soir un peu plus tôt que si elle n'était pas là », écrit Marguerite Yourcenar dans des documents préparatoires à ce qui deviendra *Quoi? L'Éternité*[24].

L'un des rares témoins encore vivants de la petite enfance de Marguerite, le baron Egon de Vietinghoff – dont la famille tient une place importante dans la vie, ou au moins dans l'univers mental de Marguerite Yourcenar –, est peintre. Il n'a donc pas l'habitude, lui, de tout recomposer par le langage. Aussi sa mémoire est-elle beaucoup plus lacunaire que celle de sa première compagne de jeux, en 1905 et 1906, sur la superbe plage hollandaise de Scheveningen. « Nous avons passé un été ensemble, peut-être deux, mais j'ai le souvenir clair d'un seul », dit celui que Marguerite désignera plus tard comme « my first boy friend » ou comme « le fils d'Alexis » – son père étant l'un des modèles du héros du premier roman de Marguerite Yourcenar, *Alexis ou le Traité du vain combat*.

Egon et sa famille sont au cœur de l'œuvre de Marguerite Yourcenar, mais elle a semé à plaisir la confusion, ne se contentant pas de dissimuler leur patronyme, ce qui était de rigueur au moins pour les ouvrages de pure fiction, mais échangeant même les prénoms et désignant le père par le prénom de son fils. Le baron Egon de Vietinghoff est le fils de Conrad de Vietinghoff, un musicien, et de son épouse Jeanne, qui sera, selon Marguerite, le grand amour de la vie de son père, et deviendra pour elle comme une mère rêvée. Conrad de Vietinghoff est nommé Egon dans *Quoi? L'Éternité* (alors que Egon, son fils, devient Clément). Jeanne, l'un des personnages essentiels du livre, s'y nomme Madame de Reval, mais apparaît avec son véritable prénom. Toutefois, elle était déjà présente dans *Souvenirs pieux* et *Archives du Nord* sous celui de Monique. Une seule fois, elle apparaît totalement sous sa véritable identité, dans un texte de 1929, intitulé « En mémoire de Diotime : Jeanne de Vietinghoff », et repris dans le recueil d'essais *Le Temps, ce grand sculpteur* [25].

Jeanne, la mère d'Egon, et Fernande, la mère de Marguerite, s'étaient rencontrées au pensionnat des Dames du Sacré-Cœur à Bruxelles. Fernande avait été subjuguée par cette jeune baronne hollandaise que sa mère envoyait dans un pensionnat francophone pour y parfaire sa connaissance de la langue. Dès l'arrivée de Jeanne, les très brillants résultats scolaires de Fernande se dégradèrent. Sa gouvernante, la Fraülein, « y voyait l'effet d'un engouement, ce qui revient à dire d'un amour [26] », commente Marguerite Yourcenar. Les relations entre Jeanne et Fernande ont beaucoup intéressé Marguerite Yourcenar, au cours de sa recherche sur ses origines familiales. « Je sais que je serai accusée d'omission ou de sous-entendus, si je laisse de côté la part de sensualité qui a pu se mêler à cet amour, précise-t-elle dans *Souvenirs pieux*. Mais la question en

elle-même est oiseuse : toutes nos passions sont sensuelles. On peut tout au plus se demander jusqu'à quel
point cette sensualité a passé aux actes. (...) L'intimité
sensuelle entre deux personnes du même sexe fait trop
partie du comportement de l'espèce pour avoir été
exclue des pensionnats les plus collet monté d'autrefois. (...) La sensualité n'est pas présentée comme coupable, elle est vaguement sentie comme malpropre,
incompatible en tout cas avec la bonne éducation. Il
n'est pourtant pas exclu que deux adolescentes passionnées, passant outre, sciemment ou non, à ces arguments si forts sur des natures féminines, aient découvert dans un baiser, dans une caresse à peine
esquissée, moins plausiblement dans le rapprochement complet des corps, la volupté, ou du moins le
présage de celle-ci. Ce n'est pas impossible, mais c'est
incertain [27] (...). »

Elle y revient dans *Quoi ? L'Éternité* : « Des lèvres
édentées d'anciennes gouvernantes ont longtemps
susurré qu'une amitié particulière existait entre les
deux élèves. Ce fut en tout cas une intimité caressante
et chaude. C'est l'un des miracles de la jeunesse que de
redécouvrir sans modèles, sans confidences chucho-
tées, sans lectures interdites, du fait d'une profonde
connaissance charnelle qui est en nous tous tant qu'on
ne nous a pas appris à la craindre ou à la nier, tous les
secrets que l'érotisme croit posséder et dont il ne possède le plus souvent qu'une contrefaçon. Mais les
bavardages des vieilles Fraülein sont trop peu comme
preuve d'une pareille illumination des sens : nous ne
saurons jamais si Jeanne et Fernande la connurent ou
même l'entrevirent ensemble [28]. »

En toute hypothèse, la nature des relations adolescentes de Jeanne et Fernande n'a d'intérêt qu'anecdotique, et l'interrogation de Marguerite Yourcenar à

son propos vaut surtout pour ce qu'elle y dit d'un érotisme premier, naturel, insoucieux des sexes et des
normes, et parce que cette réflexion lui vient au sujet
de celles qui furent ses « mères », l'une réelle, l'autre
rêvée.

Quoi qu'il en soit donc, Jeanne et Fernande s'étaient
promis assistance mutuelle et juré que si l'une venait à
disparaître prématurément, l'autre veillerait sur ses
enfants. Ainsi, lorsque Jeanne apprit, en 1905 seulement, la mort de Fernande, elle écrivit immédiatement
à Monsieur de Crayencour :

> « Monsieur, je ne vous écris qu'en trem-
> blant.
> Je n'ai appris que tout récemment la mort
> de Fernande, qui fut l'une de mes meilleures
> amies. Vous vous souvenez sans doute à
> peine de moi : j'étais demoiselle d'honneur à
> votre mariage, et ne vous ai rencontré que
> ce jour-là.
> Je me suis mariée à mon tour peu de mois
> plus tard, à Dresde, avec un Balte, et comme
> tel sujet russe. Nous avons vécu environ
> deux ans en Courlande, où réside sa famille,
> puis à Saint-Pétersbourg, ensuite en Alle-
> magne. Le faire-part, s'il m'a été adressé, ne
> m'est jamais parvenu. C'est seulement à mon
> retour en Hollande que j'ai appris de ma
> mère les circonstances de la mort de Fer-
> nande, et le fait qu'elle vous a laissé une
> petite fille. Quand Fernande m'a écrit pour
> m'apprendre qu'elle était enceinte, je l'étais
> moi-même. Nous nous sommes promis réci-
> proquement, au cas où un accident nous
> arriverait, de veiller sur nos enfants. Il serait
> vain et prétentieux de me proposer de tenir
> auprès de la petite la place d'une mère ; je le
> sens mieux que jamais, maintenant que j'ai
> moi-même deux fils. Mais je puis peut-être

vous aider un peu, quand vous le voudrez, dans cette tâche, si lourde pour un veuf, d'élever un enfant.

Vous savez peut-être que ma mère possède, dans les bois de Scheveningue [29], une grande maison où nous passons la belle saison. Un pavillon dans le jardin est destiné aux invités; il est maintenant presque toujours vide, ma mère invitant peu. Ce serait une joie pour elle et pour moi si vous consentiez à l'habiter une part de l'été avec la petite et la personne qui s'occupe d'elle. Vous seriez dans un milieu ami, et l'enfant profiterait du bon air marin. Mon mari, d'accord avec moi en tout, en serait heureux lui aussi. Il est très occupé par sa carrière de musicien, et vous prie de l'excuser d'avance d'être souvent absent [30]. »

« C'est ainsi que nous nous sommes retrouvés, elle et moi, deux bambins du même âge, sur la plage de Scheveningen, se souvient Egon de Vietinghoff [31]. Il m'en reste quelques traces photographiques. Je lui fais le baisemain. Je me souviens qu'elle n'était pas timide, pas farouche, et si je me suis aventuré à lui faire le baise main, c'est probablement qu'elle m'avait montré de l'intérêt et de la sympathie, comme savent le faire les enfants entre eux. Nous avons été plus des compagnons de jeux provisoires, le temps d'un ou deux étés, que de véritables amis d'enfance. Pourtant, étrangement, quelque chose de très fort était demeuré entre nous. Nous l'avons constaté dans notre vieillesse.

« Je n'ai compris que bien plus tard que Marguerite était très liée à ma mère, même si elles se sont peu vues. J'ai alors appris qu'elle avait revu ma mère à la fin de sa vie. Ma mère ne m'a pas beaucoup parlé d'elle, et pas à ce moment-là. J'étais en France et j'avais de nombreuses préoccupations. J'étais alors marié à quelqu'un que ma mère n'aurait pas choisi. Elle aurait certainement préféré Marguerite. Je ne crois pas que ma mère ait su quelle importance elle avait prise dans la vie de Marguerite. Elle était très modeste et ne faisait pas de cas de l'influence qu'elle pouvait avoir. Elle a écrit quelques livres, mais elle était beaucoup plus exceptionnelle que ces petits ouvrages. Elle avait aussi une force d'âme extraordinaire. Elle est morte d'un cancer du foie, quand nous avions, Marguerite comme moi, à peine plus de vingt ans. Je crois que c'était en 1925, mais je ne sais plus très bien tout cela.

« En dépit du pseudonyme, dès les premiers livres de Marguerite Yourcenar, j'ai compris, ma mère m'ayant dit que Marguerite voulait devenir écrivain, qu'elle était la petite fille que j'avais connue. En outre, mon frère se nommait Alexis, titre de son premier roman, qui est peut-être, mais je ne peux l'affirmer, une partie de l'histoire de mon père. Il se peut que, comme Marguerite le pensait, il y ait eu entre son père – dont je ne me souviens absolument pas – et ma mère une histoire d'amour. Mais je ne possède aucun élément me permettant de porter un jugement.

« J'ai suivi la carrière de Marguerite, devenue Yourcenar, par ses livres, mais je ne me suis pas manifesté auprès d'elle. Je ne saurais dire pourquoi. Je ne lui ai écrit, poussé par mon fils, que lorsque j'ai eu soixante-dix ans. J'ai découvert alors que je me sentais proche d'elle. Je lui écrivais des lettres assez intimes, presque amoureuses. Elle, dans ses réponses, ne s'engageait jamais. Pour moi, elle était " Marguerite Soror ". Du reste *Anna, soror...* est l'un de ses livres que je préfère. Elle, elle ne disait rien de sa vie. Elle ne m'a jamais parlé de Grace Frick et j'ignorais qu'elle vivait avec une femme. Quand nous nous sommes revus, en 1983, nous avions quatre-vingts ans. Je lui ai dit que nous aurions mieux fait de nous marier. Elle en a ri. Et au fond, elle avait raison. Autoritaire comme je l'ai vue, ça n'aurait pas marché. »

Marguerite Yourcenar évoque cette conversation dans *Quoi? L'Éternité*, et, répondant à son ami et traducteur Walter Kaiser qui émettait alors l'hypothèse qu'elle soit la sœur d'Egon, « non (...) les dates sont contre », conclut : « Ainsi (...) nous nous efforçons aujourd'hui de donner un sens à ce qui n'en a pas, d'expliquer, s'il se peut, ce lien très mince et pourtant magique entre deux êtres qui n'ont fait que se frôler au commencement de la vie [32]. »

Ce « commencement de la vie », pour elle et pour le petit Egon, ce sont, d'après Marguerite Yourcenar, les années où se vit l'amour entre Jeanne et Monsieur de Crayencour. Egon, lui, affirme n'avoir rien remarqué et se contente d'un laconique « c'est bien possible ». Aurait-il voulu oublier ce qui peut-être a troublé son enfance, cet homme qui s'intéressait trop à sa mère ? Il ne le pense pas, affirmant seulement que « la mémoire ne [lui] en est pas restée ». Marguerite Yourcenar, qui avait parlé à Egon de cette période pour nourrir son récit de *Quoi? L'Éternité*, se plaignait de la « mauvaise mémoire » de son ami d'enfance et se demandait s'il ne voulait pas, tout simplement, lui cacher ce qu'il pensait. Elle oubliait seulement qu'Egon n'avait pas, lui, passé une partie de son existence à réinventer cette histoire.

Pour recréer le commencement de sa propre vie, Marguerite Yourcenar aime à décrire des photos. Elle le fait dans ses trois livres « familiaux », notamment *Quoi? L'Éternité*. Toutefois, elle n'a pas gardé dans son manuscrit définitif – et on peut le regretter – un assez beau passage de ses notes préparatoires, sur les photos et la mémoire : « Encore Hadrien et Zénon sont-ils vus à travers des structures bien définies, l'assemblage d'os et de chair ; d'actes et de mémoires qu'ils ont eus ou que je leur ai donnés. Je dessine moins bien les miennes. Ici, il est trop tôt pour parler de mémoire. L'exact souvenir des choses n'émergera d'immenses oublis que vers la treizième année. En revanche, je possède des photos. Voyons ce qu'elles m'apprennent.

« J'aperçois une petite créature humaine de quelques mois, vautrée nue sur une peau de mouton, et dont la hideuse couche empêche de désigner le sexe avec certitude. L'enfant est bien portant, de race blanche comme on dit. »

Elle décrit ensuite une photo où elle est assise dans un fauteuil, habillée d'une robe en broderie anglaise, et qu'elle place vers 1906 : « les yeux bleus grands ouverts que ne recouvrent pas en partie les paupières comme elles le feront trois quarts de siècle plus tard – des paupières trop longtemps gonflées par le reflet des allergies et des sinusites, donnant ainsi au visage vieilli je ne sais quel air vaguement asiatique ». Suit une observation minutieuse de la photographie sur laquelle on voit la main droite de la petite fille volontaire, obstinée, crispée sur une vieille poupée, une sorte de pantin en assez mauvais état. « Quand on pense à ce qu'elle a dû laisser passer pour le garder avec elle (parents, photographes), commente Marguerite Yourcenar, j'admire la fidélité de la petite bonne femme un peu farouche à son clown. » « Au cours de la fête qui me fut offerte l'an dernier au Mont-Noir, ajoute-t-elle (elle écrit cela en 1981, la fête ayant eu lieu à la fin de 1980), quelqu'un eut la gracieuse idée de me faire offrir des fleurs par une fillette d'environ quatre ans... Ne tombons pas dans le chromo sentimental. »

Suit, dans ces travaux préparatoires à *Quoi? L'Éternité*, une phrase inachevée : « puisqu'il [ce petit bout de vie] est par malheur venu au monde – cette envie de Fernande a coûté cher à la pauvre femme [33] ». Une fois de plus, on constate que, pour Marguerite Yourcenar, aucun discours sur Fernande ne peut aboutir.

On a tant entendu Marguerite Yourcenar affirmer, au grand scandale de certains, que sa mère ne lui avait jamais manqué, qu'on l'imaginait mal donnant des détails sur ses sentiments d'enfant sans mère. « Je crois que le manque a été absolument nul, insistait-elle en 1979 en réponse à une question de Bernard Pivot. Car enfin, il est impossible, à moins d'avoir un caractère extrêmement romanesque, de s'éprendre, de s'émouvoir d'une personne qu'on n'a jamais vue [34]. » Fernande ne lui manquait sans doute pas puisqu'elle n'avait jamais été là et que Monsieur de Crayencour n'avait entretenu aucun sentimentalisme sur cette absence. Certes, comme elle le répétait volontiers dans sa vieillesse, la vie est « toujours beaucoup plus fuyante, beaucoup plus fluide qu'on ne veut bien le dire après, lorsque l'on reconstruit par la mémoire [35] ». Mais, précisément, Marguerite Yourcenar, reconstituant son enfance, avait pu mesurer à quel point une mère – de la classe sociale et de la génération de Fernande – aurait pu être une entrave, un obstacle de plus à surmonter pour imposer sa liberté. Et elle n'était prête à aucune concession sur le prétendu « manque de la figure maternelle ».

Si Marguerite, dans les limbes de la petite enfance, aimait quelqu'un comme une mère, c'était celle qui la couchait, la lavait, lui apprenait les premiers gestes de la vie, sa bonne, Barbe, qui avait vingt ans à sa naissance, en 1903. Pourtant dans *Quoi? L'Éternité*, pour la première fois, elle s'invente une mère symbolique,

Jeanne. Et l'on est moins étonné de ce rêve de mère que de la confidence, guère dans sa manière. Ayant regardé des vieilles photographies, ayant conversé avec Egon, Marguerite Yourcenar se souvient d'une manière assez floue, convient-elle, d'un après-midi sur la plage de Scheveningen. Egon et elle, tous deux munis de leur râteau, de leur pelle et de leur seau, s'amusaient, un peu à l'écart des parents.

> « La petite, maladroite, trébuche sur sa bêche, tombe, s'écorche un peu le genou, et reste assise à terre sans pleurer ni hurler, vaguement occupée déjà d'un petit crabe qui court sur le sable. (...) Rendant Axel [Alexis, le jeune frère d'Egon] aux soins empressés des bonnes, Jeanne se lève, prend par la main les deux aînés, et s'avance doucement avec eux vers la mer. »
> « Il semble à la petite que la longue jupe et la longue écharpe blanches palpitent au vent comme des ailes. Mais les photographies roussâtres sont floues : je ne saurai jamais si cette jupe blanche et cette main secourable n'étaient pas celles de ma bonne. C'est peut-être parce que je veux que cette promenade ait été une sorte d'enlèvement loin du petit monde domestique connu, une espèce d'adoption, que j'ai préféré imaginer ce beau visage penché sur moi, cette voix plus douce que celle de Barbe, cette étreinte de doigts intelligents et légers [36]. »

Les sensations de la petite Marguerite étaient beaucoup plus confuses – Marguerite Yourcenar en convenait – que la recomposition qui l'a conduite à écrire dans *Quoi? L'Éternité* : « je n'étais pas la fille de Marie [la jeune sœur de son père, à laquelle, lui disait-on, elle ressemblait] ; je n'étais pas non plus la fille de Fernande ; elle était trop lointaine, trop fragile, trop dissipée dans l'oubli. J'étais davantage la fille de Jeanne [37] », et « je serais sans doute très différente de ce que je suis, si Jeanne, à distance, ne m'avait formée [38] ». Mais dès ces courtes vacances – où elle vivait pour la première fois avec une femme qui n'était ni sa servante ni l'une de ses aïeules – elle avait sans aucun doute pu constater que l'attitude de Jeanne était fort différente de celle des bonnes, payées pour s'occuper des enfants. « Jeanne règle son pas sur celui des enfants, s'arrête pour les laisser çà et là ramasser un coquillage [39]. » Même lorsqu'elles s'acquittaient de leur tâche avec gentillesse, avec parfois une sorte de chaleur, voire de tendresse, comme le faisait Barbe, les bonnes ne pouvaient avoir l'attention, la patience, la prévenance de quelqu'un qui a mis au monde, ou choisi d'élever, par simple amour, un enfant.

Cette substitution de Jeanne à Fernande, dans l'imaginaire de Marguerite Yourcenar, donne un éclairage différent à ses interrogations sur leurs tendresses adolescentes. Peut-être lui fallait-il qu'elles se fussent réellement aimées pour qu'elle, Marguerite, puisse fixer à sa vie une origine. Que, comme elle en convient, il n'en ait probablement rien été ne fait que souligner le constant défaut de la réalité sur ce qui devrait être la vérité : toute une vie d'écriture s'ouvrait pour le pallier.

CHAPITRE 2

« *Je ne sais si j'aimais*
ou non ce Monsieur »

« Je ne sais si j'aimais ou non ce Monsieur de haute taille, affectueux sans cajoleries, qui ne m'adressait jamais de remontrances et parfois de bons sourires [1] », écrit Marguerite Yourcenar dans *Quoi ? L'Éternité*. Sur les photographies où on le voit en compagnie de sa fille, Michel a l'air d'un vieil homme, très marqué pour sa cinquantaine. Il n'a plus rien de celui qu'elle décrit dans *Archives du Nord*, d'après une photo portant en légende « Michel âgé de trente-sept ans » : « Ce personnage d'aspect très jeune ne donne pas l'impression de vigueur et d'alacrité qui seront celles de ses portraits d'homme mûr ; il en est encore au stade de la faiblesse qui chez tant d'êtres jeunes précède et prépare incompréhensiblement la force. Ce n'est pas non plus le portrait du fêtard assidu dans les endroits en vogue. Les yeux sont rêveurs ; la main aux longs doigts ornée d'une chevalière laisse pendre une cigarette et semble aussi rêver. Une mélancolie, une incertitude inexpliquées montent de ce visage et de ce corps. C'est le portrait d'un Saint-Loup à l'époque où il s'inquiète encore de Rachel, ou de Monsieur d'Amercœur [2]. »

Mais il était pour la petite fille « la grande personne autour de laquelle tournait la mécanique de [la] vie [3] » ;

« mes deux bonnes et les religieuses qui, au Mont-Noir, commençaient à m'apprendre à lire, ajoute-t-elle, ne s'étaient pas privées de m'annoncer qu'à la mort de mon père je verrais du changement : un pensionnat de bonnes sœurs avec une robe de laine noire et un tablier ; beaucoup de prières et peu de friandises ; l'interdiction d'avoir avec moi Monsieur Trier aux pattes torses, et, quand j'aurai désobéi, des coups de règle sur les doigts. " Et ce ne sera pas votre demi-frère qui dépensera des sous pour vous. " La mort de mon père m'inquiétait peu, ne sachant pas trop ce que c'était que la mort, et la plupart des petits enfants croient les grandes personnes immortelles [4] ». Ainsi Marguerite Yourcenar affirme-t-elle que, le soir, elle résistait au sommeil, attendant le retour de son père, précisant immédiatement : « Bien plus tard, certaines de mes veillées de femme m'ont rappelé celles-là [5]. » C'est sûrement juste. Mais il est sans doute tout aussi vrai que, partant du souvenir plus proche de ses veillées de femme, elle ait retrouvé, enfouie – ou ait simplement réinventé –, cette attente du premier homme qui a compté dans sa vie, et qui, comme d'autres plus tard, vivait sa vie nocturne en dehors d'elle... Et puis la vieille dame occupée à refaire le trajet de son enfance a probablement rejoint, confusément, dans les méandres de la mémoire, Proust, qu'elle avait tant lu ; ces « évocations tournoyantes et confuses » de l'enfant seul dans la nuit, sur lesquelles il s'attarde au tout début de *Du côté de chez Swann*, cette attente, pour lui, de la mère : « le moment où je l'entendais monter, puis où passait dans le couloir à double porte le bruit léger de sa robe de jardin en mousseline bleue, à laquelle pendaient de petits cordons de paille tressée [6] ». Proust, lui aussi, relie cette attente enfantine à l'attente amoureuse qu'il prête à Swann, pour qui

« une angoisse semblable fut le tourment de longues années de sa vie ».

Entre le discours convenu qui fait de Michel de Crayencour le grand homme de la vie de Marguerite Yourcenar et sa propre volonté de mise à distance lorsqu'elle écrit sa trilogie familiale, on éprouve une certaine difficulté à se faire une idée claire de la relation entre ce père et sa fille. Dans la petite enfance, elle est assez lointaine. « Il ne renoncera ni aux femmes, ni au jeu (on ne lui en demande pas tant), ni à dissiper superbement ce qui lui reste de fortune [7] », écrit Marguerite Yourcenar dans les notes préparatoires à *Quoi? L'Éternité*. « Sans doute l'attachement est-il grand, convient-elle. Comme celui qu'on a à élever un chiot. Ou un chaton orphelin de mère. Mais Michel n'est pas de ces pères qui prennent beaucoup dans leurs bras leur enfant. Je ne me souviens pas (en 24 ans) d'un baiser autre que le baiser sur les deux joues, amical et routinier, du matin, et du même baiser, un peu plus solennel le soir. Les habitudes affectueuses des familles françaises en ce temps-là n'allaient pas plus loin. Je ne me souviens pas non plus d'avoir jamais été assise sur ses genoux (sauf le jour du coup de soleil, où il m'endormit) [8]. »

Elle y revient dans *Quoi? L'Éternité* pour insister sur le fait que les véritables manifestations physiques d'affection lui venaient – hormis de Jeanne, « qui n'était pas souvent là » – de sa bonne, Barbe. « Durant ma toute petite enfance, elle avait eu pour moi cette passion inconsciemment sensuelle que tant de femmes éprouvent pour de très jeunes enfants. Vers deux ou trois ans, je me souviens d'avoir été soulevée de mon petit lit-cage, et mon corps tout entier couvert de chauds baisers qui en dessinaient les contours à moi-même inconnus, me donnant pour ainsi dire une forme. Je crois en la sexualité innée de l'enfance, mais ces sensations toutes tactiles étaient encore dépourvues d'érotisme : mes sens n'avaient poussé ni bourgeons ni feuilles. Plus tard, ces élans cessèrent, mais les baisers affectueux n'étaient pas rares [9]. »

C'est ainsi que Marguerite Yourcenar fait remonter au départ de Barbe son premier grand chagrin. « Mon premier déchirement ne fut pas la mort de Fernande mais le départ de ma bonne [10] », écrit-elle dans *Souvenirs pieux*. Barbe, qui n'était pas sans charme, dans la fraîcheur de ses vingt ans, avait peut-être eu, suggère Marguerite, « quelques contacts charnels » avec Monsieur de Crayencour, « malgré le dédain de celui-ci pour les amours subalternes [11] ». « En tout cas, elle était trop sensée pour rêver au rôle de maîtresse. Mais son goût des hommes et le désir d'ajouter quelque peu à son salaire pourtant abondant lui inspirèrent de fréquenter les maisons de passe dans la Principauté, l'hiver, lors du passage saisonnier à Paris, parfois à Bruxelles [12]. »

Pendant qu'elle allait rendre visite aux « Messieurs », Barbe laissait Marguerite dans un cinéma, avec la complicité d'une ouvreuse. Jugeant sans doute cela trop dangereux et manifestant un curieux sens des responsabilités, elle décida tout bonnement d'emmener l'enfant avec elle « dans la maison de femmes [13] ». Après seulement deux ou trois de ces expéditions, une lettre anonyme parvint au Mont-Noir, dénonçant Barbe. Monsieur de Crayencour décida de la renvoyer.

En 1910, Barbara Aerst quitta donc le service des Crayencour. Mais on n'avait pas prévenu l'enfant de son départ. Un matin, on l'emmena en « excursion », sans Barbe, ce qui lui parut un peu étonnant. Au retour, Barbe avait disparu. Monsieur de Crayencour mentit sur les raisons de cet éloignement, prétendant que Barbe était rappelée dans sa famille. Et il enjoignit à sa fille « de ne pas pleurer si haut [14] ». Marguerite sut immédiatement qu'on lui mentait. Au chagrin s'est alors ajoutée l'indignation. « Les jours qui suivirent, écrit-elle dans *Quoi? L'Éternité*, j'envoyai à Barbe des cartes postales sans orthographe lui demandant de revenir. Elle répondit au bout d'un long intervalle par une petite lettre affectueuse m'annonçant son mariage avec un fermier d'Hasselt. J'avais pris l'habitude de son absence, mais un poids énorme pesait sur moi : on m'avait menti. Je ne fis désormais plus entièrement confiance à personne, pas même à Michel [15]. » Barbe et Marguerite continueront de s'écrire jusqu'en 1920 : Marguerite avait alors dix-sept ans et Barbe trente-sept.

Dès ses sept ans, Marguerite de Crayencour était une curieuse petite personne. « Docile », se souvient-elle, n'ayant pas d'accès de colère, pas de caprices d'enfant. Ce n'est pas tout à fait l'avis de son demi-neveu : « Elle avait un peu, on peut s'en douter vu l'accaparement par son père alors largement quinquagénaire, le carac- tère propre aux enfants uniques, fatalement un peu gâtés à certains points de vue. Lorsque la pluie l'empê- chait de gambader au jardin, il lui arrivait de rester le front collé sur la vitre d'une fenêtre à psalmodier sem- piternellement : " Pourquoi c'qu'i pleut, j'veux pas qu'i pleuve : pourquoi c'qui pleut, j'veux pas qu'i pleuve... etc. " Ce qui avait plus que probablement pour effet, entre autres, d'apitoyer son père et d'agacer son demi- frère ; et ne parlons pas des interventions de la grand- mère [16]. »

On peut gager qu'elle avait déjà compris qu'on ne peut compter, au fond, que sur soi. Qu'il faut apprendre, en toute situation, à se suffire, puisque le souci des convenances peut rompre, sans un mot d'explication, la relation d'une enfant à celle qui, depuis sa naissance, lui servait de mère. Puisque « les mœurs comptent plus que les lois, et les conventions plus que les mœurs [17] ». Ce départ de Barbe, vécu sans doute comme un incompréhensible abandon que redoublait le mutisme qui l'entourait, est un des moments clés de l'enfance de Marguerite. Celui aussi où l'on trouve ses premières traces écrites. Un mot à la tante Jeanne de Cartier de Marchienne (en 1909 ou 1910 selon Marguerite Yourcenar) : « Bailleul le 8 juillet : j'attends avec impatience qu'il fasse beau pour venir à Coq-sur-Mer. » Et, à la même, à propos de la mort du chien Trier, peu avant le départ de Barbe : « Ma chère Tante, j'écris pour dire que je suis bien triste, parce que mon pauvre Trier est mort. ». « C'est en somme ma première composition littéraire ; j'aurais pu aussi bien m'en tenir là [18] », commente Marguerite Yourcenar.

L'absence, non pas de Fernande, mais d'une mère, pour pénible qu'elle ait pu être à certains moments – comme en témoignent le chagrin de l'enfant au départ de Barbe et la volonté de la vieille femme qui écrit *Quoi ? L'Éternité* « d'adopter » Jeanne, davantage que de se faire adopter par elle – a toutefois évité à Marguerite la mièvrerie des éducations de petite fille de l'époque. Dans son entourage, où l'on a été très choqué qu'une future « mère de famille » n'apprenne ni à broder ni à jouer « à la maman » avec sa poupée, on estime que Marguerite « n'a pas eu d'enfance ». « Elle ne possédait pas de jouets, m'a-t-on dit, rapporte Georges de Crayencour. Un jour où elle était en visite dans la famille, elle est restée muette d'étonnement en entrant dans la pièce à jouer. En revanche, elle savait déclamer et ne demandait qu'à faire faire des dictées ou apprendre des vers aux autres enfants qui n'en avaient pas la moindre envie. » Il est faux de dire que

Marguerite n'eut pas de jouets. Mais il est vrai, on l'a vu dès sa plus petite enfance, qu'elle en faisait peu de cas et ne se souvenait, plus tard, que de son poupon André, à cause de ses amours de femme, et d'une grotte de Lourdes qui s'allumait, parce qu'elle l'avait eue en horreur.

Elle a eu très vite le sentiment d'être autre, « importante, très importante même », confiera-t-elle avec cette absence de fausse modestie dont il faut lui savoir gré. Et il suffit de regarder des photos d'elle à sept ou huit ans pour comprendre qu'il ne s'agit pas du commentaire rétrospectif de l'adulte. On y voit déjà ce que chacun, à la première rencontre avec Marguerite Yourcenar, à n'importe quel âge de sa vie, remarquera : le dos et la tête tenus très droit, une bouche gourmande qui sait jouer de son sourire, un œil bleu jusqu'à la transparence, qui peut être ironique et malicieux, mais aussi d'une froideur extrême, un certain charme et une hauteur certaine, bref une autorité naturelle. Dès cet âge-là, Marguerite se passionne pour la lecture, son apprentissage puis sa pratique, et Monsieur de Crayencour, homme cultivé, docteur en droit et officier d'Académie, passionné de littérature, se rend très vite compte qu'il a affaire à une enfant singulière. Son grand mérite fut de ne pas traiter par le mépris les désirs de Marguerite sous prétexte qu'elle était une fille. Il est toutefois surprenant de voir un homme de sa génération délaisser à ce point son fils et, à l'approche de la soixantaine, prendre de l'intérêt aux préoccupations d'une petite fille.

Il est vrai que son fils Michel, on le sait, refusait tout ce qu'il représentait, détestait tout ce qu'il aimait, réprouvait tous ses choix, à commencer par le peu de cas qu'il faisait de la tradition de la fortune familiale. À vingt et un ans, en 1906, Michel avait même pris la nationalité belge, ce que son père avait jugé intolérable. « Le fait que son fils, choisissant d'appartenir à un pays neutre, eût opté pour la Belgique, précise Marguerite Yourcenar dans *Quoi? L'Éternité*, enrageait Michel, qu'on eût désobligé en lui rappelant que deux désertions successives l'avaient forcé à s'établir pour les couches de Berthe de l'autre côté de la frontière, rendant ainsi possible cette option pour lui scandaleuse [19]. » Marguerite Yourcenar a raconté les deux désertions de son père dans *Archives du Nord*, avec une neutralité bienveillante qui eût sans aucun doute scandalisé son demi-frère. La première désertion de Monsieur de Crayencour – qui s'était engagé en janvier 1873 dans l'armée française – eut lieu en août 1874 en raison d'une dette de jeu que son père refusa de couvrir et qui l'exposait à des poursuites. Il passa en Angleterre où il tomba amoureux d'une femme, Maud. Après quelques mois, il regagna la France et son régiment. « Il y fut dégradé, et cette cérémonie de l'arrachement des galons, qu'il comparait plus tard, avec désinvolture, à l'extraction d'une dent, fut sans doute plus pénible qu'il ne l'admit par la suite [20]. »

Mais « les nuits de Michel se passaient à Londres [21] ». Et, probablement en mars 1878, selon Marguerite Yourcenar, « pour la seconde fois, le jeune sous-officier couche dans un tiroir son uniforme soigneusement plié, jette un dernier regard à sa cuirasse qui reluit au haut d'un placard, s'habille en pékin, et sort discrètement du quartier. Il n'ignore pas qu'il consomme ainsi sa rupture non seulement avec l'armée, mais aussi avec sa famille et avec la France, où, sauf amnistie, il ne pourra rentrer avant l'âge de quarante-cinq ans [22] ».

À son demi-neveu, Georges de Crayencour, qui lui reprochait, à la lecture d'*Archives du Nord*, d'avoir développé ces deux épisodes, Marguerite répondait que, sans dédouaner Michel, la précision des faits et leurs mobiles rendaient compréhensible son comportement : « Vous me dites que, sans écorner la vérité, vous auriez passé plus légèrement sur certains épisodes de la vie de " Michel " qui vous paraissent plutôt scandaleux. Mais c'est impossible. Tout se tient tellement qu'il fallait tout dire et le dire complètement, de façon à ce que le lecteur comprenne les émotions humaines derrière les faits. Si j'avais seulement dit, en quelques mots, que Michel avait deux fois déserté, nous serions naturellement, moi comme vous, terriblement gênés par cette révélation. Quand au contraire on regarde de près les circonstances, on comprend mieux [23]. »

Le « petit Michel », son fils, se scandalisait, bien sûr, de ce type de comportement. Aux dires de la jeune Marguerite, seul leur intérêt commun pour les automobiles avait rapproché un temps les deux hommes. « Pour l'instant Michel se grise d'essence et d'espace ; ce bon cavalier se découvre bon chauffeur (...). Ce nouvel engouement le rapproche même de son fils, fou de voitures de courses. Michel-Joseph, qui conduit comme on fonce, respecte chez ce père devenu camarade le conducteur à la fois habile et téméraire (...). Un jouet en commun fait momentanément oublier à Michel-Joseph que la naissance sur le tard d'une demi-sœur d'un second lit l'a, comme le dit en ricanant la douairière, dont il est le préféré, financièrement " coupé en deux ". Michel cesse de se rappeler que ce garçon maussade et brutal a été odieux pour Fernande et ne s'est même pas rendu au chevet de sa propre mère à l'agonie. Le dernier reproche est injuste, comme je l'ai dit par ailleurs. La mort tragique et inexpliquée de Berthe était plus faite pour inhiber que pour émouvoir un garçon de quinze ans. »

« Mais cet amour fou des machines passera comme tout passe [24]. »

Georges de Crayencour estime, lui, qu'il n'y eut même pas ce moment de trêve entre son père et son grand-père. « Vivant sa jeunesse dorée à lui [le jeune Michel], il se passionnait alors pour un sport dans l'enfance : l'automobile, dont son père (qui ne raffolait pas de cela!) possédait un fort bel exemplaire. Cet engin, moins prisé par ce père, effrayait sans doute quelque peu la petite sœur mais faisait l'objet de tous les soins du grand frère [25]! »

« Michel avait vécu libre sans même se faire une théorie de la liberté, estime Marguerite Yourcenar, son fils avait bruyamment pris parti pour l'ordre, la famille nombreuse, une surface sociale apparemment sans fissure, et ce catholicisme qui s'exhibe à la messe de onze heures [26]. » Puisque ce fils était irrémédiablement d'un autre monde, avec une autre philosophie de la vie, une autre morale, qui semblaient à Monsieur de Crayencour ce comble de la convention et de l'esprit bourgeois qu'il avait passé sa vie à fuir, alors pourquoi cette petite fille si avide d'apprendre et de comprendre ne serait-elle pas son héritière véritable, l'héritière de ses ruptures et de sa liberté, de son esprit indépendant, de sa culture, de son cosmopolitisme d'homme aisé et de son non-conformisme? Elle avait eu la chance d'échapper à l'amour des mères, qui tendait à ramener les filles du côté de la tradition et de la passivité. En serait-elle moins femme? La question ne préoccupait pas Monsieur de Crayencour. Il n'aurait su dire ce que devait être une femme. Fernande ou Berthe, une fille sage ou une rebelle à l'humeur imprévisible? Antigone, Phèdre, Marguerite de Navarre ou la Princesse de Clèves? Monsieur de Crayencour, si plein de préjugés à l'égard des femmes qu'il aimait, ou du moins séduisait – elles lui devaient allégeance et devaient respecter sa liberté –, ne pensait pas en ces termes quand il songeait à l'avenir de sa fille. « Aux yeux de cet homme qui répétait sans cesse que rien d'humain ne devrait nous être étranger, l'âge et le sexe n'étaient, en matière de création littéraire, que des contingences secondaires ; des problèmes qui plus tard allaient laisser mes critiques perplexes ne se posaient pas pour lui [27] », écrit Marguerite Yourcenar dans *Souvenirs pieux*. Si elle le souhaitait, il l'aiderait à devenir, elle, un individu libre. Elle serait son prolongement. Elle le suivrait et continuerait, accomplissant ce qu'il n'avait pu mener à bien. Elle ne se contenterait pas de rompre avec la « lignée » comme il l'avait fait en négligeant tous les devoirs d'un fils de bonne famille – elle ne se soucierait pas d'entretenir et de faire prospérer le patrimoine, de perpétuer le nom. Elle serait quelqu'un, c'est-à-dire quelqu'un d'autre, radicalement. Comme elle l'a confié à Bernard Pivot, le « Enfant, j'ai désiré la gloire » qu'elle prête à Alexis dans son premier roman est une des réalités de sa propre enfance [28]. Avec une emphase appliquée, un lyrisme convenu, ses premiers poèmes, plus tard, porteront trace de ce désir de rayonnement solitaire, né très tôt :

Gloire ! Salut à toi, que j'aime et que j'attends
Toi qui mènes le chœur des Voix universelles,
Inspire à mon esprit les beaux vers éclatants [29] !

ou encore :

Ô Vents ! Emportez-moi vers les plus âpres faîtes,
Vers les plus hauts sommets du triomphe futur !
Emporte-moi, Rafale, emportez-moi, Tempêtes !
Déjà l'aube envahit le firmament obscur :

> *Au pays de l'orgueil, au pays des conquêtes,*
> *Ô Vents! emportez-moi [30]!*

Ces « orages désirés » ne soufflent certes pas avec une rare modernité formelle, mais le dessein, lui, pour une très jeune fille de ce début de siècle, ne manque pas de subversive ampleur.

Ce sentiment de son importance et de sa différence, qu'exprimeront plus tard ces vers, est ce qui émerge le plus fortement des années 1909-1911, sans qu'on puisse le suspecter d'être une recréation, voire une fiction. En revanche, ce qui prépara la rupture entre Monsieur de Crayencour et Jeanne, et ladite rupture – que Marguerite Yourcenar place au printemps de 1909 et qui occupe un chapitre entier de *Quoi? L'Éternité* [31] –, est tellement inspiré, on le verra, de la propre vie de Marguerite Yourcenar dans ses dernières années (au moment même où elle rédige *Quoi? L'Éternité*), qu'on ne peut guère lui accorder le crédit du souvenir. D'une part, au moment de cette rupture – si elle eut bien lieu –, Marguerite n'avait que six ans. D'autre part son père, elle l'a dit à plusieurs reprises, n'était pas homme à lui faire ce genre de confidence. Enfin Egon de Vietinghoff n'a pu lui être d'aucun secours pour recréer la relation entre Monsieur de Crayencour et sa mère Jeanne. Qu'importe, cela n'empêche évidemment pas Marguerite Yourcenar, quand elle raconte cet épisode, de décrire avec précision, et d'ailleurs plus de lucidité que de tendresse, l'attitude de son père, un homme qui reste, face à la femme qu'il aime, profondément imbu des préjugés de son sexe et de sa génération. Jeu permanent, chez elle, de la vérité et de la réalité.

Ce qui est sûr, c'est qu'à partir de ce printemps 1909, Marguerite ne voit plus Jeanne. Celle-ci peut alors devenir une personne mythique, l'exemple, celle que

71

« Michel, en dépit de toutes ses rancœurs, n'avait cessé de me proposer comme une image parfaite de la femme [32] », écrira Marguerite Yourcenar dans *Quoi? L'Éternité*. De loin, Jeanne peut commencer à prendre une véritable importance dans sa vie. Marguerite ne la reverra qu'une quinzaine d'années plus tard, dans les années vingt, peu de temps avant qu'elle ne meure. Dès 1929, Marguerite Yourcenar écrivit un « tombeau » de Jeanne de Vietinghoff, publié dans *La Revue mondiale* [33]. Elle y retrace la figure de cette femme qui avait « le génie du cœur ». « J'ai négligé de dire combien elle était belle, précise vers la fin de son texte Marguerite Yourcenar. Elle mourut presque jeune encore, avant l'épreuve de la vieillesse, qu'elle ne redoutait pas. Sa vie, bien plus que son œuvre, me donne l'impression du parfait (...). Jeanne de Vietinghoff n'aurait rien écrit, que sa personnalité n'en serait pas moins haute. Seulement, beaucoup d'entre nous ne l'auraient jamais su. Le monde est ainsi fait que les plus rares vertus d'un être doivent rester toujours le secret de quelques autres (...). La vie terrestre, qu'elle avait tant aimée, n'était pour elle que le côté visible de la vie éternelle. Sans doute, elle accepta la mort comme une nuit plus profonde que les autres, que doit suivre un plus limpide matin. On voudrait croire qu'elle ne s'est pas trompée. On voudrait croire que la dissolution du tombeau n'arrête pas un développement si rare ; on voudrait croire que la mort, pour de telles âmes, n'est qu'un échelon de plus [34]. »

Pour le reste, ces années demeurent dans une sorte de nébuleuse. Elles n'occupent que quelques lignes dans la « chronologie » de la Pléiade. On sait que Marguerite fit sa première communion en 1910, au Mont-Noir, événement qu'elle restitue assez rapidement et non sans une certaine désinvolture, dans *Quoi? L'Éter-*

nité : « J'avais sept ans moins quelques semaines. C'était l'époque des premières communions précoces. J'eus des bonnes sœurs de l'École Libre de Saint-Jans-Cappel quelques instructions auxquelles le bref caté-chisme du curé n'ajouta pas grand-chose. On me recommanda surtout de ne pas me laver les dents le matin du grand jour; il n'était pas question, bien entendu, de n'être pas à jeun. Mais je trouvai sur la table de chevet un quartier de pomme et le grignotai sans penser. J'eus le tort de le dire un jour au curé, qui faillit en faire une maladie. J'étais seule à communier ce matin-là. Un pâle cliché me montre une robe blanche et un voile blanc dont Barbe aimait dire que c'était un voile de mariée, ce qui me fit rire d'abord, puis pleurer, parce que je croyais qu'on se moquait de moi [35]. »

Elle est plus laconique encore sur le mariage de son demi-frère, la même année, avec Solange de Borch-grave, n'en faisant mention qu'incidemment : « Le mariage belge, qui avait assez normalement suivi [l'adoption de la nationalité belge par Michel-Joseph], était sans doute moins brillant que l'intéressé ne l'avait cru; (...) Ce que Michel ne sut jamais, c'est que ce mariage avait été manigancé par un abbé mondain qui fréquentait chez Madame de Marcigny, laquelle sup-portait mal de voir ce garçon de vingt-quatre ans traî-ner les talons dans son salon parisien [36]. »

Toutefois, en avril 1909 avait eu lieu un autre événe-ment – la mort de Noémi, la mère de Michel – dont Marguerite Yourcenar semble avoir quelque peu méconnu l'importance. C'est pourtant cette mort qui a favorisé l'exclusif tête-à-tête entre la petite fille et son père, ce lien à la fois fort et distant qui allait véritable-ment forger sa personnalité. Une partie du « chapitre familial » s'était définitivement close avec la mort de

Noémi, qui allait permettre la vente du Mont-Noir, tant reprochée, aujourd'hui encore, au père de Marguerite, par la famille unanime...

Quand meurt Noémi, Marguerite vient de découvrir Paris où son père et elle feront plusieurs séjours, assez courts, entre 1909 et 1911. Le début d'une autre vie est en vue. La petite enfance, dans sa relative passivité, est révolue. En 1911, Marguerite a huit ans. Elle sait tout à fait bien lire et écrit correctement, comme le prouve ce qu'on a vu de ses messages à sa tante Jeanne, à laquelle elle fit d'assez fréquentes visites, à Bruxelles, en 1911. Mais ce qu'elle nomme ses « études » ne commencent véritablement qu'après l'installation à Paris, mais là encore sans passer par l'école – « J'étais bien sûre de n'avoir jamais mis les pieds dans aucune école, et ne souhaitais nullement le faire [37] », dit-elle dans *Quoi? L'Éternité* –, sans affronter la rigidité d'une discipline collective, sans subir l'autorité des « maîtresses d'école », sans faire l'expérience de la coexistence forcée avec d'autres enfants de son âge et de la confrontation où, pour le meilleur parfois et parfois le pire, se forge ou se délite la conscience de soi.

CHAPITRE 3

Premiers apprentissages

Mis à part les escapades à Paris, l'existence de la jeune Marguerite restait assez traditionnelle pour son milieu et son temps. C'est à partir de la vente du Mont-Noir en 1912 que sa vie et celle de Monsieur de Crayencour changent, échappant de plus en plus à la famille et aux modèles convenus. Ils s'installent à Paris, d'abord dans le XVIIe, rue Anatole-de-la-Forge, puis 15, avenue d'Antin (aujourd'hui avenue Franklin-D.-Roosevelt). « Le corps de logis donnant sur une cour plantée de buis a disparu », précise Marguerite Yourcenar dans la « chronologie » de la Pléiade, marquant une fois de plus qu'aucun des lieux où elle a vécu ne subsiste en l'état. Marguerite a neuf ans et une nouvelle bonne, Camille, qui l'accompagnera jusqu'à l'âge adulte. Une institutrice vient lui donner l'enseignement de base que reçoivent à l'école les petites filles de son âge. Mais elle apprend plus encore, dira-t-elle, en visitant, avec son père parfois, les musées de Paris, en allant aux matinées classiques des théâtres, et surtout, en lisant. Contrairement aux filles de sa génération, même privilégiées socialement comme elle, Marguerite n'est pas contrainte de lire des ouvrages « ad usum puellarum ». Monsieur de Crayencour, lui-même grand lecteur, lui prête les livres qu'il lit et relit : plutôt Tolstoï que la comtesse de Ségur.

Cette même année 1912, Monsieur de Crayencour achète une villa à Westende, sur la côte belge. Ce sera sa résidence d'été, en 1912, 1913 et 1914. Son fils, qui y passa aussi des mois d'été, se souvenait de cette fort belle maison : « Elle avait été bâtie et meublée d'une façon particulièrement luxueuse et soignée (...) Une grande partie du mobilier, souvent adaptée à la forme des pièces, était en bois d'amarante, sorte d'acajou à reflets violets. Le souci du détail en avait été poussé au point que, dans la bâtisse et le mobilier, la fleur de soleil avait servi de " leitmotiv " décoratif; même les rideaux de dentelle au fuseau qui garnissaient toutes les fenêtres et des tentures de velours frappé, peintes à la main, rappelaient cette fleur de soleil [1]. »

À Westende, Monsieur de Crayencour mène une vie luxueuse et légère, dont Marguerite n'est pas toujours tenue à l'écart comme le montre une photo d'elle en enfantine robe de bal. Il ne faudrait pas l'imaginer studieuse à l'excès, ce qui eût exaspéré son père qui, dès ses dix ans, lui répète un de ses préceptes favoris : « bien connaître les choses, c'est s'en affranchir ». C'est pourtant l'un des rares mots de Monsieur de Crayencour que Marguerite conteste avec vigueur. Et comme par hasard, il vient de Fernande. « Elle adopta pour devise une pensée lue dans je ne sais quel livre : " *bien connaître les choses, c'est s'en affranchir* ", écrit Marguerite Yourcenar dans *Souvenirs pieux*. Elle la fit plus tard goûter à Monsieur de C., qui s'en pénétra. Je me suis souvent inscrite en faux contre elle. Bien connaître les choses (...) c'est corriger cette image plate, conventionnelle et sommaire que nous nous faisons des objets que nous n'avons pas examinés de près. Au sens le plus profond, pourtant, cette phrase touche

76

à certaines vérités centrales. Mais, pour les faire véritablement siennes, il faut peut-être d'abord être rassasié de corps et d'âme. Fernande n'était pas rassasiée [2]. »

En 1914, alors que les Crayencour passent l'été dans leur maison de Westende, éclate la Première Guerre mondiale. « La villa de Westende sera détruite par un bombardement », confiera bien plus tard Marguerite Yourcenar. Encore une maison disparue... Marguerite se souvient d'avoir entendu, pour la première fois, sonner toute une journée les tocsins des petits villages flamands. Monsieur de Crayencour décide qu'il faut partir immédiatement. La route vers Lille et Paris étant coupée, on s'embarque pour l'Angleterre « probablement entre le 12 et le 15 août », précisera ultérieurement Grace Frick, dans l'une de ses innombrables chronologies de la vie de Marguerite Yourcenar. « Il fut décidé de prendre quelques valises et d'abandonner le reste pour se rendre à pied à Ostende, puisque l'honnête petit tramway ne fonctionnait plus. On partit en pleine nuit, de façon à être au port aux premières heures de l'aube. (...) Je confondais, à mon âge, le visage de la guerre et celui de l'aventure. Cette débandade a gardé pour moi l'aspect d'une promenade nocturne [3]. »

En débarquant à Douvres, Marguerite ne sait pas encore qu'elle pose le pied, pour un séjour de quatorze mois – le plus long qu'elle y fera –, sur le sol de ce qui deviendra l'une de ses « patries », « un de ces pays où l'on est instinctivement à l'aise avec soi-même [4] ». Son père, lui, y retrouve sans doute le souvenir de Maud, pour laquelle il avait deux fois déserté. Marguerite passera, dit-elle, une année « à demi enfantine, à demi adolescente », dans une maison de la banlieue londonienne flanquée d'un petit jardin, à égale distance du *common* de Putney et du parc de Richmond; une

« année presque idyllique », en dépit de la présence de son demi-frère dont les rapports avec son père, tendus au point que les deux hommes manquent parfois d'en venir aux mains, alourdissent l'atmosphère.

Marguerite prend un plaisir égal aux longues promenades à dos de poney et à la découverte de Londres, de ses musées et de ses monuments. Elle voit pour la première fois une statue d'Hadrien. Et dans *Quoi? L'Éternité*, elle fait remonter à cette période londonienne ses premières découvertes sexuelles – mais pas amoureuses. Avec une femme, d'abord, la jeune Yolande, passée avec les Crayencour en Angleterre faute d'avoir pu rejoindre les siens. Yolande et Marguerite doivent partager un lit dès le premier soir, à Londres, dans l'hôtel de Charing Cross.

> « Je n'ai aucun désir de mentionner ici un petit fait supposé obscène, mais celui qui va suivre corrobore à l'avance mon opinion d'aujourd'hui sur ce sujet si controversé de l'éveil des sens, nos tyrans futurs. Couchée cette nuit-là dans l'étroit lit de Yolande, le seul dont nous disposions, un instinct, une prémonition de désirs intermittents ressentis et satisfaits plus tard au cours de ma vie, me fit trouver d'emblée l'attitude et les mouvements nécessaires à deux femmes qui s'aiment. Proust a parlé des intermittences du cœur. Qui parlera de celle des sens, et en particulier des désirs supposés par les naïfs tantôt contre nature au point d'être toujours artificiellement acquis, tantôt au contraire inscrits dans certaines chairs comme une permanente et néfaste fatalité? Les miens n'allaient véritablement naître que des années plus tard, et alternativement, pendant des années aussi, disparaître au point d'être oubliés. Cette Yolande un peu dure m'admonesta gentiment :

> – On m'a dit que c'était mal de faire ces
> choses-là.
> – Vraiment? dis-je.
> Et m'écartant sans protester je m'allongeai
> et m'endormis sur le rebord du lit[5]. »

Seconde « découverte » avec un homme – qu'elle désigne comme « le cousin X » dans *Quoi? L'éternité* – et qui se livre à quelques attouchements auxquels elle ne comprend pas grand-chose. Elle ne s'en effarouche pas plus sur le moment que des années plus tard :

> « Je sentais vaguement qu'en lui quelque
> chose avait eu lieu. Mais je n'avais été ni
> alarmée, ni froissée, encore moins brutalisée
> ou blessée. Si je consigne ici cet épisode si
> facile à taire, c'est pour m'inscrire en faux
> contre l'hystérie que provoque de nos jours
> tout contact, si léger qu'il soit, entre un
> adulte et un enfant pas encore ou à peine
> pubère. La violence, le sadisme (même sans
> rapport immédiatement apparent avec la
> sexualité), la fringale charnelle s'exerçant
> sur un être désarmé sont atroces, et peuvent
> souvent fausser ou inhiber une vie, sans
> même compter la destruction de celle de
> l'adulte, bien des fois accusé à faux. Il n'est
> pas sûr au contraire qu'une initiation à cer-
> tains aspects du jeu sensuel soit toujours
> néfaste ; c'est parfois du temps de gagné. Je
> m'endormis contente d'avoir été trouvée
> belle, émue que ces minces protubérances
> sur ma poitrine s'appelassent déjà des seins,
> satisfaite aussi d'en savoir un peu plus sur ce
> qu'est un homme[6]. »

Et Marguerite Yourcenar d'ajouter, livrant au détour d'une phrase, comme souvent dans ce dernier livre qu'elle écrivit, l'une des clés de sa vie amoureuse : « Si mes sens engourdis n'avaient pas réagi, ou à peine, c'est peut-être que la volupté, dont je ne me faisais encore qu'une idée très vague, était déjà pour moi indissolublement liée à l'idée de beauté : elle était inséparable des torses lisses des statues grecques, de la peau dorée du Bacchus de Vinci, du jeune danseur russe étendu sur une écharpe abandonnée. Nous étions loin du compte : le cousin X n'était pas beau [7]. »

De ce séjour britannique, Marguerite ne saurait se satisfaire de rapporter quelques souvenirs de promenades et un avant-goût des plaisirs du corps. Il eût été stupide de ne pas mettre à profit sa présence en Angleterre pour commencer l'étude de l'anglais. Elle s'y essaie donc, avec son père, qui entreprend aussi de lui faire débuter le latin. Qui eut l'initiative de cet apprentissage ? Contre tous ceux – y compris son demi-neveu – qui voient là une volonté paternelle, Marguerite Yourcenar a toujours affirmé que c'était elle. Au point de reprendre et de corriger sans relâche et sans aménité ceux qui prétendaient le contraire. On possède aujourd'hui diverses preuves de cette obstination étrange à vouloir rectifier ce qui pourrait paraître un point de détail, notamment une lettre adressée au Club français du livre [8] qui avait publié en annexe à une édition d'*Alexis ou le Traité du vain combat* « une postface biographique anonyme » : « Quand je pense que ce biographe, qui écrit sur moi de mon vivant et qui aurait pu si facilement obtenir de moi d'exactes précisions, tombe si fréquemment dans l'erreur, écrit notamment Marguerite Yourcenar, je me demande avec mélancolie ce qu'il faut penser des chroniqueurs d'Hadrien, éloignés de lui d'au moins un demi-siècle... Heureusement que nos faits et gestes à nous ne concerneront jamais que la petite histoire. » « Il n'est pas vrai », ajoute-t-elle, que Michel « poussa sa fille à l'étude des littératures anciennes. Son grand bienfait fut de ne la pousser à rien. Au contraire, la passion de la fillette de douze ans pour les langues antiques réveilla chez cet homme qui avait alors soixante ans des goûts et des intérêts d'autrefois ; il se remit au latin et au grec parce que Marguerite l'apprenait ».

Quelle peut être la raison d'un tel acharnement à rétablir une « vérité » biographique dont on sait par ailleurs avec quelle désinvolture Marguerite Yourcenar en use ? Le souci de son « personnage » ? La volonté de signifier que, d'une certaine manière, c'est elle qui menait ce couple étrange du père et de la fille, et que Michel déférait à sa toute jeune autorité ?

Quant à l'étude de l'anglais, langue que Michel maniait avec élégance, Marguerite Yourcenar indique dans ses notes préparatoires à *Quoi ? L'Éternité* qu'elle s'y mit avec quelque peine. Elle fit, avec son père, une première lecture de Marc Aurèle dans une traduction anglaise, destinée à la fois à l'initier à Marc Aurèle et à l'exercer à l'anglais. « Mais cette lecture n'améliore ni l'accent ni le vocabulaire de l'élève et Michel finit par lui jeter à la tête ce manuel de sagesse et de modération. » Soixante-treize ans plus tard, en 1987, la dernière année de la vie de Marguerite Yourcenar, le vocabulaire sera devenu parfait, mais l'accent, malgré un long séjour aux États-Unis, aurait toujours été insupportable à Monsieur de Crayencour. Depuis longtemps, Marguerite Yourcenar, devenue pourtant citoyenne américaine, avait renoncé à faire le plus petit effort pour l'améliorer.

En dépit de ces exercices pédagogiques parfois « périlleux » et de l'étonnant intérêt qu'il porte à sa fille, cette « année anglaise » commence à devenir pesante pour Monsieur de Crayencour « si peu père au

sens bêtifiant ou tyrannique du mot [9] ». Comme beaucoup, il avait cru que la guerre ne durerait que quelques mois et il s'imagine mal entamant une seconde
année dans cet « exil familial ». Il s'ennuie ferme, sans
femme, ou presque. « Pour la première fois depuis ses
deux veuvages, Michel est sans femme, mais le jeu
amoureux l'intéresse sans doute moins qu'autrefois.
Une dame pourtant émerge à certains jours pour nous
rejoindre hors du *tube* londonien [10]. » C'est Christine
Hovelt, qui deviendra sa troisième et dernière épouse.

Le 11 septembre 1915, il obtient un sauf-conduit
pour rejoindre son domicile parisien avec sa fille, âgée
de douze ans. « Le père de Marguerite planta là (avec
une bonne pension pour son fils) ce qu'il appelait
encore à peine sa famille et fila, avec sa fille, sur Paris,
écrit son petit-fils Georges de Crayencour. C'était la
rupture quasi totale consommée entre Michel-René [le
père] et Michel-Fernand [le fils] [11]. » Ce sauf-conduit
qui leur permit le retour en France, Marguerite Yourcenar le possédait encore à la fin de sa vie. Deux photos à peine jaunies par le temps y étaient agrafées. Sur
l'une, on voit « Michel, col haut, cheveux rasés de près,
lourde moustache de corsaire que contredisent ses
yeux bienveillants ». Sur l'autre, Marguerite, qui commente dans *Quoi ? L'Éternité* : « Quant à moi je suis
fagotée dans une robe de l'été dernier, devenue trop
petite. Mes cheveux, qui semblent négligés, sont toujours retenus à la tempe par un nœud flasque ; dans ce
visage brouillé par l'âge ingrat, les yeux sont résolus et
braves. » Et elle ajoute : « Je venais d'atteindre, sans
même m'en apercevoir, la puberté. Les bonnes me
donnèrent une provision d'épaisses bandes de linges
soigneusement cousues, en me disant qu'il en allait de
même, chaque mois, de toutes les femmes. Je n'allai
pas plus loin que cette explication [12]. » Marguerite

Yourcenar n'ira jamais plus loin dans la réflexion sur ce moment de la vie où l'on a coutume de dire aux filles qu'elles sont devenues des femmes, puisqu'elles peuvent désormais procréer. Indifférence au corps ou pudibonderie? On peut en douter. Plus probablement le sentiment vague d'une fatalité féminine qui devait lui être plutôt désagréable, comme tout ce qu'elle ne pouvait contrôler, et qui n'offrait guère matière à réflexion.

De retour à Paris, à partir de l'automne 1915, Monsieur de Crayencour reprend la vie dissipée qu'il affectionne, mais les problèmes d'argent deviennent de plus en plus pesants. Il s'occupe donc moins de Marguerite qui, dans l'appartement de l'avenue d'Antin, dont elle se souvient combien il était mal chauffé l'hiver, commence d'apprendre le grec avec un répétiteur, et, seule, l'italien. Pour elle « le sentiment de l'aventure de l'esprit à proprement parler date de ce temps-là », alors qu'elle a entre douze et treize ans. Comme beaucoup d'adolescents, elle écrit de la poésie [13]. Elle continue, surtout, de lire avidement, partageant de plus en plus souvent les lectures de son père. Ce qui scandalise « la famille », en l'espèce la « belle-sœur » de Monsieur de Crayencour qui se rend parfois avenue d'Antin (c'est en fait la seconde femme de Paul de Sacy, qui avait épousé, en premières noces, Marie, la jeune sœur de Michel de Crayencour, tuée un jour de chasse au sanglier par une balle ayant ricoché sur un arbre). Ainsi peut-on voir, sur la table de travail de Marguerite, Huysmans, D'Annunzio, Tolstoï, « une édition juxtalinéaire d'un dialogue de Platon, un Virgile ». Or, « on sait que le latin brave l'honnêteté, et le grec sans doute aussi [14] ». Quant à Michel, « il lit trop de livres étrangers [15] », estime sa belle-sœur : Shakespeare, Goethe.

Pour la famille, le comble est atteint lorsque Michel fait lire à sa fille *Au-dessus de la mêlée* de Romain Rolland, dont il a fait son livre de chevet : « Ce Suisse qui se permet de juger la France ! » tempête la belle-sœur. « À cette époque, Romain Rolland était assez souvent supposé suisse, les gens de bien ne s'imaginant pas qu'un Français pût se déshonorer en cherchant à départir sans biais entre les responsabilités de la France et celles de l'Allemagne. Ce livre, que Michel m'avait donné à lire, et qui fut ma première expérience de pensée à contre-courant, était devenu pour lui une ancre dans une mer de mensonges où des journalistes à gages, ou eux-mêmes partageant, en la multipliant autour d'eux, l'hystérie des foules, avaient plongé de grands peuples. Il aimait un peu mieux la France parce qu'un Français au moins, courageux et vilipendé, tâchait de faire face à ce chaos d'imposture [16]. »

Tout cela est dans la logique de ce que Marguerite Yourcenar définit dans *Archives du Nord* comme « l'éveil politique » de Michel, « en mai 1871, lors de la répression de la Commune [17] ». « Ce récit qui hantera Michel toute sa vie n'a pas fait de lui un homme de gauche ; il lui a évité d'être un homme de droite [18]. » Plusieurs fois dans sa vie, Marguerite évoquera les retentissements de cette lecture, notamment dans des lettres à Jean Guéhenno et à Gabriel Germain : « Ce que vous me dites de Romain Rolland, écrit-elle au premier, me rapproche de cet écrivain si grand en dépit de certains défauts (qui n'en a ?) et sur lequel s'est fait une si injuste conspiration du silence. Il a joué un grand rôle dans ma formation : à douze ans, j'écoutais mon père lire le soir *Jean-Christophe* ; à quatorze ans, dans le noir Paris de 1917, il m'a mis entre les mains *Au-dessus de la mêlée*, et c'est une des choses dont je lui sais le plus gré [19]. » « Quant à Romain Rol-

land, confiait-elle à Gabriel Germain, je garde une infinie gratitude à mon père qui me fit lire (...) *Au-dessus
de la mêlée*, bouffée d'air pur dans l'atmosphère d'un
chauvinisme étouffant de la Grande Guerre, par
laquelle il s'était laissé intoxiquer. Un peu plus tard,
certaines de ses *Vies* qui me semblent aujourd'hui
excessivement hagiographiques et quelque peu
timides, et même certains passages de *Jean-Christophe*,
m'ont été des réserves d'énergie et de courage. Cela est
à mettre en balance avec une rhétorique de réunions
publiques que nous nc supportons plus [20]. »

Cette « première expérience de pensée à contre-
courant » influencera durablement Marguerite. Tout
comme la première manifestation de sa liberté spiri-
tuelle. Monsieur de Crayencour la consulte pour savoir
si elle désire faire sa Confirmation. Elle lui indique
qu'elle ne le souhaite pas et il décide de ne pas la lui
imposer. À treize ans, Marguerite de Crayencour en a
définitivement fini avec l'enfance, et presque déjà avec
l'adolescence.

Tandis que Marguerite poursuit, à Paris, une éducation à demi solitaire, lit, se promène avec Camille,
Monsieur de Crayencour, inlassablement, joue. Et perd
beaucoup, semble-t-il, puisque sa situation financière
devient de plus en plus préoccupante. Deux hivers trop
froids et des ennuis d'argent incessants, voilà qui, pour
Michel de Crayencour vieillissant, passe la mesure. En
novembre 1917, au moment où cette interminable
guerre est enfin sur le point de s'achever, il décide de
quitter la capitale pour le midi de la France. Seuls
quelques voyages et les derniers mois de son existence,
près de douze ans plus tard, l'en éloigneront.

Dès son arrivée, il passe le plus clair de son temps à
jouer, pour essayer de refaire sa fortune. C'est donc un

moment où Marguerite est beaucoup « laissée à elle-même [21] » comme elle le dit dans la « chronologie » de la Pléiade. Elle continue de prendre des cours – dont les programmes correspondent à ceux du lycée, où elle ne va pas – avec « d'intermittents précepteurs ». Si son père seul avait été à l'origine de son goût pour l'étude, elle aurait très bien pu, là, relâcher son effort. Or il n'en est rien. Au contraire.

Marguerite Yourcenar n'a jamais été prolixe sur ses conversations avec son père durant ces années où l'on peut désormais lui parler tout à fait comme à une adulte. C'est une période de grande incertitude pécuniaire pour Monsieur de Crayencour, cette fois-ci vraiment ruiné. Il est donc tout à ses préoccupations et il lui reste peu de temps disponible pour Marguerite. C'est pourtant dans ce moment d'apparent éloignement que se noue l'incomparable complicité qui unira la fille et le père jusqu'à la mort de celui-ci. Et peut-être justement parce que Monsieur de Crayencour sent sa fille enfin tout à fait autonome, qu'elle ne lui manifeste aucune de ces muettes réprobations qui l'eussent immanquablement conduit, avec le peu de goût qu'il avait pour un quelconque sentiment de culpabilité, à s'éloigner de la jeune fille pour n'en rien savoir. Marguerite ne pose pas de questions, ne manifeste pas d'inquiétude, ne semble pas l'attendre avec angoisse quand il ne rentre pas le soir avant qu'elle ne se couche.

Ainsi, les heures qu'ils passent ensemble sont-elles non d'intimité, mais de vraie proximité. Ils font de très longues marches dans cet arrière-pays de Provence que Michel aime tout particulièrement. Ils habitent Menton, Saint-Roman et Monte-Carlo, où la villa Loretta, boulevard d'Italie, sera leur résidence principale entre 1920 et 1928. On ignore les propos échangés pendant ces promenades. Il est cependant peu probable que les problèmes d'argent aient été mentionnés. Marguerite ne s'autorisait certainement pas à poser des questions. « Il [Michel] sera seul avec ses pensées, à côté d'elle, comme elle sera seule, avec ses pensées, à côté de lui [22] », signale-t-elle dans les notes préparatoires à *Quoi? L'éternité*. Monsieur de Crayencour devait pourtant s'enquérir de la bonne marche des études de l'adolescente. En 1918, elle a notamment des professeurs de grec et de mathématiques, la lecture de Platon l'ayant, dit-elle, incitée à l'étude des mathématiques.

Mais elle considère que la « véritable nourriture intellectuelle vient de ses lectures ». Elle lit avec avidité, tandis que Michel, entre deux sinécures, apprend le russe. Ensemble, ils aiment lire à haute voix : Virgile en latin, Homère en grec ; Ibsen, Nietzsche et Selma Lagerlöf, que Marguerite considérera toute sa vie « comme un écrivain de génie [23] ».

> « Il me lisait quelquefois des livres, des passages de Chateaubriand... », dira-t-elle à Matthieu Galey. « Il m'a lu Maeterlinck, entre autres *Le Trésor des humbles*, et il m'en est resté un goût pour le mysticisme qui n'a fait que se développer [24]. (...) Les romans historiques de Merejkovsky (...) ou de Tolstoï. J'ai lu aussi Shakespeare (...) Racine, La Bruyère, et d'autres [25]. (...) En revanche, il n'était pas grand lecteur de Balzac. J'irais jusqu'à dire, ce qui semble très arrogant de ma part, que dans une certaine mesure, c'est moi qui lui ai fait lire une partie de la littérature française du XIXᵉ siècle. C'est moi qui lui ai dit, par exemple : "Lisons *La Chartreuse de Parme*." »
> Nous lisions beaucoup ensemble, à haute voix. Nous nous passions le livre. Je lisais, et

> quand j'étais fatiguée, c'était lui qui prenait
> le relais. Il lisait fort bien, beaucoup mieux
> que moi : il extériorisait beaucoup plus. (...)
> Il y avait aussi des auteurs français, Saint-
> Simon, par exemple. Mon père aimait sur-
> tout les écrivains du XVIIe siècle. J'ai lu à peu
> près tout Saint-Simon avec lui. J'avais le sen-
> timent de rencontrer des foules humai-
> nes [26]. »

Sans que l'on sache très bien pourquoi – peut-être
a-t-elle plus besoin d'une « sanction extérieure »
qu'elle ne le pense – Marguerite passe la première partie du baccalauréat latin-grec en candidate libre, à
Nice le 9 juillet 1919. On possède son diplôme délivré
par l'académie d'Aix-Marseille à la date du 29 mai
1920, avec la mention passable. Elle n'a jamais dit si
elle s'était présentée ou non à la seconde partie du baccalauréat, et on ne trouve aucune trace du diplôme – la
mention passable ne devait guère l'avoir encouragée et
l'on imagine bien son orgueil voulant se dispenser de
s'exposer une nouvelle fois à un possible « affront »...
Aussi est-il étonnant de la voir affirmer, dans la « chronologie » de la Pléiade, à propos des années vingt, « un
projet de licence de lettres ayant été vite écarté, ces
années furent aussi, et surtout, celles de la découverte
de l'Italie ». Comment s'inscrire à la faculté sans disposer du baccalauréat entier ?

Quand on connaît le trajet de Marguerite Yourcenar,
on est tout de même amené à se demander pourquoi,
elle qui a tant dissimulé, fait apparaître dans sa « chronologie » ce baccalauréat médiocrement réussi et cet
impossible projet de licence. Volonté de marquer une
soudaine et très provisoire tentation pour la norme ou,
au moins, pour ce qui concerne le baccalauréat, le
souci de se mesurer à cette norme ? Désir de socialisa-
tion, dont l'absence d'école l'avait privée ? Si ces motifs

sont à la rigueur imaginables, en leur temps, pour cette confrontation inattendue à l' « examen », on voit mal pourquoi, tant d'années plus tard, elle perpétue cette incohérence. À moins, tout simplement, qu'elle n'ait oublié – voire jamais su – qu'elle ne pouvait entreprendre une licence de lettres avec ce baccalauréat incomplet. Ou qu'il s'agisse là d'un de ces pseudo « souvenirs » auxquels on finit par croire en dépit de leur irréalité. Quant à l'hypothèse d'une pression familiale, elle est peu probable : Marguerite avait déjà appris à vivre sur elle-même, de cette manière autarcique qui fera sa force et lui permettra de résister, même très âgée, à la pression, aux désirs de possession de son entourage. De plus, elle prétendra avoir toujours récusé tout intérêt à la pédagogie. Pourtant, dans sa vie future, au fil de sa correspondance, surtout avec de jeunes écrivains en quête de conseils, on ne pourra manquer de remarquer le souci pédagogique incessant de Marguerite Yourcenar, au point qu'on se dit parfois que cette femme, qui n'a jamais mis les pieds dans une école, confine à la caricature de l'institutrice troisième République.

De ce trait particulier, on trouve trace dans sa correspondance avec de jeunes auteurs ou aspirants-écrivains, tel ce programme en quatre points adressé à une jeune femme de vingt-six ans qui sollicitait quelques conseils, et dont le didactisme formel frôle le cocasse :

> « 1. Travailler. L'art d'écrire s'apprend : il s'agit de dire le plus clairement et le plus fortement possible ce qu'on pense et ce qu'on sent. Faites des essais : astreignez-vous à décrire exactement et complètement un tableau dans un musée, une scène dans la rue, à rapporter une conversation à laquelle

vous avez assisté, à débrouiller vos idées sur un sujet qui vous tient à cœur et à les mettre par écrit. Jamais plus de quelques pages à la fois ; faites et refaites jusqu'à ce que cela soit exactement ce que vous voulez et que vous ayez éliminé le factice et l'inutile.

2. Apprendre à penser ; s'instruire. On n'a jamais assez lu, assez vu, assez réfléchi. Faites-vous un programme de lectures immense et désintéressé (c'est-à-dire sans but immédiat de vous en servir en tant qu'écrivain). Qu'une lecture mène à l'autre, et contrôle l'autre. N'excluez aucun domaine jusqu'à ce que vous sachiez ce que vous voulez approfondir plus particulièrement pour le moment.

3. Apprendre à voir et à entendre, depuis le moindre ustensile de cuisine jusqu'aux étoiles, depuis le chien qui aboie jusqu'à la voix du vent.

4. Penser peu à soi-même, et jamais au succès, à la gloire, ces fariboles. Demandez-vous pourquoi vous voulez écrire.

(Et numérotez les pages de vos lettres, et mettez l'adresse à l'intérieur. Les enveloppes se perdent. Tout cela est une partie du métier [27].) »

Au fond, ce bref détour vers l' « institution universitaire » – le baccalauréat est à l'époque délivré par l'université – n'est peut-être qu'une manière de différer une décision grave. Ou plutôt une façon d'exhiber qu'elle n'a pas pris à la légère la grande décision qui marque 1919, l'année de ses seize ans. Quoi qu'en dise et pense la famille, ajoutant ainsi à l'opprobre de la ruine, œuvre de son père, Marguerite de Crayencour rejoindra le groupe vaguement louche des saltimbanques et bohèmes en tous genres, comme aurait sans doute marmonné la grand-mère Noémi : elle sera écrivain.

90

Plutôt qu'à la préparation du baccalauréat, elle a déjà occupé son année 1919 à l'écriture de nombreux poèmes et à la composition d'un drame en vers, *Icare*, qui deviendra *Le Jardin des Chimères*, un texte « plein de clichés poétiques inévitables chez une enfant qui a trop lu », commentera Marguerite Yourcenar. « Ambitieux », dira-t-elle lors de ses entretiens avec Matthieu Galey. « Très influencé, dans la coupe, par Victor Hugo, presque jusqu'au plagiat, avec comme épigraphe deux beaux vers qui étaient ce qu'il y avait de mieux dans ce tout petit volume, deux vers de Desportes : Le ciel fut son désir, la mer sa sépulture, / Est-il plus beau dessein ou plus riche tombeau ?

« Pour une fille de seize ans, c'était bien choisi. À part cela, il n'y avait rien : c'était les rêveries d'Icare. Il y avait pourtant une scène assez bonne, et assez touchante – mon premier portrait de vieillard – c'était celle où le vieux Dédale conversait avec la mort[28]. »

« En ce qui concerne *Le Jardin des Chimères*, devait-elle aussi confier à l'une de ses correspondantes, œuvre naïve mais déjà plus poussée [que le recueil suivant, *Les Dieux ne sont pas morts*], je suis surprise de voir à quel point les thèmes qui allaient me préoccuper plus tard et me préoccupent encore aujourd'hui y tiennent déjà de place. On se développe, du moins faut-il l'espérer, mais le fond ne change pas[29]. » Ce petit poème si gauche garde pour moi la valeur d'un premier jalon à cause de l'effleurement d'un certain nombre de grands thèmes sur lesquels je devais revenir plus tard[30] », écrira-t-elle encore.

Michel n'est pas homme à s'opposer au désir de sa fille, d'autant qu'il a lui-même rêvé de laisser une trace écrite. « Du temps de Jeanne » il a traduit, d'après la version anglaise, *Le Labyrinthe du Monde* de l'écrivain morave Coménius. « Il s'acharne sur ce Coménius qu'il

91

trouve parfois excitant et parfois insipide [31] », écrit-elle dans *Quoi? L'Éternité*. « Ce Michel qui a composé quelques poèmes, parfois bons, et, à une seule exception près, les a mis au panier avant de les finir, qui a même entrepris, après la mort de Fernande, un roman sèchement réaliste interrompu à la fin du premier chapitre, et qu'il me donnera plus tard pour transformer en nouvelle, à la condition de le signer de mon nom, s'oblige enfin à aller jusqu'au bout d'une tâche littéraire. Il se rend compte pour la première fois que manier les mots, les soupeser, en explorer le sens, est une manière de faire l'amour, surtout lorsque ce qu'on écrit est inspiré par quelqu'un, ou promis à quelqu'un [32]. »

Au Mercure de France, où Michel porte le manuscrit, « Vallette argue que rien ne se fait sans l'avis du comité de lecture. D'ailleurs, ce Coménius, que personne ne connaît en France, sauf peut-être un ou deux spécialistes, serait à coup sûr une perte sèche [33] ». L'ouvrage est finalement publié à Lille, à compte d'auteur, et la moitié des cinq cents exemplaires du tirage est envoyée à Jeanne. « Septuagénaire, [Michel] reçut du ministère de la Culture de la Tchécoslovaquie, devenue une nation, une fort belle lettre le remerciant d'avoir traduit en français ce chef-d'œuvre d'un patriote tchèque. Il en fut ravi comme il l'eût été de voir un arbrisseau cru mort reverdir [34]. » Il semble même que Marguerite ait envisagé un temps de reprendre cette traduction puisque la page « du même auteur » des *Dieux ne sont pas morts* indique « En préparation : *Le Labyrinthe du Monde*, de Coménius (1623), traduction ». Le projet n'aura pas de suite mais Marguerite Yourcenar donnera ce titre à sa trilogie familiale en hommage – à son père, semble-t-il, plutôt qu'à Coménius. Encore qu'il soit plaisant – ou, qui sait, profondément significatif – qu'elle ait choisi ce titre, donc cette référence, pour retracer l'histoire de ceux qui l'ont, parfois à leur insu, « formée » : Coménius fut non seulement un « patriote tchèque » mais surtout, au XVIIe siècle, le grand réformateur de la pédagogie...

Michel donc, voyant sa fille bien décidée à accomplir ce qui n'avait été pour lui qu'un rêve flou, ne pouvait que l'encourager, la pousser, l'aider dans toute la mesure de ses moyens. « Il fut pour le jeune écrivain, dira Marguerite, un admirable conseiller littéraire, complètement dédaigneux de toutes les modes du moment, imbu des meilleures traditions de la langue et de la littérature française. » Un conseiller certes, mais pas un mentor impérieux et dominateur : il faut le redire, Monsieur de Crayencour et sa fille ne vivaient pas dans la dévotion réciproque. L'arrivée de Christine Brown-Hovelt, en 1920, vient à point nommé le prouver. Elle est cette femme qu'il rencontrait à Londres en 1915. Il l'avait sans doute revue, par intermittence. Mais en 1920 elle s'installe à Monte-Carlo, ce qui fera croire à Barbe, l'ancienne bonne, que Monsieur de Crayencour l'a épousée. Ainsi écrit-elle dans sa dernière lettre à Marguerite, le 1er mai 1920 : « Je suis très heureuse que ma petite Marguerite ne m'oublie pas avant de se mettre en voyage pour la Suisse. J'espère aussi que pour ton papa et sa nouvelle épouse ce sera un beau voyage. Je trouve qu'il a beaucoup de courage d'avoir épousé une troisième femme. Au moins il pourra juger s'il y a une différence entre femmes françaises, belges ou anglaises [35] (...) »

Monsieur de Crayencour n'épousera en fait Christine Brown-Hovelt que le 25 octobre 1926 à Monte-Carlo. Elle avait cinquante-trois ans et lui soixante-treize. Marguerite affirmera l'y avoir encouragé : « C'est moi, (j'avais vingt-deux ans) qui ai conseillé à Michel de l'épouser en octobre 1926 (deux ans et trois mois avant sa mort), quand l'idée lui est tout à coup venue de le faire " pour lui faire plaisir [36] " », devait-elle confier à son demi-neveu.

Il est cependant singulier que Christine Brown-Hovelt, devenue Christine de Crayencour, n'apparaisse à aucun moment dans la « chronologie » de la Pléiade. Tout le récit qui y est donné des années vingt ne porte nulle trace de vie, même temporaire, à trois, et perpétue l'idée du tête-à-tête, à la fois complice et secret, entre le père et sa fille devenue adulte. Christine Brown-Hovelt avait un talent certain de miniaturiste et Marguerite a toujours gardé les miniatures qu'elle avait faites d'après les photos d'elle enfant. Mais elle était loin d'être d'une intelligence apte à retenir l'attention de sa belle-fille – qui eût d'ailleurs détesté être désignée ainsi... Dans les années trente, Marguerite conservera toutefois une chambre à elle dans l'appartement lausannois de sa belle-mère et pendant la Seconde Guerre mondiale, où Christine sera dans le dénuement, Marguerite, en dépit de la précarité de sa propre situation aux États-Unis, l'aidera financièrement du mieux qu'elle le pourra, jusqu'à sa mort à Pau, en 1950.

En dépit de cela et bien qu'elle ait dédié son *Pindare*, publié en 1932 chez Grasset, « *To my dearest Christine de Crayencour, in memory of happy days in Italy and in Provence* » – Marguerite Yourcenar affirmera n'avoir eu avec Christine que les relations de courtoise neutralité qu'une fille sortant de l'adolescence doit avoir avec la femme de son père et le *Pindare* n'était, selon elle, qu' « une simple politesse ». Elle ne laisse percer son irritation qu'en racontant, dans *Archives du Nord*, comment, au chevet de son père mourant, Christine « anglaise sentimentale et conventionnelle [37] » avait exigé, contre le vœu même de Michel, que l'on avertît son fils, Michel-Joseph.

D'une manière générale, Marguerite Yourcenar n'a jamais évoqué ses sentiments à l'égard des conquêtes de son père, si ce n'est pour celle qu'elle avait « choisie », Jeanne. Peut-on en conclure qu'elle y fut la plupart du temps indifférente ? Peut-être. À tout le moins, elle se forçait à l'indifférence, refusant d'entrer dans un jeu sentimental qui lui eût paru dégradant. Et puis Monsieur de Crayencour n'était pas homme à favoriser les sentiments possessifs et les querelles d'appropriation. On a vu comment lui et sa fille se gardèrent toujours d'une intimité bavarde qu'ils auraient probablement jugée de part et d'autre malséante. De confidences, il ne fut donc jamais question, ou presque. Faut-il voir l'ombre d'un regret dans la brève remarque des notes préparatoires à *Quoi ? L'Éternité* : « elle sera l'écouteuse (non pas la confidente, mais qu'importe) » ? Rien n'y autorise vraiment, il s'agit plutôt d'un constat, du même ordre que celui qu'elle fait lors de sa conversation avec Bernard Pivot, en 1979. Elle affirme connaître l'empereur Hadrien, « sur lequel on a beaucoup de documents », mieux que son propre père et s'élève contre « l'illusion des gens qui pensent toujours que la famille est quelque chose dont on est excessivement proche » : « Voyons un peu les choses de près. Un père est un monsieur qui vous a eue comme fille, dans mon cas, quand il avait quarante-cinq ans [il en avait cinquante]. Mettons que j'aie commencé à l'observer quand j'en avais, moi, sept (...). Toute sa jeunesse était derrière lui. J'ai dû la reconstituer par ses récits, qui, heureusement, étaient assez abondants. Ensuite (...) le fait même d'être une fille fausse la situation à l'égard d'un personnage : c'est " mon " père. Et on ne pense pas assez que ce père est un monsieur qui a sa vie à lui, ses aventures à lui, ses soucis à lui. Il peut être un très bon père, mais la paternité ne le compose pas entièrement. Il y a bien d'autres choses, que l'on risque d'oublier [38]. »

Certes, Monsieur de Crayencour portait à cette adolescente de dix-sept ans, en cette année 1920, une attention et un intérêt qu'il n'eût pas soupçonnés quand il revenait tristement seul avec un bébé au Mont-Noir en 1903. Marguerite, elle, admirait cet « homme perpétuellement en rupture de ban ». Une admiration qui n'allait pas tarder à devenir réciproque. Dès la rédaction d'*Icare*, en 1919, l'activité littéraire de Marguerite avait pris un tour si sérieux que Monsieur de Crayencour ne pouvait tenir ces travaux pour une suite de distractions d'adolescente. *Icare* à peine fini, elle travaille à un second recueil poétique, *Les Dieux ne sont pas morts*, dont plusieurs pièces sont antérieures au *Jardin des Chimères*, et qu'elle terminera à dix-huit ans, en 1921. Elle le jugera a posteriori « inférieur au premier », « parce que c'était vraiment du démarquage d'écolier », dira-t-elle à Matthieu Galey. « Là, on retrouvait un peu tous les poètes de la fin du xixe siècle. Bien sûr, il faut apprendre son métier, seulement, quand on est musicien, on fait des gammes en chambre, et on n'ennuie que sa famille, tandis qu'hélas un jeune écrivain publie quelquefois trop vite... Je crois qu'il aurait mieux valu jeter au panier ces premières productions [39]. »

Mais dans ces exercices de style pleins d'emphase et de lyrisme, saturés de références à l'Antiquité et qui semblent démarqués du plus mauvais Vigny, on relève déjà une affirmation de sa certitude d'être un écrivain, et, comme on l'a vu, son désir d'exception et de gloire :

Sois grave. Méprisant toute chaîne servile
Éloigne-toi du mal et de la laideur vile,
Sculpte ton idéal avec sévérité.
Travaille indifférente aux vains bruits de la foule,
Et garde, dans ces jours où tout respect s'écroule,
L'amour serein de la Beauté [40].

ou encore :

Pareille à ces rêveurs que ton orgueil envie
Force la Destinée à couronner ta vie.
Le monde est assez grand pour ton plus grand désir.
Monte, les yeux fixés vers la hauteur suprême
Où resplendit encor l'antique diadème
Que seul le vainqueur peut saisir [41].

L'ouvrage, on le voit, présente un intérêt plus biographique que littéraire, ce dont Marguerite était heureusement consciente : « Si je ne fais plus figurer ces
deux ouvrages [*Le Jardin des Chimères* et *Les Dieux ne
sont pas morts*] dans la liste de mes livres, c'est que j'y
vois les premiers essais d'une enfant, qui pourront
peut-être intéresser un jour les critiques, s'il s'en
trouve, soucieux d'évaluer toute mon œuvre, mais qui
sont à coup sûr, *Les Dieux ne sont pas morts* surtout,
sans valeur pour le grand public [42]. » « Quant aux juve-
nilia, confiait-elle à un autre correspondant, *Le Jardin
des Chimères*, écrit à seize ans, et publié à frais
d'auteur à dix-huit, *Les Dieux ne sont pas morts*, qui
contient des vers écrits depuis la quatorzième année,
publié à frais d'auteur à dix-neuf ans, ils ne méritent
pas d'être lus (...). Sauf deux ou trois poèmes qui me
paraissent sentir assez gracieusement l'enfance,
comme des rondeaux d'un très jeune musicien ("Limpide source"... "Été"...) tout est contourné, chan-
tourné, et boursouflé. L'adolescence est l'âge où l'on

s'efforce d'être autre chose et plus que soi. Ambition nécessaire, mais qui ne va pas sans maladresse et sans prétentions. Le seul fait curieux est que, m'étant rendu compte de la pauvreté de ces poèmes, je les ai fait mettre au pilon dès 1925, mais ai travaillé ensuite, dès 1930, et quelquefois plus tard, à refaire inlassablement ces morceaux, ou des variations de ceux-ci, comme on s'oblige à jouer une pièce de musique jusqu'à ce qu'on l'ait exécutée à peu près proprement [43]. »

Si l'on ne peut faire grief à Marguerite Yourcenar de pièces qu'on préférera dire versifiées que poétiques, et qu'elle-même reconnaîtra insipides, on peut s'étonner que cette jeune fille éprise de littérature ait délibérément choisi ses modèles dans le XIXᵉ siècle le plus compassé et ait, semble-t-il, méconnu la formidable révolution poétique dont elle était la contemporaine : *Alcools* a paru en 1913 et le surréalisme est en train de naître. Peut-être faut-il voir dans ce décalage les conséquences d'un certain provincialisme ou, plus encore, celle d'une vie à ce point écartée de toute société que seules y parvenaient les références « classiques » dont Michel était nourri.

Quoi qu'il en soit, en 1920, Marguerite est encore loin de l'autocritique qui la conduira à livrer ces premières compositions à la sanction du pilon : elle rêve de voir imprimés ses balbutiements littéraires. Son père a envie de lui offrir cette joie, et va entreprendre des démarches auprès d'éditeurs. À cette occasion, Monsieur de Crayencour et Marguerite, qui désire se choisir un nom de plume, passent une soirée à jouer avec les lettres de leur patronyme. Ils s'arrêteront sur une anagramme presque parfaite – il n'y manque qu'un C – de Crayencour : Yourcenar « pour le plaisir de l'Y », dira Marguerite. Pour le mystère, sans doute aussi, de ce nom qui résonne comme un mot de passe.

Marguerite en fera son nom légal lorsqu'elle prendra la nationalité américaine. Quant au prénom, il deviendra, pour une dizaine d'années, « Marg » : à l'époque, Marguerite devait aimer cette indétermination.

Pour ce qui concerne l'éditeur, leur choix semble s'être porté sur Perrin. (Peut-être ont-ils écrit à d'autres maisons sans qu'on en ait encore retrouvé la trace.) Mais dans les archives de Plon, qui rassemblent celles de Perrin, aujourd'hui membre du même groupe d'édition, on a découvert plusieurs lettres. L'une, d'une ferme écriture d'adulte, propose un recueil de poèmes « d'environ 200 pages », et s'enquiert du prix et des délais nécessaires à la publication [44]. La lettre est signée « M. de Crayencour ». Tout naturellement, on lui répond « Monsieur » et l'on a raison : la comparaison des écritures en témoigne, c'est bien Monsieur de Crayencour le rédacteur de la lettre. À la fin du mois de septembre, sans nouvelles du manuscrit, Monsieur de Crayencour fait un nouveau courrier – dactylographié, mais signé de sa main – à l'éditeur :

> « Monsieur,
> À la date du 5 août dernier, j'ai eu l'avantage, comme suite à votre lettre du 2 août, de vous envoyer (recommandé) un manuscrit " Le Jardin des Chimères " (sous le pseudonyme de Marg Yourcenar). Cet ouvrage devrait être soumis à l'approbation de votre Comité de Lecture, en vue d'une impression pour laquelle nous étions en pourparlers.
> Depuis cette époque, c'est-à-dire depuis près de deux mois, je suis sans nouvelles de cet envoi.
> Comme j'ai en portefeuille un certain nombre de poèmes détachés, je serais d'avis de faire éditer uniquement, pour l'instant, La Légende Dramatique d'Icare, qui fait déjà partie du manuscrit que je vous ai envoyé,

en réservant les autres poèmes du même envoi pour une édition que je désirerais faire dans quelques mois, en y joignant les nouveaux poèmes qui constitueraient alors avec les anciens un volume d'environ 300 pages. Je préférerais cette méthode à la production immédiate d'une œuvre à laquelle on pourrait reprocher le manque d'unité.

La Légende Dramatique d'Icare serait néanmoins produite sous le titre " Jardin des Chimères " et ferait un petit volume de 80 pages environ.

Je vous serai reconnaissant de me faire savoir quelle a été la décision de votre Comité de Lecture et vous prie d'agréer l'expression de mes sentiments très distingués [45]. »

Et le 4 octobre, alors que l'éditeur a communiqué une réponse favorable, Michel répond par une lettre manuscrite qu'il signe... « Marguerite de Crayencour » !

« Je viens de recevoir votre lettre du 2 octobre, et suis très sensible à la flatteuse approbation que vous voulez bien m'exprimer au sujet de mon manuscrit.

Je vous remercie de vouloir bien vous charger de la publication de la " Légende d'Icare " et je pense comme vous qu'il faudrait une impression très large pour éviter l'apparence d'une brochure.

Je vous serais infiniment reconnaissante de vouloir bien mettre le travail en main le plus tôt possible. Il va sans dire que j'accepte vos conditions pour le prix et m'en rends à vous pour le choix du papier et de la composition.

Je vous prie de me renvoyer les poèmes qui font suite à la " Légende d'Icare ". Lorsque le nombre en sera complété, je désire les faire paraître en un volume intitulé " L'Épée et le Miroir ».

Je travaille actuellement à un poème dramatique qui s'appellera " Irène aux Cygnes blancs ". J'aurai l'avantage de vous soumettre ces deux manuscrits quand ils seront terminés et j'espère qu'ils trouveront près de vous l'accueil bienveillant de mon premier ouvrage.

Recevez avec mes remerciements réitérés l'expression de mes sentiments très distingués.

Marguerite de Crayencour

P.S. : J'ai pris comme pseudonyme Marg Yourcenar, qui est, comme vous le voyez, l'anagramme de mon vrai nom.

Villa Loretta
Boulevard d'Italie
Monte-Carlo

Je crois qu'il est d'usage de payer la moitié du prix d'avance. Pour faire un compte rond, je vous envoie un chèque de deux mille francs à valoir [46]. »

Ainsi le père et la fille ont poussé jusque-là le jeu. Jusqu'à la confusion des signatures. On imagine bien Michel de Crayencour prenant un plaisir tout particulier à signer de cet étrange nom de femme, « Marguerite Yourcenar », anticipant sur une célébrité qu'il n'aurait osé rêver. On ne peut toutefois l'imputer aux seules délices d'une étrange confusion des rôles – qui a dû exister dans cette affaire – et méconnaître le côté simplement pratique de l'intervention de Monsieur de Crayencour. Sa manière de calligraphier faisait plus sérieux, plus posé, en un mot plus adulte. Marguerite, elle, avait alors une écriture joliment enfantine, ou presque, qui deviendra vite une graphie toute personnelle, assez peu dans la norme des pleins et des

101

déliés qu'on avait dû lui apprendre, même si elle n'était pas passée par les bancs de l'école, et auxquels elle avait dû se montrer, une fois de plus, tranquillement rétive.

Finalement donc, le texte est accepté et c'est chez Perrin, à compte d'auteur, donc aux frais de Michel de Crayencour que paraît en 1921, sous le titre *Le Jardin des Chimères*, le premier ouvrage de Marguerite de Crayencour, devenue un écrivain de dix-huit ans au sexe indéchiffrable, un certain Marg Yourcenar. Tout juste soixante ans plus tard, en 1981, une femme de soixante-dix-huit ans, Marguerite Yourcenar, sera la première « personne du sexe » à être reçue dans l'hémicycle de l'Académie française, sous la coupole du quai Conti.

CHAPITRE 4

Je, soussignée, Marguerite Yourcenar

Le deuxième livre de la jeune Mademoiselle de Crayencour, qui n'est encore écrivain que dans ses projets et dans ses désirs, est lui aussi publié aux frais de Michel de Crayencour. En dépit du peu de réactions au *Jardin des Chimères*, Marguerite Yourcenar avait été encouragée à persister dans ses projets littéraires par les propos d'un homme pour lequel elle avait beaucoup d'admiration : Rabindranath Tagore, figure symbolique d'un Orient qui déjà la fascinait. « C'était en 1921, devait-elle écrire longtemps après à un journaliste. J'avais dix-huit ans; je venais de publier à mes frais, ou plutôt un père trop enthousiaste venait de publier, mon premier poème, une mince plaquette intitulée *Le Jardin des Chimères*, et je l'avais envoyée, entre autres personnalités, à Rabindranath Tagore. Les autres personnalités, pour autant que je m'en souvienne, ne répondirent pas. Tagore répondit immédiatement en m'invitant pour une saison à Shantinikétan. J'ai su depuis que cette invitation, il l'étendait souvent aux jeunes Occidentaux qui s'adressaient à lui. Je fus comme vous le pensez bien terriblement tentée, mais n'avais pas les moyens personnels de faire ce long voyage. Je me demande aujourd'hui à quel point ma vie et ma pensée seraient différentes de ce qu'elles sont si je l'avais fait. J'ai longtemps gardé ces deux lettres que Tagore avait eu la bonté de m'adresser; elles se sont perdues, comme tant d'autres choses, dans le naufrage de 1939-1945 [1]. »

Les Dieux ne sont pas morts sort en 1922 chez Sansot. Il est, comme le sera le *Pindare*, dédié à la femme qui deviendra la troisième épouse de son père quatre ans plus tard : *A ma précieuse amie Christine Hovelt*, dans l'un de ces élans de l'adolescence que l'on condamne ensuite, lorsqu'on a la claire conscience que le destinataire n'était pas celui qu'on avait rêvé.

Marguerite qui, après coup – dans la « chronologie » de la Pléiade –, estime, un peu hâtivement, devoir être désignée uniquement sous le nom de Yourcenar à partir de 1921, date de 1922 et des deux ou trois années suivantes un travail qui ne verra jamais le jour en l'état, mais qui peut être considéré comme la matrice de la quasi-totalité de son œuvre. Il s'agit du projet d'un très long roman, *Remous*, racontant, sur quelque quatre siècles, l'histoire entremêlée de plusieurs familles.

Elle dit en avoir rédigé, de manière désordonnée « un peu au hasard », cinq cents pages en quatre ans, puis avoir tout jeté, à l'exception de trois fragments. Pendant toute la première partie de sa vie d'écrivain – avant la Seconde Guerre mondiale – Marguerite Yourcenar détruira beaucoup d'ébauches. Sur ce radicalisme, né de l'exigence crispée de ses vingt ans et peu à peu abandonné – trop abandonné même, dans sa vieillesse –, elle s'explique, incidemment, au détour d'un développement de *Souvenirs pieux* à propos d'Octave Pirmez, son ancêtre écrivain : « J'ai traité de haut son désir passionné de ne montrer que ce qui lui semblait le meilleur de soi : à vingt ans, je l'aurais compris. Mon ambition à cet âge était de demeurer l'auteur anonyme, ou connu tout au plus par un nom et par deux dates peut-être controversées, de cinq ou six sonnets admirés d'une demi-douzaine par génération. J'ai assez vite cessé de penser de la sorte. (...) Néanmoins, comparée à l'exhibitionnisme maladif de notre époque, la réserve, maladive aussi, d'Octave a pour moi du charme [2]. »

Retravaillés, les textes de *Remous* sauvés de la destruction composeront par la suite (en 1934) le recueil de nouvelles *La Mort conduit l'Attelage* : « peu d'années plus tard, entrée pour ainsi dire dans la " carrière littéraire ", j'eus l'idée de récupérer au moins certaines parties de l'ancien ouvrage délaissé. C'est ainsi que le récit intitulé maintenant *Anna, soror...* parut en 1935 [sic] dans un recueil de trois nouvelles, *La Mort conduit l'Attelage (...).* Pour leur donner une apparence au moins d'unité, j'avais choisi de les nommer respectivement *D'après Dürer, D'après Greco* et *D'après Rembrandt* [3]... »

Mais leur destin ne s'arrêtera pas à ce petit livre. Le premier récit, *D'après Dürer*, porte en germe *L'Œuvre au Noir*; le deuxième, *D'après Greco*, reparaîtra à peine modifié en 1981 sous le titre *Anna, soror...*; du troisième, *D'après Rembrandt*, sortiront deux nouvelles, *Un homme obscur* et *Une belle matinée*, entièrement refaites entre 1979 et 1981 [4]. En outre, ce que *Remous* supposait de restitution d'histoire familiale, à partir de documents généalogiques lus pour la première fois par Marguerite en 1921, trouvera plus qu'un écho dans *Souvenirs pieux* et *Archives du Nord*, les deux premiers volumes de la trilogie intitulée *Le Labyrinthe du Monde*, « construits autour de l'histoire de plusieurs familles du nord de la France et de la Belgique au XIXe siècle et remontant parfois vers des ascendants beaucoup plus lointains [5] ».

105

Marguerite Yourcenar estime que sa destinée littéraire est ancrée dans ce qu'elle désignera tout au long de sa vie comme ses « projets de la vingtième année », et qui en fait se forment, de manière encore floue, dans de « débordantes rêveries [6] », entre dix-neuf et vingt-quatre ans. Est-ce par souci de retrouver, a posteriori, à la fois une unité et une origine dans une sorte d'implosion première d'où tout procéderait? Sans doute pas. Elle se montrera au contraire assez irritée, dans sa vieillesse, de l'accent mis sur sa propension à reprendre sans cesse ses livres antérieurs et affirmera « avoir beaucoup moins réécrit qu'on ne le dit ». Ainsi, à Jacques Chancel qui soulignait combien elle se plaisait à « refaire et tout recommencer », elle rétorquait : « Cela dépend; il faut se méfier des généralisations. Il y a des œuvres, comme par exemple *Le Coup de grâce* ou *Alexis*, qui n'ont jamais été retouchées, sauf pour leurs subjonctifs abusifs ou quelques détails de grammaire qui ne me paraissaient pas très heureux... D'autres livres ont été retouchés parce qu'ils ont été commencés beaucoup trop jeune. C'est, je crois, une particularité curieuse chez moi. À vingt ans, j'avais prévu à peu près quatre ou cinq de mes livres, et j'avais commencé à barbouiller beaucoup de papier. Alors bien entendu, je m'étais chargée d'un fardeau que je ne pouvais pas porter [7]. »

Pourtant on constate que dès *Les Dieux ne sont pas morts*, fût-ce sous forme de nébuleuses, la galaxie des œuvres de Marguerite Yourcenar est déjà là. Son travail incessant de recréation l'explorera jusqu'à l'obsession, en jouant de l'approfondissement, de l'expansion, du développement, de la correction ou de la contraction. Marguerite Yourcenar a, pour une grande partie de son œuvre au moins, développé – « décliné » dirait-on dans un langage qu'elle eût jugé dévoyé – les

« folies » de sa jeunesse visionnaire. Elle a ainsi créé « sur elle-même », d'une manière quasi autarcique, passant sa vie à oublier pour retrouver, reprendre, repenser, remodeler.

Elle a souvent exprimé – dans sa correspondance, ses préfaces ou postfaces, ou lors d'entretiens – ce besoin particulier de ne pas abandonner ses personnages, de leur inventer un avenir, un destin plus « abouti ». « Plus je vais, plus cette folie qui consiste à refaire des livres anciens me paraît une grande sagesse », devait-elle écrire dans ses *Carnets de notes de « L'Œuvre au Noir »*. « Chaque écrivain ne porte en soi qu'un certain nombre d'êtres. Plutôt que de représenter ceux-ci sous les traits de personnages nouveaux, qui ne seraient guère que des personnages anciens prénommés autrement, j'ai mieux aimé approfondir, développer, nourrir ces êtres avec qui j'avais déjà l'habitude de vivre, apprendre à mieux les connaître à mesure que je connais mieux la vie, perfectionner un monde déjà mien. " Je n'ai jamais compris qu'on se rassasiât d'un être ", fais-je dire à Hadrien parlant de ses amours. Je n'ai jamais cru non plus que je puisse me rassasier d'un personnage que j'avais créé. Je n'ai pas fini de les regarder vivre. Ils me réserveront des surprises jusqu'à la fin de mes jours [8]. »

On hésite, bien sûr, devant la banalité de la métaphore des « enfants littéraires » que sont, pour un écrivain, ses créations. Mais ici, on ne peut s'empêcher de remarquer combien le modèle implicite est celui d'un étrange roman d'éducation dont les protagonistes seraient à la fois la narratrice et ses personnages.

Cette singulière famille romanesque qu'on s'interdira, au moins par prétérition, de penser substitutive, relève d'une durée qui récuse l'approximation de la hâte, l'inaccompli de l'urgence et se plaît à ces successions qui fondent une lignée : Marguerite désignait volontiers par le terme de « géologie », la « sédimentation » des êtres, la durée nécessaire à leur accomplissement. La lenteur, le vieillissement, en ce qu'ils supposent non de stagnation mais de mûrissement, étaient chez elle des objets constants de réflexion et d'observation. Aux « étoiles filantes » – en politique plus encore qu'en littérature – elle préférera toujours ceux qui savent durer : « Hadrien n'est pas fulgurant », dira-t-elle en évoquant le personnage du livre qui la rendit célèbre. « C'est l'une des choses qui me plaisent en lui ; il est surtout lucide, avec de grandes ouvertures sur des mondes qui ne sont pas les siens [9]. »

La précocité littéraire de Marguerite et son goût de l'érudition ne font pourtant pas d'elle une soudaine sédentaire. On sait combien elle partageait l'incurable nomadisme de son père qui aimait à répéter « on s'en fout, on n'est pas d'ici, on s'en va demain ». En 1914, tout autant que son âge, les conditions de ce qu'elle prit pour une escapade et qui était un exil londonien ne lui avaient pas permis de bien connaître la Grande-Bretagne. Mais à partir de 1922, date de son premier séjour à Venise avec son père, elle va explorer l'Italie avec passion, tout au long de la décennie – seule, accompagnée de Michel, ou en d'autres compagnies encore imprécises.

Évidemment, elle ne révélera de ses voyages que ce qui est signe de son œuvre. Par exemple sa visite, toujours en 1922, à Milan et Vérone où elle est témoin de la marche sur Rome (premier jalon vers son roman *Denier du rêve*) :

> « C'est toujours un moment grave que celui où un jeune esprit jusque-là insoucieux de politique découvre soudain que l'injustice

et l'intérêt mal entendu passent et repassent devant lui dans les rues d'une ville avec des effets de cape et d'uniforme, ou s'attablent au café sous l'aspect de bons bourgeois qui ne prennent pas parti. 1922 a été pour moi une de ces dates, et le lieu de la révélation de Venise et Vérone (...) La ferveur libérale qui précéda en Italie le Risorgimento est l'un des plus beaux phénomènes du siècle (...) On accepte moins qu'ait suivi la monarchie bourgeoise des Savoie (...) ni qu'au désordre d'où auraient dû sortir des réformes aient succédé les rodomontades du fascisme, pour finir par Hitler vociférant à Naples (je l'entends encore) entre deux rangées d'aigles en simili-pierre, par les rats dévorant les cadavres des Fosses Ardéatines, Ciano fusillé dans son fauteuil, et le corps du dictateur romagnol et celui de sa maîtresse pendus par les pieds dans un garage [10]. »

Elle évoquera souvent son premier séjour à Rome en 1924 – le seul où son père l'accompagnait – et leur découverte de la villa Adriana. « Beau lieu aujourd'hui désacralisé par des restaurations indiscrètes ou par de vagues statues de jardin trouvées çà et là et arbitrairement groupées sous des portiques retapés, sans parler d'une buvette et d'un parking à deux pas du grand mur qu'a dessiné Piranèse. Nous regrettons la vieille villa du comte Fede telle que je l'ai encore connue dans mon adolescence, la longue allée bordée d'une garde prétorienne de cyprès menant pas à pas au silencieux domaine des ombres, hanté en avril par le cri du coucou, en août par le crissement des cigales, mais où, à mon dernier passage, j'ai surtout entendu des transistors [11]. »

C'est dès cette première promenade dans l'un des lieux de l'empereur Hadrien, qu'elle décide d'entreprendre ce qui deviendra vingt-sept ans plus tard son premier grand succès public, *Mémoires d'Hadrien*.

De Florence elle ne dit rien, sinon qu'elle y est allée en 1923 en compagnie de son père. En revanche, elle a longuement raconté à Grace Frick, qui le rapporte en dressant une de ses chronologies de la vie de Marguerite Yourcenar [12], son arrivée à Naples au printemps de 1925, et sa première promenade au château Saint-Elme où elle situera l'action d'*Anna, soror...* Son père la rejoint et voit Naples pour la première fois. C'est Marguerite qui, désormais, fait découvrir à Monsieur de Crayencour de nouveaux paysages. Il va avoir soixante-douze ans, il est fatigué, affaibli et, cette fois-ci, bel et bien totalement ruiné.

Elle lui montre l'étrange Pietà de l'église Sainte-Anne-des-Lombards dont elle parlera toute sa vie comme d'une impression violente et durable, et qu'elle décrit dans *Anna, soror...*, au moment de la scène du Jeudi saint, l'un des épisodes forts de ces amours incestueuses entre les deux héros, Anna et son frère Miguel, qui, écrit Marguerite Yourcenar « en cette fin de carême, luttaient contre l'énervement que causent les longues abstinences [13] ».

Dans la postface écrite en 1981 pour l'édition de ses *Œuvres romanesques* en Pléiade, Marguerite dira avoir rédigé l'essentiel d'*Anna, soror...*, « en quelques semaines » de ce printemps de 1925, « et immédiatement au retour » de son séjour à Naples.

> « C'est ce qui explique peut-être que l'aventure du frère et de la sœur se dénoue durant la Semaine sainte. Bien plus encore que par les antiques du musée ou les fresques de la villa des Mystères, à Pompéi, que j'allais pourtant aimer d'un bout à

l'autre de mon existence, j'étais retenue à Naples par la pauvreté grouillante et vivace des quartiers populaires, par la beauté austère ou la splendeur fanée des églises, dont quelques-unes depuis ont été gravement endommagées ou même complètement détruites par les bombardements de 1944, comme ce Saint-Jean-de-la-Mer où je montre Anna ouvrant le cercueil de Miguel. J'avais visité le fort Saint-Elme, où je situe mes personnages, et la chartreuse voisine, où j'imagine don Alvare finissant sa vie. J'avais traversé certains petits villages désolés de la Basilicate, dans l'un desquels j'ai placé la demeure mi-seigneuriale, mi-rustique, où Valentine et ses enfants viennent assister à la vendange, et la ruine que Miguel aperçoit dans une sorte de rêve est probablement Paestum. Jamais invention romanesque ne fut plus immédiatement inspirée par les lieux où on la plaçait [14]. »

À l'automne, Marguerite, qui est restée à Naples après le départ de son père, « vend des raisins dans la rue », rapporte Grace Frick, puis revient à Rome où elle va passer trois mois, jusqu'à Noël. Elle vient d'avoir vingt-deux ans et, quand elle décrit, dans *Anna, soror...*, Donna Valentine mourante, elle parle de la femme qu'elle sait déjà avoir décidé de ne pas être : « la vie de Valentine n'avait été qu'un long glissement vers le silence [15] ». Et simultanément, elle fixe dès alors, par la médiation littéraire, le champ de ses désirs et de ses choix : « Durant ces quelques semaines, et tout en continuant à faire les gestes et à assumer les rapports habituels de l'existence, j'ai vécu sans cesse à l'intérieur de ces deux corps et de ces deux âmes, me glissant d'Anna en Miguel et de Miguel en Anna (...) J'avais vingt-deux ans, tout juste l'âge d'Anna lors de sa brûlante aventure, mais j'entrais sans la moindre gêne à l'intérieur d'une Anna usée et vieillie ou d'un déclinant don Alvare. Mon expérience sensuelle restait à cette époque assez limitée ; celle de la passion était encore au prochain tournant, mais l'amour d'Anna et de Miguel flambait néanmoins en moi [16]. »

Marguerite décide d'étendre le domaine de ses lectures – déjà considérable mais très centré sur la littérature de fiction d'une part, sur l'Antiquité gréco-latine de l'autre – en direction de l'histoire contemporaine, des théoriciens du socialisme et de l'anarchie, puis des philosophes et des poètes allemands et anglais du XIXᵉ siècle, enfin de l'Orient. Elle lit pour la première fois des traductions de textes indiens et extrême-orientaux.

En outre, elle continue de s'appliquer à l'étude des mathématiques, qui lui semblent une discipline tout à fait salutaire, voire indispensable à ce qu'elle a décidé elle-même de sa formation intellectuelle.

Au moment de Noël, donc, elle rentre en France et rejoint son père à Monte-Carlo où il réside avec Christine Hovelt. On peut s'étonner de voir, à l'époque, cette toute jeune femme, voyager, peut-être pas seule, mais en tout cas sans « chaperon ». On oscillait encore, dans ce moment qui balançait entre le XIXᵉ et le XXᵉ siècle, mais que la Première Guerre mondiale avait irrévocablement fracturé, entre les comportements dominants de chacun des deux siècles, que Marguerite Yourcenar a parfaitement résumés dans *Souvenirs pieux* : « Où qu'on aille le mensonge règne. La forme qu'il prend au XXᵉ siècle est surtout celle, brutale, voyante et tapageuse, de l'imposture ; celle du XIXᵉ siècle, plus feutrée, a été l'hypocrisie [17]. »

Dans ces années donc, où s'éloignait le XIXᵉ siècle

sans qu'on vît encore apparaître ce qui rendrait le XXᵉ assez souvent caricatural dans sa recherche éperdue de « libérations » – qui sont à la liberté ce que la piscine est à l'océan –, Marguerite Yourcenar a choisi d'affirmer, elle, son indépendance. Ce qu'elle continuera de faire. Sans proclamation. Sans ostentation. Mais sans jamais dévier de sa volonté propre. En tentant toujours d'évaluer au plus juste les limites de son espace et de son jeu.

Selon la « chronologie » de la Pléiade, en 1926 Monsieur de Crayencour se serait installé en Suisse pour se faire soigner. Il a soixante-treize ans et il se sait désormais atteint d'un cancer. Marguerite Yourcenar affirme qu'elle l'y accompagne et qu'elle ne quittera guère ce pays tant qu'il sera encore en vie. C'est faux : en 1926, Monsieur de Crayencour est toujours dans le midi de la France, sauf peut-être pour d'intermittents séjours en Suisse où il est soigné. Il épouse Christine Hovelt à Monte-Carlo le 25 octobre 1926, et il ne s'installera en Suisse qu'à la fin du printemps de 1927, pour échapper à la chaleur de l'été méditerranéen. Au début de 1927, il consacre une grande partie de son temps à des promenades avec Marguerite. Ils font ensemble des randonnées dans les villages de l'arrière-pays « entre deux crises de roulette et de baccara ». Ils poussent jusqu'à Menton, parfois même jusqu'à la Riviera italienne. Certains jours, ils partent pour de longues marches, généralement d'une dizaine de kilomètres, quinze ou dix-sept par exception. Lorsqu'ils sont trop fatigués pour rentrer à pied, ils prennent un taxi ou une voiture à chevaux, demandant au chauffeur ou au cocher d'aller le plus lentement possible, pour qu'ils puissent profiter du paysage.

Parallèlement, Marguerite, qui se tient assez au courant de ce qui se publie – comme elle le fera toute sa

vie, en le niant, par une sorte de curieuse coquetterie
–, est tentée par le succès des biographies de grande
vulgarisation, du type de celles qui sortent notamment
chez Grasset. Elle décide d'en consacrer une à Pindare
parce que, dira-t-elle dans la dédicace qu'elle fait à
Grace en juin 1938, « elle croyait savoir le grec ». Elle
se met au travail immédiatement et, à la fin de 1926 ou
au commencement de l'année suivante, elle se rend à
Paris pour proposer à Grasset son manuscrit : il sortira
en effet chez cet éditeur, mais seulement en 1932.

C'est pourtant bien de 1926 qu'on peut dater le véritable début de la carrière littéraire de Marguerite
Yourcenar. Après la sortie dans *L'Humanité*, par
l'entremise d'Henri Barbusse, d'un article empreint
selon elle « d'un radicalisme encore juvénile »,
« L'Homme couvert de dieux » (malencontreusement
titré « L'Homme », par une erreur de la rédaction du
journal), elle alternera avec régularité, jusqu'au début
de la guerre, livres et publications dans des revues.
L'article en question, assez pesamment allégorique, est
sans grand intérêt, mais à partir de ce moment, elle ne
cessera d'exercer son métier d'écrivain. Comme elle
n'a jamais accepté d'entrer dans le jeu social de l'écrivain français, de fréquenter le milieu littéraire parisien
(au moins après-guerre), de se jeter dans la course aux
récompenses, on l'a prise parfois pour une aimable
dilettante, qui ne songeait guère à l'écriture comme à
un métier. L'âpreté de ses démêlés avec les éditeurs
montrera que rien n'est plus faux. Et en 1927, alors
qu'elle vient de s'installer en Suisse, à l'hôtel Bellevue
et Belvédère, à Glion-sur-Montreux, elle écrit à
Camille, son ancienne bonne, le 19 juin : « j'ai apporté
avec moi ma machine à écrire et je " tape " mes articles
toute la journée, lorsque je ne suis pas en promenade [18] ».

De 1927 et 1928 on retiendra un conte, *Kâli décapi-tée*, paru dans la *Revue Européenne*, premier essai issu de ses lectures extrêmes-orientales [19], et surtout le très polémique *Diagnostic de l'Europe* [20] (qui paraîtra en 1929 dans la *Revue de Genève*). Ce texte, qui n'est repris dans aucun de ses recueils d'essais, pas même dans le recueil posthume, *En pèlerin et en étranger*, est passionnant. Une sorte de *Défaite de la pensée* [21] avant la lettre, péremptoire évidemment comme peut l'être le raisonnement d'une jeune femme de vingt-quatre ans, et sans doute fortement influencé par Valéry et le célèbre incipit de *Variété I* : « Nous autres, civilisa-tions, nous savons maintenant que nous sommes mor-telles... » Cette influence est reconnue par Marguerite Yourcenar : « Valéry est le premier peut-être de qui j'ai appris, à l'âge de vingt ans, qu'il existait une méthode. Et il aura été aussi le dernier poète à nous faire sentir la beauté presque sacrée de la forme [22] », et elle est très justement identifiée par Edmond Jaloux, le critique influent des *Nouvelles Littéraires*, qui fera référence à ce texte dans l'article qu'il consacrera à *Alexis* : « Je ne connaissais Madame Marguerite Yourcenar que par une belle étude de philosophie historique parue dans l'intéressante *Revue de Genève*, et qui s'appelait *Dia-gnostic de l'Europe*, étude assez pessimiste, et d'un pes-simisme " valéryen ". Mais Madame Marguerite Your-cenar, après avoir révélé la gravité de l'état de l'Europe, ne nous montrait pas moins le charme de cet état; ainsi, les Japonais, dit-on, mangent des poissons à peu près vivants, afin de voir leur agonie se parer devant eux des plus belles couleurs. L'Europe, pour Madame Yourcenar, montre de même je ne sais quelle riche phosphorescence qui la charme et qui est déjà la parure de la décomposition. Cette étude m'avait frappé. Depuis que j'ai lu *Alexis ou le Traité du vain*

115

combat, je suis moins sûr de sa vérité. J'ai l'impression que Madame Marguerite Yourcenar se plaît personnellement aux idées d'achèvement et de déclin et qu'elle se penchait sur la vieillesse de notre monde avec les yeux mêmes dont elle a suivi la jeunesse de son héros [23]. »

Bien des années plus tard, vers la fin de sa vie, Marguerite Yourcenar reviendra elle-même sur ce texte de jeunesse dans quelques phrases manuscrites sur la première page de la revue : « Les prévisions étaient fausses parce que j'imaginais une ère de discipline qui allait suivre ; c'est au contraire un chaos bien plus total qui était vrai [24]. » À la vérité, la description qu'elle fait alors de ce chaos, pour exacte qu'elle soit, est relativement convenue et témoigne d'un sens de l'analyse moins affiné que dans son premier texte, où le « pessimisme valéryen » s'alliait à une sorte de délectation esthétique et à un goût subtil de la provocation qui excluaient qu'on y vît une simple déploration affligée. En d'autres termes, et plus brutaux, elle était jeune.

Dans le courant de l'été 1928, l'état de santé de Monsieur de Crayencour semble s'améliorer, si l'on en croit les nouvelles que Marguerite donne à son ancienne bonne Camille – « Mon père va beaucoup mieux ». C'est aussi dans cette carte postale qu'il est question du séjour de son demi-frère Michel, accompagné de sa femme Solange, séjour que Marguerite niera ou oubliera par la suite [25]. À la même époque, entre août 1927 et septembre 1928 – sans cesser de voyager, puisqu'elle va en Autriche et que Grace Frick indique, toujours dans l'une de ses « chronologies » de la vie de son amie, « peut-être première visite à Innsbruck » (l'un des lieux de Zénon) –, elle compose le premier ouvrage qu'elle reconnaîtra vraiment comme sien au point de le laisser reparaître avec très peu de corrections, *Alexis ou le Traité du vain combat*, dont le titre gidien fait écho au *Traité du vain désir*. Elle le commence le 31 août 1927 et le termine le 17 septembre 1928.

Pour ce livre, elle revendique l'influence de Rilke et de Schnitzler plus que celle de Gide et ne mentionne pas même Roger Martin du Gard [26]. Comme quoi on peut se réclamer consciemment des deux premiers et produire un texte où se lit plutôt la trace des deux seconds. *Alexis ou le Traité du vain combat* est, selon Marguerite Yourcenar, « l'histoire d'un jeune musicien d'une famille aristocratique et pauvre, luttant contre des penchants supposés anormaux et condamnables, et finissant par quitter sa jeune femme, qu'il aime pourtant, et dont il vient d'avoir un fils, pour reprendre une liberté sans laquelle il ne peut vivre [27] ». Ce court récit est une longue lettre dans laquelle Alexis, expliquant à sa femme Monique pourquoi il la quitte – il préfère le plaisir que lui donnent les hommes –, explore la « différence » qui « existe entre les convenances extérieures et la morale intime [28] ». Marguerite Yourcenar expliquera bien plus tard, dans ses entretiens avec Matthieu Galey, pourquoi elle a tenu, dans *Alexis*, à distinguer clairement le plaisir de l'amour :

« Je crois que cette distinction était surtout chez moi une réaction très forte contre la rengaine française de l'amour, que je sens, que je continue à sentir sonner faux. Les Français ont en quelque sorte stylisé l'amour, créé un certain style, une certaine forme de l'amour ; et après cela, ils y ont cru, ils se sont obligés à le vivre d'une certaine manière, tandis qu'ils l'auraient vécu tout autrement, s'il n'y avait pas eu toute cette littérature derrière eux. Ce n'est qu'en France, je crois, que La Rochefoucauld a pu dire qu' " il y a beaucoup de gens qui n'auraient pas aimé s'ils n'avaient pas entendu parler d'amour ". Je crois que cela n'aurait aucun sens ici [aux États-Unis], ni peut-être dans beaucoup d'endroits du monde[29]. »

Son incurable penchant pour l'autocommentaire la fera se justifier, dans une préface, du style qu'elle a choisi pour ce sujet et ce texte, « cette langue dépouillée, presque abstraite, à la fois circonspecte et précise », qu'on a pu imputer à la pusillanimité, ou à une sorte de frilosité littéraire :

> « L'écrivain qui cherche à traiter avec honnêteté de l'aventure d'Alexis, éliminant de son langage les formules supposées bienséantes, mais en réalité à demi effarouchées ou à demi grivoises qui sont celles de la littérature facile, n'a guère le choix qu'entre deux ou trois procédés d'expression plus ou moins défectueux et parfois inacceptables. Les termes du vocabulaire scientifique de formation récente, destinés à se démoder avec les théories qui les étayent (...) vont à l'encontre du but de la littérature, qui est l'individualité dans l'expression. L'obscénité, méthode littéraire qui eut de tout temps ses adeptes, est une technique de choc défendable s'il s'agit de forcer un public prude ou blasé à regarder en face ce qu'il ne veut pas voir, ou ce que par excès d'habitude il ne voit plus (...). Mais cette solution brutale reste une solution extérieure : l'hypocrite lecteur tend à accepter le mot incongru comme une forme de pittoresque (...). La brutalité du langage trompe sur la banalité de la pensée, et (quelques grandes exceptions mises à part) reste facilement compatible avec un certain conformisme.
> Une troisième solution peut s'offrir à l'écrivain : l'emploi de cette langue dépouil-

118

lée, presque abstraite, à la fois circonspecte et précise, qui en France a servi durant des siècles aux prédicateurs, aux moralistes, et parfois aussi aux romanciers de l'époque classique pour traiter de ce qu'on appelait alors " les égarements des sens ". Ce style traditionnel de l'examen de conscience se prête si bien à formuler les innombrables nuances de jugement sur un sujet de par sa nature complexe comme la vie elle-même qu'un Bourdaloue ou un Massillon y ont eu recours pour exprimer l'indignation ou le blâme, et un Laclos le libertinage ou la volupté. Par sa discrétion même, ce langage décanté m'a semblé particulièrement convenir à la lenteur pensive et scrupuleuse d'Alexis [30]. »

« Un sujet scabreux à l'époque et sous la plume d'une jeune femme », commentera Marguerite Yourcenar. Elle s'est servie, pour bâtir *Alexis*, à la fois d'une expérience personnelle récente [31] et du souvenir de ce qu'elle avait supposé des préférences amoureuses de Conrad, le mari de Jeanne. On remarquera que le prénom de Monique, donné à la femme d'Alexis, sera justement celui utilisé par Marguerite Yourcenar pour désigner Jeanne de Vietinghoff, dans *Souvenirs pieux* et *Archives du Nord*. Celle-ci ne retrouvera son véritable prénom, Jeanne, que dans *Quoi? L'Éternité*. Egon de Vietinghoff, le fils de Jeanne et de Conrad, ne fait, lui, pas d'autre commentaire sur les goûts de son père – musicien professionnel comme Alexis – que son habituel « c'est possible ». Mais il fait remarquer qu'Alexis était le prénom de son frère (devenu Axel dans *Quoi? L'Éternité*). Marguerite Yourcenar, dans sa préface de 1963, fait quant à elle référence à la deuxième églogue de Virgile pour le choix du prénom, ce qui n'est évidemment pas incompatible.

Quelle était cette « expérience personnelle récente » dont on trouve aussi la trace dans *Quoi? L'Éternité*? Elle y relate une altercation entre son père et le personnage qu'elle nomme Egon, où Monsieur de Crayencour s'en prend, non à l'homosexualité de son interlocuteur, mais au fait que ce dernier considère ce comportement comme une aventure exceptionnelle. Elle précise n'avoir « de la conversation des deux hommes ces jours-là que des notions les plus vagues » mais affirme être « bien placée » pour attribuer à Michel ces remarques sur le caractère somme toute anodin des choix homosexuels : « Il me tint à peu de chose près les mêmes propos vingt ans plus tard, sur un banc d'Antibes d'où nous regardions la mer. (...) Sur la plage de Scheveningue, vers 1905, ce jeune homme de trente ans dut lui paraître à peu près aussi ignorant du monde comme il va qu'une fille de vingt ans perturbée par une rencontre avec un jeune inconnu qui lui paraissait différent des autres (...). Il me mettait seulement en garde contre une tendance à dramatiser la vie (...) La conversation d'Antibes ne fut pas reprise par la suite. Dans les deux cas, Michel avait essayé de calmer un esprit ou une sensibilité troublée en rappelant que rien n'est véritablement insolite ou inacceptable. Ce n'était pas des confidences qu'il offrait (Michel ne se confiait jamais), c'était un témoignage [32]. »

Deux interprétations de cette anecdote sont possibles. Ou bien Marguerite Yourcenar dissimule des paroles qui ont été prononcées au sujet de ses propres désirs homosexuels (un mot qu'elle n'employait jamais : « trop médical » disait-elle), et il était bien dans le tempérament de Michel de Crayencour de montrer à sa fille qu'elle ne vivait rien là d'exceptionnel. Ou bien Marguerite Yourcenar dit la vérité en parlant d' « un » ami, et elle venait de tomber amoureuse d'un homme qui préférait les hommes, ce qui lui arrivera plusieurs fois au cours de sa vie. Il n'est toutefois pas sûr que Marguerite Yourcenar ait jamais évoqué devant son père son goût des femmes. La confidence, elle l'a maintes fois répété, avait peu de place dans leurs relations. Et puisque *Quoi? L'Éternité* est un livre où elle dit clairement comment lui est venu le goût des femmes, donc qu'elle a peu de raison d'y masquer la véritable référence de la conversation, on peut s'en tenir à l'hypothèse de l'ami. D'autant que l'idée de se décharger d'une situation personnelle blessante en la transmuant en fiction était bien dans la manière de Marguerite Yourcenar. Elle le refera.

Au fur et à mesure de la rédaction d'*Alexis*, Marguerite en lit quelques pages à Michel « bon écouteur, capable d'entrer d'emblée à l'intérieur de ce personnage si différent du sien [33] ». Le récit du mariage d'Alexis rappelle même à Michel l'ébauche d'un roman abandonné, qu'il ressuscite pour Marguerite :

> « Il s'agissait du premier chapitre d'un roman commencé vers 1904, et qu'il n'avait pas mené plus avant. À part une traduction et quelques poèmes, c'était le seul ouvrage littéraire qu'il eût entrepris. (...) Je fus séduite par la justesse de ton de ce récit sans vaine littérature (...) Il me proposa de faire paraître ce récit sous mon nom. Cette offre, singulière pour peu qu'on y pense, était caractéristique de l'espèce d'intimité désinvolte qui régnait entre nous. Je refusai, pour la simple raison que je n'étais pas l'auteur de ces pages. Il insista (...)
>
> Le jeu me tenta. Pas plus que Michel ne s'étonnait de me voir écrire les confidences d'Alexis, il ne trouvait rien d'incongru à mettre sous ma plume cette histoire (...). Aux

yeux de cet homme qui répétait sans cesse que rien d'humain ne devait nous être étranger, l'âge et le sexe n'étaient en matière de création littéraire que des contingences secondaires. Des problèmes qui plus tard allaient laisser mes critiques perplexes ne se posaient pas pour lui. (...) Le petit récit fut envoyé à une revue qui le refusa après les délais d'usage, puis à une autre, qui l'accepta, mais à cette date, mon père était déjà mort. L'œuvrette parut un an plus tard et reçut un modeste prix littéraire [34], ce qui aurait amusé Michel, et qui, en même temps, lui aurait fait plaisir [35]. »

Bien curieuse relation, quand même, que celle de ce père et de cette fille qui signent l'un pour l'autre, le premier écrivant à un éditeur au nom de la seconde, la seconde signant un texte écrit par le premier...

Quand Marguerite termine *Alexis*, son père est très malade. Il sait qu'il va mourir, que son cancer est désormais généralisé.

Il aura juste le temps de lire ce premier roman avant sa mort, le 12 janvier 1929 à Lausanne : « Mon père avait lu le manuscrit, dira Marguerite à Matthieu Galey. Il ne m'en avait pas parlé, mais j'ai trouvé un petit papier qu'il avait glissé dans le dernier livre qu'il ait ouvert, la *Correspondance* d'Alain Fournier et de Jacques Rivière. C'était un tout petit bout de papier sur lequel il avait écrit : " Je n'ai rien lu d'aussi limpide qu'*Alexis*. " J'étais heureuse, vous pensez! Dans cette dernière parole, il y avait toute l'amitié, toute la compréhension entre mon père et moi [36]. » Dans *Quoi? L'Éternité*, Marguerite reprend cet épisode en faisant varier de façon significative le qualificatif de l'appréciation : « Cet *Alexis*, Michel le lut sur son lit de mort et

122

nota en marge de ce petit récit que rien n'était " plus pur ", commentaire qui m'émeut encore aujourd'hui, mais montre à quel point le mot " pur " devenait dans la bouche de Michel autre chose que ce qu'il est pour la plupart des pères [37]. » Pur ou limpide ? Appréciation du fond ou de la forme ?

Outre ses récits dans *Archives du Nord*, Marguerite évoquera les derniers mois de Michel pour Matthieu Galey : « Je l'ai soigné, mal d'ailleurs, lui dira-t-elle, parce qu'on a tout de même ses soucis, ses préoccupations personnelles, à vingt-quatre ans ; on est encore novice devant la maladie et la mort (...) À vingt-quatre ans [38], on a encore trop confiance dans la vie. Mais enfin, j'étais avec lui : je l'ai vu mourir. Cela m'a donné la leçon immédiate d'une très belle existence réussie, quand de l'extérieur cela paraissait une vie folle et manquée.

Je l'ai senti tout de suite. J'avais un âge où l'on est assez adulte pour juger. Et lui aussi l'a senti ; il avait le sentiment que sa vie avait été très pleine [39]. »

Dans un carnet de notes préparatoires à *Quoi ? L'Éternité*, Marguerite a dressé, par touches successives, un portrait de Michel saisi tout au long de leurs années communes. Elle rapporte entre autres cette anecdote : « Un beau jour en me regardant lire : " Si tu mourais, je prendrais tes livres, tes vêtements, tout ce qui est à toi ; j'en remplirais un canot que je mettrais à la remorque d'une barque, et je coulerais le tout en pleine mer. " J'avais dix-huit ans. Cette image violente, ce sacrifice de Viking frappa mon imagination. Mais déjà il pensait à autre chose [40]. »

Michel de Crayencour a bien sûr été le premier maître d'œuvre de la carrière littéraire de Marguerite Yourcenar. Il ne faudrait pas pour autant, comme on a toujours tendance à le faire, majorer son influence. Il a eu l'intelligence d'accompagner cette enfant étonnante, plutôt que de chercher à la modeler. Il avait sans doute, à la fin de sa vie, une secrète admiration pour ce qu'elle était en train de devenir. Et même si ce n'est que ce qu'on appelle un « hasard » de l'existence, la mort de Michel de Crayencour, juste avant que ne paraisse le premier vrai livre de sa fille, est comme un signe. Il s'efface à l'instant précis où elle devient un écrivain, c'est-à-dire elle-même, absolument.

C'est au moment où il va mourir que Marguerite verra Michel pleurer au souvenir de Jeanne, tout comme elle avait vu « des larmes déborder sur les joues grises de Madame de Reval prononçant le nom de cet homme sorti de sa vie depuis tant d'années, et qui continuait à ne plus vouloir d'elle ». Elle en tire la conviction de leur amour mutuel car, ajoute-t-elle, « les souvenirs brûlent rarement si longtemps à moins qu'il n'y ait eu entre deux êtres connivence charnelle [41] ».

C'est à cette époque-là que Marguerite Yourcenar place sa rupture définitive avec son demi-frère, notamment parce qu'il n'est pas venu à l'enterrement de son père.

> « En janvier 1929, à Lausanne, je lui écrivis pour l'appeler au chevet de son père mourant. J'avais tort : Michel m'avait demandé de n'en rien faire (...). Michel-Joseph répondit qu'occupé à se bâtir une maison dans la banlieue de Bruxelles, il n'avait pas en poche l'argent de ce trajet ; de plus, par cet hiver rigoureux, et par un matin de tempête de neige, sa femme avait eu une attaque de nerfs à l'idée de faire le voyage en Suisse. En fait, ce défenseur des bonnes traditions familiales craignait d'avoir à prendre

sa part des frais d'une longue maladie et des obsèques d'un homme mort pauvre par lequel il s'estimait lésé [42]. »

À ce frère qu'elle n'aimait guère, elle avait pourtant confié ses intérêts financiers, en partie placés par lui dans une affaire immobilière, le tout devant péricliter lors de la grande crise économique de cette année-là, ce qui aggrava le contentieux entre eux, comme elle le rapporte dans *Archives du Nord*.

> « Le vent de la crise américaine faisait déjà trembloter les châteaux de cartes européens. La banque immobilière s'effondra (...). L'hôtel aussi, au moins métaphoriquement, croula (...). Je fis ce que j'aurais dû faire deux ans plus tôt : j'appelai à l'aide un vieux juriste français qui avait déjà, en d'autres temps, sorti Michel de passes difficiles ; avec l'aide d'un de ses confrères belges, il récupéra à peu près la moitié du prêt consenti aux hôteliers déficitaires. Je décidai que cette somme, prudemment grignotée, suffirait à me donner dix à douze ans de luxueuse liberté. Après, on verrait. (...) Cette décision, que je me félicite d'avoir prise, me mena, avec une mince marge de sécurité, jusqu'en septembre 1939. Vivant du revenu de fonds placés en Belgique et gérés par mon demi-frère, je serais restée plus ou moins liée à une famille dont rien ne me rapprochait et à ce pays de ma naissance et de ma mère, qui, dans son aspect présent, tout au moins, m'était totalement étranger. Ce krach aux trois quarts complet me rendit à moi-même [43]. »

Georges de Crayencour, lui, estime que le récit de Marguerite Yourcenar, comme toujours lorsqu'elle parle de son demi-frère, est injuste et partial. S'agissant de son père, Georges peut évidemment n'être pas très objectif mais il n'est pas moins douteux qu'il y a quelque profonde mauvaise foi, de la part de Marguerite Yourcenar, à imputer à son demi-frère les conséquences d'un séisme qui, en 1929, ébranla les financiers les plus avertis. Du reste, dans ce passage d'*Archives du Nord* où elle règle un peu rudement et sans excessif souci des nuances ses comptes avec son demi-frère, Marguerite Yourcenar atténue elle-même son propos, en se souvenant d'une conversation avec Michel-Joseph, la dernière fois qu'ils se sont vus, dit-elle [44], à Bruxelles, en 1929, lorsqu'il la raccompagna à la gare du Midi :

> « Il m'enviait ma liberté qu'il s'exagérait du reste ; la vie a bientôt fait de recréer des liens, prenant la place de ceux dont on se croyait débarrassé ; quoi qu'on fasse et où qu'on aille, des murs s'élèvent autour de nous et par nos soins, abris d'abord, et bientôt prison. Mais pour moi non plus à l'époque ces vérités n'étaient pas claires. Cet homme qui s'était voulu à rebours de son père sentait qu'il avait épuisé d'un coup sa provision de choix. " Que veux-tu ? On s'est créé un entourage ; on ne peut pas étrangler tout ce monde. " Nous tombâmes d'accord qu'une telle manière de faire place nette n'eût convenu qu'au Sultan Mourad. Mais, pour la première fois, j'ai senti chez cet homme des instincts de liberté pas si différents des miens, tout comme son goût pour la généalogie équilibrait mon intérêt pour l'histoire. Nous ne nous ressemblions pas seulement par la forme de l'arcade sourcilière et de la couleur des yeux [45]. »

Peu avant la mort de Monsieur de Crayencour, Marguerite avait envoyé le manuscrit d'*Alexis*, signé Marg

Yourcenar chez Gallimard, qui le refusa [46]. On n'a pas retrouvé de traces permettant de savoir ce qui motiva cette décision. Peut-être la taille de l'ouvrage – une nouvelle plus qu'un récit, et moins encore un roman – ne convenait-elle pas à la « politique éditoriale » du moment. Elle le propose donc à une petite maison, le Sans-Pareil, qu'elle admirait pour avoir publié les Surréalistes et que dirige un homme de trente-trois ans, René Hilsum. Comme souvent, la mémoire de Marguerite Yourcenar et celle des témoins sont en contradiction. Elle a toujours prétendu n'avoir envoyé son texte au Sans-pareil qu'après la mort de son père. René Hilsum, dont la mémoire semblait n'être pas défaillante et qui aimait à raconter sa « découverte » de Marguerite Yourcenar (il est mort le 14 avril 1990, dans sa quatre-vingt-quinzième année), affirmait au contraire qu'elle lui avait répondu avec retard lorsqu'il avait voulu la voir pour parler de ce manuscrit parce que, disait-elle, elle était au chevet de son père mourant.

Comme le faisait remarquer René Hilsum [47], « cette incertitude de dates, qui porte sur quelques semaines, ne change rien au fond de l'affaire ». « C'est sans doute grâce à ce nom étrange qu'elle s'était fabriqué, Marg Yourcenar, que je me suis toujours souvenu clairement de l'épisode d'*Alexis*. Et puis ce qu'il est advenu de Marguerite Yourcenar m'a conduit à le raconter quelques fois. Le manuscrit est arrivé par la poste et a été lu par Louis Martin-Chauffier, qui travaillait avec moi. Son commentaire fut : " C'est un texte remarquable, très intéressant, un peu influencé par Gide. " Puis nous nous sommes interrogés sur ce " Marg Yourcenar ". Un pseudonyme, à coup sûr. Mais qui se cachait derrière ? Un homme ou une femme ? Nous penchions pour un homme, car on n'échappe pas au stéréotype du " roman de femme " ou de " l'écriture féminine " et *Alexis* ne relevait ni de l'un ni de l'autre. Je me demande bien comment j'ai fait pour lui écrire en n'employant ni " Monsieur ", ni " Madame ". Malheureusement, nous n'avons, ni elle ni moi, gardé ces premières lettres. Quand je lui ai écrit pour lui dire que sa nouvelle – car, au fond, c'est une nouvelle – m'intéressait, elle était à Lausanne. Elle m'a répondu en précisant qu'elle était une femme, se prénommait Marguerite, que Yourcenar était l'anagramme de son nom, et qu'elle ne souhaitait pas publier sous son nom de famille, Crayencour.

« A notre première rencontre, je lui ai fait remarquer que ce pseudonyme était un peu mystérieux. Elle a répondu que ce n'était pas pour lui déplaire. » Elle avait raison, car ce patronyme aux sonorités exotiques évoquant des pays lointains et inconnus, ce nom qu'on entend comme le signe même d'une étrangeté, participe à la fascination que Marguerite Yourcenar va exercer, et qui dépasse son œuvre, confinant parfois au fétichisme. Marguerite de Crayencour, bon écrivain français, n'aurait pas pu devenir une star, voire un mythe. Marguerite Yourcenar, si.

René Hilsum, malgré les quelque soixante ans qui le séparaient de sa première entrevue avec Marguerite Yourcenar, se souvenait « très exactement de son arrivée, dans les bureaux des éditions du Sans-Pareil, alors avenue Kléber. Physiquement, elle était étonnante. À mes yeux, plus intéressante que belle. Extraordinairement séduisante, toutefois. On remarquait d'abord son intelligence, qui, avant même qu'elle ne prenne la parole, était éclatante, dans ses yeux. Elle m'a paru, déjà, impressionnante. Elle avait vingt-six ans, et moi trente-quatre ».

Avec la première et modeste somme que lui rapporte

son travail d'écrivain, cent cinquante francs, Marguerite Yourcenar veut « faire une folie ». Elle s'achète un vase bleu Lalique qu'elle gardera toute sa vie, qui échappera à tous les déménagements, les départs précipités, les oublis. Témoin symbolique de sa reconnaissance comme écrivain : « ce que j'avais écrit valait un peu d'argent, et était considéré comme un travail, pas un passe-temps », confiera-t-elle.

À Jacques Chancel qui lui demande si elle a conscience de la place qu'elle occupe en tant qu'écrivain, elle répondra n'y avoir été sensible qu'une seule fois dans sa vie, lors de la publication d'*Alexis*, « qui était en somme mon premier livre ; le premier livre que j'avais fini et qui avait une couverture et un certain nombre de pages, et dont j'étais allée chercher le justificatif chez mon éditeur, l'excellent René Hilsum. C'était en novembre –, un beau jour de froid parisien (...), j'ai descendu les Champs-Élysées. Je suis arrivée Place Vendôme, où je me rendais je ne sais trop pourquoi, et je me suis dit : " Tiens, voilà ! Il y a quelques centaines au moins, peut-être quelques milliers d'écrivains français, dont on se souvient plus ou moins. Enfin voilà, je me sens parmi eux, quelque part dans la foule. " Ce jour-là, oui, j'ai senti que j'étais écrivain. Je crois que c'est le seul jour de ma vie où cette idée m'a préoccupée [48] ».

Mis en vente à la fin de novembre 1929, *Alexis* eut la chance d'être remarqué par Edmond Jaloux, avec qui Marguerite Yourcenar entretint par la suite des relations amicales.

> « Son roman m'a surpris, et surpris comme une révélation », écrit-il alors. « La révélation d'un grand talent nouveau. Non qu'il soit parfait. Il s'en faut même de beau-

coup. Son livre n'est guère qu'une préface – une longue préface à un livre qui n'a pas été écrit, mais cette préface est admirable. Cependant, elle déçoit. Le roman s'achève quand l'action commence. Il sert de préparation minutieuse à un ensemble d'actes qu'il prétend expliquer et qu'il n'explique pas (...) Il faudrait entrer dans le physique du sujet, et Madame Yourcenar y répugne. Elle préfère le style abstrait – ce qui est le vrai style français, celui de la meilleure tradition (...) L'*Alexis* de Madame Yourcenar ressemble ainsi à Thomas de Quincey et à Chateaubriand, à Pierre Loti et à Barrès, et il évoque (...) les traits du Michel d'André Gide (...) Ce qu'il y a de particulièrement beau dans *Alexis ou le Traité du vain combat* (titre un peu trop *gidien*, à mon avis), c'est le timbre du style et je dirais presque de la voix; voix grave, profonde, en demi-teinte; voix tendre et sévère à la fois, qui descend jusqu'au plus profond de la conscience, remue en nous des fibres que seuls de grands écrivains ont ébranlées à ce point, se fait entendre, au milieu du tapage de la littérature contemporaine, avec la fermeté d'un accent très pur et, malgré sa sonorité, presque lointaine. (...) Par sa race, par ses dispositions, par son caractère, Alexis Géra rappelle souvent Malte Laurids Brigge : d'ailleurs, l'influence de Rainer Maria Rilke a dû être grande sur Madame Yourcenar; certaines de ses réflexions ont été évidemment éveillées par lui (...). La conclusion du livre est pleinement portée par le livre tout entier; c'est seulement dans ses détails d'expérience que l'union d'Alexis et de Monique et leur séparation manquent de netteté. On soupçonne plus qu'on ne voit, mais je crois bien que l'auteur l'a voulu ainsi.

Certaines des pages d'*Alexis* font penser à

Benjamin Constant autant par la musique glacée du style que par la profondeur de l'observation intérieure. Une phrase sur trois serait à citer et à retenir ; c'est vous dire la richesse de ce petit ouvrage que sa puissance psychologique égale parfois à de grandes œuvres consacrées [49]. »

« Pour être pénétré de l'influence de Gide dans l'inspiration, la manière et la forme, ce livre n'en est pas moins remarquable », juge quant à lui Paul Morand dans les colonnes du *Courrier Littéraire*. « Il faut ranger ce petit livre plein de suc dans un coin choisi de la bibliothèque, entre Helvétius et l'auteur des *Nourritures terrestres* [50]. » « Le plus étonnant, ajoute-t-il, c'est qu'il soit l'œuvre d'une femme, qui est parvenue à s'identifier avec son sujet à tel point qu'*Alexis* est véritablement la confession d'un homme victime de ses penchants et qu'il n'y a pas une ligne de cette confession lucide, discrète et d'autant plus pathétique, qui ne sonne admirablement juste. » Une remarque qui sera adressée à Marguerite tout au long de sa vie, tant de la part d'hommes que de femmes, et à laquelle, non sans un certain agacement, elle fera inlassablement la même réponse. Par exemple, dans la postface à *Anna, soror...*, elle évoque « cette indifférence au sexe qui est, je crois, celle de tous les créateurs en présence de leurs créatures », et précise en note : « On pourrait rappeler ici la confidence de Flaubert dans une lettre à Louise Colet, durant la composition de *Madame Bovary* : " Aujourd'hui par exemple, homme et femme tout ensemble, amant et maîtresse à la fois, je me suis promené à cheval dans une forêt, par un après-midi d'automne, sous des feuilles jaunes, et j'étais les chevaux, les feuilles, le vent, les paroles qu'ils se disaient et le soleil rouge qui faisait s'entrefermer leurs paupières noyées d'amour [51]. " »

131

Alexis obtint cette reconnaissance de la critique, ce qui n'était pas rien pour une romancière de vingt-six ans, mais ne connut auprès du public pas même ce qu'on appelle un succès d'estime : « Ce texte n'eut absolument aucun succès, dit René Hilsum. Un premier livre, de quelqu'un d'inconnu, avec ce nom impossible, invraisemblable... ce n'était pas étonnant. Du reste si *Alexis* n'était pas mauvais, je ne pensais pas qu'il était le germe d'une œuvre. Aucun signe ne me permettait de le dire. »

On y trouve notamment, outre des influences littéraires, de savoureuses formules sur l'incompréhension du public (un thème qui restera cher à Marguerite Yourcenar, mais qu'elle réservera par la suite plutôt à la conversation qu'à ses livres) : « Vous ne lisez pas les journaux, mais des amis communs ont dû vous apprendre que j'avais ce qui s'appelle du succès, ce qui revient à dire que beaucoup de gens me louent sans m'avoir entendu, et quelques-uns sans me comprendre [52]. »

« Je suis pourtant heureux d'avoir publié ce texte, insistait René Hilsum, et pas seulement à la lumière de ce qu'est devenue Marguerite Yourcenar. Et puis *Alexis* marque la dernière année florissante du Sans-Pareil. Je suis sûr que si j'avais gardé ma maison d'édition, Marguerite Yourcenar aurait continué de publier chez moi. Elle ne m'a jamais oublié et nous avons toujours eu des relations sinon intimes, du moins très privilégiées. »

Marg Yourcenar était assez fière de ce premier vrai livre qui, enfin, lui donnait véritablement droit à ce nom né d'elle et de son père, mais rompant avec toutes les autres attaches familiales. À la relecture, en 1963, date à laquelle elle rédige sa préface, Marguerite Yourcenar, qui pensait le trouver terriblement daté, s'étonne qu'il ait « gardé une sorte d'actualité » :

> « Sauf en ce qui concerne quelques inadvertances de style, ce petit livre a été laissé tel qu'il était, et ceci pour deux raisons qui, en apparence, s'opposent : l'une est le caractère très personnel d'une confidence étroitement reliée à un milieu, un temps, un pays maintenant disparu des cartes, imprégnée d'une vieille atmosphère d'Europe centrale et française à laquelle il eût été impossible de changer quoi que ce soit sans transformer l'acoustique du livre ; le second au contraire est le fait que ce récit, à en croire les réactions qu'il provoque encore, semble avoir gardé une sorte d'actualité, et même d'utilité pour quelques êtres [53]. »

Dix ans après la parution d'*Alexis*, au cours de la conférence sur l'œuvre encore restreinte de Marguerite Yourcenar qu'il devait prononcer à Bruxelles, l'essayiste catholique Gonzague Truc présentera le personnage d'Alexis en des termes pour le moins ambigus, où un moralisme effarouché perce sous l'admiration affichée :

> « Madame Yourcenar publiait, il y a quelques années, au " Sans-Pareil ", chez un de ces éditeurs hardis qui durent peu, un petit volume que la nature du sujet aurait dû répandre, si ce sujet n'y avait été traité avec autant de loyauté que de hauteur. Cela s'appelait *Alexis ou le Traité du vain combat*, et il s'agissait d'un homosexuel qui ne parvenait point à guérir. On va songer, naturellement, à la littérature de Monsieur André Gide – pour ne pas dire plus – et on va se tromper. Car Madame Yourcenar, et par la

méditation, et par intention se place bien au-delà et, si nous osons dire, bien au-dessus de cette littérature : si Monsieur André Gide avait choisi de traiter son sujet, il n'aurait pas été question de guérison.

La matière scandaleuse, ici, était retournée avec une délicatesse incroyable, et si ces mots de pudeur et de délicatesse paraissent étrangers en un tel propos, ce sont pourtant ceux qui s'imposent. Le drame, un vrai drame, était nuancé par des touches insensibles, mais d'une vérité déchirante et profonde ; l'essence en apparaissait aussi présente et peut-être plus émouvante que dans les inoubliables analyses de Proust : une sorte de monstruosité fatale, une perversion naturelle des sentiments et des organes, une faute ou une chute inacceptable et qu'on devait accepter, la douleur et, à la fin, l'aride et dure sérénité d'une affreuse élection [54]. »

On pourrait aisément se passer de « l'analyse » de l'inoubliable Gonzague Truc si, quelque quarante ans après des propos qu'on pouvait croire définitivement classés comme ridicules, en 1977, une jeune femme n'avait proposé à Marguerite Yourcenar un manuscrit, une sorte de réponse « contemporaine » à la lettre d'Alexis, dans laquelle une riche Monique – fervente adepte de « Maserati » que l'on peut pousser à « deux cent quarante kilomètres heure » – s'efforce encore de « guérir » Alexis et de lui faire suivre des « traitements de l'homosexualité ». Marguerite se montra d'abord profondément choquée par l'entreprise de « rapt » littéraire de sa correspondante : « Un personnage emprunté de toutes pièces à un autre écrivain ne sera jamais ni vivant, ni ductile entre les mains du romancier qui se l'approprie ; il apparaîtra toujours " plaqué " de sorte que l'inconvenance qu'il y a à s'en servir se paie immédiatement par une défaite d'ordre littéraire. » Mais elle désapprouva davantage la mauvaise lecture de son roman et la façon dont est traité Alexis : « La vraie Monique de Géra n'aurait ni ce sentimentalisme (extrêmement gênant) ni cette tendance à confondre dans la carrière musicale d'Alexis le " succès " avec un achèvement d'un tout autre ordre, rêvé par un jeune musicien qui dédaigne toute notion de " gloire "; elle n'aurait pas, surtout, cette indélicate possessivité qui lui fait essayer de " guérir " Alexis, au lieu de l'accepter généreusement tel qu'il est, ni surtout cette confiance ingénue en la psychanalyse (rappelez-vous que Freud exerçait à Vienne de son temps). Oserais-je vous dire que Monique, entre vos mains, devient un personnage de roman pour journal féminin? De toute façon, il s'agit moins dans *Alexis* d'une petite anecdote d'incompatibilité (ou quasi) sexuelle entre conjoints que du processus d'un esprit scrupuleux et timide qui se débarrasse lentement de certaines craintes et de certains préjugés d'une morale qu'il juge conventionnelle. Le nom même que vous avez donné à votre roman " Un garçon nommé Éros " est un titre " raccrocheur " qui suffirait pour m'empêcher d'acheter l'ouvrage. Pauvre Alexis, si réservé, si austère au fond, si peu séducteur, probablement pas même beau [55]... »

Une lecture attentive de la préface à *Alexis*, considérée comme définitive puisqu'elle figure dans l'édition de la Pléiade, fait radicalement justice de ces interprétations sottes ou délirantes, ou, on vient de le voir, les deux à la fois. Elle se conclut ainsi : « Certains sujets sont dans l'air d'un temps; ils sont aussi dans la trame d'une vie. » Si l'homosexualité des hommes fascinait Marguerite Yourcenar au point de devenir un sujet

135

presque toujours présent dans ses livres, ce n'était évidemment pas parce qu'elle y voyait une déviation, encore moins une maladie. Ce n'était pas non plus, comme on le lui a souvent reproché à tort, pour dissimuler son amour des femmes tout en en parlant. Ni parce qu'elle rêvait d'être un homme – ce dont les hommes ne seront jamais convaincus, mais qu'importe. C'est que l'homosexualité des hommes a bien été « dans la trame » de sa vie, particulièrement dans les années qui vont suivre la publication d'*Alexis* et la mort de son père, ses années de nomade conquérante où, plus qu'à toute autre période de son existence, elle retrouvera l'errance de Michel de Crayencour.

Deuxième partie

« La vie errante »

CHAPITRE 1

Les nomadismes du cœur
et de l'esprit

Alexis publié, Marguerite est rentrée à Lausanne, pour écrire. Elle a une chambre dans l'appartement de sa belle-mère. Mais elle cessera bientôt de l'occuper, préférant, pour ses escales entre deux voyages, l'hôtel Meurice de Lausanne. Elle travaille à un roman, *La Nouvelle Eurydice*, à divers articles et à une courte pièce de théâtre, *Le Dialogue dans le Marécage*.

Quelle que soit l'interprétation faite de ses démêlés avec son demi-frère, il demeure, en ce début de décennie, une certitude sur la situation financière de Marguerite Yourcenar : elle est assez précaire. Elle ne sera pas de ces héritières qui peuvent, sans jamais se préoccuper des questions matérielles, se consacrer à l'écriture comme à une occupation choisie. Ayant été « sauvée de la faillite absolue par un homme de loi », dira-t-elle, elle a décidé d'ajouter au peu d'argent qui avait pu être ainsi préservé, le produit de la vente de presque tous les objets de valeur qu'elle possédait. Comme on l'a vu, elle a établi qu'en veillant à ses dépenses, elle pourrait vivre de ce petit capital pendant dix à douze ans : ce temps de liberté sauvegardée lui semble préférable à la quête immédiate d'une sécurité pour l'avenir, qui aurait immanquablement entraîné d'autres contraintes.

On ne sait pas comment Marguerite vécut le deuil de son père. Elle a toujours agi et parlé comme si, en cette année 1929, la publication de son premier roman avait déplacé le centre de gravité de ses préoccupations, compensant l'absence de l'homme qui avait été son interlocuteur constant et quasi unique pendant vingt-six ans. Mais elle n'était pas de ceux qui s'attardent longuement sur leurs désarrois. Bien plus tard, elle parlera seulement du « retour » de son père dans son existence quotidienne, près de cinquante ans après sa mort, lorsqu'elle entreprendra de raconter l'histoire de sa famille. Tout ce qu'on connaît d'elle démontre que – sauf à l'extrême fin de sa vie, période par avance amnistiée – elle avait peu de goût pour le ressassement des chagrins. Encore moins pour le dolorisme. D'autant qu'elle ne partageait pas la dénégation – propre au xxe siècle – de la mort. Celle de Monsieur de Crayencour venait au terme d'une vie de plaisirs et de liberté. Marguerite en eut certainement du chagrin. Elle n'en conçut pas de désespoir. Avec cette netteté, brutale au seul regard de pseudo-convenances, et qui fut sans doute un des extrêmes raffinements de sa courtoisie tant il dispensait d'inutile rhétorique, elle dira à Matthieu Galley : « Après l'avoir pleuré, mort (j'avais vingt-cinq ans), j'avoue que pendant près de trente ans je l'ai presque oublié. Ce qui ne l'aurait d'ailleurs ni étonné ni choqué, car un être jeune doit oublier et doit vivre. Ce n'est que beaucoup plus tard dans ma vie que mon père est redevenu pour moi une pensée assez constante [1]. »

Ce qui la domine, en cette année 1930, quand elle n'est pas requise par son travail, est un sentiment d'ennui. Elle n'a pas envie de parler avec sa belle-mère, et la conversation de son père lui manque. Leur intelligence implicite, leur complicité intellectuelle, le partage de leurs lectures. Et puis Marguerite, contrairement à la légende qui se bâtira autour d'elle quand elle deviendra célèbre, n'aime pas la solitude. Dès qu'elle n'est plus à sa table de travail, elle aime la conversation, les promenades, prendre le thé ou boire un verre, en compagnie. Elle aime écouter, parler, séduire.

Semble donc s'engager une de ces années lentes et studieuses, assez ternes, égayées seulement de la promesse de quelques voyages. Mais à Paris, aux éditions Grasset, un jeune homme ouvre un jour « une armoire où dormaient des manuscrits qu'on avait renoncé à publier », se souvient-il, et découvre le *Pindare* de Marguerite Yourcenar. Cet homme s'appelle André Fraigneau, et il va jouer un rôle clef dans la carrière, mais aussi dans la vie privée de Marguerite Yourcenar. Après des études à Montpellier, André Fraigneau, qui veut devenir écrivain – et le deviendra –, est entré chez Grasset, comme stagiaire, l'été 1929. « J'avais vingt-deux ans, se souvient-il. C'était l'été. Bernard Grasset était en vacances. À son retour, il a demandé qui était " le nouveau " qui faisait des rapports de lectures clairs et si courts. Quelque dix lignes. On m'a désigné à lui. Il m'a engagé. Lorsque en 1930 j'ai trouvé le manuscrit de *Pindare* dans l'armoire aux " rebuts ", le nom de Yourcenar ne m'était pas inconnu. J'avais lu *Alexis*. J'ai trouvé dans cet essai biographique le talent et la tenue, déjà les caractéristiques qui seront celles de Marguerite Yourcenar dans tous les livres d'elle que j'ai fait publier. J'ai estimé qu'il fallait publier celui-ci. Et j'ai convaincu [2]. »

Mais plus personne ne savait où se trouvait Marguerite Yourcenar. L'adresse dans le sud de la France, qui figurait sur le manuscrit, était depuis longtemps péri-mée. Les éditions du Sans-Pareil, qui auraient pu per-mettre de retrouver une trace, avaient disparu. Grâce à René Hilsum cependant, André Fraigneau obtient une adresse à Lausanne. Marguerite Yourcenar lui répond et vient à Paris pour le rencontrer. « Je ne suis plus capable de dire à quelle époque de l'année cela se pas-sait, avoue aujourd'hui André Fraigneau, à l'été, ou en automne, peut-être. » Et, comme Marguerite Yource-nar a fait disparaître son nom de la chronologie de sa vie – pour des raisons que les années trente vont éluci-der –, il n'y a plus guère de moyen de retrouver avec exactitude le moment de cette première rencontre. À ce premier rendez-vous, Marguerite apporte *La Nou-velle Eurydice*, son second roman, qu'André Fraigneau décide de publier avant le *Pindare*. Il demeurera son éditeur pendant toute cette décennie et la soutiendra sans relâche auprès de Bernard Grasset – qui s'inquié-tait parfois de ventes ne dépassant guère les huit cents exemplaires. « Ce *Pindare*, dit André Fraigneau, elle l'avait presque oublié. C'était pour elle comme un péché de jeunesse. Mais elle était de ces gens qui ont eu de la maturité tout de suite, dès leurs premiers écrits. »

C'est ainsi que *La Nouvelle Eurydice* paraît en 1931 chez Grasset. Marguerite Yourcenar s'est montrée très sévère pour ce texte : « trop chargé de développements purement littéraires, [il] n'avait ni la fermeté ni l'unité de ton d'*Alexis* [3] ».

> « Après *Alexis* », racontera-t-elle à Mat-thieu Galey, « il s'est passé de tels événe-ments dans ma vie que je n'ai pas pu me remettre à écrire immédiatement. Ensuite, j'ai fait la gaffe de revenir sur mes pas, et me disant qu'il était temps de faire une carrière

d'écrivain (la jeunesse est conventionnelle!), j'ai produit un mauvais roman. Ce roman (...) a ses fidèles, mais je ne suis pas de ceux-là. J'ai voulu " faire " un roman : résultat naturellement nul, parce que j'étais persuadée à ce moment-là que, pour être un romancier véritable, il s'agissait de prendre un sujet dans la réalité et de le transformer en termes romanesques. Je m'étais créé une idée de ce qu'un roman devait être : il fallait tel ou tel épisode, il fallait un intérêt amoureux; il fallait des paysages, il fallait ceci, il fallait cela. Vous imaginez dans quel gâchis je suis tombée! (...) C'était un livre extrêmement littéraire, et j'entends le mot comme un blâme [4]. »

Texte « blâmable » au point qu'elle en a interdit la republication. « C'est pourtant une époque où elle avait la grâce », commente André Fraigneau, qui préfère de loin les œuvres d'avant-guerre à celles de l'après-guerre, qui ont valu à Marguerite Yourcenar la célébrité.

La Nouvelle Eurydice met en scène un de ces trios que Marguerite Yourcenar affectionnera : un homme – Stanislas, le narrateur – et un couple de ses amis, Thérèse et Emmanuel. Stanislas tombe amoureux de Thérèse. Thérèse continue d'aimer Emmanuel, bien qu'il préfère les hommes... Il est vrai que ce texte n'a pas la fermeté d'*Alexis*, et que ce deuxième récit est moins réussi que le premier. Marguerite Yourcenar avait sans doute voulu y transposer plus clairement ce qu'elle pressentait du trio Michel de Crayencour, Jeanne de Vietinghoff et Conrad de Vietinghoff, mais sa volonté de « faire romanesque » l'avait entraînée dans un certain affadissement du récit. Elle n'avait évité ni les collages littéraires, ni la grandiloquence, ni les simplifications péremptoires : « jusqu'au bout, Emmanuel et sa femme n'avaient pas cessé d'être unis, non seulement par la tendresse, mais par ces mille habitudes où s'entremêlent deux vies, le reste n'étant après tout que pénétrations passagères [5] ».

Si l'on prend plaisir à connaître ce texte, comme document, on comprend aisément pourquoi Marguerite Yourcenar n'a aucune envie de le voir figurer dans son œuvre romanesque, dans la Bibliothèque de la Pléiade. Il est vrai toutefois qu'un certain goût actuel pour les « petits maîtres », pour les textes désuets, ferait peut-être dire à certains, comme le soutient toujours André Fraigneau, que *La Nouvelle Eurydice* a de la grâce. Reste à savoir si la grâce est, pour tout le monde, une vertu littéraire...

Dans *La Revue de France*, où paraît l'une des toutes premières critiques du roman, Pierre Audiat – dans un style très marqué par l'époque et avec des commentaires plus banalement constants (stupeur, l'auteur est une femme !) – ne tarit pas d'éloges :

> « Un roman gonflé de mystère comme le vent invisible gonfle la voile mince. On comprendra que nous éprouvions ici un bonheur tout particulier à saluer la première grande œuvre de Madame M. Yourcenar. (...) À vrai dire, si, en même temps que l'on annonce son livre : *La Nouvelle Eurydice*, on ne publiait pas le portrait de l'auteur, on refuserait de croire que cet auteur est une femme. Impossible de surprendre dans le récit ces faiblesses, souvent charmantes, (...) auxquelles on reconnaît une plume féminine. La main ne fléchit pas, elle ne caresse pas le papier ; elle est prise dans un gantelet de fer qui l'oblige à écrire deux doigts tendus, le petit doigt effleurant à peine l'écritoire (...) Il en résulte non pas une impassibilité, mais une lucidité qui fait contraste avec

144

l'obscurité, tout [sic] psychologique, du récit, et qui est un des attributs de ce qu'on nomme encore le " classique ". Sans remonter à *Adolphe*, éternellement évoqué dans ce cas, on doit citer l'influence d'André Gide, qui est ici visible et presque palpable (...) Des réflexions brillantes, admirablement serties dans les mots, des évocations brèves et saisissantes d'une nature toujours complice de l'amour et de la mort; et un écho douloureux à l'inquiétude humaine [6]. »

Mais d'autres appréciations sont nettement moins enthousiastes : « L'avouerai-je à ma honte? Je me demande ce qu'a de commun cette histoire avec le mythe d'Orphée, écrit Louis de Mondadon dans la revue *Études*. Ce n'est pas d'ailleurs le seul point obscur. Je défie le lecteur de voir clair dans le labyrinthe de complications sentimentales où l'entraîne par mille lacets enchevêtrés une analyse exagérément minutieuse [7]. »

Edmond Jaloux, quant à lui, s'interroge sur les avis négatifs auxquels a donné lieu la publication de l'ouvrage :

« La critique a été sévère pour *La Nouvelle Eurydice*, je ne sais au juste pourquoi. Cette forme à la fois abstraite et délicate a-t-elle paru désuète à certains de nos confrères? (...) Comme Monsieur Jacques Chardonne, à qui Madame Yourcenar fait penser parfois, c'est une moraliste plus encore qu'une romancière, et son commentaire de la situation de ses héros est presque toujours admirable. C'est par ces commentaires qu'elle les situe vraiment dans la vie et dans l'action (...)
J'ai déjà signalé cette qualité de Madame Marguerite Yourcenar, quand j'ai parlé ici

même d'*Alexis ou le Traité du vain combat*; je l'ai retrouvée plus mûrie et plus profonde encore dans *La Nouvelle Eurydice* (...). La critique que je pourrais lui adresser est celle que je ferais à tous les livres de cet ordre, c'est que la qualité du commentaire même, la profondeur des réflexions de l'auteur, l'intensité de l'analyse abstraite, refoule un peu les personnages au second plan et qu'ils ont souvent l'air de servir à une expérience psychologique plutôt que d'être des êtres réels en chair et en os. Mais enfin ce défaut est celui que comporte fatalement ce genre d'ouvrage. Ce qu'il faut dire, c'est que Madame Marguerite Yourcenar réussit à écrire des œuvres d'une qualité durable, dans une tradition qui est à la fois une des plus difficiles et des plus pures [8]. »

Pour *Pindare*, composé l'année de ses vingt-trois ans, prépublié presque intégralement en 1931 dans la revue *Le Manuscrit Autographe* [9] et publié par Grasset en 1932 [10], Marguerite Yourcenar est aussi sévère et interdit pareillement qu'il figure dans ses œuvres complètes. Elle lui reproche un côté trop scolaire – le style en plus, toutefois – et une manière d'affirmer qui ne manque ni d'aplomb, ni de hauteur, propre à « ce que l'on pense connaître alors qu'on en a à peine amorcé l'étude », confiera-t-elle.

Pindare est le seul ouvrage de Marguerite Yourcenar auquel Edmond Jaloux ne consacrera pas sa chronique « L'Esprit des livres », dans *Les Nouvelles Littéraires*. Il dira cependant de ce livre, lors de la critique de *Feux*, que c'était « un excellent ouvrage ». Comme l'explique André Fraigneau – dont Edmond Jaloux a aussi distingué le talent –, « les critiques de Jaloux ne faisaient pas " vendre ", comme on dirait aujourd'hui où l'on ne se préoccupe plus que de cela, mais elles établissaient une réputation. Il n'y avait en ce temps-là que deux ou trois critiques qui comptaient, et Jaloux le tout premier. »

Ce *Pindare*, au moins pour le critique et l'exégète, demeure, en dépit des réserves qu'il suscita et du désaveu de son auteur, plus intéressant, à bien des égards, que *La Nouvelle Eurydice*. On y trouve beaucoup plus de traces de ce qui sera l'univers de Marguerite Yourcenar, sa pensée, et même son style. On peut y grappiller quelques aphorismes que Marguerite Yourcenar affectionnera sa vie durant : « Il arrivait à l'âge où l'égoïsme est une vertu comme il est une nécessité [11] » ou bien « Toute vie contient un échec, et la gloire, quand elle vient, ne fait que le constater plus haut [12] ». On y trouve aussi cette phrase anodine, qu'il faut remarquer dès le *Pindare* : « La race grecque, que certains imaginent éternellement sereine, était trop intelligente pour n'avoir pas connu la tristesse [13]. » Ce ne sont pas les Grecs qui importent ici, mais l'emploi du mot « race ». Car, plus tard, on accusera Marguerite Yourcenar d'antisémitisme en se fondant sur le fait qu'elle parle de la « race » juive. Or, si le débat sur l'antisémitisme de Marguerite Yourcenar demeure pertinent, on ne peut en aucun cas prendre pour argument son usage du mot « race » : conforme ici à un usage de l'époque, il sera mis, tout au long de sa vie, tant dans son œuvre – et *Pindare*, le tout premier, en témoigne – que dans sa correspondance privée, pour « peuple ». Enfin, en évoquant la vieillesse de Pindare et ses passions amoureuses tardives, la jeune femme qu'était Marguerite Yourcenar quand elle écrivit ce livre tient des propos étonnamment prémonitoires : elle trace, à travers Pindare, une sorte d'autoportrait de la vieille femme qu'elle sera : « A toutes les époques,

147

une vive sensualité s'était laissé deviner chez Pindare. C'est une qualité (...). Cette sensualité simple se disciplinait dans l'art (...). Avec l'âge, comme toujours, cette réserve un peu hautaine diminua : la volonté qui faiblissait ne contenait plus l'instinct. C'est sur le tard, dans l'écriture informe des dernières pages, que se révèlent les goûts et les tourments intimes. Le regret : cette mémoire du désir (...). Que le lecteur ne se croie pas forcé d'exhiber mal à propos ce qui lui reste de principes. Ce goût de la beauté jeune est fréquent chez ceux qui vieillissent [14]. » Celle qui fait dire à Alexis « enfant j'ai désiré la gloire » – et qui avouera bien plus tard parler ainsi d'elle-même – termine son essai sur Pindare par cette phrase : « La seule leçon que puisse nous donner cette vie, si éloignée de la nôtre, c'est que la gloire après tout n'est qu'une concession temporaire [15]. »

Cette « concession temporaire » à laquelle elle n'a pas encore la latitude de prétendre, Marguerite Yourcenar ne la dédaignerait sans doute pas. Et qui l'en blâmerait ? Aussi fait-elle, avec sérieux et conscience, son métier d'écrivain. En 1932, *La Revue de France* publie *Le Dialogue dans le Marécage* [16] dont Marguerite dira qu'elle fut écrite « au plus tard en 1931, peut-être même dès 1929 ». « La petite pièce qui suit », dira-t-elle dans la préface à la réédition de ce texte, en 1971, « s'inspire d'un fait divers du Moyen Âge italien, l'histoire d'une patricienne siennoise, Pia Tolomei, reléguée dans un malsain château de la Maremme par un mari jaloux qui l'y laissa mourir. Cette pathétique anecdote, bien entendu controuvée, nous est connue par des commentaires dont s'entourent quatre vers assez cryptiques que lui a consacrés Dante dans le chant V de son Purgatoire [17] ». « Inconsciemment » inspirée de sa découverte du drame Nô, dans la fin des années vingt, Marguerite dira avoir retrouvé à la relecture de cette pièce « un peu de la sensualité partout infuse de D'Annunzio, et, surtout, de l'émotion poignante et comme balbutiée de Maeterlinck [18] », dont son adolescence s'était nourrie *. Mais – ainsi qu'elle l'avait déjà souligné à propos d'*Icare* – elle insistera surtout sur le fait que *Le Dialogue dans le Marécage*, comme *Sixtine* [19], autre bref ouvrage écrit « dans la même clef durant ces années-là, et où je tentais d'évoquer en quelques pages le vieux Michel-Ange, est avant tout un portrait de vieillard ou du moins d'homme qui a vieilli [20]... »

La même année, en Italie, elle commence la rédaction de *Denier du rêve* et, parallèlement, travaille à la refonte de certains récits tirés du long roman qui ne verra jamais le jour, *Remous*. L'activité littéraire à laquelle elle s'astreint – sans doute moins régulièrement qu'elle ne le fera plus tard – n'empêche pas ces années d'être celles du nomadisme – qui sera une des constantes de sa vie, mais qui est là à son point le plus extrême puisqu'elle ne possède aucune adresse fixe – et de ce qu'elle aurait nommé, sans y mettre aucun ton péjoratif, « une certaine dissipation » : l'alcool (un peu), les hommes (sans doute un peu), les femmes (beaucoup sans aucun doute). Lorsqu'elle était à Paris, elle fréquentait les thés où se rencontraient les

---

* Bien qu'elle ait été montée très récemment, après la mort de Marguerite Yourcenar, en février 1988 – mais elle avait donné son accord en 1987 –, cette pièce, la toute première, montre combien Marguerite Yourcenar fait peu de cas des nécessités dramaturgiques. J.-L. Wolff, qui a monté *Le Dialogue dans le Marécage*, au théâtre Renaud-Barrault de Paris, n'a pas caché, lors d'un entretien, les problèmes posés au metteur en scène : « Le texte est d'une densité rare et je crois qu'il fallait lui donner une chair. Autrement, on aurait risqué de tomber dans le récit poétique [21]. »

femmes. En particulier le Thé Colombin, rue du Mont-Thabor, tout à côté de son hôtel, et le Wagram, situé au 208 de la rue de Rivoli. Sur cette « dissipation », elle a toujours gardé la plus grande discrétion, confiant seulement à la toute fin de sa vie sa fascination pour la vie nocturne, les quartiers de prostituées, la débauche, qui jusque-là n'apparaissait que dans son œuvre. Seuls les témoins et les photographies disent à quel point elle aimait l'amour et la conquête.

Elle a toujours, au contraire, revendiqué le nomadisme. Elle a fait allusion à de nombreux voyages en Italie et en Autriche. Elle fit de fréquents séjours à Vienne, qu'elle aimait particulièrement, et suivit dans les deux sens, entre Vienne à Belgrade, le parcours du Danube. C'est aussi à Vienne qu'elle rencontra le philosophe autrichien Rudolph Kassner [22]. Elle avait beaucoup de respect et d'admiration pour cet érudit, grand voyageur, féru de théâtre et de mythologie. Et elle devait le retrouver avec bonheur quelque vingt ans plus tard, en Suisse, à Sierre où l'écrivain s'était installé depuis 1946. De ce moment-là datent aussi ses premières rencontres avec l'essayiste et critique littéraire Charles Du Bos [23], ami de Gide et de Jacques Rivière. Converti au catholicisme en 1927, l'auteur des *Approximations* échangera, au cours des deux dernières années de sa vie, en 1938 et 1939, une très intéressante correspondance, centrée sur les questions spirituelles, avec Marguerite Yourcenar.

Ce sont aussi les années de découverte de la Grèce. André Fraigneau se souvient qu'en lisant le *Pindare*, il avait été convaincu que son auteur connaissait bien la Grèce. Il n'en était rien. Lui-même venait de découvrir ce pays. « Gaston Baissette [24] venait de publier avec éclat son *Hippocrate* chez Grasset et le même éditeur

imprimait le *Pindare* de Marguerite Yourcenar. Les
deux jeunes écrivains français ne connaissaient pas la
Grèce dont ils parlaient avec une prescience telle que
je m'en étonnai, moi, retour d'Athènes ébloui et faisant
part de mon éblouissement (*Les Voyageurs transfigurés*, NRF). Je les invitai au voyage comme m'y
avaient invité Mario Meunier et le peintre Salvat. (...)
On peut dire que nous ne vécûmes plus que pour la
Grèce et par elle, pendant des mois, jusqu'à perdre le
sentiment de l'actuel et habiter cet espace intermédiaire du Fabuleux et du Quotidien décrit dans
l'immortel Gradiva [25]. » Tous trois se livrent à des jeux
littéraires, élaborés à partir de tel ou tel mythe. Ainsi,
chacun avait développé un texte à l'évocation du
mythe du Labyrinthe. Celui de Marguerite Yourcenar,
Ariane et l'Aventurier, sera du reste le point de départ
de la pièce qu'elle écrira dans le milieu des années
quarante : *Qui n'a pas son Minotaure ?*

André Fraigneau recommanda Marguerite à l'un de
ses amis grecs, André Embiricos [26], écrivain et psychanalyste. Cette première moitié des années trente fait
donc apparaître les deux André, dont Marguerite You-
cenar affirmera toujours – sans citer leurs patronymes
– qu'ils furent deux hommes qui comptèrent dans son
existence. À partir de 1932 et jusqu'en 1939, la vie de
Marguerite Yourcenar, de son propre aveu, est « centrée sur la Grèce », tant dans le domaine privé que dans
son activité littéraire, puisqu'elle va travailler sur le
poète grec Constantin Cavafy avec un intellectuel grec
de son âge, Constantin Dimaras. « En ce temps-là,
confiera-t-elle, chaque année je demeurais plusieurs
mois en Grèce. Le reste du temps, l'hiver ou le printemps, je le passais généralement à Paris – séjour
entrecoupé de voyages, bien sûr – à l'hôtel Wagram. »
Ce sont les années au cours desquelles « la notion

même du mythe a joué un rôle vraiment essentiel [27] » ; notion dont seront nourris trois des ouvrages écrits pendant cette période : *Feux, Nouvelles orientales* et *Les Songes et les Sorts*. À cette époque, en 1935 et 1936, elle publie quelques essais dans *Le Voyage en Grèce* [28], revue à laquelle collaboraient Reverdy, Mauriac, Caillois et Roger Vitrac.

Marguerite dira à l'une de ses correspondantes que la Grèce lui a révélé « ces quatre vérités essentielles : Que [ce pays] a été le grand événement (peut-être le seul grand événement) de l'histoire de l'humanité. Que ce miracle est le produit d'une certaine terre et d'un certain ciel ; que la passion, l'ardeur sensuelle, la plus chaude vitalité sous toutes ses formes, expliquent et nourrissent ce miracle et que l'équilibre et la sagesse grecque dont on nous parle tant ne sont ni le maigre équilibre, ni la pauvre sagesse des professeurs ; enfin, ce qui résulte du précédent, au moins en partie, que l'art, l'histoire et la littérature grecs sont souvent mal enseignés [29] ». Mais, pour ce qui concerne les ouvrages postérieurs à cette époque, Marguerite Yourcenar se montrera parfois agacée de la référence, un peu trop rapide et systématique, faite à l'hellénisme par les critiques : « Vous avez tout à fait raison de noter que, pour l'essentiel, mon œuvre n'est pas hellénique, écrira-t-elle à un jeune étudiant, ou ne l'est que parce que toutes les tendances spirituelles, si l'on cherche bien, peuvent se trouver au sein de l'hellénisme. Une certaine conception " classique " de mes livres est très répandue, et très naïve. Je me suis très vite guérie de la foi du charbonnier pour la Grèce [30]. »

Mais en 1934, c'est de l'Italie que sont imprégnés les deux livres qui paraissent chez Grasset. Deux textes qui sont une preuve, s'il en était besoin, de la détermination de Marguerite Yourcenar à montrer que son choix d'être écrivain est radical et définitif. Elle publie d'abord *Denier du rêve* qu'elle refera entièrement en 1959. *Denier du rêve* est le « récit mi-réaliste, mi-symbolique d'un attentat antifasciste à Rome en l'an XI [1933] de la dictature. (...) Un certain nombre de figures tragi-comiques, de plus ou moins près reliées au drame, ou parfois totalement étrangères à lui, mais presque toutes affectées plus ou moins consciemment par les conflits et les mots d'ordre du temps, se groupent autour des trois ou quatre héros de l'épisode central [31] ». Une pièce de monnaie circule de main en main et relie ainsi les personnages et les épisodes : « dix lires (...), symbole du contact entre des êtres humains enfoncés, chacun à sa manière, dans leurs propres passions et leur intrinsèque solitude [32] ».

Pour Marguerite Yourcenar la genèse de ce roman remonte aux séjours romains des années vingt. Elle est liée, aussi, à sa fréquentation d'intellectuels italiens. « Marcella », dira-t-elle à Matthieu Galey de l'héroïne de *Denier du rêve*, est « à peu près semblable à une Italienne que je connaissais à cette époque-là (...). Il y a plusieurs personnages de ce roman qui appartenaient à ces milieux militants antifascistes, et qui m'apportaient cette excitation et cette émotion du moment [33]. » « J'avais une vue assez lucide sur l'Italie, poursuit-elle plus loin, seulement je ne savais trop par quels petits faits l'exprimer. C'est sans doute pourquoi j'ai refait le livre des années plus tard avec les mêmes détails décantés ou développés. Le fascisme me paraissait grotesque ; j'avais vu la marche sur Rome : des messieurs " de bonne famille ", suants sous leurs chemises noires, et des gens sur lesquels on tapait, parce qu'ils n'étaient pas d'accord. Cela ne m'avait pas paru beau. De plus, je n'étais pas dupe d'une prétendue unanimité. Tout un

153

pays n'emboîte jamais le pas à un régime ; ce n'est jamais vrai. Les gens des villages, les ouvriers, n'étaient pas gagnés ; ils se taisaient simplement [34]. »

André Fraigneau se montre indigné de cette « réécriture » : « Le premier *Denier du rêve* n'était absolument pas antimussolinien, contrairement à celui que nous pouvons lire aujourd'hui, affirme-t-il. Marguerite Yourcenar n'avait alors aucune préoccupation de cet ordre. Elle s'accommodait très bien de la vie dans l'Italie fasciste. C'est postérieurement à la Seconde Guerre mondiale qu'elle a voulu donner une coloration politique à ce roman. Je trouve, moi, assez inadmissible de réécrire un roman pour en infléchir le sens. Il vaut mieux faire un autre livre. C'est un procédé que je comprends mal et que je récuse. » André Fraigneau est peut-être excessif dans son accusation de dévoiement, pour des raisons qui tiennent à la nature de ses « sympathies » pendant la guerre, mais sans doute n'est-il pas faux de dire que la nouvelle version de *Denier du rêve* insiste plus sur les aspects politiques de l'intrigue que la première. Du reste, Marguerite Yourcenar elle-même l'a reconnu :

> « Comme tous les autres thèmes du livre, cependant, et plus qu'eux peut-être, le thème politique se retrouve renforcé et développé dans la version d'aujourd'hui », indiquera-t-elle dans la préface de la version de 1959. « La répercussion du drame politique sur les personnages secondaires est davantage marquée (...). Personne sans doute ne s'étonnera que la notion du mal politique ne joue dans la présente version un rôle plus considérable que dans celle d'autrefois, ni que le *Denier du rêve* de 1959 ne soit plus amer ou plus ironique que celui de 1934, qui l'était déjà. Mais, à relire les

154

parties nouvelles du livre comme s'il s'agissait de l'ouvrage d'un autre, je suis surtout sensible au fait que l'actuel contenu est à la fois un peu plus âpre et un peu moins sombre, que certains jugements portés sur la destinée humaine y sont peut-être un peu moins tranchés et pourtant moins vagues (...). Le sentiment que l'aventure humaine est plus tragique encore, s'il se peut, que nous ne le soupçonnions déjà il y a vingt-cinq ans, mais aussi plus complexe, plus riche, plus simple parfois, et surtout plus étrange que je n'avais déjà tenté de la dépeindre il y a un quart de siècle, a sans doute été ma plus forte raison pour refaire ce livre [35]. »

Dans cet ouvrage, Edmond Jaloux a vu davantage un montage romanesque prétexte à réflexions que le seul souci d'une fiction accomplie :

« L'anecdote [« un attentat dirigé, à Rome, contre un chef d'État »] ne joue aucun rôle dans le roman de Mademoiselle Marguerite Yourcenar. Les idées seules comptent, du moins les idées qui font mouvoir les êtres, c'est-à-dire les passions, lesquelles sont éternelles. (...) À mesure que nous avançons dans l'œuvre, nous avons le sentiment de déranger des ombres. Les personnages de Mademoiselle Marguerite Yourcenar sont vrais, taillés en pleine chair, mais ils se meuvent eux-mêmes dans un monde si troublé par les fictions de leur esprit qu'ils y apparaissent, les uns aux autres, le plus souvent comme des fantômes, au moment même où ils sont le plus précisément victimes de leurs corps exigeants, malades ou blessés. (...)

Cet ensemble compose un livre rare qui

155

demande de l'attention, qui est riche en conséquences morales et qui nous fait vivre dans un monde spécial, à la fois tragiquement vrai et intellectuellement stylisé, moderne dans sa forme et dépouillé dans sa conception de tous les artifices du temps [36]. »

Dans la revue *Études*, Louis de Mondadon se montre encore plus féroce qu'il ne le fut à propos de *La Nouvelle Eurydice* : « Les personnages peut-être symboliques imaginés par Madame Yourcenar cherchent à se tirer vaille que vaille des réalités où je ne sais quel absurde et cruel Démiurge les engagea. Vous feriez, je pense, comme eux, si votre vie était comme la leur plate, grise, terre à terre, sans aucune espèce d'idéal. De fait, Madame Yourcenar nous conte de pauvres épisodes bien mornes. Elle a cru devoir, en guise de piment, saupoudrer le récit de traits égrillards ou impies ; loin de mettre quelque agrément, cela ne sert qu'à faire mieux sentir la médiocrité [37]. »

En 1934 paraît aussi *La Mort conduit l'Attelage* [38], le recueil de trois récits issus de *Remous*, cet « immense roman irréalisable et irréalisé », élaboré à partir de 1921, puis abandonné. Marguerite a dédié ce livre « à la mémoire de [son] père ». Les deux critiques précédemment cités sont restés fidèles à leur façon de lire Marguerite Yourcenar. Dans la revue *Études* – d'obédience catholique, il faut le rappeler – Louis de Mondadon affiche un mépris total, et blâme sans restriction : « Il faudrait, tant elles renferment d'énigmes, un long commentaire pour expliquer les trois nouvelles où Madame Yourcenar a voulu, si je ne me trompe, symboliser, d'après Dürer, Greco et Rembrandt, divers aspects de la Renaissance impie et luxurieuse. Le livre porte gravée au-dessous du titre l'image d'une femme

156

chevauchant un squelette. L'on devine plus que l'on ne distingue les attributs qu'elle tient. Ses traits mêmes sont imprécis. Le texte correspond à cet en-tête presque indéchiffrable : de quoi, en définitive, est-il question ? Libre aux curieux d'y aller voir ; je les préviens seulement qu'ils risquent d'en être pour leurs frais. J'ajoute que les vices répugnants de tel ou tel personnage obligeront, même si l'on a compris, à condamner [39]. » On aura compris que « les vices répugnants » étaient l'homosexualité (*D'après Dürer*), et l'inceste, (*D'après Greco*).

> « Madame Yourcenar se sent merveilleusement à l'aise, soit dans certaines époques du Moyen Âge, soit dans le début de la Renaissance », écrit pour sa part Edmond Jaloux. « Mais [elle] ne se tourne pas vers le passé pour faire de la reconstitution historique. Elle n'a l'âme ni d'un archéologue, ni d'un chartiste, ni d'un drapier. Et peut-être pas précisément d'un psychologue. Son but est de peindre des images de la vie humaine et de nous montrer que ces images sont toujours les mêmes, malgré les différences extérieures de costumes, d'usages, et malgré la multitude des formes que prennent le fanatisme, la bêtise et la cruauté (...).
>
> Je reprocherai seulement à Madame Yourcenar de manquer quelquefois de netteté dans son récit (...) *La Mort conduit l'Attelage* n'en est pas moins une œuvre de haute valeur et qui augmente encore en nous l'intérêt que nous portons à un auteur si personnel et chez lequel au moins on ne trouve aucune des modes, ni des procédés qui sont de règle chez tant d'écrivains [40]. »

Cette année-là, au mois d'août, une jeune Américaine fait son premier voyage en France, avec son oncle George La Rue. Tous deux quittent Paris pour l'Angleterre à la fin du mois d'août. Tandis que son oncle repart aux États-Unis, la jeune femme va en Allemagne. Elle regagnera les États-Unis à la fin du mois de septembre, après être repassée par Paris. Cette Américaine de trente et un ans se nomme Grace Frick. Son chemin ne croisera celui de Marguerite Yourcenar que près de trois ans plus tard. Et leur vie, à toutes deux, en sera radicalement changée.

En 1934, Marguerite rencontre beaucoup de femmes. Elle aime les séduire. Elle ne supporte guère qu'on lui résiste. Elle cherche aussi à séduire les hommes, se souviennent ceux qui la fréquentèrent au cours de cette décennie. Avec moins de succès, ce qui n'est pas très étonnant lorsqu'on voit l'allure de jeune homme qu'elle s'était faite. Et pourtant, elle est amoureuse d'un homme. Amoureuse comme jamais auparavant, comme jamais plus, croit-elle. Il est blond et très beau, très à son goût, intelligent et, quoi qu'il en dise aujourd'hui – où il tente d'affirmer qu'elle s'est « raconté des histoires » –, il est l'homme de sa vie. C'est son éditeur, celui qui la relit – « sans rien changer, dit-il, c'était impeccable » –, l'encourage, la soutient, la conseille : André Fraigneau.

CHAPITRE 2

L'impossible passion

1935 est une année sans autre publication que d'épisodiques articles dans des revues. À ce sujet, il faut signaler la parution, en décembre, dans la revue *La Phalange* – que dirigeait Jean Royère –, d'un poème, repris plus tard dans *Les Charités d'Alcippe* (où il est daté de 1936!), « Le Poème du joug ». Dans certaines chronologies ou études sur Marguerite Yourcenar, on place cette publication en 1939, ce qui, lorsque l'on sait les positions prises par *La Phalange* à partir de 1938, donnerait évidemment un éclairage tout à fait différent à cette collaboration. Le numéro auquel Marguerite Yourcenar a participé est celui du 15 décembre 1935, qui porte en titre : « *La Phalange*, 9e année. Nouvelle série. » Il s'ouvre sur la reprise d'un article de Valery Larbaud, paru dans la même revue en 1926. Suivent un « Hommage à l'Italie » avec des textes de Claude Farrère et d'Émile Male notamment, et, sous la rubrique « La Phalange nouvelle », des poèmes, dont celui de Marguerite Yourcenar. C'est à partir du 15 janvier 1938 que la revue prend le sous-titre de « France-Italie-Espagne » et qu'on retrouve régulièrement au sommaire des textes de Franco et de Mussolini. Le dernier numéro porte comme date « 15 novembre 1938/

janvier 1939 ». Or cette livraison est entièrement consacrée au poète Francis Jammes. Marguerite Yourcenar n'y figure absolument pas.

Si 1935 est une période presque vide dans sa carrière littéraire, c'est en revanche un moment extrêmement important dans la vie amoureuse – peut-être serait-il plus exact de dire dans la névrose passionnelle – de Marguerite Yourcenar. Une année partagée entre l'image d'André Fraigneau et un compagnonnage – dont on ignore la nature exacte – avec André Embiricos. Marguerite Yourcenar fait une longue croisière avec ce dernier, pendant l'été, qui les conduit notamment à Istanbul en juillet. Lors de ce voyage, elle commence la rédaction de *Feux*, qui porte la trace de son impossible passion pour André Fraigneau, et celle des *Nouvelles orientales*, qui ne paraîtront qu'en 1938 chez Gallimard, dédiées, elles, à André Embiricos.

André Embiricos, issu d'une riche famille d'armateurs, né en 1901 et mort en 1975, a fasciné des générations de jeunes intellectuels grecs. Le témoignage de Dimitri T. Analis, poète grec établi à Paris et ayant choisi d'écrire en français, rend bien compte de l'attrait exercé par « cet homme exceptionnel, à la fois poète surréaliste, communiste et psychanalyste, probablement l'un des premiers psychanalystes grecs [1] ». Il appartenait à une famille très raffinée, très conservatrice aussi, qui faisait partie de cette « gentry » européenne cosmopolite et cultivée du début du siècle que fréquenta le père de Marguerite Yourcenar. « André Embiricos était d'une grande beauté, se souvient Dimitri T. Analis. Quand je l'ai connu, bien après la Seconde Guerre mondiale, il portait la barbe, comme sur la plupart des documents qui nous restent de lui. Mais je me souviens d'un portrait d'avant-guerre, sans barbe. C'est ainsi que Marguerite Yourcenar l'a connu. L'air slave qu'il tenait de sa grand-mère russe était plus apparent sur son visage glabre, tout comme ressortaient mieux ses magnifiques yeux blonds, en amandes. Il avait un charme très étrange. La beauté du Diable, en quelque sorte. Il a été lié aux surréalistes et a publié, entre les deux guerres, deux ouvrages de poésie surréaliste. Il a exercé un temps la psychanalyse ; j'ai même connu une femme qui avait été sa patiente. Mais sa manière de prôner la liberté sexuelle, la liberté de comportement et d'esprit faisait scandale à l'époque, tout autant que ses positions politiques d'extrême gauche. Il ne devait qu'à la puissance de sa famille de ne pas être inquiété. Après la guerre, il a surtout publié dans des revues d'avant-garde. Mais, en cette fin des années quatre-vingt, une partie de son œuvre est encore inédite. C'est un homme qui a marqué plusieurs générations d'intellectuels et de créateurs, non seulement par ce qu'il écrivait, mais par le soutien qu'il leur a apporté, à tous, par sa capacité à écouter, à conseiller, à aider. C'était une sorte d'éminence grise des lettres grecques. On le rencontrait généralement dans des cafés. Il parlait magnifiquement. Chez lui, il n'y avait guère de différence entre la langue orale et la langue écrite. »

La nature de la relation entre Marguerite Yourcenar et André Embiricos demeure assez obscure. Outre la croisière de l'été 1935, elle a souvent navigué avec lui, seule ou en compagnie d'amis qui leur étaient communs, à la recherche d'îles quasi désertes, de plages encore vierges. L'un et l'autre ont été, sur leurs liens, leur vie durant, d'une discrétion confinant au mutisme. Selon Dimitri T. Analis, « si on lui posait des questions sur Marguerite Yourcenar, immédiatement Embiricos se rétractait. Il avait, en toutes occasions, une attitude de parfait gentleman. Jamais il ne se serait laissé aller à un commentaire sur leur intimité ».

Même si l' « attitude de parfait gentleman », qui est prêtée à Embiricos, laisse entendre qu'il aurait pu compromettre une femme mais que, par élégance, il s'y est refusé, cela ne signifie pas grand-chose : ne consentir à aucun commentaire peut tout simplement vouloir dire qu'il n'y a rien à commenter. Quant à Marguerite Yourcenar, si elle n'a pas gommé le nom d'Embiricos du commentaire de sa vie – contrairement à celui de Fraigneau – elle ne fait, elle non plus, comme à son habitude, aucune allusion à une éventuelle intimité. À Jerry Wilson, qui le rapporte dans un journal intime, elle a seulement raconté « de longues promenades faites dans la campagne grecque avec l'ami auquel elle a dédié *Les Nouvelles orientales* ». « Ils marchaient parfois plusieurs kilomètres, quatre ou cinq, sans rencontrer âme qui vive, sinon peut-être une paysanne vêtue d'une peau de chèvre. » Au moment de la mort d'Embiricos, Marguerite Yourcenar se contentera d'indiquer, dans une lettre à un ami, qu'il avait interrompu toute correspondance avec elle à partir de 1939.

Dimitri Analis, emporté par son admiration pour Embiricos, fait un peu trop de cet homme le pygmalion du « mûrissement » intellectuel et sensuel de Marguerite Yourcenar. « Son écriture, avant la rencontre avec Embiricos, est belle, mais ne touche pas la vie. Marguerite Yourcenar, avant Embiricos, ne sent pas la terre, ni le ciel. C'est après leur rencontre que, dans toute son écriture, sa sensualité éclate. C'est lui qui lui a permis de faire le lien entre la matérialité et la spiritualité de la vie. Il lui a montré, en Grèce, la permanence des choses. Elle a trouvé, avec lui, le chemin vers ce qu'elle désirait faire elle-même. Dans *Mémoires d'Hadrien*, les traces de cette Grèce quotidienne apparaîtront. En Grèce, Marguerite Yourcenar a mûri et

Embiricos a été le vecteur de cette transformation. Je crois que leur relation a été intime, et charnelle, mais que ce n'était pas le plus important. Embiricos était très libre dans ses idées, mais de tempérament assez monogame et en rien, à mes yeux, un " coureur de jupons ". Je crois qu'il était à la recherche d'une femme exceptionnelle, d'une sorte de muse, et que Marguerite Yourcenar a pu, pour lui, jouer un moment ce rôle. »

C'est aussi sur la reconnaissance intellectuelle de Marguerite Yourcenar par André Embiricos qu'insiste André Fraigneau : « Je crois qu'il a avant tout apprécié sa culture, son talent d'écrivain, qu'il a été émerveillé par son intelligence. Il l'a vue au fond beaucoup plus que moi, qui ne la rencontrais que lorsqu'elle était comme " en transit ", à Paris, pour quelques semaines. Peut-être a-t-il essayé d'avoir une relation amoureuse avec elle et peut-être a-t-il réussi. S'il a essayé, il a sans doute réussi, si j'en juge par les attitudes et la diversité des désirs de Marguerite dans ces années-là. » André Fraigneau, qui a mis en contact André Embiricos et Marguerite Yourcenar, a, lui aussi, beaucoup d'admiration pour cet homme auquel il a dédié l'un de ses livres, *Les Voyageurs transfigurés* [2]. Dans un autre roman, *L'Amour vagabond*, il a pris pour modèle Embiricos, très reconnaissable derrière Andréas Mavrodacos, le séduisant fils d'un riche armateur, l'homme dont la voix, « avec son timbre grave et ses roulements d'r [3] », possédait un étrange pouvoir calmant. Ce qui n'empêche pas André Fraigneau, lorsqu'on lui demande si Embiricos a bien été communiste, d'être, comme à son habitude, acerbe : « Évidemment, comme tous les milliardaires ! »

Jeannette Hadzinicoli, qui a traduit et publié en grec Marguerite Yourcenar, pense, elle aussi, qu'il y a eu entre Embiricos et Marguerite « quelque chose de plus qu'une amitié amoureuse [4] ». Toutefois elle voit en lui « un homme qui avait, certes, un énorme charme », mais « quelqu'un de beaucoup plus frivole » que ne le dit Dimitri Analis. Selon elle, Embiricos est l'homme auquel Marguerite Yourcenar fait allusion dans *Archives du Nord* lorsqu'elle évoque l'histoire d'une bague :

> « Michel-Charles s'était réservé et fait monter en bague un camée antique du style le plus pur (...). Il le légua à son fils, qui me le donna ensuite pour ma quinzième année. Je l'ai porté moi-même pendant dix-sept ans (...). Vers 1935, je le donnai, dans un de ces élans qu'il ne faut jamais regretter, à un homme que j'aimais, ou croyais aimer. Je m'en veux un peu d'avoir placé ce bel objet dans les mains d'un particulier, d'où bientôt sans doute il passa à d'autres, au lieu de lui assurer le havre d'une collection publique ou privée, qu'il a d'ailleurs peut-être fini par atteindre. Faut-il le dire pourtant ? Peut-être ne me serais-je jamais dessaisie de ce chef-d'œuvre, si je n'avais découvert, quelques jours avant de le donner, qu'une légère fêlure, due à je ne sais quel choc, s'était produite sur l'extrême bord de l'onyx. Il me semblait ainsi devenu moins précieux, imperceptiblement endommagé, périssable : c'était alors pour moi une raison d'y tenir un peu moins. C'en serait une aujourd'hui pour y tenir un peu plus [5]. »

Il n'est certes pas interdit de lire très métaphoriquement cette fêlure, et le regret de s'être défaite d'un objet – et d'un être – soudainement perçu comme « imperceptiblement endommagé, périssable ».

Seul Constantin Dimaras, qui a lui aussi « beaucoup

aimé » Embiricos, ne croit « pas du tout à cette histoire d'amour entre Marguerite et lui ». « Mais je suis un assez mauvais témoin, précise-t-il. Pourtant, sachant qu'elle fréquentait des femmes, si j'avais saisi quelque chose d'intime entre Embiricos et elle, je l'aurais d'autant plus remarqué. J'avais le sentiment que, pour elle, le " chapitre homme " était clos. J'ai toujours pensé qu'elle avait eu un choc très violent, une histoire impossible, quelque chose entre l'amour et la sexualité, qui l'avait dégoûtée de l'amour avec les hommes. » Sur ce dernier point, Constantin Dimaras approche certainement la vérité : toute la sexualité, puis sans doute la quasi-abstinence sexuelle de Marguerite Yourcenar pendant une longue période, a été déterminée, non pas tant peut-être par sa passion pour André Fraigneau, que par ce qu'elle s'est raconté de cette passion, et qu'elle a transcrit dans *Feux*.

Car si le degré de son intimité avec André Embiricos demeure incertain, avec André Fraigneau, en revanche, les choses sont très claires. Douloureusement limpides. Marguerite Yourcenar aime cet homme, de quatre ans son cadet. Lui préfère les garçons. Se laisserait-il séduire par quelqu'un de l'autre sexe qu'il ne choisirait certainement pas une femme à l'allure de faux jeune homme. « Physiquement, je la trouvais plutôt laide, dit-il simplement aujourd'hui. Je comprends qu'elle ait pu attirer les femmes qui aiment les femmes, mais elles devaient bien être les seules à lui trouver de la beauté. Elle, elle aimait l'amour, c'est évident. Elle aimait les bars, l'alcool, les longues conversations. Elle cherchait sans cesse à séduire. Elle a essayé avec plusieurs de mes amis. Et puis, elle avait cette manie de toujours penser que telle personne faisait l'amour avec telle autre, qui était simplement un ami. Tout cela l'intéressait beaucoup. Avec moi, c'était un peu particulier, même si, avec le recul, on peut dire que j'ai simplement été un " objet " pour une passion dont elle avait envie. Cela aurait pu être un autre que moi. Elle m'envoyait des poèmes, elle voulait me voir souvent, lorsqu'elle était à Paris, ce qui n'était heureusement pas très fréquent. Elle ne se plaisait pas dans les villes, elle était plutôt sauvage. J'aimais parler avec elle, bien sûr. Elle était vraiment intelligente et douée. Mais elle n'est jamais entrée dans ma vie privée, sans même parler de relation amoureuse. Elle ne connaissait pas mes amis. Ce n'est pas par mon entremise qu'elle a fait la connaissance de Cocteau, auquel j'étais très lié. C'est plus tard. Elle n'a jamais partagé nos soirées. Elle n'est jamais venue avec nous au Bœuf sur le toit. Je la voyais l'après-midi, dans ces thés où elle allait habituellement pour rencontrer des femmes. Le quartier de son hôtel en était plein. À l'époque, je me disais qu'elle avait dû choisir son hôtel à cause de cela. Elle était le type même de la femme qui aime les femmes. Pourtant, j'ai vite compris qu'elle rêvait d'être la maîtresse d'hommes qui aiment les hommes. Et elle était tenace, comme pour tout. Je sais que *Feux* est le résultat de son échec avec moi. Elle souhaitait même me le dédier. Que je sois son éditeur rendait la chose impossible, elle a donc dédié le livre à Hermès pour qu'il me porte le message. »

Marguerite Yourcenar a-t-elle plusieurs fois dans sa vie voulu être « la maîtresse d'hommes qui aiment les hommes » ? C'est plus que probable. Faut-il pour autant en conclure qu'elle se serait voulue homme ? On peut en douter. Pour beaucoup d'hommes – et de femmes d'ailleurs – toute femme qui aime les femmes rêve d'être un homme. Un cliché qui devrait avoir fait son temps mais qui a la vie dure. Certaines lesbiennes détestent les homosexuels, d'autres, au contraire, apprécient leur compagnie. Ce qui est plus particulier et qui apparaît chez Marguerite Yourcenar, c'est cette volonté d'avoir des relations physiques avec des hommes que les femmes laissent sexuellement indifférents. Plus qu'un désir de s'approprier, par transfert, une virilité fantasmée, c'est plutôt une manière de se rêver absolument femme, reconnue comme telle et pourtant aimée comme individu, comme personne, hors des ritualisations et des convenances obligées. Être aimée d'un homosexuel, c'est être superlativement « choisie » : un comportement qui s'accorde bien avec les tendances à la mégalomanie, évidentes chez Marguerite Yourcenar. Cela dit, à travers les méandres des témoignages contradictoires sur sa vie amoureuse et sa vie sexuelle dans les années trente, nous ne savons rien de certain sur ses rapports physiques avec les hommes, homosexuels ou pas. En revanche, sur son prétendu désir d'être un homme, Marguerite Yourcenar a tenté de s'expliquer dans ses entretiens avec Matthieu Galey. Mais le moment n'était pas venu ct n'est toujours pas venu dix ans plus tard – où une femme vraiment libre pourra affirmer qu'elle n'a jamais eu la moindre envie d'appartenir à l'autre sexe. « N'avez-vous jamais souffert d'être une femme? lui demanda, apparemment sans rire, Matthieu Galey.

– Pas le moins du monde, et je n'ai pas plus désiré être homme qu'étant homme, je n'aurais désiré être femme. Qu'aurais-je d'ailleurs gagné à être homme, sauf le privilège de participer d'un peu plus près à quelques guerres? Il est vrai que l'avenir, maintenant, semble promettre aussi aux femmes ce genre de promotion.

– Dans les pays méditerranéens, où vous avez longtemps vécu, n'avez-vous jamais eu l'impression d'être un " objet de scandale " ?

167

– Jamais, sauf un jour peut-être où il m'est arrivé de nager sans vêtements aux pieds des ruines de Sélinonte, et où quelques *contadini* qui passaient se sont sans doute étonnés. Mais dans les pays méditerranéens j'étais, vous vous le rappelez, une étrangère, et on acceptait d'elles ce qu'on n'acceptait pas des femmes indigènes [6]. »

« Dans vos livres, vous vous êtes pourtant toujours cachée derrière des hommes pour donner votre vision sur le monde, insiste-t-il.

– Cachée ? Le mot me scandalise. Pas dans *Feux*, en tout cas, où c'est presque continuellement une femme qui parle [7]. »

Feux, précisément, paraît – après une publication fragmentaire dans *La Revue de France* en 1935 – chez Grasset en 1936. Il s'agit de neuf « proses lyriques », certes inspirées de mythes grecs – « Phèdre ou le désespoir », « Achille ou le mensonge », « Sappho ou le suicide », etc. –, mais reliées par des fragments que Marguerite a elle-même définis comme dessinant une « certaine notion de l'amour ». Les introduit une courte préface – qui disparaîtra dans les éditions ultérieures – et qui les avoue explicitement comme transpositions d'une expérience personnelle :

> « On ne trouvera ici ni un recueil de poèmes, ni une collection de légendes. L'auteur a entremêlé des pensées, qui furent pour lui des théorèmes de la passion, de récits qui les illustrent, les expliquent, les démontrent, et souvent les masquent. Peut-être en est-il de ce livre comme de certains édifices qui n'ont qu'une porte secrète et dont l'étranger ne connaît qu'un mur infranchissable. Derrière ce mur se donne le plus inquiétant des bals travestis : celui où quelqu'un se déguise en SOI-MÊME. Si le lec-

168

teur est destiné à comprendre et à aimer l'ordre auquel obéit cette architecture humaine, ces colonnades pour lui s'ouvriront d'elles-mêmes comme des fleurs. S'il ne possède pas la clef d'une expérience analogue, on peut tout au plus lui promettre de deviner, de la fête ou du massacre intérieur, quelques lueurs de torches à travers les fissures des pierres, quelques cris, quelques rires sans cause, quelques bouffées de musique peut-être discordante, et des fracas de cœurs brisés [8]. »

Lors de la deuxième édition, chez Plon, en 1957, cet « avertissement » a déjà considérablement changé de ton, mais ne nie pas ce que la transposition doit à l'alibi :

« Ce compte-rendu d'une crise intérieure utilise parfois à des fins différentes des procédés qui étaient aussi ceux d'autres poètes de 1936, refaçonnant le mythe ou la légende ; la transposition volontaire et le détail anachronique ayant ici pour but, non d'actualiser le passé, mais de volatiliser toute notion du temps (...). Partout, ce qui compte dans la légende et le mythe est leur capacité de nous servir de pierre de touche, d'alibi si l'on veut, ou plutôt de véhicule pour mener le plus loin possible une expérience personnelle, et, s'il se peut, pour finir par la dépasser [9]. »

Enfin, la troisième préface, que Marguerite Yourcenar rédigera à l'occasion d'une nouvelle édition en 1967, met encore plus à distance l'anecdote personnelle au profit – apparent – d'une réflexion critique sur le fond et la forme. Si elle y révèle l'influence de Paul Valéry sur ces textes, sa réaction contre « la Grèce ingénieuse et parisianisée » de Giraudoux et ce qu'elle doit à certains procédés de Jean Cocteau, ainsi qu'aux travaux de quelques surréalistes, elle conclut : « À travers la fougue ou la désinvolture inséparables de ce genre d'aveux quasi publics, certains passages de *Feux* me semblent aujourd'hui contenir des vérités entrevues de bonne heure, mais qu'ensuite, toute la vie n'aura pas été de trop pour essayer de retrouver et d'authentifier. Ce bal masqué a été l'une des étapes d'une prise de conscience [10]. »

Dans aucun de ses livres, Marguerite Yourcenar n'est jamais allée aussi loin dans l'aveu direct. Dans la névrose non plus probablement. Il est facile d'en donner, presque au hasard, en feuilletant *Feux*, quelques exemples dont l'emphase, pour ne pas dire la grandiloquence, est révélatrice :

> « Tu pourrais t'effondrer d'un seul bloc dans le néant où vont les morts : je me consolerais si tu me léguais tes mains. Tes mains seules subsisteraient, détachées de toi, inexplicables comme celles des dieux de marbre devenus poussière et chaux de leur propre tombe. Elles survivraient à tes actes, aux misérables corps qu'elles ont caressés. Entre les choses et toi, elles ne serviraient plus d'intermédiaires; elles seraient elles-mêmes changées en choses. Redevenues innocentes, puisque tu ne serais plus là pour en faire tes complices, tristes comme des lévriers sans maître, déconcertées comme des archanges à qui nul dieu ne donne plus d'ordres, tes vaines mains reposeraient sur les genoux des ténèbres. Tes mains ouvertes, incapables de donner ou de prendre aucune joie, m'auraient laissé tomber comme une poupée brisée. Je baise, à la hauteur du poi-

gnet, ces mains indifférentes que ta volonté n'écarte plus des miennes ; je caresse l'artère bleue, la colonne de sang qui jadis incessante comme le jet d'une fontaine surgissait du sol de ton cœur. Avec de petits sanglots satisfaits, je repose la tête comme un enfant, entre ces paumes pleines des étoiles, des croix, des précipices de ce qui fut mon destin [11]. »

Ou encore : « Il n'y a pas d'amours stériles. Toutes les précautions n'y font rien. Quand je te quitte, j'ai au fond de moi ma douleur, comme une espèce d'horrible enfant [12] » ; « La seule horreur, c'est de ne pas servir. Fais de moi ce que tu voudras, même un écran, même le métal bon conducteur [13]. »

Feux s'ouvre sur « J'espère que ce livre ne sera jamais lu ». Suit l'un des passages demeurés célèbres : « Solitude... Je ne crois pas comme ils croient, je ne vis pas comme ils vivent, je n'aime pas comme ils aiment... Je mourrai comme ils meurent. » Puis, « L'alcool dégrise. Après quelques gorgées de cognac, je ne pense plus à toi [14] » (le cognac a toujours été l'alcool favori de Marguerite Yourcenar – qui n'aimait pas le whisky. Elle en transportait régulièrement une flasque avec elle dans les années trente – André Fraigneau en témoigne – comme dans les dernières années de sa vie).

Feux, même dans sa partie la plus privée, ne se limite pas au discours sur la passion en général, et sur l'homme que l'on sait désormais être André Fraigneau. Marguerite Yourcenar y affirme déjà ce que seront certains de ses choix, singulièrement celui de ne pas avoir d'enfant : « un enfant, c'est un otage. La vie nous a [15] ».

C'est aussi dans ce recueil que se trouve le passage qu'on lui a souvent demandé de commenter, dans la

171

dernière décennie de sa vie, au temps de la célébrité médiatique : « Un cœur, c'est peut-être malpropre. C'est de l'ordre de l'anatomie et de l'étal de boucher. Je préfère ton corps [16]. » Dans l'« Apostrophes » que lui a spécialement consacré Bernard Pivot en 1979, elle s'explique sur cette phrase. Elle a dit à maintes reprises à quel point elle récusait la notion, à ses yeux « très française, littéraire et romantique », de l'amour. C'est un sujet sur lequel elle revenait volontiers, tant dans des entretiens avec des journalistes que dans ses textes, dans sa correspondance ou dans des conversations privées. « Nous avons tous cru qu'en parlant du sexe, du corps, les choses allaient s'améliorer, qu'on irait vers plus de liberté. On voit aujourd'hui qu'il n'en est rien. Finalement, il n'y a rien à dire du corps sauf qu'il existe. » On s'est empressé de n'entendre que la première partie de cette dernière phrase – « il n'y a rien à dire du corps » – pour se conforter dans l'idée que Marguerite Yourcenar, vague réincarnation – très peu incarnée – d'un lointain empereur romain, estimait qu'il était urgent d'ignorer le corps, de ne pas s'en préoccuper. On aurait peut-être été mieux avisé de s'attarder sur le « sauf qu'il existe » : il a ses demandes et ses nécessités auxquelles il faut consentir. Mais tenir un discours sur le corps et penser que ce seul discours puisse entraîner plus de liberté est une mystification. Tel était l'avis, très clair, de Marguerite Yourcenar à la fin de sa vie. Tel était aussi à peu près à la même époque – mais le savait-elle ? – l'avis de Michel Foucault...

Il n'est pas certain qu'en 1936, au moment de la publication de *Feux*, elle ait été convaincue de l'inutilité de parler du corps. Elle était plutôt dans la période à laquelle elle fait allusion en disant « nous avons tous cru qu'en parlant du corps... ».

172

L'accueil du livre, s'il est nuancé, marque qu'elle devient un écrivain qu'on « suit » :

« Le livre de Marguerite Yourcenar est inégal », écrit Émilie Noulet dans les pages de la *NRF*; « mais ce qui y est beau brille d'un éclat dur et sauvage. Il n'est pas parfait, mais toujours abondant. Il témoigne d'une richesse un peu tapageuse mais d'un incontestable tempérament d'écrivain [17]. » Edmond Jaloux, quant à lui, loue la virtuosité du détournement mythologique et conclut : « La pureté du style, des images, insère ces pensées dans un tissu de mots où l'abstrait le dispute curieusement au concret. Mais on dirait que ce luxe de métaphores, de visions poétiques, d'analogies saisissantes n'a pour but que de rendre supportable la terrible idée centrale de l'œuvre, qui est celle du désespoir [18]. »

En cette année 1936, de sa vie, assez agitée selon ses amis d'alors, nous n'avons qu'une image très vague. Quelques traces écrites, quelques documents photographiques. Du 14 mars au 25 avril, elle demande qu'on lui écrive à Paris à l'hôtel Wagram, puis indique qu'à partir du 1er mai son « adresse fixe » sera au Meurice à Lausanne. Elle fait, pendant ce printemps, un voyage en Angleterre dont on ne sait rien. Un autre à Venise, dont il reste une photographie d'elle, en compagnie d'une femme encore non identifiée. Enfin, elle fait savoir qu'en août et septembre son adresse sera le Petit Palais à Athènes, et qu'elle ne reviendra pas à Paris, au Wagram toujours, avant novembre.

C'est de cet été-là que Constantin Dimaras, qui traduisit avec Marguerite Yourcenar les poèmes de Cavafy [19], date leur collaboration.

« Je peux bien sûr me tromper d'une année, c'est si loin, convient-il, mais ce n'est pas en 1939, comme elle l'affirma dans la " chronologie " de la Pléiade. Moi, je n'ai pas revu Marguerite Yourcenar en Grèce après 1937. Je pensais même qu'elle n'y était pas revenue. » (Elle y est en fait revenue, y compris en 1939, notamment à Pâques, pour des raisons privées et sentimentales.) « En 1939, en mars, Gide est venu à Athènes. Et je me souviens très bien que Marguerite n'était pas là. Sinon nous les aurions invités ensemble. Gide pensait beaucoup de bien d'elle. Il était très catégorique sur son talent.

« Moi, j'admirais Marguerite. J'ai beaucoup aimé travailler avec elle. Cela a duré tout un été. Elle venait chez moi tous les jours. Nous nous entendions très bien avec elle, Hélène – mon épouse – et moi. Mais nous ne faisons pas partie de son cercle d'intimes. Elle vivait dans un autre groupe, un groupe d'intellectuels et d'artistes. Nous, nous avions une vie plus bourgeoise, plus rangée. Nous nous sommes rencontrés, Marguerite et moi, un soir de 1935, je crois, par l'entremise d'André Embiricos. Je ne sais plus comment j'en suis arrivé à lui parler de Constantin Cavafy. Dans les années 30-35, j'avais beaucoup travaillé sur lui. Je l'ai connu comme la jeunesse athénienne l'a connu, quand il a quitté Alexandrie pour Athènes. Il souffrait d'un cancer de la gorge. Il est venu à Athènes pour se faire opérer. Nous l'avons beaucoup vu, Hélène et moi. Il est rentré ensuite à Alexandrie où il est mort en 1933. J'ai participé de façon très active à la première édition de ses poésies complètes. Cavafy, lui, imprimait ses poèmes sur des feuilles volantes, et les distribuait à ses amis. Ce n'est que très tardivement qu'il a fait des recueils. Après sa mort, on a publié quantité d'inédits, ainsi que des poèmes de jeunesse. Cavafy était pour moi quelqu'un de très important et il était naturel que, conversant avec une intellectuelle, je parle de lui. Marguerite a été passionnée par ce que je lui disais de cet homme et a voulu, sur l'heure, découvrir sa poésie. Je travaillais dans une librairic dont je possédais la clef. Nous y sommes allés, en pleine nuit. J'ai pris un exemplaire de Cavafy et j'ai commencé à lui traduire les poèmes, au fil de la lecture, puisqu'elle ne lisait pas le grec moderne. Je ne sais plus comment est née l'idée de cette collaboration entre nous, pour traduire l'œuvre entier de Cavafy, le volume à la publication duquel j'avais contribué.

« Nous y avons donc passé tout un été, que je continue de croire être celui de 1936. Notre collaboration n'était pas toujours de tout repos. Marguerite Yourcenar, je crois que tout le monde le sait aujourd'hui, était assez autoritaire. Et obstinée. Moi, de mon côté, j'avais des idées bien précises sur ce que devait être une traduction. Idées qu'elle ne partageait pas. Ma vision de la traduction n'est pas du tout laxiste. Je n'aime pas l'idée des " belles infidèles ". Marguerite, elle, se préoccupait uniquement de ce qu'elle considérait comme bien en français. Elle a prouvé bien plus tard qu'elle ne " traduisait " pas, quand elle a publié *La Couronne et la Lyre*. Dans ce livre, on trouve des poèmes français, adaptés de poèmes grecs, mais en aucun cas traduits. Pour Cavafy, ce n'est pas le cas. C'est bien une traduction. Mais nos différends portaient toujours sur cette question. Moi je lui faisais la traduction mot à mot et elle " arrangeait ". Parfois le ton montait entre nous, chacun défendant ardemment sa position. Alors ma femme intervenait. Elle nous rejoignait, dans le salon où nous nous étions installés pour travailler. Et le ton baissait. Marguerite souhaitait faire du style, en français. Je n'avais rien évidemment contre cela. Mais je voulais que la traduction fût exacte. La traduction que nous avons faite, elle et moi, de Cavafy, n'est pas trop

175

éloignée de ces principes. Sauf à quelques endroits où elle a beaucoup insisté et où j'ai cédé. Il existe d'autres traductions, en français, qui sont plus fidèles, mais qui sont loin d'avoir la même valeur littéraire. Cela dit, cette traduction de Marguerite Yourcenar ne donne pas vraiment le climat particulier de la poésie de Cavafy. À mes yeux, elle demeure plutôt l'œuvre d'une grande styliste française que l'œuvre d'un poète grec. »

Marguerite Yourcenar a constamment répété que, pour elle, écrire ou traduire était un geste identique. « Il était toutefois très excitant de travailler avec elle. Je ne peux que me féliciter d'avoir eu ce privilège, tient à préciser Constantin Dimaras. Marguerite était un personnage. Nous étions contemporains, puisqu'elle était née en 1903 et moi en 1904. Mais elle avait déjà publié quelques ouvrages. Elle était plus " classée " que moi. Je la respectais, pas seulement à cause de cela, mais parce que, d'elle-même, elle imposait le respect. Elle était très conquérante, physiquement. Elle ne voulait pas seulement conquérir les femmes. Elle voulait conquérir tout court. Séduire. Elle parlait un français magnifique, mais, à l'époque, elle n'était pas la seule. Tous les intellectuels parlaient un français soigné. »

Dans l'article qu'elle fait paraître pendant la guerre, en mai 1944, dans la revue *Fontaine* (Alger), Marguerite note pour sa part que la traduction française des poèmes de Cavafy a été terminée à Athènes en juillet 1939, date à laquelle elle rédige pour partie ce qui sera la *Présentation critique de Constantin Cavafy*.

« Nos soirées se passaient en évaluations interminables, à peine troublées par le bruit menaçant de la Radio dans la pièce voisine. Je me souviens des nourritures exquises et simples, auxquelles mon collaborateur, resté en Grèce, repense peut-être lui aussi, quelquefois, durant les pénibles rêveries de la faim; je revois les bouquets d'anémones sauvages que j'achetais chaque soir aux boutiques éclairées d'une lampe à pétrole; la cour de caserne au coin de l'avenue rendue plus nocturne par la présence des arbres, avec ses soldats dansant la danse crétoise des épées au son aigu d'une flûte triste, grandes silhouettes blanches déjà pareilles à des fantômes [20]... »

En dépit des incertitudes de sa mémoire, on peut faire l'hypothèse que Constantin Dimaras a raison de proposer la date de 1936 pour leur travail en commun sur Cavafy. Car en 1937 Marguerite Yourcenar voyage avec Grace Frick, qu'elle vient de rencontrer, en Grèce et en Italie, et séjourne assez peu de temps à Athènes. À l'été de 1938, elle est d'abord à Paris, en juillet, puis en août à Sorrente, en Italie, où elle termine *Le Coup de grâce*. Si elle passe à ce moment-là quelque temps en Grèce, pour des vacances – dont la date et le lieu, une fois de plus sont contestés –, ce n'est pas à Athènes et ce n'est pas un séjour suffisant pour entreprendre un long travail intellectuel. En 1939 elle fait en Grèce des séjours intermittents. La seule trace d'un long séjour à Athènes est bien celle de l'été 1936 où elle donne le Petit Palais comme adresse pour les mois d'août et de septembre.

Cette confusion des dates se retrouve à propos de sa relation à Lucy Kyriakos, une des femmes avec lesquelles Marguerite Yourcenar eut une assez longue liaison amoureuse jusqu'à son départ pour New York en octobre 1939. Lucy Kyriakos était, comme en témoignent des photos, une très belle jeune femme, mariée à un cousin des Dimaras et mère d'un petit garçon. Elle mourra au tout début de la guerre, dans le bombardement de Janina. « Lucy était charmante, se souvient Hélène Dimaras. Mais ni elle ni son mari n'étaient des intellectuels. Nous n'avons compris que plus tard que sa relation avec Marguerite était plus qu'une amitié. Lucy était de ces femmes dont on ne peut pas imaginer qu'elles pourraient penser avoir une histoire avec une autre femme. » Mais on pouvait compter sur Marguerite, à l'époque, pour séduire les femmes « les moins susceptibles d'une affection passionnée pour une autre femme », comme le disait Swann, avec aussi peu de clairvoyance, d'Odette de Crécy... Le souvenir de Lucy était resté très vif chez Marguerite Yourcenar qui, certaines années, soulignait sur son agenda la date de la Sainte-Lucie, bien longtemps après la guerre. Mais a-t-elle vu Lucy pendant cet été de 1936? La connaissait-elle déjà? Il est assez difficile de dater leur rencontre. Sur des photos, Marguerite Yourcenar a écrit : « 1934 : Nelly Liambey, Lucy, MY, Athanase, à Saint-Georges, Eubée. » Mais sur d'autres photos, qui figurent dans l'un des albums de Marguerite Yourcenar nommé « autobiographie III » et qui semblent de la même série, elle a noté : « Eubée 1938 chez M. Athanase Chrystomanos avec Lucy, une sœur et une cousine de Lucy. » L'unique survivante de ceux et celles qui figurent sur ces photos est Nelly Liambey, qui ne parvient pas, elle non plus, à dater ces vacances avec précision. « Je penche pour 1934 », dit-elle. Elle confirme que ces photos ont bien été prises à Eubée, chez Athanase Chrystomanos. Mais elle se rappelle aussi une autre rencontre avec Marguerite Yourcenar. « Je ne sais plus si c'était en 1936, 1937 ou même 1938. Nous nous sommes trouvées en même temps, Marguerite Yourcenar et moi, chez une amie commune, pendant deux ou trois jours seulement. C'était à Corfou. Notre amie Lucy Kyriakos avait loué pour l'été une propriété dans cette île. Un endroit enchanteur, un énorme parc à l'état sauvage, une maison délabrée dont on disait qu'elle était hantée, loin de la ville de Corfou. Cette propriété appartient maintenant au Club Méditerranée. Marguerite Yourcenar y était venue, je crois, pour quelques jours. Elle est arrivée à la fin de mon séjour, à moins que ce ne soit moi, au contraire, qui sois arrivée à la fin du sien. Mais je crois que nous n'avons pas passé plus de deux ou trois jours ensemble dans cette ville [21]. »

S'il s'agit d'un séjour de quelques jours, il peut se placer aussi bien en 1934 que dans chacune des années mentionnées par Nelly Liambey, où Marguerite Yourcenar, à coup sûr, vint pour un temps plus ou moins long en Grèce. Et peut-être plus souvent encore qu'elle ne l'avoue. Car si les dates demeurent si floues, ce n'est pas seulement en raison de la mémoire défaillante des témoins. Marguerite Yourcenar a soigneusement installé l'imprécision sur cette époque de sa vie et sur ses déplacements multiples. Dans sa « chronologie » reconstituée, parue dans la Pléiade, donc officielle, on peut lire qu'à tel moment de l'année 1937 ou 1938, elle était en Grèce, ou en France. Mais dans sa correspondance, datée de ces années, on découvre une lettre de Belgique où elle affirmait n'être pas retournée entre 1933 – date à laquelle elle finit de régler la succession de sa mère – et les années 1950... Ne voulait-elle pas que l'on sache ce qu'elle faisait exactement de sa vie, dans ces années-là ? Ou, plus profondément encore, ne refusait-elle pas elle-même de se souvenir, tant cette période restait marquée par sa passion malheureuse pour André Fraigneau ? La fin de sa vie donnera la preuve qu'elle n'a jamais oublié cet homme ni son amour pour lui, pas plus qu'elle n'a admis un échec qu'il lui fallut, à n'importe quel prix – et le prix fut terrible et pitoyable –, effacer.

CHAPITRE 3

Grace et « Le Coup de grâce »

Bien qu'elle ne soit pas « installée » en France, Marguerite Yourcenar fait désormais partie du milieu littéraire parisien. Ou du moins est à sa frontière, à la fois proche et à distance, position « ironique » qui aura toujours sa faveur, en bien des domaines. Si elle ne publie pas de livres en cette année, par ses textes, elle est très présente dans les revues. En 1937, paraissent notamment des récits qui prendront place dans le recueil *Nouvelles orientales* : « Notre-Dame-des-Hirondelles » dans *La Revue Hebdomadaire* en janvier ; « Le Lait de la Mort » dans *Les Nouvelles Littéraires* en mars ; « L'Homme qui a aimé les Néréides » dans *La Revue de France* en mai ; « Le Prince Genghi [1] » dans *La Revue de Paris*, en août. En février, elle donne à *La Revue Bleue* un texte assez terne, « Mozart à Salzbourg », qu'elle a eu l'idée discutable de faire figurer dans son recueil d'essais *En pèlerin et en étranger* [2], paru après sa mort. Il s'agit, d'un bout à l'autre, d'un assemblage assez affligeant de platitudes et de lieux communs, révélateurs toutefois de l'inaptitude de Marguerite Yourcenar à parler de musique, à échapper, en ce domaine, à un impressionnisme mièvre et aux propos convenus sur « l'homme et l'œuvre » :

« L'homme qui l'a composée [la *Symphonie Jupiter*] était pourtant miné par la maladie, harcelé par la pauvreté ; il avait ses rivaux et ses détracteurs. Là précisément est le mystère de son art : cette musique de bonheur, équilibrée comme un danseur de corde sur l'abîme qu'est au fond toute vie, n'est pas une fuite hors du réel ; elle n'est pas non plus l'équivalent d'un beau songe ; elle n'émeut pas en nous, comme celle de Schubert, les fibres les plus délicates et les mieux cachées ; elle ne nous berce pas, comme la musique de Chopin, pour mieux nous consoler ; elle ne nous aide pas à vivre, comme celle de Beethoven, en nous rendant le courage que nous n'avions plus. Elle est tout simplement musique : parfait agencement d'un univers de son. »

Broderies rhétoriques, propos de salon qu'on dirait empruntés à Madame de Cambremer écoutant du Vinteuil dans les salons de l'hôtel de Guermantes...

Outre André Fraigneau et Edmond Jaloux, elle est alors liée à Emmanuel Boudot-Lamotte, membre du comité de lecture des éditions de la NRF, et dont la sœur, Madeleine, était la secrétaire de Gaston Gallimard. En 1936, Marguerite a rencontré Paul Morand qui lui a proposé de publier les *Nouvelles orientales* à la NRF, dans la collection « La Renaissance de la nouvelle », qu'il dirige depuis juin 1933. En témoigne un mot de Morand à Boudot-Lamotte daté du 7 décembre 1936 et précisant : « J'ai rendez-vous chez moi jeudi prochain avec Madame Marguerite Yourcenar. Voulez-vous être assez aimable pour venir et apporter le contrat [3]. » Ce qui ne dut pas être fait, puisque Marguerite Yourcenar écrit à Paul Morand le 25 janvier 1937 : « J'ai reçu le contrat signé par Gallimard, mais j'attends pour le lui renvoyer d'en avoir causé avec vous [4]. » Et à Boudot-Lamotte le 13 février : « Je pars vendredi pour quelques jours à Londres et j'aurais voulu vous faire tenir le manuscrit de *Kâli*... [il s'agit de « Kâli décapitée », l'une des *Nouvelles orientales*] et vous faire retourner les exemplaires du contrat avant mon départ [5]. »

Cette fois-ci on connaît la raison, ou du moins l'une des raisons du voyage de Marguerite Yourcenar à Londres : elle a accepté, sa situation financière n'étant pas des plus florissantes – elle ne peut compter que sur le pécule « sauvé du désastre » au début de la décennie car ce ne sont pas les très faibles ventes de ses livres qui peuvent la faire vivre –, de traduire *Les Vagues* de Virginia Woolf pour les éditions Stock et a décidé de rendre visite à l'auteur pour lui poser quelques questions. Ce qui, évidemment, n'empêchera pas la traduction d'être truffée de « faux sens ». On sait, depuis son travail avec Constantin Dimaras sur Cavafy, quels rapports subtilement désinvoltes Marguerite Yourcenar entretient avec la traduction. Ce qui ne la trouble guère : « Je ne crois pas que la traduction de Virginia Woolf m'ait causé de problèmes particuliers », écrira-t-elle à l'une de ses correspondantes près de quarante ans plus tard : « il n'y avait qu'à se laisser aller au fil de l'eau sans bien se rendre compte toujours où ce fil menait ; mais Virgina Woolf elle-même semblait avoir voulu cette impression de vague (sans jeux de mots). Par scrupule de traducteur, j'étais allée la voir à l'époque, pour lui poser certaines questions sur la manière dont elle préférait que fussent traduites certaines phrases contenant une allusion à des thèmes ou images de la poésie anglaise : littéralement, ou en tâchant d'obtenir de mêmes effets avec des thèmes analogues connus du lecteur français. Mais ce problème, et en général celui de la traduction, lui restait assez étranger [6]. »

Marguerite Yourcenar fait allusion à ce travail et à cette visite dans deux textes, l'un de 1937, originellement publié dans *Les Nouvelles Littéraires* et maintenant repris en préface aux *Vagues*, l'autre de 1972, paru dans la revue *Adam International* [7]. Dans le premier, elle trace un portrait bref et incisif de la romancière anglaise : « Il y a peu de jours, dans le salon vaguement éclairé par les lueurs du feu où Mrs Woolf avait bien voulu m'accueillir, je regardais se profiler sur la pénombre ce pâle visage de jeune Parque à peine vieillie, mais délicatement marquée des signes de la pensée et de la lassitude, et je me disais que le reproche d'intellectualisme est souvent adressé aux natures les plus fines, les plus ardemment vivantes, obligées par leur fragilité ou par leur excès de force à recourir sans cesse aux dures disciplines de l'esprit [8]. » Dans le second elle rend un hommage plus direct à l'écrivain : « J'ai traduit en français *The Waves*, l'avant-dernier roman de Virginia Woolf, et je ne le regrette pas, puisque dix mois de travail ont eu pour récompense une visite à Bloomsbury, et deux brèves heures passées aux côtés d'une femme à la fois étincelante et timide, qui me reçut dans une chambre envahie par le crépuscule. On se trompe toujours quand il s'agit des écrivains de son temps : on les surfait ou on les dénigre. Je ne crois pourtant pas commettre d'erreur quand je place Virginia Woolf parmi les quatre ou cinq grands virtuoses de la langue anglaise et entre les rares romanciers contemporains dont l'œuvre a quelque chance de durer plus de dix ans. Et j'espère même, malgré tant de signes du contraire, qu'il y aura encore vers l'an 2500 quelques esprits assez avertis pour goûter les subtilités de cet art [9]. »

Être surfait ou dénigré – diagnostic prémonitoire non seulement en ce qui concerne Virginia Woolf, mais Marguerite Yourcenar elle-même : entre les « fétichistes » de son œuvre, prêts à s'extasier inconsidérément, et ceux qui la traitent d'écrivain académique, voire pompier, pour l'avoir lue à la hâte, elle n'a pas encore trouvé la place qui est la sienne. Et qu'en sera-t-il, « en 2500 », de cette œuvre ?

Dans son *Journal*, Virginia Woolf fait à la venue de « la traductrice » une allusion rapide, mais qui témoigne de sa perspicacité : « Mardi 23 février : Je suppose que cet invraisemblable gribouillis veut dire : " la traductrice arrive ". Mme ou Mlle Youniac (?). Non, ce n'est pas ce nom-là. Et j'avais tant de choses à écrire au sujet de Julian (...); si bien que je n'ai plus le temps ni la place de décrire la traductrice, seulement celle de dire qu'elle avait de jolies feuilles d'or sur sa robe noire et que c'est une femme qui doit avoir un passé : portée à l'amour, intellectuelle; qu'elle vit la moitié de l'année à Athènes, est en relation avec Jaloux, etc. Lèvres rouges; se donne beaucoup de mal; une Française travailleuse, amie des Margerie. Esprit positif; intellectuelle; nous avons passé *Les Vagues* en revue : " Que veut dire : *See, here he comes* "?, etc [10]. »

C'est à son retour de Londres, à l'hôtel Wagram, que Marguerite Yourcenar fait une rencontre dont elle ignore qu'elle sera décisive. Celle de Grace Frick, une universitaire américaine de son âge. Grace est née le 12 janvier 1903 à Toledo, dans l'Ohio, et Marguerite le 8 juin de la même année, comme on sait. Ce qui lui permettra de désigner parfois Grace, avec une savoureuse coquetterie, comme « une amie plus âgée que moi »...

Il existe deux versions un peu différentes de leur rencontre : le récit fait par Marguerite Yourcenar elle-même, dans ses dernières années, à Jerry Wilson, qui l'a retranscrit dans l'un de ses journaux intimes, et le récit fait par Grace Frick, dès 1937, à sa condisciple d'université Florence Codman, dont le témoignage est particulièrement précieux : cette femme, éditeur, intellectuelle, francophile, qui fut amie de Jane Bowles, est l'une des rares personnes encore en vie ayant connu Grace à l'université, puis ayant été en relation avec Marguerite et Grace jusqu'à la fin de la vie de cette dernière.

Grace était en France, cette année-là, depuis le mois de janvier. Elle était venue régler la succession d'une de ses cousines qui, au grand dam de sa famille, avait pris le voile dans un couvent français, où elle venait de mourir. Ce soir de février, elle était seule à une table, au bar du Wagram. À la table voisine, Marguerite Yourcenar était en conversation avec Emmanuel Boudot-Lamotte. Dans la version de Marguerite, ils parlaient du voyage en général, et aussi de leurs projets respectifs. C'est alors que Grace Frick serait intervenue en demandant à Marguerite, pour engager la conversation, s'il lui plairait de faire un voyage aux États-Unis. « Le lendemain matin, ajoute Jerry Wilson dans son journal, le jeune chasseur monta dans la chambre de Marguerite Yourcenar, apportant un message de la "jeune femme américaine". Grace disait qu'on pouvait voir de très jolis oiseaux, sur le toit de l'hôtel, par la fenêtre de sa chambre et invitait Marguerite à monter la rejoindre pour profiter du spectacle. Elle monta et elles devinrent amies », conclut euphémistiquement Jerry Wilson...

Grace, elle, raconta la scène du bar à Florence Codman d'une autre manière : « Grace m'a appelée au téléphone dès son retour aux États-Unis, en 1937, pour me raconter sa rencontre avec Marguerite [11], se souvient celle-ci. Grace était en effet seule au bar et Marguerite était en conversation avec un homme. Ils parlaient de littérature, et singulièrement de Coleridge. " Ils disaient des choses si fausses, à la limite si sottes, que je suis intervenue pour dire qu'ils se trompaient du tout au tout ", me rapporta Grace. »

Des deux versions, et d'après tout ce que l'on sait de Grace et de sa manière péremptoire d'intervenir sans être sollicitée, c'est certainement la seconde version la plus plausible, d'autant que la première apparaît presque caricaturalement stéréotypée. À moins, ce qui n'est pas invraisemblable, que les deux versions ne se complètent : l'irruption de Grace dans la conversation littéraire, les propos sur les voyages, un « pourquoi pas les États-Unis » et l'invitation ultérieure à contempler les envolées d'oiseaux au-dessus des toits parisiens...

« Elle a été immédiatement éblouie par Marguerite, ce fut un véritable coup de foudre, dit encore Florence Codman. Je me demande si Grace avait eu d'autres femmes dans sa vie avant Marguerite. Et même d'autres histoires d'amour. Nous n'en avions jamais parlé. » Dont acte. Mais quand on connaît l'allure de Marguerite Yourcenar à cette époque, il est douteux, à moins d'être d'une innocence insondable, que l'invitation ait été formulée sans la moindre arrière-pensée...

Cela dit, on ne sait pas grand-chose de la vie privée de Grace jusque-là. Cette jeune femme d'une famille aisée du sud des États-Unis fut orpheline de bonne heure et élevée, ainsi que son frère Gage, par un oncle. Elle fit ses études dans un « college » chic de la côte Est, Wellesley. C'est là qu'elle connut Florence Codman. Elle obtint son diplôme de *Bachelor of Arts* en 1925 et son *Masters* en littérature anglaise en 1927. « J'ai fait la connaissance de Grace à Wellesley, au début des années vingt, raconte Florence Codman. Elle venait de Kansas City. Je n'ai su que très tard que ses parents étaient morts tous les deux quand elle était encore très jeune. Nous ne parlions jamais de nos familles. Pas plus que nous ne parlions d'argent. Mais il était évident que nos familles étaient aisées, sinon nous n'aurions pu ni étudier dans ce collège ni faire de voyages en Europe. Grace était une étudiante très brillante. Elle souhaitait faire carrière dans l'enseignement. Je pense qu'elle aurait pu devenir un grand professeur d'université. Elle était plutôt grande, et mince. Pas dépourvue de séduction. Toutefois elle montrait parfois une sorte de hauteur quand elle parlait. Nous n'étions pas vraiment intimes, Grace et moi. Au collège nous n'habitions pas dans le même bâtiment. Nous avions des cours ensemble, et, déjà, elle adorait faire la leçon. Cela restera un de ses traits de caractère dominants, sa vie durant. J'étais la seule personne qu'elle connaissait à New York. C'est en fait quand elle a été liée avec Marguerite que nous sommes devenues plus réellement amies. Quand j'ai rencontré Marguerite, j'ai tout de suite compris comment on pouvait tomber folle amoureuse d'elle. J'ai été immédiatement impressionnée par son intelligence. Elle parlait un anglais parfait, mais à la limite de l'intelligible, à cause de son accent. Avec elle je parlais français. C'était un vrai plaisir, tout comme c'était un délice de l'entendre parler cette langue. Tout de suite, j'ai remarqué sa démarche et sa manière d'être – très droite, naturellement altière. Je me disais " quand elle sort du lit, en chemise de nuit, elle doit encore marcher de cette manière-là ". Comme une reine. Comme si les portes devaient s'ouvrir devant elle. Avec ce port de tête que tout le monde a toujours dû lui envier. Il était difficile de résister à son charme et à son autorité. Elle était par ailleurs très obstinée et avait des idées très arrêtées. Sur la littérature en particulier; mais je n'ai pas eu à subir ses foudres, car nous parlions essentiellement de littérature française – je ne crois pas que la littérature américaine l'intéressât vraiment – et nous étions en général d'accord. Grace était folle de Marguerite et je crois qu'elle l'est restée. Pour Marguerite c'est devenu au fil des ans un bon mariage, je crois. À coup sûr un mariage. »

Avant sa rencontre avec Marguerite, Grace n'était pas nécessairement l' « oie blanche » que ses amis imaginent un peu vite. Il serait cependant bien périlleux d'affirmer qu'ils ont absolument tort, tant elle est restée silencieuse sur ses sentiments, aussi bien avant sa rencontre avec Marguerite qu'après. C'est à peine si l'on trouve, au milieu des inlassables notules chronologiques consacrées à Marguerite, une rapide rétrospective de quelques années de sa propre existence. Elle signale qu'en septembre 1927, juste après l'obtention de son *Masters of Arts*, elle part enseigner à Stephen College à Columbia dans le Missouri. Elle y restera jusqu'en juin 1930. En 1928, elle fait son premier voyage en Europe « pour rejoindre Phyllis Bartlett à Oxford, puis aller à Paris avec elle ». On ignore quelle était la nature des relations de Phyllis et de Grace. De juin 1930 à septembre 1931, Grace est à Kansas City, où demeure sa famille. Ensuite elle habite New Haven et prend des cours à Yale, jusqu'en 1933. « En 1934, écrit-elle dans le carnet où elle note ces dates, Paris via Italie et Suisse. Août en France, avec oncle George La Rue. Je descends à l'hôtel Wagram. En septembre je vais à Munich avant de rentrer à New York où je demeure avec Ruth Hall. » Ruth restera une amie de Marguerite et de Grace. Elle était donc peut-être seulement une amie avec laquelle Grace partageait un appartement. En juin 1936, Grace Frick vient enseigner en Angleterre. C'est de Londres qu'elle se rendra à Paris, En janvier 1937, puis en février. C'est alors qu'elle rencontre Marguerite Yourcenar.

Grace doit rentrer à Londres et y passer tout le mois de mars. Marguerite continue de se préoccuper de ses affaires professionnelles. Elle reçoit le 8 mars un exemplaire de son contrat pour les *Nouvelles orientales* « destiné à vos archives », lui précise la lettre de Gallimard. Elle a proposé à Grace de l'accompagner en Grèce. Elle attend donc son retour. Grace revient en avril, et après s'être rendue à Biarritz pour y voir une certaine Betty Lou Curtis, elle se dispose à suivre Marguerite. Grace, inaugurant ce qui deviendra une habitude confinant à la manie, note les étapes du voyage – à la troisième personne : « Grace et Marguerite en Sicile via Gênes. Italie, Rome, Florence, Venise, côte dalmate, Corfou, Grèce, Athènes, Delphes, Sounion. Retour à Naples. Grace repart en août pour New York City après une brève visite à Capri. Grace sera de nouveau à New Haven à la fin du mois d'août et y demeurera jusqu'à l'automne de 1939. »

On ne sait pas exactement quels sont les sentiments de Marguerite pour Grace à cette époque. Sinon par ce qu'elle concédera plus tard brièvement : « ce fut d'abord une passion ». Marguerite n'a certainement plus envie d'une passion comme celle qu'elle a éprouvée pour André Fraigneau – et qui n'est pas encore du passé comme le signale une lettre du 24 août 1937 envoyée de l'hôtel Meurice de Lausanne, où Marguerite vient de rentrer après avoir quitté Grace : « Je suis depuis longtemps sans nouvelles d'André, souligne-t-elle, et mon état de santé ne m'a pas permis cette année de séjourner longtemps à Athènes. » Ce qui est certain, c'est qu'elle fait à Grace le « grand jeu » du voyage d'amour : de Venise à Capri en passant par Corfou et Delphes. De ces premiers mois passés à deux, il ne demeure aucun témoignage, si ce n'est une photo de Grace, de profil, dans un lieu non identifiable et une autre de Marguerite, probablement prise par Grace, sur la place du Dôme à Florence. Images banales et qui ne révèlent rien. Les photos de Grace ne permettent qu'un constat : elle n'est pas très belle. Or Marguerite a toujours affirmé – et ne cessera jamais de le faire, jusqu'au dernier jour – que la beauté lui importait au plus haut point, pour ce qui est de l'émotion amoureuse et du plaisir sensuel. Grace aura été, à l'évidence, une exception. Une très longue exception. Les raisons profondes en figurent peut-être dans la correspondance qu'échangèrent ces deux femmes – correspondance scellée jusqu'en 2037. Quoi qu'il en soit, on peut dès maintenant assurer que Marguerite Yourcenar était trop intelligente pour n'obéir qu'à des stéréotypes, et qu'elle a toujours comme elle le disait « tout laissé ouvert ». Et puis, dans cette période noire, blessée pour beaucoup plus longtemps qu'elle ne l'imaginait elle-même par son échec amoureux avec André Fraigneau, elle avait un immense besoin d'être, à son tour, follement aimée. Elle avait très vite compris que Grace lui offrait cette démesure.

C'est ainsi qu'elle prend la décision d'accepter l'invitation de Grace et de passer, comme celle-ci le souhaite, l'hiver aux États-Unis. Elle s'embarque donc en septembre 1937, tandis que sa traduction des *Vagues* de Virginia Woolf sort chez Stock. Et c'est à bord du paquebot, « dans le roulis des premières heures de [sa] traversée atlantique [12] », qu'elle met au point « Le Chef Rouge », un dernier texte pour les *Nouvelles orientales*

– intitulé « La Veuve Aphrodissia » dans la deuxième édition. Elle passera l'hiver à New Haven – Grace est toujours à l'université de Yale, où elle souhaite entreprendre une thèse. Elle voyagera un peu : en Virginie (Charlottesville), en Caroline du Sud, en Géorgie, et se rendra même, pour un court séjour, au Canada, dans la province de Québec.

De cet hiver-là – elle rentrera en Europe à la fin d'avril 1938 –, qui a dû être le moment le plus intense de sa passion avec Grace, Marguerite Yourcenar n'acceptera jamais de parler. Elle avait d'ailleurs fermement décidé, on ne sait exactement quand, de ne se livrer à aucune confidence sur sa vie intime, résolution qu'elle tiendra avec constance jusque dans les dernières années de sa vie, où elle était plus affaiblie qu'elle ne le pensait, et que ses amis eux-mêmes ne pouvaient le déceler. Les traces qui demeurent de ce séjour montrent une Marguerite Yourcenar beaucoup plus tournée vers l'Europe qu'impatiente de découvrir un nouveau continent, et désireuse d'y trouver sa place. Elle se préoccupe au premier chef de son livre à paraître, les *Nouvelles orientales*, dont elle renvoie le manuscrit corrigé, le 20 novembre, à Emmanuel Boudot-Lamotte. Ajoutant, dans un mot d'accompagnement : « Votre sollicitude pour mon livre me fait croire que je ne suis pas tout à fait absente de Paris [13]. » Paris lui manquerait-il soudain ? Loin de ses luxueux amis grecs et de ses élégants compagnons intellectuels français, découvrirait-elle la vie de province, l'ennui diffus d'une petite ville américaine avec son université à l'allure de couvent ? C'est bien probable. Mais comment aurait-elle pu l'admettre, des années plus tard, après toute une vie passée à tenter de persuader tout le monde – à commencer par elle-même – qu'elle avait « laissé faire le hasard » et avait su le transformer en vraie liberté? Le « hasard », cet hiver-là, a des allures de fuite, pour cette jeune femme de trente-quatre ans qui ne peut s'empêcher dans une autre lettre à Emmanuel Boudot-Lamotte de glisser : « Dites à André [Fraigneau, évidemment] que je pense à lui [14]. »

C'est encore vers l'Europe et ses intellectuels qu'est ramenée Marguerite Yourcenar par sa correspondance avec Charles Du Bos, à partir de novembre 1937. Elle prend contact avec lui – ce qui prouve s'il en était encore besoin son désir d'être plutôt en relation avec des Européens qu'avec des Américains – en lui faisant parvenir un mot de bienvenue à New York, dans lequel elle formule ses regrets de manquer les conférences que l'essayiste catholique doit y prononcer : « Je tenais à vous adresser moi aussi cette espèce de maladroite bienvenue, et à dire une fois de plus mon admiration (et ma gratitude) à un écrivain dont les vues me rassurent, sur la pente d'ailleurs bien lente, et selon vous sans doute bien écartée encore, que prennent insensiblement les miennes [15]. »

> « Les " pentes " et mêmes les voies " écartées ", personne mieux que moi n'est en mesure non seulement de les comprendre, mais de leur être reconnaissant », lui répond Charles Du Bos. « Si je vous disais que c'est plus de trente ans de méditations sur la nature du génie – du génie en général et plus spécialement du génie de Keats, de Giorgione et de Bach – qui me conduisirent à être enfin préparé à recevoir la Vérité (la Vérité avec majuscule, la Vérité-personne et non pas simplement principe, la vérité de Celui qui a dit : " Je suis la Voie, la Vérité et la Vie "), vous seriez en droit d'être surprise, et cependant rien n'est plus littéralement exact. Chacun de nous a *sa voie*, et la plus écartée est parfois celle qui aboutit le plus

192

près du centre. Dans une première lettre il ne sied pas d'en dire davantage, et il est certain que nous préférons tous le simple et confiant échange de vive voix. Mais si vous ne pouvez venir [à South Bend, en Indiana, où il a accepté un poste à l'université Notre-Dame], et que vous désiriez poursuivre l'entretien par correspondance, n'hésitez pas [16]. »

Marguerite n'hésitera pas; et c'est une très longue lettre qu'elle lui envoie à la fin du mois de décembre, mise au point de l'état de ses réflexions sur le sentiment religieux, et le catholicisme plus particulièrement :

« Je me rends compte qu'à l'intelligent intérêt que vous avez toujours eu la générosité de me témoigner, s'ajoute désormais, pour le multiplier à l'infini, l'émouvante sollicitude d'un catholique pour toute âme humaine, et j'hésite ici de peur de ne répondre à ce pressant, à cet amical appel qu'avec les réserves que vous ne pouvez plus admettre, et qu'il vous sera peut-être difficile d'apprécier (...) Peut-être a-t-il fallu la lecture de votre dernier livre pour me faire reconnaître que, si proche que je me sente de votre pensée, je ne suis pourtant pas située sur le même plan, et que cette différence, sans doute encore bien plus essentielle à vos yeux qu'aux miens, tient tout entière dans ce seul mot : la foi. Au sens strict du mot, le problème de l'angoisse religieuse n'existe pas pour moi. Le pathétique et l'inquiétude (dont nul de nous n'est heureusement ou malheureusement exclu) se situent ailleurs dans ma vie. Mais avec l'hellénisme dont il figure dans ma pensée tout à la fois le complément et le correctif, le

193

catholicisme représente à mes yeux une des rares valeurs que notre temps n'ait pas complètement réussi à ébranler. De plus en plus dans le désordre actuel (et perpétuel) du monde, j'en arrive à voir dans la tradition catholique une des parts les plus précieuses de notre complexe héritage, infiniment plus étendue même que le domaine strict de la croyance, et la disparition ou l'émiettement de ces traditions au profit d'un grossier idéalisme de force, de race, ou de foule, me paraît un des pires dangers de l'avenir. Si le christianisme ne me semble pas divin (ou divin seulement au sens où cet adjectif s'applique au Parthénon, ou à la mer par beau jour d'été), j'y vois du moins, avec un respect sans cesse croissant, l'admirable somme d'une expérience de vingt siècles, et l'un des plus beaux songes humains. (...)

Il se peut que j'en revienne un jour à une interprétation plus rigoureuse du dogme, ou plutôt que j'y arrive pour la première fois (car le catholicisme de mes années d'enfance n'a jamais dépassé la phase de l'indolente acceptation enfantine). Il se peut, mais cette évolution me semble à la date où je vous écris bien improbable, et sans doute suis-je trop éloignée du dogme pour attacher beaucoup d'importance aux changements éventuels de ma pensée sur ce point. Il faut déjà croire en la valeur vitale de la foi pour souhaiter d'avoir la foi. Mais, dans les troubles de notre temps, s'il s'agissait pour moi de prendre parti, ce que j'ai évité jusqu'ici, et que j'espère continuer à éviter (car prendre parti oblige malheureusement presque toujours à adhérer à un parti), la grande tradition catholique figure à mes yeux une partie de l'arche qu'il s'agit avant tout de sauver [17] (...). »

Marguerite Yourcenar était, à cette époque, elle l'a souvent répété, « à [son] maximum d'éloignement de la pensée chrétienne et de la préoccupation religieuse en général » et elle a toujours su gré à Charles Du Bos de « n'avoir pas cherché à [la] convertir ». En 1964, la Société des amis de Charles Du Bos lui demandera l'autorisation de publier certaines de ses lettres, ce qui lui sera l'occasion de les relire. Elle s'étonnera d'une inquiétude religieuse dont elle n'a nul souvenir et précisera : « La personne que j'étais dans ces années d'avant 1939 me paraît désormais bien loin de moi ; (...) je suis surtout frappée de voir que le problème religieux – à en croire une sorte de mise au point qui figure dans l'une de ces lettres – me préoccupait déjà beaucoup plus qu'on ne s'en douterait en lisant mes livres de ces années-là, et plus même que je n'en avais moi-même gardé le souvenir (c'est surtout dans ces domaines-là qu'on a la sensation, souvent illusoire, d'une découverte perpétuellement nouvelle [18]). »

Marguerite Yourcenar est surtout, à ce moment-là de sa vie, dans une incertitude sentimentale qu'elle n'avouera jamais. Le seul véritable avantage qu'elle trouve à passer l'hiver 1937-1938 aux États-Unis, est, comme elle l'écrit à Charles Du Bos, du Canada, à la veille de son départ, « la sérénité de la retraite américaine. Il est curieux, et bien contraire à la légende des États-Unis, que ce soit précisément ces occasions de recueillement, de détachement et de paix, que nous ayons cherchées et trouvées ici [19] ». « Détachement ? » C'est encore un vœu pieux. Tandis que Marguerite Yourcenar fait route vers l'Europe, les derniers jours du mois d'avril 1938, elle ne sait pas où elle en est de son attachement à André Fraigneau. L'« affaire » ne sera qu'en partie résolue avec la rédaction du *Coup de grâce*, règlement de comptes symbolique (et qui se voulait cathartique) avec lui. Quant à son attachement pour Grace Frick, il est bien difficile de risquer à ce sujet des commentaires, sans tomber dans la surinterprétation. Mais Marguerite Yourcenar est certainement « sous le coup » de deux amours fous : celui qu'elle éprouve, depuis quelque quatre ans déjà, pour André Fraigneau, auquel elle a enfin décidé d'échapper, et celui que Grace Frick éprouve pour elle, auquel elle n'a pas encore tout à fait décidé de consentir.

Dès qu'elle accoste en Europe, au début de mai 1938, Marguerite Yourcenar se rend à Capri où elle a loué, avant de partir pour les États-Unis, une petite villa, la Casarella. Elle n'est plus, comme avant sa rencontre avec Grace, et surtout avant d'avoir publié *Feux*, douloureuse, presque désespérée. Toutefois elle demeure troublée, vaguement incertaine. Pour tenter de voir clair, il lui reste, comme toujours, une ressource : écrire. C'est ainsi qu'en un mois, à peine, elle rédige la première version d'un court roman – une centaine de pages – qu'elle terminera à Sorrente en août de la même année : *Le Coup de grâce*. Même ses détracteurs les plus acharnés – ou peut-être surtout eux – « sauvent » ce petit texte, sec et violent, d'une œuvre qu'ils jugent globalement « pompeuse » et « surfaite ».

En dehors de l'analyse littéraire, et de la discussion des mérites comparés du *Coup de grâce* et des ouvrages d'après-guerre – qui ont valu à leur auteur la célébrité –, ce qui se joue de purement biographique dans l'écriture de ce roman est aussi passionnant que ce qui avait conduit à la composition de *Feux*, explicitement signalé comme « le résultat d'une crise passionnelle ».

Sur fond de guerres baltes et de lutte antibolchevique, Marguerite Yourcenar met en scène trois personnages : Éric Von Lhomond, « beau en dépit de la quarantaine, pétrifié dans une espèce de dure jeunesse », qui doit « à ses aïeux français, à sa mère balte, à son père prussien, son étroit profil, ses pâles yeux bleus, sa haute taille, l'arrogance de ses rares sourires [20] »; Conrad de Reval, plus qu'un ami pour Éric, « un point fixe » « dans cette existence sans cesse déviée [21] » et Sophie, la sœur de Conrad, « belle; la mode des cheveux courts lui seyait [22] ». Éric n'aime pas les femmes; il n'aime que Conrad, à moins qu'il n'aime personne. « Loin de Conrad j'avais vécu comme on voyage, dit-il. C'était l'idéal compagnon de guerre comme ç'avait été l'idéal compagnon d'enfance. L'amitié est avant tout certitude, c'est ce qui la distingue de l'amour. Elle est aussi respect, et acceptation totale d'un autre être [23]. » Sophie se prend d'une impossible et mortelle passion pour Éric qui se demande « pourquoi les femmes s'éprennent (...) justement des hommes qui ne leur sont pas destinés, ne leur laissant ainsi que le choix de se dénaturer ou de les haïr [24] ».

« Tout me prédisposait à me méprendre sur Sophie, ajoute-t-il, et d'autant plus que sa voix douce et rude, ses cheveux tondus, ses petites blouses, ses gros souliers toujours encroûtés de boue faisaient d'elle à mes yeux le frère de son frère. J'y fus trompé, puis je reconnus mon erreur (...). En attendant (...) j'avais pour Sophie la camaraderie facile qu'un homme a pour les garçons quand il ne les aime pas (...). À partir d'un certain moment, ce fut elle qui mena le jeu; et elle joua d'autant plus serré qu'elle misait sa vie. De plus mon attention était forcément divisée; la sienne entière. Il y avait pour moi Conrad, et la guerre et quelques ambitions débarquées depuis. Il n'y eut plus bientôt pour elle que moi seul, comme si toute l'humanité autour de nous s'était muée en accessoires de tragédie

197

(...) J'étais fatalement destiné à perdre, même si ce n'était pas dans le sens de sa joie, et je n'eus pas trop de toute mon inertie pour résister au poids d'un être qui s'abandonnait tout entier sur sa pente [25]. »

Sophie et Éric se poursuivent et se fuient, puis, pris dans les méandres des conflits politiques, se perdent. Quand ils se retrouvent, Sophie est « de l'autre bord ». Elle est prisonnière et condamnée à mort. C'est elle qui exige qu'Éric l'exécute, lui donne « le coup de grâce » : « Je tirai en détournant la tête (...). J'ai pensé d'abord qu'en me demandant de remplir cet office, elle avait cru me donner une dernière preuve d'amour, et la plus définitive de toutes. J'ai compris depuis qu'elle n'avait voulu que se venger, et me léguer des remords. Elle avait calculé juste : j'en ai quelquefois. On est toujours pris au piège avec ces femmes [26]. » Ce sont les derniers mots du récit.

Marguerite Yourcenar a prétendu, et elle le note dans la « chronologie » de la Pléiade, que ce roman « s'inspirait d'un épisode authentique » dont elle avait recueilli le récit. Alix De Weck, la fille d'un ami suisse de Marguerite, Jacques de Saussure (lui-même fils du linguiste Ferdinand de Saussure), confirme que son père « a aidé Marguerite au moment où elle allait entreprendre *Le Coup de grâce* en lui donnant les renseignements sur les guerres baltes en 1918-1919 [27] ». Dans *Le Coup de grâce*, précise la « chronologie » de la Pléiade, « Éric von Lhomond (...) racontait une aventure d'amour, de camaraderie militaire et de mort violente dans un pays dévasté. L'auteur reprenait, mais avec une âcreté nouvelle, le ton volontairement contrôlé et le style quasi abstrait d'*Alexis* ».

Soit. Il est heureux tout de même que Marguerite Yourcenar ait précisé que son style prenait « une âcreté nouvelle » dans ce texte, sans doute le plus profondément violent et le plus autobiographique de toute son œuvre. Car, enfin... Une femme éperdument amoureuse d'un homme qui n'aime que les hommes... Qui ne reconnaîtrait Marguerite Yourcenar et André Fraigneau? Et si ce dernier n'a que trente ans alors que l'Éric du roman en a dix de plus, il a bien sa beauté altière, « son étroit profil » et « l'arrogance de ses rares sourires ».

André Fraigneau lui-même, dans l'une de ces soirées parisiennes où l'on n'est jamais assez sur ses gardes, alors qu'on est en présence de gens qui tiennent un journal intime, s'est laissé aller à faire allusion à cette « vieille histoire ». Matthieu Galey le rapporte fidèlement dans le deuxième volume de son *Journal* paru après sa mort : « Sur Marguerite Yourcenar, qu'il a beaucoup soutenue chez Grasset, avant la guerre, il [Fraigneau] prétend également que c'est lui et Boudot-Lamotte qui ont servi de modèle aux deux personnages masculins du *Coup de grâce*, Marguerite étant bien entendu la jeune femme amoureuse... de lui. À le suivre, elle se serait consolée avec les dames, faute de pouvoir être un homme qui aime les hommes, ou la maîtresse des hommes qui aiment les hommes. Ouais. Mais il paraît néanmoins qu'elle fréquentait le Thé Colombin, où certaines personnes se rencontraient [28]. »

« Bien sûr, nous étions, Boudot-Lamotte et moi, les héros du *Coup de grâce*, confirme André Fraigneau. Mais il n'y a rien là que de très courant, de très normal. C'était extrêmement fréquent dans notre milieu à l'époque. On se disait : " Tiens, tu vas te retrouver dans mon prochain livre ". Il n'y a rien de particulier à chercher là-dessous. » Le croit-il vraiment, lui qui a payé si cher ses ressemblances avec l'Éric du roman, son exaltation des vertus viriles et des hommes nouveaux, bref de ceux qui occupaient la France au début des années quarante? Il est permis d'en douter, mais il est inutile d'insister. André Fraigneau est un homme inflexible. C'est même ce que Marguerite Yourcenar ne lui pardonnera jamais.

En réalité, *Le Coup de grâce* peut entièrement être lu comme un méthodique règlement de comptes. Comme un message personnel. Un message que Marguerite Yourcenar destine autant à elle-même qu'à André Fraigneau. Une exhortation à « en finir ». Tout, dans *Le Coup de grâce*, peut s'entendre de deux ou trois manières. À commencer par le titre. Alors que Marguerite Yourcenar écrit ce roman, André Fraigneau publie un recueil de nouvelles intitulé *La Grâce humaine* [29]. « C'est en référence à mon livre qu'elle a nommé le sien *Le Coup de grâce* », commente-t-il aujourd'hui. Le « coup de grâce » est évidemment aussi celui qu'elle porte à leur désastreuse histoire. Enfin, elle vient de faire la rencontre de Grace Frick, ce qui a probablement rendu possible la véritable rupture, en elle-même, avec André Fraigneau, et la rédaction de ce roman. La dédicace qu'elle fait à Grace en témoigne : « A ma très chère Grâce. La dédicace de chaque exemplaire de ce livre devrait porter son nom. En tout cas son prénom y est. " Je les étonne toujours en leur affirmant que j'ai connu le bonheur, le vrai, l'authentique, la pièce d'or inaltérable... Un tel état de choses guérit de la philosophie allemande. Il aide à simplifier la vie et aussi son contraire [30] ". »

Dans le roman, dans le cours du récit, on pourrait multiplier la recension de détails qui sont des traces de leur histoire à tous deux, Marguerite Yourcenar et André Fraigneau, tel celui-ci : « Le comique de la chose était que c'est justement mes qualités de froideur et de refus qui m'avaient fait aimer : elle m'eût repoussé

200

avec horreur, si elle avait aperçu dans mes yeux, à nos premières rencontres, cette lueur que maintenant elle mourait de n'y pas voir [31]. »

Marguerite Yourcenar insiste même sur la violence qu'elle aurait voulu, qu'au moins, André Fraigneau lui concédât. À défaut de l'aimer, il aurait pu, peut-être, la haïr, voire la frapper, lui signifiant autre chose qu'une amicale indifférence. Éric von Lhomond, lui, rend à Sophie ce paradoxal hommage, lui donne cette reconnaissance, cette douloureuse existence : « (...) Les femmes sont folles de ne pas nous fuir et ma méfiance envers elles n'est pas sans raison. Les épaules nues dans sa toilette bleue, rejetant en arrière ses courts cheveux qu'elle avait brûlés en essayant de les friser au fer, Sophie présentait à cette brute les lèvres les plus invitantes et les plus fausses que jamais actrice de cinéma ait offertes en louchant vers l'appareil de prise de vues. C'en était trop. Je la saisis par le bras, et je la giflai. La secousse ou la surprise furent si grandes qu'elle recula, fit un tour sur elle-même, buta du pied contre une chaise, et tomba. Et un saignement de nez vint ajouter son ridicule à toute cette scène [32] ».

Sophie est si proche de Marguerite qu'évoquant la voix de son personnage, celle-ci décrit exactement sa propre voix, cette singulière modulation que relèveront tous ses interlocuteurs, cette étrange mélodie, « à la fois rude et douce (...) comme les notes basses d'un violoncelle [33] ».

Conrad, en revanche, cristallise la répugnance qu'éprouve Marguerite Yourcenar à l'égard d'une certaine faiblesse, de la « fragilité », notamment masculine : « Les natures comme celles de Conrad sont fragiles (...). Livrées au monde, aux femmes, aux affaires, aux succès faciles, leur dissolution sournoise m'a toujours fait penser au répugnant flétrissement des iris, ces sombres fleurs en forme de fer de lance dont la gluante agonie contraste avec le dessèchement héroïque des roses [34] » : même sans donner démesurément dans l'interprétation psychanalytique, on ne peut que rêver sur l'étonnante comparaison qui clôt la phrase...

C'est à propos de Conrad qu'apparaît la figure du *Cavalier polonais* de Rembrandt, que Marguerite Yourcenar venait de voir pour la première fois à la Frick Collection (aucun rapport avec la famille de Grace) de New York, et dont l'image l'accompagnera sa vie durant, resurgissant étrangement dans les dernières années, où elle identifiera Jerry Wilson, malade, au personnage de ce tableau, décrit dans *Le Coup de grâce* : « (...) il me fit l'effet d'un fantôme portant un numéro d'ordre et figurant au catalogue. Ce jeune homme dressé sur un cheval pâle, ce visage à la fois sensible et farouche, ce paysage de désolation où la bête alertée semble flairer le malheur, et la Mort, et la Folie [35] (...) ».

Par une singulière « coïncidence », le héros du roman d'André Fraigneau, *Les Étonnements de Guillaume Francœur*, mentionne, lui aussi, ce même tableau, remarqué lors de sa visite au « Trianon de pacotille qui abrite la collection Frick. Ses fenêtres à petits carreaux ouvrent sur les magnolias de Central Park. Un milliardaire (au nom prédestiné !) y a réuni quelques chefs-d'œuvre d'une qualité exceptionnelle, dont le *Cavalier polonais* de Rembrandt qui, sur son cheval somnambule et sous son bonnet de fourrure, ressemble à Greta Garbo [36] ».

Près de vingt-cinq ans après la publication du *Coup de grâce*, dans une lettre adressée à un jeune étudiant, Marguerite Yourcenar reviendra sur la singularité de ses personnages :

« Avec Éric du *Coup de grâce*, on peut assurément parler de solitude, mais d'une solitude de type très particulier, due en grande partie à des hasards historiques, je veux dire à l'écroulement d'une caste et d'un monde. Éric reste presque hargneusement fidèle à des disciplines devenues vaines dans un milieu humain transformé, et sa tragédie est là, bien plus même que dans ses rapports avec Sophie ou avec Conrad. Seul, mais à jamais lié à ceux qu'il a choisi de considérer comme siens, à Conrad, et en un sens à Sophie elle-même. Ce qu'il a de dur, et presque d'irrécupérable, est fonction de ses qualités désespérées. (...) Dans ce petit livre, Sophie est à peu près aussi importante qu'Éric ; Sophie est à la fois le parèdre d'Éric et son contraire, aussi généreusement prête à se donner à tout (et pas seulement sur le plan sexuel) qu'Éric est instinctivement prêt à se refuser. Sophie n'est pas un être pour lequel se pose le problème de la solitude [37]. »

Finalement, Éric, « ce jeune Prussien qui déteste les femmes, accuse les juifs, exalte la guerre, la mort et les vertus viriles, qu'en pense vraiment Marguerite Yourcenar ? » s'interrogeait Jean-Denis Bredin dans son discours de réception à l'Académie française, le 17 mai 1990, en évoquant ce « féroce roman » qui « éclaire l'autre face de Marguerite Yourcenar : sa part de violence ». « Ce coup de grâce est un étrange regard sur ce qui vient », concluait-il. En effet. Et selon ce qu'on pense de son auteur, on dénonce son ambiguïté ou l'on vante sa clairvoyance. L'inévitable lecture biographique de ce récit prouve que l'on fait à Marguerite Yourcenar un mauvais procès en la croyant complaisante à l'égard de tous les Éric von Lhomond des années quarante. Et un plus mauvais procès encore en pensant qu'elle a, commentant, longtemps après, *Le*

Coup de grâce, tenté de se présenter comme une « résistante » avant la lettre, une des rares à avoir, avant tout le monde, aperçu « les démons ». Car, si elle recompose sans cesse sa vie, c'est moins pour s'ériger une statue – comme le croient ceux qui méconnaissent le geste de création littéraire – que pour se construire un roman.

Du reste, exaspérée par les commentaires sur ce livre, par les accusations d'indulgence envers l'idéologie et la morale de « ce jeune Prussien », Marguerite Yourcenar, qui savait combien ce texte, tout de violence et d'amour-haine personnels, devait peu à la réflexion politique, s'est expliquée, une fois de plus, dans la conclusion de la préface rédigée en 1962 :

« Avec le regret d'avoir ainsi à souligner ce qui devrait aller de soi, je crois devoir mentionner pour finir que *Le Coup de grâce* n'a pour but d'exalter ou de discréditer aucun groupe ou aucune classe, aucun pays ou aucun parti. Le fait même que j'ai très délibérément donné à Éric von Lhomond un nom et des ancêtres français, peut-être pour pouvoir lui prêter cette âcre lucidité qui n'est pas spécialement une caractéristique germanique, s'oppose à l'interprétation qui consisterait à faire de ce personnage un portrait idéalisé, ou au contraire un portrait-charge, d'un certain type d'aristocrate ou d'officier allemand. C'est pour sa valeur de document humain (s'il en a), et non politique, que *Le Coup de grâce* a été écrit, et c'est de cette façon qu'il doit être jugé [38]. »

Au début de juin 1938, après un mois entier consacré à clore une affaire personnelle extrêmement violente, de la manière la plus radicale qu'elle connaisse – en en faisant un livre –, Marguerite Yourcenar est épuisée.

Mais elle ne peut ni rester en Italie ni partir en Grèce. Elle doit se rendre à Paris, où elle semble avoir beaucoup à faire si l'on en juge par le mot qu'elle envoie à Charles Du Bos :

« Cher Ami, je serai demain à Paris, et pour peu de jours. Serait-il possible de vous rencontrer un jour de la semaine prochaine, et si possible à Paris ? S'il le faut, j'irai jusqu'à Saint-Cloud pour vous voir, mais mon temps est bien limité. Bien sympathiquement à vous [39]. »

En juillet, elle est toujours à Paris, puisqu'elle écrit au même Du Bos, de l'hôtel Wagram : « Mon séjour à Paris a été riche cette fois en *hasards* favorables et je mets notre rencontre au premier rang de ceux-ci [40]. » On aimerait évidemment en savoir plus sur ces « hasards », soulignés par elle dans sa lettre, mais en l'absence totale d'informations, de témoignages et de documents, il est bien téméraire de risquer des hypothèses. Des rencontres enfin paisibles avec André Fraigneau ? On pourrait difficilement les qualifier de hasards. De nouvelles conquêtes féminines ? Elles furent alors sans suite, et resteront au crédit de ce que Marguerite Yourcenar nommait « la bonne chance ». Au reste, on voit mal pourquoi elle y ferait allusion, fût-ce elliptiquement, dans un mot à Charles Du Bos. Rien de tout cela n'est très convaincant. Mais justement, rien ne permet de la voir, de la comprendre vraiment, en cet été 1938. En août, elle repart pour la maison de Capri, où elle souhaite terminer son roman. Elle y tombe malade et gagne Sorrente, où elle demeure à l'hôtel Sirena. C'est là qu'elle achèvera *Le Coup de grâce*.

Va-t-elle en Grèce ensuite, à la fin d'août et au début de septembre, et serait-ce le moment de ces fameuses

photos portant en légende « Grèce 1938, chez M. Athanase Christomanos »? Là encore, rien de précis n'autorise à l'affirmer. Elle signale seulement qu'à la fin de
septembre elle se trouve à Sierre, dans le Valais « où
elle passe les anxieuses " journées de Munich " ». De ce
commentaire très insuffisant, on ne peut guère déduire
quelle fut la réaction de Marguerite Yourcenar aux
accords de Munich, signés dans la nuit du 29 au 30 septembre. Elle a probablement éprouvé, comme la majorité des Français, ce qu'elle-même désignait ensuite
comme « un lâche soulagement », un désir de croire,
contre l'évidente réalité, que la guerre n'aurait pas
lieu. Immédiatement après « Munich », elle part pour
Paris où elle reste jusqu'en décembre. Elle s'y occupe
principalement de son avenir littéraire, en particulier
de la négociation avec la NRF de son contrat pour *Le
Coup de grâce*.

Durant tous ces mois pendant lesquels elles ont été
séparées, Marguerite Yourcenar et Grace Frick se sont
beaucoup écrit. Les lettres de Grace ont été perdues,
oubliées probablement dans l'une de ces malles que
Marguerite avait coutume de laisser dans tel ou tel
hôtel où elle séjournait quelques semaines chaque
année, en Suisse, en Autriche, ou ailleurs. Celles de
Marguerite, conservées avec dévotion par Grace, sont
déposées à Harvard, sous scellés. Marguerite qui, la
notoriété venue, dirait, lorsqu'elle aurait à mentionner
Grace, « l'amie avec laquelle je partage ma maison »,
ne voulait pas laisser de traces explicites de leur vie
privée. Au moins, tant qu'elle ne serait pas devenue,
elle, un « personnage historique », c'est-à-dire cinquante ans après sa mort. Mais outre qu'il suffit de lire
les agendas de Grace Frick – non scellés – pour
comprendre l'incroyable amour qu'elle portait à Mar-

guerite, on a pu retrouver un minuscule témoignage de la naissance de cette passion. Comme on n'est jamais trop prudent, ou qu'on brûle toujours de dire ce que l'on prétend vouloir cacher, Marguerite Yourcenar a « oublié », dans un des albums de photographies conservés à Petite Plaisance – et accessibles au public qui vient aujourd'hui visiter la maison, pendant les deux mois d'été où elle est ouverte –, une petite lettre de Grace Frick, maladroite et touchante, écrite en 1938 (l'en-tête ne porte pas la date précise), après le retour de Marguerite en Europe.

« 516 Orange St New Haven

« So I love you, believe it or not.

« J'ai dîné avec Alice [probablement Alice Parker] hier soir dans une grande orage. Elle a reçu sa copie de *Les Songes* et je t'aime parce que tu ne l'as pas oubliée. Pourquoi tu es si gentille ?

« Hier, j'ai travaillé trop tard dans la nuit et je me suis couchée, pas en pensant que j'étais très fatiguée, mais j'ai dû l'être parce que je me demandais pourquoi je semblais faire un effort à t'appeler. Tu n'as pas été là pendant tout le soir. Mais ce matin, le moment que je suis réveillée, tu es là sans effort et je suis prête pour toi.

« Et tu peux déchirer ceci s'il vous plaît, tout de suite, sans faillir.

« Aimée.

« Grace. »

« *Les Songes* », auquel Grace fait allusion dans cette lettre, est ce curieux livre, *Les Songes et les Sorts*, que Grasset vient de publier en cette année 1938 et que Marguerite Yourcenar, à la fin de sa vie, envisageait de republier, avec des ajouts. Elle y propose vingt-deux récits de rêves, assez courts, précédés d'une préface où

207

elle explique ce qu'elle a retenu, pour ce volume, de son intense activité onirique. « Il y a la région des rêves du souvenir, que domine la figure de mon père mort, précise-t-elle. Le cycle de l'ambition et de l'orgueil, que je n'ai guère parcouru que pendant les nuits de ma vingtième année; le cycle de la terreur (...) où je pénètre moins souvent qu'autrefois, car avec le temps l'épouvante s'en va de nous comme l'espérance, et nous vieillirons sans doute rassurés comme des pauvres, qui n'ont pas à craindre qu'on leur vole leur malheur [41]. » « J'écarte avec soin de ces pages les rêves physiologiques, trop visiblement causés par un mauvais fonctionnement de l'estomac ou du cœur [42] », ajoute-t-elle. « Je passe également sous silence les purs rêves sexuels, dont l'intensité est souvent surprenante, mais qui ne sont guère plus que la simple constatation du désir par un homme ou une femme endormie [43]. » « Ce qui m'importe ici, c'est la frappe d'un destin individuel imposée au métal du songe, l'alliage inimitable que constituent ces mêmes éléments psychologiques ou sensuels quand un rêveur les associe selon les lois d'une chimie qui lui est propre, les charge des significations d'un destin qui ne sera qu'une fois. Il y a les songes, et il y a les sorts : je m'intéresse surtout au moment où les sorts s'expriment par les songes [44]. »

« *Les Songes et les Sorts* ne sont pas simplement un motif de réflexion, de philosophie et de connaissance, écrira Edmond Jaloux. Ils se présentent surtout pour le lecteur comme un remarquable florilège de poèmes en prose. On pense, en le lisant, parfois à ceux de Baudelaire, et parfois à ceux de Rilke [45]. »

Dans sa chronique, Edmond Jaloux rendait également compte des *Nouvelles orientales* – recueil de textes inspirés par les lectures de Marguerite, par sa découverte de l'Orient, qui lui serait une fascination durable, et sorti à la NRF dans le courant de la même année. « Cette forme de narration, relève-t-il notamment, n'a pas pour but (...) de nous amuser par des événements, comiques, réalistes ou habilement contés, mais de nous faire rêver en ouvrant devant nous les longues perspectives du passé, de la légende de l'avenir, de la philosophie en action ; de nous ramener à une méditation sur la destinée humaine ; de rassembler des analogies éparses pour en extraire un enseignement (...). Son procédé est la transfiguration ; son but, la poésie [46]. »

« C'est le style qui forme entre les neuf contes une continuité magnifique », écrira François Nourissier, lors d'une réédition du recueil ; « qu'il s'agisse de la Chine médiévale ou du Japon, de légendes balkaniques ou grecques repensées et adoptées par Madame Yourcenar (...). On pense souvent aux peintres en lisant *Nouvelles orientales* : à Rembrandt, à Vermeer, à Dürer, qui prennent le relais des poètes [47] (...). »

L'amour de Grace n'empêche pas Marguerite de continuer de mener sa vie amoureuse en Europe. C'est ainsi que Lucy la rejoint à la fin de décembre en Autriche, à Kitzbühl, pour qu'elles passent le nouvel an ensemble. Plusieurs photographies de Marguerite et de Lucy marchant dans la neige témoignent de ce séjour, et il est impossible de se méprendre sur les relations de ces deux femmes. Visiblement, elles forment un couple, dont, tout aussi visiblement, la figure dominante est Marguerite. On ignore combien de temps Lucy est restée, mais Marguerite, elle, a prolongé son séjour autrichien jusqu'en mars. On le sait par sa correspondance avec Emmanuel Boudot-Lamotte à propos de la publication du *Coup de grâce*, dont elle avait signé le contrat, le 10 décembre, avec Gallimard :

« Au cas où les épreuves du *Coup de grâce* seraient prêtes avant le 1er février, lui explique-t-elle dans une lettre du 6 janvier, pourriez-vous me les faire envoyer ? » Et elle donne deux adresses : jusqu'au 18 janvier c/o Baronin Gutsmansthal à Kitzbühl ; ensuite, et jusqu'au 30 janvier, dans une pension viennoise. « Il se peut que je fasse un court séjour en Pologne, ajoute-t-elle, et j'aurais aimé revoir ce livre à peu près sur place [48]. »

On ignore ce qu'il en fut de cette escapade polonaise, mais on retrouve Marguerite Yourcenar à la fin mars à Athènes, assez clandestinement. Elle dit avoir entrepris ce voyage juste après avoir fini la traduction de *Ce que savait Maisie* d'Henry James (le livre ne sortira qu'en 1947 aux éditions Robert Laffont). Grace affirme, elle, que cette traduction fut faite en 1937-1938. Marguerite Yourcenar prétend aussi avoir travaillé à ce moment-là avec Constantin Dimaras sur Cavafy, ce qui est, on l'a vu, très probablement faux. En revanche, des photographies de Lucy prises à Pâques de 1939 – on ignore par qui – témoignent de tout ce que ce séjour avait de privé. Ces images – conservées par Marguerite Yourcenar tout au long de sa vie – montrent à quel point Lucy était belle. Lucy était pour Marguerite une représentation de la beauté comme seule, à ses yeux, la Grèce pouvait en produire. « Je n'ai jamais été (ou même rêvé d'être) une jeune femme adulée de tous pour sa beauté et son élégance, mais mon amie L.K. l'a été [49] », dira-t-elle à Matthieu Galey. Une beauté un peu dolente, peut-être. Une femme mariée pour qui la rencontre avec Marguerite Yourcenar n'était sans doute qu'une aventure « exotique », de celles qu'ont les femmes entre elles, depuis toujours, au nez et à la barbe des hommes. Sur elle, Marguerite exerçait sa presque irrésistible séduction, mélange d'allure quasi masculine, de sensualité et de gourmandise évidentes, ainsi que de volonté de puissance intellectuelle.

Marguerite Yourcenar est censée être restée en Grèce jusqu'en août, ce qui est faux puisqu'elle écrit de Paris en juin à Jean Ballard, le directeur de la revue *Les Cahiers du Sud*, à propos d'un texte sur Ariane, d'où elle tirera la pièce *Qui n'a pas son Minotaure ?* : « Je vous envoie l' " Ariane " demandée. Je ne vous l'avais pas promis sans une certaine inquiétude, ne sachant pas si ce texte me semblerait assez bon pour que je puisse raisonnablement vous le soumettre. Je crois que, le cas échéant, j'aurais menti et prétendu que le manuscrit s'en était égaré... Mais est-ce seulement l'incorrigible amour-propre des poètes qui m'épargne ce mensonge ? Il me semble que ce petit libretto d'opéra se tient encore assez bien. À vous d'en juger [50]. »

On a vu que ce qui deviendra la trame de *Qui n'a pas son Minotaure ?* provient du jeu littéraire amical auquel se livrèrent Marguerite Yourcenar, André Fraigneau et Gaston Baissette en 1932, alors que tous trois vivaient dans l'enthousiasme de leurs récents voyages, de leurs écrits et lectures sur la Grèce. C'est une discussion enflammée sur le labyrinthe qui les décida à se livrer au jeu « des petits papiers », en écrivant chacun un texte, sans concertation préalable. L'ensemble, préfacé par André Fraigneau, paraîtra dans le numéro spécial des *Cahiers du Sud*, en août 1939 [51].

De même dans une lettre du 18 juin, toujours à Jean Ballard, elle précise : « Je rentre d'un petit voyage en Belgique », ce qui infirme ce qu'elle a toujours soutenu, à savoir son absence totale de Belgique dans ces années-là. « J'espère qu'André Fraigneau s'est mis d'accord avec vous au sujet de son " Minotaure ", ajoute-t-elle. Je compte le voir ces jours-ci, et si besoin en était, j'userais de mon éloquence pour le persuader. Mais sachant son affection pour les *Cahiers du Sud*, je l'imagine d'avance gagné à ce projet [52]. » Ce détail confirme l'ambiguïté, qu'il dénonce, des comportements de Marguerite Yourcenar à l'égard d'André Fraigneau : dans ses rares confidences à son propos, elle fait état de son « éloignement » volontaire et résolu, après l'écriture de *Feux*, et plus encore après la rédaction du *Coup de grâce* ; or, elle ne peut passer par Paris sans chercher à le rencontrer.

En mai, *Le Coup de grâce*, justement, avait paru à la NRF.

> « *Le Coup de grâce* n'est pas un récit " diabolique ", écrit Edmond Jaloux, il a l'horreur d'une chose vraie ; ce qui est toujours plus terrible qu'une chose inventée. Mais cette horreur simple et comme naturelle égale en effroi presque tout ce que je connais de plus saisissant. Il fait quelquefois penser à *El Verdugo*. Mais il faut avouer qu'il est mieux écrit et mieux présenté que ce dernier récit. Pour tout dire, je le considère comme un des meilleurs romans brefs de ces dernières années, et je serais bien surpris qu'on ne s'en avisât pas un jour ou l'autre (...) J'ai dit que *Le Coup de grâce* devait être une histoire vraie : je n'en sais rien mais je le suppose. Il y a une forme d'épouvante qui naît de l'activité des hommes et non de leur imagination ; et c'est la plus terrible de toutes. (...)
> De cette tragédie à trois personnages, deux seuls nous sont entièrement visibles : le troisième est comme absent. On objectera que s'il l'est, la preuve est faite qu'il devait demeurer à l'état de comparse. Je ne le crois

> pas et je regrette son effacement ; c'est le
> seul défaut du livre à mes yeux. Conrad joue
> un rôle trop important pour se tenir à ce
> point dans la coulisse. (...)
>
> Madame Marguerite Yourcenar est le seul
> écrivain qui ait tiré, des éléments confus de
> l'histoire contemporaine, le sujet d'une véri-
> table tragédie, comme Racine l'a fait dans
> *Bajazet*[53]. »

Dans un article beaucoup plus tardif, Henri Hell fera, lui aussi, référence à la veine racinienne du roman : « Ce récit, brûlant et glacé, a la cruauté, la concision et la pureté de forme d'une tragédie de Racine. » « Il faut admirer l'aisance avec laquelle, en véritable romancier, Marguerite Yourcenar se glisse dans la peau de son personnage, note-t-il par ailleurs. Il semble qu'une misogynie personnelle, si l'on peut dire (et qu'il serait intéressant d'étudier à travers toute son œuvre), lui permet d'être en intime accord avec un homme tel qu'Éric von Lhomond. Si elle trace un portrait, fier et rude, de Sophie, on sent bien que sa sympathie va à Éric[54]... »

« Misogynie ?, répondra aussitôt Marguerite Yourcenar. Mettons que je sois très sensible à un certain côté étroit et borné, superficiel et pesamment matériel tout ensemble, chez la plupart des femmes. Mais j'ai pourtant tenté de décrire (...) Marcella [dans *Denier du rêve*] et Sophie du côté de la passion noble, politique ou amoureuse (...). Le mot misanthropie me semblerait plus juste, dans le découragement qu'il implique vis-à-vis des êtres humains quel que soit leur sexe, et souvent sans s'excepter soi-même. (...) Néanmoins, et en dépit d'exceptions qui prouvent la règle, il me semblerait difficile de présenter dans une œuvre romanesque une femme dont le premier souci serait de se juger et de juger le monde autour de soi avec une

213

entière clairvoyance. Sophie n'aurait pas été capable de raconter son histoire, ce qui donne à Éric un avantage certain, du moins en littérature[55]. »

Retourne-t-elle en Grèce en juillet? Impossible à dire. Quoi qu'il en soit, elle n'y passerait guère plus d'un mois, car elle est en Suisse le 11 août, à l'hôtel Meurice de Lausanne où elle écrit à Jean Ballard, toujours au sujet du manuscrit d'*Ariane*. Ce texte paraîtra dans le numéro des *Cahiers du Sud* daté août-septembre. À la fin du mois d'août, elle est à Sierre, dans le Valais, un lieu qu'elle affectionne, et où elle fait comme elle le dit « une étape habituelle » chaque année ou presque à la même époque. On ne sait malheureusement pas à qui elle rend visite. Elle a prévu de quitter l'Europe dans le courant du mois de septembre, car elle a accepté, à la demande de Grace, de passer un nouvel hiver en sa compagnie aux États-Unis. Mais tandis qu'elle se prépare à regagner Paris pour s'embarquer ensuite à destination de New York sur un paquebot hollandais, le *Nieuw Amsterdam*, la guerre entre la France et l'Allemagne est déclarée, le 3 septembre. Toute la journée, le tocsin sonne dans les villages de Suisse et de France. Elle les entend, alors qu'elle fait route vers Paris. « Cette fois c'était les cloches de sept ou huit villes ou villages qui sonnaient à la fois, parmi lesquelles se détachait le grand bourdon de la cathédrale de Lausanne. Seule comme je l'étais, libre comme je l'étais, n'étant en somme attachée à aucun lieu en particulier, sauf par mon choix, à aucun être, sauf par mon choix, il me parut un long moment que ma propre vie s'effaçait, n'était qu'un carrefour où s'engouffraient ces ondes de bruits; ce tocsin n'était déjà plus le signal d'un danger, mais un glas, celui de tous ceux qui allaient mourir dans cette aventure, comme peut-être moi-même [56]. » Ces remarques sont consignées dans un texte inédit et malheureusement incomplet qu'elle conservait à Petite Plaisance, sans doute pour être complété et corrigé – il porte déjà des corrections manuscrites – et qu'elle avait intitulé « Commentaires sur soi-même ».

À Paris, elle apprend que le *Nieuw Amsterdam* ne prendra pas la mer. Elle ne sait plus très bien ce qu'elle veut faire, sinon s'éloigner de Paris. Après avoir songé à retourner en Grèce, elle demande à Gaston Gallimard de l'aider à obtenir l'autorisation de quitter la France pour les États-Unis. Il le fait bien volontiers, écrivant une lettre attestant que Marguerite Yourcenar, pour ses travaux aux éditions de la NRF, doit se rendre aux États-Unis, d'où elle reviendra six mois, ou, au pire, un an plus tard [57]. Reste à trouver un embarquement. Sans trop savoir ce qui va se passer, ni même ce qu'elle veut réellement, Marguerite Yourcenar se rend à Bordeaux, d'où, lui a-t-on dit, vont lever l'ancre quelques bateaux à destination de l'Amérique du Nord. Partir? Rester? Une fois encore il lui faut, seule, choisir.

Troisième partie

La mémoire reconquise

CHAPITRE 1

Les années noires

Elle n'avait plus d'argent : les sommes récupérées en 1929 après le désastre financier avaient bien rempli la fonction qui leur avait été dévolue, lui « donner dix à douze ans de luxueuse liberté [1] » – le luxe étant bien sûr ici la liberté elle-même –, mais elles étaient maintenant épuisées. Et partir rejoindre Grace, dans ce contexte de guerre qui risquait de rendre hasardeuse la possibilité d'un retour proche, donnait au geste une gravité accrue.

À Bordeaux, il était encore temps de revenir sur sa décision, de rebrousser chemin, de rester en Europe. Mais dans quel but, et pour aller où ? À Paris, où elle pressentait quelles idées allait défendre l'homme vainement aimé, et qu'elle voulait maintenant fuir à défaut de pouvoir l'oublier ? En Grèce, pour retrouver Lucy et s'installer dans une clandestinité amoureuse qui ne lui convenait guère ? En ce mois d'octobre 1939, dans cette Europe qui se mobilisait, il était sans doute déjà trop tard pour envisager un voyage en Grèce, où elle avait, en vain, tenté d'obtenir une mission culturelle. D'ailleurs, si elle était venue jusqu'à Bordeaux, c'est que son choix était fait.

Elle était sous le choc de ce nouveau conflit. À

trente-six ans, pour la seconde fois de sa vie, elle venait d'entendre une déclaration de guerre : prise entre ses amours, les tentatives qu'elle faisait pour s'en divertir et son travail, elle l'avait à peine vu venir. Les signes avant-coureurs en avaient bien été perçus mais, comme tant d'autres, elle s'en était détournée très vite, dans cette volonté naïve de croire à tout prix à la paix sur laquelle bien des gens de sa génération – et elle-même – allaient devoir s'interroger. Comme en 1914 avec son père, il fallait partir. Ensemble, ils avaient pris la mer pour passer en Angleterre. Cette fois ce serait l'Océan, l'Amérique. Et elle était seule.

S'enfuyait-elle? Sûrement. Mais pas seulement, pas même d'abord devant la perspective du danger, de la mort, des champs de bataille qu'elle ne pouvait d'ailleurs penser qu'en référence à l' « autre guerre ». Car, note-t-elle dans ses « Commentaires sur soi-même [2] », « si loin dans l'horreur que mon imagination m'entraînât, je n'allais pas jusqu'à inventer les millions de morts des camps de concentration, les fosses communes de l'Ukraine et de Stalingrad, les centaines de milliers de brûlés de Dresde et d'Hiroshima, les victimes des raids sur l'Angleterre, (...) les résistants pendus de la Norvège à la Yougoslavie ». Et comme elle le dit, rapportant des propos d'Edmond Jaloux, elle imaginait sans doute, « se basant comme on le fait presque toujours sur le danger d'hier plutôt que prévoyant celui de demain, une guerre de position pareille à celle de 1914, avec des armées immobilisées pour des années dans leurs lignes Maginot ou leurs lignes Siegfried, la vie civile réduite à rien »... Elle laissait surtout au hasard de cette guerre le soin de mettre entre elle et André Fraigneau le plus d'espace et le plus d'absence possible, de la décharger, s'il se pouvait, de cette passion, dont elle avait déjà tenté de se défaire en écrivant *Le Coup de grâce*.

Et puis ce voyage aux États-Unis était au programme. Alors, pourquoi changer des plans déjà établis? Marguerite Yourcenar détestait, depuis l'enfance, que la réalité vînt contrecarrer ce qu'elle avait choisi, elle. Pourtant la guerre venait de tout bouleverser, et elle n'était plus l'enfant de onze ans partie en Angleterre comme pour une aventure, et que son père tenait par la main. Elle partait, c'était inévitable, mais quand reviendrait-elle? Qu'allait-il advenir de l'Europe? Et à quoi s'engageait-elle avec cette femme « aux traits de jeune sibylle [3] » qui semblait lui vouer, plus qu'une passion affolante, un amour qu'elle sentait dévorant?

Elle atteint donc New York avec le bateau pris à Bordeaux – en novembre selon elle, « en octobre » selon Grace Frick, « via SS. Manhattan ». Il est difficile, dans la confusion de ces départs précipités de 1939, de refaire avec précision le trajet de Marguerite Yourcenar, de suivre ses démarches répétées pour trouver un embarquement. Toutefois, en consultant les archives maritimes de la ville de Bordeaux, on constate qu'entre le début du mois de septembre et la fin du mois de novembre, deux bateaux seulement ont quitté le port, au quai Carnot, pour les États-Unis : le *Saint-John*, cargot mixte, le 14 octobre, et le *California*, habituellement réservé aux marchandises, le 15 octobre. Ce navire (le fait est consigné en rouge dans les registres maritimes de l'époque) a pris par exception des passagers pour New York.

À bord, elle écrit à Jean Ballard un mot non daté – qu'elle postera à New York – et où, déjà, elle semble prendre un long congé de l'Europe : « Après un séjour dans le sombre et beau Paris de guerre – où j'ai relu avec joie, grâce à vous, *Ariane* – je viens de traverser l'Atlantique, et, paraît-il, nous touchons au port. Tous mes remerciements encore, et mes vœux pour les *Cahiers* par ces temps difficiles [4]. »

Elle s'installe dans l'appartement de Grace, 448 Riverside Drive : Grace Frick, cette année-là, enseigne à Barnard College et elles habitent l'un des multiples immeubles, appartenant à l'université Columbia, de ce quartier nord-ouest de Manhattan qui jouxte Harlem. Elles y demeureront toute l'année universitaire. Des immeubles de Riverside Drive, on a vue sur l'Hudson River, l'un des bras de mer encerclant l'île de Manhattan. Certains matins, en ouvrant les fenêtres, on peut sentir, au beau milieu de la cité la plus dominée par l'homme, qui y a vaincu la nature et le manque d'espace, une odeur marine. Marguerite ne pouvait pas être insensible à cette étrangeté, l'un des multiples paradoxes qui font l'inexplicable mystère et le charme, au sens le plus violent, de cette ville. Elle retrouve du reste New York avec un certain plaisir. Pourtant ce n'était pas une ville pour elle : l'urbanisme triomphant, le gigantisme ne s'accordaient guère à sa conception de l'urbanité. Du reste les villes, passé l'euphorie de la découverte, commençaient de lui donner une sorte de malaise qui allait s'amplifier au fil des années. Ses folies et ses démesures à elle étaient méditerra-néennes. Non que New York soit une ville nordique, mais il lui manquait la nonchalance dont Marguerite Yourcenar avait tant joui à Athènes. Et puis le mélange de puritanisme et de mégalomanie de ce peuple sans civilisation n'avait, au fond, rien pour la séduire.

1940, c'est l'année des « petits boulots », dirait-on aujourd'hui. Quelques traductions commerciales, quelques travaux journalistiques mineurs et une tournée de conférences. En janvier, elle publie dans la revue *Mesures* les premières traductions – réalisées en colla-boration avec Constantin Dimaras – du poète grec Constantin Cavafy ; soit quelques textes précédés d'un essai critique, dont le noyau sera repris plus tard dans la préface à l'édition définitive. Ce sera quasiment la seule publication jusqu'en 1944. « Son apport, pendant plus de onze ans, va se borner à quelques contributions à des revues », confirme la « chronologie » de la Pléiade.

Marguerite lutte contre sa difficulté à accepter d'être « enfermée » aux États-Unis pour un temps dont elle commence à comprendre qu'il sera long. D'autant que Grace ne l'incite certainement pas – c'est le moins que l'on puisse dire – à se mettre en contact avec les intellectuels européens venus chercher refuge à New York. Tout ce qui pourrait entretenir, pour son amie, le sentiment de la pérennité de l'Europe, dans l'exil même, et l'idée du retour, semble extrêmement dangereux à cette jeune femme en passe d'obtenir enfin ce qu'elle désire le plus catégoriquement : avoir Marguerite pour elle seule. C'est pourtant en compagnie de l'ethnologue d'origine polonaise Bronislaw Malinowski, dans l'appartement new-yorkais de celui-ci, que Marguerite Yourcenar apprend la chute de Paris, en juin 1940. Elle fond en larmes. Tous deux se désolent car l'Europe qu'ils ont connue et aimée leur semble définitivement morte. Ils n'ont pas tort. Plus jamais ne reviendra la désinvolture des années trente – même si quelques-uns, Cocteau en tête, s'acharneront à faire croire qu'elle survit –, ni les bonheurs méditerranéens de Marguerite, entrecoupés de plongée dans la vie littéraire parisienne. Marguerite Yourcenar a juste trente-sept ans; sa jeunesse vient de mourir et, avec elle, une certaine idée de l'insouciance et du plaisir. L'entrée des chars allemands dans Paris et ce qui va suivre, le comportement méprisable d'une bonne partie des Français, à commencer par les intellectuels, la révélation du pétainisme profond de la mentalité hexagonale, la collaboration exhibée ou larvée, tout cela clôt pour

223

elle, à jamais, l'ère des intellectuels heureux et légers. D'autant qu'elle peut craindre le pire des écrivains et lettrés qu'elle aimait « avant-guerre » et dont elle percevait déjà les incertitudes de pensée. Au sujet d'Edmond Jaloux, elle avait déjà noté en 1939 : « Comme toujours, ses sympathies d'homme qui, par sagesse et par tempérament, déteste les foules, allaient à droite ; je l'avais entendu une fois, quelques mois plus tôt, me dire sans ironie : " Une revue qui a publié des textes d'Hitler, et à laquelle j'ai l'honneur de collaborer... ", et j'avais été frappée, à l'époque, du fait que cet homme qui ne voyageait pas et n'avait pas connu l'Allemagne hitlérienne, tombait dans l'erreur habituelle qui était de voir dans Hitler un homme d'ordre, et non le monstrueux et grossier génie de l'aventure. » Et même si elle ajoute que Jaloux, en septembre 1939, « semblait bien revenu de ces admirations naïves et néfastes », elle ne manque pas de remarquer, après avoir rappelé ses propos – « Hitler nous a amusés, parce qu'il est en somme une sorte de Wallenstein » –, qu'il « montre du coup cette incurable superficialité qui est celle de tant de Français en présence des faits politiques ». Et elle ne peut que redouter, de certains de ses amis, de plus dramatiques égarements. Imaginer qu'André Fraigneau ironiserait de la voir pleurer, lui qui, à coup sûr, salue l'aube des temps nouveaux, lui serait difficilement supportable. Elle essaie de s'arrêter à cette idée que tout, en France, lui serait blessant pour moins souffrir de son éloignement de l'Europe. André Fraigneau ne lui pardonnera pas ce que sans doute il considère comme des états d'âme. Près de cinquante ans après, il continue tranquillement de dire qu'elle a en partie perdu son talent d'écrivain « au contact de tous ces gens de gauche, là-bas en Amérique »...

Il faut bien, malgré tout, survivre et ne pas dépendre

totalement du travail de Grace pour sa subsistance. Par l'entremise d'une amie, Alice Parker, Marguerite fait en septembre une tournée de conférences sur la littérature française. Elle commence à Chicago, puis se rend dans le Kentucky, le Missouri, l'Ohio et la Caroline du Sud, notamment. C'est de ce dernier État, de Charleston précisément, qu'elle rédige, en anglais, une courte carte à Lucy : « Très chère Lucy, vous souvenez-vous de Saint George (mes amitiés à tous), il y a seulement un an ? Je suis pour quelques jours dans cette délicieuse petite ville, au milieu des jardins de magnolias. J'ai bien reçu votre lettre et je vais y répondre. Mais j'ai eu tant de travail que je n'en ai pas encore eu le temps. Quand nous reverrons-nous ? Les temps sont bien tristes mais la vie n'en a pas moins d'assez jolis moments. Love from Marguerite [5]. » Une carte un peu négligente, qui donne presque son congé à cette jeune femme amoureuse. Apprenant sa mort, Marguerite Yourcenar ne la postera jamais. Constantin Dimaras affirme que Lucy est morte à Pâques de 1940 dans le bombardement de Janina. Sur la carte à Lucy – qui devrait être scellée, mais qui se trouve en consultation libre à Harvard – Marguerite Yourcenar a rajouté à la main « Jamais envoyée. Elle mourut pendant le bombardement de Lernine durant la semaine de Pâques 1941 ». Enfin, dans la « chronologie » de la Pléiade, Marguerite Yourcenar prétend que Lucy a été tuée en 1942...

À la fin d'octobre, quand elle a terminé ses conférences, Marguerite Yourcenar rejoint Grace Frick à Hartford dans le Connecticut. Grace s'est installée en septembre dans cette ville sans grand intérêt, à une centaine de kilomètres au nord de New York. Elle venait d'y être nommée *dean*, c'est-à-dire directrice des études, du Hartford Junior College. Elle a loué une petite maison au 549 Prospect Avenue, à West Hartford. Marguerite Yourcenar et elle garderont cet appartement jusqu'en avril 1951, date de leur installation définitive dans le Maine. Elles passeront là leurs premières années « conjugales », celles de la passion, celles aussi de l'adaptation difficile de Marguerite Yourcenar à sa nouvelle vie et à ce nouveau pays qui ne sera jamais vraiment le sien.

Marguerite Yourcenar a peu parlé de ces années. On aurait même cru, à l'entendre, que tout cela n'avait duré que quelques mois. Ce sont pourtant presque dix ans de sa vie qui se sont passés à Hartford. Elle conservera une relation durable avec sa couturière de l'époque, Erica Vollger, et se souviendra avec chaleur de son entourage, comme en témoigne une lettre du 1er août 1959 [6] à Emma Trebbe, sa voisine, à propos de la mort d'Emma Evans, une autre voisine : « Il me semble que dans cette maison de Hartford, pendant ces années souvent si sombres de la guerre, j'ai connu ce qu'il y avait de mieux aux États-Unis, dans la gentillesse, la confiance réciproque, la bonne volonté qui régnait entre voisins. Et parmi ces voisins, les deux femmes venaient au tout premier rang. » Ce que Marguerite Yourcenar voudra surtout oublier par la suite, c'est l'accablement qui la domine en cette fin d'année 1940. Les lettres d'Europe se font rares et sont peu réconfortantes, si l'on excepte celle que Constantin Dimaras lui envoie d'Athènes, le 25 novembre :

> « Deux mots seulement pour vous transmettre le salut de la Grèce que vous aimez et qui vous aime », lui écrit-il alors. « Nous faisons une guerre magnifique, d'une richesse symbolique infinie. Et ce peuple que vous connaissez, intelligent, riche, laborieux a

pleinement conscience de sa mission qui est de libérer l'humanité de la barbarie qui la menaçait.

Vous avez des amis là-bas; parlez-leur de nous; dites-leur que nous sommes tous ici fiers et heureux de faire cette guerre. Mais dites-leur aussi combien nous avons besoin de les sentir avec nous, près de nous, combien leur appui moral et matériel nous sera précieux. Tâchez même d'organiser leurs bonnes volontés, vous pourrez leur être très utile par votre connaissance des choses et gens de notre pays.

J'ai eu récemment des nouvelles d'André Gide », poursuit-il, « qui a beaucoup admiré votre essai sur Cavafy. J'en suis fier pour vous.

Écrivez-moi s'il vous plaît, pour m'assurer que vous avez bien reçu ma lettre; donnez-moi votre adresse et dites-moi ce que vous avez fait pour nous [7]. »

Est-ce par irritation rétrospective envers l'accablement qui fut le sien à cette période, et envers l'inactivité, voire l'indifférence aux événements, qui en résultaient, que Marguerite Yourcenar place en 1940, dans sa « chronologie » de la Pléiade, « un court article, inséré dans une publication officielle du Consulat de France à New York » qui « attaque un petit ouvrage de propagande nazie d'Anne Lindbergh, *The Wave of the Future*, alors fort lu aux États-Unis »? L'article existe bel et bien, et il est repris dans le volume *En pèlerin et en étranger* [8]. Mais il est mentionné à la date de 1944 par Marguerite Yourcenar elle-même, dans les « Carnets de notes, 1942-1948 » parus dans la revue *La Table Ronde* en 1955, et on n'a encore trouvé nulle trace de sa publication, ce qui a conduit l'éditeur, un peu hâtivement, à le signaler comme inédit dans le volume posthume d'essais au sein duquel il figure. Article du reste assez médiocre.

1941 et 1942 sont certainement les années les plus noires. Marguerite n'a pas de vrai projet littéraire. Elle doit se préoccuper, tout bêtement, de sa survie au jour le jour. Elle qui avait connu les splendides banqueroutes de Michel, son père, découvre le manque d'argent chronique, la pauvreté à la petite semaine, les comptes au dollar près. En France où elle est installée désormais, Christine de Crayencour, la veuve de son père, est dans le dénuement. Marguerite se sent tenue de lui envoyer de l'argent. Mais où le prendre?

C'est la correspondance avec Jacques Kayaloff qui porte trace du désespoir dans lequel elle s'enfonce. Jacques Kayaloff, que Marguerite Yourcenar avait rencontré lors de son premier séjour américain, en 1937, occupait un poste important chez Louis Dreyfus. Il était de ces hommes d'affaires lettrés, amoureux d'art, singulièrement de littérature, et aimant la compagnie des écrivains. À la fin de la guerre, c'est à lui que Marguerite Yourcenar demandera de récupérer une malle laissée à Lausanne, à l'hôtel Meurice. Il retrouvera la malle, la fera parvenir aux États-Unis et sera ainsi à l'origine de la reprise de la rédaction des *Mémoires d'Hadrien*. À New York, Jacques Kayaloff fréquentait André Breton, Niko Calas, etc., la plupart des intellectuels européens ayant fui la guerre. Du reste, Kayaloff souhaitait que Marguerite Yourcenar connût Breton, ainsi qu'il le lui écrit le 22 juillet 1941 : « J'ai rencontré il y a peu de temps André Breton qui m'a lu son dernier poème, *Fata morgana*, et m'a fait part de son dernier livre, *L'Humour noir* [9], qui devait être publié en France, mais vu les circonstances, ne l'a pas été. Je lui ai parlé de vous, et à votre prochaine visite, j'aimerais que vous le rencontriez [10]. »

Mais rien ne prouve que cette rencontre ait eu lieu. On peut même supposer le contraire. Dans la « chronologie » de la Pléiade, on trouve cités les noms de nombreux écrivains émigrés, mais aucune rencontre n'est mentionnée par Marguerite, dans sa correspondance. À propos de Jules Romains, qui lui aussi vivait à New York à cette époque, Marguerite Yourcenar dira seulement, plus tard[11], qu'il l'a encouragée pendant la guerre à reprendre son travail sur Hadrien. Nous savons aujourd'hui qu'il n'en est rien. « Quand j'ai reçu les *Mémoires d'Hadrien*, je ne connaissais aucun ouvrage de vous. J'avais même assez peu entendu parler de vous[12] », lui écrit-il le 25 décembre 1951. Confinée à Hartford, contrainte aux plus extrêmes économies, Marguerite Yourcenar ne venait que rarement à New York, et y passait trop peu de temps pour pouvoir s'intégrer au milieu des réfugiés européens.

Marguerite Yourcenar a soigneusement éliminé de sa correspondance avec Jacques Kayaloff conservée à Harvard tout ce qui donne l'image d'un désarroi proche de la dépression. Elle n'avait pas envie de paraître, au regard de l'histoire, touchante par ce qui lui semblait des faiblesses. Ou peut-être répugnait-elle à voir évoquer ces médiocres difficultés du quotidien quand, de l'autre côté de l'Atlantique, l'horreur s'étendait. Elle ne voulait pas que la postérité vît des bribes de « l'individu forcément épars » qu'elle évoquait en commençant son essai sur Mishima. Et pourtant, si ces moments de fléchissement n'ajoutent ni ne retirent rien à son œuvre, ils permettent de mieux comprendre de quelles victoires sur soi-même et sur la tentation de l'abandon sont nés ses ouvrages majeurs. Comme l'écrit Vita Sackville-West dans son introduction au journal de lady Anne Clifford : « Nous devrions être navrés nous-mêmes à l'idée que la postérité nous juge sur un méli-mélo de nos lettres, conservées par hasard, hors de leur contexte, peut-être écrites dans un accès de découragement et d'irritation, et surtout isolées de la myriade de petits fils qui colorent et composent la trame de notre existence et qui, dans leur multiplicité, leur variété et leur banalité, sont sensibles pour nous seuls, incommunicables même à nos proches, à ceux qui partagent notre vie quotidienne. Pourtant, à l'intérieur de ces limites, on peut aboutir à des conclusions, certains faits émergent sans aucun doute. »

Par chance, si Marguerite Yourcenar a trié leur correspondance, Jacques Kayaloff, lui, gardait toutes ses lettres et, après sa mort, sa femme Anya a préservé ses papiers en l'état. Toujours dignes, les lettres de Marguerite Yourcenar à Jacques Kayaloff sont cependant autant d'appels au secours. Marguerite Yourcenar n'a pas de compte en banque. Elle se sent, en tout, démunie. « Je ne suis pas une femme d'affaires », lui écrit-elle un jour où elle lui demande des conseils sur la manière de changer les *war loans*. Elle se « force à travailler » mais son « découragement est bien grand [13] ». Elle affirme qu'elle viendra à New York le 15 septembre, pour présenter un livre aux éditions françaises du Rockefeller Center. On ne sait si ce rendez-vous a eu lieu. Si oui, il n'a abouti à rien. On imagine mal, maintenant, Marguerite Yourcenar abattue. Pourtant, en cette année 1941, elle pense n'avoir plus grandchose à quoi se raccrocher : « les nouvelles qui suintent hors d'Europe sont si mauvaises (destruction, misère, amis morts) que j'ose à peine lire les lettres qui m'arrivent ». Pendant des jours, elle n'ouvre pas les rares lettres arrivant d'Europe, pas plus que celles portant un timbre américain, car tout lui semble annonciateur de mauvaises nouvelles. Les lettres de Jacques Kayaloff font exception. Et à lui seul elle répond sans

dissimuler ses difficultés de tous ordres, et les expé-
dients qu'il lui faut envisager pour n'être pas totalement coupée de ses amis. « Les affaires vont mal, lui
confie-t-elle le 7 décembre 1941, les leçons particulières de français et d'histoire de l'art n'ayant jamais
que fort peu enrichi les écrivains français réfugiés.
C'est là aussi la seule mais suffisante raison de mon
absence prolongée de New York. Un de mes voisins,
chapelier de profession, va de temps en temps à New
York acheter du feutre et j'espère qu'un de ces jours
vous me verrez arriver dans son camion. (...) Pourtant,
si j'avais ne fût-ce qu'une heure à moi tous les soirs, je
sais que je me précipiterais dans un nouveau roman
pour tâcher de fixer le plus tôt possible les souvenirs
d'une époque si voisine et déjà si irréparablement loin
de nous [14]. » L'image d'une Marguerite Yourcenar brin-
guebalée jusqu'à New York dans un camion de chapelier et revenant à Hartford parmi les feutres pourrait
faire sourire si cette lettre n'était l'indice d'une vie à ce
point usée par le souci du quotidien qu'il en exclut
toute perspective de création.

N'étant toutefois pas de celles qui peuvent tolérer
longtemps l'inaction intellectuelle, vers la fin d'octobre 1941, elle a donc commencé, bénévolement, des
cours de français et d'histoire de l'art, au Hartford
Junior College, où Grace est directrice des études –
elle occupera ce poste jusqu'en 1943, puis enseignera
au Connecticut College. Sachant bien que cette activité, si elle la force à sortir de chez elle, ne peut durablement porter remède à sa mélancolie, elle tente
d'écrire. Dès janvier 1942, elle compose quelques
poèmes, entre autres « Drapeau grec », et le distique
« Épitaphe, temps de guerre » inspirés par la mort de
Lucy, et qui seront ensuite intégrés au recueil *Les Charités d'Alcippe*. « J'achève la copie d'un recueil de

quatre petites pièces (titre *L'Allégorie mystérieuse*) »,
précise-t-elle le 20 janvier 1942 à Jacques Kayaloff. « La
vie continue, assez abrutissante. Je n'ai aucune nouvelle de France, aucune nouvelle de Grèce, et mon
découragement atteint à la largeur et la profondeur de
l'océan atlantique [15]. »

Le meilleur moment de l'année 1942 sera sans
aucun doute, l'avenir le démontrera, la découverte de
l'île des Monts-Déserts [16], au large du nord-est des
États-Unis, dépendante de l'État du Maine. Grace et
Marguerite passent leur premier été dans cette île
encore sauvage. D'abord à Seal Harbor, avec les
Minear, un couple de théologiens protestants de leurs
amis. Puis elles s'installent pour la fin des vacances à
Somesville, dans la petite maison qui jouxte le cimetière où sont aujourd'hui enfouies leurs cendres. Une
très modeste maison en bois, assez inconfortable, peu
meublée et où, disait Marguerite Yourcenar, les valises
à peine défaites et pour certaines pas même ouvertes
tenaient lieu de placards. Grace prend dès ce premier
été une habitude qu'elle conservera presque jusqu'à sa
mort : organiser des fêtes pour les enfants. On y joue
des petites pièces de théâtre. En ce premier été, pour
Marguerite, le résultat de ces festivités n'est guère
réjouissant. Outre qu'elle n'est pas très sûre d'aimer
vraiment avoir ces groupes d'enfants pour hôtes, elle
attrape des poux à leur contact et doit se faire raser la
tête.

Elle décide, malgré tout, de se mettre sérieusement à
écrire et compose *Le Mystère d'Alceste*, une courte
pièce, en un acte, inspirée de la tragédie d'Euripide.
Dans une longue préface, sous le titre « Examen
d'Alceste », elle précisera que « les thèmes tradition-
nels du sacrifice et de l'héroïsme sont traités sans biai-
sement et sans objection » dans cette pièce. « Mon but

en [la] composant était de rénover pieusement une légende antique pour la rendre s'il se peut plus immédiatement accessible [17]. » Mais en dépit de cette parenthèse estivale presque heureuse, elle va mal. Ses amis s'inquiètent d'elle : « Écrivez-moi une longue lettre pleine de vous [18] », lui demande à plusieurs reprises l'un de ses correspondants de cette période.

À la rentrée scolaire de 1942 pourtant, en septembre, un premier pas est fait pour résoudre sa dépendance financière à l'égard de Grace : Marguerite Yourcenar obtient un contrat pour un travail à mi-temps à Sarah Lawrence, une université – très progressiste et très soucieuse de recherches pédagogiques – située à quelque cent kilomètres au nord de New York. Elle y enseignera principalement le français jusqu'en juin 1950, date à laquelle elle obtient un congé (elle achève alors la rédaction de *Mémoires d'Hadrien*). Elle reviendra y terminer son contrat pendant l'année universitaire 1952-1953.

Malgré les difficultés, notamment la longueur des trajets, qu'elle doit faire en train – Bronxville, où se trouve Sarah Lawrence, est à environ cent cinquante kilomètres de Hartford – ce poste d'enseignement donne enfin à Marguerite Yourcenar un point d'ancrage, un début d'insertion dans ce pays. Pourtant, même si l'étau se desserre un peu, alors qu'elle y avait trouvé une sorte de havre en 1938, elle se sent oppressée : c'est que désormais elle y est comme enfermée, l'Europe étant interdite, muette et dévastée.

Cependant tout n'est pas noir dans sa vie, pas aussi noir que l'absence de confidences privées, sentimentales, le laisserait supposer. On est dans la décennie de l'amour partagé avec Grace Frick. Les preuves en sont scellées : cinquante pages du journal intime que Marguerite tint entre 1935 et 1945, ainsi que les lettres – de New York, Hartford ou du Maine – qu'elle a envoyées à Grace en 1940, alors que leurs activités respectives les séparaient. Mais il demeure suffisamment de photos et de traces pour savoir que le temps de la passion a duré plus de deux ans, contrairement à ce que Marguerite Yourcenar suggérait parfois, à la fin de sa vie. Les photos prises dans la maison de Hartford vers 1943 sont des photos d'amour, de ces témoignages puérils du bonheur auxquels on ne peut résister, dans le temps de la passion – Marguerite photographie Grace à la fenêtre de *leur* (le mot est bien précis sur la légende de la photo, écrite en anglais de la main de Marguerite Yourcenar) chambre, puis Grace photographie Marguerite. Elles rient. Elles ont un air de femmes heureuses, tendres et douces.

Marguerite, on le sait, aime les jeux du corps. Elle adore séduire, conquérir, bien sûr, mais on serait tenté de la croire peu encline à s'intéresser longtemps à quelqu'un chez qui elle suscite un sentiment de vénération. Pourtant, les circonstances aidant peut-être, elle « consent » – et, pendant un certain temps, répond – à l'amour fou qu'elle a fait naître en Grace. Le courage, dont Grace Frick fera preuve tout au long de son existence, tient lieu d'énergie à Marguerite Yourcenar, à un moment de sa vie où elle se sent proche de l'abandon.

Si Marguerite Yourcenar, dont on sait à quel point elle a voulu tout contrôler, a abandonné derrière elle, après sa mort, ces photos commentées, c'est sans doute parce que, quoi qu'elle en ait dit, elle n'a pas échappé aux délices de la contradiction amoureuse : le souhait que personne ne sache ce qu'on a été, qui on a aimé, et le désir profond que nul ne l'ignore... Comme si trop de secret contestait insidieusement, même à ses propres yeux, la réalité de l'amour. En témoigne encore ce petit mot qu'elle a laissé « traîner » entre deux pages, dans un album de photos. Il est griffonné, dans un français incertain, par Grace sur une liste de courses à faire établie par Marguerite : « Toi, tu dors ; moi, je m'en vais ; si je n'en reviens pas avant votre départ (pour rendez-vous 11 h 30), je vous reverrai peut-être un jour. Je déjeune 7 h 30 au jardin, puis bureau de poste et (bref) bibliothèque. »

Marguerite Yourcenar a quitté l'Europe sinon sur un échec amoureux, du moins sur un refus, ce qu'elle ne supporte guère. Aux États-Unis, où la vie lui est plus difficile qu'elle ne le fut jamais depuis sa naissance, elle a le réconfort d'un amour qui l'étonne elle-même. Grace est prête à tout faire pour lui adoucir l'existence, l'aider, la soutenir, et, si elle le peut, la rendre heureuse. Elle n'a pas mesuré sa peine pour lui obtenir un travail. Et c'est elle qui lui fait découvrir l'île des Monts-Déserts, qui finalement deviendra leur refuge.

En 1943, elle passent leur premier été plein à Somesville. Le décor semble sortir d'un conte : un ruisseau et beaucoup de canards, des petits ponts de bois, et un peu plus loin, le cimetière-jardin dont le silence est à peine troublé par les pas de ceux qui viennent visiter « leurs » morts.

L'amour de Grace pour Marguerite est une attention de tous les instants. À ce moment-là, Marguerite ne sait pas que cela durera « toute la vie » – toute la vie de Grace du moins, jusqu'à ce qu'elle meure. Car Grace déjà sait qu'elle ne veut vivre que pour Marguerite, et qu'elle fera tout pour la retenir auprès d'elle. Et si l'on est encore au temps où Marguerite s'émerveille de ce cadeau qui lui est fait, si elle ne le tient pas pour un dû, ce qui ne sera pas toujours le cas, Grace, passion ou pas, a déjà un certain mérite. Partager sa vie avec qui que ce soit n'est pas nécessairement une suite d'instants uniformément idylliques. La partager avec Marguerite Yourcenar ne rendait certainement pas la chose plus aisée. Mais vivre avec Marguerite Yourcenar déprimée... Marguerite est de ces gens qui peuvent rester seuls et sereins n'importe où tant qu'ils ont un projet intellectuel à mener à bien. À sa table de travail, elle n'avait jamais le sentiment de la solitude. Mais en ce début des années quarante, entre Hartford et Sarah Lawrence, son activité intellectuelle lui semble entravée, contrainte au ressassement. Surtout, pour la première fois de sa vie, elle sent se diluer son ambition littéraire, sa conviction d'être d'abord un écrivain. Elle qui, depuis l'âge de vingt ans, gardait en tête ces histoires inabouties, celle du Zénon de *D'après Dürer*, celle de l'empereur Hadrien – ébauchée lors des années trente mais qu'elle avait abandonnée parce qu'elle n'y reconnaissait pas le ton juste – avec la certitude qu'elle accomplirait son destin en accomplissant le leur; elle qui n'avait, au fond, qu'un vrai désir et un vrai dessein : être utile à la communauté des hommes en laissant quelques traces écrites leur permettant, comme elles le lui permettaient à elle, de mieux penser leur liberté; cette femme qui avait traversé les années trente avec une hauteur que beaucoup lui enviaient, se trouvait soudain prise dans le plus redoutable des engrenages, celui qui, de douceurs acceptées en désertions consenties, conduit à la banalité.

Sur cet immense continent, cette terre de réelle liberté, elle a le sentiment du pire enfermement. Coupée de sa langue, de ses amis écrivains, de ses pairs, elle doute, comme jamais, de son avenir. Elle laisse s'amorcer un processus dont elle sent vaguement qu'il peut être mortel. De l'idée que, pour elle, rien ne peut aboutir ici, elle glisse à un quasi-dégoût d'entreprendre un travail de grande ampleur. Elle se sent un écrivain en jachère et, dans les jours d'absolu pessimisme, se demande même ce qu'est un écrivain sans éditeur ni lecteur : plus tout à fait un écrivain, sans doute.

Dans le souci, qu'elle avait constant, de remettre toute chose à sa juste place, et consciente que, pendant les années de la Seconde Guerre mondiale, des millions de gens ont souffert physiquement, ont payé de leur vie, Marguerite Yourcenar, plus tard, évoquera cette période avec son sens exquis de l'euphémisme. Pour la qualifier, elle n'ira jamais au-delà d'un souriant « des années pas très plaisantes ». En fait, elle a touché ce qui était pour elle le fond du désespoir, l'idée qu'elle pouvait cesser d'être écrivain. À partir de la fin de 1942, quand, grâce à son emploi de professeur à Sarah Lawrence, sa vie matérielle devient moins préoccupante sinon aisée, son interrogation sur le futur n'en est que plus violente. Ne va-t-elle pas se retrouver « coincée » dans une vie professionnelle qu'elle avait mis toute son énergie à fuir, de peur de ne plus avoir le temps et la disponibilité indispensables pour écrire ? Ne va-t-elle pas, elle qui a le culte de la langue française et de la civilisation européenne, être happée par une autre langue et une autre culture ? Ne pas résister à ce dernier danger serait, pense-t-elle, la mort littéraire assurée. Malgré son accablement, elle décide de lutter et prend, avec elle-même, l'engagement de ne jamais se laisser contaminer par l'anglais *.

Lorsque, bien plus tard, on lui parlait de la qualité particulière de sa langue, préservée, pensait-on, parce

* Si dans sa conversation et sa correspondance la langue de Marguerite Yourcenar avait subi une inévitable contamination (« abortion [pour avortement]; excitement [pour excitation]; stage [pour stade], et autres components [pour composants] »), dans ses livres, elle avait su s'en garder. « Dans tout *Souvenirs pieux*, lui avait dit Etiemble, je n'ai relevé qu'un anglicisme, " exemplifier ". Quelle maîtrise de soi cela témoigne. »

qu'elle ne demeurait plus qu'une langue écrite et n'était pas soumise aux dévoiements de l'utilisation quotidienne, elle se plaisait à souligner qu'il n'en était rien, et qu' « on avait toujours parlé français à la maison, sauf avec les gens du village qui venaient travailler [19] ». Son infirmière et sa secrétaire affirment au contraire que Grace Frick et elle, à la fin de leur vie commune au moins, se parlaient en anglais. Mais ces témoignages de personnes uniquement anglophones ne sont pas probants car, avec une courtoisie sans défaillance, Marguerite Yourcenar ne s'est jamais permis, ni avec Grace Frick ni avec d'autres amis, de parler le français devant quiconque ne le comprenant pas. En revanche, tous ceux de ses amis qui parlaient indifféremment l'anglais ou le français assurent qu'ils ne l'ont jamais entendue utiliser l'anglais, qu'elle parlait d'ailleurs avec un accent « surprenant », comme le qualifie, avec un sens tout anglo-saxon de l'*understatement*, Monsieur Harold Taylor, qui fut président de Sarah Lawrence quand Marguerite Yourcenar y enseignait. « Je crois même que la plupart des collègues qui conversaient avec elle faisaient semblant de la comprendre, plus qu'ils ne comprenaient réellement », ajoute-t-il. Cet accent effectivement « surprenant » restera un mystère. Prononcer l'anglais sans faire le moindre effort pour en saisir la mélodie, ou au moins en restituer les accents toniques indispensables à la compréhension, constituait-il pour elle l'ultime manière de se protéger? Ou était-ce seulement un abandon nonchalant à sa maladresse à reproduire les sons étrangers, maladresse qui, déjà, exaspérait son père quand elle avait douze ans? Sans doute un mélange confus des deux, qui finira par devenir une habitude. Une manière bien à elle de parler de la même voix en toutes les langues. À son français même se mêlait un reste d'accent du Nord, une étrange modulation, et comme un écho de la sonorité du violoncelle.

S'il lui faut se préserver, pour ne pas perdre tout à fait l'espoir de continuer d'écrire, il lui faut également s'adapter, pour, d'abord, continuer à vivre. Quoi qu'elle ait pu prétendre, ou surtout laisser supposer plus tard, tant elle donnait le sentiment de pouvoir maintenir en tout lieu et en toute circonstance une identité inaliénable, fondée sur la conscience aiguë d'être Marguerite Yourcenar, cette adaptation ne se fait pas sans dommages. Elle ne se porte pas très bien, commence à grossir à l'excès, au point de devoir se soumettre à un régime. « *Marguerite did reduce on doctor's order* », note Grace Frick en légende à une photo – dont nous ne connaissons pas la date précise – où elle se félicite que « Marguerite paraisse plus mince qu'elle n'est en réalité » et elle-même « un peu moins maigre ». Les signes de dépression se multiplient. Au point qu'en avril 1943, quand meurt l'oncle George La Rue qui a élevé Grace, et que celle-ci doit se rendre à Kansas City, elle s'inquiète tant de devoir laisser seule Marguerite qu'elle demande à leur amie Erica Vollger, la couturière, de venir s'installer avec elle.

Il est difficile, lorsqu'on va avoir quarante ans, de prendre, pour la première fois, le rythme du travail salarié, de respecter des horaires imposés. Marguerite Yourcenar s'y soumet avec une ponctualité et une précision absolues, mais ce qui n'est pour les autres – à commencer par Grace Frick – que routine, lui est d'une pénible nouveauté.

Heureusement avec juin arrive la fin de l'année universitaire. Marguerite Yourcenar cesse ses cours à Sarah Lawrence et Grace quitte le Hartford Junior College. Elles partent immédiatement pour l'île des

Monts-Déserts, où elles passent, on l'a vu, leur premier été plein. L'île, sa sauvagerie de Corse septentrionale, son silence, mais aussi le sentiment de quiétude qu'elle procure et que l'on éprouve encore maintenant en dépit du développement du tourisme, rendent à Marguerite Yourcenar un peu de son énergie. Elle se remet à écrire, et Grace, scrupuleusement comme toujours, note dans le carnet de l'année les différentes phases de son travail, avec une jubilation qui se traduit dans la taille des mots et la manière dont ils sont soulignés. « Marguerite écrit *Électre* », une autre pièce [20].

Depuis son arrivée aux États-Unis, Marguerite Yourcenar n'écrit que de petits essais, de la poésie et du théâtre. Ce qu'elle-même considère un peu comme des pans annexes de son œuvre véritable et ne la console pas vraiment de n'avoir aucun projet littéraire d'envergure. Fût-il à ses yeux secondaire, ce goût pour l'écriture dramatique est assez étonnant, d'autant que Marguerite Yourcenar elle-même convenait n'avoir guère le sens de la scène et de la représentation. Son intérêt pour le dialogue, en revanche, est très ancien : son premier texte, *Le Jardin des Chimères*, est un poème dialogué, et la première version d'*Hadrien*, composée dans les années trente, était sous forme de dialogues. Quant à l'attrait qu'exercent sur elle les sujets mythologiques, il n'est plus, lui, à démontrer. Il est aussi dans l'air du temps. On se souvient qu'en 1942, Jean Anouilh donne *Eurydice* au théâtre de l'Atelier. Et Monelle Valentin, qui incarnait le rôle – deux ans plus tard et toujours à l'Atelier –, devait remporter un véritable triomphe (cinq cents représentations) en jouant le rôle d'*Antigone*. En 1943, Charles Dullin met en scène le drame mythologique de Jean-Paul Sartre, *Les Mouches*. Marguerite Yourcenar espère-t-elle se faire jouer rapidement en France ? Le contact étant, pour l'heure, coupé,

240

on peut en douter. Elle envisage plutôt d'être jouée d'abord aux États-Unis, dans une traduction de Grace Frick. L'idée de confier la pièce à une troupe d'amateurs ne lui déplaît pas, bien au contraire. De fait, *Électre ou La Chute des Masques* sera représentée à Monts-Déserts dès 1944 alors qu'elle ne sera donnée à Paris qu'en 1954, au théâtre des Mathurins.

Mais surtout, dans le moment de faiblesse morale et de doute qu'elle traverse, le dialogue lui est un recours. Parce qu'il la dispense d'en appeler à un « je » dont elle n'est plus assurée, c'est la forme qui convient le mieux à son incertitude d'elle-même, à l'indécision de sa propre parole, au risque d'aphasie littéraire dont elle se sent menacée. Ce qu'elle a dit dans sa vieillesse de la seconde pièce préparée cet été 1943, *La Petite Sirène*, ne fait que confirmer cette hypothèse.

La Petite Sirène, que dans sa préface de 1970 elle date de 1942, est une pièce de commande. Son ami Everett Austin, qui dirigeait le musée de Hartford – on le qualifierait aujourd'hui de centre culturel –, lui avait proposé d'écrire un court divertissement, que Grace Frick traduirait et qui serait mis en scène par lui, pour sa compagnie d'amateurs. Le spectacle auquel s'intégrait la courte pièce de Marguerite Yourcenar était consacré aux quatre éléments. « L'Eau m'échut en partage, écrit Marguerite Yourcenar dans sa préface, et je pensai aussitôt à tirer un petit drame lyrique de l'exquise histoire du conteur danois. » Mais la charmante mélancolie du conte se double, sous sa plume, de timbres plus dramatiques. La petite sirène, amoureuse d'un prince, veut rejoindre le monde des humains. La sorcière des eaux l'exauce, mais elle ne sera qu'une jeune fille sans voix. Muette, donc incapable de se défendre, elle devra assister, auprès du prince – qui épouse une princesse laide et riche –, au spectacle de la lâcheté, de la compromission et de la basse politique. Longtemps plus tard, parlant de cette pièce avec Jerry Wilson, son compagnon de voyage, elle lui dira (il le note dans son journal) combien cette petite sirène incapable de parler et jetée, par l'effet d'une magie imparfaite, dans un monde qui la voue à périr d'étouffement, était proche d'elle-même en ce début des années quarante, elle qui venait d'être arrachée à l'Europe et installée dans un pays dont elle ne comprenait pas les valeurs et parlait la langue de manière approximative. « En la relisant [*La Petite Sirène*], je m'aperçois que j'avais mis dans cette piécette plus que je n'y pensais mettre, écrit-elle aussi dans la préface de 1970. Nos moindres œuvres sont comme des objets où nous ne pouvons pas ne pas laisser, invisible, la trace de nos doigts. Je me rends compte avec quelque retard de ce qu'a pu obscurément signifier pour moi à l'époque cette créature brusquement transportée dans un autre monde, et s'y trouvant sans identité et sans voix. Mais de plus, et surtout, cette rêverie océanique date d'un temps où le vrai visage, hideux, de l'histoire, se révélait à des millions d'hommes dont une bonne part sont morts de cette découverte ; même à la distance où le hasard m'avait mise, j'avais vu ce que j'avais vu. C'est à partir de cette époque et par l'effet d'une ascèse qui se poursuit encore, qu'au prestige des paysages portant la trace du passé humain, naguère si intensément aimée, vint peu à peu se substituer pour moi celui des lieux, de plus en plus rares, peu marqués encore par l'atroce aventure humaine (...). Ce passage de l'archéologie à la géologie, de la méditation sur l'homme à la méditation sur la terre, a été et est encore par moments ressenti par moi comme un processus douloureux, bien qu'il mène finalement à quelques gains inestimables. »

Le pessimisme radical de Marguerite Yourcenar sur l'avenir humain – qui n'a rien à voir avec un dégoût de vivre – date de cette fracture-là. La réflexion qui la conduira à militer en faveur de l'écologie aussi, ce qui interdit de voir en elle, au rebours de l'imagerie mièvre et simpliste qui prévaudra lorsqu'elle deviendra un personnage public – et dont le souvenir perdure –, une femme surtout préoccupée d'acclimater des fleurs rares dans son jardin et de veiller, l'hiver, à bien nourrir les petits oiseaux...

On trouve très sobrement exprimées les raisons de cette détresse, et ce qui a pu aider Marguerite à la supporter, dans ses carnets de notes des années quarante repris plus tard dans *La Table Ronde* [21] : « 1943. Il est trop tôt pour parler, pour écrire, pour penser peut-être, et pendant quelque temps notre langage ressemblera au bégaiement du grand blessé qu'on rééduque. Profitons de ce silence comme d'un apprentissage mystique. (...) Qu'est-ce qui t'aide à vivre, dans les moments de désarroi ou d'horreur ? La nécessité du pain à gagner ou à pétrir, le sommeil, l'amour, du linge propre endossé, un vieux livre relu, le sourire de la négresse ou du tailleur polonais du coin, l'odeur des airelles mûres et le souvenir du Parthénon. Tout ce qui était bon aux heures de délices reste exquis aux heures de détresse. Ceux qui se convertissent au moment de mourir, avouent par là qu'ils ont mal vécu. »

En dépit de leur caractère épars, on sent donc dans les divers travaux littéraires de Marguerite Yourcenar, en cette seconde moitié de l'année 1943, comme le réamorçage d'une vie. Elle commence de traduire des negro spirituals et des poèmes grecs qu'elle affectionne. En même temps sort, dans la revue *Fontaine*, un fragment de sa traduction du roman de Frederic Prokosch, *Les Sept Fugitifs*. Le reste de la traduction sera perdu, ainsi que l'explique Frederic Prokosch, dans son recueil de souvenirs *Voix dans la nuit*, alors qu'il s'apprête à rendre visite à Colette [22] : « Je lui avais déjà écrit que je viendrais la voir, et pour plus de sûreté lui avais envoyé *Sept Fugitifs*, publié par Gallimard, dans une belle traduction nouvelle. Des années auparavant, Marguerite Yourcenar avait traduit *The Seven Who*, mais cette traduction s'était perdue lors de l'invasion de Paris par les Allemands. » C'est par une lettre du 26 août 1939, envoyée de Sierre, en Suisse, que Marguerite Yourcenar avait accepté les termes du contrat proposé par Gallimard : « Mille remerciements pour votre lettre du 18.08 au sujet de votre accord avec Frederic Prokosch, écrivait-elle alors à Gaston Gallimard. Je vous confirme donc mon acceptation du contrat proposé par vous dans votre lettre du 11 juillet. Déjà je viens de traduire le premier livre des *Sept Fugitifs*, et j'espère, comme il avait été convenu, vous faire parvenir le manuscrit tout entier pour le mois de novembre [23]. »

Frederic Prokosch avait rencontré Marguerite Yourcenar, mais il a été impossible de situer précisément cette rencontre. Peut-être eut-elle lieu à New York, au 820, Cinquième Avenue, dans l'appartement de Josephine Crane, qui était alors en ces années de guerre « un refuge pour les poètes et une Mecque pour les artistes ». « On y parlait de Properce et de Pic de La Mirandole », et Hannah Arendt y vint donner une conférence sur le XIXᵉ siècle [24].

Ils ne se sont pas fréquentés, ne se sont pas revus dans leur vieillesse – ou du moins n'ont pas laissé de traces de cette rencontre. Mais Prokosch n'avait pas oublié Marguerite Yourcenar, et n'en avait pas gardé le souvenir d'une femme déprimée – on pouvait faire confiance à Marguerite Yourcenar pour garder la tête

haute en public. Il écrit même dans *Voix dans la nuit* :
« Les trois femmes les plus intelligentes que j'aie rencontrées dans ma vie étaient Gertrude Stein, Hannah
Arendt et Marguerite Yourcenar; chez toutes trois,
l'étonnant, c'était leur amour de l'ambiguïté, qui allait
de pair avec une saisissante clairvoyance. Chez toutes
trois, le don de percevoir l'aspect inattendu des choses
se trouvait lié à une foi séculaire en les pouvoirs
secrets de la divination [25]. » La remarque est si juste
qu'on s'étonne ensuite de voir Prokosch attribuer plutôt à l'intelligence masculine, singulièrement celle de
Thomas Mann (l'un des trois hommes les plus intel-
ligents qu'il ait rencontrés), « la recherche d'une vérité
sans passion, impersonnelle, étroitement liée à
l'impossibilité de saisir la vérité ». Cette description
convient mieux à ce qu'on sait de Marguerite Yourcenar que les précisions que donne ensuite Prokosch,
quand il s'essaie à qualifier les divers types d'intelligence : « Il existait la sagesse de sorcière de la
baronne Blixen, ainsi que les marmonnements sibyllins de Gertrude Stein et Marguerite Yourcenar. »
Aucun témoin n'évoque d'éventuels « marmonnements sibyllins » de Marguerite Yourcenar, mais la
remarque est plaisante à relever, à cause du rapprochement avec Gertrude Stein. On voit mal, hors l'acuité
intellectuelle, ce qui pouvait conduire à relier deux
femmes qui, si elles s'étaient rencontrées, auraient
sans doute été peu amènes l'une envers l'autre. En
revanche on voit « trop bien » ce qui, dans la mémoire
d'un vieil homme, peut conduire à les assimiler : le
même goût des femmes, une certaine massivité de la
silhouette, et le fait d'avoir toutes deux partagé une
longue partie de leur vie avec une femme longue et
très mince. Reste que, derrière l'anecdote, on peut voir
dans ce rapprochement, plus intuitif que déductif, un

signe de l'extrême perspicacité de Prokosch. Car si Marguerite Yourcenar partageait profondément quelque chose avec Gertrude Stein, c'est cette manière – dont témoigne Hemingway pour Stein – de paraître dominante dans les relations amoureuses, et de se laisser parfois, dans la vie quotidienne, furieusement dominer.

Du pouvoir – on a presque envie de dire de la mainmise – de Grace Frick sur la vie courante, on a, à partir de 1944, un témoignage quotidien, grâce aux agendas qu'elle a remplis méthodiquement jusqu'à sa mort, même si dans les dernières années son souci du détail laissait parfois place à la hâte, tant elle était affaiblie. Seul manque le cahier de l'année 1976, qui a été égaré. Ces agendas, qui ont toujours été désignés par Marguerite Yourcenar comme « les agendas de Grace Frick », leur étaient en fait communs. Du moins Marguerite y prenait-elle des notes en l'absence de Grace. Si Marguerite Yourcenar possédait alors des agendas en propre – ce dont on peut douter – on n'en a nulle trace. Seuls figurent parmi les documents scellés certains des agendas qu'elle a tenus après la mort de Grace, quand elle a, en quelque sorte, pris le relais.

Au début de 1944, c'est Marguerite qui remplit le carnet. Elle n'y porte en fait que quelques rendez-vous, et indique seulement que le 17 janvier Grace quitte Kansas City. Elle y était partie, comme souvent, passer les fêtes de Noël dans sa famille, auprès de ses frères. Jamais Marguerite ne l'accompagnait. On sait qu'elle n'avait pas un goût immodéré de la famille. Et puis elle n'était pas particulièrement attendue, ni désirée, la parenté de Grace ne débordant pas de sympathie pour le couple que cette dernière formait avec une Française sans le sou, à peine capable de subvenir à ses besoins, et en tout cas incapable de se débrouiller seule. À Kansas City, les grandes familles flamandes ruinées n'impressionnaient pas. Quant à l'aura littéraire d'un écrivain sans renommée, et depuis quelques années sans livres, elle n'aurait probablement suscité que les sarcasmes si Grace n'avait été du genre à savoir imposer le silence.

Au contraire de Marguerite Yourcenar, Grace Frick, quand elle tient l'agenda, est précise jusqu'à l'obsession maniaque. Elle note non seulement tous les rendez-vous et les diverses courses à faire, mais commente les journées, décrit parfois les repas, fait des comptes, dresse listes et inventaires – comme celui de toute l'argenterie laissée dans le Maine, dans la maison de Somesville. Au 27 février 1944, elle note : « un mariage à New York » ; et au 6 mars : « MY malade à cause des huîtres mais jolie journée et déjeuner devant la fontaine du Plaza [le célèbre hôtel qui fait le coin de la cinquième avenue et de Central Park] avant d'aller faire un tour chez Bonwit Teller [grand magasin du même quartier]. » Marguerite, qui a relu tous les carnets de Grace après sa mort, y a parfois apporté des correctifs ou des commentaires. Au 10 novembre, en marge de « MY apprend à tricoter », elle a ajouté un « non » péremptoire, et quand Grace remarque « Marguerite a acheté un lit extravagant pour sa chambre de Bronxville », celle-ci précise « je l'ai encore »... Pour banals qu'ils soient, ces curieux petits dialogues, maintenus après l'ultime séparation, donnent comme un écho de ce que pouvaient être, tendres ou acides, les conversations quotidiennes.

L'hiver et le printemps de 1944 sont à l'image de ces notes, sans grand éclat. On constate seulement que la situation financière doit être sinon florissante, du moins stabilisée, puisque Marguerite Yourcenar et Grace Frick se rendent assez souvent à New York. Elles y sont assez actives, vont au musée, au théâtre, à l'opéra et voient des amis et des relations : Karl Loewith, les Schiffrin.

Il semble que Marguerite Yourcenar, un peu sortie de son accablement, se force à une certaine vie sociale dans l'espoir de retrouver un éditeur. Déjà ses « Mythologies » commencent d'être publiées dans *Les Lettres françaises*, revue que dirigeait alors Roger Caillois *. Dans son discours de réception à l'Académie française, alors qu'elle devait prendre place au fauteuil de Roger Caillois, Marguerite Yourcenar restitue cet épisode de sa vie : « Vers 1943, alors que nous étions volontairement des exilés l'un et l'autre, lui, sous la Croix du Sud, moi dans une île qu'illumine assez souvent l'aurore boréale, il voulut bien accepter un long essai de moi pour la revue *Les Lettres françaises*, qu'avec l'appui de cette admirable protectrice des lettres, Victoria Ocampo, il dirigeait à Buenos Aires. À cette époque où la voix de la France n'arrivait que rarement jusqu'à nous, ces minces cahiers nous apportaient une preuve rassurante de la vitalité de la culture française, venue, certes, d'un autre point du monde, mais n'en prouvant que mieux son don d'universalité. Peu importe ce qu'étaient ces quelques pages assez informes, qui plus tard m'ont servi de brouillon pour certaines parties d'autres livres. J'avoue même, en les relisant dans de vieux numéros des *Lettres françaises*, m'étonner qu'un esprit doué d'une si parfaite rigueur les eût acceptées.

---

* Le premier texte de ces « Mythologies » sera publié dans le numéro de janvier 1944 ; c'est celui qui a été repris, avec quelques variantes, dans le recueil *En pèlerin et en étranger* [26]. Publié en octobre de la même année, le texte de « Mythologies II », consacré à Alceste, constituera en partie la préface au *Mystère d'Alceste*, publié par Gallimard en 1971 [27]. Enfin, les textes *Ariane* et *Électre*, que regroupait « Mythologies III » dans le numéro des *Lettres françaises* de janvier 1945, seront repris d'une part dans la préface de *Qui n'a pas son Minotaure ?*, et d'autre part dans l'avant-propos d'*Électre* [28].

Sans doute avait-il deviné, dans cet essai quelque peu hâtif consacré à l'influence de la tragédie grecque sur les littératures modernes, un peu de ce respect qu'il éprouvait pour tout ce qui touche à la transmission des mythes, à leurs changements aux mains des générations successives, et aux grandes vérités sur la nature humaine que les poètes ont enrobés en eux. Quoi qu'il en soit, à une époque où nous n'étions guère rassurés sur la survie de la culture (le sommes-nous aujourd'hui ?) ni du reste sur notre propre avenir, un tel accueil était pour un jeune écrivain encore dépaysé aux États-Unis une grâce accordée et un service rendu [29]. »

L'été, à Somesville, se fait jour pour la première fois l'idée d'acheter une maison dans l'île des Monts-Déserts et de s'y installer. Sur l'agenda, les notes de Grace deviennent très intermittentes. Y figurent cependant les multiples rendez-vous chez le médecin, qui seront un des leitmotive de leurs quarante années de vie commune, pour de bonnes raisons – la maladie de Grace à partir de 1958 – ou de mauvaises – l'hypocondrie de Marguerite. En ces années, Marguerite est encore assez jeune, elle a quarante et un ans, pour que sa propension à se sentir perpétuellement malade fasse sourire. Grace remarque qu'un jour elle a téléphoné de Sarah Lawrence « *to tell world she had a cold* », « pour dire à la terre entière qu'elle avait un rhume »...

Figure aussi, sur cet agenda de 1944, en août, l'annonce de la libération de Paris. Sans aucun commentaire. C'est pourtant le premier signal d'une question essentielle, à laquelle Marguerite va devoir répondre : retourner, ou non, en Europe. Venir aux États-Unis en 1939 n'avait été qu'un incident de sa vie involontairement prolongé pour cause d'accident de l'histoire : un voyage prévu, qui, coïncidant avec le début de la guerre, s'était transformé en séjour de longue durée. Ce n'était en rien un choix de vie. En revanche, rester ou repartir engageait son avenir, toute la seconde partie de son existence. Elle le savait. Grace aussi. De leurs discussions sur cette décision à prendre, on ne trouve pas le moindre écho. Grace, si friande de commentaires sur tous les sujets, est dans ses notes d'un mutisme quasi total. Tout juste quelques allusions à « *Marguerite in tears and desolate* ». Conséquence de discussions orageuses? Désarroi de ne savoir quel parti prendre? On est en mars 1945 et les intellectuels exilés, les Français du moins, s'ils ne préparent pas encore leurs malles, sont déjà, en pensée, de retour sur le vieux continent. Les échos de Paris en liesse, le « Paris martyrisé, mais Paris libéré » du général de Gaulle sont arrivés jusqu'à eux. Ils veulent prendre part à ce retour à la paix, ils veulent retrouver leurs occupations, leur famille, leurs amis. Ils sont, pour la plupart, attendus. Ce n'est pas le cas de Marguerite. De famille, elle ne veut plus en avoir; de métier, elle n'en a pas (et d'argent demeuré en Europe, guère). Quant aux amis, du moins ceux dont on veut se souvenir, ils sont morts ou disséminés, toutes traces perdues. Mais en Europe, elle a ses éditeurs, sa langue, sa culture, ce qui a été pour elle, jusque-là, l'essentiel. La balance ne peut que pencher en ce sens. Elle ne peut que partir. Et elle reste.

Comment a été prise cette décision? « Je n'ai rien décidé, je me suis laissé faire [30] », dira-t-elle en 1979 à Jacques Chancel. L'Europe, c'est la perspective d'un retour sans bagages, pour s'installer on ne sait où. Rester, c'est faire le choix, non de l'Amérique, mais de Grace, d'une certaine tranquillité quotidienne, mais aussi d'un contrôle de tous les instants. Marguerite, toutefois, était trop profondément attachée à la civilisation européenne pour n'avoir pas longuement hésité. Grace, on peut lui faire confiance, a dû mettre toute son énergie à empêcher Marguerite de partir. L'atmosphère a dû plus d'une fois être tendue. Si ces discussions n'ont eu aucun témoin, Marguerite Yourcenar eut parfois, à la fin de sa vie, des paroles qui surprenaient ses amis, mais qui, à la lumière de ce qu'on sait maintenant de ses premières années américaines et de la violence possessive de l'amour de Grace, prennent tout leur sens. « Grace Frick n'aimait pas mes livres », déclara-t-elle un jour dans ce qu'on crut être une manifestation de son sens aigu du paradoxe. Grace Frick, ne pas aimer des livres qu'elle avait lus, relus, recopiés parfois, traduits, corrigés et recorrigés sur épreuves? Le propos était presque indécent et le goût de la boutade provocatrice avait ses limites. Mais la précision qu'apporta Marguerite Yourcenar, devant le silence étonné et réprobateur de ses amis, sonne, elle, absolument juste : « Mes livres appartiennent à l'Europe. Or Grace a toujours pensé que l'Europe risquait de me reprendre à elle. »

Marguerite a-t-elle un jour dit « je reste »? A-t-elle simplement laissé passer l'été 1945, le départ des « autres », et suivi ce qu'elle eût nommé « le cours des choses »? On l'ignore. S'il avait fallu plus encore l'ancrer dans son pessimisme radical sur l'avenir – qui la poussait à demeurer auprès de Grace et à se soustraire au tumulte du monde – la bombe atomique jetée en août 1945 sur Hiroshima l'aurait fait. Ce n'est pas la « Révolution scientifique [31] » accompagnant ce nouveau massacre qui accable Marguerite Yourcenar. Elle écrit dans son journal : « 1945. La bombe atomique ne nous apporte rien de nouveau, car rien n'est moins neuf que la mort. Il est atroce que des forces cosmiques, à peine maîtrisées, soient immédiatement utilisées pour le meurtre, mais le premier homme qui s'avisa de faire rouler un rocher pour en écraser son ennemi s'est servi de la gravitation pour tuer quelqu'un[32]. » C'est la répétition – démultipliée – du geste ancestral – massacrer l'ennemi pour terminer la guerre – qui la désespère. Comme en 1939, en rentrant du Valais, elle avait entendu les tocsins des villages suisses répondre à ceux des villages de Savoie, elle entend, dans l'île des Monts-Déserts, les sirènes de bateaux de pêche signaler la fin de la guerre du Pacifique. Quelque chose se clôt, obscurément, avec ce signe d'une liesse intimement liée à l'atrocité, et cela lui paraît si profondément décisif que ce sera, pour l'année 1945, la seule notation qu'elle fera figurer dans la chronologie de sa vie établie pour la Pléiade.

Elle fait désormais des États-Unis, non son refuge, non son pays, mais, dirait-on, sa base, et de Grace Frick, sa compagne de vie. Elle tenait beaucoup à ce qu'on ne la prît jamais pour une « réfugiée ». Elle le précise à un de ses correspondants polonais (29 juin 1954) : « Je n'étais pas non plus une réfugiée française aux États-Unis, au sens propre du terme, car j'y suis allée de mon plein gré, pour des raisons d'amitié et de projets littéraires (conférences, voyages) et si les événements politiques, la santé et d'autres raisons personnelles encore m'y ont retenue plus longtemps que je n'avais pensé, je n'ai en aucun cas été *forcée* d'y rester parce que mon pays était pour moi fermé. J'indique cela pour montrer que nos situations ne sont pas parallèles. Néanmoins, je sais ce que c'est de se trouver en pays étranger où un élément de méfiance ou d'incertitude subsiste toujours à notre propos, quoi qu'on fasse, et de s'y trouver parfois démuni de moyens[33]. »

Rester n'est toutefois pas le signe qu'elle s'abandonne à une vie américaine tranquille ni, contraire-

ment à ce que celle-ci imagine peut-être, à la sollicitude omniprésente de Grace, mais plutôt l'indication
qu'elle a retrouvé une certaine foi en sa carrière future
et qu'elle veut se donner tous les moyens, y compris
ceux du confort quotidien, de réaliser enfin ses ambitions. L'Europe libérée ressent, malgré l'atroce découverte des camps de concentration, de leurs amas de
cadavres et de leurs morts-vivants, un fabuleux appétit
de revivre. Marguerite Yourcenar, de l'autre côté de
l'Atlantique, le partage, et c'est ce qui lui permet d'y
demeurer. Des lettres arrivent, les amis se manifestent,
et dans ses réponses, Marguerite Yourcenar montre
qu'elle a retrouvé sa fermeté, son goût des jours et des
mots. Une longue lettre à Jean Ballard fait le point sur
« son » après-guerre [34] :

> « Durant ces six années, j'ai bien souvent
> pensé à vous et aux *Cahiers du Sud*, et plus
> particulièrement chaque fois que les jour-
> naux nous annonçaient un bombardement
> de Marseille, l'état de siège à Marseille... Je
> pense avec regret à l'appartement, d'où on
> avait une si belle vue sur la vieille ville...
> Mais la continuation des *Cahiers* est une
> preuve que certaines valeurs essentielles
> continuent à tenir au milieu de tant d'écrou-
> lements. Durant ces années passées à dis-
> tance, dans cette espèce d'Arche que furent
> les États-Unis, le plus affreux était ce senti-
> ment de flotter au milieu d'un monde dis-
> paru, submergé, désormais sans terre ferme.
> Ce sentiment nous trompait : chaque lettre
> comme la vôtre reçue ces derniers mois de
> France, de Grèce, d'Italie, reste pour moi un
> véritable miracle, le message d'un monde au
> moins momentanément sauvé des eaux. (...)
> J'allais terminer cette lettre, lorsque je
> m'aperçois que la vôtre contient une ques-
> tion, au sujet de l'esprit méditerranéen, qui

253

fournirait à elle seule la matière d'un long essai. Que vous dirais-je?... Je vous écris ceci de l'île de Mount Desert, au nord-est des États-Unis, où je passe depuis six ans une grande partie de l'année. C'est une espèce de Corse ou de Dalmatie située sous un climat déjà presque polaire : c'était pour les Grecs le pays hyperboréen, pour les hommes du Moyen Âge, les régions de brouillards et de banquises explorées par la Navigation de Saint-Brandan. Eh bien, je ne vois ici aucune solution de continuité, aucune différence *essentielle* avec ce que j'ai le mieux aimé en Grèce ou ailleurs. Les forêts qui furent pleines pour les Indiens d'un mystère et d'une terreur sacrés pas si différents de ceux de Dodonne et de l'Épire; le dur travail du marin sur « la mer stérile »; les vieilles gens assis sur le pas des portes, parlant longuement du passé; les petits temples protestants, dans les villages construits de bois, comme le furent d'ailleurs les plus vieux temples grecs, mais ornés d'un pur fronton dorique, fruit de traditions architecturales léguées par l'Angleterre du XIII\ème\ siècle aux colonies d'autrefois; tout, même cette bibliothèque, cette école de village, ce mot démocratie sur une muraille, choses banales, qui appartiennent à tout le monde, mais qui nous prouvent que tout l'indispensable a été transmis (...)

Je m'aperçois aussi que je n'ai pas répondu aux quelques questions sur moi-même, que vous voulez bien si amicalement me poser. J'espère revoir bientôt l'Europe, mais pour mille raisons, raisons financières (je vis ici depuis quatre ans grâce à des appointements de professeur dans un collège aux environs de New York), raisons d'amitié et de santé aussi, je doute que ce voyage et ces rencontres amicales que je

souhaite puissent avoir lieu avant deux ou
trois ans. Nous nous écrirons de temps à
autre, voilà tout. »

Les choses sont claires. Marguerite Yourcenar a quarante-trois ans et son avenir se passera loin du milieu
littéraire qui l'avait accueillie dans les années trente.
Et cet avenir, du moins pour ce qui concerne son travail littéraire, lui appartient entièrement.

CHAPITRE 2

La tentation de la banalité

Rester aux États-Unis, c'était garder Grace – ou être
gardée par Grace – mais c'était aussi se plier pour un
moment encore au « traintrain des jours [1] ». Tous les
lundis, Marguerite Yourcenar devait se lever à quatre
heures du matin pour se rendre, par le train (elle n'a
jamais appris à conduire, et d'ailleurs, elle n'avait pas,
à cette époque, les moyens de posséder une automobile), de Hartford où elle demeurait avec Grace, à
quelque cent cinquante kilomètres de là, à Bronxville,
au nord de la ville de New York, où se trouve l'université de Sarah Lawrence. Elle y enseignait le français et
l'italien, du lundi matin au mercredi soir, et en repartait le jeudi, puisqu'elle n'avait qu'un poste à mi-temps.
Elle avait été engagée en 1942 par M. Warren
Constance qui présidait ce « college » d'environ trois
cent cinquante jeunes filles, considéré comme très
libéral et appliquant des méthodes d'avant-garde.

Ce n'est qu'en 1945 qu'arriva, dans ce collège déjà
peu conformiste, un très jeune président, passionné
d'expérimentations pédagogiques, Monsieur Harold
Taylor, qui se souvient très bien de Marguerite Yourcenar. Il garde en mémoire l'image de quelqu'un de très
consciencieux, mais qui, contrairement à lui, ne s'inté-

ressait guère à l'enseignement. « Elle avait une allure assez étrange, mais elle n'était qu'un personnage bizarre parmi d'autres sur ce campus atypique où se sont croisés et succédé toutes sortes de gens. Mary McCarthy, par exemple, a enseigné un an à Sarah Lawrence [2]. » Marguerite Yourcenar, en revanche, affirme qu'elle s'est toujours sentie à Sarah Lawrence « une sorte de cas à part [3] ». À en croire Harold Taylor, « Marguerite Yourcenar était très courtoise, mais inflexible quant à ses décisions. Elle voulait avant tout, ses cours terminés, se consacrer à son travail personnel et à la lecture. Elle ne se mêlait pas à ses collègues et restait à l'écart de la vie de l'université. Personne n'a vraiment réussi à la connaître. Mais on ne lui en voulait pas car il régnait à Sarah Lawrence un grand esprit de tolérance et de respect mutuel. Physiquement, elle imposait le respect : droite, enveloppée dans de larges jupes et dans des châles. C'était pour moi une femme d'âge moyen, très typiquement française. J'ignorais tout de sa vie. Je ne savais pas pourquoi elle habitait Hartford. Je supposais que c'était par souci d'économie, New York étant déjà une ville très chère. J'ai toujours pensé qu'elle y habitait seule et que si elle y rentrait si vite, sans jamais s'attarder à Sarah Lawrence, c'était seulement pour travailler. »

Ses cours s'adressaient aux étudiantes débutantes, ayant toutefois au moins une année de pratique. Elle leur enseignait la langue française à partir du théâtre et de la poésie, ce qui relevait d'un choix pédagogique pour le moins osé et risquait d'avoir d'assez singulières conséquences en matière d'acquisitions syntaxiques de la langue. Elle dispensait également, à des étudiantes plus averties, un enseignement de la civilisation française à travers la littérature et les arts, et des cours d'italien à deux niveaux, également fondés sur le

théâtre et la poésie. Au fil de ses années d'enseignement, elle consacrera aussi des séries de cours au
roman historique, puis à l'épopée et la satire dans le
roman français, et à la période surréaliste.

« Il est singulier, poursuit Harold Taylor, de penser
que ce grand esprit a été employé à enseigner le français à des débutants. Elle a toujours accompli son travail avec le plus grand sérieux, mais elle a toujours
refusé de parler avec nous de nos recherches pédagogiques et de nous suivre dans cette voie. Son esprit
était ailleurs. Elle était, sur le campus, comme une présence invisible. Elle utilisait beaucoup la bibliothèque.
Le soir, elle dînait seule dans sa chambre en travail-
lant. Nul n'aurait songé à la déranger. Surtout à partir
du moment où elle s'est remise à écrire le livre qui
devait devenir *Mémoires d'Hadrien*. Tout le monde
avait compris combien elle tenait à ce travail, combien
il était pour elle plus qu'important : vital, tout simplement. Une fois pourtant elle s'est proposée pour faire
une conférence sur le rôle du détective dans la littérature française. Cela nous est apparu comme le signe
étrange d'une fantaisie insoupçonnée. »

Son ancien président d'université n'évoque à son
propos qu'un seul souvenir désagréable : le fait qu'elle
ait écrit à *Commentary* – une revue publiée par le Ame-
rican Jewish Committee – pour dire qu'à Sarah
Lawrence, on avait fixé un quota d'élèves juifs à ne pas
dépasser. « Pour nous qui avions été à la pointe du
combat contre les quotas de toutes sortes, dit Monsieur
Taylor, c'était un peu dur à avaler. » *Commentary* était
un mensuel dirigé par Ralph E. Samuel. De 1945 à
1953, cette publication s'est faite l'écho de la réflexion
de nombreux intellectuels américains et européens,
tels que Martin Buber, Jean-Paul Sartre, Hannah
Arendt, Mary McCarthy, Marc Chagall... Harold Taylor

avait sans doute été d'autant plus choqué de l'accusation de Marguerite Yourcenar qu'il tenait la revue en haute estime : dans le courrier des lecteurs de janvier 1948, on trouve une lettre du président de Sarah Lawrence déclarant : « Vous êtes l'une des meilleures publications intellectuelles que j'aie vue depuis longtemps. » Quant aux sommaires de la revue, ils ne portent aucune trace d'article de Marguerite Yourcenar, ce qui laisse à penser, sans qu'on en ait la preuve formelle, que son intervention avait été tout au plus une lettre de lecteur. On voit d'ailleurs mal ce qui avait pu la motiver, tous les témoignages confirmant la position « anti-quotas » de Sarah Lawrence, si ce n'est l'exaspération qui parfois saisissait Marguerite Yourcenar contre sa vie et son métier provisoire, au point de la rendre injuste.

« Pour le reste, affirme Harold Taylor, elle a toujours été irréprochable. Elle n'était pas suspecte d'être conservatrice. Si elle n'avait pas été libérale, elle n'aurait pas survécu dans notre collège. Au moment du maccarthysme, pourtant, je n'ai pas souvenir de l'avoir croisée aux assemblées générales des membres de la faculté. Encore moins de l'avoir entendue prendre la parole. Mais la connaissant, je n'ai jamais eu de doute sur son opposition au maccarthysme, sur sa réprobation. Tous les excès, tout ce qui exhibait la médiocrité intellectuelle, l'intolérance, la volonté d'exclusion, la mesquinerie lui étaient étrangers et la révoltaient. Seulement, quand nous tenions assemblée générale sur assemblée générale pour lutter contre McCarthy, Marguerite Yourcenar, elle, était en plein IIe siècle et il lui était très difficile de venir nous rejoindre. Et, curieusement, je crois que, tous, nous comprenions cette impossibilité.

« Nous avions de bonnes relations, elle et moi, bien

que distantes. Je crois qu'elle était plus proche de moi que des autres. Probablement parce qu'elle avait le sens de la hiérarchie. Elle préférait parler avec le président qu'avec des sous-fifres. »

Soit par modestie, pour ne pas prétendre avoir été distingué par elle, soit parce qu'il est resté trop à l'écart de Marguerite Yourcenar, Harold Taylor commet ici une erreur d'appréciation. Ce serait sous-estimer le très haut sentiment d'elle-même qu'avait Marguerite Yourcenar que de penser qu'elle puisse avoir obéi à un quelconque sens de la hiérarchie. Elle n'a jamais toléré qu'on lui imposât des interlocuteurs. Elle s'est toujours voulue seul maître de ses choix, de ses éditeurs à ses jardiniers, du président de la République française avec lequel elle a refusé de dîner – Valéry Giscard d'Estaing – à celui avec lequel elle a partagé son repas – François Mitterrand.

En outre, elle prenait un certain intérêt aux travaux intellectuels d'Harold Taylor, au point de traduire en français le chapitre qu'il avait écrit pour un livre collectif *L'Activité philosophique contemporaine en France et aux États-Unis*. Cet ouvrage en deux volumes, placé sous la direction de Marvin Faber, professeur à Buffalo, dans l'État de New York, a paru aux Presses universitaires de France en 1950. Le chapitre 17 du premier volume portant sur la philosophie américaine était celui de Harold Taylor, consacré à la philosophie de l'éducation aux États-Unis. Il n'est mentionné nulle part que la traduction en est de Marguerite Yourcenar : on peut penser qu'elle n'a pas dû apprécier cette omission, qu'elle aurait à coup sûr qualifiée de « fâcheuse ».

À ce témoignage du président Taylor, qui donne de Marguerite Yourcenar une vision somme toute assez neutre, mais qui relève toutefois que dans ses classes, qui comprenaient chacune de dix à quinze élèves, « on

était très impressionné par sa personnalité »,
s'opposent les souvenirs des anciennes étudiantes de
Marguerite Yourcenar. « Il suffisait de l'avoir croisée
une seule fois sur le campus pour en garder la
mémoire à jamais, tant Marguerite Yourcenar était
inoubliable », dit l'une d'elles, Charlotte Pomerantz-
Marzani, qui vit aujourd'hui à New York [4]. Pour toutes
ces jeunes filles à peine sorties de l'adolescence, Marguerite Yourcenar était un personnage singulier et exotique. Elle s'habillait de façon excentrique, mais très
séduisante, « toujours drapée dans des capes, des
châles, enveloppée dans ses robes... On voyait très peu
de sa peau et de son corps. Elle faisait l'effet d'un
moine. Elle aimait les bruns, les violets, le noir, elle
avait un grand sens de l'harmonie des couleurs. Elle
avait quelque chose de mystérieux qui la rendait exci-
tante. Et puis il y avait toutes ces rumeurs disant
qu'elle vivait avec une femme. Cela ajoutait au côté
romanesque de son personnage. »

    « Elle était très peu orthodoxe comme enseignante.
D'abord elle faisait des cours magistraux, ce qui n'était
plus de mise. Ensuite, elle ne disait jamais un mot
d'anglais en classe – et fort peu en dehors. Cela me semblait étrange qu'on ne soit pas obligé de parler correctement l'anglais dans un collège américain, mais quand
on avait quelqu'un avec une telle présence, on pouvait
bien faire une exception. » « Marguerite Yourcenar
mettait la barre très haut », rappellent ses étudiantes, et
il fallait s'adapter à ses exigences, vite de préférence,
car elle n'était pas très patiente. Certes, elle avait tendance à s'intéresser plutôt aux personnalités brillantes,
« pas seulement celles qu'elle fascinait, mais celles qui
étaient passionnées et douées de surcroît. Toutefois,
elle n'était jamais mesquine ou inutilement blessante
avec qui que ce soit ».

« Ce qui impressionnait le plus les étudiantes, c'était la manière unique qu'avait Marguerite Yourcenar de les traiter en adultes, " en êtres responsables ". Son attitude constante envers la classe était : " vous êtes venues ici pour apprendre, je ne vais pas me mettre à votre portée ". Elle faisait son travail avec un sens du devoir absolu, même si ce n'était pas ce qui l'intéressait le plus dans la vie. Elle avait à l'époque un problème d'écriture, elle n'était pas satisfaite de ce qu'elle faisait en littérature, qui lui semblait mineur par rapport à son ambition, et je crois que la dernière chose au monde qu'elle aurait pu souhaiter faire était ce qu'elle était obligée de faire, enseigner à quelques jeunes filles riches. J'ai, moi, une mémoire très défaillante, mais je sais que certaines de mes condisciples ont encore un souvenir ébloui de ses cours », affirme Charlotte Pomerantz.

De fait, après son élection à l'Académie française en 1980, plusieurs de ses élèves des années 1942-1950 ont écrit à Marguerite Yourcenar. L'une d'elles, Olga Harrington, devenue Mrs. Giannini, qui suivait ses cours en 1946, insiste sur « la mémoire intacte et vive » qu'elle conserve des commentaires de Marguerite Yourcenar sur *La Princesse de Clèves*[5]. Pour Charlotte Pomerantz, « on voyait, dès le premier jour, que Marguerite Yourcenar n'était pas un professeur comme les autres. Sa manière d'enseigner n'était pas celle d'un enseignant classique mais celle de quelqu'un qui aime la littérature à la folie. Elle se moquait de la grammaire et des exercices. Elle est le seul professeur que j'ai souhaité avoir deux fois, dont j'ai choisi le cours deux années de suite, en 1948 et 1949. C'est sans doute pour cela que, des années plus tard, je lui ai écrit et que nous avons commencé de correspondre. Elle faisait comme si elle se souvenait de moi, par sympathie, mais je sais que ce n'était pas vrai. Comment l'aurait-elle pu ? D'autant que son cours était le premier de la journée, et que, pour quelqu'un comme moi qui n'arrive pas à se réveiller, c'était une torture. J'étais donc silencieuse et sans doute un peu avachie puisque, dans l'une de ses appréciations sur moi, elle déplorait ma " désolante manière de me tenir pendant le cours " ».

Charlotte Pomerantz ne pouvait guère se méprendre sur les réserves que Marguerite Yourcenar formulait à l'époque sur sa pugnacité intellectuelle, comme en témoigne le passage qui lui est consacré dans les appréciations formulées en décembre 1948 sur les étudiantes du cours de Civilisation française : « Elle semble en tous points totalement apathique. Sur le plan physique, sa manière de se tenir en classe révèle soit une extrême fatigue générale, soit un perpétuel assoupissement. Ce laisser-aller physique a pour corollaire un manque absolu de fermeté intellectuelle. En témoigne le sentiment qu'elle donne de n'être en rien concernée par sa propre pensée. En fait, en se refusant à soumettre quelque sujet que ce soit à une réelle analyse ou recherche, elle semble s'imposer à elle-même des limites, en sorte de ne surtout pas prendre en compte la totalité d'une idée neuve, de ne surtout pas se risquer à penser trop profondément. » La nature de l'appréciation, que Charlotte Pomerantz a la gentillesse et l'élégance d'évoquer avec un sourire, importe moins que ce qu'elle révèle d'un vrai regard, chez Marguerite Yourcenar, sur ses élèves.

« Je pensais à son sujet, se souvient Charlotte, des choses que sans doute je récuserais aujourd'hui parce que le féminisme est passé là-dessus et que j'ai réfléchi à la situation des femmes. Je voyais en elle une autorité mâle. Non pas tant à cause d'une apparence masculine, qu'elle n'avait pas à l'époque, que par cette forme d'intelligence dominatrice qu'elle possédait, cette manière naturelle de régner, cette hauteur. Moi qui n'ai jamais été attirée par les femmes, je dois avouer qu'elle me séduisait comme un homme. Je ne pouvais l'imaginer se livrant aux gestes de la vie quotidienne, se servant d'un toaster ou d'un sèche-cheveux... J'imaginais vaguement, quand je suivais ses cours, qu'elle devait utiliser dans sa vie quotidienne des instruments médiévaux. De sa vie privée elle ne disait rien, bien sûr. Cependant, il était évident pour nous toutes qu'elle ne pouvait pas se soucier de construire une famille, d'avoir des enfants. Quelqu'un qui se préoccupe tant de la mort ne va pas se mettre à bâtir une famille, n'est-ce pas? Je pense qu'elle était au courant de la rumeur disant qu'elle vivait avec une femme. Elle s'en moquait, au fond, qu'on le sache et qu'on dise d'elle qu'elle était lesbienne. Mais elle ne faisait ni allusion ni commentaire. Elle ne voulait pas devenir un stéréotype. Elle avait une profonde répulsion pour tout ce qui pouvait l'étiqueter, la classer. De Grace Frick, je n'ai jamais rien su, sauf qu'elle était fort bonne cavalière. Je suis ravie de savoir aujourd'hui que Marguerite Yourcenar avait peur des maladies, qu'elle était plutôt hypocondriaque. Cela me la rend plus humaine. Le souvenir que j'en gardais était celui de quelqu'un de taillé dans le roc; même son visage, je le sentais comme une pierre. Elle était de ces gens hors du temps, dont on est persuadé qu'ils ne vont jamais mourir. »

Pour Marguerite Yourcenar, Sarah Lawrence est une contrainte. Mais elle s'y plie. « Je ne me suis jamais, à aucun degré, enracinée dans ce milieu universitaire américain, reconnaît-elle dans une lettre à Jean Lambert, le 14 mai 1956 [6], les quelques rares amis que j'y possède me sont venus soit par Grace, soit par *Hadrien*.

L'expérience a pourtant été intéressante. Je suis reconnaissante à Sarah Lawrence de m'avoir fourni les moyens de rester aux États-Unis, mais je ne recommanderais à personne ce genre de vie, à moins d'avoir un goût bien déterminé pour l'enseignement et une extrême curiosité pour la vie américaine et le dépaysement particulier qu'elle implique. »

En fait, ce n'est pas réellement enseigner qui lui déplaît : démontrer, préciser, corriger, reprendre ne lui est en rien une corvée. A moins qu'elle n'ait noté en haut d'une lettre reçue : « Ne pas répondre ; essai (ou poèmes) médiocres », nombreux sont les correspondants qui ont eu la faveur de ses conseils, corrections et réflexions – parfois formulés de façon fort péremptoire – lorsqu'ils lui avaient soumis leurs manuscrits ou travaux universitaires [7]. Ce qui est contraire à toute sa vie, à sa propre démarche éducative, c'est un enseignement que l'on impose globalement à un groupe, au risque de se heurter à l'indifférence, ou à cette apathie dont, on l'a vu, elle s'exaspère comme d'une agression personnelle.

Quand Marguerite Yourcenar parlait de ces années à Sarah Lawrence, c'était comme d'une parenthèse, d'une très courte période. Toujours son étrange perception du temps. Ce fut tout de même, sur huit ans de sa vie, une grosse moitié de la semaine, avec des trajets harassants. Scrupuleusement, après une interruption en 1950 – au cours de laquelle elle termina *Mémoires d'Hadrien* et revint en Europe – elle reprit ses cours pour honorer le dernier semestre de son contrat, en 1952-1953.

Le temps, là-bas, devait pourtant lui paraître bien long, surtout jusqu'au début de 1949, avant qu'elle ne se remette à un travail littéraire approfondi. Elle a

265

expérimenté sur ce campus sa grande aptitude à vivre de manière autarcique. Les cours finis, elle lisait presque constamment. Le soin maniaque que mettait Grace Frick à établir des listes n'est, semble-t-il, malheureusement pas allé jusqu'à noter les titres de tous les livres passant entre les mains de Marguerite Yourcenar. D'une manière générale, Marguerite Yourcenar ne date pas – ou rarement – ses lectures. Les seules allusions un peu précises figurent dans ses préfaces et commentaires à ses propres ouvrages. Dans les *Carnets de notes de « Mémoires d'Hadrien »* par exemple, elle mentionne les lectures préalables au portrait de l'empereur : « Cette nuit-là je rouvris deux volumes parmi ceux qui venaient aussi de m'être rendus, débris d'une bibliothèque dispersée. C'était Dion Cassius dans la belle impression d'Henri Estienne, et un tome d'une édition quelconque de l'*Histoire Auguste,* les deux principales sources de la vie d'Hadrien, achetés à l'époque où je me proposais d'écrire ce livre [8]. » Parfois, dans son agenda, elle mentionne ses relectures; celle de *L'Élu,* de Thomas Mann, qu'elle considérait comme un chef-d'œuvre, en est une. Il est même des livres qu'elle relit chaque année comme *Far From the Madding Crowd,* de Thomas Hardy. Mais si le détail fait défaut, on trouve de multiples traces dans sa correspondance de l'immensité de ses lectures. On a alors envie de dire qu'elle a « tout lu », dans tous les domaines. Elle, bien sûr, insistait au contraire sur ses lacunes, expliquant vers la fin de sa vie qu'il lui restait trop peu de temps pour les auteurs contemporains, singulièrement les Français. Rien n'est plus faux, on en trouvera des preuves répétées. Si elle ne lisait pas tout, elle « regardait » tout ce qu'elle recevait, tous les livres que son éditeur, ou des auteurs qui l'admiraient, lui envoyaient. Elle lisait très vite et très intensément, comme ceux qui ont refusé de se laisser aller à la passivité et à la paresse de l'image et pour lesquels le seul moyen de communication véritable est le mot écrit. Lorsqu'elle décidait qu'un livre valait la peine d'être lu, dès la première lecture terminée, elle le relisait immédiatement. C'est une discipline à laquelle elle n'a jamais failli.

En fait, cette espèce de « blanc » que demeurait Sarah Lawrence dans la mémoire de Marguerite Yourcenar peut se comprendre et se mesurer, non au nombre d'années passées dans ce collège, mais à ce que furent ces années-là dans la vie de Marguerite Yourcenar : de 1943 à la fin de la guerre, elle était trop généralement mal pour que Sarah Lawrence lui pèse plus qu'autre chose. Elle y voyait un moyen de survie financière et s'en tenait là. La guerre terminée, Sarah Lawrence allait devenir une sorte d'appendice à sa vie, une nécessité à laquelle on consentait, mais Marguerite Yourcenar reprenait peu à peu son identité d'écrivain européen. Malgré la distance, son continent et sa langue reprenaient possession d'elle, peu à peu, et le mot « avenir » retrouvait un sens.

Dès septembre 1946, elle écrivait à son éditeur, Grasset, pour se plaindre de n'avoir reçu aucun relevé de compte depuis 1939 à propos des six ouvrages d'elle parus dans cette maison. Signe indubitable de vitalité retrouvée. Quand Marguerite Yourcenar recommence à se défendre pied à pied contre les éditeurs, à vouloir tout contrôler, à bien vérifier qu'on ne la vole pas (moins encore pour l'argent que pour le principe), c'est qu'elle est de nouveau, à ses propres yeux, un écrivain, donc elle-même. Elle devait renouveler sa demande quelques mois plus tard, affirmant cette fois-ci n'avoir reçu « aucun relevé de compte depuis

1938 » et faisant remarquer que ses ouvrages étaient désormais introuvables en France, tant à Paris qu'en province. Elle mentionne également dans cette correspondance son ouvrage *Dramatis personae* réunissant les pièces écrites pendant la guerre. Elle l'a certes envoyé à Camus dès 1946, mais Grasset « peut aussi bien y prétendre que Gallimard », puisque chacun de ces éditeurs a « une option de reste ». C'est au mois de novembre qu'elle a adressé à Albert Camus le dernier volet de son manuscrit [9].

« Je vous envoie ci-joint la préface du volume *Dramatis personae* ; les trois pièces qui composent ce livre sont sans doute déjà entre vos mains. Je m'excuse de vous avoir envoyé ainsi ce manuscrit en deux livraisons, et avec tant de désordre, mais la préface a pris les proportions d'un long essai, et les dernière retouches m'ont demandé plus de temps que je n'avais d'abord pensé. » Au bout de quelques mois, la réponse de Gaston Gallimard arrive ; elle est négative :

« Nous vous remercions vivement de nous avoir permis de lire votre recueil de pièces de théâtre intitulé *Dramatis personae* que Monsieur Albert Camus nous a communiqué.

« Nous regrettons sincèrement que les difficultés que nous subissons actuellement en France ne nous laissent pas la possibilité d'assurer sa diffusion ; aussi tenons-nous votre manuscrit à votre disposition au cas où vous désireriez rentrer en sa possession [10]. »

Elle tiendra rigueur à Gaston Gallimard de ce refus, et elle l'évoquera à nouveau lors du conflit qui les opposera lorsqu'il sera question des *Mémoires d'Hadrien*.

Dès qu'elle reçoit les fameux relevés de compte, elle écrit immédiatement à Jean Blanzat, chez Grasset, pour les contester. Indiscutablement, elle revit...

Avec Grace, depuis qu'à l'évidence Marguerite a consenti à demeurer sur le sol américain, tout va bien. A l'automne de 1946, elles vont, comme le veut la tradition américaine, faire la cueillette des pommes dans les immenses vergers de la côte Est, ouverts certains jours au public qui peut ainsi faire une provision de fruits à moindre frais. Au début de 1947, Grace est en Californie, puis à Vancouver, et revient par Chicago. Marguerite note, en anglais le plus souvent, quelques rendez-vous ou menus travaux à ne pas oublier, sur l'agenda. Au 14 février, jour du retour de Grace, et jour de la Saint-Valentin, elle dessine un immense soleil, couvrant presque toute la page. Qui, désormais, pourrait la croire, si elle osait encore affirmer, comme elle le fit souvent, qu'on en était déjà au temps, sinon des amours mortes, du moins de l'habitude sans joie ?

Elle reprend donc son travail et cherche à avérer son existence littéraire européenne : dès 1947, les *Cahiers du Sud*, que dirige toujours Jean Ballard auquel, on l'a vu, elle garde de l'estime, publient un fragment du *Mystère d'Alceste*. Dans le même temps, ses propos sur les États-Unis se font moins lointains, plus compréhensifs, comme si quelque chose d'irréversible avait été accepté. Le 14 février, elle écrit à Jean Ballard, justement [11] : « Votre description du Marseille d'aujourd'hui m'intéresse et me touche. Quant à ce que vous me dites des États-Unis, transformés par l'imagination française en Eldorado, en Îles des Bienheureux, je n'en suis pas surprise ; les revues et les journaux reçus de France montrent tous cette même tendance. Que répondre ? " C'est partout que les pierres sont dures " et, comme me le disait une petite fille américaine à laquelle je citais ce proverbe, c'est partout que le sable est tiède et doux au bord de la mer, et l'air du matin délicieux. Durant la dernière catastrophe, ce pays a joui de certaines immunités; nous n'avons eu ni froid ni faim; ce sont là de grands bienfaits. D'autre part, certaines facilités de la vie méditerranéenne, si familières que nous les remarquions à peine, le loisir, la flânerie, la conversation amicale, n'existent pas, ou, si on parvient à les obtenir (et j'y parviens), c'est en se plaçant à contre-courant de la vie américaine proprement dite. Et cependant, j'ai fini par aimer beaucoup ce pays, ou du moins certains endroits et certains êtres. »

Huit jours avant d'écrire cette lettre, le 6 février 1947, Marguerite Yourcenar venait d'accomplir une démarche qui rendait son installation aux États-Unis quasi définitive. De ces journées, sur lesquelles aucune confidence n'a jamais été faite mais dont on peut penser qu'elles furent hantées par l'angoisse du choix, on trouve une trace diffuse dans quelques réflexions d'*Archives du Nord* [12], quand Marguerite Yourcenar se souvient de Françoise Leroux, celle de ses aïeules pour laquelle elle garde une préférence et une tendresse, appuyée sur leur ressemblance, et dont le mode de vie que lui imposa l'existence anticipait si étrangement sur celui qu'elle allait elle-même se choisir : « Le besoin de simplifier la vie d'une part, le hasard des circonstances, de l'autre, me rapprochent davantage d'elle que des aïeules en falbalas. Au sein des commodités et même de luxes d'un autre âge, je fais encore des gestes qu'elle fit avant moi. Je pétris le pain; je balaie le seuil; après les nuits de grand vent je ramasse le bois mort (...) Nous avons l'hiver les mêmes mains gonflées. Et je sais bien que ce qui fut pour elle nécessité a été pour moi un choix, du moins jusqu'au moment où tout choix devient irréversible (...) Ce qu'elle a pensé et senti à l'égard de ses contentements et de ses peines, de ses maux physiques, de la vieillesse, de la mort qui vient, de ceux qu'elle a aimés et qui sont partis, importe ni plus ni moins que ce que j'ai pensé et senti moi-même. Sa vie a sans doute été plus dure que la mienne ; j'ai pourtant idée que c'est couci-couça. Elle est comme nous tous dans l'inextricable et l'inéluctable. »

« Simplifier la vie » et consentir au choix « irréversible », c'était se rendre à cette convocation reçue le 6 février 1947 : « Vous pouvez venir remplir votre ultime demande de naturalisation. » Ce que Marguerite Yourcenar fit immédiatement, oubliant même de faire un détour par le consulat de France pour conserver sa nationalité d'origine. A la fin de l'année 1947, elle sera définitivement citoyenne américaine, et absolument plus française. Il y avait pour elle assez peu de symbolisme dans ce document aujourd'hui conservé à Harvard, le certificat de citoyenneté américaine n° 6773753, portant les indications suivantes : « US district of Hartford, Connecticut ; Marguerite Yourcenar, 5 feet, 4 inches ; 12-12-1947. » Marguerite Yourcenar a gagné dans l'affaire un nom légal, se substituant à un pseudonyme ; elle a accepté de faire des États-Unis sa base ; et elle a donné – peut-être l'aurait-elle nié, mais dans sa situation sentimentale de l'époque, c'est une évidence – un gage d'amour à Grace Frick – à moins que ce ne soit une promesse de « mariage ». Quelques mots dans une lettre de 1974 à son amie et correctrice d'épreuves, Madame Jeanne Carayon, résument assez bien la situation : « Les États-Unis ? Je n'avais jamais pensé une minute à ce pays avant l'âge de 34 ans. La Grèce était devenue mon centre et j'imaginais qu'elle le resterait. Les extraordinaires carambolages du hasard et du choix en ont décidé autrement [13]. »

La question de la nationalité n'a pas posé d'excessifs problèmes de conscience à Marguerite Yourcenar. La notion de patrie lui était assez étrangère et l'appartenance à un groupe humain ne lui semblait pas liée au passeport que l'on montre en passant les douanes ; seule lui importait la langue dans laquelle on a choisi, non de s'exprimer constamment – ni oralement ni par écrit – mais d'écrire, de faire acte de littérature. Sa nationalité française perdue ne l'a pas préoccupée. Ce sont les académiciens français qui l'ont obligée à se rappeler, quelque trente-deux ans plus tard, qu'elle avait abandonné cette citoyenneté – puisque seuls les Français sont éligibles à l'Académie française, qui ne peut accueillir aucun membre étranger.

En revanche, peu de gens ayant décidé de vivre durablement dans un pays dont ils ne sont pas originaires ont, aussi fort que Marguerite Yourcenar l'avait, le désir de se protéger contre l'envahissement de la culture et du mode de vie de ce pays. Elle a gardé jusqu'à sa mort, c'est-à-dire pendant quarante-huit ans, la volonté inébranlable de préserver intacte sa propre langue, qui n'était pas celle qu'elle devait parler dès qu'elle sortait de chez elle et qui lui était comme une insularité seconde dans cette insularité première qu'elle avait choisie en s'installant à Mount Desert. Marguerite Yourcenar, nomade et cosmopolite, insoucieuse de la couleur de ses papiers d'identité, est irréductiblement française par sa langue. Le patriotisme n'est pas un mot de son vocabulaire, mais la notion qu'elle en a surgit dès qu'il s'agit de défendre son patrimoine linguistique. Et c'est de la langue que lui viendra le sentiment de l'exil qu'elle découvrira (ou retrouvera ?) à la toute fin de sa vie. A Petite Plaisance, après la mort de Jerry Wilson, elle sera pour la première fois entourée de gens uniquement anglophones et se plaindra constamment à ses amis francophones de devoir passer des jours entiers sans prononcer une phrase en français.

Les vacances de 1947, tant celles de printemps que d'été, se passent dans l'île des Monts-Déserts. Cet été-là, Marguerite affiche une certaine mauvaise humeur, peut-être à cause de la chaleur. Pourtant Jacques Kayaloff est revenu d'Europe au printemps, porteur de bonnes nouvelles. Il s'est occupé de faire expédier aux États-Unis la malle que Marguerite avait laissée en 1939 à Lausanne, à l'hôtel Meurice, et il a rapporté de France deux de ses livres qu'il lui a immédiatement envoyés. D'autre part la revue *Le Milieu du siècle* public en cette année 1947 l'intégrale d'*Électre ou la Chute des masques*; aux éditions Robert Laffont sort la traduction faite par Marguerite avant-guerre de *Ce que savait Maisie*, d'Henry James. Enfin, écrit Grace Frick dans son agenda, Marguerite Yourcenar refait sur un brouillon des années trente *Qui n'a pas son Minotaure?* (on l'a vu, la trame de cette pièce vient du jeu auquel se livrèrent Marguerite Yourcenar, André Fraigneau et Gaston Baissette en 1932). Ici, la contradiction avec les affirmations officielles de Marguerite Yourcenar est à son comble [14].

1948 est une année sans histoire et sans grand relief, si l'on excepte les divers signes prouvant que le couple Marguerite-Grace prend forme. Grace n'a plus, dans les notes qu'elle prend sur son semainier, l'imperceptible hésitation, la retenue, le retrait qui naissent de l'incertitude. Du temps de la passion puis d'une cohabitation qui pouvait encore être perçue comme provisoire, on passe à une véritable vie commune qui s'installe dans le définitif. Marguerite est américaine. Elle l'autoritaire, l'indépendante, a fait, à un certain lieu, allégeance. Elle pourra, certes, reprendre le « pouvoir » – ce qui arrivera. Mais les bornes sont fixées. Le port d'attache sera américain. Sans cette victoire-là, Grace n'aurait jamais pu avoir l'esprit en repos. Elle aurait vécu dans la continuelle peur de voir Marguerite repartir. L'hiver est très froid, avec, pour elles deux, son cortège de rhumes et de malaises, tous minutieusement répertoriés par Grace. En avril, elles vont ensemble passer quelques jours en Virginie. En juin, elles font un voyage en Nouvelle-Écosse (Nova Scotia) avant de rejoindre pour l'été l'île des Monts-Déserts. En août et septembre, elles commencent à visiter des maisons dans l'île, bien décidées à en acheter une. L'initiative en revient bien sûr à Grace, la seule pour l'heure à pouvoir investir un peu d'argent dans ce projet.

1948 est aussi l'année où apparaît sur les agendas, de la main de Grace, le diminutif *Grete* pour nommer Marguerite Yourcenar. Il apparaîtra assez souvent au cours de l'année 1948, plus rarement l'année suivante, puis disparaîtra totalement à partir de 1950. Marguerite Yourcenar sera alors constamment désignée par ses initiales, M.Y. On ne peut que faire des hypothèses sur ce changement de dénomination, mais plus qu'à une modification profonde des rapports entre les deux femmes, on peut l'imputer, peut-être, à un changement de statut des carnets, maintenant plus consciemment tournés vers une postérité dont ni l'une ni l'autre ne doute.

Au 30 octobre 1948, on relève, de la main de Grace : « Evening Grete*** » : ces étoiles ou autres signes, comme des parenthèses vides, des accolades, des crochets n'entourant aucun texte, sont les seules véritables confidences, par défaut, de ces carnets. Ils indiquent les moments de bonheur, de joie amoureuse ou de plaisir sensuel (on ne peut pas faire à Marguerite Yourcenar l'affront d'employer à son propos le mot « sexuel », qui lui déplaisait tant par ce qu'il dégageait à ses yeux de technicité, donc d'ennui). Ces signes, Mar-

274

guerite Yourcenar les utilisera jusqu'à la fin de sa vie, lorsque, après la mort de Grace, elle continuera seule à tenir les agendas, ces « journaux » qui, sans être vraiment intimes, en disent long sur la dernière partie de sa vie, bien qu'ils soient toujours elliptiques et, sauf à de rares moments, rédigés en style télégraphique. De véritables journaux de voyages ou des notations particulières, faites sur des feuilles volantes, viendront d'ailleurs parfois y apporter d'utiles compléments.

Le 2 novembre 1948 est un grand jour pour Grace. Sa compagne est désormais comme elle, américaine, et elle se rend au bureau de vote pour participer à l'élection présidentielle. « Grete vote pour la première fois, écrit Grace, avant de partir pour Sarah Lawrence, et elle ne vote pas comme Grace. » Bien entendu, elle ne dit pas pour qui a voté chacune des deux. Les candidats en présence étaient Harry Truman pour les Démocrates, vainqueur avec 49,6 % des voix, Thomas Dewey, le Républicain qui obtint 45,1 % et plusieurs « petits candidats », dirait-on de nos jours, se désignant comme progressistes et totalisant 2,4 % des suffrages. « Bien que je sois née dans une famille républicaine, je me sens devenir de plus en plus démocrate », écrira Grace à leur amie Natalie Barney, celle qu'on surnomma l' « Amazone » et qui fut parmi les plus « rive gauche » des Américaines de Paris. Mais cette lettre date seulement de mars 1954... Il est donc tout à fait possible que Grace ait, en 1948, voté républicain. Quant à Marguerite, dont il est hautement improbable, non pour des raisons politiques mais parce qu'ils sont les hérauts de l' « ordre moral », qu'elle vote avec les conservateurs, son sens du pouvoir et de l'État conduirait à la situer du côté du vote « utile », c'est-à-dire, en l'occurrence, du vote pour Truman. Mais elle était si profondément désabusée de la politique, sa vision de l'état présent de la démocratie était si pessimiste qu'on ne peut exclure qu'elle ait fait, à la fois par idéalisme et par désillusion, le choix d'un des candidats marginaux.

Marguerite finira seule l'année 1948, Grace partant pour la Californie dès la fin novembre, en lui laissant une impressionnante série de conseils pratiques sur l'agenda. Elles s'écrivent beaucoup, presque chaque jour – Grace ne regagnera Hartford qu'à la mi-janvier –, mais toute cette correspondance est scellée. Marguerite prend quelques notes anodines – rendez-vous, courses à faire – en anglais. Elle indique seulement en français au 29-30-31 décembre « journées ravissantes ». On ne sait si elle parle du temps qu'il fait, de son humeur sereine – ou d'une présence « ravissante » qui aurait éclairé ces journées... On a quelque mal à l'imaginer consentant à une fin d'année absolument solitaire.

Quand, au douzième coup de minuit, le 31 décembre 1948 laisse place au 1er janvier 1949, Marguerite Yourcenar entre, sans le savoir encore, dans une année décisive, celle de la reconquête de ses ambitions littéraires : c'est la fin d'une parenthèse de presque dix ans dans l'itinéraire, pensé et voulu depuis l'enfance, vers la pleine réalisation de soi.

CHAPITRE 3

Hadrien retrouvé

Une fois de plus, c'est un de ces « extraordinaires carambolages du hasard » qu'elle aimait à évoquer qui fait de 1949 l'une des années-pivots de la vie de Marguerite Yourcenar. En relisant, dans sa vieillesse, les agendas, et sans doute pour conduire elle-même, une fois de plus, ses biographes à ce qu'elle jugeait essentiel, elle a pris soin d'indiquer sur la couverture du cahier 1949, en anglais : « note sur la composition des *Mémoires d'Hadrien*, qui débuta en février 1949 ».

Marguerite Yourcenar est dans sa quarante-sixième année. Le 12 janvier, jour de l'anniversaire de Grace – qui a quarante-six ans –, Marguerite remarque que son père, Michel, est mort voilà juste vingt ans, le 12 janvier 1929. Que peut-elle penser du bilan de ces vingt années? De ce qui a été accompli – et de tout ce qui ne l'a pas été? Que dirait Michel de sa fille, devenue une femme engluée dans le quotidien, et qui diffère sans cesse cette œuvre littéraire tant discutée et rêvée dès sa jeunesse?

Le 21 janvier, elle va voir Laurence Olivier dans *Hamlet*, et comme tant d'autres en gardera un souvenir très fort. Mais rien que de très banal, en somme : une vie tissée des petits bonheurs et malheurs au jour le

jour, et de quelques grandes émotions esthétiques –
dues au talent des autres. C'est trois jours plus tard, le
24 janvier, que se produit l'« événement » : l'arrivée –
enfin – de la malle égarée que Jacques Kayaloff avait
retrouvée à l'endroit précis où Marguerite avait dû
l'abandonner en 1939, à l'hôtel Meurice de Lausanne.
Cette arrivée est notée en gros sur le carnet, soulignée
et re-soulignée par Marguerite elle-même, en l'absence
de Grace qui, comme souvent au début de l'année, est
encore dans sa famille et qu'elle ne doit retrouver que
le 12 février au Nouveau-Mexique, à Santa Fe. On se
demande bien, une fois de plus, pourquoi, dans la
« chronologie » de la Pléiade, l'arrivée de la malle est
mentionnée « en novembre ou décembre 48 », alors
que tout est noté, au jour le jour, sur l'agenda de 1949.
On voit mal comment, là, Marguerite Yourcenar a pu
se tromper, mais il est encore plus difficile de
comprendre pourquoi elle aurait menti sciemment.
Tout son propos tend à dire que la découverte
d'anciens fragments d'une des versions d'*Hadrien* –
c'est toujours ainsi qu'elle désignera le livre paru sous
le titre *Mémoires d'Hadrien* – a agi comme un déclic et
qu'elle s'est remise au travail immédiatement. Le
début de la réécriture d'*Hadrien* datant de février 1949,
l'explication de Marguerite Yourcenar est cohérente si
la malle est bien arrivée à la fin de janvier 1949. Si elle
était arrivée en novembre ou décembre 1948, ce
fameux « déclic » aurait eu quelques ratés avant son
déclenchement...
  La malle, a souvent expliqué Marguerite Yourcenar,
contenait beaucoup de papiers de famille et de vieilles
lettres, correspondances accumulées par elle, mais
aussi avant elle, et qui ne lui rappelaient plus grand-
chose. Elle a donc brûlé nombre de documents. Elle
aimait beaucoup « défaire » par le feu, elle l'a raconté

aussi dans *Les Yeux ouverts* : « (...) C'était une vraie malle, et même deux ou trois malles, avec un tas de fatras ; naturellement, les choses qui avaient un certain prix avaient disparu en cours de route, d'une manière ou d'une autre, dans les poches de quelqu'un, et les choses dont on n'avait pas eu besoin, les vieux chiffons, étaient là. J'ai eu le plaisir de tout jeter à la poubelle, ou de tout brûler pendant quelques jours. Je dois dire que Grace était absente. Si elle avait été là, elle aurait peut-être eu envie de récupérer, tandis que moi j'aime les feux de joie [1]. » Elle jetait tout de même un regard sur ces papiers avant de les livrer aux flammes. « Je m'assis auprès du feu pour venir à bout de cette espèce d'horrible inventaire après décès [2] », signale-t-elle dans les *Carnets de notes de « Mémoires d'Hadrien »*. « Je passai seule ainsi plusieurs soirs. Je défaisais des liasses de lettres ; je parcourais, avant de le détruire, cet amas de correspondance avec des gens oubliés et qui m'avaient oubliée, les uns vivants, d'autres morts. Quelques-uns de ces feuillets dataient de la génération d'avant la mienne ; les noms mêmes ne me disaient rien. Je jetais mécaniquement au feu cet échange de pensées mortes avec des Maries, des François, des Pauls disparus. Je dépliai quatre ou cinq feuilles dactylographiées ; le papier en avait jauni : " Mon cher Marc... " Marc... de quel ami, de quel amant, de quel parent s'agissait-il ? Je ne me rappelais pas ce nom-là. Il fallut quelques instants pour que je me souvinsse que Marc était mis là pour Marc Aurèle et que j'avais sous les yeux un fragment du manuscrit perdu. Depuis ce moment, il ne fut plus question que de récrire ce livre coûte que coûte. »

Dès 1924, à vingt et un ans, Marguerite Yourcenar avait commencé de travailler sur Hadrien : cet empereur romain du IIe siècle, indiquera-t-elle plus tard à son ami l'écrivain Joseph Breitbach [3], « était un grand individualiste, qui, pour cette raison même, fut un grand légiste et un grand réformateur. Un grand voluptueux et aussi (je ne dis pas mais aussi) un citoyen, un amant obsédé par ses souvenirs, diversement engagé envers plusieurs êtres, mais en même temps et jusqu'au bout un des esprits les plus contrôlés qui furent ».

Vers 1927, elle avait retrouvé dans un volume de la correspondance de Flaubert une phrase qu'elle n'avait dès lors jamais oubliée : « Les dieux n'étant plus, et le Christ n'étant pas encore, il y a eu, de Cicéron à Marc Aurèle, un moment unique où l'homme seul a été. » « Une grande partie de ma vie, devait-elle commenter, allait se passer à essayer de définir, puis à peindre, cet homme seul et d'ailleurs relié à tout [4]. » Elle avait rédigé, en totalité ou partiellement, entre 1924 et 1929, plusieurs versions de ce qui deviendra *Mémoires d'Hadrien*, dont une dialoguée. Elle avait même proposé l'une d'elles, sous le titre *Antinoos*, en 1926 à Fasquelle qui reçut la lettre suivante :

Villa Loretta
Boulevard d'Italie
Monte Carlo

Monsieur,

Bossuet, dans « L'Histoire Universelle », nous dit qu'Hadrien « déshonora son règne par ses amours... »

Cette aventure impériale qui commence comme un roman de Pétrone et finit par l'apothéose sert de thème au récit intitulé : *Antinoos* dont je vous envoie le manuscrit. J'ai tenté d'intéresser à cette évolution toute réaliste ; l'accueil de votre maison serait la meilleure preuve que j'y ai réussi.

Veuillez agréer, Monsieur, l'expression de mes sentiments très distingués.

Marg Yourcenar
28 juin 1926 [5]

Il semble que Fasquelle ait décliné la proposition.
Elle-même assez peu satisfaite du résultat, Marguerite
avait tout détruit, pour ne reprendre ce projet qu'en
1934. Après de sérieuses recherches, elle avait entrepris, plusieurs fois, de nouvelles rédactions. Mais rien
n'aboutissait, peut-être parce qu'elle ne parvenait pas à
se défaire de l'idée que l'ouvrage devait se composer
d'une série de dialogues. Et aussi parce que, selon ses
propres constatations, elle était « trop jeune ». « Il est
des livres qu'on ne doit pas oser avant d'avoir dépassé
quarante ans. On risque, avant cet âge, de méconnaître
l'existence des grandes frontières naturelles qui
séparent, de personne à personne, de siècle à siècle,
l'infinie variété des êtres, ou au contraire d'attacher
trop d'importance aux simples divisions administra-
tives, aux bureaux de douane ou aux guérites des
postes armés. Il m'a fallu ces années pour apprendre à
calculer exactement la distance entre l'empereur et
moi [6]. » « Ce livre a une longue histoire, écrira-t-elle
par ailleurs à Joseph Breitbach en 1951. Je l'ai
commencé il y a plus de vingt ans, à une époque de la
vie où l'on a de ces impudences, et de ces suffisances
(...) Je l'ai recommencé en 1936 sous sa forme actuelle,
les mémoires d'un homme réexaminant sa vie dans la
perspective de sa mort toute proche. Mais je n'ai écrit
que quinze pages. Je n'étais pas assez mûre à l'époque
pour ce projet trop vaste [7]. »
Dans la version définitive, il ne subsistera de ce
qu'elle vient de découvrir dans la malle enfin parvenue
en Amérique qu'une seule phrase inchangée : « Je

281

commence à apercevoir le profil de ma mort. »
« Comme un peintre établi devant un horizon, et qui
sans cesse déplace son chevalet, à droite, puis à
gauche, j'avais enfin trouvé le point de vue du livre [8] »,
commente Marguerite Yourcenar. S'y ajoutent, mais
largement remaniés, la visite au médecin et le passage
sur le renoncement aux exercices du corps, écrits en
1937, lors du premier voyage de Marguerite Yourcenar
aux États-Unis au cours duquel elle avait fait de multiples lectures relatives à Hadrien à la bibliothèque de
l'université de Yale.

L'arrivée de la malle, si elle permet cette découverte
qui va bouleverser le cours de la vie de Marguerite
Yourcenar à un point qu'elle ne soupçonne pas, sou-
lève pour l'heure un problème plus immédiat qui
montre que sa situation financière est encore précaire.
Parce qu'elle contenait quelques vestiges de l'argenterie familiale (Marguerite notera sur son agenda sa joie
à manger avec les couverts de la famille), elle a été
considérée par la douane comme contenant presque
uniquement de l'argenterie, et donc soumise à des
droits relativement élevés, se montant à 25 dollars.
Pour les rembourser à Jacques Kayaloff, qui avait tout
pris en charge, Marguerite fut obligée de vendre à la
bibliothèque de Sarah Lawrence une petite anthologie
de la littérature péruvienne d'époque précolombienne.
Un bel objet, certes, indiquait-elle à Jacques Kayaloff,
mais assez inutile puisqu'elle ne pouvait pas le lire. On
lui en offrit 18 dollars, qu'elle fit parvenir à Kayaloff,
accompagnés d'un autre chèque de 7 dollars. Quelques
semaines plus tard, elle vendra d'autres objets, pour
26,50 dollars. Elle en donnera aussi (toujours avant le
retour de Grace), comme si cette mémoire de
l'Europe, après la fracture de la guerre et sa décision
de demeurer outre-Atlantique, n'était qu'embarras ou

vaine nostalgie, si l'on excepte l'argenterie familiale, signe d'appartenance profonde à une lignée.

Le 10 février 1949, elle reprend donc *Hadrien* à peu près à l'endroit où il avait été interrompu en 1937. Elle est en vacances de Sarah Lawrence et doit prendre le train pour Chicago puis Santa Fe, au Nouveau-Mexique, où elle va retrouver Grace. Pendant ce long voyage (deux jours), elle écrit sans presque s'arrêter, de manière quasi compulsive. « J'emportais avec moi les feuilles blanches sur quoi recommencer ce livre : nageur qui se jette à l'eau sans même savoir s'il atteindra l'autre berge. Tard dans la nuit, j'y travaillais entre New York et Chicago, enfermée dans mon wagon-lit, comme dans un hypogée. Puis, tout le jour suivant, dans le restaurant d'une gare de Chicago, où j'attendais un train bloqué par une tempête de neige. Ensuite, de nouveau, jusqu'à l'aube, seule dans la voiture d'observation de l'express de Santa Fe, entourée par les croupes noires des montagnes du Colorado et par l'éternel dessin des astres. Les passages sur la nourriture, l'amour, le sommeil et la connaissance de l'homme furent écrits ainsi d'un seul jet. Je ne me souviens guère d'un jour plus ardent, ni de nuits plus lucides [9]. »

Le 12 février, Marguerite Yourcenar est ponctuelle au rendez-vous avec Grace, à l'hôtel de Vargas, à Santa Fe. Un très bel hôtel, qui au fil du temps ira en se dégradant, mais qui gardait encore, il y a quelques années, la mémoire de sa grandeur passée et un charme très singulier, qu'il tenait de ses boiseries patinées et de ses tentures éteintes, et surtout de son propriétaire, un vieil intellectuel rêveur et désabusé qui ne consentait à lever un œil vers ses clients que s'ils étaient capables de parler un peu avec lui de littérature, notamment française. Il est savoureux de penser que les *Mémoires d'Hadrien* tels qu'ils nous sont parvenus ont été, pour une petite part, écrits dans cet hôtel. En dépit du voyage prévu, auquel elle n'a pas cherché à renoncer, de sa visite à Taos (où habita D.H. Lawrence), non loin de Santa Fe, à l'ancien pueblo de Taos et à ses Indiens, Marguerite ne cesse d'écrire, « au moins un peu tous les jours ». On la sent, pour la première fois depuis 1939, pleinement heureuse. Grace note au jour le jour cette renaissance. Mais Marguerite aussi écrit sur l'agenda. À nouveau, elle a le sentiment, perdu depuis longtemps, de réussir à maintenir son attention et d'entreprendre un travail de longue haleine, le premier « depuis peut-être *Électre* ». Le « peut-être » à lui seul indique bien qu'elle sait se consacrer désormais à un projet d'une tout autre importance.

Dans le train du retour, les 20, 21, 22 février, elle continue de rédiger sans relâche : elle est en plein milieu de la description des premiers pas d'Hadrien en politique, note-t-elle, quand elle atteint New York. Il faut bien retourner à Sarah Lawrence. Mais les trajets en train et la moindre parcelle du temps libre sont consacrés à Hadrien. Elle tape et revoit son manuscrit au cours du week-end. Marguerite prend tout de même le temps d'aller assister, avec Grace, à une représentation de *La Folle de Chaillot* de Giraudoux. Toutes deux goûtent peu ce spectacle qu'elles jugent « pauvre, mince, et piètrement sentimental », commente Grace.

Une jeune universitaire américaine, Olga Peters, qui souhaite entreprendre un travail sur son œuvre, vient d'écrire à Marguerite Yourcenar, pour lui demander de commenter chacun des titres déjà parus et de l'informer de ses projets en cours de réalisation. Malgré son intense activité, Marguerite lui répond avec soin ; elles entretiendront du reste une chaleureuse correspondance pendant plusieurs années car Marguerite éprouve une sympathie immédiate pour son interlocutrice, dont les origines grecques lui rappellent bien des souvenirs. Évoquant son travail sur les *negro spirituals* et les poèmes de Contantin Cavafy jusqu'alors publié de façon fragmentaire, elle confie à sa correspondante qu'une entreprise de plus grande envergure l'empêche pour l'instant de le compléter : « Je compte me remettre à ces deux ouvrages dès que j'aurai fini un livre fort long (long du moins pour moi, qui n'ai guère écrit jusqu'ici que des récits assez courts) conçu il y a une vingtaine d'années, et auquel je me suis remise avec une intense passion au début de l'an dernier, lorsque les notes et une ébauche du premier chapitre, égarés durant la guerre, ont enfin été retrouvés à Paris *(sic)*. Je m'en occupe exclusivement en ce moment (en mettant à part, bien entendu, le temps employé à mon travail de professeur) (...) Si j'en parle, c'est que ce volume aux trois quarts terminé représente à la fois une confirmation de ce qu'il faut bien appeler " mon œuvre " antérieure, et en même temps un développement et une transformation bien inattendus, même pour moi [10]. »

La vraie vie, désormais, c'est Hadrien. Marguerite n'en fait pas moins à Sarah Lawrence, alors qu'elle-même vivait « en plein IIe siècle », un cours sur *Un amour de Swann* de Proust, suivi d'une conférence plus globale sur son œuvre. Elle donne aussi, le 21 avril, une conférence sur Flaubert au Barnard College à New York. Sur l'agenda de cette année-là, Marguerite a rajouté bien plus tard que les vacances universitaires de printemps, du 27 mars au 2 avril, avaient été l'occasion d'un voyage à Nashville (Tennessee) et dans ses environs. Comme si elle voulait souligner, ce qu'elle a toujours soutenu, qu'elle n'était pas un « écrivain en chambre » et que chacun de ses livres, fût-il écrit « un pied dans l'érudition l'autre dans la magie », lui appartenait si complètement qu'elle pouvait y travailler – au moins dans un premier temps – n'importe où. « Je crois que la plupart des gens se font des idées erronées sur l'érudition [11] », disait-elle à Matthieu Galey. « Les Français, surtout, s'imaginent qu'on va plonger dans les livres du matin au soir comme les rats de bibliothèque des romans d'Anatole France (...) Mais ce n'est pas comme ça que les choses se passent. Quand on aime la vie, je dirais sous toutes ses formes, celles du passé autant que celles du présent – pour la simple raison que le passé est majoritaire, comme dit je ne sais quel poète grec, étant plus long et plus vaste que le présent, surtout l'étroit présent de chacun de nous –, il est normal qu'on lise beaucoup. Par exemple, pendant des années, j'ai lu la littérature grecque (...) À la fin, je m'étais reconstruit la culture d'Hadrien (...) Je ne me suis pas dit : " il faut écrire sur Hadrien et s'informer de ce qu'il pensait ". Je crois qu'on n'y arrive jamais de cette manière-là. Je crois qu'il faut s'imprégner complètement d'un sujet jusqu'à ce qu'il sorte de terre, comme une plante soigneusement arrosée. »

Grace, de son côté, tenait le compte minutieux des épisodes écrits, en dressant la liste et les lisant au fur et à mesure. Ce sera une pratique constante, tout au long de leur vie commune, sauf à son extrême fin. Pratique dont on peut s'étonner : comment Marguerite Yourcenar, qu'on voit souvent si souverainement consciente de sa maîtrise littéraire, pouvait-elle soumettre un « premier jet » à quelqu'un dont la connaissance du français était nécessairement inférieure à la sienne ? Comment concevoir une telle intimité, au sein même de la création ? On a tendance à se débarrasser de la question en invoquant une habitude très répandue dans tous les couples. Dans le cas précis, l'explication reste un peu courte. Deux hypothèses sont envisageables : rien ne dit que le fait de donner régulièrement à lire à Grace chaque passage nouvellement écrit ait pour autant supposé, pour cette dernière, un quelconque droit d'intervention ou de commentaire qui excédât l'assentiment admiratif ; le geste de Marguerite n'aurait alors eu d'autre dessein que de s'assurer la confortante certitude que son texte existait puisque, lu, il s'était inscrit dans une mémoire comme objet de vénération et de dévotion et Grace n'aurait été que le pur miroir d'une création dont elle avait pour seule fonction d'avérer la continuité et l'ampleur. Mais il est tout aussi plausible de supposer que l'estime intellectuelle de Marguerite pour Grace était très supérieure à ce qu'elle a laissé transparaître par la suite ou que l'autorité de Grace sur Marguerite était beaucoup plus forte qu'on ne l'imagine généralement. Reste que ce comportement a abouti au renoncement de Marguerite à tout « privé », même épistolaire, on en aura de multiples exemples. Tout était soumis au contrôle de Grace, si ce n'est à son approbation.

Qui l'a imposé ? Qui y a consenti ? Il est en fin de compte très difficile de trancher. Tous les témoins le disent, la figure dominante de ce couple, souvent présenté comme *a good marriage*, était Marguerite : pourquoi cet assentiment à ce qui fut, quand même, une dépendance ? Si leurs quarante années de vie commune permettent de prendre la mesure de la relation de ces deux femmes et donnent quelques clés de leur comportement, on ne pourra certainement pas élucider, avant d'avoir lu leur correspondance, le mystère de cette absolue intimité, tant leurs « brouillages » respectifs (Grace n'apparaissant jamais et Marguerite minimisant, après sa mort, la place qu'elle tenait dans son existence) interdisent une claire lecture de ces existences au rapport de force ambigu. Il est probable que le lien qui les unissait était beaucoup moins univoque – domination de l'une, soumission de l'autre – que ne le veulent laisser croire ceux qui les ont connues. Face au malaise ou à l'incompréhension que suscite communément un couple homosexuel, la tentation est grande d'y superposer le modèle le plus traditionnel : d'un côté « l'homme », seigneur et maître – Marguerite, bien sûr –, de l'autre « la femme », servante soumise – évidemment Grace. Le schéma en est singulièrement désuet, mais justement, tout se passe comme s'il s'agissait de compenser l'« anormalité » de la situation par un surcroît de convention. C'est exactement ce qu'on a dit d'un autre couple célèbre, Gertrude Stein et Alice Toklas, dont pourtant le témoignage d'Hemingway, dans *Paris est une fête*, montre qu'il était régi par des rapports de pouvoir réciproques autrement subtils et complexes. Marguerite, d'ailleurs, met en garde l'exégète hâtif tout autant que le biographe naïf dans une des notes des *Carnets de notes de « Mémoires d'Hadrien »* : « Se dire sans cesse que tout ce que je raconte ici est faussé par ce que je ne raconte pas ; ces notes ne cernent qu'une lacune. Il n'y est pas question de ce que je faisais pendant ces années difficiles, ni des pensées, ni des travaux, ni des angoisses, ni des joies, ni de l'immense répercussion des événements extérieurs, ni de l'épreuve perpétuelle de soi à la pierre de touche des faits. Et je passe aussi sous silence les expériences de la maladie, et d'autres, plus secrètes, qu'elles entraînent avec elles, et la perpétuelle présence ou recherche de l'amour [12]. »

Pendant ces premiers mois de rédaction (au 10 juin, date qu'en relisant elle entourera et soulignera de croix, elle note que le livre a commencé il y a quatre mois), elle écrit, on le voit, n'importe où, y compris dans le train, sur ses genoux, donc sans consulter aucun document. Comme si elle rédigeait un roman de pure imagination ou un récit autobiographique, bref une histoire pour laquelle elle n'aurait besoin d'aucune référence extérieure. Elle a souvent expliqué comment elle s'était « plu à faire et à refaire ce portrait d'un homme presque sage [13] ». « Il m'arrivait d'écrire du grec pendant une ou deux heures, avant de me mettre au travail, pour me rapprocher d'Hadrien », confiait-elle – ce dont témoignent des feuillets retrouvés, et couverts d'une écriture grecque hâtive, en partie illisible. Dans les *Carnets de notes de « Mémoires d'Hadrien »*, elle donne quelques autres indications sur sa méthode : « Je passe le plus rapidement possible sur trois ans de recherches, qui n'intéressent que les spécialistes, et sur l'élaboration d'une méthode de délire qui n'intéresserait que les insensés. Encore ce dernier mot fait-il la part trop belle au romantisme : parlons plutôt d'une participation constante, et la plus clairvoyante possible, à ce qui fut [14]. » Et encore : « Utilité de tout ce qu'on fait pour soi, sans idée de profit. Pendant ces années de dépaysement, j'avais continué la lecture des auteurs antiques : les volumes à couverture rouge de l'édition Loeb-Heinemann m'étaient devenus une patrie. L'une des meilleures manières de recréer la pensée d'un homme : reconstituer sa bibliothèque. Durant les années, d'avance, et sans le savoir, j'avais ainsi travaillé à remeubler les rayons de Tibur. Il ne me restait plus qu'à imaginer les mains gonflées d'un malade sur les manuscrits déroulés [15] »; ou encore : « ce livre est la condensation d'un énorme ouvrage élaboré pour moi seule. J'avais pris l'habitude, chaque nuit, d'écrire de façon presque automatique le résultat de ces longues visions provoquées où je m'installais dans l'intimité d'un autre temps. Les moindres mots, les moindres gestes, les nuances les plus imperceptibles étaient notés ; des scènes, que le livre tel qu'il est résume en deux lignes, passaient dans le plus grand délai et comme au ralenti. Ajoutés les uns aux autres, ces espèces de comptes rendus eussent donné un volume de quelques milliers de pages. Mais je brûlais chaque matin ce travail de la nuit. J'écrivis ainsi un très grand nombre de méditations fort abstruses, et quelques descriptions assez obscènes [16]. » Les *Carnets de notes* qu'elle a tenus pendant la guerre portent trace de ces pratiques : « Trouver pour le plaisir l'équivalent de la notation musicale, ou du langage des Nombres. Ou alors, l'obscénité la plus complète, les monosyllabes les plus simples, à condition de s'adresser à une ouïe assez pure, assez dépourvue de vaines peurs... Ou que ce qui est indicible soit paisiblement accepté comme tel [17]. »

Le 22 juin, veille du départ pour l'île des Monts-Déserts, Marguerite en arrive à la première rencontre d'Hadrien avec Vénus. À partir de là, on peut suivre pas à pas, chapitre après chapitre, coupes, révisions et copies comprises (l'usage des photocopieuses, à cette époque réservé aux entreprises, n'était pas monnaie courante et on devait recopier son travail), l'élaboration du livre, entre quelques détails de la vie quotidienne, comme la cueillette des premières myrtilles consommables, dans la semaine du 3 juillet, des commentaires sur l'existence ou l'indigence des sermons entendus (Grace va à l'église le dimanche, assez régulièrement) ou encore l'allusion à une escapade à la toute proche et fort belle Sutton Island, le 19 juillet.

Il serait fastidieux de faire la liste de toutes les étapes

minuscules de la rédaction d'*Hadrien*. Grace lit chaque soir ce qui a été écrit, « pour revoir », affirme-t-elle. À la fin d'août, du 25 au 31, ensemble, elles finissent de relire la partie intitulée *Tellus Stabilita*. Marguerite passe toute la journée du 27 à faire, dit Grace, « des corrections, des ajouts et des coupes, pas très grands, mais importants ». Le lendemain, alors que Marguerite termine ce travail et que Grace « balaie sans hâte le salon », s'élève une discussion « sur la véritable raison du manque de clarté d'un certain nombre de phrases », que celle-ci impute, « comme à peu près toujours dans le cas de déclarations obscures, à l'incertitude concernant les faits sur lesquels se fondent ces déclarations ». On peut penser que si Grace note avec une telle précision cette discussion, c'est qu'il ne lui déplaît pas de montrer de quelle importance est, pour l'intelligibilité même du texte, le travail de documentaliste auquel elle s'adonne.

En effet, tandis que Marguerite retourne à Sarah Lawrence, le 20 septembre, et, de nouveau, écrit dans le train et entre ses cours, Grace se voue totalement au livre et on mesure en cet automne combien elle en fut l'indispensable cheville ouvrière, plus encore, peut-être, que de ceux qui suivront. Lorsqu'elles vont à la bibliothèque de Yale, le 4 octobre, Grace y passe la journée entière (Marguerite la matinée seulement car elle doit se rendre à Stanford). Elle entoure Marguerite d'une sollicitude constante, lui servant volontiers son dîner au lit après l'avoir forcée à se coucher en affirmant qu'elle est plus fatiguée qu'elle ne le croit. Quand Marguerite, à partir du 11 novembre, commence à recopier tout ce qu'elle a écrit, y apportant des changements décisifs, Grace entreprend une nouvelle copie du texte revu pour le déposer à la banque. C'est probablement à elle que revient l'initiative de ce dépôt au coffre, car on sait que Marguerite, avant de connaître Grace, laissait facilement se perdre textes et objets, comme en témoigne l'abandon des fragments d'*Hadrien* dans la malle laissée à Lausanne.

L'énergie de Grace ne faiblit jamais et elle impose son rythme à Marguerite, la contraignant, le 27 novembre par exemple, à continuer de recopier son texte « toute la journée et presque toute la nuit ».

De cette fermeté et de cette constance, l'hommage que Marguerite Yourcenar rend à Grace dans les *Carnets de notes de « Mémoires d'Hadrien »* porte la trace : « Ce livre n'est dédié à personne. Il aurait dû l'être à G.F., et l'eût été, s'il n'y avait une espèce d'indécence à mettre une dédicace personnelle en tête d'un ouvrage d'où je tenais justement à m'effacer. Mais la plus longue dédicace est encore une manière trop incomplète et trop banale d'honorer une amitié si peu commune. Quand j'essaie de définir ce bien qui depuis des années m'est donné, je me dis qu'un tel privilège, si rare qu'il soit, ne peut cependant être unique ; qu'il doit y avoir parfois, dans l'aventure d'un livre mené à bien, ou dans une vie d'écrivain heureuse, quelqu'un qui ne laisse pas passer la phrase inexacte ou faible que nous voulions garder par fatigue ; quelqu'un qui relira avec nous vingt fois s'il le faut une page incertaine ; quelqu'un qui prend pour nous, sur les rayons des bibliothèques, les gros tomes où nous pourrions trouver une indication utile et s'obstine à les consulter encore, au moment où la lassitude nous les avait fait refermer ; quelqu'un qui nous soutient, nous approuve, parfois nous combat ; quelqu'un qui partage avec nous, à ferveur égale, les joies de l'art et celles de la vie, leurs travaux jamais ennuyeux et jamais faciles ; quelqu'un qui n'est ni notre ombre, ni notre reflet, ni même notre complément, mais soi-même ; quelqu'un qui nous laisse divinement libres, et pourtant nous oblige à être pleinement ce que nous sommes. *Hospes Comesque* [18]. »

Ce texte est l'unique témoignage explicite, dans l'œuvre de Marguerite Yourcenar, même s'il se trouve dans une annexe, de son union avec Grace. Mais, en dépit de l'éloge qu'il représente et de la reconnaissance qui l'anime, il place irrémédiablement Grace en retrait. Elle y existe moins par ce qu'elle apporte que par ce qu'elle permet. Ces propos de Marguerite ne sont, profondément, que le constat de la dévotion de Grace et le signe, qu'elle, Marguerite, ne méconnaît pas cette allégeance. On ne peut en tirer de conclusions trop hâtives sur le moment où, comme le confiera plus tard Marguerite Yourcenar, on est passé de « la passion à l'habitude », car on ne saurait négliger le peu de goût de Marguerite pour la confidence. Mais, tout de même, on sent à quel point elle est alors ressaisie par cette priorité exclusive qu'est le sentiment de soi.

L'année des quarante-sept ans de Grace et de Marguerite, 1950, marquera le retour de Marguerite Yourcenar, sinon à la littérature française, qu'elle n'a jamais vraiment abandonnée, du moins au statut d'écrivain français. Est-ce parce que Grace a peur que l'Europe, par le biais des *Mémoires d'Hadrien*, ne lui reprenne la femme qu'elle aime, qu'elle suggère à Marguerite de demander au président de Sarah Lawrence d'être remplacée à son poste pour plusieurs mois ? Marguerite, alors, dépendra de nouveau, financièrement, de Grace. Dès le 25 janvier, quelques jours avant d'écrire l'épisode de la mort d'Antinoüs (samedi 28), Marguerite a un entretien avec Harold Taylor. Le président accède à sa requête. Elle quittera Sarah

Lawrence le 25 mai, après avoir fait une ultime conférence sur Proust, l'un de ses sujets de prédilection durant ces années d'enseignement. Dans une lettre à Olga Peters, elle évoque ce travail mais en dégage, concernant les influences intellectuelles qui nourrissent l'œuvre d'un écrivain, une réflexion plus générale qui illustre sans doute sa propre théorie du caractère diffus de l'imprégnation culturelle :

> « Je viens de faire une conférence sur l'œuvre de Proust, dont il m'arrive d'ailleurs assez souvent d'avoir à parler ; je m'adressais à des étudiants peu familiarisés avec ses livres, et je m'efforçais, par conséquent, de le situer de son mieux ; j'étais même prête, pour aider mes jeunes auditeurs, à simplifier si possible. Et pourtant, parmi les influences qui étayent ou nourrissent cette œuvre, il m'a fallu citer les littératures antiques, reçues directement, c'est-à-dire à travers des traductions contemporaines de Proust, ou indirectement, à travers la littérature française ; et aussi toutes les littératures étrangères, l'anglaise et la russe surtout ; Bergson, certes, mais aussi Platon, et en général tous les travaux des philosophes, des hommes de science et des psychologues qui ont précédé Proust, même quand celui-ci n'a pas pris directement connaissance de leurs œuvres ; toute la peinture, celle de l'Italie et de la Hollande autant que celle des impressionnistes, toute la musique, en somme tout le matériel de culture à portée d'un homme vivant en France entre la fin du XIXe siècle et le commencement du XXe. Et je vois bien que parmi ces influences, on peut, certes, en citer qui ont été plus fortes, ou plus visibles que d'autres (...) Mais il n'en reste pas moins vrai qu'il est comme nous tous, le légataire universel d'une culture extrêmement com-

plexe. Vous dirais-je même que le fait de pouvoir isoler et suivre chez un écrivain une influence prédominante, surtout celle d'une philosophie ou d'une psychologie en vogue, me paraît immédiatement réduire la valeur de celui-ci, et le mettre au rang du disciple, du propagandiste ou du vulgarisateur? Sartre serait plus grand si l'influence de Heidegger n'était pas si lourdement évidente dans son œuvre, et les écrivains modernes trop influencés par Freud se démoderont fatalement, comme se sont démodés, au point de n'avoir plus que valeur de documents historiques sur les spéculations philosophiques ou scientifiques à la mode au début du XIXᵉ siècle, les parties de l'œuvre de Balzac directement inspirées soit par Swedenborg, soit par Lavater [19]. »

Son départ de Sarah Lawrence, ce 25 mai 1950, est noté en gros caractères, barrant toute la page – ce qui ne l'empêche pas, dans la chronologie de la Pléiade, de le placer en 1949.

Pendant ses derniers mois à Sarah Lawrence, Marguerite prendra tout de même le temps d'aller voir deux opéras de Verdi, dont *Simon Boccanegra*. Grace ne mentionne pas le titre de l'autre et se dit, comme Marguerite, « étonnée par l'actuelle dépréciation de Verdi ». À part ce petit « entracte », les sorties sont quasiment toutes réservées aux bibliothèques.

Le 22 avril, Marguerite reçoit un télégramme l'informant de l'état de santé alarmant de sa belle-mère, Christine de Crayencour, qui meurt à Pau le 24 avril. Aucun commentaire. Marguerite, si elle s'était préoccupée de faire parvenir de l'argent à Christine pendant la guerre, quand celle-ci était dans un dénuement absolu, n'a jamais beaucoup aimé cette femme trop conventionnelle et trop peu intelligente à son goût. « Je n'avais aucune affection pour Christine Hovelt, écrit-elle en 1980 à son demi-neveu, Georges de Crayencour; sa conventionnalité, son ignorance, un certain snobisme anglais me gênaient. Aimable, mais non pas " bonne " au sens où j'entends la bonté, elle a néanmoins été pour " Michel " vieilli et malade une compagne très utile. C'est moi (j'avais vingt-deux ans) qui ai conseillé à " Michel " de l'épouser en octobre 1926 (2 ans et trois mois avant sa mort), quand l'idée lui est tout à coup venue de le faire " pour lui faire plaisir " [20]. »

Deux jours après le quarante-septième anniversaire de Marguerite, fêté dans l'île des Monts-Déserts, à Northeast Harbor, arrive, le 10 juin 1950, une première lettre de Georges Poupet, l'une des « éminences grises » de l'édition, à l'époque, à l'en-tête de Plon. Il se montre très élogieux sur les cent vingt-quatre premières pages du manuscrit que Marguerite Yourcenar a soumises à cet éditeur quelques semaines plus tôt, et propose de prendre une option en vue d'un contrat. Marguerite répond dès le 13 juin :

« Je suis heureuse que ce livre, auquel je travaille depuis des années, ait trouvé en vous un tel écho. Je vous enverrai d'ici une dizaine de jours la seconde partie de l'ouvrage, *Tellus Stabilita* et *Saeculum Aureum*, en tout cent soixante-quinze pages. Dans *Tellus Stabilita*, la narration s'interrompt pendant une quarantaine de pages pour laisser place à une sorte d'essai, testament politique et artistique du règne, qui constitue le centre du livre; *Saeculum Aureum* au contraire en contient l'élément tragique. Attendons, pour parler de contrat, de voir si votre intérêt et celui de la maison Plon se soutient après cette lecture.

« Je suis d'accord avec vous quant à la possibilité de

détacher des Mémoires les 34 premières pages pour *La Table Ronde*. Ma condition est qu'il n'y soit fait aucune coupure. »

Immédiatement après cet échange de lettres, Marguerite Yourcenar – dont la vie, depuis la reprise de la rédaction d'*Hadrien*, n'était plus jalonnée, dans les comptes rendus de Grace du moins, de rhumes, malaises et autres maux divers – se sent mal. Le 7 juillet, on l'hospitalise à Bar Harbor pour une semaine. Les examens, dont Grace ne précise pas la nature, « démontrent qu'aucune opération n'est nécessaire, commente-t-elle. Intense soulagement ».

Au cours de l'été, le manuscrit d'*Hadrien* étant quasi terminé, Marguerite et Grace s'autorisent quelques divertissements : la foire de l'île, une représentation de *Macbeth* et de longues promenades, qui tourneront, pour Grace surtout, à la recherche méthodique d'une maison. Et au hasard des notations de Grace, on apprend parfois des choses plaisantes. Ainsi saura-t-on que le 28 novembre « Marguerite se fait faire une permanente et Grace une demi-permanente »... Il n'est pas sûr qu'il faille déplorer qu'aucun document photographique ne porte témoignage de cette douteuse « expérience ».

Pendant ce temps à Paris, chez Plon, le manuscrit d'*Hadrien* est examiné avec la plus grande attention, comme en témoignent les rapports de lecture d'André Fraigneau (du 28 novembre 1950) et de Georges Poupet (non daté, mais écrit à peu près au même moment puisque le manuscrit lui a été transmis par Marguerite Yourcenar en plusieurs parties, entre mai et fin septembre). Ces rapports de lecture se présentent sous forme de réponses à un questionnaire préétabli, demandant notamment des commentaires sur la composition, la valeur littéraire, l'intérêt de l'ouvrage, sa valeur commerciale, la possibilité qu'il soit « mis entre toutes les mains », les livres dont il peut être rapproché, et enfin, en conclusion, une réponse à la question fatidique : « Ce manuscrit mérite-t-il d'être publié ? »

Le rapport de Poupet est entièrement favorable et se résume à « Composition excellente, remarquable de fermeté et de clarté. Grande valeur littéraire. Grand intérêt de l'ouvrage. Ne peut pas être mis entre toutes les mains. Écrivains ou livres dont l'auteur ou l'ouvrage peut être rapproché : les meilleurs ; rien de *Quo Vadis* ou de *Fabiola*. Mérite d'être publié. Valeur commerciale : le sujet n'est pas pour le grand public, mais la qualité est telle qu'on peut s'attendre à un vrai succès littéraire. »

Les remarques d'André Fraigneau, plus réservées, sont aussi plus intéressantes quand on sait que Fraigneau était le lecteur de Marguerite Yourcenar chez Grasset et que leurs relations étaient, sinon réellement privées, du moins très personnelles. Fraigneau remarque d'abord « l'influence évidente de Walter Pater *(Marius l'Épicurien)* ». Mais, poursuit-il, il se « sent mal placé pour parler de ce livre » ayant été « responsable d'elle [Marguerite Yourcenar] depuis son premier ouvrage chez Grasset », précisant : « Elle est devenue mon amie jusqu'à son départ en Amérique. » Et il ajoute : « Enfin, et ceci est plus grave, le genre choisi par elle pour son nouveau manuscrit est celui même d'un de mes récents ouvrages *Le Roi fou et le Solitaire* et de celui écrit à la suite, *Julien l'Apostat*. »

Aujourd'hui, André Fraigneau explique qu'il ne voulait évidemment pas dire que Marguerite Yourcenar l'avait plagié, sachant bien qu'elle n'avait pas lu ses deux livres. Il y voit seulement le signe que, malgré la distance et l'absence de communication entre eux depuis plus de dix ans, leurs centres d'intérêt étaient restés proches. Ce rappel, dans son rapport, de ses propres ouvrages ne visait, dit-il, qu'à faire comprendre son malaise devant un texte qu'il lui fallait nécessairement comparer aux siens. « On sait les qualités de Marguerite Yourcenar, ajoutait-il dans ce même rapport : un style parfait, souple et mobile, au service d'une culture immense et d'une philosophie désabusée et décorative. On sait aussi son défaut : l'absence de pente dramatique, de progression romanesque, l'absence d'effets (...) Sa vie d'Hadrien se ressent des livres de Renan (...), du détachement par trop gratuit de son auteur. Nous savions bien, en avançant au long d'une biographie scrupuleuse et sans surprises de l'empereur des monuments et de l'hellénisme, que l'intérêt culminant de l'entreprise serait la rencontre avec Antinoüs, Madame Yourcenar étant, en dépit de son sexe, un auteur parmi ceux qui se sont le plus intéressés à l'homosexualité (...) Ceci dit, en toute conscience de lecteur, le livre de Marguerite Yourcenar et surtout sa carrière ne sauraient laisser indifférent aucun éditeur de qualité. » Pour le reste André Fraigneau note : « Écrivains ou livres dont l'auteur ou l'ouvrage peut être rapproché : Walter Pater, Ernest Renan. Composition : harmonieuse. Style : parfait. Valeur littéraire : certaine. Intérêt de l'ouvrage : moyen. Public : élite cultivée. Ne peut pas être mis entre toutes les mains. Valeur commerciale : faible. Ce manuscrit mérite-t-il d'être publié : oui ; remanié [21] ? »

La référence au volumineux roman philosophique de Walter Pater – dont les accents raffinés firent l'unanimité – reviendra sous la plume de plusieurs critiques. Avant de consentir à sa publication, en 1885, Pater avait consacré plus de six ans à ce portrait imaginaire d'un patricien romain, vivant au temps des Antonins, sous le règne de Marc Aurèle. Le tableau des différents courants intellectuels, politiques et religieux de cette époque, suscité par ce témoin imaginaire, était pour l'auteur prétexte à « l'accomplissement d'une sorte de devoir [22] »; celui – du moins faisait-il cette réponse à tous ceux qui lui demandaient quelle intention avait présidé à Marius – de « montrer la nécessité de la religion ». Charles Du Bos, pour qui cette œuvre était, « d'un bout à l'autre, essentiellement une musique de chambre de la vie intérieure [23] », lui a consacré en 1923 un long et très élogieux chapitre dans ses *Approximations*. Mais bien des années plus tard, Marguerite Yourcenar avouait à leur ami commun Jean Mouton n'avoir jamais voulu aborder ce sujet avec Du Bos, parce qu'elle se sentait trop éloignée de Walter Pater, et déclarait n'avoir rien de commun avec lui.

On ne reprochera certes pas à André Fraigneau de ne pas avoir prédit le succès commercial du livre, tant celui-ci était imprévisible. En revanche, on s'étonne de le voir prendre *Mémoires d'Hadrien* pour une biographie. Et plus encore de le voir la qualifier de « scrupuleuse ». On sait aujourd'hui que la restitution du personnage de l'empereur, cet acte de sympathie, au sens propre, à travers les siècles, importait plus que tout à Marguerite Yourcenar, fût-ce au prix de quelques « distorsions » historiques.

Il peut sembler par trop facile de critiquer le point de vue d'André Fraigneau, maintenant qu'on possède tous les commentaires que fit Marguerite Yourcenar, au fil des ans, sur Hadrien. Toutefois, même à la première lecture, il était difficile d'apparenter ce monologue, nécessairement teinté d'autojustification, avec une biographie, qui doit « instruire à charge et à décharge ». « J'ai vite compris, dira plus tard Marguerite Yourcenar, qu'il [Hadrien] ne pouvait qu'évoquer les grandes lignes de sa vie à travers son discours [24]. » De même, pour faire de l'épisode d'Antinoüs « l'intérêt culminant de l'entreprise », il fallait lire le livre avec le regard de quelqu'un ayant fréquenté Marguerite Yourcenar dans les années trente. « Si j'avais écrit *Hadrien* à cette époque-là, précisera à plusieurs reprises Marguerite Yourcenar, j'aurais surtout vu l'artiste, le grand amateur d'art, le grand mécène, l'amant sans doute ; je n'aurais pas vu l'homme d'État [25]. »

Matthieu Galey partageait le parti pris de lecture de Fraigneau. Selon lui, sans Antinoüs, Hadrien serait « un empereur comme les autres... ». « Certainement pas, lui fut-il répondu. Un grand fonctionnaire, un grand prince ; mais il se peut que le culte posthume d'Antinoüs, si décrié jusqu'à nos jours, ait en effet merveilleusement symbolisé son idéal religieux et passionnel. Je crois qu'il faut presque toujours un coup de folie pour bâtir un destin [26]. » Marguerite Yourcenar ne pouvait alors savoir combien, à la fin de sa vie, elle allait elle-même approcher, au plus près, ce qu'elle avait imaginé ou pressenti de la relation entre Hadrien et Antinoüs.

Bref, il était clair, déjà, que Marguerite Yourcenar n'avait pas pris, avec son sujet, la distance du biographe. Elle a évoqué de multiples fois, dans des lettres contemporaines de l'écriture d'*Hadrien* ou des conversations avec des amis de l'époque, puis dans les *Carnets de notes de « Mémoires d'Hadrien »*, ces « trois ans de travail continu », dont elle parle également à Matthieu Galey [27], « à ne faire que cela, à vivre en symbiose avec le personnage au point qu'il m'est arrivé parfois de comprendre qu'il mentait et de le laisser mentir. Il réarrangeait, comme tout le monde, consciemment ou non. Je crois qu'il a pas mal menti au sujet de son élection, de son arrivée au pouvoir ; il a dû en savoir un peu plus qu'il n'en a dit. Il a laissé planer une sage incertitude ». Aujourd'hui, quand on lit ces remarques, on n'est pas en peine d'affirmer que Marguerite Yourcenar savait de quoi elle parlait, en matière de « sage incertitude »...

CHAPITRE 4

Petite Plaisance

Depuis plusieurs années déjà, Marguerite et Grace avaient formé le projet d'acheter une maison dans l'île des Monts-Déserts. Mais – était-ce l'effet du quasi-achèvement d'*Hadrien* et le caractère inévitable du retour en Europe si le livre était publié là-bas –, à la fin de l'été de 1950, Grace fut saisie d'une sorte de fébrilité, à tout le moins d'une certaine agitation à propos de l'achat de cette maison. Les vieux habitants de l'île se rappellent encore l'avoir vue passer, à cheval ou à bicyclette, interrogeant de-ci de-là, s'enquérant des propriétés en vente. Trouver la maison convenant à la fois à leurs désirs et à leurs possibilités financières n'était pas chose facile. Elles n'avaient évidemment pas les moyens d'acquérir l'une de ces somptueuses et immenses villas qui servaient de résidences d'été aux familles fortunées, comme celle des Milliken, les fabricants de textiles, ou celle de Mary Rockefeller, qui font face au cottage pour lequel elles se sont finalement décidées. Elles n'en auraient pas eu le goût non plus. Ne possédant pas d'automobile et n'ayant pas l'intention d'en acheter une dans un avenir proche – elles n'en auront d'ailleurs jamais, préférant, disait Marguerite, « en louer une plutôt que posséder un objet supplémentaire » – elles souhaitaient se trouver non loin du centre d'un village. La poste, au moins, devait être proche. C'est ainsi qu'après avoir visité des maisons dans des sites agréables – en hauteur, dominant la mer, par exemple – elles ont porté leur choix sur un emplacement plus banal, celui du Brooks Cottage, Sea Shore Road, à Northeast Harbor, l'un des villages de l'île qu'elles préféraient.

Le cottage, dont l'achat fut conclu le 29 septembre 1950, se trouve sur la route longeant l'océan, mais ce sont les villas d'en face qui ont des accès – privés – au bord de mer. A l'origine, partie d'une ancienne ferme édifiée vers 1866, cette petite propriété, dotée d'un assez grand jardin en friche – un hectare non clôturé entouré de bois –, convenait à Marguerite Yourcenar et à Grace Frick parce qu'elle avait été jusqu'alors l'annexe d'un hôtel. Uniquement constitué de chambres, l'espace pouvait en être redessiné à leur gré. Elles l'appelleront Petite Plaisance, pour le plaisir d'un nom français, et en souvenir de Samuel Champlain, découvreur en 1604 de cette grande île rocheuse à la côte très découpée et boisée de sapins, de chênes et d'érables. L'île était initialement peuplée d'Indiens. Réputée pour ses homards, elle est aujourd'hui composée de sept villages d'environ deux mille habitants chacun, pour la plupart pêcheurs et artisans, qui tirent l'essentiel de leurs subsides de la saison touristique. Champlain n'avait en fait jamais abordé l'île. C'est en quittant la Nouvelle-Écosse, où la réparation des dégâts occasionnés par une voie d'eau dans la quille de son navire l'avait retenu, qu'il découvrit cet horizon de basses montagnes : « Le sommet d'icelles, devait-il rapporter, est dégarni d'arbres; parce que ce ne sont que des rochers. Je l'ai nommée l'isle des Monts-Déserts. »

« Ensuite, il y a eu quelques colons français, au

temps de Louis XIV, quand le Marquis de Cadillac fut gouverneur de la région [1] », raconte Marguerite Yourcenar. « Au milieu du XIXe siècle, il y avait une population paysanne, presque entièrement d'origine écossaise, qui recevait à peu près tout ce qui était manufacturé de Boston, par bateaux. Ces gens-là vivaient ici tranquillement, du produit de leurs petites terres rocheuses, et des moulins à eau. Et puis c'est devenu un endroit en vogue, vers 1880, quelques peintres connus ayant découvert l'île. Un très grand nombre d'Américains élégants de Philadelphie ou de Boston se sont construit d'immenses baraques – c'est une très mauvaise époque pour l'architecture – où ils arrivaient avec vingt-cinq malles et douze domestiques, et des chevaux. C'était une superbe cavalcade! (...) Cette période amorce déjà la " Belle Époque ", celle où se donnaient les fêtes, où on partait en char à bancs dans des toilettes de ville, des robes de linon à volants, je suppose, et les messieurs avec des hauts-de-forme. On avait de belles nappes de dentelles qui venaient d'Italie et de l'argenterie importée d'Angleterre. Des maîtres d'hôtel en gants blancs servaient ces pique-niques élégants, un peu comme sur les tableaux du XVIIIe siècle, au bord des lacs, ou sur les sommets des montagnes. C'était le monde d'Edith Wharton jeune, et du jeune Henry James. Malheureusement, ce n'est plus qu'un souvenir... »

« L'île, en réalité une presque péninsule, précisait Marguerite Yourcenar en 1955, est à douze heures environ de train de New York en remontant vers la frontière canadienne [2]. » On y accède par un pont. En avion le trajet, à partir de New York, est désormais de trois heures, mais, du vivant de Grace, Marguerite ne prenait jamais l'avion, moyen de transport qui ne « lui plaisait guère ». « Le climat est celui de la Norvège,

305

précise-t-elle dans un entretien. L'hiver est très froid. On descend à 30 °C sous zéro, quelquefois 40 °C. Sous les monceaux de neige, le jardin est « mi-couché » comme on dit là-bas. Fin avril, le sol à moitié gelé devient boueux, marécageux. A force de ne pas sortir, les gens attrapent ce qu'ils appellent la fièvre des chaumières (...). Ce qui est très beau, c'est la grande saison de l'été indien qui dure jusqu'au 15 novembre. Les érables rouges, les chênes presque violacés, les bouleaux d'un jaune très tendre [3]. »

Certains, aujourd'hui, s'étonnent en arrivant devant Petite Plaisance, cette modeste maison toute en bois et peinte de couleur blanche, à quelques mètres de la route. Ils ont peine à croire que la Marguerite Yourcenar aperçue à la télévision française, avec son air un peu hautain de châtelaine, ait pu habiter un « pavillon de banlieue », du mauvais côté de la route qui plus est, puisqu'on n'aperçoit pas la mer. Il faut dire qu'avec cette manie très française de toujours vouloir montrer les gens – les écrivains notamment – comme on pense que le public les imagine, l'entrée de Petite Plaisance a souvent été filmée de manière à laisser croire que la maison était située au bout d'une longue allée « au fond d'un parc, ou que sais-je, pour fonder ma réputation de solitaire », disait pour s'en moquer Marguerite Yourcenar. Elle-même a toujours insisté sur la « modestie » de Petite Plaisance, « une petite maison très simple, avec un grand jardin et beaucoup de livres [4] ».

A ne la considérer que pour ce qu'elle est, il est facile de faire l'inventaire des défauts et manques de Petite Plaisance : une maison « biscornue », avec de très petites pièces. Un mobilier sans grand intérêt : quelques commodes anglaises, une salle à manger banale avec un vaisselier pas très beau, des bibliothèques dans toutes les pièces, où les livres courent d'ouest en est par siècles (les ouvrages de fiction du xxᵉ siècle se trouvaient ainsi dans sa chambre), des étagères, des lits et des fauteuils très communs. Sur les murs, rien non plus qui retienne l'attention, si l'on excepte un tableau du peintre de cour Antoine Coypel dans l'entrée, des gravures de Piranèse – achetées à New York en 1941 – dans le salon et la salle à manger, le portrait d'un ancêtre de Marguerite Yourcenar en haut du court escalier très raide aux marches démesurées (Marguerite le désignait comme « un escalier de puritains ») et deux petits portraits – Marguerite et Grace, par Marie Laurencin –, dans une chambre d'amis.

« Les murs d'une maison, c'est presque un recueil de souvenirs, confiait-elle lors d'un autre entretien. Des documents sur ce qu'on a fait. J'ai beaucoup pensé à Rome à propos d'Hadrien. Je me suis aussi intéressée à Piranèse. Donc voilà Piranèse sur les murs, et des nus " inédits " de Michel-Ange, qui pour moi représentent le tourbillon des forces naturelles en termes humains. Si tout brûlait et si j'avais de nouveau à orner les murs, je mettrais peut-être autre chose. Une belle peinture chinoise par exemple. Mais je tiens à ces choses-là, parce qu'elles sont des moments de mon travail. (...) Il y a aussi des objets qui ne sont peut-être même pas particulièrement beaux, mais auxquels on tient. J'ai dans ma chambre à coucher, au-dessus de mon lit, une gravure chinoise moderne qui a été beaucoup trop reproduite, ce qui fait qu'on s'en est un peu fatigué. C'est un cheval peint par un artiste des années 1925. Un ami me l'a donnée vers 1930. Il l'avait achetée sur les quais et il est mort depuis. Alors, je pense à lui en regardant cette gravure. Et je me suis fait toute une association d'idées. Un cheval de pierre, légendaire en Chine qui, tous les mille ans, s'en va faire un petit tour au ciel... Si l'on trouve le moment où il va s'envoler, on n'a qu'à s'accrocher à lui, on s'envole avec lui. J'aime cette histoire. Un jour, un orientaliste qui visitait ma maison m'a dit : " Mais comment pouvez-vous garder cette gravure médiocre ? " Il ne savait pas tout cela [5]. »

Si, au contraire, on trouve un charme à Petite Plaisance, c'est celui d'une maison faite par des femmes. Il n'est pas sûr que Marguerite Yourcenar eût goûté cette définition qu'elle eût jugée sans doute trop imprécise et trop restrictive à la fois. Cependant, c'est bien une maison de femmes seules, ce lieu clos, doux et un peu immobile ; de femmes qui n'avaient pas beaucoup d'argent et qui, petit à petit, se sont entourées d'objets, de peu de prix sans doute, mais que toutes deux aimaient. Une maison plus « littéraire » que pratique. Au rez-de-chaussée, la grande cuisine est comme une « image d'Épinal » de cuisine de maison de campagne : une grosse cuisinière, des placards et des tiroirs en bois blond, un plan de travail surmonté d'une longue étagère portant de grands bocaux en verre sur lesquels Marguerite a peint, en français, « pâtes », « farine », « semoule », « sucre », etc. Sur une autre étagère, de plus petits bocaux contenant des épices ; au milieu, une petite table carrée, haute, sur laquelle est posée, le plus souvent, une corbeille pleine de fruits. Contre le mur percé de deux fenêtres donnant du côté de la rue, une table pour les repas ; au-dessus, une étagère où sont pendues, à l'américaine, les « mugs », grandes tasses essentiellement utilisées pour le petit déjeuner. Le réfrigérateur est caché dans un grand placard. L'évier, très petit en dépit de l'absence de lave-vaisselle, se trouve dans une minuscule arrière-cuisine. Le salon – qui jouxte la cuisine – est de bric et de broc, organisé autour de la cheminée, à laquelle font face deux fauteuils et une petite table; contre le mur de gauche, où s'ouvre la porte donnant sur le jardin, une banquette et une bibliothèque. C'est contre le mur du fond qu'était placé le piano de Grace. Accotée au flanc droit de la cheminée, la bibliothèque spéciale où Marguerite avait rassemblé ses propres livres, seul élément singulier avec les deux lampes aux classiques abat-jour de parchemin mais sur lesquels elle avait calligraphié des inscriptions en grec ancien. Dans le bureau, deux tables, collées l'une à l'autre – Marguerite et Grace travaillaient face à face.

Elles avaient une passion – Marguerite surtout, par nostalgie de son enfance – pour les carreaux bleus en faïence de Delft. Anya et Jacques Kayaloff avaient pris l'habitude, au cours de leurs déplacements, d'en chercher pour elles et de les leur envoyer. Ils décorent la salle à manger et les salles de bains. Les salles de bains (une au rez-de-chaussée, côté jardin, et une au premier, du même côté) sont d'un blanc pur (comme un souvenir de Grèce) que rehaussent, outre les carreaux, des flacons et des verres d'un bleu profond. Dans la salle à manger, Marguerite et Grace ont choisi une vaisselle en grès gris-bleu, qui se marie aux carreaux : « ces gris-bleus m'ont toujours paru répondre à une tranquille douceur de vivre [6] », écrivait Marguerite à Anya et Jacques Kayaloff; « à ce rythme-là, j'aurai bientôt reconstitué le poêle de Delft de ma chambre d'enfant, avec un animal ou une fleur à carreaux [7] ».

Toutes les chambres sont à l'étage. La plus vaste, avec un grand lit, est évidemment celle de Marguerite, Grace se contentant d'une pièce aux dimensions plus modestes. Mais rien ne prouve qu'elles n'ont pas continué, régulièrement ou irrégulièrement, à partager, comme à Hartford, la même chambre, au moins tant que Grace n'a pas été malade. Les deux autres pièces sont des chambres d'amis : l'une est décorée, de part et d'autre de la commode, des deux Marie Laurencin : « Les deux portraits bleu et rose sont maintenant suspendus dans la chambre d'amis de la petite maison (la seule dont les proportions et la lumière leur fussent favorables – et personne sauf Narcisse ne veut son portrait continuellement sous les yeux dans la chambre où l'on vit et travaille). Les murs ont été repeints pour leur plaire [8] », écrivait-elle en 1953 à Natalie Barney. A Georges de Crayencour, son demi-neveu, elle confia bien plus tard : « Marie Laurencin a fait de moi la petite fille bien sage (?) en qui elle transformait tous ses modèles [9]. » Le dessin exécuté par Han Harloff en 1954, un visage, inachevé, de Marguerite Yourcenar, suspendu dans l'autre chambre d'amis, est « de loin celui que je préfère », poursuivait-elle.

Constamment, Marguerite Yourcenar a réaffirmé qu'elle voyait en Petite Plaisance « une maison de campagne comme j'aurais pu en avoir une n'importe où dans le monde ». « La meilleure raison d'être d'une petite maison de campagne sur ce continent, pour le travail et la réflexion tout au moins, est précisément sa valeur de solitude », soulignait-elle en 1959. « Dans cette petite île (...) je suis en somme un peu aux États-Unis comme en n'y étant pas [10]. » Ce que confirme une lettre à Jean Lambert, qui, en 1956, se trouve aux États-Unis et fait part à Marguerite de son mal du pays : « Jusqu'à ce qu'on ait réussi à se faire dans ce continent, comme Grace et moi l'avons fait, un domaine, si petit qu'il soit, réglé par la fantaisie ou la volonté personnelle, ce que l'Européen déplanté trouve ici, contrairement à tout ce qu'il croyait, c'est tout simplement une Europe plus pauvre et plus dure, privée de toutes les grâces qui pour nous constituent l'Europe ; (en quoi nous nous trompons ; qu'elle est petite cette Europe des grâces, et qu'elle ressemble plus à l'Amérique qu'on ne le dit ; je ne vois pas beaucoup de différences entre le boulevard de Sébastopol et la huitième avenue). Qu'il y ait autre chose, c'est certain : des îlots de civisme, qui chez nous sont submergés ; une volonté de progrès qui est grotesque quand elle s'exprime en termes de publicité, mais qui est restée sincère et efficace chez certains êtres ; en dépit du scandaleux gâchage des ressources, une nature extraordinairement belle, quand on réussit à découvrir ses secrets, qui ne sont pas les nôtres ; et infiniment plus de passé qu'on ne le dit : les grands réservoirs de passé que sont les musées et les bibliothèques ; les maisons anciennes de la Nouvelle-Angleterre et les domaines du Sud (qui, je le veux bien, appartiennent à un monde disparu, mais n'est-ce pas vrai aussi de Versailles ?) et enfin l'admirable pays indien. Ce que je me laisse aller à dire là a pour but à la fois de compatir à votre cafard et de le guérir, en vous montrant qu'il reste beaucoup à voir et à goûter ici. Êtes-vous sûr d'avoir raison de rentrer si vite à New York ? New York, porte de l'Europe, oui, comme Marseille est porte de l'Orient (...). Je ne dis pas que l'expérience de New York, pour quelques semaines ou même quelques mois, ne mérite pas d'être faite, mais si j'étais vous, je commencerais par faire de l'auto-stop jusqu'à San Antonio ou San Francisco. Il faut du temps pour connaître ce grand pays à la fois si étalé et si secret [11]. »

A tous ceux qui, venant lui rendre visite, lui posaient la traditionnelle question du choix de l'Amérique et de cette île, elle faisait inlassablement les mêmes réponses, précisant d'emblée que, tout au long de sa vie, elle avait toujours ressenti une puissante attirance pour les îles et les lieux retirés. « Le fait, par exemple, d'habiter un lieu très isolé, un village, est une manière de s'instruire dont ne disposent pas les habitants des villes. On finit par connaître tous les habitants du pays. J'ai toujours aimé l'isolement. Si je partais d'ici, je m'établirais dans un autre village, du même genre d'ailleurs (...). Je vis ici comme je vivrais en Bretagne, ou n'importe où. Mon choix de vie n'est pas celui de l'Amérique contre la France. Il traduit un goût du monde dépouillé de toutes les frontières [12]. » A part cet endroit, je ne vois guère qu'une région au nord-est de Göteborg, en Suède, la Bretagne et l'extrême sud du Portugal où j'accepterais de vivre [13] », confiait-elle par ailleurs.

En 1950, il fallait un certain courage à ces deux femmes dont l'allure ne laissait guère de mystère sur leur sexualité, pour s'installer dans un petit village insulaire du Maine, dans un pays aussi puritain que les États-Unis. A moins que ce ne fût de l'inconscience, ce dont, dans leur cas, on peut douter, ou, comme il est plus probable, la certitude tranquille qu'on pouvait faire respecter sa liberté n'importe où. A Northeast Harbor, certains se souviennent encore de la gêne éprouvée quand on les croisait, toutes deux, en promenade : Marguerite, la plus petite, passait un bras autour de la taille de Grace qui, elle, avait le bras autour des épaules de Marguerite.

« Leur accoutrement frappait », se rappelle Anya Kayaloff, évoquant ses premières visites dans le Maine. « Marguerite était enveloppée dans des châles, et portait des pantalons larges. Grace, des turbans aux couleurs vives. Comme des hippies, pourrait-on dire, sauf que Grace et Marguerite portaient déjà ces tenues à la fin des années quarante. Je crois que c'est un peu Grace qui poussait à ce genre de vêtements. Quand ma belle-mère les voyait paraître, elle disait en russe :

" voilà les déguisées... ". Lorsque Marguerite Yourcenar venait à New York, elle portait une robe noire,
sobre. Mais là-bas, c'était invraisemblable. » « A la maison, Grace faisait tout, et Marguerite " régnait " », précise Anya Kayaloff, forçant peut-être un peu le trait :
« Certains étaient autorisés à venir prendre le thé. Marguerite donnait audience. L'atmosphère était très vic-
torienne. Marguerite, bonne cuisinière, était censée
faire la cuisine. Mais Grace épluchait les légumes, préparait tout. Marguerite arrivait alors, souveraine, et
" cuisinait ". En contrepartie, Grace contrôlait tout.
Elle répondait au téléphone et décidait ou non de prévenir Marguerite qu'on souhaitait lui parler. Il arrivait
ensuite que Marguerite prétendît ne pas avoir eu de
nos nouvelles, alors que nous avions appelé deux ou
trois fois. Marguerite aimait beaucoup parler avec mon
mari, qui était un homme cultivé. Grace ne supportait
pas même cela. Elle faisait des petites intrigues de
" bonne femme ". Elle m'a lancé un jour : " Si Jacques
croit que ce qu'il lui raconte de Paris intéresse Marguerite, il se trompe. " C'est dire à quel point elle était
jalouse... Elles formaient un couple assez incroyable. »
    Les commérages allaient bon train et les enfants se
moquaient des « sorcières » de Petite Plaisance.
Aujourd'hui, ne parlent de tout cela que ceux qui,
d'emblée, ont défendu les deux femmes. Les autres ont
un discours stéréotypé, où il apparaît qu'ils gardent
seulement la mémoire du respect – tardif – qu'ils ont
conçu pour « le grand esprit » qui avait choisi leur village comme lieu de résidence.
    Durlin Lunt, le mari de Jeannie, qui allait devenir la
secrétaire de Marguerite après la mort de Grace, en
1979, fut l'un de ces enfants à qui Grace apparaissait
« un peu comme une sorcière », ce qu'on imagine
d'autant mieux qu'elle avait coutume de porter une de

ces longues pèlerines à capuchon, appelée « monk-cape », qui devait donner à sa silhouette une bien inquiétante allure.

« Elle était exigeante, plutôt acerbe avec les gens dans les boutiques, mais elle avait de très bons côtés. Un sens de l'humour, aigu, extraordinaire. Elle invitait les enfants pour le thé et aussi pour qu'ils puissent jouer dans le grand jardin. Madame (c'est toujours ainsi que Marguerite Yourcenar sera désignée à Northeast Harbor, probablement sur une initiative de Grace, la seule à réellement parler avec les gens du village – au point que nombreux sont ceux qui se demandaient si " Madame " parlait l'anglais...), elle, ne sortait pas, sauf pour ses promenades. Elle était toujours recluse. Elle travaillait. On ne la voyait jamais en ville ; pendant des années, on a ignoré qui elle était. Grace allait à l'église ; elle faisait partie de la communauté, même si on la jugeait excentrique. Madame n'en faisait pas partie. » Grace intervenait sans aucune gêne dans la vie des gens, et elle aimait particulièrement leur faire la leçon. De bon matin (elle savait parfaitement à quelle heure il quittait la maison), il lui arrivait de s'installer dans la voiture du Dr Wilson pour lui demander, quand il arrivait, de la descendre à la poste. Mais le jour où elle a vu un arc et des flèches à l'arrière de la voiture, elle ne s'est pas privée de lui faire une leçon sur les méfaits de la chasse.

Robert Wilson, justement, se souvient d'une de leurs brouilles. Les Wilson avaient un chien qui aboyait beaucoup, ce qui incommodait Grace. Un soir, elle est venue chez eux par le petit sentier qui relie les jardins de leurs maisons respectives. Les Wilson étaient sortis et il y avait une baby-sitter qui gardait leurs six enfants. Grace a alors affirmé sans ciller que si le chien aboyait tellement, c'est que le Dr Wilson pratiquait la vivisection sur lui. « Je l'ai appelée pour l'injurier, d'autant qu'elle avait répété cette déclaration devant les enfants, raconte Robert Wilson. Le lendemain, elle est venue me dire que je lui devais des excuses. J'ai refusé. Ensuite, nous avons été plutôt en froid, elle et moi... Elle était un curieux mélange de gentillesse et de sans-gêne. Elle pouvait entrer au milieu de la nuit chez les gens – ici, personne ne ferme sa porte – et elle posait un des fameux pains qu'elle faisait elle-même, entouré d'un ruban rouge, sur la table de la cuisine, pendant que la maisonnée dormait...

« A l'approche de Noël, il y a des " eggnogs " [un peu l'équivalent de notre " lait de poule "] et des " cookies " dans toutes les boutiques du village. Grace en faisait toujours la tournée. Une année – c'est l'histoire qui a la faveur toute particulière des habitants du lieu – elle est arrivée peu avant la fermeture chez le quincaillier, qui faisait aussi office de marchand de munitions. Elle s'est lancée dans une diatribe contre les chasseurs et les pêcheurs, tandis que, tout en l'écoutant, on lui remplissait sans cesse son verre de eggnog qu'elle vidait sur-le-champ. Le discours est devenu de plus en plus enflammé, et le grand chapeau de Grace Frick de plus en plus bringuebalant sur sa tête. A chaque nouveau verre et à chaque nouvelle tirade, il oscillait de plus en plus. Elle est rentrée passablement ivre, mais " Madame " n'a probablement rien su de cette histoire. »

« J'ai été moi aussi en froid avec Grace, poursuit DeeDee Wilson ; pas seulement à cause de l'histoire arrivée avec mon mari, mais parce que je commençais à être exaspérée par sa manière de mettre son nez partout et de donner sans arrêt des conseils à des gens qui ne les sollicitaient pas. Elle pouvait aisément frapper au carreau pour vous signaler que la table était mal dressée, que le verre à vin n'était pas le bon. Je crois que Madame ignorait ces comportements, et les véritables rapports de Grace Frick et du village. Qu'elle pérorait dans les boutiques. Qu'elle entrait dans les maisons pour donner un avis sur tout, du même ton professoral. Un jour, je l'ai trouvée dans mon jardin, en train de couper mes dahlias, évidemment sans m'avoir rien demandé. Elle a seulement dit : " Vous voyez, il faut toujours prendre un seau plein d'eau quand on va dans le jardin pour couper des fleurs. " J'étais sans voix. Mais depuis, je dois avouer que je ne suis jamais allée couper des fleurs sans emporter un seau... Madame, elle, je ne l'ai connue que plusieurs années après notre arrivée, le jour où il y eut ce grand incendie dans la rue principale, en 1966, je crois [c'était le 15 décembre 1966, Grace Frick l'a noté]. Je ne la voyais que de loin. Le jour de cet incendie, nous étions côte à côte, regardant ce qui se passait. Je n'osais pas lui parler, persuadée, comme beaucoup ici, qu'elle ne comprenait pas l'anglais. Et soudain j'ai entendu une voix étrange dire, avec un curieux accent : " Est-ce grave ? " D'étonnement, j'en ai sursauté. »

Elliott McGarr, qui, avec sa femme Shirley, était leur proche voisin, fut longtemps leur jardinier et un peu l'homme à tout faire de la maison : « J'arrangeais les prises de courant, j'effectuais d'autres menues réparations, car dans une maison, surtout si elle est en bois, il y a toujours quelque chose à faire, et je mettais fin, quand il le fallait, aux agissements des écureuils introduits dans le grenier et en passe de faire des dégradations irrémédiables », raconte-t-il. Il les a vues s'installer : une grande maigre, « Miss Grace », et une petite, un peu trop ronde, « Madame ». « Elles étaient rejetées par la communauté, parce qu'on n'était pas certain qu'elles soient seulement de bonnes amies, dit Elliott

316

McGarr. Et puis elles avaient une drôle d'allure. Moi, cela m'a toujours été égal. Discuter avec Madame, c'était comme ouvrir une encyclopédie. Contrairement à ce qu'on vous dira, elle conversait volontiers. Mais rarement pour ne rien dire. C'était un vrai plaisir pour Shirley et moi d'être invités de temps en temps à Petite Plaisance. Pour Halloween, nous venions toujours passer la soirée avec elles, parce que les gamins, quand ils frappaient à la porte en répétant leur fameux *" treats or tricks "*, étaient volontiers agressifs à leur égard, et que, en vieillissant surtout, elles en concevaient quelque inquiétude. » « Grace était un personnage, avec parfois un sale caractère, mais moi j'avais de la tendresse pour elle, et je n'étais pas la seule, renchérit Shirley McGarr. Et puis elle perpétuait des traditions touchantes, comme celle des œufs de Pâques que l'on peint pour offrir à ses amis. Chaque année, en me levant, le matin de Pâques, je trouvais devant ma porte un panier déposé par Grace. Je me lève toujours très tôt, vers cinq heures du matin. Pourtant je n'ai jamais pu la devancer ou la surprendre. Je me demande aujourd'hui encore à quelle heure elle pouvait bien venir avec ce panier. »

L'insertion de Marguerite Yourcenar et de Grace Frick dans la communauté de Northeast Harbor ne fut donc pas chose aisée. A entendre les récits de certains de ses habitants, surtout si l'on sait que ce furent les plus amicaux à leur égard, on ne peut guère s'en étonner ni imputer à cette petite communauté un sens particulier de l'ostracisme. La désinvolture péremptoire de l'une, le hautain isolement de l'autre, l'extravagance des deux auraient pu susciter ailleurs, et singulièrement en France, un plus grand rejet. Reste que Grace en souffrit sans doute un peu, sans le dire. Marguerite, sûrement pas : elle ne voulait surtout pas être intégrée, parce qu'elle voulait parler anglais le moins possible. Cependant, elle ne répugnait pas à converser avec les uns ou les autres : « Cela ne me gêne pas d'être interrompue dans mon travail, assurait-elle. Les écrivains qui s'enferment dans des chambres tapissées de liège, ce n'est pas du tout mon genre [14]. » Les occasions de croiser les gens et de bavarder ne manquaient pas dans cette maison qui nécessitait de continuelles réparations, notamment l'intervention régulière de charpentiers : « Plusieurs charpentiers, une succession de charpentiers. Le premier était un vieux monsieur un peu fou, il racontait des histoires qui ne tenaient pas debout et faisait de l'absurde sans le savoir. Nous en avons eu un autre, très vieux lui aussi, qui chantait et jurait tout le temps. Il chantait des hymnes, s'arrêtait pour dire : " Ah! quoi, sacré Dieu! cette histoire ne marche pas ", et reprenait son hymne. Le dernier, qui est aussi pêcheur de homards, est notre ami, comme il l'affirme lui-même. Il nous apporte des fruits et des légumes de son jardin et nous confie ses malheurs. Quand il a perdu son chat, il est venu pleurer chez nous. Littéralement pleurer. Quand notre chien s'est fait écraser, nous avons reçu des condoléances le lendemain. C'était le charpentier [15]. »

Avec l'achat de Petite Plaisance prend fin, non le nomadisme – Marguerite ne perdra jamais le goût du voyage « aussi violent que le désir charnel », selon elle – mais une certaine forme d'errance : le temps des malles abandonnées dans des hôtels, le temps des destructions de papiers et des ventes d'objets avant un départ précipité, le temps des valises empilées, à peine défaites, dans des lieux que l'on sait provisoires. Elle a une maison où elle peut entasser ses archives, abriter les objets qu'elle aime. La voyageuse, qui n'avait de passé que les souvenirs qu'elle promenait avec elle, a désormais un port. Pendant les mois, les années (mais elle ne le sait pas encore) où elle ne sera pas nomade, elle sera insulaire. Pour l'heure, dans les années cinquante, elle considère seulement Petite Plaisance comme une « base » : « Les États-Unis ? J'y ai gardé une petite maison [16] », écrit-elle d'Europe à un ami en 1954 : « C'est un endroit un peu éloigné de tout auquel je pense, non comme à l'Amérique mais comme à la " campagne ", une de ces campagnes où l'on se trouve par hasard posséder une maisonnette, et où je compte retourner de temps en temps pour travailler, si cela m'est possible, mais pas avant un an en tout cas. Tout ceci pour fixer d'avance les idées quant aux résidences et aux adresses. » On est loin ici de l'image caricaturale de Marguerite Yourcenar – l'écrivain qui serait allé s'enfermer dans une île perdue près de la côte nord-est des États-Unis.

Marguerite se laissera pourtant peu à peu gagner par la passion de Grace pour cette petite maison et son jardin – une preuve de plus que l'influence de Grace était beaucoup plus forte qu'on ne le dit généralement. « J'ai en mémoire le temps où, derrière la maison, s'étendait une sorte de jungle, un fouillis d'herbes folles qui étouffaient les quelques arbres, rappelle Elliott McGarr. On a peine à imaginer aujourd'hui l'énorme travail que Miss Grace a accompli, avec, parfois, l'aide de Madame, pour en faire ce jardin si agréable. » « Le jardin, enfin les terrains tout autour, étaient très négligés, confirme Marguerite Yourcenar. C'était une espèce de prairie sauvage et plus loin, là où maintenant il y a le jardin, les petits sentiers et les arbres, il y avait une espèce de broussaille entourant des arbres morts, des arbres tombés. On a roulé, généralement à coups de pied, les troncs le long des déclivités du terrain. Et à la longue, à force de rouler, les troncs d'arbres ont fait des sentiers [17]. »

A ce coin de nature, Marguerite s'intéressera de près surtout à partir du moment où elle devra « demeurer huit ans sans presque bouger de ce jardin, pour soigner une amie malade », comme elle le disait pour prévenir toute demande de précisions indiscrètes. Pendant ces années de sédentarité forcée, elle trompera son impatience en se repliant sur la maison et le jardin. Elle prétendra alors à un rapprochement délibéré de la nature, parallèle à son intérêt pour les sagesses orientales, mais il y aurait bien des nuances à apporter à ce propos très simplificateur, qui apparaît comme une justification a posteriori, une manière de plus de masquer les blessures et de brouiller les pistes. Pour faire exister son prétendu désir de rester à la maison, il lui fallait, bien sûr, l'écrire. Cela a toujours été, pour elle, moins un procédé d'autoconviction, un dévoiement plus ou moins conscient de la vérité, que la seule façon de fonder une réalité.

Des charmes qu'elle disait trouver à la vie campagnarde, il demeure des témoignages dans sa correspondance, notamment dans une lettre de 1971 à une amie française, sur le thème « les travaux et les jours [18] ». « Et comme vous le savez si bien, il faut ajouter à cela [le travail littéraire] la tâche quotidienne de la maison, du jardin et même du verger (car nous sommes fières d'avoir un verger ; seize ou dix-sept arbres fruitiers, et les pommiers sont si beaux en ce moment sous leur parure de pommes qu'on se contente pour les compotes de ramasser celles que le vent fait tomber). L'aide domestique s'est limitée cette année, pour le dehors, à un garçon chevelu de dix-sept ans, l'air d'un saint Jean sculpté sur bois par un sculpteur allemand du XVIᵉ siècle, qui travaillait avec

assiduité, mais ne savait guère faire autre chose que
bêcher. Il est retourné maintenant à son collège, où il
semble qu'il n'apprenne rien. Il a été et est encore sup-
pléé par un vieux forestier qui coupe l'herbe et débarrasse les arbres de leurs branches mortes, mais qui est
distrait, oublie de venir, et dont les outils sont rarement aiguisés comme il le faudrait. Au-dedans, pour
quelques heures par semaine, au temps des vacances,
une petite fille de quinze ans, dont l'énergie est intermittente. Elle est maintenant retournée à l'école. Sa
sœur, qui a onze ans et qui est très jolie (une petite fée
scandinave), se rend utile en faisant des courses au village quand nous ne voulons ou ne pouvons y aller
nous-mêmes ; c'est elle qui jettera cette lettre à la boîte.
Elle aime brosser Valentine [la chienne], qui l'adore,
parce qu'elle se contente de passer sur elle la brosse et
le peigne sans défaire les " nœuds ". Il y a aussi, heureusement, la blanchisseuse qui vient chaque semaine
avec son panier. Une femme de ménage, très énergique
et très haut placée dans sa profession, qui a autrefois
" pris soin de nous " (*taken care* = euphémisme ici
pour travailler), mais qui, l'été, ne fait autre chose que
s'employer chez les Ford qui ont une maison de campagne dans le voisinage, promet qu'elle viendra à partir de la fin octobre nettoyer deux fois par semaine. Je
m'amuse à vous raconter tout cela parce que, vivant à
la campagne, vous me comprendrez. Les gens qui
écrivent sur moi à Paris n'imaginent nullement mon
genre de vie. »

Il n'est pas sûr que Marguerite Yourcenar ait tellement aimé ce « genre de vie », lorsque Grace, malade,
ne pouvait plus remplir le rôle qu'elle s'était à elle-
même assigné – protéger Marguerite contre toute
préoccupation matérielle. A-t-elle pensé, dans sa vieillesse, à se réinstaller en France, dans une campagne au

climat moins rude, aux hivers moins longs? A Jean Montalbetti qui le lui avait demandé, avant même la mort de Grace [19], elle avait répondu : « J'aime la Bretagne, l'Alsace. Mais je pense à Candide : quand on est bien dans un lieu, il faut y rester. » Pourtant, Marguerite a songé, après la mort de Grace, et plus encore après celle de Jerry, à rentrer en Europe et à s'installer en Angleterre ou dans un coin de Bretagne.

Elle évoquait régulièrement la possibilité d'un déménagement mais ne s'y résolvait jamais : « Il me serait trop dur d'abandonner cette maison. » Elle ne voulait pas d'un nouvel arrachement, elle derrière qui tout s'était défait, avait été détruit : sa maison natale avenue Louise, à Bruxelles, le Mont-Noir, la villa de Westende achetée par son père sur la côte belge et bombardée pendant la guerre de 14, l'appartement de Lausanne, et même les hôtels parisiens qu'elle affectionnait : le Wagram, sa résidence d'avant-guerre, où elle avait rencontré Grace, a été dévasté par un incendie et l'hôtel de Saint James et d'Albany, où elle descendait avec Grace dans les années cinquante et soixante, a été démembré, une partie étant vendue par appartements en 1977.

C'est à Petite Plaisance, dans ce lieu dont on concédera à ceux qui ne l'aiment pas qu'il est fort humide et un peu sombre, qu'elle voulait achever son existence. Et quel qu'ait été, dans les dernières années, son discours « officiel » – « Pourquoi les journalistes veulent-ils que je leur parle de Grace Frick? Ma vie a toujours été très différente de celle de Grace Frick... » –, sa vraie fidélité à Grace était dans cette maison faite à deux, qu'elle ne voulait pas voir disparaître, même après sa mort. Dans son testament, Marguerite Yourcenar en confie la gestion à une fondation – ce que les Américains nomment « *a board of trustees* ». Dans la mesure

322

du possible, elle doit rester en l'état et être ouverte au public pendant les mois d'été. Si cet arrangement n'était plus viable, prévoit encore le testament, les meubles et objets qui s'y trouvent devraient être vendus en France, et la villa elle-même reviendrait à une association de défense de la nature et de l'environnement.

En dépit – ou peut-être à cause – de cet attachement à la maison de Northeast Harbor, il est clair que ce cottage au nom français était pourtant plus encore la maison de Grace Frick que celle de Marguerite Yourcenar. Et, bien que Marguerite soit toujours désignée comme la figure dominante du couple, s'il existe un signe évident de son allégeance consentie à Grace, il se nomme Petite Plaisance.

CHAPITRE 5

Première notoriété

Le 1ᵉʳ janvier 1951 fut le premier « jour de l'an »
passé à Petite Plaisance. On y inaugura ce qui allait
devenir une tradition : inviter les voisins à fêter l'année
nouvelle, selon la coutume, autour de cette liqueur
d'œuf, cet « eggnog » que Grace réussissait si bien, et
dont on a vu qu'il donnait du « punch », si l'on ose dire,
à ses démonstrations écologiques... Le lendemain,
Marguerite posta elle-même la fin de son manuscrit,
sur le chemin de retour de la bibliothèque, où elle
avait passé trois journées entières à effectuer d'ultimes
vérifications.

Pendant la période qui sépare ce début d'année de
l'embarquement pour l'Europe, en mai, pour la signature du contrat de publication des *Mémoires d'Hadrien*,
définitivement accepté, Grace note peu de chose sur
son nouvel agenda : de rares indications sur la vie quotidienne et sur le courrier reçu de France, et le refus,
parvenu le 9 mars, de la bourse que Marguerite avait
sollicitée de la fondation Bollingen.

Ce n'était pas sans angoisse que Grace allait entreprendre ce voyage en Europe. Elle n'en faisait jamais
état, mais, selon ses vieux amis, elle ne pouvait manquer d'être inquiète. Depuis plus de onze ans, elles

étaient toutes deux demeurées sur son territoire à elle, Grace. N'était-ce pas, sinon l'unique, du moins la principale raison qui lui avait permis de « garder » Marguerite ? Elle se souvenait de la jeune femme conquérante qu'elle avait croisée au Wagram, ce jour de 1937, et qui l'avait fascinée. Cette même femme, pendant la guerre, elle l'avait vue en larmes, désespérée du monde et d'elle-même, se laissant doucement consoler, et fermement « prendre en main ». Marguerite s'en voulait-elle de s'être ainsi mise à nu, lui en voulait-elle d'avoir été témoin de cette détresse, et d'en avoir tiré quelque pouvoir ? Difficile à dire, mais qui sait de quels lointains venait l'obscur ressentiment de Marguerite, très perceptible à la fin de sa vie, envers Grace ?

Quoi qu'il en soit, les contacts interrompus ou intermittents avec les amis européens reprenaient. Grace, qui, déjà, lisait le courrier et l'archivait, n'avait pas manqué de remarquer cette lettre de Constantin Dimaras, datée d'Athènes, le 11 février 1951, répondant à un mot de Marguerite :

« Quel vif plaisir, très chère amie, que de lire vos bonnes nouvelles et vos promesses ! Nous avions le sentiment d'avoir perdu vos traces, et, je ne sais pourquoi, cela me donnait presque des remords. Savez-vous que vous nous aviez déjà promis votre visite pour l'automne passé ? Enfin, vous vous portez bien, et vous avez la seule excuse qui pouvait me faire plaisir : un long ouvrage achevé. Je n'ai jamais suivi de près le mouvement littéraire en France ; et maintenant, c'est d'encore plus loin que je le suis. Toutefois je ne crois pas me tromper si j'avance que l'Amérique vous a retenue trop longtemps, et qu'il est absolument nécessaire, au point de vue – comment dirai-je – de la tactique littéraire, que vous reparaissiez de ce côté-ci de l'Océan [1]. »

Elle ne pouvait ignorer non plus cette lettre, où Marguerite évoquait pour Joseph Breitbach sa « vie personnelle, fort heureuse sur certains points (ce qui est déjà beaucoup), mais souvent difficile sur d'autres ». « Vous comprenez bien, continuait-elle, que ce n'est pas sans regrets que je suis restée si longtemps éloignée de l'Europe. Mais mes arrangements personnels et financiers ne me permettaient pas autre chose. J'ai souvent souffert ici d'une grande solitude intellectuelle », tout cela aggravé par « une santé fragile qui supporte mal la vie agitée de New York, elle-même assez décevante et assez creuse [2] ».

La chance de Grace, c'était pourtant d'avoir su, par générosité plus que par calcul amoureux – encore que, bien souvent, la première ne soit que l'alibi du second –, se rendre à peu près indispensable. Il lui appartiendrait de le demeurer, en Europe. Pour l'heure, il fallait se réjouir des nouvelles qui, justement, en arrivaient. Le 5 mars, la lettre reçue de Georges Poupet témoignait d'une admiration « sans réserve » et informait que Gabriel Marcel et André Fraigneau soutenaient le livre qui, ayant passé le barrage du « petit comité », allait être examiné en « grand comité ». Dans la semaine du 25 au 31 mars, Marguerite affirme qu'elle considère *Hadrien* comme « fini »; Grace revoit la bibliographie, et Plon envoie un contrat. Il ne reste plus qu'à partir, après d'ultimes lectures de compléments pour *Hadrien*.

Mais elle reçoit aussi des nouvelles moins heureuses. C'est au cours d'une journée de travail à la bibliothèque de Bangor, « pour y relire les Pères de l'Église qui se sont un peu occupés de la politique d'Hadrien et beaucoup de ses amours », que Marguerite Yourcenar apprend la mort d'André Gide, survenue à Paris le 19 février. Elle gardait une grande admiration, et une forme de révérence, pour Gide, l'un des premiers grands écrivains à l'avoir tenue en estime, et qui avait, sur la jeune femme qu'elle était et qui venait de se décider à consacrer son existence à l'écriture, exercé une réelle influence : « J'ai pensé à son œuvre et à sa vie pendant la nuit, en une espèce de veillée funèbre », devait-elle confier à Joseph Breitbach; « plus j'y réfléchissais, plus cette œuvre et cette vie m'apparaissaient comme une immense réussite, et dans l'ordre de l'ajustement, de l'équilibre, de l'utilisation de toutes les facultés, une réussite exemplaire [3]. »

A plusieurs reprises, Marguerite s'exprimera, avec davantage de précisions encore, sur l'œuvre de cet écrivain, dont l'apport a été très marquant, parfois considérable, pour sa génération. En novembre 1969, elle fera une conférence dans le Massachusetts, à Smith College, dans le cadre des manifestations célébrant le centenaire de l'auteur [4]. Longtemps plus tôt, en août 1956, elle avait commenté de façon élogieuse l'ouvrage que son ami Jean Schlumberger avait fait paraître sous le titre *Madeleine et André Gide* [5] et, dans une lettre de 1962, écrite à Schlumberger à l'occasion d'une relecture de son livre, elle développe longuement la réflexion ébauchée lors de ce premier échange :

> « Vos notes m'ont ainsi amenée, un peu malgré moi, à tenter de ré-évaluer ce qu'a représenté pour nous André Gide. Je crois qu'il a d'abord, peut-être surtout (ce qui je pense l'eût déconcerté), été pour nous un très précieux chaînon entre le chaos littéraire de notre temps et la tradition classique telle que nous la trouvions dans les grands ouvrages du passé. Dans le désordre des années 20, qui a été pour les hommes et les femmes de ma génération celui de la jeu-

nesse, nous découvrions avec joie un écrivain abordant les problèmes qui nous occupaient tous dans une langue aussi pure et aussi précise que celle de Racine. Ensuite, à l'époque où nous atteignaient *Les Nourritures terrestres* et *L'Immoraliste*, il aura été le plus bel exemple d'une sorte de ferveur mystique à l'égard des êtres, des sensations et des choses, le premier et déjà vertigineux palier d'une série de marches qui peuvent du reste mener dans des directions que Gide lui-même n'a pas prises. Enfin, et là le don est déjà plus contestable, le Gide des *Caves* et de *Paludes* (c'est par là qu'à vingt-deux ans je l'ai abordé pour la première fois) nous a montré que l'édifice que nous imaginions si solide, parfois si accablant, pouvait s'effondrer (ou paraître le faire) sous une impertinente chiquenaude. Ce qui, je crois, d'abord, a détaché partiellement de lui certains lecteurs, c'est de s'apercevoir combien il était resté presque étroitement homme de lettres. (...) En dépit des assertions si constantes de Gide, et que d'ailleurs vous ne contestez pas, j'ai peine à croire qu'il ait écrit en fonction de sa femme la majeure partie de son œuvre. (Pourquoi du reste? Et quel mérite y aurait-il eu?) Bien plus, je soupçonne je ne sais quoi d'un peu fabriqué dans ce grand amour. Et pourtant, il est curieux en effet qu'au moment où s'ouvre entre eux cette fissure *avouée*, quelque chose de toute évidence disparaît de son œuvre. Je veux bien que *Corydon* et *Les Faux-Monnayeurs*, écrits en dehors d'elle et contre elle, soient, comme vous dites, plus francs du collier (mais le sont-ils vraiment?). N'empêche, il semble qu'une sorte de flux ou de chaleur soit désormais absente, et que de plus en plus l'artiste, et l'homme, solutionne ses problèmes en escamotant cer-

328

taines de leurs données. On ne voudrait pas, et pour beaucoup de raisons, que ces deux volumes n'aient pas été écrits, et ils dessinent certes la figure que Gide a voulu laisser de soi. Mais déjà le dessèchement commence... Et ceci même rouvre le débat : y a-t-il eu appauvrissement du jour où décidément Gide en esprit s'est séparé de Madeleine, ou au contraire l'appauvrissement que je crois discerner ne vient-il pas de ce qu'il ne s'est résolu que si tard à reprendre toute liberté d'expression à l'égard d'elle ?

Ceci n'est pas une dissertation ; je voulais seulement vous montrer combien attentivement je vous ai lu. Ajouterais-je qu'à mesure que diminue, non certes la gloire si méritée de Gide, mais le bruit public fait autour de son œuvre, on entend mieux, me semble-t-il, la voix de certains écrivains de sa génération (je pense spécifiquement à vous) qui se sont presque, dirait-on, volontairement effacés. Je ne risque qu'avec hésitation cette remarque trop personnelle [6]. »

De l'influence du « couple » sur la création... Est-il abusif d'y entendre – on est en 1962 – d'autres échos que ceux d'une judicieuse – mais relativement abstraite – analyse littéraire, singulièrement dans cet « appauvrissement » de Gide séparé de Madeleine, dont Marguerite Yourcenar se demande s'il ne vient pas surtout d'une trop tardive séparation ?

Le 12 avril, Marguerite Yourcenar et Grace Frick quittent Petite Plaisance pour Boston, où elles se rendent à la bibliothèque pour, à nouveau, quelques vérifications relatives à *Hadrien*. Du 15 au 29 avril, elles sont à Hartford pour déménager définitivement leur ancien appartement. Ayant rapporté dans le Maine les rares objets auxquels elles tenaient et qui y étaient restés, elles prennent, le 10 mai, le train pour New

York. Le 18, un vendredi, elles embarquent sur le Mauritania « pour le voyage qui doit ramener Marguerite en Europe après douze ans d'absence », remarque Grace (la « chronologie » de la Pléiade place ce voyage en mai 1950...). Elles y resteront jusqu'en août 1952.

Une semaine plus tard, elles sont à Paris. Constantin Dimaras, qui avait compté les jours rapprochant Marguerite de la vieille Europe, lui écrit le 28 mai d'Athènes : « Vous voici donc, enfin, chère amie, du bon côté, de notre côté de l'Océan. Ce n'est pas encore exactement ce que j'aurais souhaité, mais cela s'en rapproche. » Si Marguerite sait mieux que quiconque ce que lui valurent de jours sombres ces années américaines, elle ne tient guère à ce qu'on n'y voie que la parenthèse vide d'une vie d'exilée, et moins encore une inconséquente faiblesse amoureuse : elle remettra les choses en place en répondant en juillet à Dimaras, avec une pointe de sécheresse : « J'étais extrêmement à court d'argent durant mon dernier séjour en Grèce et ne savais comment faire face à l'avenir. Mon poste de professeur aux États-Unis et l'amitié de Grace Frick m'ont permis de vivre. Le hasard veut que les États-Unis m'aient donné la sécurité et la paix nécessaires pour écrire [7]. »

Selon ses amis, Marguerite parle peu de son émotion, évidente pourtant, à revoir son continent d'origine. « Paris est toujours fort beau, plus même que je ne m'en souvenais », écrit-elle seulement dans un petit mot qu'elle dépose à l'hôtel de Crillon où sont descendus les Kayaloff et où elle s' « arrête en passant ». « Quant aux gens, ils n'ont pas changé, ni en bien, ni en mal [8]. » Le 29 mai, elle se rend chez Plon et, le 7 juin, le contrat est définitivement signé. La « convention littéraire » de Plon est très « classique », sans surprises. Marguerite Yourcenar y fait simplement préciser que,

330

« pour toute édition accompagnée d'une documentation photographique, l'auteur se réserve le droit d'approuver ou de choisir celle-ci », ajoutant que, « pour toute traduction en langue anglaise, l'auteur garde également le droit de choisir ou d'approuver son traducteur ».

Le lendemain – et bien que ledit contrat la fasse naître le 7 juin –, Marguerite Yourcenar fête ses quarante-huit ans et quitte, avec Grace, l'hôtel Lotti pour le Saint James et Albany, dans cette rue de Rivoli où elles se sont rencontrées, il y a déjà plus de quatorze ans. Le reste du mois de juin est occupé, dit Grace Frick, par « un peu de vie mondaine ». Elles reçoivent Gabriel Marcel, vont à plusieurs reprises chez Marie Laurencin, qui entreprend un portrait de chacune d'elles, voient Jean Schlumberger. Elles assistent, au théâtre Antoine, à une représentation de la pièce de Sartre, *Le Diable et le Bon Dieu*, avec Pierre Brasseur – spectacle sur lequel elles ne font aucun commentaire écrit. Mais Marguerite aura plaisir un an plus tard, à la fin du mois de mai, à s'entretenir avec Pierre Brasseur, qu'elle tenait pour un comédien exceptionnel. La rencontre la plus importante de ce séjour, dont découlera une longue correspondance, se fait chez Marie Laurencin, le 28 juin. C'est celle de Natalie Clifford Barney, l' « Amazone ». Une fois de plus, il y a, concernant cette rencontre, un flottement dans les dates puisque, des années plus tard, Marguerite Yourcenar racontera à George Wicks, qui faisait des recherches sur Natalie Barney, que la rencontre datait de 1952 et avait eu lieu à la fin d'une conférence donnée par elle, Marguerite Yourcenar...

Ensemble, elles évoquent Edmond Jaloux, mort en 1949, et André Germain, dont les Mémoires viennent de paraître sous le titre *La Bourgeoisie qui brûle*. Il y considère Marguerite Yourcenar, « avec Colette, comme l'un de nos deux grands écrivains féminins [9] ». Marguerite et Grace se rendront à une réception chez Natalie Barney, rue Jacob, dès le 3 juillet et, le 5, Marguerite écrira à Natalie la première lettre d'une correspondance qui s'étendra sur près de vingt ans. Traditionnelle « lettre de château », certes, mais qui, lorsqu'on connaît la froide courtoisie dont sait faire preuve Marguerite Yourcenar, laisse déjà percer l'intérêt et l'estime qu'elle porte à cette femme, et qui ne se démentiront jamais.

Hôtel St James & d'Albany
20, rue St Honoré 202, rue de Rivoli

Chère Miss Barney

Vous avez été si aimable envers mon amie Grace Frick et moi, et nous sommes pour si peu de temps à Paris, que je fais tout de suite une tentative pour vous revoir. Pourrait-on pour un soir vous enlever au beau cadre de la rue Jacob et vous faire passer dans votre propre quartier une soirée en touriste, comme le font les gens qui ne sont à Paris que de passage ? Grace et moi projetons d'aller demain vendredi dîner vers 7 heures et demie chez Georges, 34 rue de Mazarine, et d'aller ensuite assister au concert qui se donne à 9 heures dans la cour de l'Institut. Seriez-vous tentée de vous joindre à nous, soit pour toute la soirée, soit seulement pour le concert – au sujet duquel je ne promets rien – soit seulement pour le dîner ? Le rôle de maîtresse de maison présuppose en un sens un effacement et une générosité admirables : on aimerait à vous voir un moment libérée de vos devoirs d'hôtesse (j'aime ce beau mot américain) et c'est pourquoi nous pensons à vous entraîner sur la terrasse du plus petit café de Paris.

Veuillez agréer, je vous prie, l'expression de mes sentiments les meilleurs.

Marguerite Yourcenar [10]

Le 22 juillet, Grace et Marguerite gagnent la Suisse où elles séjourneront près de deux mois et où Marguerite, une fois de plus, sera « malade » – tout rhume, inconfort ou vague malaise étant assimilé par elle à une « maladie ». Elles vont d'abord au château de Vufflens-sur-Morges, chez Jacques de Saussure : « Mon père et Marguerite Yourcenar s'étaient connus dans les années trente, par l'entremise d'Edmond Jaloux, qui habitait la Suisse, raconte Alix De Weck, la fille de Jacques de Saussure. A son retour en Europe, au début des années cinquante, quand elle commençait à corriger les épreuves de *Mémoires d'Hadrien*, mon père l'a invitée, avec son amie Grace, dans le château de la famille. Ils ont revu *Hadrien* ensemble. Marguerite Yourcenar a toujours été très fidèle à mon père, jusqu'à la mort de celui-ci, en 1969. C'était une femme qui n'était jamais inattentive ou oublieuse. »

Le 20 août, Marguerite et Grace se rendent à Évolène, dans une boutique de tissage tenue – bien avant que ne revienne la mode de l'artisanat – par une certaine Marie Métrailler, dont l'étrange personnalité les séduit. Elles y retourneront à plusieurs reprises. On trouve la trace de cette rencontre dans un recueil d'entretiens entre Marie Métrailler et une de ses amies, et pour lequel Marguerite Yourcenar accepta que des lettres d'elle figurent en guise de préface : « Je souhaite que, comme dans la phraséologie bouddhiste, nous nous rencontrions un jour au bord d'une même cascade ou sous l'ombre d'un même arbre », écrit-elle à propos de Marie Métrailler. Et plus loin : « Je considère que cette Valaisanne rencontrée peut-être une demi-

333

douzaine de fois a été un de mes *gurus*. Elle m'a beaucoup appris, non seulement sur les traditions de son pays, mais encore sur la vie, je veux dire sur sa manière d'envisager la vie et de la vivre. Plus je vais, et plus je constate qu'il y a ainsi des êtres dont personne presque ne saura jamais rien, ou qui sont même parfois, comme votre lettre l'indique, en proie à l'ironie ou aux railleurs, et qui sont tout simplement grands, ou purs. Il m'a semblé tout de suite que Marie Métrailler était de ceux-là [11]. »

Le 27 août, Marguerite écrit de l'hôtel Bellevue, à Sierre, une lettre à Jenny de Margerie pour lui parler du philosophe Rudolph Kassner, qu'elle souhaitait vivement rencontrer à l'occasion de ce séjour suisse.

« Ne vous donnez plus la peine de m'envoyer l'adresse de Kassner, lui écrit-elle. Décidée à le retrouver coûte que coûte, je suis allée à Sierre, d'où je me proposais de monter à Montana pour le chercher, parce que vous m'indiquiez qu'il y était il y a environ un mois. Mais après quelques vains coups de téléphone, j'ai appris qu'il se trouvait comme moi à Sierre, dans ce même hôtel Bellevue où j'ai si souvent séjourné autrefois, et où il réside depuis cinq ans. La rencontre si précieuse pour moi a donc fini par se faire ; merci de m'avoir indiqué au moins la direction à prendre.

« Vous avez raison : le courage de Kassner et son absorption dans son œuvre sont bien beaux. Son regard n'a pas d'âge. Et, comme vous le disiez de l'Europe elle-même (et à plus forte raison encore), il faut se hâter d'en jouir [12]. »

Pendant que Marguerite renoue avec la Suisse et la mémoire des dernières années de son père, la revue *La Table Ronde* publie, dans ses numéros de juillet, août et septembre, des fragments des *Mémoires d'Hadrien*, à paraître chez Plon. Alors commence ce qui sera désigné par Marguerite et Grace comme l' « affaire *Hadrien* » et qui montre l'obstination et la combativité dont fera toujours preuve Marguerite Yourcenar envers ses éditeurs – ou tout autre interlocuteur – pour défendre ce qu'elle estime être son droit, du moins ce qu'elle a défini comme tel, fût-ce dans un léger écart avec « le » droit. Car il se trouve que Marguerite Yourcenar est toujours sous contrat, depuis l'avant-guerre, chez Gallimard et chez Grasset. Dès le mois d'avril 1951, elle avait fait part à Joseph Breitbach de ses pourparlers avec Plon en ces termes : « Je n'ai pas d'énergie pour porter *Hadrien* d'éditeur en éditeur. Quant à Gallimard, il a jusqu'ici fait si peu pour mes livres que je ne le crois pas capable de soutenir celui-ci qui m'importe beaucoup plus que les autres (...) J'ai mis beaucoup plus de moi-même dans ce livre (...) J'y ai fait plus d'effort d'absolue sincérité [13]. » Breitbach, semble-t-il, n'avait averti personne chez Gallimard, en dépit des liens qu'il y avait, avec Jean Schlumberger tout particulièrement.

Tout commence donc par une note de Jean Paulhan à Claude Gallimard, portant simplement comme entête « Samedi », mais qu'on peut dater de la fin de juillet ou du début d'août, les premiers documents portant trace du conflit datant d'août : « Marguerite Yourcenar publie dans *La Table Ronde* un roman, *Mémoires d'Hadrien*, qui me semble fait pour tous les prix Femina du monde. D'ailleurs pas du tout sot ni maladroit. A ta place, je le lui demanderais [14]. » Chez Gallimard, on constate très vite que le contrat signé par Marguerite Yourcenar en 1938 pour *Le Coup de grâce* prévoyait « un droit de préférence sur ses prochains ouvrages » – clause qui fait obligation à l'auteur de proposer par priorité à son précédent éditeur tout nou-

veau manuscrit. Le 5 septembre 1951, Gaston Gallimard fait donc part à Maurice Bourdel, qui dirige Plon,
de son intention d'éditer *Hadrien* [15]. Or, chez Plon, on
en est déjà aux épreuves – Marguerite Yourcenar postera, de Suisse, les dernières épreuves relues le 18 septembre – et on compte bien sortir le livre, sur lequel
on mise, avant les prix d'automne. Immédiatement
s'engage un « bras de fer », moins entre Plon – qui dans
un premier temps feint de tout ignorer – et Gallimard,
qu'entre Marguerite Yourcenar et Gaston Gallimard.
L'un comme l'autre détestent qu'on leur résiste et, de
lettre en lettre, le ton devient plus âpre. N'y manquent
même pas ces petits coups de griffe bien propres à faire
monter l'exaspération : Gaston Gallimard, qui sait per-
tinemment que Marguerite Yourcenar souhaite qu'on
lui donne du « Madame », en dépit de son célibat, et
qui n'a jamais failli à cette règle, lui envoie une correspondance et un télégramme, tous deux adressés à
« Mademoiselle Yourcenar [16] »...

Le conflit est aussi simple dans sa nature que difficile
à résoudre, surtout si deux entêtements égaux s'en
mêlent. Marguerite Yourcenar convient – tant dans
une lettre à Roger Martin du Gard que dans une autre à
Jean Schlumberger – qu'elle a commis une impru-
dence. A Roger Martin du Gard, elle écrit :

« Le fait qu'un volume de moi avait été rejeté en
1947 [il s'agit de *Dramatis personae*, le recueil de
petites pièces dont le manuscrit avait été examiné par
Camus] par la maison sans la moindre allusion à l'exercice ultérieur d'un droit d'option sur mes ouvrages
futurs, l'absence de tout projet pour réimprimer *Le
Coup de grâce* – comme le contrat l'y oblige – introuvable et épuisé depuis des années, ou pour racheter les
droits des œuvres épuisées publiées ailleurs (comme
Alexis), transaction dont Gallimard s'était pourtant

réservé l'exclusivité, la difficulté d'obtenir des relevés de comptes, tout enfin m'avait persuadée que la maison se désintéressait définitivement de moi, et que ce contrat suranné était annulé en fait. Opinion imprudente, je l'admets, et qui me met dans mon tort quant à la lettre même, quand je ne suis que trop sûre d'avoir raison quant à l'esprit. Il va sans dire que, dans les circonstances présentes, je me juge engagée envers Plon ; il va sans dire aussi que je ne rentrerai nulle part par contrainte. Toute la question pour moi consiste à obtenir immédiatement une résiliation de contrat [17]. »

Roger Martin du Gard transmet cette lettre à Gaston Gallimard, le 24 septembre, l'accompagnant d'un mot manuscrit :

« Mon cher Gaston,

« Je t'ai déjà dit que les gens qui m'attrapent aux basques pour que je me suspende aux tiennes sont légion – et tu as bien de la chance que je sois de nature discrète et peu altruiste... Voici cependant une lettre que je ne peux écarter, car j'ai pour *Marguerite Yourcenar* une très grande sympathie littéraire et une amitié (de correspondance) qui date de vingt-cinq ans. Je te la communique simplement *sans y ajouter la moindre requête*. Débrouillez-vous ensemble... A première vue, il me semble que, en droit, la position de la NRF est justifiable. En fait, il doit y avoir des torts des deux côtés. Et, ce qui est absolument sûr, c'est que l'extrême probité de Marguerite Yourcenar exclut tout soupçon de mauvaise foi. A-t-elle été " manœuvrée " par Plon ? En tout cas, à tort ou à raison, elle se sent engagée à Plon par la parole donnée, et, telle que je crois la connaître, elle se laissera plutôt ruiner par un procès que de se désolidariser avec Plon [18]. »

Le même jour, Jean Schlumberger fait parvenir à Gaston Gallimard, également avec un mot manuscrit, une lettre qu'il a reçue de Marguerite Yourcenar. Elle y reconnaît « qu'un arrangement avec Gallimard devrait être obtenu si possible avant la sortie du livre ». Mais, selon elle, cet « arrangement » ne pourrait concerner que des ouvrages à venir. Elle continue de tenir pour acquis que *Mémoires d'Hadrien* paraîtra chez Plon [19]. Cette obstination, cette manière qu'elle avait de réitérer, dans chaque lettre, ses griefs à l'encontre de Gallimard – jointe à un mot de Maurice Bourdel affirmant, le 21 septembre, que « le livre est actuellement sous presse et sera mis en vente dans quelques jours [20] » – ont dû ancrer Gaston Gallimard dans sa volonté de la faire céder.

Un huissier notifie à Plon – toujours le fameux 24 septembre – « une défense formelle de poursuivre l'édition de l'ouvrage [21] ». Dans le même temps, Gaston Gallimard saisit le syndicat des éditeurs d'une demande de confrontation avec Maurice Bourdel et assure Marguerite Yourcenar de son désir de prendre en « charge tous frais et conséquences du contrat signé par vous et Plon [22] ». Devant le refus de Marguerite Yourcenar, Gaston Gallimard lui expédie des lettres aussi argumentées et détaillées que les siennes, répondant pied à pied à ses reproches. Il fait simultanément faire par ses services juridiques diverses notes sur les « cas Yourcenar [23] » et propose à Maurice Bourdel une solution amiable que celui-ci n'accepte pas [24]. Le 22 octobre, il écrit à Marguerite Yourcenar en Suisse – alors qu'elle est de retour à Paris depuis le 14 – pour lui signifier son intention d'en appeler à la justice : « Je vais donc être obligé de remettre le dossier entre les mains de Me Maurice Garçon, notre avocat, car si j'ai tout fait pour éviter une action judiciaire, je n'en suis pas moins décidé à demander à la justice que toute mesure puisse être prise, empêchant qu'il soit passé

338

outre à des conventions librement consenties de part et d'autre, notifiées aux intéressés suffisamment à temps [25] ».

Nullement impressionnée par la guerre que lui déclare ainsi le plus prestigieux des éditeurs français, Marguerite Yourcenar expédie, le 27 octobre, de son hôtel parisien, un message qui, sous couleur de vœux d'arrangement, ne manifeste pas une très active volonté de concessions :

« J'ai reçu avant-hier votre lettre du 22 octobre (renvoyée de Suisse) et vous ai téléphoné hier rue Sébastien-Bottin pour prendre rendez-vous, estimant, comme vous-même je pense, que l'affaire qui nous occupe aurait tout à gagner à un entretien amical entre nous. M. Claude Gallimard, à qui j'ai parlé, m'a proposé un rendez-vous hier à six heures, que je n'ai pu accepter. Je suis rentrée de Suisse sérieusement grippée et sors le moins possible. Pourriez-vous passer à mon hôtel lundi, mardi ou mercredi prochain, entre quatre et six heures, pour discuter avec moi le présent problème avant que de part et d'autre la situation ne s'aggrave à notre détriment à tous [26]? »

Il faut sans doute sentir derrière soi le poids de générations de Cleenewerck de Crayencour pour convoquer ainsi Gaston Gallimard. Et ces ancêtres-là, Mademoiselle de Crayencour, qui en avait refusé le nom pour s'en forger un qui fût bien à elle, savait opportunément se rappeler leur existence pour y puiser une hauteur tout aristocratique face aux bourgeois montés en graine, fussent-ils devenus éditeurs des plus grands écrivains du siècle.

La bataille continua donc. Marguerite Yourcenar proposa même son ouvrage à Grasset, qui, lui aussi, estimait-elle, conservait un droit de préemption – ce que récusait Gaston Gallimard [27]. Finalement, Gaston

339

Gallimard écrivit le 20 novembre à Maurice Bourdel, après une dernière entrevue avec lui : « Notre entretien m'a fait sentir que nous étions des hommes de même race, de mêmes goûts, de même éducation. Cela a du prix pour moi et je désire que, comme moi, vous oubliiez cet incident. Si je renonce aux *Mémoires d'Hadrien*, c'est uniquement pour vous. »

Marguerite Yourcenar avait gagné, ce qui ne manqua pas de l'inciter, dans toute la suite de sa carrière littéraire, à se montrer inflexible. Pour l'heure, on en était à la courtoisie des armistices : « Merci pour ce mot qui met fin à nos difficultés présentes et nous permet d'envisager un complet accord pour l'avenir », écrivait-elle, le 23 novembre, à Claude Gallimard. « Merci aussi de l'avoir si gracieusement enveloppé de roses [28]. » Le point d'orgue devait être mis à cette affaire par une lettre manuscrite de Gaston Gallimard la remerciant de lui avoir envoyé un exemplaire dédicacé des *Mémoires d'Hadrien*, insistant sur son espoir de bientôt pouvoir « à nouveau travailler pour vous et regagner votre confiance », notant toutefois que « ce n'est pas sans une légère amertume et beaucoup de regrets que je vois sur ma table votre livre, sans le monogramme de la NRF [29] ».

Mémoires d'Hadrien avait été mis en vente le 5 décembre. On sait combien Marguerite Yourcenar tenait à ce texte, écrit dans l'euphorie d'un retour aux grands projets littéraires de sa première jeunesse. Dès le 7 avril de cette année 1951, elle entretenait longuement Joseph Breitbach de ses intentions et de ses scrupules :

« Comme vous avec Gide, il importait de ne pas tomber dans l'hagiographie, je tenais aussi à montrer les limites, fort étroites, dans lesquelles se restreint nécessairement l'individualité, même la plus riche, les subtiles fautes de calculs, les imperceptibles erreurs (quelle âme est sans défaut ?) et l'agonie finale dont on ne sait pas si elle est la ruine pure et simple, l'inévitable résultat de l'usure, ou un nouveau et plus étrange développement qui brise l'ancien cadre (...) Plus je m'avançais, plus j'ai été saisie d'un immense respect pour les faits et pour l'individualité unique du personnage dont j'essayais de m'approcher. Il m'a semblé parfois moins difficile de faire revivre sans trop d'inexactitudes cet homme du IIe siècle que d'évoquer par exemple un homme d'il y a cinquante ans, dont les expériences, les émotions, les idées différaient par trop des nôtres ; un de mes soucis a même été de ne pas souligner trop grossièrement les similitudes avec notre temps. Elles ne sont frappantes qu'à condition de rester à peine indiquées [30]. »

Au moment de la prépublication dans *La Table Ronde*, ses amis, dont Constantin Dimaras, lui envoient, sans flatterie ni complaisance, leurs témoignages d'admiration accompagnés de réserves sur des détails. Marguerite Yourcenar tiendra compte de certaines remarques, notamment celle de Constantin Dimaras relevant l'impossibilité, en raison de la configuration des monnaies romaines à l'époque de Trajan, d' « équilibrer des piles luisantes », comme Marguerite Yourcenar le prétendait [31]. Au même Dimaras, qu'elle appelle volontiers Didy, comme au temps de leur travail commun, avant-guerre, sur Cavafy, elle explique longuement [32] comment *Mémoires d'Hadrien* s'inscrit dans la ligne de son évolution personnelle, « victoire sur l'angoisse, ou tout au moins contrôle intelligent de celle-ci » ; comment elle a voulu se garder de toute vision post-chrétienne du monde, où la notion de péché subsiste, plus obsédante que jamais : « Plus je vais, ajoute-t-elle, plus je me rapproche au contraire d'une

341

image plus tranquille et plus égale de l'homme sans rehauts et sans ombre portée. Je m'efforce surtout que les défauts de ma propre vision ne fassent pas grimacer mes modèles ; j'ai peu de goût pour les miroirs déformants. »

Dès la publication, le « succès d'*Hadrien* », note Marguerite Yourcenar à la fin de 1951, « passe toute attente ». Jean Ballard, pour qui « Hadrien est moins le sujet d'un livre qu'un thème de quête, une recherche de soi dans l'équilibre et l'apaisement », est le premier, dans *Les Cahiers du Sud*, à lui consacrer un long et très élogieux article : « Ce bilan d'une conscience a tenté un écrivain exigeant. Et cela nous vaut un grand livre (...). La qualité de l'expression va de pair avec la qualité de la pensée. Une sûreté de langue admirable, la science des effets concourent à donner un grand air de noblesse au récit qui ne bronche pas dans les aveux difficiles, ni ne s'enroue aux moments d'orgueil [33]. » Les critiques sont unaniment positives, et les réactions d'autres écrivains flatteuses. Jules Romains, dès le 25 décembre, après avoir avoué ne rien connaître d'elle et être « un lecteur fâcheux (...) incapable de surmonter l'ennui (que je tiens pour un indice très significatif) », lui fait l'aveu de son admiration : « Eh bien j'ai lu *Mémoires d'Hadrien* de la première à la dernière page (...) J'ai repris certains passages. J'ai relu (...). Il me faudrait maintenant plusieurs pages pour vous dire à quel point votre livre me paraît admirable. J'y trouve les qualités les plus diverses : une pensée d'une vigueur et d'une hauteur étonnantes ; un sens psychologique des plus aigus ; un style dont la perfection et le bonheur sont presque constants [34]. »

Outre Roger Martin du Gard, lui aussi très élogieux, Thomas Mann manifesta, quelques années plus tard, un

342

véritable enthousiasme pour *Mémoires d'Hadrien*. Dans une lettre à Charles Kerenyi, datée du 19 janvier 1954, il écrit : « Je suis en ce moment (à retardement) sous l'influence des *Mémoires d'Hadrien* de Marguerite Yourcenar, une œuvre poétique pleine d'érudition qui m'a enchanté comme aucune lecture ne l'avait fait depuis longtemps [35]. »

Juste un mois après la sortie du livre, Émile Henriot, de l'Académie française, lui consacre son feuilleton du *Monde*, « la vie littéraire ». « J'admire beaucoup Mme Marguerite Yourcenar d'avoir si bien réussi dans son entreprise, écrit-il. Ajoutez à ce savant mérite une remarquable intuition féminine à l'égard d'une psychologie d'homme à pénétrer et à expliquer jusque dans les mystères de sa vie amoureuse et de sa folle passion pour le jeune grec Antinoüs (...) Hadrien en arrive à voir dans l'amour un envahissement de la chair par l'esprit, mais là, c'est Mme Yourcenar qui s'exprime, de son point de vue féminin : un homme dirait le contraire, il me semble, car l'érotisme masculin n'est pas autre chose que l'envahissement de l'esprit par les exigences et la pensée constantes de la chair [36]. »

Émile Henriot, qui écrit sans arrière-pensée, ne se mêle pas au concert – qui deviendra rengaine – sur « la virilité de la pensée » et le « style mâle » de Marguerite Yourcenar, notamment orchestré cette fois-ci par Denise Bourdet, dans la *Revue de Paris*. Dans *Les Nouvelles Littéraires*, Jeanine Delpech parlera de « la fermeté virile de son style [37] » ; Aloys J. Bataillard rappellera dans les colonnes de *La Gazette de Lausanne* que Marguerite Yourcenar écrit des « livres peu féminins par le choix des sujets [38] ».

Marguerite Yourcenar sera poursuivie toute sa vie par cette sottise. Et plus violemment que jamais au moment de son élection à l'Académie française. On verra alors les dessous obscurs, la volonté d'exclusion que portent ces commentaires, assassins en se prétendant élogieux. Si un homme, au lieu des *Mémoires d'Hadrien*, avait écrit à la première personne un magnifique portrait de femme, qui aurait eu l'idée d'évoquer « la délicieuse féminité de son style » ?

Marguerite Yourcenar a toujours été exaspérée par ceux qui tentaient de lui faire dire, sur le modèle du fameux « Madame Bovary, c'est moi » de Flaubert, « Hadrien c'est moi ». Elle soulignait au contraire combien il était fascinant pour un écrivain de faire exister des personnages « moins " pauvres " que nous, dépourvus de nos petites faiblesses », « ayant agi sur le destin du monde, sur la paix et la guerre ». Elle eût préféré, « à tout prendre », dire : « je suis Hadrien ». Car, confiait-elle, « par cette méthode de délire dont j'ai fait l'expérience, j'ai tenté de devenir, par moments, cet empereur aux prises avec lui-même, au point, pour certaines interprétations, de préférer ce que je sentais être sa version des faits à l'exacte vérité ».

« Vous lirez un peu partout que : Hadrien, c'est moi », confirme-t-elle au romancier et critique Jacques Folch-Ribas. « C'est d'une grande sottise, et négligence. Je n'ai pu écrire la version que vous avez lue, la dernière, qu'après beaucoup d'années passées à entrer chez Hadrien. On devrait dire plutôt que *je suis devenue Hadrien*. La nuance peut paraître délicate mais elle est capitale. Vous l'avez comprise et je vous en remercie [39]. »

Elle a cependant toujours admis avoir mis dans ce texte « beaucoup d'[elle-] même ». Une lecture minutieuse d'*Hadrien*, qui appartient aux critiques littéraires, peut en multiplier les preuves. Mais il n'est que de citer, en parallèle, une phrase d'Hadrien à propos de l'âge et une réponse de Marguerite Yourcenar à Matthieu Galey pour saisir ce mécanisme relevant d'une forme subtile d'osmose – dont on ne sait plus très bien, en fin de compte, s'il va toujours de l'écrivain à son personnage, ou, parfois, de l'empereur à Marguerite Yourcenar, fascinée par ce qu'elle a découvert de l'attitude d'Hadrien devant la vie.

« J'allais avoir quarante ans, constate Hadrien. Si je succombais à cette époque, il ne resterait de moi qu'un nom dans une série de grands fonctionnaires, et une inscription en grec en l'honneur de l'archonte d'Athènes. Depuis, chaque fois que j'ai vu disparaître un homme arrivé au milieu de la vie, et dont le public croit pouvoir mesurer exactement les réussites et les échecs, je me suis rappelé qu'à cet âge, je n'existais encore qu'à mes propres yeux et à ceux de quelques amis, qui devaient parfois douter de moi comme j'en doutais moi-même [40]. »

« Pour un écrivain, c'est très grave de mourir à quarante ans, répond Marguerite Yourcenar à une question de Matthieu Galey. Ç'aurait été une catastrophe pour Tolstoï; ç'aurait été une catastrophe pour Ibsen; ç'aurait été même une catastrophe pour Victor Hugo. On aurait le Victor Hugo des années de Paris, sous Louis-Philippe, on n'aurait pas le Victor Hugo de l'exil. Il faut beaucoup de temps. Si vous arrêtez Hugo avant *Les Misérables* et avant *La Légende des siècles*, c'est un très bon poète; ça n'est pas encore le voyant unique dans l'histoire de la poésie. Je ne ferais pas le sacrifice du premier Hugo, pas même *Odes et ballades*, il fallait passer par là, mais je constate que nous ne saurions rien du grand Hugo. »

Dans ce cas précis, c'est une réflexion de Marguerite Yourcenar qui a été transmise à Hadrien, car elle ajoute, dans sa conversation avec Matthieu Galey : « D'ailleurs, je ressens cela si fortement que je l'ai fait dire à Hadrien [41] (...) »

De nombreux critiques feront, comme plus tard Jacques Brenner dans son *Histoire de la littérature française* [42], de « l'amour de l'empereur pour Antinoüs » « le centre du livre » : « Depuis longtemps, personne n'avait aussi bien parlé de l'amour », estime Brenner.

« J'ai eu une presse enthousiaste... qui insistait beaucoup sur Antinoüs, et sans doute y insistais-je moi-même [43] », commente Marguerite Yourcenar dans ses entretiens avec Matthieu Galey. « Les gens n'ont pas tellement voulu voir (...) toute cette vie. Ils ont surtout voulu voir un succès, une réussite extraordinaire (...) Il y a toutes sortes d'éléments dans ce livre qui me paraissent intéressants et que le public voit mal. Lucius, par exemple, l'héritier manqué, l'homme élégant qui a presque été un grand prince, et qui meurt sans laisser de trace. Ces personnages qui " existent presque " sont pour moi également très attachants. Il est curieux aussi de voir Hadrien vieillir. C'est différent pour chacun et les gens vieillissent toujours, je l'ai dit, sur leur propre ligne. Celle d'Hadrien, c'est la lucidité portée à la fin jusqu'à la méfiance. »

Contrairement à André Fraigneau dans son rapport de lecture, on a rarement vu en *Hadrien* une biographie. En revanche, on l'a souvent lu comme un roman historique. Plus juste est la remarque de Robert Kanters qui note : « Le domaine de Madame Marguerite Yourcenar, c'est l'histoire, ou plutôt la méditation du passé (...) Mais la méditation du passé serait de peu de conséquence si elle se bornait à nous enseigner comment nous allons périr : elle doit aussi nous aider à vivre, même si c'est dans un monde condamné [44]. » Les attaques ne seront toutefois pas absentes, ce qui est un signe de plus de l'intérêt suscité par le livre. En 1954, Marguerite Yourcenar déplorera à plusieurs reprises celle, qu'elle juge grossière, d'un archéologue français :

« Une distraction moins sympathique, qui m'est tombée sur la tête ces jours-ci, est l'obligation de répondre à une notice extrêmement insultante et perfide de la *Revue archéologique*, qui m'attaque (je vous dirai le pourquoi que je pense savoir : on se croirait chez Molière) au sujet de quelques détails archéologiques d'*Hadrien* et d'ouvrages mentionnés dans ma bibliographie, qu'on m'accuse de ne pas avoir lus ; l'auteur se plaint aussi de trouver dans mon livre trop peu " d'images visuelles d'Antinoüs "(!). Mais le ton captieux, la mauvaise foi, et les citations ingénieusement tronquées m'obligent à réfuter, par principe ; ce qui est facile, mais fastidieux à faire [45]. » L'irrite aussi un article très hostile de l'Italien Evaristo Breccia, qui se plaint de ne pas figurer dans la bibliographie.

En 1951, *Mémoires d'Hadrien* ne faisait qu'entamer la longue carrière d'un succès qui dure toujours, mais le conflit avec Gaston Gallimard avait empêché le livre de participer à la compétition pour les grands prix d'automne. Le Femina, pour lequel Jean Paulhan avait recommandé *Hadrien* à Gaston Gallimard, était revenu à Anne de Tourville, pour son roman *Jobadao*, publié chez Stock, tandis que le Goncourt 1951 allait à Julien Gracq – qui le refusait – pour *Le Rivage des Syrtes*, chez José Corti. Il est plaisant de constater cette coïncidence, aujourd'hui où les mêmes critiques qui négligent, voire méprisent Marguerite Yourcenar, ne tarissent pas d'éloges sur Julien Gracq et ont célébré un peu bruyamment son entrée dans la bibliothèque de la Pléiade en 1989. Qui accepterait de relire *Le Rivage des Syrtes* et *Hadrien* avec un véritable regard critique conviendrait sans doute que préférer l'un ou l'autre est affaire de goût plus que de « hiérarchie » littéraire. Et quitte à parler, quand même, de hiérarchie littéraire, il ne serait pas inutile de se souvenir que cette même année 1951 paraissaient le *Molloy* et le *Malone meurt* de Samuel Beckett...

Mémoires d'Hadrien, qui recevra en juin 1952 le prix Femina Vacaresco [46], a bénéficié, jusqu'à nos jours, de multiples rééditions, toujours revues par Marguerite Yourcenar. Les exemples de sa propension à être méticuleuse, voire vétilleuse jusqu'à la manie, iront en se multipliant, l'âge venant, et au fur et à mesure de sa sédentarité forcée pendant la phase terminale de la maladie de Grace Frick. Mais dès les années cinquante, chaque nouveau tirage d'*Hadrien* est déjà l'occasion d'un de ces examens minutieusement argumentés auquel Marguerite Yourcenar soumet tout texte pour lequel on lui demande son « bon à tirer ». A propos du quarante-troisième tirage, elle envoie à Plon la liste des suggestions du correcteur qu'elle approuve et, « sujet bien plus sérieux », la liste des modifications qu'elle récuse, s'en justifiant ainsi :

« En général, je crois qu'il est extrêmement important que l'écrivain, tout en s'alignant le plus souvent possible sur la ligne de l'usage, garde la liberté de s'en écarter volontairement là où il croit indispensable de le faire. C'est ainsi que je tiens essentiellement au maintien du conditionnel inédit *giserait*. Pour des raisons également trop longues à exprimer, je tiens à garder *après-midi* au féminin ; la forme *à ses côtés* en certains cas et la forme *à son côté* dans d'autres ; à retenir l'ancienne orthographe de *payement*, *lys*, *frayer*, *essayer* ; à ne pas faire nécessairement suivre le *Ah* d'un point d'exclamation ; à retenir certaines orthographes laissées jusqu'à nos jours facultatives, comme *cuillère* ; à me permettre un certain jeu dans l'accord du participe passé suivi par un infinitif, liberté appuyée par les grammairiens du xviiᵉ siècle et du xviiiᵉ siècle, et qui

348

permet de maintenir certaines nuances autrement en voie de disparition ; enfin, en dépit du fameux *amours, délices et orgues,* je tiens à maintenir *nos amours vivants* dans une phrase où amours n'est pas pris d'ailleurs dans son sens abstrait habituel au pluriel *(de belles amours... elle a inspiré de grandes amours)* mais dans un sens plus voisin de l'anglais *his loves,* et équivalent en somme à objets aimés (...) Tout cela est très sérieux, parce qu'une des raisons d'être de l'écrivain est de lutter contre un certain conformisme superficiel du language [sic], qui, accepté comme un article de foi, va à l'encontre des lois plus subtiles ou plus complexes, et tend, sous prétexte d'uniformiser, à appauvrir finalement le français [47]. »

Plon, entre 1951 et 1958, tirera, dans diverses éditions, 96 500 exemplaires de *Mémoires d'Hadrien.* Chez Gallimard, où la totalité des titres de Marguerite Yourcenar est désormais rassemblée, le tirage global (collection Blanche, édition reliée et Folio) s'élevait en 1989 à 821 870 exemplaires. Pour quelqu'un qui affirmait : « Je ne m'attendais pas à ce que dix personnes lisent ce livre. Je ne m'attends jamais à ce qu'on lise mes livres, pour la simple raison que je n'ai pas l'impression de m'occuper de choses qui intéressent beaucoup la plupart des gens [48] », c'était une assez jolie surprise, qui attira très tôt l'attention de l'éditeur américain Farrar Straus & Giroux. Roger Straus demeurera du reste l'éditeur américain de Marguerite Yourcenar, qui avait pour son talent, son élégance d'esprit et ses manières d'aristocrate éclairé un respect et une estime dont elle était en général peu prodigue.

Jusqu'en février 1952, Marguerite Yourcenar accomplira très docilement les mille et une obligations que fait à un auteur la promotion de son livre, acceptant des signatures dans diverses librairies, accordant des interviews (qu'elle nomma toujours « entrevues »), remerciant les critiques pour leurs louanges, se rendant à des réceptions. C'est au cours de l'une d'elles qu'elle croise André Fraigneau. « Nous nous sommes parlé comme de vieux amis », se souvient-il. Marguerite Yourcenar, en revanche, a confié à DeeDee : « cet homme que j'avais aimé avant-guerre, je l'ai retrouvé dans une fête donnée au moment de la sortie d'*Hadrien*. Je l'ai ignoré ». Elle a écrit la même chose à Gabriel Marcel : « Depuis 1939, je ne l'ai aperçu qu'une seule fois, à une réception chez Plon, où il s'est approché pour me dire quelques mots, et je n'ai pas désiré reprendre un dialogue qui avait autrefois été intime et dont je n'ai plus l'impression qu'il serait sincère [49]. » Qui a raison * ? Elle revoit avec plaisir Roger Martin du

---

* Si l'attitude de Marguerite Yourcenar avait été celle qu'elle prétend avoir eue, nul doute qu'André Fraigneau l'aurait fait remarquer, lui qui ne dédaigne pas d'être acerbe. De plus, la suite de la lettre à Gabriel Marcel montre à quel point Marguerite Yourcenar voulait, en toute occasion, régler des comptes avec André Fraigneau. Faisant allusion à son attitude pendant la Seconde Guerre mondiale, et à son antisémitisme, elle va jusqu'à s'interroger sur les « mérites » comparés de Fraigneau, Sachs et Montherlant... « Je n'ignore pas que sur ce point vous me prêcheriez sans doute l'indulgence, et que je parais illogique, puisque je garde en dépit de tout une certaine sympathie pour Maurice Sachs que j'avais quelque peu connu avant 1939 et puisque mon admiration (avec des réserves) pour Montherlant, ne s'est pas démentie. Mais la situation de ce personnage tragi-comique qu'était Maurice Sachs était bien différente, et outre que l'affreux *Sabbat* et l'affreuse *Chasse à courre* témoignent d'une espèce de génie picaresque que je ne peux pas ne pas goûter, Sachs a certainement payé assez cher ses bassesses pour qu'il ne soit plus question de l'en accabler aujourd'hui ; je préfère me souvenir seulement d'un garçon changeant comme une girouette, léger jusqu'à la folie, mais capable aussi d'une curieuse ardeur, tel que je l'ai rencontré une dernière fois en septembre 1939, dans un café parisien, sioniste avec enthousiasme ce soir-là, et traînant déjà la jambe du fait de cette sciatique qui allait le faire rester en arrière d'un convoi et mourir sur les routes d'Allemagne (...) Quant à Montherlant, en dépit de tous les artifices, et peut-être des impostures, c'est le sentiment d'une grandeur mal dirigée qui, chez moi, domine à son égard, et l'admiration pour certains aspects de l'écrivain. »

Gard et son premier éditeur René Hilsum, avec lequel elle restera liée jusqu'à sa mort; se rend à la librairie de Sylvia Beach, Shakespeare & Company, et se plie, sans déplaisir, à quelques mondanités. Au point de se rendre, avec Grace, au défilé de haute couture de Pierre Balmain. Détail qui n'étonnera que ceux qui, réprouvant le non-conformisme des vêtements de Marguerite Yourcenar et son goût pour certains accoutrements excentriques, ne remarquèrent jamais quel soin elle apportait au choix de sa garde-robe, à la qualité des étoffes, à l'harmonie de leurs couleurs.

A la mi-février, pourtant, Marguerite et Grace, lassées de ce trop long séjour parisien, partent en voyage. Elles rejoignent l'Italie, via Pau (pour la succession de Christine de Crayencour), Nîmes, Aigues-Mortes, les Saintes-Maries-de-la-Mer, Marseille, Cannes et Vence. Elles séjournent près d'un mois à Rome à partir du 27 février avant de descendre vers Naples, remettant leurs pas dans leurs propres traces, celles des voyages de leur passion naissante. Par Gibraltar, elles passent en Espagne où elles resteront un mois, explorant Cadix, Séville, Grenade, et cédant à leur caractère volontiers fantasque en invitant un jour à Algésiras « deux marins américains pour le déjeuner », comme le note Grace Frick le 7 mai. Le retour à Paris, qu'elles atteindront le 22 mai, sera sérieux (le prix Femina Vacaresco), mondain, amical (de nombreuses visites à Natalie Barney), professionnel (entretien avec Janet Flanner, la célèbre chroniqueuse du *New Yorker*) et littéraire (un dîner chez Madame Conrad Schlumberger avec Ernst Jünger et un rendez-vous avec Colette).

A la date du 7 juillet, l'agenda que tient Grace porte

de visibles traces de larmes et on y lit, en anglais, cette phrase : « MY déclare haïr irrévocablement Grace *. »

Déjà rétive à tout commentaire sur elle-même, Grace n'en dit pas plus, ni sur ses sentiments ni sur les causes de cet éclat. Il est même étonnant qu'elle ait noté le fait. Il fallait que la querelle eût été bien rude, et qu'elle veuille ne jamais oublier ce jour-là : en anglais comme en français, « déclare » est le mot qu'on emploie pour évoquer le déclenchement d'une guerre... Il semble qu'à Paris, Marguerite, invitée, célébrée, retrouve le goût de sa fierté solitaire des années trente et sans doute le désir d'une indépendance que compromet la présence continuelle de Grace à ses côtés. Celle-ci l'ayant remarqué – la note de l'agenda apparaît comme le point extrême d'une dispute où l'exaspération de l'une dut croître à la mesure des récriminations éplorées de l'autre – elle n'est sans doute pas étrangère à l'absence de Marguerite de Paris entre 1956 et 1968. Après l'incident du 7 juillet 1952, et jusqu'à leur départ, un mois plus tard, Grace déclinera plusieurs invitations, laissant Marguerite aller seule à des réceptions, ou même à des repas chez des amies qu'elles ont en commun, comme Natalie Barney.

Lorsque Marguerite Yourcenar quitte la France, le 6 août 1952 – elle doit, en septembre, reprendre ses cours à Sarah Lawrence, pour un semestre au moins –, elle sait que sa « période américaine » de doutes et de difficultés matérielles et morales est définitivement close. Elle est redevenue, comme avant-guerre, un écrivain français. Avec le succès en plus.

C'est pourtant sans enthousiasme qu'elle atteint New York, le 11 août, puis regagne Petite Plaisance, où il y a fort à faire après plus d'une année d'absence. Elle

* « MY [qu'on peut évidemment lire « My »] firmly déclares hatred of Grace. »

352

n'avait guère envie de retraverser l'Atlantique, comme le prouve une lettre à Jean Ballard : « J'avoue que le changement de continent représente une transplantation difficile, et j'espère être dès la fin du printemps prochain de retour en France[50]. » Si l'on sait mal ce qui s'est passé entre Grace et elle après la violente dispute du 7 juillet, on remarque que, sur les agendas de Grace, les notations deviennent de plus en plus factuelles et lapidaires, que les signes (croix et soleils) marquant le bonheur, la tendresse, l'amour et la joie d'être ensemble disparaissent presque totalement, et pour toujours, comme si, à l'histoire d'amour, succédait ce que décrivent leurs amis des années cinquante et soixante, un « mariage de raison ».

A Sarah Lawrence, une surprise assez désagréable attend Marguerite Yourcenar : elle ne peut pas obtenir de chambre sur le campus pour l'année universitaire qui vient. Non qu'elle ait, on l'a vu, un goût particulier pour la très particulière « convivialité » des universités américaines, mais ces déplacements obligés vont lui prendre un temps qu'elle souhaite, maintenant, consacrer à ses propres projets. Elle loue donc un petit appartement à Scarsdale (au nord de New York, à mi-chemin entre Bronxville et White Plains), et, dans le même temps, annonce au président du collège qu'elle ne souhaite pas le renouvellement de son contrat : « Mes réflexions sur le niveau des études aux États-Unis cette année pourraient vous amuser, écrit-elle à Natalie Barney, mais irriteraient sans doute votre sœur, aussi je m'abstiens. En tout cas, j'ai prévenu la direction de Sarah Lawrence que je me libérais pour l'an prochain ; ma tâche là-bas est d'une utilité trop restreinte pour que je me fasse un devoir d'y rester, et l'obligation de passer l'hiver aux environs de New York dévore les avantages financiers de la situation, et finalement

les annule [51]. » Dans la même lettre, Marguerite Yourcenar précise à Natalie Barney que Grace « travaille à
Hadrien [la traduction] admirablement, mais lentement ». Elle y reviendra quelques mois plus tard : « la
traduction d'*Hadrien* avance lentement, partie à cause
de Grâce, très scrupuleuse, et qui ne peut pas travailler
vite, partie (et depuis quelques mois surtout) à cause
de la très mauvaise influence exercée par le lecteur de
l'éditeur anglais (...) qui se mêle de corriger très obscurément les fragments qu'on lui envoie [52] ».

Pour la première fois, Marguerite Yourcenar et
Grace Frick sont confrontées à un travail – la traduction de *Mémoires d'Hadrien* –, dont Grace est le maître
d'œuvre, et où Marguerite joue, en quelque sorte, un
rôle de recours accessoire. Marguerite a du mal à
cacher son irritation devant la lenteur de Grace. Après
la mort de celle-ci, elle y fera quelquefois allusion,
d'un air peu amène, celui des longues colères contenues.

Marguerite Yourcenar avait un extraordinaire pouvoir de concentration. Elle lisait avec une rapidité peu
commune et pouvait écrire des heures entières,
presque sans ratures, sans que rien ne puisse l'en dis-
traire. Elle était souvent moins énergique, moins
tenace que Grace, qui, confiait-elle, la « forçait à rester
éveillée tard dans la nuit si le travail prévu pour la journée, la mise au point d'un chapitre ou une correction
d'épreuves par exemple, n'était pas achevé ». Mais elle
avait en horreur la lenteur et l'incertitude intellectuelles, la tergiversation poussée jusqu'à la quasi-
impuissance qui saisissait Grace devant ce travail de
traduction. Grace, certes, était incapable d'accélérer
son rythme, et la réaction de Marguerite était banale :
tous ceux, qui, comme elle, ont une imposante capacité de travail intellectuel sont exaspérés par qui ne

peut les suivre. Mais cette situation commune se doublait ici de facteurs psychologiques singuliers : c'était maintenant Marguerite qui, le soir, relisait le travail de la journée, et on l'imagine mal reprenant le rôle d'acquiescement admiratif qui avait dû être si souvent, en d'autres temps, celui de Grace. On conçoit aisément l'inquiétude constante de celle-ci : nul doute que Marguerite lui expliquerait que tel mot ne convenait pas, et s'ingénierait, comme il était bien dans sa manière, à prouver que, des deux, c'était évidemment elle qui avait la meilleure connaissance des formes et des mots anglais aptes à rendre compte des subtilités d'*Hadrien*...

En cette année 1952, Marguerite Yourcenar est passée de la reconnaissance par ses pairs, qui lui était acquise depuis l'avant-guerre, à une certaine notoriété. Elle en a été plus touchée qu'elle ne voulait l'admettre, et sans doute moins étonnée qu'elle ne le disait : « J'ai donc été surprise, bien sûr [53] », racontait-elle à Matthieu Galey. « On m'a écrit des lettres extrêmement émouvantes, quelques-unes m'ont fait plaisir, quelques-unes m'ont même bouleversée (...) Ensuite, j'ai perdu beaucoup de temps à répondre, enfin toutes les choses qu'on fait quand on a un grand succès pour la première fois. » Toute sa vie, elle prétendra qu'elle « perd du temps à répondre » au courrier, mais n'en rédigera pas moins une énorme correspondance, qu'elle doublera d'inlassables copies.

Pour l'heure – vérité ou modestie affectée – elle n'en est pas encore à se prétendre accablée par les lettres d'admirateurs. Elle savoure la douceur qu'il y eut à revenir dans le pays où l'on parle sa langue, à y être lue et célébrée, et elle veut de nouveau, même à distance, lui appartenir. Avant que l'année ne se termine, elle devient membre de la Société des gens de lettres, apprend que *Mémoires d'Hadrien* est acheté par le Club du meilleur livre, ce qui lui assurera un autre type de diffusion, et, début décembre, accepte le contrat que lui propose Gallimard pour une seconde édition du *Coup de grâce.* L'année s'achève à Petite Plaisance, d'où Marguerite Yourcenar écrit ses cartes et lettres de nouvel an – plus nombreuses que les autres années –, en particulier une lettre chaleureuse à Natalie Barney dans laquelle elle affirme : « Je ne veux pas passer un hiver de plus aux environs de New York. Que ce soit ou l'Europe, ou cette *cella del conoscimento da se* du Maine. » Et comme souvent, le message se termine par une phrase qui la concerne autant que le destinataire de la missive : « Je songe souvent au beau récit de votre vie, clair et irrécusable, que j'aimerais vous voir écrire. Mais peut-être les demi-silences vous vont-ils mieux [54] »...

CHAPITRE 6

L'équilibre

À bord du bateau sur lequel elle regagnait les États-Unis, en août 1952, Marguerite Yourcenar avait-elle pleinement conscience que « les extraordinaires carambolages du hasard » ayant décidé de sa vie avec Grace rendaient son « choix irréversible » ? C'est probable. Mais elle avait justement trop aimé les brusques retournements du hasard pour se satisfaire pleinement des quiétudes convenues de l'« irréversible ». Et sans doute était-elle souvent encore, comme elle l'a fait dire à Hadrien, reprise « par [la] rage de ne dépendre exclusivement d'aucun être[1] ». À peine avait-elle posé le pied sur le sol américain qu'elle manifesta donc sa volonté de repartir assez vite, dès la fin de son semestre universitaire à Sarah Lawrence. Au printemps de 1953, elle écrivait à Natalie Barney pour lui annoncer son arrivée prochaine en Europe et ajoutait : « Le printemps de New York a été bien beau (même dans cette ville si dure), et de bien des façons. Me voici depuis quinze jours dans la maison de l'île, espèce de grand exil très doux ; j'aime à lire du grec sous les pommiers en fleur[2]. » Exil est un mot dont Marguerite Yourcenar, pendant les années américaines qui allèrent de 1939 à 1951, ne faisait pas usage. Peut-être eût-il été trop douloureux. Après avoir renoué avec l'Europe, après la fin du véritable exil, celui qu'imposent des circonstances extérieures et dont on ne sait s'il aura un terme, il lui était plus facile d'en parler, comme d'une sorte de métaphore d'un état consenti, et non subi. Ce qui supposait la possibilité d'un débat sur le retour.

Les discussions entre Marguerite et Grace à ce sujet sont restées secrètes. Comme pour ces années où elles étaient sans cesse ensemble, il n'existe pas de correspondance – même scellée – il semble bien que cela doive rester une de leurs parts d'ombre. C'est seulement quand la question sera devenue sans objet qu'on trouvera, dans une confidence de Marguerite Yourcenar à Natalie Barney, la trace de la difficulté qu'il y eut à se tenir à la décision de cet « exil » américain : « Plus nous allons, plus nous constatons la sagesse de la résolution qui nous a *ramenées* ici, et cela en dépit du regret de ne pas voir plus longuement et plus fréquemment les amis de France [3]. » Preuve, pour ceux qui en douteraient, qu'il y a bien eu débat. Mais une installation en Europe eût été inacceptable pour Grace. Où aurait-elle trouvé la contrepartie de son effacement, l'indispensable sentiment d'être absolument nécessaire à la survie de Marguerite sinon en un lieu où, en dépit de la nationalité acquise, celle-ci ne serait jamais totalement autonome, parce qu'elle ne voulait pas, on l'a vu, appartenir à une communauté qui risquait de l'atteindre dans la maîtrise de ce qui était essentiel à son travail, sa langue. L'équilibre de leur couple passait par la préservation de Petite Plaisance.

Mais le « modus vivendi » ne pouvait se faire qu'autour du voyage, accepté par Grace, voulu par Marguerite, qui ne pouvait imaginer un retour à la sédentarité de la décennie passée. Le compromis avait peut-être été signifié à Grace au détour d'une de ces phrases apparemment anodines, que Marguerite Yourcenar savait si bien manier, et dont la trompeuse insignifiance était contredite par un ton qui les manifestait comme des décisions longuement mûries, ne souffrant pas la moindre discussion : « Nous rentrons à Petite Plaisance, mais nous voyagerons. » Ces petites phrases, dont chacun de ceux qui l'ont approchée se souviennent d'avoir été le bénéficiaire – ou la victime –, elle les prononçait à n'importe quel moment, en faisant chauffer l'eau du thé, en fermant une porte ou au beau milieu d'une conversation. Ceux qui n'ont pas su les entendre ont toujours eu à s'en repentir...

Quant à ce qui faisait du voyage une nécessité vitale, quasi éthique, Hadrien s'en était fait l'interprète indirect : « Peu d'hommes aiment longtemps le voyage, ce bris perpétuel de toutes les habitudes, cette secousse sans cesse donnée à tous les préjugés. Mais je travaillais à n'avoir nul préjugé et peu d'habitudes [4]. »

C'est à la fin de janvier 1953 qu'arrive une lettre de Victoria Ocampo. Leur rencontre en décembre 1951, lors d'un dîner parisien en compagnie de Max-Pol Fouchet, n'avait fait que confirmer l'estime que lui portait Marguerite Yourcenar depuis l'époque argentine des *Lettres françaises*, à la fin de la guerre, et elles étaient restées en relation. On ignore hélas la teneur du propos auquel répond Victoria Ocampo : jusqu'à présent la lettre de Marguerite Yourcenar, si toutefois elle n'a pas été détruite, n'a pu être retrouvée. Le sujet, au moins, en était clair puisque Victoria Ocampo commente : « Je crois comme vous que la sexualité a une grande importance (et surtout ce qui dérive d'elle). Mais l'interprétation de RS [?] me déplaît pour bien des raisons, nous en reparlerons. Figurez-vous que je suis en train d'écrire mes mémoires et que je trouve *l'investigation* difficile [5]. » On regrette d'autant plus d'ignorer la lettre de Marguerite Yourcenar que, si elle a toujours pensé et affirmé que la sexualité – qu'elle préférait généralement nommer la sensualité – tenait une grande place dans toute existence, elle a beaucoup varié, au cours de sa vie, sur la nécessité de tenir un discours sur ces sujets, surtout si l'on en venait à des propos d'ordre privé : « En matière de vie personnelle, il faut, ou bien dire tout fermement et sans équivoque possible, ou au contraire ne rien dire du tout [6] », écrivait-elle en 1973 à l'une de ses amies.

Pour sa part, elle a toujours eu un certain recul, voire un brin de répulsion, devant les polémiques publiques sur ce qu'elle désignait comme « les choix sensuels ». La revue *Arcadie*, précurseur de la lutte pour le droit à l'homosexualité, avait dès 1954, année de sa fondation, pris contact avec des personnalités dont elle soupçonnait les préférences. Marcel Jouhandeau avait rendu publique sa très violente contestation de cette initiative, ce qui lui avait valu, le 6 mai 1954, ce mot de Marguerite Yourcenar : « Puis-je vous dire que je m'étonne de vous voir prendre à partie si publiquement cette revue mal rédigée, *Arcadie* ? J'ai reçu du directeur la même lettre et je me suis bornée à mettre sous enveloppe des objections à peu près (pas tout à fait) semblables aux vôtres. Mais ne vaut-il pas mieux donner des leçons de bon goût, sinon de " bonnes mœurs ", avec moins d'âcreté et d'éclat [7] ? » Le silence de Marguerite Yourcenar sur son goût des femmes, qu'on a souvent imputé à une frilosité qui n'aurait guère été dans sa manière, était plutôt une claire conviction que la liberté légitimement revendiquée de ne plus cacher comment on vivait allait de pair avec la liberté, tout aussi légitime, de n'en rien dire. Marguerite Yourcenar n'a jamais pensé avoir sur ce point de comptes à rendre, ni à plaider pour qu'on acceptât ses

préférences et ses choix. Elle n'a pas souhaité être tolé-
rée, n'a pas cherché à se faire octroyer une liberté que,
tout simplement, elle avait prise. Elle a toujours
reconnu être une femme privilégiée, qui avait, par sa
naissance, son éducation et le hasard des circonstances, pu échapper, dans une certaine mesure,
aux pressions de la société. Elle n'a jamais eu de
mépris, bien au contraire, pour les homosexuels luttant pour sortir d'une clandestinité étouffante. Mais,
pour elle, la liberté passait moins par la revendication
que par une tranquille affirmation de soi.

La phrase de Victoria Ocampo semble toutefois montrer qu'en ce début des années cinquante, Marguerite
Yourcenar s'intéressait au discours sur la sexualité – ce
qui ne signifie pas qu'elle était disposée aux confidences sur *sa* sexualité. À moins, évidemment, que le
propos de l'introuvable lettre envoyée à Victoria n'ait
eu que peu à voir avec l'abstraction des spéculations
intellectuelles... Pour en rester prudemment sur le
plan des idées, on conçoit cet intérêt chez qui vient de
publier *Mémoires d'Hadrien* et de s'entendre louer de
savoir parler mieux que personne de l'amour et des
sens.

Mémoires d'Hadrien, justement, connaît, à cause de
l'amour de l'empereur pour Antinoüs, sa première
adaptation. *Le Ballet d'Antinoüs* est monté par la
compagnie du marquis de Cuevas, que Marguerite
Yourcenar a connu lors de son dernier séjour parisien.
Cet élève de Nijinsky, qui affirmait avec un accent inimitable que, pour lui, le « style » importait plus que
tout, était une figure haute en couleur, alors fort
connue du public parisien de l'Empire, des Champs-
Élysées et du Sarah-Bernhardt. Descendant des
conquistadores, le marquis avait épousé Margaret
Strong Rockefeller, la petite fille du milliardaire. En

1947, il avait pris la direction du « grand ballet de Monte-Carlo » – une troupe d'une cinquantaine de danseurs et danseuses qu'il entretenait à l'année.

C'est un musicien grec, Louis Nicolaou – qui avait été fort sympathique à Marguerite et qu'elle avait encouragé et recommandé à Natalie Barney –, qui a composé la musique du *Ballet d'Antinoüs*, sur un livret de Marguerite Yourcenar. La générale a lieu le 14 mai 1953, sans l'auteur, qui commence de ronger son frein, à six mille kilomètres de là. Outre l'enseignement à Sarah Lawrence, que lui rend encore plus pesante l'imminence de sa fin, et l'atmosphère de « chasse aux sorcières » – intellectuelles et « communistes » – du maccarthysme, dont la sottise l'accable, la vie quotidienne de Marguerite est encombrée de détails pratiques qui l'agacent : le dentiste, les questions d'impôts – heureusement prises en charge par Grace –, la location de la maison en leur absence, pour laquelle elles sont en contact avec Madame Nelson Rockefeller.

Mais c'est l'Europe qui occupe surtout Marguerite. Elle travaille à son essai sur Cavafy, né de sa collaboration des années trente avec Constantin Dimaras, et pour lequel elle exploite les articles qu'elle avait donnés aux revues *Mesures* (en 1940) et *Fontaine* (en 1944). Et puis elle a formé le projet de conduire Grace sur les lieux favoris de son Europe à elle, Marguerite. Après l'Angleterre – où elles doivent arriver le 28 juillet –, et les déplacements professionnels – la Scandinavie pour des conférences, et Paris –, Marguerite souhaite passer l'hiver en Italie et en Grèce : les lettres de Constantin Dimaras lui ont donné comme jamais la nostalgie d'Athènes. Ce voyage n'aura pourtant pas lieu et Marguerite Yourcenar ne retournera en Grèce que pour un bref séjour, trente ans plus tard, en 1983. Comme si le choix qu'elle avait fait de Grace excluait le pays dont Marguerite avait fait sa patrie symbolique, dans une autre vie.

À Paris, Marcel Herrand – devenu directeur unique du théâtre des Mathurins depuis que Jean Marchat était rentré à la Comédie-française, en juin 1952 – devait monter *Électre* et en avait programmé la générale pour la rentrée théâtrale de septembre. Mais sa mort, en juin, vient remettre tout en cause. Aux Mathurins, c'est Madame Harry Baur, la veuve du grand comédien, qui assurera la direction intérimaire du théâtre en attendant le retour de Jean Marchat. Marguerite quitte les États-Unis sans savoir si le projet est maintenu. Avant leur départ – elles ne reviendront que vingt-deux mois plus tard –, Marguerite écrit à Gaston Gallimard pour lui demander quelques exemplaires du *Coup de grâce*, qui vient d'être réédité, et que la presse a accueilli avec enthousiasme.

Grace et Marguerite abordent à Liverpool le 28 juillet : elles parcourront pendant plus de deux mois l'Angleterre de leurs souvenirs (surtout ceux de l'enfance pour Marguerite), de leur jeunesse et de leur nostalgie, pour terminer, du 8 au 15 octobre, par un séjour à Londres – une ville que Marguerite trouve apaisante, comme tous ceux qui n'aiment pas vraiment les villes.

De Londres, elles s'embarquent le 16 octobre pour le Danemark. Le 20 octobre, Marguerite Yourcenar doit commencer par Copenhague une série de conférences dans les pays scandinaves. Son premier sujet sera « le romancier et l'histoire ». À cette époque, accepter ce genre d'invitation lui était une nécessité pour financer leurs longs voyages à toutes deux. Mais Marguerite Yourcenar gardera cette habitude presque jusqu'à la fin de sa vie, et si la mort n'était venue interrompre ce qu'elle aurait nommé « la bonne marche des choses », elle aurait « bouclé la boucle » en donnant, le 9 décembre 1987, une conférence sur Borges, à Copenhague précisément. Ses ennemis, et même certains de ses proches, voyaient dans cette avidité à accepter ces manifestations rétribuées le signe d'une certaine avarice. Elle-même ne cachait pas qu'elle répugnait à dépenser son argent, même quand son âge et la perception assurée de droits d'auteur plus que confortables rendaient l'économie inutile : elle avait toujours vécu en pensant qu'il « fallait faire durer ce qu'on avait » pour ne surtout pas être obligée de reprendre un travail salarié.

Outre qu'en 1953, la « menace » du travail salarié n'était pas écartée et que de telles invitations constituaient une aubaine, Marguerite Yourcenar prenait plus de plaisir qu'on ne veut bien le croire, et qu'elle ne voulait elle-même l'avouer, à donner ces conférences. Elle aimait la parole, et la sienne a été jusqu'au bout à la hauteur de son écriture. Même dans la conversation, elle ne trébuchait jamais, n'hésitait pas, ne s'autorisait aucune de ces phrases brusquement rompues et reprises ailleurs, sans souci de cohérence. Lorsqu'elle interrompait une période, se reprenant sur un mot, c'était comme on corrige un texte, une légère biffure, pour cerner sa pensée au plus près, introduire un terme plus précis, faire à son interlocuteur l'hommage du mot le plus juste. Elle avait le goût de convaincre, d'être entendue, et possédait, tout en s'en défendant, une sorte de dessein pédagogique universel. Et puis il lui plaisait de s'écouter parler. Non dans le sens sottement vaniteux qu'on attribue communément à cette expression, mais pour le plaisir de manier, avec l'infinie dextérité qu'elle savait posséder, sa langue. Lorsqu'il lui arrivait, comme à chacun, de dire des banalités, son phrasé, à lui seul, empêchait son auditeur de les juger telles.

Marguerite Yourcenar avait annoncé à ses amis parisiens sa venue, pour novembre, puis pour début décembre, « la tournée se prolongeant ». Finalement, après Stockholm, Uppsala, Oslo, Helsinki, puis de nouveau Stockholm, du 25 novembre au 17 décembre, parce qu'elle y fut malade, elle regagnait Copenhague le 18 décembre, y demeurait près de dix jours, et n'atteignait Paris – l'hôtel Saint-James et Albany de nouveau – que le 28 décembre. Elle y voyait en tout premier Natalie Barney, qui l'attendait avec impatience. « Nous ne sommes arrivées à Paris qu'hier, lui écrit-elle. (...) Je vous écris donc pour vous dire que j'ai trouvé à l'arrivée votre charmante lettre qui me remplit de remords envers vous, et de regrets de ne rentrer à Paris que si tard. Excusez-moi d'avoir si peu prévu que tout, les conférences, le travail littéraire, les voyages et la vie elle-même demandent toujours plus de temps qu'on ne s'y attendait [8]. »

Comme les premiers mois de 1952, l'hiver de 1954 s'annonçait mondain, amical et divertissant. Marguerite voyait beaucoup Natalie Barney; Grace moins souvent, qui déclinait fréquemment les invitations à déjeuner. Entre la poursuite de son travail sur Cavafy, les rencontres avec Jean Marchat à propos d'*Électre*, des rendez-vous avec Jean Schlumberger, Gabriel Marcel et Pierre Gaxotte et une conférence sur Hadrien (le 6 février), Marguerite trouva encore le temps d'être une fois de plus malade, ainsi que de signer, aux côtés d'Elena Craveri-Croce, Carlo Levi, Han Harloff et d'autres, une pétition aux autorités italiennes pour qu'elles mettent fin au saccage de la via Appia.

Marguerite et Grace vont un peu aux spectacles de

ballet de l'Opéra, et plus souvent au théâtre, passant de la pièce de Madame Simone *En attendant l'aurore* à *Amédée ou comment s'en débarrasser*, de Ionesco, avec un détour par *La Machine infernale* de Cocteau – que Marguerite aime beaucoup – avec Jean Marais. Grace note tout dans son agenda, mais sans commentaire, ce qui laisse supposer, lorsqu'on sait la virulence de ses critiques dès qu'un spectacle la – ou les – déçoit, qu'elles ont plutôt aimé ces pièces, ou à tout le moins qu'elles ne s'en sont pas indignées.

Au cours du mois de mars, stupeur : Marguerite, qui a déposé au consulat américain une demande de renouvellement de passeport, reçoit, au lieu de la prorogation de deux ans attendue, un avis d'expiration dudit passeport au 24 mai. Sa nationalité américaine lui serait-elle contestée ? Après plusieurs tentatives d'explications infructueuses, de longues lettres de Marguerite et de Grace aux « autorités concernées » ainsi que l'intervention de Marguerite Barratin – déléguée en France de la direction du Sarah Lawrence College –, c'est finalement l'énergique protestation téléphonique de Natalie Barney qui débloque la situation. Bien que soulagée, Grace est tout simplement scandalisée qu'il ait fallu faire appel au renom de leur amie pour résoudre cette affaire dans laquelle Marguerite était parfaitement en règle, et s'en indigne dans sa lettre de remerciements à Natalie :

« Croyez-moi, je suis consternée de voir qu'un cas si banal et si clair n'a pu être réglé sans une pression venue d'en haut. Qu'advient-il de ces centaines de gens qui n'ont pas de Natalie Barney bataillant pour eux au téléphone, et cela, un lundi matin à l'aube ? (...) Bien que née dans une famille républicaine, je me sens devenir de plus en plus démocrate et adepte de Jefferson. Il est simplement inadmissible que chacun ne bénéficie pas, à l'ambassade, de la même vigilante attention, et je suis ravie de la manière dont vous avez mouché ces bureaucrates en leur disant : " Si c'est facile pour moi, pourquoi ne l'est-ce pas pour tout le monde [9] ? " »

Sans tomber dans la surinterprétation, comment ne pas noter que c'est Grace, et non Marguerite, qui écrit à Natalie Barney cette lettre de remerciements ? Bien sûr, rien ne permet de douter de l'authentique indignation de cette citoyenne de la libre et démocratique Amérique, outrée par ce mélange de bureaucratie obtuse et d'ostracisme larvé. N'empêche : que se serait-il passé si, en raison de ses séjours prolongés à l'étranger, on avait interdit à Marguerite de rentrer dans le pays dont elle était pourtant devenue citoyenne ?

Plus de peur que de mal : Marguerite reste américaine et, en mai 1954, elles partent toutes deux pour l'Allemagne : un voyage – comprenant bien sûr des conférences – qui durera quatre mois. Marguerite fait avec application son métier d'auteur, donnant des interviews à la radio et à la télévision. Après Heidelberg, Tübingen, Stuttgart, Francfort, Cologne, Würzburg, elles arrivent à Munich le 6 juillet. Elles y resteront plus de deux mois, en raison, selon Grace, d'une « indisposition assez longue de Marguerite ». En raison aussi de la proximité de la bibliothèque de l'Institut d'archéologie, où Marguerite travaille à un court essai sur le poète grec du IIIe siècle, Oppien. Il s'agit d'un texte que lui a demandé son amie, la princesse Hélène Schakhowskoy *, comme préface à la réédition, dans

* Marguerite Yourcenar a connu Hélène Schakhowskoy à Paris au début des années cinquante, par leur amie commune Anne Quellennec : « J'ai moi-même rencontré Marguerite Yourcenar à la fin des années vingt, lors de ses débuts, quand elle reçut un petit prix littéraire pour une nouvelle, " Le premier Soir " ; Marcel Prévost, qui était à l'ini-

l'édition de luxe de la Société des Cent-Une, de la traduction réalisée en 1575 par Florent Chrestien des
Quatre livres de la vénerie d'Oppien [10]. Marguerite
Yourcenar est installée au Grand Hôtel Continental de
Munich. Elle envoie à sa correspondante, alors en villégiature à Abano, en Italie, plusieurs lettres abon-
dantes en détails et recommandations qui témoignent
une fois de plus du soin particulier qu'elle apportait à
chacun de ses écrits.

> « L'essai est terminé, et je commence
> demain la copie de ses 160 lignes. S'il est
> trop long pour la préface, telle que vous la
> voulez, vous n'aurez qu'à faire disparaître le
> développement central, sur la chasse, et ne
> garder que les deux bouts. Mais je m'oppose
> à faire tomber, çà et là, une phrase, parce
> que les idées ne se suivraient plus.
>
> Oppien a été un plaisir à rédiger. J'ai
> composé le poème au cours d'une mauvaise
> nuit causée par la sérieuse crise hépatique
> compliquée de fatigue que je subis depuis
> plus d'un mois et qui m'oblige à du repos.
> Rimer était la plus charmante des distrac-
> tions (...). Vous verrez que j'ai laissé un
> blanc à la dernière page, à la fin d'une
> phrase se référant à la première édition de la
> traduction de Florent Chrestien, dont vous
> ne m'avez pas donné la date. Même question
> pour le format. Puisque vous avez tenu en
> main ce volume, peut-être pourriez-vous
> compléter vous-mêmes, et mettre quelque
> chose comme " l'in-octavo de 1599 " (ou
> 1601, ou enfin la date qu'il faut) ou " le petit

tiative de ce prix, était mon cousin », se souvient Anne Quellennec.
« Je l'ai revue à son retour en Europe après la guerre et nous sommes
demeurées liées jusqu'à sa mort. C'est chez moi qu'elle a rencontré
souvent l'éditeur Charles Orengo, qui est resté, jusqu'à ce qu'il meure,
l'un de ses amis et conseillers. »

in-16 de 1595 " ou toute autre formule adé-
quate. Si vous n'êtes plus sûre du format,
mettez simplement " le volume " ou " le petit
volume " de (telle date). Là, comme pour les
coupures, prévenez-moi de ce que vous
aurez fait.

De toute façon, et ne fût-ce qu'à cause des
noms propres, il faudra que je corrige les
épreuves.

(...) Les belles bibliothèques de la ville me
sont fort utiles et Grace en profite pour
revoir les épreuves de sa traduction d'Hadrien, et pour remonter quand elle le préfère aux textes latins eux-mêmes.

J'espère encore passer quelques jours en
Suisse pour prendre enfin de vraies vacances
à la campagne. Nous ne comptons pas rentrer à Paris avant le 15 septembre [11]. »

En fait, dès la fin d'août, Marguerite Yourcenar est
assez lasse de l'Allemagne. Elle voudrait rentrer à
Paris, et rêve toujours d'un hiver méditerranéen – il le
sera, mais elle le passera dans le sud de la France et
non dans le sud de l'Europe. Elle est impressionnée
par la puissante vitalité de l'Allemagne qui se
reconstruit, mais se dit un peu inquiète du sens germanique de la discipline, qui lui paraît prédisposer aux
dérives et aux tragédies comme celles dont l'Allemagne s'acharne à effacer les traces. Une scène l'a
vivement marquée : la démolition d'une maison fraî-
chement édifiée, qui probablement ne correspondait
pas aux normes fixées et au plan d'occupation des sols.
Non seulement les gens, à ses côtés, regardaient sans
mot dire cette démolition – en un moment où tout était
à reconstruire – mais les mêmes ouvriers, qui, la veille,
construisaient, détruisaient aujourd'hui, avec le même
sens de l'obéissance aux ordres. Elle ne retournera pas
en Allemagne et ne fera que la traverser pour se rendre

369

en Autriche ou en Suisse, lors de voyages ultérieurs. Mais elle projetait d'y faire une brève étape à la fin de 1987 ou au début de 1988, au cours du voyage que lui interdira l'attaque cérébrale qui la frappa la veille de son départ. Elle ne parvenait à partager avec l'Allemagne ni, évidemment, l'intimité qui la liait à l'Italie, ni même cette sorte de tendresse et de bienveillance qu'elle portait à l'Angleterre, où les hommes et la terre lui semblaient avoir scellé une ancestrale et profonde alliance.

À son retour à Paris, le 22 septembre, alors qu'elle vient juste de terminer l'article « Le Temps, ce grand sculpteur » pour la *Revue des voyages* [12], commence l' « affaire *Électre* ». Marguerite Yourcenar assiste aux répétitions de la pièce, qui doit enfin être montée avec un an de retard. Immédiatement, elle en conteste la distribution : elle ne veut pas de Jany Holt en Électre, et émet des réserves sur Laurent Terzieff en Oreste. Des discussions peu amènes s'engagent avec Jean Marchat. D'autant que, le 27 septembre, Marguerite, ayant assisté à une représentation de *Mademoiselle Julie*, de Strindberg, est tout à fait séduite par l'interprétation d'Éléonore Hirt. Elle la reçoit, lui parle d'Électre, mais Jean Marchat récuse ce choix. Pendant qu'elle compose les *Carnets de notes d'« Électre »* elle continue de voir Éléonore Hirt, avec laquelle elle dîne le 24 octobre. Les relations entre l'auteur d'*Électre* et le metteur en scène s'enveniment.

Pour Marguerite Yourcenar, le nœud de l'affaire se situe dans le non-respect de son droit à la « clause d'essai », dont Jean Marchat lui avait fait promesse. En raison de son absence de Paris, Marchat lui avait en effet proposé d'auditionner et de choisir lui-même les acteurs de la pièce, lui laissant en revanche, sur l'étendue de cinq répétitions, la possibilité d'évaluer cette distribution et de procéder à d'éventuels changements. À son retour en France, Marguerite s'aperçoit que cette fameuse clause n'est pas mentionnée dans les contrats. En désaccord total sur le choix des deux acteurs principaux, elle obtient un accord écrit de Jean Marchat sur la nécessité de leur remplacement. De nouvelles auditions commencent, mais, au bout de quelques jours, Marguerite reçoit une lettre de Madame Harry Baur lui signifiant qu'au terme des contrats établis, elle n'a aucun droit à la clause d'essai, cette clause ne pouvant du reste être, selon elle, invoquée dans le cas d'engagement d'acteurs de renom. Elle lui précise de surcroît que les frais de ces cinq jours d'audition lui seront imputés, ainsi que les sommes dues aux comédiens à titre de dédit. De son côté, Jean Marchat désavoue son précédent accord. De lettres recommandées en accusés de réception, le ton monte et l'affaire prend une tournure procédurière. Le 1er octobre, la rupture est définitive. En témoigne le petit article qui paraît dans *Le Figaro* du 1er novembre :

« On apprenait hier soir que Madame Marguerite Yourcenar, dès la première représentation de sa pièce *Électre*, aux Mathurins, avait exprimé son opposition formelle au sujet de certains éléments de la distribution et que la direction du théâtre avait cru devoir passer outre la volonté de l'auteur. Madame Yourcenar nous déclare à ce sujet : " Étant donné le grave désaccord entre moi et le théâtre des Mathurins, je n'ai pas apporté mon concours à la préparation des répétitions d'*Électre*, et je n'ai aucun commentaire à faire sur les conditions dans lesquelles mon œuvre se donne en ce moment. Le public aura à en juger. " »

Dans *Le Monde* daté du 11 novembre sort la première critique de la pièce : elle est de Robert Kemp et

371

ne contredit pas les réticences, puis la franche hostilité de Marguerite Yourcenar : « Depuis quelques jours, écrit-il, le bruit s'est répandu qu'on avait pas mal ricané au gala d'*Électre ou la Chute des masques*, et j'ai encore entendu des rires absurdes hier au soir... (...) Ce qui a pu désorienter les spectateurs – cherchons-leur des excuses – c'est l'abominable présentation de la pièce... Je mets à part, évidemment, Mme Jany Holt. Elle n'est pas ici dans son emploi. On peut dire qu'Électre n'est pas nécessairement une ourse, une louve, une bête de grande taille ; et qu'on peut l'imaginer comme un " serpent minute "... Pourtant, cette petite Électre nerveuse, dont les doigts légers, pianotant l'air, ne sont pas des doigts d'étrangleuse... Ce fin visage auquel un sourire crispé ne suffit pas à une expression effrayante... Cette voix qui se force, et n'est jamais la voix d'une Némésis... Non, Mme Jany Holt, qui a de très jolis moments de vertige et d'effarement, n'est pas la femme du rôle... Elle le tient néanmoins. On suit ses mouvements de belette en cage. On l'écoute. Mais les autres ! Ces jeunes hommes sans noblesse physique ni vocale, ces apprentis, d'où viennent-ils ? On les lance sur la scène. Ils ne savent pas y parler. Pour comble de misère, on les affuble de maillots marron sur lesquels des lignes blanches figurent une musculature ou de vagues cuirasses. On dirait des bonshommes de pain d'épice, décorés au sucre, pour la Saint-Oreste. Ils sont incroyablement mauvais. Oreste est le pire. Il hurle et on le comprend à peine. (...) En somme un vrai massacre [13] ! »

L'éreintement est d'autant plus insupportable à Marguerite Yourcenar que Robert Kemp semble avoir apprécié, avec quelques menues réserves, son texte : « Ce premier acte, rayonnant d'intelligence, se délaye un peu et fatigue. Mais le second est d'une telle beauté ! »

Après un second article tout aussi féroce paru dans *Combat*, Marguerite Yourcenar fait appel à son avocat Me Mirat, pour qu'il intente un procès à Jean Marchat au sujet d'*Électre*.

On ne connaît pas l'opinion de Grace sur cette querelle, pas plus que l'état de ses relations avec Marguerite en cet automne. On peut seulement remarquer, puisqu'elle le note elle-même dans son agenda, qu'elle refuse d'accompagner Marguerite à certains dîners, en particulier chez Anne Quellennec. Le 30 novembre, un mardi, Marguerite se rendra seule au rendez-vous que lui a fixé Marie Laurencin, place Saint-Sulpice.

Marguerite Yourcenar et Grace Frick passent quelques jours en Belgique, à Gand, pour une conférence, puis à Ostende et à Bruxelles où Marguerite retrouve la « tante Loulou », Louise de Borchgrave, sa « demi-belle sœur [14] ». Fait singulier, Marguerite tutoyait Louise de Borchgrave – une femme intelligente, cultivée, musicienne (elle jouait du violon) – avec laquelle elle restera liée jusqu'à la mort de celle-ci, en 1986, à l'âge de cent ans.

De la Belgique où elle est née, Marguerite rejoint tout naturellement Lille, où se passa une partie de son enfance, puis le sud de la France, comme pour renouer avec la tradition de ses premiers hivers méditerranéens avec son père. Toute sa vie, elle a aimé allier les plaisirs de la découverte de nouveaux paysages à l'émotion vaguement nostalgique du retour sur les lieux de mémoire. Ici, après la Scandinavie et l'Allemagne, ce sera le Midi de Michel de Crayencour. Bien plus tard, en 1982, après la réalisation tardive d'un vœu ancien, un voyage en Égypte, ce sera Venise, sans doute en une folle tentative de se croire revenue aux amours de ses trente ans...

Marguerite et Grace vont donc passer tout l'hiver 1954-1955 à Fayence, dans le Var, dans une maison que leur a prêtée un de leurs amis américains de Hartford, Everett Austin, pour la compagnie de théâtre amateur duquel Marguerite composa, en 1942, *La Petite Sirène*. Quelques années plus tard, lorsque Marguerite Yourcenar obtiendra le Prix Combat, en 1963, Ghislain de Diesbach – un cousin par alliance de Marguerite – livrera les impressions que sa visite à Fayence, où il rencontrait Marguerite pour la première fois, lui a laissé : « La demeure mise à sa disposition par un de ses amis était une assez jolie maison de la vieille ville, mais je fus frappé par la nudité des pièces, et par la façon dont Marguerite Yourcenar s'accommodait de cette absence presque complète de meubles (...). Je ne garde de Marguerite Yourcenar elle-même qu'une vision imprécise (...). Je me souviens d'une robe de forme démodée, avec une sorte de collerette blanche, de cheveux coupés court et plaqués sur les oreilles, d'un nez aquilin, de très beaux yeux bleus et quelque chose dans son allure ou son maintien qui la faisait ressembler à l'un de ces portraits de femmes de la Renaissance [15]. »

À Fayence, elles recevront quelques amis, dont Natalie Barney et Romaine Brooks, l'éditeur Charles Orengo – avec lequel Marguerite Yourcenar a entretenu des relations et une correspondance suivies –, et certains membres de la famille de Marguerite auxquels elle commence de poser des questions de généalogie. Elles feront aussi de courts déplacements dans la région, notamment à Nice où Marguerite donnera une conférence sur Antinoüs et se prêtera à quelques mondanités. Marguerite Yourcenar a longuement parlé à Jerry Wilson, au cours de leurs voyages des années quatre-vingt, de cet hiver varois [16]. C'est l'occasion de constater que le peu de goût de Marguerite Yourcenar pour la sociabilité villageoise n'était pas seulement dû à sa volonté d'échapper, à Petite Plaisance, à la « pollution linguistique ». Grace, qui cette fois-ci était pourtant l' « étrangère », s'était, comme à son habitude, bien intégrée à la communauté et organisait ses immuables petites fêtes pour les enfants du village. Marguerite demeurait obstinément en retrait. Elle travaillait à son article sur Thomas Mann, qu'elle achèvera le 17 février, le jour même où elle reçoit une lettre fort élogieuse de l'écrivain. Ghislain de Diesbach s'est remémoré la lecture que Marguerite lui en avait faite : « J'entendis un jour Marguerite Yourcenar lire une lettre de Thomas Mann qui la félicitait chaleureusement de sa pièce *Électre ou la Chute des masques*, et s'indignait de ce qu'on ne plaçât pas cette pièce au premier rang de sa production : " Les gens disent qu'avec 'Hadrien' vous avez réalisé votre destin, écrit le livre de votre vie, et qu'après, il n'y aura plus rien... Les idiots! Quand on a écrit un tel livre, cela prouve au contraire qu'on a des capacités dont on peut attendre mieux encore, et votre 'Électre' est venue ! "

« Je dois avouer, ajoute-t-il, que, pour ma part, j'estimais les " Mémoires d'Hadrien " supérieurs à " Électre ", et je me rangeai modestement dans la catégorie des idiots que stigmatisait Thomas Mann [17]*. »

Si Grace est devenue une bonne Fayençoise d'adoption, elle commence à mal supporter les invités de

---

* Le théâtre de Marguerite Yourcenar, où l'on perçoit son peu d'intérêt pour la dramaturgie, semble avoir été pour elle une occupation secondaire. A Matthieu Galey qui le lui rappelait, elle répondait : « Quantitativement, oui. Qualitativement, ce serait à voir. Il m'arrive de me plaire dans mes pièces comme dans un domaine réservé où je suis encore relativement seule (...) J'ai toujours attaché une importance considérable aux voix (...) On a jusqu'ici très peu noté les rapports de ce théâtre avec mes autres ouvrages, plus répandus. Ils n'en diffèrent pourtant que par la forme, et non par la substance [18]. »

Marguerite, surtout ceux dont elle juge qu'ils s'attardent trop après le dîner. Avec Pierre Monteret, le peintre ami d'Élie Grekoff, qui avait dessiné les costumes d'*Électre* et avec lequel Marguerite entretint une correspondance jusqu'à sa mort, elle fut même à peine courtoise, prenant la mouche pour une anodine remarque concernant l'absence de femme de ménage, et foudroyant l'invité d'un sentencieux « nous pensons que la cuisine est une bonne alternative au travail littéraire »... Anecdote qui ne serait qu'un brin ridicule si elle n'était le premier indice d'un raidissement de Grace, qui ira en s'aggravant au fil des années, et qui compliquera inutilement les relations entre Marguerite Yourcenar et ses visiteurs, à Petite Plaisance.

La seconde quinzaine du mois de mars 1955 sera occupée par un voyage en France : Bordeaux, Poitiers, pour une conférence, Tours, Blois puis Paris, pour faire le point avec l'avocat sur l'« affaire *Électre* » et assister à une représentation de *Port Royal* de Montherlant, avant de rentrer à Fayence le 3 avril par le chemin des écoliers, Avignon, Vaison, Saint-Rémy, Les Baux, Arles. Enfin, elles repartent pour la Scandinavie, d'où elles embarqueront pour les États-Unis le 1er juin.

Le 12 juin, elles sont de retour à Petite Plaisance, après presque deux années d'absence. Il semble qu'un certain rythme de vie soit retrouvé, alternant les périples dans le monde entier et les longs moments de travail et de repos dans le Maine.

Au cours du dernier trimestre de cette année 1955, Marguerite décide de travailler à une nouvelle rédaction de *La Mort conduit l'attelage*, paru chez Grasset en 1934, et reprend d'abord la nouvelle intitulée *D'Après Dürer* : ainsi commence ce qui deviendra non pas une autre nouvelle, mais son œuvre majeure, *L'Œuvre au*

Noir. Si Grace se contente sans peine de profiter du jardin, d'y jardiner, d'inviter les voisins pour le thé, d'aller dîner chez eux et de se rendre chaque dimanche à la *Congregational Church*, Marguerite, réinstallée à Petite Plaisance depuis à peine six mois, ne peut s'empêcher d'échafauder déjà des projets de lointains voyages : « J'espère être à Damas et Beyrouth en février ou mars », écrit-elle à une de ses amies.

C'est à la même époque que Marguerite commence de systématiser une pratique qui deviendra une véritable manie : elle écrit à divers libraires français ou belges pour passer commande d'exemplaires de ses propres livres : « Comme vous l'imaginez », explique-t-elle, anticipant peut-être, chez les destinataires de sa demande, une légère perplexité, « cette commande représente de ma part une tentative pour vérifier quelles éditions de mes livres sont en ce moment en circulation, certaines de ces éditions se trouvant extrêmement fautives »... Comme on l'a déjà vu – et comme on le verra plus encore à propos de « l'affaire Plon », qui ira jusqu'à la procédure –, il fallait une certaine vertu pour être l'éditeur de Marguerite Yourcenar.

L'hiver 1955-1956 à Northeast Harbor sera, de la veille de Noël jusqu'à Pâques, « de glace et de neige ininterrompue », notera Marguerite dans son agenda. Même si elle affirme que ce « temps est très propice à la réflexion et au travail », elle s'enfonce dans un ennui ouaté, avec quelques poussées de violents rejets, comme en témoigne la multiplication de ses allergies. Grace, elle, aime la neige. Leur amie Florence Codman leur rend visite pour quelques jours, du 13 au 17 janvier.

« À mon retour à New York, se souvient-elle, je leur ai envoyé un disque enregistré par Colette, car nous avions beaucoup parlé d'elle, Marguerite et moi.

J'aimais par-dessus tout parler de littérature française avec elle. Tout ce qu'elle disait était toujours très fin, très pertinent, très convaincant. Je ne me souviens pas que nous ayons jamais été en désaccord. Pour en revenir à ce disque, elles ont été obligées d'aller l'écouter à la bibliothèque du village : elles ne possédaient même pas ce qu'on appelait, à l'époque, un tourne-disque. Et pourtant, Grace, qui jouait du piano, adorait la musique. Mais elles menaient, volontairement, et surtout je crois sous l'influence de Grace, une vie très économe, très frugale. Toutefois Marguerite alla écouter le disque, en dépit du froid de cet hiver-là et de sa répugnance à l'affronter. Et cela me valut une fort belle lettre. »

« Merci pour le *Gigi Chéri* que nous avons écouté ce matin, écrivait Marguerite Yourcenar le 16 février. On peut suivre toute la vie au tracé de la voix : la riche et grasse Bourgogne, le côté canaille de Willy, le côté littéraire, le côté aussi, si j'ose dire, concierge-et-tireuse-de-cartes-adorée-des-petites-dames-du-quartier. Car elle a été tout cela. Elle a été incroyablement représentative d'une certaine France entre 1900 et 1946, avec sa saveur populaire emporte-gueule, ses maniérismes (car il y en a), sa douceur de vivre à elle et tout son code du convenu et de l'inconvenant aussi compliqué qu'une vieille Chine. Une France qu'au fond je ne suis pas très sûre d'aimer [19]. »

Accent bourguignon, maniérisme et côté canaille et populaire, concierge et tireuse de cartes... Pour savoureux qu'il soit, ce « portrait vocal » de Colette trahit une forme de distance qui, si elle n'exclut pas l'estime littéraire, la teinte d'une vague condescendance amusée. Décidément, chez Marguerite, le flacon de vitriol n'est jamais loin de la théière.

En mars 1956 est rendu le jugement du procès contre Jean Marchat et le théâtre des Mathurins à propos d'*Électre*. Marguerite Yourcenar gagne et se voit allouer cinq cent mille francs de dommages-intérêts « du fait que Marchat, en contradiction avec la lettre qu'il m'avait adressée à ce sujet, n'avait pas tenu sa promesse de changer Jany Holt [20] », écrit-elle à Natalie Barney; « Je me réjouis, comme vous le pensez bien, de ce jugement qui marque une date dans la question si importante du droit de regard et de protection de l'auteur sur son œuvre. »

À Petite Plaisance, il faudra attendre le mois de juin, pour pouvoir enfin s'installer dans le jardin... Bien décidée à ne pas passer l'hiver 1956-1957 dans le Maine, mais plutôt, une fois encore, dans le midi de la France, Marguerite Yourcenar, qui doit donner des conférences en Belgique du 20 octobre au 6 novembre, retient une maison à Beaulieu. Elle compte y arriver – de Paris où elle viendra de séjourner environ un mois –, vers le 15 décembre.

Débarquant, en compagnie de Grace, le 3 octobre à Rotterdam, elle se rend à Arnhem, Amsterdam, puis en Belgique où elle prononce plusieurs conférences. Marguerite décide de faire une halte – qu'elle qualifie de « touristique » – à Namur, pour se rendre au cimetière de Suarlée – où reposent sa mère Fernande, sa tante Jeanne, et deux de ses oncles, Octave et Théobald. C'est cette première visite à l'enclos familial qu'elle décrit dans le premier chapitre de *Souvenirs pieux* :

« Quoi que je fisse, je n'arrivais pas à établir un rapport entre ces gens étendus là et moi. Je n'en connaissais personnellement que trois, les deux oncles et la tante, et encore les avais-je perdus de vue vers ma dixième année. J'avais traversé Fernande; je m'étais quelques mois nourrie de sa substance, mais je n'avais

379

de ces faits qu'un savoir aussi froid qu'une vérité de manuel ; sa tombe ne m'intéressait pas plus que celle d'une inconnue dont on m'eût par hasard et brièvement raconté la fin [21]. »

C'est lors de son arrivée à Mons, le 30 octobre, qu'elle découvre la plaquette des *Charités d'Alcippe* en librairie. Elle est éditée par le poète Alexis Curvers – qui dirige à Liège une petite revue trismestrielle, *La Flûte enchantée* – et dont elle avait fait la connaissance en 1954. En juillet 1956, à la suite d'un échange de correspondance au cours duquel Marguerite lui avait fait parvenir quelques poèmes, Curvers en avait proposé l'édition, en tirage limité, imprimé à la main. Marguerite avait donné son accord, que nul document officiel n'était venu ratifier, étant donné la nature amicale de leurs relations.

Le découpage de quelques poèmes la surprend, ainsi que le dessin de Maillol choisi pour frontispice : Curvers, pressé par le temps, avait imprudemment anticipé les dispositions de sa correspondante. Elle lui écrit aussitôt pour lui faire part, avec courtoisie, de ses réserves. Mais lorsqu'elle arrive à Liège pour son service de presse, Curvers lui manifeste une certaine hostilité, qui se mue en franche animosité quand il constate que, sur chaque exemplaire qu'elle dédicace, elle fait, à la main, quelques corrections concernant les titres ou la typographie. La situation s'envenime lorsqu'elle apprend que Curvers a repris la quarantaine d'exemplaires dont il était convenu qu'elle disposerait... Lorsqu'elle rentrera à Northeast Harbor, elle tentera une ultime conciliation par lettre recommandée, à laquelle Curvers répondra par l'intermédiaire de son avocat. De complications en rebondissements, l'affaire – une de plus – que Marguerite Yourcenar remettra entre les mains de Mᵉ Jean Mirat, en décembre 1956, durera plus de neuf ans, à l'issue desquels Marguerite Yourcenar aura gain de cause.

Mais, pour procédurière qu'elle soit, Marguerite Yourcenar n'a pas l'œil uniquement fixé sur les « coquilles » typographiques et il y a, en cette fin d'année 1956, de plus grands sujets de désarroi qu'une malencontreuse histoire d'édition imparfaite.

C'est en Hollande, puis en Belgique – où l'ironie de l'Histoire faisait qu'elle prononçait une conférence sur « L'Europe et l'humanisme » –, que les nouvelles désastreuses du « coup de Suez » et de celui de Budapest lui étaient arrivées :

« À La Haye, les journaux furent pleins de l'enlèvement de Ben Bella, coup de théâtre dans le mélodrame nord-africain. Quelques jours plus tard, divulguée à grand bruit par la radio et la presse après les préparations gauchement subreptices, la malencontreuse équipée de Suez commença. Dans une grande ville de la Belgique flamande, j'assistai au délire chauvin d'un groupe de Français de la variété officielle, buvant à la victoire on ne savait plus trop sur qui. Des industriels anglais, entrevus le lendemain ou le surlendemain, faisaient écho à ce bellicisme avec l'accent britannique. On parlait déjà de marché noir, et les ménagères belges collectionnaient les kilos de sucre. Les plus malins achetaient des lames de plomb pour en couvrir leurs fenêtres, le plomb protégeant des radiations atomiques. Entre-temps, les Soviets profitaient pour consolider leur glacis de ce moment où l'Occident s'occupait d'autre chose. J'arrivai à Bruxelles quand éclata la nouvelle que les tanks russes encerclaient Budapest. Noircissant encore le tableau, pourtant déjà sombre, mon génial chauffeur de taxi s'écriait : " Les

Russes foutent là-dedans des bombes au phosphore ; ça brûle ; faut voir ça ! " (...) La brutalité, l'avidité, l'indifférence aux maux d'autrui, la folie et la bêtise régnaient plus que jamais sur le monde, multipliées par la prolifération de l'espèce humaine, et munies pour la première fois des outils de la destruction finale. La présente crise se résoudrait peut-être après n'avoir sévi que pour un nombre limité d'êtres humains ; d'autres viendraient, chacune aggravée par les séquelles des crises précédentes ; l'inévitable a déjà commencé. Les gardes arpentant d'un pas militaire les salles de musée pour annoncer qu'on ferme semblaient proclamer la fermeture de tout [22]. »

Inquiétude sur la situation européenne, en ces temps de « guerre froide » où tout conflit semble porter en germe des menaces d'apocalypse ? Détresse devant cette folie du monde qui ne laisse pour seul refuge que l'enfouissement neigeux des Monts-Déserts ? Toujours est-il que Marguerite et Grace sont de retour aux États-Unis le 27 novembre, après un séjour d'une dizaine de jours à Paris, où Marguerite ne reviendra pas avant 1968. On sait que le voyage aurait dû se prolonger, et l'on ignore quelle a été la part de Grace dans la décision de l'écourter. Marguerite écrira seulement à une amie quelques mois plus tard : « J'avais d'abord projeté d'aller me reposer pour quelques mois dans le midi de la France (...) point de départ d'un voyage en Grèce et dans le proche Orient. Mais l'atmosphère en novembre paraissait bien peu favorable à des projets qui comprenaient Damas, Alep, Alexandrie, et peut-être Israël (...) Je vous avoue aussi que l'état du monde m'a jetée dans une crise de désespoir dont je ne suis pas encore sortie et qui est insensée, car nous attendions-nous à mieux [23] ? »

Ce qui est également certain, c'est que Grace veut que Marguerite travaille. Elle a été irritée par le refus d'un article sur Chenonceaux que Marguerite avait proposé à une revue dont elle ne mentionne pas le nom. Texte médiocre au demeurant, que Marguerite Yourcenar fera pourtant paraître, avec quelques modifications il est vrai, en décembre 1961 dans *Le Figaro* sous le titre « Celle qui aima Henry III [24] ».

Dès son retour à Petite Plaisance, Marguerite est donc sommée de se remettre à son bureau. Elle s'attaque au remaniement de *Feux*, alors que les quelques exemplaires des *Charités d'Alcippe* signés à Liège parviennent à ses amis et connaissances.

Marguerite Yourcenar tenait beaucoup à sa poésie, « comme ceux qui ne sont pas poètes », remarque non sans raison André Fraigneau. Car il faut bien reconnaître que ce n'est pas un genre où elle excelle. Et le mot de remerciement de Cocteau, allègre et courtois, accompagné d'un dessin, ne change rien à ce constat, d'autant qu'il se garde bien d'apprécier autre chose que l'intention : « Ma chère Marguerite. Il n'existe pas d'hommage du cœur qui approche le don d'un poème. Je vous remercie de ce livre qui entre par la fenêtre, vole à travers la chambre et se pose enfin sur ma table [25]. »

Nombreux sont pourtant les correspondants de Marguerite Yourcenar qui lui envoient leur recueil, sollicitant son approbation ou ses conseils, qu'elle prodigue du reste très volontiers, sur un ton parfois singulièrement doctrinal. En témoigne cette note jointe à sa traduction des poèmes d'Hortense Flexner et adressée à l'une de ses amies :

« Quelques conseils concernant la poésie (pour autant qu'on peut donner des conseils) :

« La poésie aussi est une traduction ; nous traduisons

en un langage que le lecteur peut comprendre nos émotions intimes. Il s'agit donc d'être fidèles (transmettre exactement) : je veux dire d'employer les mots et les sons qui rendent le mieux nos impressions, si indicibles qu'elles soient. Se méfier des mots passe-partout et déformés par l'usage (ravissant, charmant, beau, etc.). On peut les employer, mais alors il faut les nettoyer et les revaloriser en les associant à d'autres mots très forts et très purs.

« Prendre toujours l'expression la plus simple (vous le faites très souvent, c'est bien), mais se rappeler que l'expression la plus simple n'est jamais la plus banale, au contraire : c'est celle qui sort directement des choses sans être influencée par aucune convention.

« N'avoir aucune complaisance pour ses propres émotions (le lecteur n'en aura aucune). Se juger en se relisant comme si on lisait cela pour la première fois. Êtes-vous convaincue ? Êtes-vous émue ? Avoir le courage d'aller toujours jusqu'au bout de sa pensée. La poésie est faite pour être entendue. Donner une grande importance au rythme. Toute créature vivante a un rythme [26]. »

Tout cela, il faut l'avouer, relève plus de la pétition de principe que d'une analyse originale de l'expérience ou de la singularité poétiques.

Plus intéressantes sont les réflexions sur la poésie – et la poésie contemporaine en particulier – qu'elle confie au poète et essayiste Dominique Le Buhan :

« Je ne crois pas en la mort de la poésie, pas plus que je ne crois en la mort du *souffle*, ni certes à leur " à quoi bon ? " À quoi bon tâcher de s'emplir les poumons d'air pur et d'essayer de faire en sorte que l'air autour de nous reste ou redevienne pur ?

Je me demande si le vrai drame, pour vous

384

comme pour tant d'autres jeunes poètes (car il y a drame, et votre mot " douloureux " l'avoue) n'est pas fait surtout d'incapacité de réagir en présence d'un de plus en plus grossier conformisme. Le fait même que le mot " marginal " a été inventé de nos jours pour signifier ce qui n'appartient pas à la populace de l'esprit, et aussi cet autre mot obscène " élitisme ", qui coupe à la racine tout désir de faire mieux, témoigne de ce conformisme pire que les impératifs catégoriques d'autrefois, parce qu'il était plus facile de se révolter contre eux. Mais si odieux que soit cet aspect de notre temps (et tous les temps ont eu leurs aspects odieux, encore que le nôtre en soit particulièrement riche), vous êtes trop philosophe pour ignorer que temps et lieu ne sont que des concepts qu'on peut écarter pour retrouver sous eux un temps biologique et un lieu cosmique véritables. Rien ne vous empêche d'être un poète " d'un autre temps ", ou/et de tous les temps.

Tous les jeunes poètes qui m'écrivent me semblent tragiquement frappés d'*autisme* : mal à l'aise devant ce suprême moyen d'expression qu'est la poésie, ils la confondent avec un cri ou un marmonnement individuel, sans faire l'effort d'aller, les bras ouverts, vers autrui (autrui-lecteur), ou tout simplement de libérer une vibration qui se prolongera à travers les autres (ou pardessus leurs têtes, peu importe), et qui, venant d'eux, *est* plus qu'eux (...)

C'est pour avoir manqué à la fois de ce sens du naturel et de ce sens du sacré (c'est la même chose) que les surréalistes ont si lamentablement échoué.

Incidemment, mais pour les raisons déduites des affirmations qui précèdent, je crois (j'ai tenté de m'expliquer sur ce point dans la préface de *La Couronne et la Lyre*, que j'achève en ce moment) au vers modulé et compté. Je ne pense pas que le vers français ait épuisé ses virtualités : c'est nous qui pour le moment sommes incapables de tirer parti de celles-ci (...)

Il y a certes toujours danger que les contraintes deviennent des routines, mais leur absence fait retomber le poète en pleine prose : tantôt une prose d'exclamations et d'éjaculations, prose désarticulée, qui va dans le sens de la dislocation syntaxique que vous déplorez, tantôt, ce qui est peut-être pis encore, prose du type " informatique ", sans lymphe ni sang. (...)

Il y a, d'une part, la prose, infiniment plus riche en crypto-rythmes qu'on ne l'imagine d'ordinaire, et, d'autre part, le vers, soutenu par ses répétitions et ses séquences de sons bien à lui. Entre les deux, il me paraît que le poète moderne ne sait plus choisir [27]. »

Marguerite Yourcenar a toujours affirmé son goût pour la poésie réglée et disait faire prévaloir l'expression de l'émotion sur celle de l'abstraction et de l'intellectualisation. Ses préférences allaient à Villon, Racine et Hugo. « Je ne vois guère à notre époque à citer que Valéry, Apollinaire, et certains vers de Cocteau comme " Plain-Chant [28] " », concédait-elle aux poètes de son siècle. En fait, elle n'accordait que peu de crédit aux œuvres écrites en dehors des règles les plus strictes de la versification. « La poésie contemporaine me lasse pour plusieurs raisons, disait-elle lors d'un entretien. Le vers libre, nouveau en 1880, est devenu lui aussi une routine. En outre, la destruction des formes a éloigné de plus en plus la poésie du plan musical et en même temps en a détourné la foule, qui respire par le rythme. Ce qui fait que la poésie est bien souvent une prose un peu plus obscure et plus dissociée. Il y a une grande beauté dans les combinaisons savantes de la poésie ancienne. » Et lorsqu'on évoquait les textes d'André Breton, René Char, ou Yves Bonnefoy, elle tranchait : « Ces combinaisons sont d'ordre intellectuel beaucoup plus que rythmique ou émotif. C'est ce qui fait leur réelle obscurité pour beaucoup de lecteurs. Expérimentations de laboratoire [29]. »

Ses vers à elle sont prosodiquement impeccables – à peine s'autorise-t-elle, tard, très tard, en 1963, l'hiatus d' « Ami, Ombre » dans « Intimation » –, mais de si médiocre qualité, pour ne pas dire pire, et si convenus, avec leurs « fragile airain », « lac pensif » et autres « vigne aux souples vrilles », qu'il ne s'en dégage même pas ce charme un peu désuet qui pourrait rétribuer leur anachronisme. De fait, aucune « expérimentation de laboratoire » ici, mais, on le craint, aucune expérience poétique non plus : les poèmes de Marguerite Yourcenar ressemblent plus à des exercices de composition versifiée qu'à une recherche en poésie. Personne n'osera le lui dire franchement, sauf ses ennemis, dont elle faisait peu de cas. Si bien qu'en 1984, Gallimard se laissera forcer la main par « son académicienne » et publiera une nouvelle édition des *Charités d'Alcippe*. Ces pièces en vers, dont la plupart datent des années vingt et trente (quelques-unes ont du reste paru dans diverses revues de ces années-là), n'ont plus aujourd'hui qu'un intérêt biographique. En particulier les « sept poèmes pour une morte », dédiés à Jeanne de Vietinghoff, publiés en 1931 dans le *Manuscrit Autographe* sous le titre « Sept poèmes pour Isolde morte », ainsi que les poèmes intitulés « Drapeau grec » et « Épitaphe, Temps de guerre », écrits en 1942 à la mémoire de Lucy.

« J'ai joué ma carrière d'écrivain sur la prose », admettait Marguerite Yourcenar elle-même ; « de sorte que le vers n'est plus qu'un sous-produit; mais le long morceau allégorique qui donne son nom au petit recueil *(Les Charités d'Alcippe)* balbutie, dès 1929, des pensées confirmées par des ouvrages plus récents. Il est étrange que cette jeune femme de vingt-six ans ait perçu cela si fortement à travers les buées de la jeunesse [30]. »

Il est moins étrange, et fort heureux, que la même jeune femme ait choisi la prose pour cette confirmation.

Pendant tout le mois de décembre, le remaniement de *Feux* n'offre guère à Marguerite le temps de se laisser aller à un ennui qui, pourtant, se décèle dans ses cartes de Noël et de vœux. À des amis qu'elle aurait voulu voir à Paris, elle confie : « le " ce sera pour une autre fois " est particulièrement mélancolique quand les amis vivent séparés par 6 000 km ».

1957 est une année sans voyage, si l'on excepte quelques jours passés en mars à Montréal, où Marguerite a été conviée par Jean Mouton, alors conseiller culturel à Ottawa, pour une série de conférences sur « le roman et l'histoire ». Cette première rencontre entre Marguerite Yourcenar et Jean Mouton est chaleureuse. Ils ne se connaissaient que par quelques lettres échangées au sujet de Charles Du Bos, et Marguerite offrira à Jean Mouton la correspondance entretenue avec Du Bos, les deux années précédant sa mort, en 1939. À Montréal, Jean Mouton s'est chargé de toute l'organisation du programme de conférences mais il lui faut également s'occuper de l'hospitalisation de Marguerite, brusquement atteinte d'une phlébite. Rapidement et efficacement soignée, Marguerite fait, le 19 novembre, une visite à Wellesley College, près de Boston, où Grace Frick fit une partie de ses études; elle y parle des « poètes grecs et de leur influence sur la poésie française ».

S'ouvre donc une longue période favorable au travail. Outre *Feux*, Marguerite Yourcenar s'est mise à la rédaction de ce qui sera *L'Œuvre au Noir*, comme en témoigne une lettre du 10 mars 1957 à Louise de Borchgrave où elle indique : « Je suis en ce moment quelque part entre Innsbruck et Ratisbonne, en 1551 [31]. » A-t-elle déjà conscience que, de ce qui ne devait être qu'un aménagement de *D'après Dürer*, est en train d'émerger une œuvre nouvelle ? Et est-ce une œuvre nouvelle ? Quelques mois plus tôt, Marguerite disait travailler au remaniement de *La Mort conduit l'Attelage*. C'est du moins ce qu'elle avait répondu à Gaston Gallimard, qui lui demandait, en septembre 1956, des précisions concernant l'ouvrage « sur la Renaissance » qu'elle était en train d'écrire [32].

Plus tard, après la fin du livre, elle expliquera qu'elle a écrit « La Conversation à Innsbruck [33] » en 1956 et 1957, puis le gros de l'ouvrage entre 1962 et 1965 (le livre ne paraîtra qu'en 1968 en raison de difficultés avec Plon, et d'une longue procédure, au terme de laquelle Marguerite Yourcenar obtiendra, une fois de plus, gain de cause). Ainsi qu'elle le répétera à plusieurs reprises, c'est dans cette expérience d'écriture, ou plutôt de réécriture, qu'elle a découvert sa « volonté d'exister non *pour soi*, mais *par soi* et de se laisser guider par les seules nécessités de son développement propre ». En écrivant cette « expansion » de *D'après Dürer*, elle constate qu'elle considère ses différents livres comme les diverses parties d'un seul ouvrage jamais terminé qu'elle reprend, perfectionne et s'efforce peu à peu « d'enrichir ou de simplifier ». Comme les avatars d'un objet unique, une sorte de parthénogenèse littéraire où elle n'aurait, en tant qu'origine, qu'une part limitée : « J'ai tâché d'encombrer le moins possible mes ouvrages de mon propre personnage, note-t-elle dans son agenda. On ne le comprend guère. Les interprétations biographiques sont, bien entendu, fausses et surtout naïves. »

Plusieurs mois à Petite Plaisance sont nécessairement, pour Marguerite Yourcenar, un moment particulièrement propice à la correspondance. D'une manière générale, elle écrit beaucoup de lettres. On y suit parfois, comme dans un substitut de journal intime, les variations de sa pensée, de ses humeurs. On y trouve rarement – pour ne pas dire jamais – de confidences, sauf lorsqu'elles se font de manière indirecte. Ainsi, apprenant la mort de la mère d'une de ses relations, elle lui écrit : « N'était-ce pas plutôt votre belle-mère ? Je me souviens plutôt de la figure de votre père (...) J'espère que les réajustements inévitables en pareil cas se feront pour vous sans trop de peine [34]. » Marguerite était, par force, une « fille à père ». Mais ce n'est pas l'absence de sa propre mère qui fonde son manque d'intérêt pour les figures maternelles. Quoi qu'elle en dise parfois, quand elle délivre un discours dans le genre « prêt à penser » sur « la » femme, proche de la nature et des « choses de la vie », tout ce qu'elle a vu des mères, à commencer par sa grand-mère Noémi, l'a rendue absolument hostile à cette fonction-là. Et ce refus a une part au moins aussi importante que sa version « officielle » sur le terrible surpeuplement de la planète dans son désir de stérilité. Ce véritable dégoût de la procréation, commun à beaucoup d'homosexuels – des deux sexes – de sa génération, Diane de Margerie, dont Marguerite connaissait de longue date Jenny, la mère, a eu l'occasion de le constater, à Rome, en 1952. Marguerite Yourcenar était venue dîner chez Monsieur

Randol-Coate. Elle eut avec Diane, à table, une conversation assez longue et fort plaisante. « À la fin du repas, raconte Diane de Margerie, quand nous nous sommes tous levés et que Marguerite Yourcenar a constaté que j'étais enceinte, j'ai surpris son regard, plein de répulsion. Elle s'est, en un éclair, glacée. Et nous n'avons plus parlé ensemble. » Si elle était moins attentive que Grace aux enfants, Marguerite n'éprouvait envers eux ni agacement, ni répugnance. À la fin de sa vie, elle passera même de longs et agréables moments avec Jeremy, le fils de sa secrétaire Jeannie. C'est donc bien sur la maternité et les mères – ou futures mères – que se concentrait son hostilité *.

L'activité épistolaire de Marguerite va aller en s'intensifiant, à partir de cette fin des années cinquante, au fur et à mesure de l'espacement des grands voyages, comme elle se raréfiera de nouveau quand Marguerite, en 1980, recommencera de voyager. Non seulement elle entretient une correspondance suivie avec quelques amis, mais, tout en expliquant abondamment combien cela la dérange, elle répond à quantité de lettres d'admirateurs, de solliciteurs de conseils divers. Elle lit les manuscrits qu'on lui envoie, les commente, allant parfois jusqu'à s'excuser d'être « trop longue ». « J'estime qu'un écrivain ne devrait pas répondre à ces lettres, avait-elle coutume de dire, mais s'il le fait, il doit le faire complètement. » Au fil de ces correspondances, on mesure l'immense curiosité intellectuelle de Marguerite Yourcenar, la variété et l'étendue de sa culture. Aucune des lettres qui arrivent n'échappe au regard (critique) de Grace. Pas plus que

* Marguerite Yourcenar avait noté et souligné dans un carnet cette phrase de Natalie Barney dans *Éparpillements*, un recueil d'aphorismes paru chez Sansot en 1910 : « La vie la plus belle est celle que l'on passe à se créer soi-même, non à procréer. »

la totalité du courrier qui repart : souvent, Marguerite lui en fait la lecture, le soir, au coin du feu et y ajoute ensuite des post-scriptum commençant généralement par : « Grace me fait remarquer que... »

C'est aussi à cette époque-là que l'on commence à lui envoyer des questionnaires sur la littérature, auxquels elle répond encore volontiers. Ce n'est que plus tard, au moment de la médiatisation intense, que l'on se mettra à lui téléphoner pour lui demander son avis sur tout et rien : ses réponses seront alors lapidaires, et d'une froide et minimale courtoisie. En 1957, elle répond de manière très détaillée à un questionnaire de la revue *Prétexte*, portant sur l'autobiographie et la fiction dans le roman moderne à partir de Gide. Au manque d'imagination généralement invoqué pour caractériser l'œuvre des romanciers contemporains, elle répond :

« Je crois qu'on ne peut guère nier l'existence d'une forme d'imagination (peut-être plus poétique que proprement romanesque) chez certains romanciers ou écrivains d'aujourd'hui. André Breton (je pense à *Nadja*), Gracq *(Le Château d'Argol)*, Cocteau *(Les Enfants terribles)*, Genet même (par exemple la description de l'ancienne prison des forçats dans *Querelle de Brest*). D'autre part, on peut se demander si des romans classés sans doute comme " réalistes ", tels les admirables *Célibataires* de Montherlant, ne présumeraient pas chez l'auteur une sorte d'imagination psychologique tout aussi essentielle au roman que l'imagination romanesque proprement dite. On ne va pas loin dans la connaissance intérieure d'un personnage sans sympathie, au sens propre du mot, et il n'y a pas de sympathie sans exercice de l'imagination. »

Viennent ensuite les questions très classiques – qui lui seront souvent posées, et auxquelles elle donnera presque toujours la même réponse – concernant la présence d'éléments autobiographiques dans son œuvre, présence qu'elle déclare « nulle et très grande ; partout diffuse et nulle part directe. Un romancier, digne de ce nom, met sa substance, son tempérament et ses souvenirs au service de personnages qui ne sont pas lui ». À la question sur l'importance qu'elle donne à la fiction elle répond : « Fiction et réalité tendent, au moins en ce qui me concerne, à former dans le roman une combinaison si homogène qu'il devient rapidement impossible à l'auteur de les séparer l'une de l'autre, si solide qu'il n'est pas plus possible au romancier d'altérer un fait fictif qu'un fait réel sans le fausser ou sans en détruire l'authenticité. Il me serait assurément possible, dans les *Mémoires d'Hadrien*, de distinguer la part de fiction de la part de réalité, mais c'est qu'Hadrien n'est pas un roman proprement dit, mais une méditation ou un récit placé à la limite de l'histoire... Là encore, d'ailleurs, la question des limites des rapports du fictif et du réel serait plus complexe qu'on ne pourrait à première vue le penser. Ajoutons que les éléments dont un roman se compose ne sont pas, comme votre enquête semble, par omission, l'indiquer, l'autobiographie d'une part et la fiction de l'autre. Il y a entre les deux l'observation impersonnelle de la réalité.

« Je travaille en ce moment à la refonte d'un roman ancien : ces personnages, créés par moi il y a des années, se présentent maintenant vis-à-vis de moi comme des êtres réels que j'aurais connus, oubliés, puis retrouvés. Je puis pousser plus loin l'analyse, mettre en évidence certains épisodes de leur vie que j'avais autrefois négligé d'explorer ou préféré laisser dans l'ombre, éclairer davantage certaines de leurs actions. Je ne puis, sans les détruire, les changer [35]. »

Une part non négligeable de sa correspondance est réservée à ses relations avec son avocat (son côté procédurier, déjà sensible depuis la succession de son père, s'est aggravé depuis qu'elle vit avec Grace, qui possède au plus haut degré cette particularité très américaine) et à ses démêlés sans fin avec ses éditeurs. Au point que Bernard Grasset voit derrière ses réclamations incessantes « la main de Plon », et en accuse le directeur, Maurice Bourdel : « Madame Yourcenar me cherche chicane. Je sens que vous êtes là-dessous. Or je vous ai rendu service, à elle comme à vous [au moment de l'affaire *Hadrien*]. Je ne comprends pas [36]. » Mais Marguerite Yourcenar n'avait besoin d'être « poussée » par personne pour demander à qui la publiait non seulement « ses » comptes, mais pour les contester, discuter, exiger des détails, des précisions, des vérifications. Elle l'avait toujours fait. Excédé, Bernard Grasset lui fait envoyer l'état de son compte, arrêté au début de 1956, pour tous les titres publiés dans sa maison : *La Nouvelle Eurydice* (1931) : tirage 5 000, vendus 2 667 ; *Pindare* (1932) : tirage 4 000, vendus 2 032 ; *Denier du rêve* (1934) : tirage 4 000, vendus 2 500 ; *La Mort conduit l'Attelage* (1935) : tirage 4 000, vendus 2 024 ; *Feux* (1936) : tirage 3 000, vendus 1 786 ; *Les Songes et les Sorts* (1938) : tirage 3 000, vendus 1 044 [37]. Des chiffres de vente – sur quelque vingt ans – de nature à convaincre les écrivains qui n'ont pas encore trouvé leur public, et éventuellement leurs éditeurs, qu'il est d'autres succès commerciaux qui se sont fait longuement attendre.

Pendant l'été de 1957, *Le Coup de grâce*, traduit par Grace, paraît aux États-Unis chez Farrar Strauss & Giroux, qui a édité toute l'œuvre de Marguerite. Celle-ci accepte une séance de signatures à Bar Harbor, la plus grande agglomération de l'île. Quelques semaines plus tard, elle signale à Natalie Barney que le livre « a contre toute attente trouvé place cette semaine dans la *best seller list*, ce qui ne prouve rien, et surtout pas l'intelligente compréhension du lecteur, mais qui est agréable, comme d'apprendre qu'on vient de gagner un lot à la loterie [38] ».

Décidément, tout est calmement heureux en cette fin d'année 1957 : les 30 et 31 décembre, pour Grace qui vient de rentrer d'un séjour d'un mois dans sa famille, à Kansas City, seule vaut d'amples commentaires la maladie du chien, un cocker noir qui les accompagne dans tous leurs voyages et qu'elles ont nommé, avec un humour discutable, « Monsieur »...

Quatrième partie

Ces chemins qui bifurquent

CHAPITRE 1

L'enfermement consenti

Le 12 janvier 1958, Grace Frick fête ses cinquante-cinq ans. Marguerite Yourcenar le fera le 8 juin de la même année. Elles se connaissent depuis vingt et un ans et vivent ensemble depuis dix-neuf ans. Sur un volume de la nouvelle édition de *Mémoires d'Hadrien*, Marguerite écrira : « À GF ce volume qui (le premier) porte imprimé l'expression d'une affection et d'une gratitude qui depuis vingt ans emplissent ma vie. Marguerite. 16 novembre 1958. Ile des Monts-Déserts. » Cette année-là, paraît chez Plon la cinquième édition des *Mémoires d'Hadrien*, en réalité la première édition courante où sont insérés les « Carnets de notes », qui comportent le fragment dédié à Grace Frick. À travers les inévitables compromis d'une vie à deux, les impatiences, voire les colères de Grace, la hauteur et les propos parfois cassants de Marguerite, elles semblent avoir trouvé leur rythme : une alternance de voyages et de vie studieuse à Petite Plaisance.

1958 s'annonce comme une bonne année, puisqu'une partie de l'hiver du Maine sera épargné à Marguerite et qu'elle passera près de quatre mois dans sa chère Italie. Elles embarquent à New York le 19 février et arrivent à Algésiras le 25. Le séjour à

Rome sera plutôt mondain – « very social », note Grace avec un certain déplaisir. Les étapes à Turin, Milan, Florence, Sienne, Pérouse, seront, elles, plus intimes, apaisantes. À Sorrente, où Marguerite écrivit *Le Coup de grâce*, en 1938, après le premier hiver passé aux États-Unis avec Grace, elles corrigent ensemble les ultimes épreuves de la traduction et de la présentation critique des poèmes de Constantin Cavafy. Marguerite Yourcenar a élaboré cette « présentation critique » à partir de l'essai paru dans la revue *Mesures*, en janvier 1940. Elle est suivie des traductions faites dans les années trente avec Constantin Dimaras. La réflexion sur Cavafy développée dans cet essai est souvent très proche des idées et préoccupations de Marguerite Yourcenar sur elle-même, ce qui a quelque part dans son intérêt pour ce poète, même si, pour elle, « d'un point de vue seulement littéraire, il reste néanmoins chez Cavafy quelques poèmes d'une fadeur et donc d'une indécence inacceptables » :

> « Cavafy a dit et redit que son œuvre tire son origine de sa vie ; celle-ci désormais gît tout entière dans celle-là (...) Toute notion de péché est totalement étrangère à l'œuvre de Cavafy ; par contre, et sur le seul plan social, il est clair que le risque du scandale et du blâme a compté pour lui, qu'il en fut, en un sens, hanté. À première vue, il est vrai, toute trace d'angoisse semble avoir été éliminée de cette œuvre sage : c'est que l'angoisse, en matière sensuelle, est presque toujours un phénomène de jeunesse ; ou elle détruit un être, ou elle diminue progressivement du fait de l'expérience, d'une plus juste connaissance du monde, et plus simplement de l'habitude (...)
>
> Il semble parti de ce qu'on appellerait volontiers la vue romantique de l'homo-

sexualité, de l'idée d'une expérience anormale, maladive, sortant des limites de l'usuel et du permis, mais par là même rémunératrice en joies et en connaissances secrètes, prérogative de natures assez ardentes ou assez libres pour s'aventurer au-delà du licite et du connu. (...) De cette attitude conditionnée précisément par la répression sociale, il est passé à une vue plus classique, si l'on ose dire, et moins conventionnelle du problème. Les notions de bonheur, de plénitude, de validité du plaisir ont pris le dessus ; il a fini par faire de sa sensualité la cheville ouvrière de son œuvre. (...) Nous sommes si habitués à voir dans la sagesse un résidu des passions éteintes qu'il nous est difficile de reconnaître en elle la forme la plus dure et la plus condensée de l'ardeur, la parcelle d'or née du feu, et non la cendre [1]. »

Pour Marguerite Yourcenar, il n'y a d'obstacles à l'affirmation de sa liberté, au plaisir, à l'invention de sa vie, que ceux que l'on s'imagine ou que l'on se crée. Elle le répétera constamment, sans jamais vouloir expliquer pourquoi elle avait, elle, imposé à l'exercice de sa propre liberté un obstacle de taille : Grace Frick. Une part de l'explication est peut-être dans ce qu'elle écrit à propos de Cavafy : « il a fini par faire de sa sensualité la cheville ouvrière de son œuvre »...

Cet ouvrage sur Cavafy – qui sera révisé et augmenté de traductions de poèmes inédits vingt ans plus tard – sortira à la fin du premier semestre de cette année 1958, chez Gallimard. Pour l'heure, Marguerite et Grace vont prendre, à Gênes, le bateau du retour. Tandis qu'elles rentrent à Petite Plaisance (elles débarquent le 10 juin dans le port de Halifax en Nouvelle-Écosse), la France, empêtrée dans ce qui allait devenir la guerre d'Algérie et qu'on ne voulait désigner alors que comme « les événements d'Algérie », arrache le général de Gaulle à sa retraite de Colombey-les-Deux-Églises et, le 1er juin, l'Assemblée nationale l'investit, comme il le demande, des « pleins pouvoirs ». La gauche s'émeut de ce « coup de force ». Au tout premier rang des opposants à cette prise de pouvoir, il y a un député, déjà ancien ministre et promis à un plus brillant avenir : François Mitterrand. Marguerite Yourcenar, qui ne le connaissait pas encore, n'était pas loin de partager son point de vue : « Je m'associe à vos vœux pour le rétablissement de la France, écrivait-elle à Natalie Barney, mais je crains bien que la solution présente ne guérisse pas magiquement tous nos maux (la dictature le fait-elle jamais ?). Il me semble que c'est de chaque Français, et non pas d'un sauveur, même si ce sauveur est très véritablement un grand homme, que sortira le salut de la France, et cela au prix d'une sévère critique de soi dont on ne voit pas encore les signes [2]. »

Mais Marguerite Yourcenar, dont le pessimisme sur l'état du monde va s'aggravant, voudrait d'abord s'abandonner, en ce mois de juin 1958, à l'été qui commence. « Votre lettre m'est arrivée avant-hier, écrit-elle à Natalie Barney [3], par ce jour de la Saint-Jean qui reste pour moi le plus beau et le plus magique de l'année (mystère du commencement de l'été : tous les ans, le 24 juin, je célèbre à part moi une fête aussi solennelle que Noël ou Pâques, mais bien plus secrète). » Elle ne sait pas encore que va lui venir de Grace une épreuve à partager, qui la contraindra à un changement de vie où elle verra, non sans injuste exaspération parfois, une accélération imposée de son propre vieillissement.

Le 24 juillet, quand elle sort de l'hôpital où elle vient de passer plusieurs semaines après une opération,

Grace ne fait aucun commentaire sur son agenda. Elle est aussi prolixe sur les maux de tête et autres menus signes de fatigue de Marguerite que laconique sur elle-même. Elle vient pourtant de subir l'ablation d'un sein et on lui a prescrit des séances de radiothérapie pour tenter d'endiguer la progression du cancer que l'on a découvert. Elle luttera sans relâche pendant vingt et un ans contre cette maladie, avec une succession de rémissions et de rechutes, puis une dégradation continue au cours des années soixante-dix, jusqu'à sa mort en 1979. La détermination de Grace et la manière dont elle a fait face, à une époque où le mot cancer était, plus qu'aujourd'hui, synonyme de mort prochaine, imposent le respect. Et Marguerite Yourcenar n'est pas de celles qui se perdent en jérémiades publiques sur la vie et ses revers. Les traces de ce choc, dans les carnets comme dans la correspondance, sont d'une grande dignité. On note pourtant sur les photos que c'est un moment où le visage de Marguerite Yourcenar s'assombrit, perd ce regard d'ironie malicieuse et cette bouche sensuelle et gourmande qui lui reviendront avec la vieillesse, avec « une certaine acceptation de la vie comme elle vient, et une manière de prendre les gens comme ils sont », ainsi qu'elle aimait à le dire.

La fin de l'année 1958 est un peu terne, marquée sans doute par une angoisse diffuse, dont ni Marguerite ni Grace ne veulent faire état. Marguerite travaille à *Denier du rêve*. Cette réécriture – « c'est le seul de mes livres qui ait été vraiment réécrit », avait-elle coutume de souligner – demeurera « une de [ses] grandes expériences d'écrivain. J'ai infiniment appris et (ce qui est plus important encore) infiniment désappris [4] ». Si la thématique du roman, les personnages et l'ordonnancement des chapitres n'ont pas été modifiés, cette seconde version a subi des changements considérables par rapport à celle de 1934. Certaines expressions jugées fâcheuses en ont été gommées avec soin, telle cette phrase de Sandro à sa femme Marcella : « Tu as encore devant toi dix ans avant l'épaississement final... » ; ou encore, à propos de la mère Dida, la marchande de fleurs : « Elle avait été fausse comme la racine qui se tortille sous terre, dure comme l'eau, chaude comme le sexe des fleurs. » Dans le second *Denier du rêve*, l'argument politique – un attentat dans la Rome fasciste de 1933 – a pris le pas sur l'ensemble des thèmes ; le caractère des protagonistes, leurs intentions ont été davantage développés, l'espace dans lequel ils évoluent mieux circonscrit, le décor mieux décrit. Marguerite Yourcenar s'est expliquée sur l'ampleur de cette révision dans la préface [5].

> « J'ai tenté d'accroître en maints endroits la part de réalisme, ailleurs, celle de la poésie, ce qui finalement est ou devrait être la même chose. (...) Aux procédés déjà employés, narration directe et indirecte, dialogue dramatique, et parfois même aria lyrique, est venu s'adjoindre, à d'assez rares occasions, un monologue intérieur qui n'est pas destiné, comme c'est presque toujours le cas dans le roman contemporain, à nous montrer un cerveau-miroir reflétant passivement le flux des images et des impressions qui s'écoulent, mais qui se réduit ici aux seuls éléments de base de la personne, et presque à la simple alternance du oui et du non. » Et elle conclut : « La possibilité d'apporter à l'expression d'idées ou d'émotions qui n'ont pas cessé d'être nôtres le profit d'une expérience humaine, et surtout artisanale, plus longue, m'a semblé une chance trop précieuse pour n'être pas acceptée avec joie, et aussi avec une sorte d'humilité [6]. »

La presse donnera davantage d'écho à la cinquième édition de *Denier du rêve*, qui paraîtra chez Gallimard en 1971, qu'à cette version profondément remaniée de 1959. Cependant le 19 août, dans l'hebdomadaire *Arts*, paraît un long article de Guy Dupré. Tout en évoquant de manière élogieuse le parcours littéraire de Marguerite Yourcenar, Guy Dupré se montre particulièrement critique sur la nouvelle mouture du roman de 1934 :

> « C'est le premier roman de Marguerite Yourcenar que nous lisons où soit sacrifié le règne de la voix à l'arbitraire romanesque ancien (...). Comme tout travail de tapisserie, celui-ci tourne à l'allégorie. Il s'y ajoute une détérioration subtile des rapports entre l'auteur et ses personnages – une substitution des ficelles aux liens – qui fait de ce roman publié en 1934 un exercice de style annonciateur de *L'Ère du soupçon*. (...) *Denier du rêve* n'a rien d'un roman à conviction ; le thème politique et celui de l'individualisme en révolte contre l'ordre imposé n'y ont qu'une valeur en quelque sorte musicale, au même titre que le thème de la maladie ou celui de la vieillesse. Thèmes dont l'auteur joue de façon abusivement classique – en donnant parfois l'impression qu'il cherche à contenter un jury de conservatoire. (...) Peut-être dans *Denier du rêve* le don du moraliste nuit-il au romancier en détruisant le mirage ; sa frappe classique dote d'une déplaisante autorité le lieu commun (...) Éloignée de Paris, refusée aux facilités d'une légende qu'il n'aurait tenu qu'à elle d'organiser, peut-être a-t-elle pâti de son retirement et de sa discrétion ; elle y a gagné l'éclat des réputations qui ne doivent qu'à l'exercice du talent. Osons nommer pour elle sa fatalité propre, plus singulière que la haine de l'autre sexe ou le drame

d'une certaine solitude : le besoin de la perfection. Il paie souvent, il trahit parfois [7]. »

De tels propos n'ont évidemment pas réjoui l'auteur
de *Denier du rêve*, tant à cause de la sévérité du jugement que de l'allusion publique à « la haine de l'autre
sexe », et Marguerite Yourcenar s'en souviendra,
lorsqu'en plein cœur du procès qu'elle intentera à Plon
– éditeur pour lequel travaillait Dupré – elle remâ-
chera sa hargne dans une lettre à son amie Natalie Barney :

> « Un dernier mot en ce qui concerne Guy
> Dupré », lui écrit-elle alors ; « en 1959, juste
> après la sortie d'un de mes livres réécrits (je
> n'ai pas besoin de le dire, avec des soins et
> des efforts infinis) sur le thème d'un ouvrage
> publié en 1934 et dont le titre avait été
> racheté par Plon (mais la maison n'a jamais
> su faire la différence entre l'ébauche de 1934
> et l'ouvrage enfin définitivement développé
> et recomposé); en 1959, donc, Dupré a
> publié dans *Arts*, je crois, un article d'une
> bassesse extrême, et dont le ton ressemblait
> pas mal à celui des petits journaux de chan-
> tage. Glisser sur un crachat est un petit
> ennui de métier; encore a-t-on le droit
> d'éprouver une salutaire méfiance quand le
> crachat vient d'un homme qui vous avait
> d'abord comblée d'éloges obséquieux, et qui
> occupe une place, paraît-il, importante dans
> la maison où a paru le livre qu'il s'efforce
> d'insulter. Vous me direz que Paris est ainsi :
> c'est bien pourquoi je n'y vis pas [8]. »

Dans son article, Guy Dupré avait relevé le fait que
dans sa nouvelle édition, *Denier du rêve* était « privé,
on ne sait pourquoi, de sa dédicace à Edmond
Jaloux [9] ». Marguerite donnera une explication à ce

retrait, dans une lettre à Jean Lambert qu'elle remercie de lui avoir dédié l'une de ses nouvelles :

> « Je dédie moi-même très peu », confie-t-elle, « et les quelques noms que j'avais mis en tête de certains de mes premiers livres ont été effacés lors des réimpressions faites dans l'âge mûr. Les raisons de cette abstention sont complexes (...). L'une très importante à mes yeux, mérite pourtant d'être mentionnée : c'est le fait qu'il y a rarement accord complet entre la personnalité de celui à qui l'on dédicace quelque chose et l'œuvre dont on lui fait hommage. Je suis devenue très sensible à ce genre de dissonance.
>
> C'est ainsi que j'avais dédié le canevas du *Denier du Rêve*, à Jaloux, ami très cher. Même en laissant de côté l'infériorité de ce premier brouillon, il était absurde d'offrir *Denier du Rêve* à un homme se refusant aussi complètement que Jaloux à comprendre et à placer à son rang dans l'ensemble des choses la pensée de gauche [10]. »

Grace, pendant tout ce temps, reste silencieuse, note peu d'événements sur son agenda. Selon ses amis, elle surmonte avec vaillance le choc qui l'a frappée, bien décidée à se battre et à ne pas laisser la maladie entraver sa vie. Ou plutôt leur vie. Car Grace a une idée fixe : que Marguerite soit reconnue et célébrée, en France, comme un très grand écrivain de ce siècle. Pour cela, Marguerite a besoin d'elle. Besoin d'être libérée des soucis matériels, besoin d'être protégée des intrus et d'elle-même, de son pessimisme, de ses accès de lassitude. Grace est persuadée qu'elle seule – et elle n'a peut-être pas tort – est en mesure d'assurer tout cela. Elle ne peut pas faillir. Et elle ne faillira pas. Elle manquera seulement le couronnement de son « œuvre » : elle mourra quatre mois avant l'élection de Marguerite Yourcenar à l'Académie française.

Désormais, sur les agendas (où l'on trouvait jusque-là signalés, parfois avec un certain humour, des malaises de Marguerite), vont alterner les mentions régulières des soins de Grace et des maladies – les réelles s'ajoutant désormais aux fictives – de Marguerite. En observant la vie quotidienne à Petite Plaisance en cette fin des années cinquante et dans les années soixante, particulièrement au moment de l'élaboration de *L'Œuvre au Noir*, on comprend mieux le sens profond – passé la période de l'amour passion – de l'« arrangement » entre Marguerite et Grace, cet enfermement consenti de Marguerite pour se concentrer sur son activité d'écrivain sans se laisser aller à ses « démons » : l'alternance des passions et les dépressions qui s'ensuivent, la dissipation sentimentale, le goût du nomadisme poussé jusqu'à la tentation de l'errance, le goût du repli sur soi poussé jusqu'à la tentation du mutisme et de l'impuissance. Comme Aragon avec Elsa (sans que la comparaison dépasse le mode de vie, l'œuvre de Marguerite Yourcenar n'ayant jamais prétendu rivaliser en ampleur et en puissance avec celle d'Aragon), Marguerite Yourcenar a accepté – donc choisi – de se « marier », de passer sa vie avec quelqu'un qui avait pour mission de la « contrôler ». Et de l'encourager. Elle aurait pu faire sien ce vers d'Aragon dédié à Elsa : « Toi dont les bras ont su barrer sa route atroce à ma démence. » Grace savait exactement ce qu'elle voulait et son énergie semblait ne jamais devoir fléchir. Subtile, cultivée, passionnée de littérature, elle mesurait l'inestimable chance des créateurs, quelle que soit leur souffrance. Et elle n'aurait pas toléré de voir la femme qu'elle aimait se laisser aller à la faiblesse ou se disperser. Marguerite savait tout cela et le reconnaissait, comme le montrent certaines de ses dédicaces à Grace : sur l'exemplaire hors commerce n° 2 de *Denier du rêve* remanié, elle a écrit : « À GF, dont le jugement critique ne m'a jamais fait défaut et qui m'a souvent prêté son courage. MY. Ile des Monts Déserts 1959 » ; et sur un autre exemplaire de *Denier du rêve* dans l'édition du Club des éditeurs, de la même année : « À G. sans qui j'aurais souvent perdu courage. M. 27 juillet 1959. »

Grace était évidemment trop intelligente pour ignorer que Marguerite Yourcenar avait écrit avant elle, pouvait écrire sans elle, et même malgré elle, comme ce fut le cas pendant la phase critique de sa maladie, car un écrivain trouve toujours le moyen d'échapper à tout et à tous pour accomplir ce qui lui est indispensable, ce qui le justifie de vivre. Mais elle savait aussi que, dans ce geste périlleux qui conduit à laisser une trace de soi en pensant qu'elle est et sera utile, le créateur a besoin de témoins, de proches qui croient en lui et qui, les premiers, attestent l'absolue nécessité de son travail. Marguerite Yourcenar ayant rompu avec le milieu littéraire qui, dans les années trente, lui fournissait cette certitude, Grace était devenue le témoin unique, et constant. En outre, elle avait compris depuis longtemps qu'en enlevant à l'autre tout souci du quotidien, de l' « intendance », on le rend, si dominateur soit-il, dépendant. C'est dans ce fragile assemblage d'amour, de calcul (de part et d'autre), de dévotion (de la part de Grace), d'une certaine soumission (de la part de Marguerite) que leur couple est devenu indestructible. Il ne pouvait plus être défait que par la mort.

Après la mort de Grace, Marguerite Yourcenar retrouvera les penchants de sa jeunesse, enchaînant voyage sur voyage. Elle tardera tant dans la rédaction du dernier volume de sa trilogie familiale *Quoi ? L'Éternité*, qu'elle le laissera inachevé. En revenant ainsi à la vie d'avant Grace, elle essayait presque, d'une manière parfois choquante pour qui l'observait ou entendait quelques phrases acerbes qu'elle laissait échapper, d'annuler leur vie commune. Comme si elle prenait, avec une sorte d'acharnement, sa revanche sur leurs dernières années passées ensemble.

Mais en 1959, la découverte du cancer de Grace – en raison de sa force de caractère – n'a pas encore réellement perturbé leur existence. On sent seulement, dans les agendas (il y en avait deux cette année-là), une certaine abstention de la part de Grace, comme une économie. Elle, si « bavarde » habituellement, ne donne plus de détails sur le quotidien, comme si elle se mobilisait sur quelque chose d'essentiel – « tenir » et ne rien laisser paraître des menaces qui barrent son avenir. Elle note plutôt, de manière concise mais avec le sentiment aigu d'une permanence des êtres et des choses qui lui est, à elle, désormais mesurée, les « signes de vie » : les oiseaux, qu'elle observe et admire, les lilas en fleur, le 1er juin...

En l'absence de projet de voyages, Marguerite s'adonne, en plus de son travail littéraire, à sa correspondance. Elle mêle, pour ses amis, les informations sur la santé de Grace et des réflexions plus générales sur la littérature – « comment se fait-il que notre sagesse française ait si souvent quelque chose d'un peu court, osons même dire d'un peu terne ou plutôt de trop confortablement installé en soi ? Si on compare même Montaigne à Marc Aurèle, il semble que chez nous le cran d'arrêt soit toujours mis presque trop vite » –, sur l'état du monde et de « la même pauvre, parfois touchante et toujours décourageante humanité [11] ».

Si depuis des années, et surtout depuis le succès de *Mémoires d'Hadrien*, Marguerite Yourcenar a, parallèlement à son travail proprement littéraire, une activité épistolaire intense, minutieusement répertoriée par Grace (on ne sait pas, d'ailleurs, qui imposait cet archivage : il n'est pas certain que ce soit Marguerite, qui avait, par accès au moins, un goût évident pour la destruction), celle-ci ne peut ignorer que tout cela ne saurait, aux yeux de sa compagne, justifier une sédentarité prolongée.

Elle sait que Marguerite souhaite toujours autant voyager, et comme elle-même ne veut pas plier devant la maladie, elle prépare un nouveau départ pour l'Europe qui aura lieu le 12 décembre 1959 à New York, à bord du *SS Olympia Greek Line*. Marguerite est malade sur le bateau et à son arrivée à Lisbonne, où elle passe la fin de l'année et le début de 1960. Après un court séjour en Espagne, du 29 janvier au 3 février, elle revient au Portugal, fait une conférence le 12 février à Lisbonne sur « les responsabilités du romancier ». Entre deux excursions, à Coimbra, à Porto notamment, elle travaille à deux des essais qui trouveront place dans le recueil *Sous bénéfice d'inventaire*, « *Les Tragiques* d'Agrippa d'Aubigné », qu'elle terminera à Cintra en mars, et « Le cerveau noir de Piranèse », qu'elle n'achèvera que l'année suivante à Petite Plaisance. À Porto, elle rencontre le poète Eugénio de Andrade, qui a gardé vive la mémoire de cette « femme d'une présence extraordinaire ». « En ce temps-là, elle n'était pas encore cette femme forte, qui avait l'air d'une déesse grecque, pas du tout; elle n'était pas mince; mais elle était imposante, se souvient-il. Elle voyageait avec une amie américaine. Nous sommes allés au restaurant. C'était un dîner très officiel, avec des notables et des personnalités importantes. Son amie Grace était en face de moi, avec un petit chien très mignon, et Marguerite à l'autre bout de la table. Grace était très sympathique. Plus vieille que Marguerite ; beaucoup plus vieille. Elle parlait très bien le français. Alors que je conversais avec elle, Marguerite Yourcenar a vraiment brisé l'étiquette. Elle a dit à son voisin : " Monsieur, excusez-moi, je vais changer de place avec mon amie, parce que je veux parler avec Monsieur Andrade. " Elle m'a dit qu'elle était très intéressée par cette légende d'un amour malheureux, celui du prince Pedro et d'Inès de Castro, que le roi Alphonso avait fait assassiner pour des raisons politiques. C'est d'après cette légende que Montherlant a écrit *La Reine morte*. Tout en parlant, je me suis dit : " C'est drôle, cette femme, comme presque tout le monde d'ailleurs, même au Portugal, ignore que cet homme furieux de passion pour une femme aimait aussi les garçons. " Et comme j'avais vu dans les *Mémoires d'Hadrien* que c'est une chose qui l'intéressait beaucoup, je le lui ai dit. Elle est restée absolument... sans voix. Ça l'a passionnée. Cette conversation un petit peu taboue était très franche. Nous avons poursuivi, sur un mode un peu plus intime. Nous sommes sortis du dîner, et je l'ai raccompagnée à son hôtel, nous sommes restés jusqu'à deux heures du matin à discuter au bar. Et le lendemain, à neuf heures, nous étions de nouveau ensemble, pour nous promener dans Porto, et nous avons passé toute la journée, jusqu'à son départ [12]. »

C'est aussi au cours de ce voyage au Portugal que Marguerite Yourcenar rencontrera Alain Oulman, l'héritier des éditions Calmann-Lévy, auquel elle restera liée. Marguerite Yourcenar fera aussi la connaissance de la mère d'Alain Oulman dont elle appréciera beaucoup le sens de l'hospitalité et le goût de la vie, ainsi qu'elle le confiera à plusieurs reprises dans diverses lettres à des amis. Pour Jeanne Carayon, sa correctrice devenue une amie, elle évoquera, plusieurs années après, cette rencontre et les impressions recueillies de son séjour au Portugal :

> « Je regrette un peu qu'un " attachement " vous ait empêchée de faire l'expérience du Portugal d'avant-guerre. Il devait être à l'époque plus beau encore que lorsque je l'ai vu et aimé dans les années 60 (...) Je ne connais pas de pays, sauf peut-être certains coins de l'Angleterre, où la poésie soit davantage présente et respirante dans la moindre campagne et le moindre bois, douée de cette infinie douceur qui est celle des poètes portugais du Moyen Age. (...) Même tout près de Lisbonne, sur les hauteurs de Cintra, les anciens ermitages creusés dans le roc, parmi les immenses chênes-lièges, laissent une impression unique. William Beckford, bon observateur, a beau nous dire que les ermites du XVIIIe siècle n'étaient plus que de joyeux coquins, il reste un étrange crépuscule vert, je ne sais quel reflet du monde préchrétien, celtique peut-être, évanoui...
>
> Savez-vous que vit à Lisbonne, dans une ravissante maison du XVIIIe siècle, une vieille dame, Madame Oulman, qui fut la fille d'un Calmann-Lévy (mais lequel ?) de la grande époque de la maison, et qui se souvient encore des célébrités groupées autour de la table familiale ? Son fils, Alain Oulman, dirige, me dit-on, au moins partiellement, la maison d'aujourd'hui. Il est grand connaisseur en musique espagnole et portugaise [13]. »

C'est probablement à l'occasion de ce voyage qu'elle découvre, sélectionnés en un petit volume portugais, les poèmes de Pessoa, bien avant que celui-ci ne soit connu en France. Cette poésie lui apparaîtra « extra-ordinaire », comme elle l'écrira à son ami l'écrivain Jacques Masui, alors directeur d'une collection de documents spirituels chez Fayard [14].

La dernière semaine du mois de mars, Marguerite Yourcenar et Grace Frick sont à Madrid, où elles entre-prennent une visite systématique du Prado. Elles y passent plusieurs heures par jour pendant une semaine. Marguerite Yourcenar a toujours eu un inté-rêt particulier pour la peinture, et toutes les formes de graphisme. Elle-même dessinait fort bien, encore qu'elle n'ait fait que peu d'usage de ce don. La musique, en revanche, lui était presque étrangère. Elle écoutait avec application ce que Grace jouait au piano ou voulait lui faire entendre. Elle parlait, non sans sub-tilité, des musiques qu'elle connaissait, mais c'était là plus un effet de son intelligence et de sa sensibilité que celui d'une compétence ou d'un vrai désir. Elle était peu sensible à la nuance des interprétations musi-cales : lorsqu'elle choisissait une musique, pour une émission de radio ou de télévision, ce n'était, disent les spécialistes, « jamais dans la meilleure version ». Sin-gulièrement, elle n'aimait pas les voix de soprano. Elle recevait parfois d'amis les disques qu'ils pensaient pou-voir lui plaire. L'un d'entre eux lui fit parvenir ainsi une version de *La Norma*. Il en reçut un commentaire qui dut le laisser songeur : « En dépit de l'excellence du disque, mon insupportable antipathie physique pour les voix de sopranos demeure entière [15]. » Elle allait cependant régulièrement au concert et à l'opéra en compagnie de Grace. (En cette année 1960, elles venaient d'aller assister, le 8 janvier à Lisbonne, à une représentation de *Lohengrin* de Wagner.)

Dans le domaine des arts plastiques, en revanche,

son discours a toujours été plus élaboré, son goût beaucoup plus sûr, et son plaisir, évident. Elle a un goût tout particulier pour les écoles hollandaises et flamandes. Elle y verra une sorte d'affinité qu'elle évoquera souvent, notamment dans une lettre à son ami Niko Calas, à propos de Jérôme Bosch : « J'ai quelque peu l'impression d'être reliée à lui ; et surtout peut-être à Breughel, par mes attaches flamandes, par une certaine sensibilité particulière qui n'a tout à fait pris sa forme qu'entre la mer du Nord et la Meuse au cours du xvie siècle, et dont il reste encore aujourd'hui des traces (je pense par exemple au côté Tentation de Saint-Antoine de l'œuvre de Rimbaud). Et surtout, de plus en plus, je trouve chez ces deux peintres (sans vouloir les accoler l'un à l'autre plus qu'il ne convient) une sorte d'inquiétante préfiguration du monde qui nous entoure, une radioscopie du monde humain tel que nous ne pouvons plus ne pas le voir et ne pas en souffrir [16]. » Quelques années plus tard, elle s'intéressera aussi aux symbolistes et surréalistes belges : « J'ai en effet constaté en moi certaines affinités avec quelques-uns de ces peintres, devait-elle commenter pour l'un de ses correspondants, peut-être et surtout avec Ensor, ou encore avec ce qui chez Knopff et chez Deville n'est pas gagné par une sorte d'hystérie fin de siècle. Existe-t-il vraiment une " sensibilité des Pays-Bas ", tant belges et hollandais que français (les frontières n'étant en somme que d'hier), une sorte de réalisme visionnaire par lequel je me sens aussi habitée ? Cela se peut, encore qu'on aurait du mal, en pareil cas, d'expliquer Matisse, homme du Nord, et de tempérament si purement français [17]. » Plus tard encore, sollicitée pour « Le musée égoïste » du *Nouvel Observateur*, elle choisira un tableau du peintre Ruysdael, l'un des peintres préférés de son père, évoquant ses parallélismes avec Rembrandt : « La prédilection de Ruysdael pour les arbres étêtés ou ébranchés et les restes d'édifices en ruine (la tour du château d'Egmont, qu'il a souvent peinte, ressemble à un tronc d'arbre mort resté tout droit) fait penser à celle de Rembrandt pour les vieillards endurants et graves. Quelque chose du même sentiment de l'étrange, du vieux songe talmudique ou cabaliste, qui s'amasse parfois dans les intérieurs de Rembrandt, flotte aussi sur ce camposanto d'un autre peuple [18]. »

Les bruns de Rembrandt lui ont été une émotion durable (elle a écrit sur son tableau *Deux Noirs* conservé au musée Mauritshuis à La Haye, l'un de ses derniers textes [19], repris dans le recueil d'essais posthumes *En pèlerin et en étranger*). À Nicolas Poussin, chez qui « toute la pensée, toute la sensibilité française (...) a ses équivalences et ses signes », elle avait consacré un petit texte en 1940, à l'occasion d'une exposition Poussin à New York. Il était resté inédit jusqu'à son heureuse reprise dans *En pèlerin et en étranger*. « De même que " les Dormeurs " de Walt Whitman, de même que " la Bénédiction du soir » dans *Les Contemplations* de Victor Hugo, écrivait-elle en conclusion, ce chef-d'œuvre crépusculaire [*Echo et Narcisse* de Poussin] qui fait honte à nos plates définitions de classique et de romantique se situe au bord de l'indicible : entre le sommeil et le songe, entre la vie et la mort, entre le jour qui tombe et la nuit qui naît. Il ne reste plus ensuite qu'à explorer la seule nuit [20]. » Quant à la fascination pour *Les Ménines* de Vélasquez, qu'elle partageait avec de nombreux créateurs contemporains, de Michel Foucault [21] à Picasso bien sûr (qui peignit une série dont on n'a pas épuisé l'interprétation), elle n'a jamais quitté Marguerite Yourcenar. Il est vrai que « la place de l'artiste dans le tableau », dans toute sa symbolique, est une question avec laquelle elle a trop rusé pour ne pas l'avoir eue constamment à l'esprit.

De Madrid, Grace Frick et Marguerite Yourcenar se sont rendues à Séville pour les processions de la Semaine sainte. « C'est la première fois que j'ai vu, à Séville, les cérémonies de la Semaine sainte, écrit-elle à une amie [22], c'est un extraordinaire morceau de passé circulant dans les Sierpes tortueuses ; espèce d'étrange surimpression de la Soledad ou du Christ au dernier soupir sur les réverbères et les affiches lumineuses du siècle. Je me suis dit que, pour une fois, on voyait extériorisée et exaltée en pleine rue cette réalité tragique que tout de nos jours s'arrange pour nous cacher : la douleur, la solitude, la mort, le sacrifice, le Juste condamné. » Tolède, Compostelle, Ségovie lui ont laissé, en dépit de la brièveté de son séjour dans chacune de ces villes, « une impression admirable ». Mais elle a été particulièrement émue par sa visite sur les hauteurs de Grenade de l'endroit où est « tombé » Federico García Lorca. Elle écrit à Isabelle, la sœur du poète, la veille de son embarquement pour les États-Unis :

> « Ce que je voudrais surtout vous écrire, c'est qu'en quittant le lieu qui nous a été ainsi désigné (et ces réflexions valent même s'il n'est qu'approximativement exact), je me suis retournée pour regarder cette montagne nue, ce sol aride, ces quelques jeunes pins poussant avec vigueur dans la solitude, ces grands plissements perpendiculaires du ravin par lesquels ont dû s'écouler autrefois les torrents de la préhistoire, la Sierra Nevada déployée à l'horizon dans toute sa majesté, et je me suis dit qu'un tel endroit fait honte à la camelote de marbre et de gra-

nit de nos cimetières, et qu'on envie votre frère d'avoir commencé sa mort dans ce paysage d'éternité. Croyez bien qu'en notant ceci je ne m'efforce pas d'amoindrir l'horreur de cette fin prématurée, ni l'angoisse particulière qui consiste (ou qui du moins consisterait pour moi) à tâcher de reconstituer cette scène qui s'est passée ici à un instant du temps, et dont nous ne connaîtrons jamais tous les détails. Mais il est certain qu'on ne pourrait imaginer pour un poète un plus beau tombeau [23]. »

Le reste de l'année 1960 se passera à Petite Plaisance : des mois consacrés au travail, à peine entrecoupé de quelques visites d'amis – dont celle de Charles Orengo à la fin mai – et de l'habituelle correspondance. Ainsi celle, inattendue, qui s'était instaurée avec François Augiéras. Comme à Gide et à plusieurs autres romanciers français, ce singulier jeune homme, peintre et écrivain, avait fait parvenir à Marguerite Yourcenar *Le Vieillard et l'enfant*, texte autobiographique – romancé avec lyrisme – de 1950, et remanié à plusieurs reprises sous le pseudonyme d'Abdallah Chaamba. En fait, c'est la version de 1953, parue aux éditions de Minuit, que François Augiéras envoya à Marguerite Yourcenar. Il avait alors vingt-sept ans.

Elle lui avait répondu pour la première fois le 16 mai 1953. Elle disait son intérêt pour ce qu'elle avait lu mais, ajoutait-elle, « ce qui m'inquiète davantage (encore que certains passages m'en aient beaucoup touchée), c'est le ton d'excitation et d'orgueil maladif qui règne dans votre lettre. Avoir découvert, dans un lit ou ailleurs, un rythme du monde est déjà un très rare *bonheur* mais qui ne sert à rien si vous n'êtes pas capable de retrouver ce même rythme chaque jour et

418

dans tout et de mettre à cette recherche toute l'humilité et le courage dont vous disposez [24] ».

Dans une deuxième lettre à François Augiéras, la même année [25], elle se montre toujours aussi attentive à lui, mais le met en garde contre l'immobilité, contre le risque de devenir « un oiseau qui pousse toujours le même cri ». Il lui parlait longuement, dit-elle (la lettre de François Augiéras n'a pas été retrouvée), de la prostitution à laquelle il se livrait. Soucieuse, sans doute pour l'en détourner, de l'empêcher d'y voir une expérience exceptionnelle, elle précisait que « dès qu'on accepte d'exercer quelque métier, c'est toujours une forme de prostitution ». Ce contre quoi Grace Frick s'insurgeait, en marge du double de la lettre, à coups de points d'exclamation...

Après quelques années d'interruption, au moins en l'état des documents qui nous sont parvenus, on retrouve plusieurs lettres à François Augiéras, et de lui, entre 1960 et 1964, date à laquelle la correspondance semble se terminer, du fait de Marguerite Yourcenar. Quand elle répond à l'envoi d'une version remaniée du livre d'Augiéras, *Le Vieillard et l'enfant*, c'est avec cette forme singulière de clarté et de dureté qu'elle réserve à ceux auxquels elle porte un réel intérêt :

> « J'ai retrouvé dans cette nouvelle mise au point le don, pour lequel je vous avais félicité déjà, de peindre avec une sorte de claire intensité les objets et les paysages, et de dessiner avec une netteté convaincante un personnage maniaque et sénile, très particulier, et cependant assez banal pour sembler humain. Ce n'est pas moi, qui tiens à revoir et souvent à refondre certains de mes livres, pour les perfectionner ou les enrichir s'il se peut, qui vous blâmerai d'offrir de votre ouvrage une nouvelle version, plus resser-

rée, semble-t-il, que les précédentes, et plus près d'être tout simplement un poème.

On excuse tout des poètes, même l'arrogance un peu naïve de votre préface (mais si vous pensez ainsi, mieux vaut l'exprimer); toutefois, ce perpétuel enfermement, non seulement dans un même thème, mais, ce qui est plus grave, dans une seule expérience, finit par donner l'impression de la claustrophobie à ciel ouvert. C'est moins pour votre œuvre que pour vous qu'on vous souhaite d'entreprendre aussi autre chose, et d'essayer d'être vous-même autrement [26]. »

La manière dont Augiéras réplique en dit long sur l'ambiguïté de ces échanges :

« Il eût été regrettable que nous n'ayons pas été en rapport, qu'il n'y ait pas eu entre nous une correspondance plus ou moins suivie, fût-elle légèrement hésitante, du fait d'une immanquable incompréhension mutuelle, comme un dialogue de sourds. (...)

Un autre que vous eût frémi de joie à la découverte d'une écriture " barbare ", lentement, tragiquement trouvée sur les frontières de l'empire. (...) Aussi, lorsque vous me reconnaissez " un don pour peindre avec une sorte de claire intensité les objets et les paysages " je ne peux que m'attrister de votre aveuglement; depuis toujours, vous avez une façon de minimiser mon effort qui me peine. (...) [27]. »

Et malgré la réponse, cette fois-ci assassine qu'elle lui fait après avoir reçu *L'Apprenti sorcier* – « Il y a toujours, au fond, une impasse, et il semble que c'est dans cette impasse que vous avez élu de vivre [28] » – Augiéras insiste : « Un contact direct dissiperait aussitôt tous les malentendus (...). Je serais très heureux d'avoir vos avis, vos conseils. Mais je souhaite surtout vous voir, vous parler [29]. »

Plus que pour le débat littéraire, l'exemple vaut pour cette étrange relation que Marguerite Yourcenar instaurait avec de jeunes écrivains, faite, de leur part, de fascination et d'exaspération devant le caractère péremptoire de ses jugements.

Des lettres encore : quelques jours après son retour d'Espagne, Marguerite reçoit de son amie Natalie Barney un recueil autobiographique, *Souvenirs indiscrets*, et lui fait part aussitôt de ses premières réflexions : « Sans avoir encore tout lu, j'ai déjà l'impression que vous avez gagné la partie et rectifié votre légende sans pourtant la détruire. De ces souvenirs indiscrets – et qui au fond le sont si peu –, j'ai admiré le tact, le trait léger et pourtant ferme, l'imperceptible humour, et cette perspicacité même à l'égard des êtres que vous aimiez. On vous sait gré surtout d'être restée si allégrement vous-même, sans jamais avoir laissé déteindre sur vous les vogues successives intervenues entre 1900 et nos jours ; ni philosophie de Bergson amenuisée à l'usage des gens du monde, ni conversion néo-thomiste, ni freudisme, ni jargon psychologique ou sociologique, ni existentialisme-à-l'usage-de-tous (j'en passe et des pires) : il en résulte que ces souvenirs presque légers d'il y a plus d'un demi-siècle sont les moins démodés qui soient.

« Mon témoignage tout personnel a peut-être d'autant plus de poids qu'au fond " la belle époque " a pour moi peu de charme [30]. »

Témoignage tout personnel effectivement, et moins pour ce qu'elle vilipende des « modes » que pour l'hommage rendu à qui sait « rectifier [sa] légende sans pourtant la détruire »...

Dans cette correspondance, on remarque une lettre assez sèche à Jean Ballard, une fin de non-recevoir, presque une rupture définitive, avec un homme pour lequel elle avait depuis longtemps, avant la guerre, sinon de l'amitié, du moins de la cordialité : Jean Ballard a été le premier, il faut le rappeler, à rendre longuement et subtilement compte, dans les *Cahiers du Sud*, des *Mémoires d'Hadrien*, en décembre 1951. Si les propos de Marguerite Yourcenar ne sont ni injustes ni dépourvus de fondement, ils témoignent toutefois d'un raidissement certain, presque d'une aigreur, dont on pourra observer de multiples signes dans ces années soixante :

> « Votre lettre du mois d'août contenait la demande d'un " beau texte ". Oserais-je vous dire que même si j'avais un texte disponible, ce qui en ce moment n'est pas le cas, j'hésiterais à vous l'adresser, parce que, de façon très constante, et déjà depuis près de huit ans, la revue passe sous silence mes ouvrages, bien que j'y aie plus d'une fois collaboré dans cet intervalle. Je comprends qu'on n'ait pas signalé la réimpression d'*Alexis* (1953), ni celle du *Coup de grâce* (1953), ou de *Feux* (1957), quoique d'autres l'aient fait ; je trouve plus surprenant que ni les poèmes publiés en 1957, *Les Charités d'Alcippe*, ni la *Présentation critique de Constantin Cavafy*, en 1958, n'aient attiré l'attention d'une revue particulièrement préoccupée de poésie, et de ce qu'on appelle à tort ou à raison la pensée méditerranéenne. Ce silence s'est prolongé à l'occasion de la publication de *Denier du rêve*, l'an dernier, en dépit d'un prière d'insérer et d'une préface indiquant que ce roman, réécrit selon mon usage sur une ébauche ancienne, était à la fois le plus nouveau et

l'un des plus réfléchis de mes livres. Je n'ai pas l'habitude de solliciter des articles dans des revues, même amies, et rien ne m'étonne d'ordinaire moins que le silence, mais dans le cas des *Cahiers du Sud*, il m'est impossible de ne pas voir dans cette abstention une preuve de peu d'intérêt pour mon œuvre en général, parfaitement légitime en elle-même, mais peu faite pour m'encourager à publier dans la revue [31]. »

Pour ce qui est de son activité littéraire, Marguerite Yourcenar continue son essai sur Piranèse, modifie, pour une nouvelle édition à paraître chez Plon, la préface d'*Alexis ou le Traité du vain combat*, et conçoit un étrange projet, qui ne verra jamais le jour : elle se proposait de bâtir un roman à partir de certains personnages de *Denier du rêve*, qu'on retrouverait en 1945 et dont on suivrait l'existence, non plus en Italie, mais principalement à Paris et en Allemagne, jusqu'à la fin des années cinquante. L'idée, qui n'était pas nécessairement bonne, est cependant une preuve de plus de l'étonnant comportement autarcique de Marguerite Yourcenar, qui cherche toujours à infléchir, prolonger, amplifier ce qui a déjà été partiellement accompli, plutôt qu'à avancer en effaçant les traces derrière elle ou à « sauter dans le vide » pour inventer quelque chose de totalement neuf. On lui a bien entendu souvent demandé pourquoi elle avait réécrit la plupart de ses livres. Elle répondait invariablement qu'il s'agissait pour elle de refaire ce qui avait été mal conçu, ou de pallier des défaillances : « J'éprouve une certaine horreur à mal dire les choses. On tombe dans les émotions que l'on ne peut authentifier (...). Je m'abandonne, en fait, avec une grande humilité à mes personnages, à cette lente création où l'auteur met un peu de soi-même et beaucoup d'autre chose. Au Thibet, il est

423

conseillé à tout moine de créer pièce par pièce l'image de son saint protecteur. On lui dit alors : " Rentrez dans le monde et voyez s'il vous suit. Si oui, détruisez-le car c'est vous qui l'avez construit. " [32] ». « Chaque fois qu'il est question du problème pour moi si important de la réécriture, je suis tentée de citer une fois de plus l'admirable phrase du poète irlandais Yeats : " C'est moi-même que je corrige en corrigeant mon œuvre. " Cette phrase définit complètement mon propre point de vue, disait-elle à Patrick de Rosbo [33]. Lorsqu'un livre me paraît aussi bien que je peux le faire, je ne le réécris pas, je me garde bien d'y toucher, à moins qu'il n'y ait une erreur grave, que je me sois trompée de date ou quelque chose d'approchant », précisait-elle encore lors d'un entretien. « La plupart des écrivains ont une autre habitude : ils refont un autre livre sur les mêmes thèmes mais avec d'autres personnages. Ayant raté un roman qui se passait en Touraine, ils se précipitent pour en réécrire un autre qui se passe en Provence à peu près sur le même sujet, seulement Marie s'appelle Joséphine. C'est leur manière de refaire. Comme je suis fidèle à mes personnages, comme ils existent pour moi, je préfère partir d'eux pour refaire un livre. C'est à peu près la même chose que dans l'amour. On peut se demander s'il est plus utile de faire la connaissance de quelqu'un de nouveau chaque semaine ou d'approfondir les relations qu'on a. Je suis pour approfondir les relations qu'on a [34]. »

Ce geste réitératif la conduit parfois en des lieux insoupçonnés. Elle n'imaginait sûrement pas, en entreprenant la refonte de la nouvelle « D'Après Dürer » dans *La Mort conduit l'Attelage*, que de cette correction, de cette mise au point allait sortir un gros roman, celui auquel elle tiendrait le plus (avec sans doute la version définitive d'*Un homme obscur*) : *L'Œuvre au Noir*.

Pour l'heure, *L'Œuvre au Noir* – qui sera communément désignée par Grace Frick, pendant le temps de son écriture, par « Zénon » – en est encore à ses balbutiements. 1961, bien qu'étant une année totalement américaine et très studieuse, ne verra pas avancer la rédaction de « Zénon ». Marguerite Yourcenar écrira *Rendre à César*, une adaptation théâtrale de *Denier du rêve*, qui devait être montée à Paris. Elle a rendu compte des circonstances qui l'ont amenée à la théâtralisation de son roman dans la préface de la pièce, rédigée en 1970 :

> « En 1961, moins de deux ans après la publication, fort discrète, de la version définitive de *Denier du rêve*, un directeur de théâtre me pria de dramatiser un de mes livres. Ce texte encore tout chaud me parut se prêter à cette tentative. (...) Quand j'envoyai la pièce terminée à l'amical directeur, celui-ci, comme il eût peut-être fallu s'y attendre, se trouvait déjà sans compagnie et sans fonds. Mais peu importait : je lui dois cette expérience qui consiste à passer pour un sujet donné de la forme romanesque, dans laquelle l'auteur n'accorde que çà et là à ses personnages l'aubaine d'un monologue ou d'un dialogue, à une forme dans laquelle ces mêmes personnages occupent toute la scène, et relèguent dans le trou du souffleur l'auteur remis à sa place [35]. »

Pour ce qui est de « Marguerite Yourcenar face à ses contemporains », l'année 1961 commence de manière assez peu amène : dès le 4 janvier, elle écrit à Jacques Kayaloff [36] pour lui dire qu'elle a renvoyé sans un mot un livre de Roger Vailland, *La Loi*, qu'il lui avait adressé [37]. Elle déteste ce roman, qui, à ses yeux, exhale des relents de pourriture, de moisissure : « non, pas moisissure, conclut-elle, plutôt une odeur de mauvaise haleine »...

Marguerite ayant accepté de nouveau des conférences, Grace et elle voyageront pendant deux mois, du 22 février au 22 avril, dans les États du Sud, Virginie, Virginie de l'Ouest, Kentucky, Louisiane, Tennessee, Mississippi. Elles descendent et remontent le Mississippi entre Cincinnati et La Nouvelle-Orléans. Tout était prêt cette année-là pour un périple en Égypte, mais elles ont dû l'annuler à la dernière minute, en raison de l'état de santé de Grace, qui devra subir une nouvelle opération le 26 avril. Marguerite profite de ce voyage pour engranger le matériau qui servira à ses traductions de negro spirituals, dont elle a désormais envie de faire un livre. Toutes deux sont passionnées par ce qui se prépare dans les États du Sud – les grands combats de la communauté noire dans les années soixante. Elles militent de plus en plus dans des associations en faveur des droits civiques, qui les intéressent plus que la vie politique traditionnelle. Elles ont néanmoins voté pour Kennedy, ulcérées par le sectarisme de la campagne anticatholique dont il était victime. Mais c'est le combat aux côtés des minorités, les Noirs tout particulièrement, qui leur sera, à toutes deux, une constante préoccupation et elles prendront position chaque fois qu'il le faudra. Dans leur île, dont les Noirs sont absents, sauf en été quand viennent les grandes familles et leur domesticité, le racisme rampant n'est pas même mis en cause par une quelconque contestation : une fois de plus, leur engagement, et les visites de leurs amis noirs, les singulariseront.

Au cours de ce voyage dans le Sud, Grace se rendra, seule comme toujours, dans sa famille à Kansas City. Ce qui semble confirmer les témoignages disant que la réticence de la famille de Grace à l'égard de Marguerite n'a jamais faibli.

Pendant l'été 1961, après être allée recevoir son doctorat *honoris causa* de Smith College à Northampton (Massachusetts), Marguerite Yourcenar verra souvent, dans l'île voisine de Sutton Island où elle habite, Hortense King, qui écrit des poèmes sous le nom d'Hortense Flexner. Elle traduira ensuite un choix de poèmes d'Hortense Flexner qui sera publié chez Gallimard en 1969, accompagné d'une « présentation critique ».

1961 est aussi, curieusement, une année « sportive » : Marguerite Yourcenar a « sur le tard », comme elle le disait, « pris goût au cheval », et a accepté, pour pouvoir suivre Grace qui est bonne cavalière, de prendre des leçons d'équitation. Grace se remet bien de sa seconde opération : elle se promène à cheval, elle accepte les intrusions à Petite Plaisance – Gabriel Marcel est convié à y passer la nuit du 17 novembre. Mais aussi, et peut-être surtout, reviennent sur son agenda ces notations quotidiennes et superbement décousues avec lesquelles on pourrait bâtir les merveilleux « cadavres exquis » chers aux surréalistes : de l'anniversaire du chien – « Monsieur's Birthday party » –, le 23 juillet, à « MY et G vont voir le lever du soleil sur le Mont Cadillac et ensuite vont acheter un aspirateur » – le 15 septembre, en passant par « Visite à Sutton Island. Monsieur ravi » – le 14 juillet...

« Monsieur », justement, se casse une patte au mois d'avril 1962, ce qui occupe énormément Grace, tandis que Marguerite en finit avec ce qui sera *Sous bénéfice d'inventaire*, recueil d'essais prévu pour la fin de l'année.

Ce même mois d'avril, Marguerite écrit à une amie archéologue pour lui demander des précisions concernant l'existence de certaine fresque à Syracuse, en perspective, une fois encore, de la réécriture de son essai sur *Pindare* : « Je m'occupe en ce moment de réviser, ou plutôt de refaire, un ouvrage que j'eus la naïveté et l'audace d'écrire à vingt ou vingt-deux ans sur la poésie de Pindare, et que l'éditeur français, et aussi l'éditeur étranger, veulent republier. Comme je ne peux évidemment le laisser paraître tel quel, c'est-à-dire plein de lacunes qui ne me sont maintenant que trop apparentes, je suis enfoncée dans un énorme travail de refonte[38]. » Mais, soit lassitude, soit clairvoyance, cette « refonte » ne verra jamais le jour.

Au début de cette année 1962, Marguerite apprend avec tristesse la disparition d'Alice Parker, l'une de ses plus anciennes relations dans le pays dont elle est devenue citoyenne ; et elle trace pour l'amie qui lui a fait part de la nouvelle, un portrait ému de ce témoin de ses premières années américaines :

> « Il se trouve qu'Alice Parker a été l'une de mes premières amitiés américaines (...). Il me semble parfois avoir atteint à travers elle le monde éclairé et rationnel du XVIIIᵉ siècle avec son généreux optimisme à l'égard de la nature humaine, et en même temps sa courageuse absence de préjugés. Même dans sa foi religieuse, même dans ses contacts (si essentiels pour elle) avec l'invisible et l'inconnu, je retrouve quelque chose de la tournure d'esprit des grands mystiques puritains de cette époque qu'elle connaissait si bien et avec laquelle elle avait de si profondes affinités, à ce qui me semble. On touchait par elle à la grande Amérique d'autrefois, ce qui ne veut pas dire que sa présence en ce qui concerne les problèmes contemporains ne fut pas entière et admirable. Quand je revins aux États-Unis durant la guerre, et que peu à peu les événements m'y

retinrent, elle fut l'une des très rares personnes dont je savais implicitement qu'on
pourrait s'adresser à elle aussi bien pour un
appui moral que, si les circonstances l'exi-
geaient, pour un appui matériel en temps de
danger [39]. »

Ces États-Unis où « peu à peu les événements [la]
retinrent », selon une expression dont on se demande
ce qu'elle doit à l'euphémisme discret ou – déjà – à la
dénégation, Marguerite Yourcenar s'apprête à en partir pour un voyage comprenant de multiples étapes :
Islande, Norvège, Suède, Finlande, Union soviétique –
trois jours à Leningrad seulement –, Danemark, Allemagne et Pays-Bas. Grace et elle quittent les États-Unis
le 11 juin et débarquent le 17 à Reykjavik. La découverte de l'Islande et la courte visite à Leningrad retien-
dront particulièrement l'attention de Marguerite Yourcenar, le reste ne relevant que du plaisir à revenir sur
les lieux qu'on aime. Après son retour aux États-Unis,
le 16 juillet, elle écrit – en anglais – à l'un de ses hôtes
en Islande pour le remercier de son accueil [40]. Elle précise qu'elle est en train de lire, dans une traduction
française, *La Saga de Grettir* [41], et que son trop rapide
coup d'œil sur l'Islande l'aide tout de même à mieux
comprendre ces textes anciens. « Quant à la courte
(trois jours) visite en Russie, elle fut pleine d'impressions inattendues – au moins pour nous, qui tentions
d'arriver avec l'esprit ouvert et d'ignorer la propagande antisoviétique. Mais la sensation finale, autant
qu'immédiate d'ailleurs, fut de consternation et d'exaspération devant la constance de l'État policier. »

Ces remarques annoncent une longue lettre que
Marguerite Yourcenar adresse à Noël 1962 à sa traductrice italienne, Lidia Storoni :

« Cette expérience si brève » dit-elle à propos de ces trois jours à Leningrad, « a eu sur moi (et aussi sur Grâce) un effet auquel je ne m'étais pas attendue, qui est en somme, en ce qui me concerne, celui d'un infini découragement. Qu'avais-je espéré? Je n'avais certes pas compté entrevoir un Eldorado, mais réagissant sans doute contre la sotte propagande anticommuniste de l'Amérique, avec ses clichés enfantins, j'avais cru sans doute rencontrer au moins un monde plus neuf, plus "vital" peut-être, même si ce monde nous était hostile ou étranger. Ce que j'ai trouvé, dès l'aube du premier jour où nous avons aperçu les officiels russes abordant le bateau dans le brouillard, et jusqu'à la nuit blanche du troisième jour où nous avons longuement et de très près côtoyé la forteresse de Kronstadt s'élevant de la mer avec sa coupole d'église désaffectée et les unités de la flotte autour d'elle, c'est tout simplement la Russie de Custine, l'éternel mélange de routine bureaucratique, de suspicion de l'étranger, de laisser-aller déjà oriental et de prudente méfiance, et cette tristesse inerte et presque suffocante qui est si souvent celle du roman russe, et que je ne m'attendais pas à retrouver (...); les foules venues des provinces, défilant en groupes organisés dans l'immense Ermitage, regardant vaguement ces œuvres d'art de siècles et de pays situés si loin d'elles, et ce paysan qui, debout devant un Christ de Rembrandt, avait l'air de prier (...) – et, sur l'escalier d'honneur, d'un monumental baroque italien, mais de la mauvaise époque, c'est-à-dire datant d'Alexandre Ier plutôt que de Catherine, sous les pieds des foules qui montent et descendent ces marches de marbre (excusez l'horreur mesquine de ce détail qui ne prouve ni ne signifie rien, mais devient pour moi et en dépit de moi-même

430

une sorte de symbole) un fragment humble et scandaleux d'accessoire féminin ayant appartenu à quelque voyageuse trop fatiguée pour s'apercevoir de sa perte, un lambeau de linge sanglant que personne ne prenait la peine de repousser du bout de son soulier vers quelque encoignure plus sombre, encore bien moins de se baisser pour le jeter au rebut. (...) [42]. »

Marguerite Yourcenar a refusé, en dépit des demandes répétées de Lidia Storoni, que cette lettre soit publiée dans une revue. Elle estimait que les fragments de correspondance d'un écrivain ne sauraient être cités du vivant de leur auteur, à moins qu'ils ne soient rassemblés dans une anthologie de correspondance « faite et publiée si tard dans la vie d'un écrivain qu'elle est quasi posthume ».

Pendant tout le dernier trimestre de l'année, marqué aux États-Unis par le blocus de Cuba – Grace fait part, à propos de ces événements, de leur inquiétude – Marguerite Yourcenar travaille assidûment à « Zénon » et revoit les épreuves de *Sous bénéfice d'inventaire*. Le recueil est publié par Gallimard à la fin de 1962 et reçoit en février 1963 le prix Combat, attribué pour la quatrième fois. Les précédents lauréats ont été René de Obaldia, Cioran et Roger Caillois. En même temps que Marguerite Yourcenar, le prix récompensait, pour l'ensemble de son œuvre, André Pieyre de Mandiargues. On a plaisir aujourd'hui, quelque vingt-cinq ans plus tard, à citer les membres d'un jury qui, alors, avait à cœur de distinguer des écrivains : Pierre de Boisdeffre, Alain Bosquet, Michel Butor, Henri Chapier, Max-Pol Fouchet, François Nourissier, Jacques de Ricaumont, Robert Sabatier, Philippe Sénart, Philippe Tesson et Henri Thomas.

Le livre, avant même l'obtention du prix, avait été très bien accueilli par la critique : « Marguerite Yourcenar ne décevra jamais ses lecteurs : ses vues pénétrantes aussi bien que la grâce classique de son style ne cesseront pas de faire de ses livres des ouvrages de haute qualité », juge Adrien Jans dans les colonnes du *Soir*[43]. « Le lecteur cultivé – celui que le roman lasse et que l'intelligence détend – trouvera dans ce recueil d'essais de Marguerite Yourcenar le plus nourrissant et le plus raffiné des régals », assure Jacqueline Piatier dans *Le Monde*[44]. Seul Pierre de Boisdeffre, dans *Les Nouvelles Littéraires*, émet une légère réserve : « un recueil de commentaires historiques, esthétiques et critiques de valeur inégale, mais dont certains sont captivants. (...) Le livre refermé ne nous aura pas toujours également requis. Mais nous aurons beaucoup appris[45] ».

En 1963 paraît enfin, en France, la pièce écrite au cours de l'été 1942, *Le Mystère d'Alceste* – ce sera le dernier titre de Marguerite Yourcenar chez Plon, ainsi qu'une réédition des *Nouvelles orientales* chez Gallimard[46]. Marguerite commente dans sa correspondance les ouvrages que les amis, les éditeurs ou les auteurs lui envoient de France. Ainsi écrit-elle à Roger Caillois, pour le remercier d'un essai sur le rêve[47] qu'elle avait « déchiffré à travers [une] traduction allemande ». « Je ne veux pas laisser passer cette occasion, poursuit-elle, pour vous dire combien comptent pour moi *Méduse et Cie* – l'un des livres les plus riches que j'ai lus depuis longtemps –, *L'Esthétique généralisée* et ce *Pilate* qui va si loin dans la méditation sur le possible[48]. »

À Petite Plaisance, l'hiver est trop froid, l'été trop chaud. Pendant cet été 1963, Marguerite Yourcenar reçoit l'hommage consacré par la revue *Adam Inter-*

national à l'Amazone, son amie Natalie Barney, à laquelle elle écrit une lettre magnifique. Elle commence par expliquer pourquoi elle n'a pas voulu participer à cet hommage, ainsi que l'en avait sollicitée le directeur de la revue : « Incapable comme je suis de l'aperçu court, du souvenir net qui est au contraire votre don, si j'avais accepté la proposition de ce Monsieur, je me serais vite arrêtée court, ou au contraire j'aurais sombré dans des tiroirs pleins de fiches, sous des rames de papier et des torrents d'encre, tout ce qu'il faut enfin pour écrire les *Mémoires de Natalie* ou *Le Cerveau noir de Natalie*, ce que je ne suis pourtant pas qualifiée pour faire. » Mais un peu plus loin, en dépit de ce qui précède, elle dessine *son* portrait de Natalie Barney :

> « Je suis très capable de prévoir votre légende future, ayant d'abord connu de vous celle que vos contemporains vous ont faite.
>
> Mais en dépit des précisions du volume d'"*hommages*" (les généalogies en particulier sont fascinantes), que de choses restent inexpliquées. Par exemple, la par faite "naturalisation" de cette étrangère que vous étiez, qui a réussi à être chez soi dans Paris sans jamais perdre tout à fait ses privilèges d'extraterritorialité. (...) Enfin, on admire surtout, sans bien se l'expliquer, la durée tranquille de ce tour de force qu'est une vie libre.
>
> J'ai un peu réfléchi à tout cela : je me suis dit que vous aviez eu la chance de vivre à une époque où la notion de plaisir restait une notion civilisatrice (elle ne l'est plus aujourd'hui) ; je vous ai particulièrement su gré d'avoir échappé aux grippes intellectuelles de ce demi-siècle, de n'avoir été ni psychanalysée, ni existentialiste, ni occupée d'accomplir des actes gratuits, mais d'être

au contraire restée fidèle à l'évidence de votre esprit, de vos sens, voire de votre bon sens. Je ne puis m'empêcher de comparer votre existence avec la mienne, qui n'aura pas été une œuvre d'art, mais tellement plus soumise aux hasards de l'événement, rapide ou lente, compliquée ou simple, ou tout au moins simplifiée, changeante et informe... Que les rythmes changent vite, d'une génération à l'autre, et aussi les buts [49]... »

Une « existence simple, ou tout au moins simplifiée », c'est ce que lui offre Grace. Il n'est pas sûr qu'elle y trouve absolument son compte et les propos qu'elle tient dans une lettre à Suzanne Lilar, qui lui a envoyé un exemplaire de son essai sur le *Couple*, ne sont peut-être pas de simples généralités, d'autant que ces lettres étaient toutes connues de Grace et qu'on peut se demander si, pour Marguerite, il ne s'agissait pas, aussi, d'une sorte de message indirect à sa compagne :

> « En ce qui concerne l'amour, je ne suis pas sûre que la glorification du " couple " en tant que tel soit la meilleure manière de nous débarrasser de nos erreurs et de nos fautes ; tant d'agressivité, tant d'égoïsme à deux, tant d'exclusion du reste du monde, tant d'insistance sur le droit de propriété exclusif d'un autre être sont entrés dans cette notion : peut-être avons-nous à la purifier avant de la resacraliser... C'est toute la chair, d'ailleurs, que nous devrions tenir pour sacrée, ne serait-ce que pour la rapprocher davantage de l'esprit dont elle est sœur, et une telle attitude finirait peut-être par diminuer le mauvais usage et l'abus. Il y a des moments où, sociologiquement parlant, et sans paradoxe, je trouve regrettable que la

434

prostitution ait cessé d'être sacrée depuis plus de deux mille ans. La servante des temples avait ses privilèges et ses vertus, que nous avons enlevés à la fille en carte [50]. »

Le début de l'hiver 1963 laisse le monde entier sous le choc de l'assassinat du président Kennedy à Dallas, puis de celui du meurtrier présumé, Lee Harvey Oswald par Jack Ruby. C'est encore à Natalie Barney que Marguerite confie :

« Vos deux charmantes lettres (qui ont dû croiser mon bref message) sont arrivées ici le vendredi matin 22 novembre. Au moment où j'allais m'asseoir à mon bureau pour vous remercier sur le champ, un voisin nous a téléphoné l'affreuse nouvelle de l'attentat qui a coûté la vie au président Kennedy, et, comme le reste du monde, nous avons passé les trois jours qui ont suivi à la télévision ou à la radio, pleines d'horreur pour ce stupide acte de violence, et de pitié pour cet homme arrêté en pleine carrière, et qui semblait en passe de devenir un grand homme d'État. Mais je n'ai pas pu ne pas songer à ce que j'avais fait dire à Hadrien au sujet des " carrières interrompues " et de son apitoiement à l'égard de tout homme politique mort dans la quarantième année, avant d'avoir développé toutes les possibilités qui étaient en lui. (...) D'autre part, on est stupéfait par l'aspect " tough " et roman série noire du meurtre de l'homme inculpé du crime, et par ce " good guy " directeur de bastringue prenant sur lui la vengeance d'un chef d'État (et éliminant ainsi à jamais délibérément ou non, la possibilité d'en savoir plus long sur les auteurs du meurtre et les causes). Tout comme Proust s'émerveillait que la mort de Raspoutine fût un crime " si russe ", on n'en

revient pas que ces détails de la tragédie de
Dallas soient aussi " américains " [51]. »

Marguerite Yourcenar et Grace Frick ont soixante
ans et le pessimisme les gagne toutes les deux. Pour
combattre cette fin d'année sinistre, elles se livrent aux
petits rites qu'elles affectionnent, comme le note
Grace, le 13 décembre par exemple : « La neige tombe.
Délicieux gâteaux à la cardamome, préparés et servis
par MY avec du café, à la lumière des bougies dans
l'ombre du jour déclinant, comme en Suède. Coutume
rigoureusement observée depuis notre séjour là-bas en
1954-55. »

La neige, le crépuscule, les rites menus : à Petite
Plaisance, la vie ralentit, stagne.

CHAPITRE 2

« *L'Œuvre au Noir* » et les conflits

L'année 1964 ne commence guère mieux que n'a fini la précédente. Il n'en subsiste aucun témoignage de Grace Frick, son agenda ayant été perdu. Mais on sait, notamment par la correspondance de Marguerite Your-cenar, que le mois de janvier est marqué par « un froid intense ». Elle aurait voulu y échapper et avait prévu un voyage au Proche-Orient – Liban, Égypte, Israël – (celui que l'affaire du Canal de Suez l'avait dissuadée d'entre-prendre, en 1956). Il a dû être annulé, la maladie de Grace imposant un nouveau traitement. « Ma dernière lettre vous disait combien j'espérais, sinon peut-être vous voir, du moins causer avec vous au téléphone le 7 janvier prochain, lors de notre passage à Marseille, écrit-elle à Natalie Barney. Malheureusement, il a fallu remettre pour le moment ce voyage, un examen médical de pure routine subi par Grace avant le départ nous ayant appris qu'elle souffrait d'une récurrence de la maladie d'il y a cinq ans, dont on la croyait parfaitement guérie. Un traitement radiologique s'impose donc, comme celui qui lui avait si bien réussi en 1958 (je crois vous en avoir parlé à l'époque) et ce traitement va nous retenir ici au moins jusqu'en fin janvier. Grace m'interrompt pour me dire de vous dire qu'elle se sent " disgustingly healthy "

437

et qu'elle ne languit pas pour le moment sur un lit de repos, ce qui me semble à peine nécessaire de vous indiquer, puisque vous la connaissez [1]... »

En dépit de cette apparente résistance de Grace au mal, Marguerite, qui l'avait cru guérie, demeure durablement inquiète, au point de s'en ouvrir à Natalie Barney : « Grace va bien, et a toujours son extraordinaire énergie (elle est en ce moment en voyage dans le Centre-Ouest) mais l'alerte a été vive cet hiver (...). Le traitement a enrayé le mal, mais le médecin et moi demeurons inquiets. Tout ce qu'on peut faire est de vivre au jour le jour avec ardeur et sagesse (la sagesse qu'on a) et de dire que les jours mis bout à bout font des mois et des semaines, et souhaiter qu'ils fassent des années. Pourquoi ai-je l'inexcusable égoïsme de vous attrister de tout cela ? Par amitié, et parce que je vous parle comme à moi-même. Continuez, chère Amie, à nous donner votre bel exemple d'endurance et de sérénité, et croyez-moi affectueusement vôtre [2]. »

Dès janvier, Marguerite Yourcenar écrit à Gaston Gallimard qu'elle lui envoie *Fleuve profond, sombre rivière* « qui se compose d'une étude sur la poésie populaire et la mystique des Noirs des États-Unis, ainsi que l'arrière-plan historique sur lequel cette mystique et cette poésie se sont développées, et une traduction d'environ deux cents *Negro Spirituals* dont un grand nombre inconnus en France [3] ». Dans cette même lettre, elle aborde la question qui la préoccupe et qui va donner lieu à une très longue procédure entre elle et les éditions Plon. Elle n'a pas envie de publier dans cette maison, ce qui devait être la refonte de *La Mort conduit l'Attelage*, et qui s'annonce comme un gros roman dont elle est en train de terminer la première partie, « La Vie errante ». « Ce roman (...) est devenu pour moi un travail de type *Mémoires d'Hadrien*, écrit-elle à Gaston Gallimard, bien que de technique et d'affabulation toutes différentes, ce qui, bien entendu, ne prouve pas du tout que je puisse m'attendre pour lui à un aussi large accueil. J'ai cru écrire les *Mémoires d'Hadrien* pour dix personnes, et je me suis trompée. Je crois en ce moment terminer *L'Œuvre au Noir* pour dix personnes, et il se peut fort bien que je ne me trompe pas. Tel qu'il est, ce manuscrit de quelque deux cent cinquante pages dactylographiées " correspond " en tant que " nouvelle version " aux soixante-dix pages imprimées d'une nouvelle intitulée « D'après Dürer » dans *La Mort conduit l'Attelage* de 1934 [4]. »

Elle se « souvient » que, depuis plusieurs années, Gaston Gallimard souhaite publier un roman d'elle. L'ampleur du travail que lui demande *L'Œuvre au Noir* ne lui permet pas de songer à le satisfaire avant longtemps mais il lui apparaît déjà nettement que *L'Œuvre au Noir* correspondrait parfaitement à la tradition littéraire de la maison Gallimard. « Je vais plus loin : *L'Œuvre au Noir*, roman d'une technique très complexe, d'intentions assez abstruses et parfois hardies (il s'agit de la vie mouvementée, mais aussi méditative, d'un homme qui fait totale table rase des idées et des préjugés de son siècle pour voir ensuite où sa pensée librement le conduira), me paraît, en esprit, beaucoup plus appropriée à Gallimard, et, franchement, peu à sa place dans une maison qui semble expérimenter de moins en moins avec la littérature difficile. Il ne s'agit nullement, je ne puis trop le répéter, d'essayer de désavantager Plon en faveur de Gallimard, mais d'établir un programme aussi judicieux que possible, en présence du contenu des manuscrits à offrir, tels qu'ils se présentent sous leur forme finale [5]. »

La fin de cette lettre affirme sa confiance dans le jugement de Gaston Gallimard ; encore hésitante, sans aucun doute consciente des difficultés à venir avec Plon, Marguerite semble s'en remettre entièrement à lui, et lui demande implicitement de s'engager à la soutenir dans son choix. Ce qu'il ne manquera pas de faire par retour de courrier, alors même que le manuscrit annoncé de *Fleuve profond, sombre rivière* ne lui est pas encore parvenu...

Grace allant mieux, Marguerite abandonne tout de même cet important travail – ou du moins le met en sommeil – pour partir en Europe. Ce sera leur dernier voyage hors des États-Unis jusqu'en 1968. Elles se rendent, en avril et mai 1964 (et non en mars comme le prétend la « chronologie » de la Pléiade, plusieurs lettres de Marguerite Yourcenar à des amis en témoignent), en Pologne, en Tchécoslovaquie, en Autriche et en Italie du Nord, avec toujours le même projet : voir d'autres choses, d'autres gens, ailleurs. « Vous dites que les éditeurs ne se promènent pas dans le Maine, écrit-elle de Vienne à Jacques Kayaloff ; et c'est pourquoi j'ai choisi d'y vivre. Cela aurait pu être les Hautes-Pyrénées (...), n'importe quel coin de paysage tranquille où l'on puisse travailler en paix. Mon point de vue est le même en voyage : voir monuments, sites, entrer en contact avec des êtres humains en choisissant de préférence ceux qui ne s'occupent pas de littérature. Sinon j'irai à Paris, plutôt qu'à Vienne ou Cracovie [6]. »

C'est à Salzbourg, où elles assistent au « mai musical », que Marguerite Yourcenar entreprend la rédaction de la seconde partie de *L'Œuvre au Noir*, « La Vie immobile ». Lorsqu'elle rentre, au début de l'été, à Northeast Harbor, elle décide de se consacrer entièrement à ce livre, qu'elle achèvera en août 1965.

À Paris, à l'automne 1964, Gallimard publie *Fleuve profond, sombre rivière* : « c'est le premier – et ce sera peut-être le seul, qui sait ? – de mes livres consacré à un

sujet " américain " », commentera Marguerite Yourcenar[7]. Un livre qui ne peut évidemment rivaliser avec
Hadrien ou d'autres romans pour la conquête d'un large
public, mais qui lui vaut quelques critiques fort per-
tinentes, notamment celle d'Yves Berger dans *Le Monde*.
Il termine tout simplement en comparant, à propos du
même texte originel, la traduction de Marguerite Yourcenar et celle faite par Sim Copans[8], à la même époque.
Celui-ci écrit :

> *On ne me vendra plus aux enchères,*
> *Jamais plus, jamais plus.*
> *On ne me vendra plus aux enchères.*
> *Des milliers sont partis*
> *Je ne vivrai plus du boisseau de maïs*
> *(du maître)*

Et Marguerite Yourcenar :

> *Plus d' bloc au marché pour moi!*
> *Oh, jamais plus!*
> *Plus d' coups d' fouet sur l' dos pour moi!*
> *Oh, jamais plus!*
> *(Par milliers, les hommes sont partis.)*
> *Non, plus d' rations d' maïs pour moi!*
> *Oh, jamais plus*[9]*!*

« La différence se passe de commentaire », conclut
Yves Berger[10].

De 1965 à 1968, le temps se passe, à Petite Plaisance,
sur le mode de « la vie immobile », comme le confie
Marguerite Yourcenar à Natalie Barney, celle de ses
amies de France à laquelle elle semble accorder une
confiance véritable en raison de sa constante généro-

sité et de son esprit aussi éloigné de la mesquinerie que du goût des ragots, deux défauts « très parisiens » aux yeux de Marguerite. Au cours de ces années, les lettres de Natalie sont parfois accompagnées de chèques, geste qui émeut profondément Marguerite :

> « J'y vois la preuve de cette chose si rare », lui écrit-elle ; « la véritable amitié capable de s'inquiéter d'un silence et obsédée par le désir d'être utile (...). J'accepte ce don avec gratitude comme j'ai accepté les précédents, non que j'aie en ce moment besoin de secours matériels (je vous jure que je ne suis pas à court d'argent), mais parce que ce chèque est un symbole équivalent à une pièce d'or inaltérable. (...) Je viens de faire une chose qui vous déplaira peut-être : sur ces cinq cents dollars, j'ai prélevé une dîme. Vous savez combien je m'intéresse à la conservation des paysages : chaque année, j'envoie un petit don à la *Nature Conservancy Association*, qui a acheté il y a trois ans une île de 152 acres dans la baie de Bar Harbor, Turtle Island, pour la sauver des lotisseurs et des marchands de bois qui auraient eu vite fait de transformer ces beaux arbres en pâte à papier pour des " comics " et d'ineptes illustrés... (" Arrête, bûcheron... ") Cette année, je viens de leur adresser cinquante dollars pour aider à amortir ce qui, de cet achat, reste encore à payer, en indiquant que cette fois le présent venait de vous ; j'aime à penser que quelques creux de mousse, quelques rochers, et quelques nids d'oiseaux de mer vous doivent ainsi leur sécurité. Je vous en remercie pour eux [11]. »

Au tout début de 1965, il fait extrêmement froid à Northeast Harbor. Marguerite avoue à son ami le peintre et illustrateur Elie Grekoff, qui réalisa le décor et les costumes d'*Électre* et qui vient d'envoyer les ex-libris qu'il a dessinés – « from the library of Marguerite Yourcenar, Grace Frick » – et dont elle a collé plus de 3 000 déjà : « Grâce et Monsieur aiment la neige, moi je la hais [12]. » Passé le bref moment d'émerveillement enfantin devant la première neige, Marguerite associait la neige à l'hiver. Et elle les détestait également. Plus les années passaient, plus elle trouvait les hivers du Maine interminables, « mordant » sur avril, parfois débordant sur mai. Elle allait avoir soixante-deux ans en juin, mais elle ne pensait guère à l'âge. C'est dans la sédentarité qu'elle sentait la vie se raréfier. Combien d'années devrait-elle désormais passer sans bouger de ce coin d'Amérique, voué aux hivers « presque sans fin » ? Elle qui avait toujours décrit Petite Plaisance comme « une maison de campagne », pour ne pas dire une maison d'été, s'y voyait recluse. En ce mois de janvier 1965 elle avait eu une phlébite, mal qui, cette fois-ci, ne devait rien à son habituelle hypocondrie. Grace était visiblement agacée par son accablement hivernal. Son volontarisme face à la vie lui interdisait de comprendre qu'on pût être affecté par la météorologie. Et plus encore de l'admettre. L'atmosphère était lourde, certains jours.

Marguerite Yourcenar, heureusement, pouvait « quitter les lieux » à son gré. En plein jour ou au cœur de la nuit, comme elle aimait à le faire, ayant toujours eu du goût pour les longs moments d'écriture nocturne, les pages que l'on noircit sans retenue quitte à les détruire au petit matin. Dans le silence de Petite Plaisance, que Grace soit au lit, ou face à elle en train de lire ou de travailler, Marguerite « s'absentait ». Elle rejoignait Zénon. On aurait tort de prendre pour une pose ses propos ultérieurs sur celui qu'elle disait aimer

« comme un frère ». La frontière qui sépare la réalité de la fiction était, pour elle, plus que floue, presque inexistante. Elle ne mentait pas lorsqu'elle confiait s'être tournée plus d'une fois vers Zénon pour quêter un conseil. La date anniversaire de sa naissance, le 23 février, figurait dans le carnet personnel de Marguerite Yourcenar, à côté de celles de ses amis et parents, qu'elle ne voulait pas oublier. Le jour où elle écrivit la dernière page du manuscrit de *L'Œuvre au Noir* elle alla ensuite s'allonger dans le hamac qu'elle affectionnait « pour y répéter trois cents fois Zénon », a-t-elle raconté à plusieurs reprises. Dernier hommage à l'homme qui, pour elle, existait comme un vivant et qui venait de mourir, dans sa prison de Bruges.

Comme elle avait écrit naguère à Louise de Borchgrave (l'être de sa famille que, sans doute, elle préférait), « je suis en ce moment quelque part entre Innsbruck et Ratisbonne en 1551 [13] », elle était, dans ces premiers mois de 1965, à Bruges, où Zénon, devenu Sébastien Théus, exerçait son métier de médecin et assistait Jean-Louis de Berlaimont, le prieur des Cordeliers, entré dans son agonie. La neige verglacée et durcie du Maine laissait place aux brumes et à la douce humidité de Bruges. Le prieur des Cordeliers, après avoir ordonné à Zénon de partir, sachant qu'après sa mort il serait en danger, le laissait reprendre place à son chevet, pour la dernière nuit :

> « Le temps des communications verbales, même les plus brèves, était passé ; le prieur se bornait à demander par signes un peu d'eau, ou l'urinal accroché au coin du lit. À l'intérieur de ce monde en ruine, comme un trésor sous un tas de décombres, il semblait à Zénon qu'un esprit subsistait encore, avec lequel il était peut-être possible de rester en contact au-delà des mots. Il continuait à

> tenir le poignet du malade, et ce faible attouchement paraissait suffire pour faire passer au prieur un peu de force, et pour en recevoir en échange un peu de sérénité. De temps à autre, le médecin, pensant à la tradition qui veut que l'âme d'un homme qui s'en va flotte au-dessus de lui comme une flammèche enveloppée de brume, regardait dans la pénombre, mais ce qu'il voyait n'était probablement que le reflet dans la vitre d'une chandelle allumée [14]. »

Il fallait bien, malgré tout, revenir à la réalité américaine de 1965. Il se passait au Vietnam, où les États-Unis s'embourbaient comme quelques années plus tôt la France, des choses préoccupantes. Jusque dans l'île des Monts-Déserts se tenaient des réunions contre l'engagement américain dans ce qui avait été l'Indochine. Marguerite Yourcenar et Grace Frick s'y rendaient assidûment, la question leur paraissant une des plus graves du moment. « Il est bien dur d'avoir eu à souffrir des erreurs commises autrefois par la France en Asie, et de voir que maintenant l'Amérique en prend la suite, et que l'expérience ne sert à rien. Heureusement, un grand nombre de voix s'élèvent contre ces erreurs (surtout dans les milieux profondément religieux, et dans les cercles scientifiques avertis du danger) et on fait ce qu'on peut pour soutenir leur courage [15] », écrira-t-elle à Natalie Barney.

Et puis L'Œuvre au Noir n'était pas seulement le rêve de Marguerite, sa manière de survivre à l'immobilisme et au blizzard. C'était un roman près d'être terminé et qui allait être publié. De mai 1964 à juin 1965, Marguerite en donne cinq prépublications de chapitre ou fragments de chapitres à différentes revues, dont deux à la NRF : « La Conversation à Innsbruck » et « La Mort à Münster [16] ». Si Grace poste à Plon plusieurs chapitres

445

du livre en mars 1965, pour Marguerite Yourcenar, « le cœur n'y est plus ». L'évolution de Plon vers des ouvrages qui lui semblent « très éloignés » de la littérature ne lui inspire aucune confiance et elle craint que ne soient mal défendus ses propres livres, singulièrement celui-ci, auquel elle attache une importance toute particulière, aussi grande qu'à *Mémoires d'Hadrien*, sinon plus. Elle aurait envie de faire valoir une sorte de « clause de conscience » : on ne peut pas continuer de publier chez un éditeur dont la production est devenue sans rapport avec ce que l'on écrit. Mais une telle clause n'a pas cours dans l'édition, comme le lui fera remarquer son avocat, Mᵉ Marc Brossollet *.

Marguerite multiplie les signes d'impatience envers son éditeur. En témoigne ce télégramme comminatoire qu'elle envoie au mois de mai à Georges Roditi :

« Réimpression *Alexis* réclamée depuis 1961 – Promise depuis 1962 – Bon à tirer donné février – Prière publier sans délai. »

« Yourcenar [17] »

Ce à quoi il lui est répondu qu'*Alexis* paraîtra en juillet... Mais cette réédition se fera dans la collection cartonnée de la « Nouvelle Bibliothèque française », et non en édition courante – choix que désapprouvera aussitôt Marguerite Yourcenar, et qui constituera pour elle un grief supplémentaire dans ce qui ne tardera pas à devenir « l'affaire Plon ».

Refusant ce qu'elle considère comme la « veulerie » des auteurs face à leurs éditeurs et faisant bon marché du droit de préférence qui la liait à Plon, Marguerite Yourcenar s'engage dans une procédure qui durera

---

* Gendre de son précédent conseil, Mᵉ Mirat, mort en 1959.

quelque deux ans et retardera considérablement la publication de *L'Œuvre au Noir* : « Je sais seulement que j'ai de fort bonnes raisons de me plaindre du traitement de Plon à mon égard, et de désirer lui reprendre un livre qui, en tout état de cause, n'est pas fait pour ce que Plon est devenu. Je sais aussi qu'il faut bien que quelqu'un s'oppose à la négligence et à un certain insolent laisser-aller des éditeurs, dont, il est vrai, la plupart des auteurs, par leur veulerie, sont responsables. Je ne blâme personne, la plupart des auteurs, dans les conditions habituelles de leur vie à Paris, et dans le désir d'obtenir à tout prix le succès comme ils l'entendent sont obligés à aller très loin dans le compromis. Ma situation est différente, et je suis peut-être du petit nombre de ceux qui peuvent utilement protester [18]. »

Du côté de Plon, on s'inquiète et, au détour d'une phrase, on tente de « remettre les pendules à l'heure » : pas question de biaiser avec un contrat :

« J'attends avec impatience le texte complet de *L'Œuvre au Noir* qui doit être bien près d'être terminé », lui écrit Georges Roditi, au début du mois d'août. « Si je le reçois cet été, nous pourrons publier le livre en janvier.

« J'apprends sans aucun plaisir que les émissaires d'une maison rivale se succèdent dans votre île ! J'en suis inquiet, non pour ce livre qui est deux fois sous contrat chez Plon et ne peut nous être enlevé, mais pour les *suivants*. J'espère que vous ne signez rien. Lorsque nous nous verrons, je vous soumettrai un projet de contrat qu'aucune autre maison d'édition ne pourrait vous proposer [19]. »

En fait, le 3 septembre 1965, Marguerite écrit à Me Marc Brossollet pour lui exposer la situation : elle n'a aucun désir de publier *L'Œuvre au Noir* chez Plon.

Elle propose à son avocat de recevoir Charles Orengo et Bernard de Fallois, tous deux alors à la direction d'Hachette, qu'elle a par amitié rendus dépositaires de l'ensemble des documents relatifs aux multiples conflits qui l'opposent à Plon depuis 1962. Elle énumère ses griefs (ouvrages non réédités ou abandonnés dans l'édition courante; glissement des objectifs « littéraires » de la maison...), et déclare souhaiter reprendre les droits de *L'Œuvre au Noir*, ainsi que ceux de *La Mort conduit l'Attelage*, dont le premier texte « D'après Dürer » constitue l'embryon de *L'Œuvre au Noir*. Enfin, elle demande la reprise des textes épuisés en éditions courantes – *Mémoires d'Hadrien, Alexis* – ou totalement épuisés – *Électre, Feux*, ainsi que *Le Mystère d'Alceste*, « en voie d'épuisement ». Elle espère en un arrangement « à l'amiable » avec Plon, mais Mᵉ Brossollet la prévient que la situation ne se présente pas sous un jour favorable compte tenu de la valeur commerciale et du prestige que représente son œuvre pour l'éditeur. « Je n'avais jamais rencontré Marguerite Yourcenar, se souvient Mᵉ Marc Brossollet. Elle a envoyé Charles Orengo à mon cabinet pour discuter de l'affaire. Mes propos ont dû le convaincre. Quelques jours après, Marguerite Yourcenar m'a fait savoir qu'elle souhaitait que j'aille " jusqu'au bout de cette affaire avec elle ". J'ai été touché de la confiance qu'elle faisait à un jeune avocat qu'elle ne connaissait pas. J'ai été aussi, très vite, étonné de sa détermination. Cette femme était en possession d'un manuscrit terminé, ou près de l'être. Elle savait que c'était là son ouvrage le plus important depuis *Mémoires d'Hadrien*. Elle y attachait peut-être plus d'importance encore. Et elle était décidée à ne pas publier plutôt que publier chez Plon. Ses relations avec Georges Roditi se sont dégradées. Chacun s'entêtait. Mais comme Gallimard avait dû le faire au moment d'*Hadrien*, Plon a dû finalement céder. Car on voyait bien qu'elle était inflexible. Toutefois la procédure a été longue. Il m'en reste un énorme dossier avec de multiples lettres, très circonstanciées, de Marguerite Yourcenar, qui suivait avec une attention presque maniaque les moindres développements dont je la tenais informée. Heureusement, nous avons pu trouver un arrangement avant que l'affaire ne vienne à l'audience. Sinon, de jugement en appel, je me demande quand aurait finalement paru *L'Œuvre au Noir* [20]. »

De fait, après plusieurs mois de tentatives de conciliation, de tergiversations et d'assignations sans réponse de la part de Plon, le conflit prend une tournure judiciaire à la mi-juillet 1966. Mais la 3e chambre du Tribunal, où se règlent les affaires de propriété littéraire et industrielle, est très encombrée, et l'audience ne peut être fixée que pour le mois de janvier 1968. Entre-temps, de nouvelles négociations s'ouvrent, et de complications en concessions, les parties finiront par s'accorder pour mettre un terme à ce volumineux dossier, accord que signera notamment Marcel Jullian, devenu président de la Librairie Plon en juillet 1967...

La vie quotidienne ne s'arrête pas pour autant, non plus que l'avidité de Marguerite pour toutes formes d'échange intellectuel. Elle annote et, dans sa correspondance, commente avec soin les livres qu'on lui fait parvenir d'Europe. Ainsi depuis la mi-août 1964 a commencé un échange épistolaire avec l'essayiste et universitaire Gabriel Germain (échange de réflexions relevant du domaine spirituel, qui se poursuivra régulièrement jusqu'à la mort de celui-ci, en octobre 1978). « J'ai lu avec un bien grand intérêt l'*Homère* que vous m'avez amicalement envoyé, lui écrit-elle dans l'une de ses premières lettres. J'ai admiré, comme dans *Épictète*, votre sagesse, qui vous évite de croire que tout est résolu, ou va l'être, ou encore de donner tout entier dans le panneau des plus ou moins séduisantes hypothèses (...) [21]. » À la même époque, d'Italie, l'essayiste Elemire Zolla lui envoie son article sur *Le Tour d'écrou* de James, qu'elle apprécie particulièrement :

> « Il m'a fait relire ce roman qui m'a semblé une fois de plus un chef-d'œuvre et qui m'intéresse d'autant plus qu'ayant autrefois traduit en français *What Maisie knew* d'Henry James, j'ai eu l'occasion de réfléchir sur cette autre histoire de voyeurisme enfantin, où cette fois ce n'est pas avec des spectres, mais avec des adultes vivants et bien vivants que la petite fille lie d'étranges liens de connaissance complice. *The Turn of the Screw* va beaucoup plus loin que ce roman pourtant extraordinaire, parce que ce n'est plus, cette fois, le seul problème de l'innocence et de la perversité enfantine qui préoccupe James, mais celui de nos rapports avec le mal. James sort du psychologique, consciemment et inconsciemment à la fois, pour entrer dans le théologique et le métaphysique aussi bien que l'occulte. Comme vous avez raison d'éliminer avec dédain l'hypothèse de Wilson qui réduit tout cela à des fantaisies hystériques de la gouvernante. Bel exemple de l'aspect plat et rudimentaire que prennent les problèmes de l'esprit pour certains de nos contemporains. En réalité, l'obsession sexuelle emplit *The Turn of the Screw* du fait même que c'est sous la forme de contacts avec les fornicateurs que James (typiquement homme du XIXᵉ siècle) traite ce problème de connivence avec le mal, et le premier chapitre si mondainement désin-

volte me semble prouver *a contrario* qu'il savait sur quel terrain à tout point de vue dangereux il s'avançait [22]. »

Grace, elle, en cette fin de l'année 1965 – d'août à décembre – est essentiellement occupée par la maladie du petit cocker noir, le fameux « Monsieur ». Elle note, au jour le jour, ses crises, ses convulsions, entre deux lignes sur les problèmes de *L'Œuvre au Noir* et les appels téléphoniques de Paris qui s'ensuivent, trois sur les maladies de Marguerite, et quelques rapides mentions d'amis venant prendre le thé. « Monsieur » meurt le 6 décembre 1965, jour de la Saint-Nicolas. Il sera enterré, comme ceux qui lui succéderont, dans un coin du jardin, « sous les bouleaux et parmi les fougères », écrit Marguerite Yourcenar dans l'un de ses carnets. Chaque tombe est surmontée d'une petite dalle funéraire portant une inscription : « And still my spaniel sleeps » (John Manston), pour « Monsieur ». Et « Pourtant un gentil cœur dedans un petit corps » (Ronsard) pour l'autre cocker, roux cette fois-ci, qui arrivera à Petite Plaisance le 14 février 1966, jour de la Saint-Valentin (et mourra le 2 décembre 1971). La jeune chienne sera nommée Valentine. À ce propos on peut remarquer que Grace et Marguerite sont toujours restées fidèles à la coutume américaine des cartes qu'on envoie pour la Saint-Valentin à ceux qu'on aime d'amour. Même aux pires moments de leur vie commune, dans les dernières années. Comme si le rite, témoignant de ce qui a été, continuait de lui donner une existence dans le présent.

En cette fin d'année, le 28 décembre précisément, Marguerite écrit une très longue lettre à un étudiant canadien qui est entré en relation épistolaire avec elle en 1963. Ce texte est un nouvel exemple du type de

451

correspondance « pédagogique », à la fois chaleureuse et un brin moralisatrice, que Marguerite Yourcenar entretenait avec des jeunes gens à peu près inconnus. Elle répond aux plaintes qu'exprimait, sur son propre sort, son jeune correspondant.

« À notre malheureuse époque où chaque instant que nous vivons est marqué par d'horribles " exploits " guerriers, où l'argent dont nous aurions tant besoin pour aménager la terre est dépensé par les États en fumée, sous le couvert de projets prétendus scientifiques qui cachent mal le but d'accroître leur puissance militaire et leurs pouvoirs de destruction future, où nous polluons l'air et l'eau et détruisons l'innocent monde animal (et, plus insidieusement, nous-mêmes) (...), en cette triste fin de l'an de grâce 1965, avons-nous tout à fait le droit de souffrir pour nous seuls et à cause de nous seuls ? Réfléchissez-y.

Je me rends parfaitement compte que l'adolescence est un âge qui a ses privilèges : l'un des plus sacrés consiste à avoir le droit de penser d'abord à soi, à se former, à faire ses écoles dans l'ordre intellectuel, matériel, sensuel, à se développer harmonieusement enfin avant de faire face à cette lutte qui sera toute la vie. Mais vous n'êtes plus un adolescent, Jean-Louis, et vous ne serez jamais un homme si vous n'essayez pas davantage de l'être. Ce ne sont pas vos plaintes, longuement épandues dans vos lettres de dix pages qui vous guériront et vous faciliteront l'accession à une vie meilleure (...) Si je comprends bien, vous êtes encore étudiant, ce qui veut dire que vous avez la chance d'avoir une famille qui vous fournit les moyens de l'être. Faites-vous vraiment tout ce que vous pouvez pour profiter de cette

452

chance? Pour partir et pour profiter de ce dépaysement (...) Membre d'un *peace corp* beatnik ou matelot sur un cargo, vous n'aurez d'autres ressources pour vivre et vous imposer dans un milieu quelconque que les connaissances que vous aurez acquises et les qualités que vous aurez développées rue Daly à Ottawa.

Vous vous plaignez d'être intellectuellement, sentimentalement, sensuellement seul. Demandez-vous si de cette solitude vous n'êtes pas en partie responsable. Essayez-vous d'être de ceux qui apportent aux autres une sympathie ou un enrichissement, ou au contraire, sans le savoir et sans le vouloir, pesez-vous sur eux d'un grand poids? À vous qui aimez la littérature, je rappelle la phrase de Valery Larbaud : " ... MOI. L'intégrité de la Sérénissime République. Être seul devant la vie comme je le serai un jour devant la mort. " Le jour où vous aurez en partie réalisé ce programme (qu'il ne faut pas confondre avec celui de l'égoïste) et reconnu la solitude pour la bonne maîtresse qu'elle est, vous aurez gagné vos couleurs, comme un chevalier de légendes du Moyen Age, et acquis des amis avec qui être seul [23]. »

1966 et 1967 sont deux années complètement « immobiles », ce qui semblait alors à Marguerite Yourcenar quasi insurmontable. Elle ignorait encore qu'une décennie entière, ou peu s'en faut – de 1971 à 1980 – se passerait ainsi. À Petite Plaisance, on vit au rythme des péripéties de l'affaire Plon, à Paris, des lettres aux amis, de leurs rares visites – tout de même Florence Codman et Erika Vollger, la couturière de Hartford, pendant l'été de 1966 – et des maladies. Celles de Marguerite, bien que sa légendaire hypocondrie tende à nous les faire minimiser, sont cette fois-ci bien réelles. En 1966, son médecin lui impose de nombreuses analyses, craignant qu'elle n'ait, elle aussi, un cancer. Il n'en est rien, mais elle est accablée de sciatiques, d'allergies de plus en plus gênantes qui se succèdent au cours de l'année 1967.

Dans le domaine littéraire, Marguerite Yourcenar se remet avec un plaisir certain à ses traductions de poètes grecs (en fait, plus des adaptations libres que de véritables traductions), qui paraîtront chez Gallimard plus de dix ans plus tard, en 1979, sous le titre *La Couronne et la Lyre*. Un fragment en sera publié dans la *N.R.F.* [24]. C'est aussi l'époque à laquelle l'un de ses demi-neveux, Georges de Crayencour, entre en relation épistolaire avec elle. Cette correspondance, suscitée à la fin de 1964 par l'entremise de Louise de Borchgrave, la « tante Loulou », débutera véritablement le 12 mai 1966, et s'étendra sporadiquement jusqu'en novembre 1987. Et c'est à « l'infatigable obligeance » de Georges, passionné de généalogie, que Marguerite aura recours, à partir du 1er avril 1973, afin de l'aider dans ses recherches pour l'élaboration de ce qui deviendra *Archives du Nord*.

Mais on est encore loin des projets de la trilogie familiale ; et l'intensité des moments passés à écrire l'histoire de Zénon a disparu. Ce texte, justement, dont elle se met à croire qu'il ne sera peut-être jamais publié de son vivant, l'empêche de se lancer dans une autre entreprise de longue haleine. Tout concourt à une confusion, à un empêtrement médiocre qu'elle ne peut accepter, elle qui a construit sa vie, depuis quelque vingt ans, sur un désir constant de clarification, de simplification, qui a continûment voulu substituer à l'à-peu-près des existences faussement compliquées une ascèse, une expérience de la liberté et de la fermeté.

Elle se rappelle, comme à chaque moment de flottement, ce que lui avait dit Edmond Jaloux quand, à
trente ans, elle se plaignait d'avoir passé six mois sans
écrire et sans désir d'écrire : « Pourquoi n'acceptez-
vous pas que l'esprit ait aussi ses périodes d'hiver [25] ? »
mais ne s'y résout pas.

Même par égard pour Grace, elle ne parvient pas à
taire complètement ce qui lui pèse au-delà du dicible.
« Nous n'avons pas quitté Mount Desert depuis notre
retour de Pologne, Autriche et Italie en 1964 », écrit-
elle à Elie Grekoff en décembre 1966 – dans une lettre
que Grace, évidemment, lit et archive [26]. « Je ne sais
pas quand ce mauvais sort cessera. Car c'est toujours
un mauvais sort que d'être immobilisé contre son
gré. » Elle ne mentionne pas, à cette époque-là, les raisons de cette immobilité, de cette double réclusion, là-
haut, tout au nord-est des États-Unis, pour cause
d'insularité et de maladie. Mais on perçoit, à travers
toutes les lettres où il en est question, que déjà elle ne
se sent plus responsable d'un choix qu'elle a pourtant
partagé. Peu s'en faudrait qu'elle ne désignât une
« coupable »... Tout juste concède-t-elle à Grace, qui
eut l'initiative de leur installation à Petite Plaisance,
quelques commentaires – nuancés – sur la beauté de
l'île – « Mount Desert est encore très beau, mais a
changé depuis que je l'ai vu pour la première fois en
1942. L'abus des routes touristiques et certains " amé-
nagements " pas laids en eux-mêmes ont transformé ce
qui était encore un peu " l'île enchantée ", en une sorte
de paysage de parc, genre forêt de Fontainebleau ou de
Compiègne, avec, il est vrai, la mer et les rochers toujours pareils [27] » – ou quelques remarques sur des
choix de frugalité qui, communs à elles deux, justifient
encore un « nous » réduit à ces modestes dimensions.
Ainsi la détermination de ne pas posséder d'auto-

mobile – pourtant la chose la plus malcommode qui soit sur une île, américaine ou pas, la plupart du temps dépourvue de transport en commun : « Nous n'avons pas de voiture. Ce n'est pas une mesure d'économie. Nous pourrions nous payer cet ustensile, mais la voiture est une encombrante possession de plus[28]. »

Pour compléter, s'il en était besoin, la grisaille du tableau, Grace et Marguerite arrivent à l'âge où nécessairement, si l'on survit, on voit disparaître les membres de sa famille ou ses amis. Les aînés d'abord, et bientôt les contemporains. Le 15 juin 1966, Grace note la mort de leur vieille amie Malvina Hoffman (le *New York Times* n'en parlera que le 11 juillet), qui en 1962 avait sculpté un buste de Marguerite Yourcenar. Âgée de quatre-vingt-un ans, Malvina Hoffman avait connu Rodin et avait été liée avec Brancusi. Marguerite et Grace se souviennent encore des fêtes qu'elle donnait dans son atelier new-yorkais de la 35e Rue, et auxquelles elles aimaient aller, au temps de leur lointaine vie urbaine et de ses mondanités.

Le 24 juin, à Bruxelles, le demi-frère de Marguerite, Michel-Joseph, le fils de Berthe, meurt d'une congestion cérébrale. La correspondance de Marguerite à ce sujet ne laisse transparaître aucune émotion. Ainsi qu'elle le rapportera quelques années plus tard dans un chapitre d'*Archives du Nord*, les relations qu'elle a entretenues avec cet aîné de dix-huit ans n'ont jamais été faciles[29].

En 1961, Marguerite avait repris un contact épistolaire avec la bonne qui avait veillé sur son adolescence, Camille Debocq-Letot, à laquelle elle avait expliqué sa rupture définitive avec Michel-Joseph : « Quant à mon frère et à sa famille, je suis sans rapports avec eux depuis des années, n'ayant jamais pardonné à Michel sa mauvaise conduite envers son père et envers moi.

456

Tu le connais : ainsi cela ne t'étonnera pas, mais ce que tu ne sais peut-être pas, c'est qu'il m'a laissé supporter seule avec Christine toutes les responsabilités et tous les frais de la longue maladie de mon père, et qu'il a perdu sans un mot d'excuse, dans des spéculations à lui, la plus grande partie de ma fortune que, sur le conseil de ma belle-mère, je lui avais confiée (ce qui était d'ailleurs de ma part bien stupide), et que j'ai dû ensuite me débrouiller dans la vie sans y être préparée, et dans les conditions les plus difficiles. Je n'ai pas parlé de tout cela à l'époque, parce que Christine tenait à garder l'apparence de l'entente de la famille, mais dès que son opinion n'a plus été à considérer, j'ai complètement cessé de fréquenter Michel et les siens [30]. »

Ce sont les mêmes griefs qu'elle ressasse dans une autre lettre à Camille : « Ma longue rupture avec mon frère ne t'étonnera pas, toi qui te souviens sûrement de " Monsieur Michel " et de son caractère si violent. Je me rappelle encore avec reconnaissance que tu t'es souvent interposée pour me défendre, quand j'étais une petite fille de dix ou onze ans (...). Je ne l'ai plus revu depuis notre départ d'Angleterre en 1915, sauf pendant une période 1929-1933, où ma belle-mère Christine s'était installée en Belgique, et cette nouvelle rencontre n'a pas été heureuse, car j'ai laissé " Monsieur Michel " s'occuper des propriétés que j'avais héritées de ma mère dans le Hainaut et près de Namur, et il a rapidement presque tout perdu. Entre 1915 et 1929, il n'a jamais revu son père (mort en Suisse en janvier 1929) et n'a jamais rien fait non plus pour l'aider dans sa dernière maladie. Il paraît qu'il a été très dur envers ses enfants, mais ceux-ci l'ont mieux traité qu'il n'avait traité son père, car il a été bien soigné par eux jusqu'au bout [31]. »

Décidément, Marguerite a la rancune longue. Au reste, il n'est pas interdit de douter de sa bonne foi. Ainsi, quelles qu'aient été les raisons de l'attitude de Michel-Joseph lors de la mort de son père, il est singulier que Marguerite, dans cette correspondance comme dans les pages d'*Archives du Nord*, insiste sur le fait qu'elle n'a pas revu son frère entre le départ d'Angleterre et l'installation provisoire de sa belle-mère Christine en Belgique. Camille s'en est peut-être étonnée elle-même puisque c'est à elle que Marguerite Yourcenar avait envoyé, de Suisse, une carte postale datée du 25 août 1928, où se trouve mentionné un séjour de Michel-Joseph, cinq mois avant la mort de son père : « Mon père va beaucoup mieux ; nous sommes à Glion depuis deux mois et nous y restons jusqu'à fin septembre. Je passe un été très gai. J'ai beaucoup d'amis en Suisse et je fais beaucoup de petits voyages. (...) Michel et Solange sont venus nous voir une quinzaine de jours... [32] »

Et les souvenirs continuent d'affluer lorsque Marguerite reçoit, en juin 1966, une longue lettre d'une universitaire de Harvard qui a entrepris un travail de recherches sur Lucien Maury. Elle rapporte à Marguerite Yourcenar les propos de Maury dans des lettres à l'écrivain suédois Ahlénius, en 1951 : « Bientôt il n'y aura plus en France que les femmes pour entretenir l'imagination romanesque, écrivait notamment Lucien Maury. Je pense que vous aurez reçu cet autre ouvrage féminin, écrit d'une plume de bronze par un talent qu'on dirait viril : les *Mémoires d'Hadrien* de mon admirable amie Yourcenar. Nos romanciers s'asphyxient dans le vide et la subtilité ; les femmes (certaines) n'ont pas tranché le cordon ombilical qui les rattache à la vie, à l'éternel... [33] »

« J'ai l'impression de devoir à Lucien
Maury ma connaissance de la Suède, confie
Marguerite à sa correspondante américaine.
Non pas seulement par les contacts avec des
écrivains vivants qui remontent à une introduction donnée par lui, mais surtout parce
que c'est grâce à ses traductions du suédois
que j'ai dès mon enfance accédé à la légende
et à la réalité suédoise. En particulier mon
immense admiration pour Selma Lagerlöf,
qui n'a jamais diminué, date des premières
traductions françaises de ses contes et de ses
nouvelles, par Lucien Maury (vers 1910) que
j'ai lues, ou qui m'ont été lues dans mon
enfance. Je crois bien que si j'ai continué
toute ma vie à faire à l'occasion œuvre de
traducteur, l'exemple de Maury y a été pour
quelque chose : il est l'un de ceux qui m'ont
appris ce qu'il y a de beau, et même de
grand, dans ce dévouement à une œuvre
étrangère qu'on s'efforce de faire connaître
à ceux qui n'y ont pas accès.

Quant à mes rapports personnels avec
Lucien Maury, ils ont été assez fréquents, et
assez réguliers, entre 1930 et 1939, ce qui
correspond à peu près à l'époque où il dirigeait la *Revue Bleue* et où j'y collaborais
occasionnellement (...) En tant que directeur de revue, M. Lucien Maury a apporté un
très grand encouragement au jeune écrivain
que j'étais encore dans les années trente. Sa
revue a, en effet, publié certaines de mes
œuvres de cette période auxquelles je tiens
le plus, en particulier le long poème en
prose intitulé *Sixtine*, qui n'a pas reparu en
France depuis [34, 35]. »

En février 1967, Marguerite répond à une lettre de
son ami Roger Lacombe – qui était précisément, lors
de la première visite en Suède de Marguerite en 1953,
directeur de l'Institut français de Stockholm. Roger

Lacombe lui faisait part de ses travaux d'édition critique engagés sur un texte de Sade, extrait des *Crimes de l'amour*.

« Je vous confierai que je n'aime pas Sade », lui répond Marguerite, « à qui j'en veux de son manque de réalisme. Il me paraît l'exemple le plus frappant d'un certain défaut très français, ou du moins qui a affecté une très grande partie de la littérature française depuis le xviie siècle, je veux dire l'usage et l'abus de concepts purement intellectuels accompagnés d'une totale incapacité à appréhender les faits. Rien de moins physiologique que cet homme qui se croit préoccupé de sexualité. On ne flaire pas le sang chez cet auteur sanglant, ni aucune autre odeur d'excrétion ou de sécrétion humaine. Sade me paraît dans le domaine du plaisir l'équivalent de ces stratégistes [*sic*] (beaucoup plus sadiques que lui) qui parlent de guerre d'attrition et d'objectifs préalablement repérés quand des milliers d'êtres brûlent vivants. On peut tout dire et même tout faire (Sade semble pourtant avoir plus imaginé que fait) quand on vit dans un laboratoire mental d'où la vie même est exclue. Je vois bien ce qu'il a de terriblement prophétique, mais le fait même que pullule aujourd'hui une humanité qui lui ressemble me paraît lui enlever beaucoup de la valeur d'excitation qu'il pouvait avoir il y a un siècle. Comparés à la bombe hydrogène, les petits volcans artificiels dans les jardins du grand seigneur du xviiie siècle sont un divertissement bien modeste.

Et cependant je comprends que vous vous intéressiez à lui et goûtiez ce qu'il faut bien appeler sa rigueur. Comme Spinoza, sur lequel j'attends vos essais avec plus d'intérêt encore, il est un grand systématisateur. Et puis, n'y a-t-il pas un peu de la curiosité amusée du Monsieur français qui faisait la ronde des libraires du vieux Stockholm : "Habesne libros eroticos?" J'aime qu'*Ernestine* vous ramène intellectuellement en Suède, ce pays dont vous pouvez parler mieux que personne [36]. »

Le propos est assez caractéristique de la manière de Marguerite Yourcenar en matière de jugement littéraire : un mélange d'intuitions – sur la rigueur conceptuelle de l'œuvre de Sade – et de ce qu'il faut bien appeler des banalités, ou pire, de complets contresens sur les enjeux de l'œuvre.

Cette année 1967 sera entièrement occupée par *L'Œuvre au Noir*, mais de manière moins agréable que lorsque Marguerite écrivait, si ce n'est pour le court moment où elle reverra le manuscrit définitif et où Grace mettra en chantier la traduction, autour du 20 août.

> « Vous pensez bien que ce n'est pas de gaieté de cœur que je m'enfonce dans cette histoire », écrit-elle à Natalie Barney en évoquant son conflit avec Plon. « C'est pour moi une très lourde décision que de ne pas voir paraître (peut-être *jamais* voir paraître) un ouvrage qui m'a coûté des années de réflexions et de travaux. » « Le changement de la personnalité morale de l'éditeur », disait-elle par ailleurs dans cette même lettre, « du fait d'une série d'arrangements financiers qui n'ont rien à voir avec la littérature, compte aussi. Sur ce point, ce qui importerait, non pas seulement à moi, mais à tous, c'est de " faire jurisprudence ". La loi ancienne sur les contrats littéraires ne prévoyait pas un état de choses désastreux dû à

461

des groupements et des regroupements transforment souvent une maison du jour au lendemain, et qui placent l'écrivain dans une situation difficile et fausse. Un jour ou l'autre, il faudra bien qu'une loi intervienne, pour protéger l'auteur qui a signé avec une certaine maison, et se trouve, sous le même nom, en présence de tout autre chose. Je ne sais pas encore si cet argument sera évoqué ou non (j'espère qu'il le sera), mais, même si gain de cause ne m'est pas donné, j'aurais au moins fait un effort dans une direction que je crois la vraie [37]. »

La procédure contre Plon suit son cours normal, mais Marguerite Yourcenar s'en préoccupe constamment. Même les amis sont mobilisés sur cette affaire et ne manquent pas de lui communiquer tout ce qui peut valider sa thèse. Jacques Kayaloff lui envoie un article du *Monde* *, « Sven Nielsen, un vendeur avant tout ». Dans cet article, il était notamment rapporté que, « vendeur avant d'être éditeur » (avec un chiffre d'affaires équivalent au cinquième de celui de l'édition française de littérature générale et de livres pour la jeunesse), Sven Nielsen avait ainsi acquis les fonds de Plon et de Julliard « avec tout ce qui gravitait

* Marguerite Yourcenar n'avait pas eu connaissance de cet article, ne recevant plus que la sélection hebdomadaire du *Monde*. « Pendant un an j'ai été abonnée au *Monde* quotidien », précise-t-elle à Jacques Kayaloff [39]. Seules les difficultés d'acheminement du journal, qui font qu'on en reçoit souvent plusieurs à la fois, avec retard, l'ont fait renoncer « car ils s'amoncelaient sur la table, avec les bandes pas même déchirées ». Ce qui prouve son souci de l'information, contrairement à ce que certains – et elle-même dans une certaine mesure, à la fin de sa vie – ont tenté d'accréditer. Elle faisait même du journal un instrument pédagogique, qu'elle recommandait volontiers à de jeunes correspondants désireux de parvenir à la maîtrise de l'écriture : « obligez-vous à lire chaque semaine un très bon journal écrit en français " courant " d'excellente qualité, comme *Le Monde* dans son édition hebdomadaire », conseillait-elle [40].

autour ». De cette concentration éditoriale, il a résulté que « l'énorme stock mort de Plon a été envoyé au pilon et les demandes épisodiques de titres ne peuvent plus être satisfaites par les libraires ». Enfin, outre l'annonce de la création des éditions Christian Bourgois, à vocation littéraire – « orchidée à la boutonnière de M. Nielsen? » s'interrogeait le rédacteur de l'article –, était exposée la stratégie grand public de l'éditeur, en complète contradiction avec les méthodes du « tandem Hachette-Gallimard ». « On n'aurait pas à regretter l'existence de ces potentats si, de leur choc, devait jaillir la lumière dont l'édition a plus besoin que jamais », poursuivait l'article ; concluant : « Mais le risque existe que beaucoup de maisons de qualité demeurées jusqu'à présent indépendantes soient dans la bataille piétinées par les géants [38]. »

Nous sommes, rappelons-le, en 1967...

L'inquiétude de ne pas être publiée, profonde depuis le début du conflit ouvert avec Plon, a dû quitter Marguerite Yourcenar cette année-là. Car de candidats à l'éditer, il n'y a pas pénurie, bien au contraire. Outre Gallimard, son autre éditeur, avec lequel elle est en pourparlers depuis longtemps au sujet de *L'Œuvre au Noir*, Grasset, soudain, se manifeste. On s'y souvient d'avoir publié autrefois ses premiers livres, et les stratèges de la maison se disent qu'on serait bien avisé de tenter de la faire revenir. En avril 1967, le directeur littéraire, Yves Berger, vient déjeuner à Petite Plaisance. Le 27 juillet, Bernard Privat, P.-D.G. de Grasset, exprime dans une lettre à Marguerite Yourcenar son regret de l'avoir laissée partir. « Grasset, qui savait aussi que votre nom était l'un des plus glorieux de sa maison, avait ressenti cette perte avec amertume. Je l'entends encore me lire à haute voix, ce qui lui arrivait rarement, des passages des *Mémoires d'Hadrien*. Vous ne vous étonnerez donc pas, chère madame, si je vous dis combien je serais fier si votre prochain roman pouvait paraître chez nous.

« Quand un écrivain occupe dans la littérature d'un pays la place que vous occupez en France, il est difficile et presque indiscret de lui parler de l'admiration que l'on éprouve pour son œuvre. Laissez-moi seulement vous dire – cela suffit – que je sais ce qu'est cette place et que j'estime à son exacte valeur l'honneur qu'il y a pour un éditeur à servir à son rayonnement [41]. »

Privat lui propose de ne prendre qu'un seul engagement avec Grasset, pour *L'Œuvre au Noir* (« vous nous jugeriez ainsi à l'œuvre »). Et il lui offre un à-valoir de « dix millions d'anciens francs » (les « nouveaux francs » ont bien sûr cours depuis des années mais il estime, à juste titre, que la somme serait ainsi plus éloquente pour une dame d'âge mûr). Il propose aussi 15 % de droits d'auteur, un tirage initial de 20 000 exemplaires, une campagne de lancement, de publicité et de promotion « dont je pourrais venir, si vous le jugiez nécessaire, discuter avec vous avant la sortie du livre ». Marguerite Yourcenar, sans nul doute, se trouve réconfortée, récompensée de sa rigueur envers Plon, des risques qu'elle a pris. Et puis, il ne lui déplaît pas de se sentir désirée (à qui cela déplairait-il vraiment?). Bernard Privat ne se contente pas de cette lettre. Comme Gaston Gallimard seize ans plus tôt, avec *Mémoires d'Hadrien*, il fait rédiger des notes internes sur « l'affaire Yourcenar » pour être bien certain d'avoir en main tous les éléments du dossier. D'après une conversation qu'Yves Berger a eue avec Marguerite Yourcenar, elle hésiterait – on est au début août – entre Grasset et Gallimard. Bernard Privat demande à Charles Orengo, depuis quelques mois directeur de Fayard, de l'aider. Orengo est en relation avec Marguerite Yourcenar depuis le début des années cinquante. Elle a toujours pris ses conseils, et il est, on l'a vu, son émissaire parisien auprès de Me Marc Brossollet dans le conflit qui l'oppose à Plon. Son avis sera donc, estime Bernard Privat « d'un grand poids ». Il s'agirait de lui expliquer qu'elle trouvera chez Grasset « plus d'enthousiasme et d'efficacité pour la défendre » que chez Gallimard. « Je crois qu'en agissant ainsi nous apporterions tous deux une contribution d'importance à la vie du groupe, écrit Bernard Privat à Orengo. D'autant plus qu'il s'agit d'un écrivain de la plus grande importance littéraire et au destin le plus considérable [42]. » Mais le souci de Marguerite Yourcenar est d'avoir, désormais, tous ses ouvrages rassemblés chez le même éditeur ; ce qui fait pencher la balance du côté de Gallimard, où ont paru, en près de dix ans, la traduction des poèmes de Cavafy, *Sous bénéfice d'inventaire*, la réédition des *Nouvelles orientales* ainsi que *Fleuve profond, sombre rivière*. Thérèse de Saint-Phalle – qui travaille pour le groupe des Presses de la Cité, auquel appartient Plon, et s'efforce de concilier les deux parties opposées – tente d'obtenir un rendez-vous à Petite Plaisance, par l'entremise de Roger Straus, l'éditeur américain de Marguerite. Elle n'y parvient pas. Ce qui n'empêche pas d'autres éditeurs de se manifester. Charles Orengo, qui décidément doit être en ces temps très courtisé à Paris, transmet à Marguerite Yourcenar une proposition de Paul Flamand : aux éditions du Seuil aussi on veut publier *L'Œuvre au Noir*.

C'est au milieu de cette agitation que Marguerite Yourcenar et Grace Frick apprennent, le 10 octobre 1967, de la bouche de leur avocat Me Brossollet, qu'on est parvenu à un accord, que *L'Œuvre au Noir* est libre, et que Marguerite peut publier ce livre où elle veut. Elles fêtent l'événement au champagne, boisson que Marguerite apprécie depuis longtemps. Elle n'est pas peu fière d'obtenir, une fois de plus, gain de cause, et d'avoir de nouveau tenu tête, et seule, à un grand éditeur. Et elle n'est pas non plus fâchée d'être au centre d'une petite lutte entre éditeurs parisiens. Mais son choix est probablement déjà fait.

L'entêtement de Gaston Gallimard avait finalement triomphé. Cette femme ombrageuse, avec laquelle il avait jadis eu des mots, qui avait eu la désinvolture de le convoquer à son hôtel et qu'il avait appelée, sachant qu'elle ne le goûtait guère, « Mademoiselle Yourcenar », allait passer chez lui avec armes et bagages. Gallimard reprendrait tous ses livres. *L'Œuvre au Noir* s'ajouterait aux succès de la maison, et le nom de Marguerite Yourcenar à la liste des écrivains de l' « écurie » Gallimard.

CHAPITRE 3

La reconnaissance publique

Un écrivain de soixante-cinq ans obtenant un succès considérable et une sorte de « sacre littéraire » pour un gros roman sur la Renaissance sorti en France à la veille de « Mai 68 »... Cela ressemble à un exercice de style sur « le comble du paradoxe ». C'est pourtant ce qui va arriver à Marguerite Yourcenar avec *L'Œuvre au Noir* et son héros, Zénon, qui, s'il n'a pas accompagné les étudiants, alors trop – et justement – préoccupés de leur propre société, n'en était pas moins un prototype de contestataire. « Si par contestataire on entend anti-institutionnel, alors oui, sûrement », répondait Marguerite Yourcenar à une question de Matthieu Galey sur le caractère « contestataire » du héros de *L'Œuvre au Noir*.

> « Parce que Zénon s'oppose à tout : aux Universités quand il est jeune ; à la famille, où il est bâtard, et dont il dédaigne la grossière richesse ; au couvent espagnol de Don Blas de Vela, au point même d'abandonner le vieux marrane chassé par ses moines, ce qu'il regrettera plus tard ; aux professeurs de Montpellier quand il y étudie l'anatomie et la médecine ; aux autorités, aux princes, etc. Il récuse l'idéologie et l'intellectualisme de son temps avec leur magma de mots ; il a bien entendu

pratiqué diverses formes de plaisir charnel, mais finit par récuser la sensualité jusqu'à un certain point. Bien entendu, il récuse la pensée chrétienne, quoique ce soit avec certains hommes d'église qu'il réussisse le mieux à s'entendre, comme le prieur des Cordeliers. Il assiste, ou plutôt dédaigne d'assister, à l'effondrement de l'aile gauche du protestantisme et constate le scandale de l'alliance cimentée par la Contre-Réforme entre l'Église et les monarchies ; tout s'effondre autour de lui, mais il sent que c'est la condition humaine elle-même qui est en cause (...) C'est bien pour cela que *L'Œuvre au Noir*, à mes yeux, devenait une espèce de miroir qui condensait la condition de l'homme à travers ces séries d'événements que nous appelons l'histoire [1]. »

Quand Marguerite Yourcenar reçoit, à Petite Plaisance, le 6 février 1968, le contrat très favorable [2] que Gallimard lui propose pour *L'Œuvre au Noir* (les conditions en sont à peu près les mêmes que chez Grasset), elle pense seulement qu'il est le signe d'une affaire heureusement terminée – celle de ses liens avec Plon. Ce contrat n'est qu'une formalité, car le livre est déjà en fabrication. Elle ne le renvoie que le 20 février, mais avant même que le document n'atteigne Paris, les premières épreuves de son roman lui parviennent, le 24 février. Elle travaille assidûment à leur correction, avec Grace bien sûr. Elles ont décidé d'être à Paris pour la sortie du livre, prévue pour la fin avril, et préviennent certains amis de leur arrivée, dont Jean Mouton, avec lequel elles souhaitent dîner le 2 mai. « Je vous écris dans le sillage de la mort de Martin Luther King, précise Marguerite Yourcenar. Le meurtre de ce grand pacifique ajoute un nouveau chaînon à une série de violences dont on ne voit pas la fin [3]. »

Elles partiront donc pour la France – le bateau rallie

Cherbourg – le 17 avril. Auparavant, le 7, Marguerite Yourcenar va signer chez son notaire un nouveau testament (jusqu'à sa mort, elle fera plusieurs testaments successifs, avec des modifications incessantes).

Le 22 avril, Grace et Marguerite s'installent, comme à leur habitude, bien qu'elles ne soient pas revenues en France depuis douze ans, à l'hôtel Saint-James et Albany. Très vite, à leurs amis, Charles Orengo le tout premier, venus pour la traditionnelle visite de bienvenue, succèdent les journalistes, sur lesquels, pour la plupart, *L'Œuvre au Noir* a fait une forte impression. Le 3 mai, sont reçus Jean Chalon, pour un entretien à paraître dans *Le Figaro Littéraire* et Michel Polac pour la télévision. Pourtant, l'événement, en ce début du mois de mai, n'est pas précisément la parution de *L'Œuvre au Noir* « mais plutôt les émeutes de jeunes gens, qui secouèrent le monde entier », admettait longtemps après Marguerite Yourcenar, avec le sourire de qui se souvient sans déplaisir. Grace et elle, contrairement sans doute à nombre de ceux chez qui elles allaient dîner certains soirs, prenaient ces débordements sans particulière inquiétude, regardaient avec intérêt ce qui arrivait, jour après jour, et arpentaient la ville, rendue aux piétons. « Manifestation sur la rive gauche », note Grace au 11 mai. Puis, « de plus en plus de grèves » ; « grève générale : on se promène ». Enfin au 24 mai, lendemain de l'Ascension : « le jour le pire de l'insurrection après le discours télévisé de De Gaulle tant attendu, mais vide. Barricades. Charges de police ».

Natalie Barney donne le vendredi 17 mai une réception en l'honneur de Marguerite. Grace et elle jugent que le moyen le plus simple, en ces temps de manifestations, pour se rendre de la rue de Rivoli à la rue Jacob, est de marcher. Jean Chalon, qui assistait à la soirée, se souvient de leur arrivée. Au grand étonnement de certains

469

des invités, elles ont raconté comment elles avaient traversé la Seine par la passerelle des Arts, puis avaient atteint la rue Jacob, en passant parfois devant des « haies » de C.R.S. Une placidité qui n'était guère de mise, selon certains. Marguerite Yourcenar contestera amicalement quelques-uns des souvenirs de cette journée que Jean Chalon a consignés dans son *Portrait d'une séductrice* : « Apparaissent le grand jabot en dentelle blanche de Marguerite Yourcenar et les renards blancs de sa traductrice Grace Frick [4] », écrira-t-il notamment. Marguerite rectifie : « Grace me fait remarquer qu'elle n'a jamais porté de renards blancs, lesquels du reste eussent été superflus par un juin [*sic*] orageux. Le grand jabot de dentelle blanche de M.Y. était un jabot de nylon blanc de dimensions modestes; je l'ai encore. En tout cas, rien de grave [5]. » Effectivement, rien de grave, c'est le moins que l'on puisse dire, et rien qui marque un grand trouble devant ce qu'on appela vite, faute d'un mot plus adéquat, « les événements ».

Grace Frick racontera plus tard : « La dernière réception à laquelle Marguerite assista chez Natalie Barney avait été organisée par celle-ci en son honneur en Mai 68 au moment des émeutes d'étudiants. La rue Jacob était en plein " quartier chaud " et il n'était pas aisé de trouver le moyen de la rejoindre. Mais Natalie Barney se comportait comme si de rien n'était. Elle n'était pas femme à prêter attention à ce qui se passait dans la rue. »

Marguerite Yourcenar ne pouvait pas ne pas prêter attention, elle, à ce qui se déroulait dans les rues de Paris. Ou plutôt à ce que cela révélait. Toute une partie de sa vie s'était passée à refuser ce contre quoi les étudiants de Paris et d'autres capitales occidentales se soulevaient : la civilisation du « Métro-Boulot-Dodo », de « la bagnole et de la machine à laver », des possessions vécues comme un aboutissement. « C'étaient toutes les deux des hippies avant la lettre », dit aujourd'hui leur amie Anya Kayaloff. « Tant dans leur façon de s'habiller que dans leur manière de refuser certains biens de consommation, de la voiture à la télévision, dans leur habitude de ne plus manger de viande, de pétrir leur pain, dans leur militantisme pacifiste et écologiste. » « Je verrais plutôt Zénon comme certains jeunes gens errants de notre temps, quoique j'en aie connu très peu qui aient son ardeur, expliquera Marguerite Yourcenar des années plus tard. La plupart souffrent d'un nihilisme un peu veule, mais compréhensible dans une époque encore plus désordonnée. Ils fuient une certaine facilité puis leur fuite à son tour devient une facilité [6]. »

Dès le 3 mai 1968, une question de Jean Chalon [7] : – « Pensez-vous qu'une expérience comme la vôtre, c'est-à-dire une femme qui se consacre à son œuvre, en vit, ne publie que des textes de son choix, soit encore possible de nos jours ? Croyez-vous qu'une Marguerite Yourcenar puisse avoir vingt ans aujourd'hui ? » – lui était l'occasion d'exprimer ce qu'elle pressentait du désarroi de toute une part de la jeunesse : « J'en suis sûre. Nous abusons du fatalisme de notre époque. Il y a, certes, des fatalités économiques, je vous l'accorde. Si un jeune homme ou une jeune fille espèrent réussir selon les formules des technocrates, auto-télé-machine à laver, ils sont prisonniers comme des esclaves. Prisonniers autant que Zénon s'il avait accepté de devenir chanoine. » « À vingt ans, disait-elle de Zénon, il s'était cru libéré des routines ou des préjugés qui paralysent nos actes et mettent à l'entendement des œillères, mais sa vie s'était passée ensuite à acquérir sou par sou cette liberté dont il avait cru d'emblée posséder la somme. »

Les jeunes gens de 1968 ressemblaient peut-être un peu trop au Zénon de vingt ans, croyant que leur parole, leur imagination, leur déferlement qui avait agi comme un révélateur et fait vaciller un pouvoir raidi autour d'un vieil homme, leur donnaient, en viatique, la liberté. Toutefois, Marguerite Yourcenar était sans doute plus proche d'eux que de beaucoup de ses contemporains. Plus proche aussi de ces jeunes gens qu'elle ne le serait aujourd'hui de leurs enfants, ceux qui à vingt ans ont déjà un portefeuille en Bourse et font de l' « esprit d'entreprise » un substitut de la réflexion. Plus proche, définitivement, de Daniel Cohn-Bendit que de Bernard Tapie.

De Mai 68, elle aimait à rappeler les slogans, surtout ceux qui insistaient sur la puissance de l'imaginaire : le fameux « Sous les pavés, la plage », bien sûr ; tout comme « l'imagination au pouvoir » et « Soyez réalistes, demandez l'impossible ». Chez elle, à Petite Plaisance, elle a toujours conservé dans la bibliothèque d'une des chambres d'amis, le livre rouge publié par les éditions Tchou : *Les Murs ont la parole, Sorbonne, Mai 68* [8], reprenant ces slogans, ces inscriptions, bref toutes les « petites phrases » du Mai 68 parisien. Elle en avait souligné beaucoup. De « nous sommes tous des juifs allemands » à « cache-toi objet », « la marchandise, on la brûlera », « j'emmerde la société mais elle me le rend bien », en passant par la phrase d'Artaud : « Ce n'est pas l'homme, c'est le monde qui est devenu anormal », ou le vers de Valéry « le vent se lève, il faut tenter de vivre », jusqu'au très écologique « la forêt précède l'homme, le désert le suit ». « Je suis toujours agacée par les obligations que se créent les gens », dira-t-elle aussi à Jacqueline Piatier dans un entretien que *Le Monde* publiera le 25 mai 1968, au cœur du tumulte. « Ils croient avoir besoin de certaines formes de réussite : gagner de l'argent, rentrer dans des cadres, appartenir à des groupes. On ne peut pas toujours faire ce qu'on veut, mais il y a d'innombrables cas où il est permis de choisir ce qu'on préfère. »

Quelques mois plus tard, dans un long entretien publié

par *L'Express* elle donnera, clairement, sa position sur certaines questions politiques. « Ce qui m'inquiète le plus en France, par exemple, c'est ce que les Américains appellent le paternalisme. Le fait que les gens se disent : voilà, nous avons quelqu'un de très bien, il est au pouvoir, nous le considérons comme une sorte de père qui décide pour nous. Or, ce personnage serait-il suprême par le génie ou l'honnêteté, serait-il surhumain, que ce serait mauvais quand même, par ce que cela représente... »

Lorsqu'il lui est demandé ce qu'elle a conclu des manifestations estudiantines, elle répond : « C'est peut-être une question d'âge. Je ne me sentais pas l'énergie de faire des kilomètres à pied. Mais c'était très passionnant. Tout de même, on participait. On voyait bien toutes les erreurs commises, mais on adhérait aux espérances des étudiants. Des réformes pouvaient se faire, le monde pouvait changer, en partie [9]. »

Il est étrange que, malgré cela, beaucoup aient persisté et persistent encore à tenir Marguerite Yourcenar pour une femme « de droite ». Soit pour s'en féliciter, soit pour le déplorer. N'y aurait-il pas un fâcheux glissement, ou un dangereux amalgame, des deux côtés, entre la littérature et le comportement dans la vie ? La connaissance du passé, l'imparfait du subjonctif et l'aptitude, en voie de disparition, à manier les subordonnées conjonctives feraient-ils immanquablement pencher à droite, tandis que le déboutonné du langage, le relâchement de l'écriture seraient des signes profonds d'une pensée de gauche, sur le mode d'un test du *Nouvel Observateur* – qui ne prétendait, il est vrai, qu'à être un divertissement d'été – donnant aux amateurs de Brie un goût de droite et à ceux du fromage blanc un bon point de gauche ? André Fraigneau, on s'en souvient, voit plutôt dans les œuvres d'après-guerre de Marguerite Yourcenar, qu'il juge

473

ennuyeuses et lourdement moralisantes, l'influence néfaste « de tous ces gens de gauche qu'elle a rencontrés en Amérique ». « Dans le milieu qu'elle fréquentait en France avant-guerre, tout le monde était de droite et cela ne la gênait pas », insiste-t-il, avec raison probablement. Il oublie seulement que Marguerite Yourcenar s'est toujours voulue libre et multiple, et que ses amis grecs, à commencer par André Embiricos, étaient très engagés à gauche. Dans le petit groupe d'intellectuels dont elle faisait alors partie, en Grèce, plusieurs hommes ont combattu aux côtés des républicains, pendant la guerre d'Espagne, et ont été tués.

« Si elle n'était pas " gauchiste ", Marguerite n'était absolument pas une femme de droite, affirme son amie Anya Kayaloff. Elle a été très anti-Nixon, très anti-Reagan. Comme nous tous, elle a voté pour Kennedy. C'est du reste la dernière élection dans laquelle nous ayons voté " pour ". Depuis, nous avons voté " contre ". Marguerite était " liberal ", comme on dit ici. Absolument. Il n'y a qu'en France que j'ai entendu dire le contraire. Sans doute parce qu'elle a fréquenté des gens très à droite avant la guerre. » Georges de Crayencour confirme : « Ma tante m'a dit, " Georges, mes idées sont à gauche ". » Mais pour se démarquer de la famille, Marguerite Yourcenar était capable de « gauchir » tout, y compris ses opinions politiques... Elle se révélait plus centriste en répondant à un journaliste québécois : « De droite ? Non. De gauche non plus. Le mot " droite " m'est moins cher que le mot droiture. » Ce qu'elle déplorait le plus dans la pensée de gauche était son « incurable optimisme * ».

* Souvent, elle renvoyait ses interlocuteurs à cette phrase de *Souvenirs pieux* : « Cela a été un drame de la pensée européenne que la droite et la gauche, chacune de son côté, se soient accrochées avec une sorte d'acharnement à des conceptions quasi théologiques de la nature humaine. »

474

Elle devait en revanche se montrer très virulente à propos de la guerre du Vietnam : « Les catholiques au Vietnam font rougir quelqu'un qui a été ou est catholique », répondait-elle en novembre 1969 à Jacques Kayaloff dont elle ne partageait pas l'opinion en la matière – trop favorable à ses yeux à la « ligne » gouvernementale américaine. « Je crains d'être et d'avoir toujours été l'un de ces " esprits enflammés ", peut-être aussi l'un des membres du vaste groupe de ces " intellectuels snobs " auxquels vous faites allusion... [10] » Peu de temps après, sur la question du conflit entre l'individu et l'État, elle écrivait à Gabriel Germain : « Mais ce que vous négligez, il me semble, de noter, c'est que dans tout conflit entre la conscience individuelle et l'État, c'est le personnage dit " aberrant " par les autorités constituées qui représente le plus souvent la silencieuse conscience collective, qui ne s'exprime jamais que par l'intermédiaire des quelques rares individus ayant le courage de dire non. C'est dans les camps de concentration, avec les quelques rares Allemands ayant protesté contre Hitler, que se trouvait la conscience collective du pays d'Angelus Silesius, de Goethe et de Schopenhauer, réduite partout ailleurs au silence par la peur ou saoulée par la propagande. C'est chez les jeunes gens et les jeunes filles brûlant les draft-cards et protestant contre le napalm que se trouve la conscience collective (et chrétienne) des États-Unis, abrutie ailleurs par la rhétorique gouvernementale [11]. »

Quoi qu'il en soit, qu'elle ait, comme ce fut le cas, vu d'un œil bienveillant ou qu'elle ait réprouvé l'agitation de Mai 68, *L'Œuvre au Noir* aurait dû, en raison des « événements », subir un très grave préjudice. Or, dès sa parution, le 8 mai, le livre commence de se vendre. Moins sans doute que dans un printemps calme. Mais tout de même... « Je me rends compte combien les événements de mai ont été néfastes à votre entreprise, écrira-t-elle en septembre au baron Étienne Coche de La Ferté – qui avait organisé une exposition intitulée " Israël à travers les âges ". Ils ne m'ont que très peu gênée, personnellement, en ce qui concerne la publication de mon dernier livre, et j'ai été amplement repayée de ces quelques ennuis par le spectacle extraordinaire de Paris pendant ce mois agité [12]. »

Le tirage initial était de 25 000 exemplaires et l'on en réimprime 15 000 dès juillet. Les critiques, à quelques exceptions près, parlent de chef-d'œuvre :

« La critique ne dispose pas d'un hommage assez beau pour Marguerite Yourcenar », ira même jusqu'à écrire André Billy [13]. Patrick de Rosbo évoque une « rigueur prophétique » à propos de l' « image hors du temps et, paradoxalement, proche de nous » incarnée par Zénon : « Il semble que le roman de Marguerite Yourcenar soit d'abord, par sa véhémence du ton et de l'écriture, par la dureté parfois insoutenable de ses dialogues, un livre de combat, de provocation, à l'encontre de toutes les croyances partisanes devant lesquelles se cache le plus souvent le plus sanguinaire des fanatismes [14]. »

Mais à nouveau, et cette fois-ci davantage encore que pour les précédents ouvrages, le style « viril » de l'auteur nourrit les conclusions des articles, souligné tantôt avec éloge, tantôt avec dépit. Pour Robert Kanters, *L'Œuvre au Noir* est « sans doute le chef-d'œuvre viril de notre littérature féminine », et « fait partie de ce très petit nombre de livres qui peuvent devenir pour le lecteur attentif le vaisseau d'une alchimie intérieure, sentimentale et intellectuelle [15] ». Au terme de longues analyses, plutôt favorables, Henri Clouard, dans *La Revue des Deux Mondes* [16], et José Cabanis, dans *Le Monde* [17], s'accordent à dire que « malgré sa puissance » le livre

« manque de chaleur » et de grâce. Propos que reprend Édith Thomas dans *La Quinzaine Littéraire* :

> « Marguerite Yourcenar écrit bien, dans une forme classique parfaite, comme on n'écrit plus aujourd'hui, où l'on préfère les vagissements. Elle sait tracer des portraits, planter des décors avec la précision des vieux maîtres flamands, et en même temps, tracer à grands traits l'essentiel (...). D'où vient que tant de qualités ne nous satisfont pas entièrement ? Que leur manque-t-il ? Derrière cette distinction et ce détachement, on voudrait sans doute trouver aussi plus de chaleur [18]. »

La plus grande réserve est formulée dans *Paris Presse-L'Intransigeant* sous la plume de Kléber Haedens, évoquant « la longue vie renfrognée du lugubre Zénon ».

> « Cela ne va pas vite. Il faut se traîner douloureusement jusqu'à la mort. On a beaucoup dit que Marguerite Yourcenar restait la plus intelligente des romancières, qu'elle était douée d'un fort beau style et que sa culture semblait d'une profondeur singulière pour une femme de notre époque. Rien de tout cela n'est exagéré (...) Oui, sans doute, mais il faut dire avec fermeté que tout cela n'est pas suffisant. (...) *L'Œuvre au Noir* est un livre où l'on n'a pas souvent l'occasion de danser. Le récit est mou, dispersé, un peu confus, sentant le grimoire et les vieilles bibliothèques, avec presque rien pour nous attacher. (...) Zénon lui-même est un personnage peu sympathique (...) Il erre sombrement dans cette histoire, occupé de rudes affaires qui ne nous causent pas la moindre émotion.
> Marguerite Yourcenar a de très grands mérites. On peut craindre qu'elle n'ait pas été touchée par la grâce [19]. »

Jacques Brenner prend, lui, l'exact contre-pied de ceux pour qui l'émotion et l'intelligence sont des vertus contraires, mais il n'échappe pas au stéréotype de la « littérature virile » :

> « On pourrait craindre que Zénon, personnage synthétique, manque de vie et que l'ensemble du livre ait quelque froideur pédante. Il n'en est rien. (...) Son humanisme n'est pas la conservation d'une sagesse : il est " tourné vers l'inexpliqué ". De même le classicisme de Marguerite Yourcenar est toujours subversif par sa réinterprétation de la pensée et de la conduite humaines. (...) L'émotion n'est jamais absente, mais toujours maîtrisée. Pas d'abandon aux nerfs, aux cris, au vocabulaire ordurier qui trahissent les désordres de la sensibilité. On est tout surpris de redécouvrir une littérature virile : et c'est une femme qui nous l'offre [20]. »

On peut s'agacer de cette partition simpliste entre chaleur, émotivité et grâce tenues pour indice du style « féminin » alors que l'intelligence, la rigueur et l'absence d'effusion seraient des attributs littéraires proprement masculins. Encore n'était-il pas absolument nécessaire pour les femmes d'inventer, comme elles le firent à l'époque, le douteux « concept » d' « écriture féminine »...

Une lecture de *L'Œuvre au Noir* est faite à la radio le 3 juin, la veille du départ de Marguerite et de Grace pour les États-Unis, *via* l'Irlande.

Elles sont à Dublin lorsqu'elles apprennent la nouvelle de l'assassinat de Robert Kennedy, et assistent au service religieux dit à sa mémoire. Elles abordent à New York le 11 juin et se rendent immédiatement dans l'île des Monts-Déserts. C'est là que Marguerite Yourcenar recevra un exemplaire du second tirage de son roman. Elle écrit à ce sujet à Charles Orengo le 1er août, donnant de nouveau un exemple de son attention presque maniaque à tout ce qui concerne ses livres. Car il n'est pas, là, question de coquilles ou d'erreurs altérant l'intelligence du texte, mais d'une simple bizarrerie, qui semble presque autant l'agacer : « J'ai reçu avant-hier aussi de Gallimard un justificatif du second tirage, revêtu de sa jaquette qui est très réussie. J'ai été un peu surprise que la dernière page portât la mention " achevé d'imprimer " le 20 juillet 1968 et un nouveau dépôt légal pour le premier trimestre de l'année, lorsqu'il s'agit d'une simple réimpression. Le second tirage de *Sous bénéfice d'inventaire* paru trois mois après le premier donnait, il est vrai, un nouvel achevé d'imprimer, mais conservait, ce qui me semblait naturel, le même dépôt légal... [21]. »

L'été et le début de l'automne se passent dans la tranquillité de l'île tandis qu'à Paris, dès la fameuse « rentrée littéraire » de septembre qui marque le début de la course aux prix, on commence à entendre citer le nom de Marguerite Yourcenar. Il semble qu'au Femina tout particulièrement, elle ait de fervents soutiens, à commencer par celui de la doyenne des jurées, Madame Simone, qui a alors quatre-vingt-onze ans. Marguerite Yourcenar doit quitter les États-Unis le 10 novembre et donner quelques conférences en Belgique avant d'atteindre Paris le 24 ou le 25 novembre. Or le Femina doit précisément être attribué le 25 novembre. Chez Gallimard, on aimerait bien que Marguerite Yourcenar ne tarde pas trop. « Je quitte Northeast Harbor le 7 novembre, écrit-elle le 26 octobre à Charles Orengo. Une lettre de Mme Léone Nora [l'attachée de presse de Gallimard] me demande d'avancer un peu cette date à cause du prix, mais vous savez mes idées là-dessus [22]. » Elle ne changera évidemment rien à ses plans, et partira au jour fixé par elle, non sans être passée chez son avocat américain, Mᵉ Fenton, toujours à propos d'un « nouveau » testament...

Finalement, Marguerite Yourcenar arrive à Paris le jour où les dames du Femina lui décernent le prix, au premier tour et à l'unanimité, ce qui arrive pour la première fois depuis la création en 1904. La veille, plusieurs jurées, la duchesse de La Rochefoucauld, Agnès de La Gorce et Zoé Oldenbourg s'étaient opposées à l'attribution du prix à Marguerite Yourcenar, arguant que le Femina-Vacaresco avait couronné *Mémoires d'Hadrien*. En 1952. Seize ans auparavant... Mais finalement, Madame Simone avait réussi à rassembler ses troupes et à leur arracher un vote à l'unanimité. « J'éprouve un sentiment de reconnaissance et d'émerveillement, car il est très rare de voir des femmes s'accorder à ce point sur un livre », commentera Marguerite Yourcenar. Ce jour-là, elle rencontre Élie Wiesel qui vient de recevoir le Médicis – attribué le même jour que le Femina – pour *Le Mendiant de Jérusalem*. Elle s'en souviendra en lui écrivant, quelques années plus tard, en 1972, après la lecture de la *Célébration hassidique*, qui l'a particulièrement émue : « Je n'oublierai jamais que le hasard nous a fait nous rencontrer en 1968 à Paris dans la foire des prix. Votre présence m'a soutenue dans deux ou trois de ces moments qui sont supposés représenter pour un écrivain l'un des sommets du succès, mais où il me semble que nous étouffions tous deux. J'ai senti tout de suite qu'il y avait pour vous une autre réalité [23]. »

L'Œuvre au Noir, avant le Femina, est déjà un succès, puisque Gallimard l'a tiré à plus de soixante mille exemplaires, ce qui, lorsqu'on songe à la taille et au contenu du livre, à son caractère austère, en apparence du moins, en a étonné plus d'un.

En fin de journée, ce 25 novembre 1968, les éditions

Gallimard organisent, comme le veut la tradition, un cocktail pour leur lauréate. C'est là que Dominique Rolin, la romancière qui a succédé à Marguerite Yourcenar à l'Académie Royale de Belgique, vit celle-ci pour la première fois. Elle a rapporté, avec une très grande justesse, ses observations, dans son discours de réception à cette Académie, prononcé en avril 1989 [24] : « Je m'étais bornée à l'observer de loin, se souvient Dominique Rolin, tout en notant un détail intéressant : au lieu de se comporter en vedette, elle se tenait à l'écart de la foule, comme une personne quelconque dérangée dans sa réflexion. La massivité de sa stature, son visage bienveillant mais distrait, le clair-obscur marin des yeux embusqués sous d'épais sourcils m'impressionnaient fort. Drapée d'habits sombres, elle m'évoquait curieusement l'imposant Balzac d'Auguste Rodin. Car la discrétion feutrée de son attitude n'était là que pour masquer un orgueil inflexible. » Songeait-elle même à le masquer, Marguerite Yourcenar, cet orgueil qu'elle était loin de considérer comme un péché ? Ne l'avait-il pas conduite au succès que l'on célébrait ce jour-là chez Gallimard, sans qu'aucune concession fût faite à la norme du milieu littéraire parisien ? Quand il avait faibli, par instants, dans les années de guerre, elle avait frôlé le gouffre. Il n'était pas pour elle ce synonyme d'arrogance, de présomption, de suffisance que définissent certains dictionnaires. Il avait été, il était encore et il serait jusqu'au dernier jour de son existence l'instrument de sa survie. Comment aurait-elle fait, sans cet orgueil, en effet inflexible, pour ne pas se laisser « dériver », à quelque six mille kilomètres du lieu où ses qualités d'écrivain pouvaient être jugées et reconnues ? Où aurait-elle trouvé la force de penser pour elle-même ce qu'elle prêtait à Zénon, et de continuer pourtant à vivre : «Sa vie sédentaire l'accablait comme une sentence d'incarcération qu'il eût par prudence prononcée sur soi-même, mais la sentence restait révocable (...). Et pourtant, son destin bougeait : un glissement s'opérait à l'insu de lui-même. Comme un homme nageant à contre-courant et par une nuit noire, les repères lui manquaient pour calculer exactement la dérive [25] ».

Pour qui ne croirait pas, comme Marguerite Yource-nar reprenant Shakespeare, que la vie est « ce chaos d'épisodes informes et violents d'où émanent, il est vrai, quelques lois générales, mais des lois qui, précisément, demeurent presque toujours invisibles aux acteurs et aux témoins [26] », c'est certainement dans *L'Œuvre au Noir* qu'on pourrait chercher des « clés » pour dresser son portrait intellectuel, politique et moral. « Les inter-prétations biographiques sont, bien entendu, fausses et naïves » répétait-elle à l'envi. Dans ce qu'elles pour-raient avoir de grossièrement dénotatif, certainement. Mais Marguerite Yourcenar elle-même savait tisser des liens subtils entre l'état du monde, l'état de ses réflexions et ses fictions.

« C'est pendant la guerre que, sur une préoccupation déjà bien ancienne, je commençai les *Mémoires d'Hadrien* », rappellera-t-elle à Claude Mettra, à l'occa-sion d'un entretien ; « livre qui n'eût sans doute jamais vu le jour s'il n'y avait eu cette lutte de l'Europe contre l'hitlérisme, s'il n'y avait eu ce combat de la lumière contre l'obscurité [27] ».

À un étudiant qui lui avait fait parvenir son étude comparative sur Hadrien et Zénon, elle précisera :

> « Hadrien, écrit entre 1949 et 1951, reflète l'idée, qui m'habitait en ce temps-là qu'un cer-tain nombre d'esprits justes pourraient encore organiser un monde vivable (...). *L'Œuvre au Noir* traduit au contraire les angoisses qui sont aujourd'hui les nôtres. Le

livre, évidemment, ne doit rien aux événements de mai, puisque paru le 13 [sic] de ce même mois, il avait été écrit sous sa forme définitive entre 1960 et 1965, et n'avait plus ensuite subi que quelques retouches de détail ou reçu quelques rallonges (plusieurs pages du chapitre " L'Abîme " entre autres). Le fait est que la " contestation " de mai dernier m'a bouleversée, parce qu'elle m'a appris, ce dont je ne me doutais pas, au moins pour la France (car les États-Unis en donnaient depuis longtemps quelques signes) que d'innombrables membres de la jeune génération, qu'on aurait crus immunisés à force d'habitude contre toute réaction de scepticisme ou de révolte à l'égard d'un monde où ils avaient grandi, le *refusaient* au contraire comme Zénon refuse le sien. Même si leur révolte se dissipe trop souvent en violences, qui n'ont d'autres résultats que d'aggraver, au moins momentanément, la situation, elle prouve qu'on ne manipule pas si facilement qu'on le croit l'âme humaine, et que, tout comme le christianisme au xvie siècle, et même bien plus tôt, a eu ses athées, précautionneux, certes, mais aussi virulents, quoi qu'en puissent dire certains historiens modernes désireux de nier le fait, la " société de consommation " et de destruction commence aussi à avoir les siens.

Vous dites fort bien qu'Hadrien de notre temps serait un ministre consciencieux (sorte de Dag Hammarskjöld ou de U-Thant plus libre d'agir et de s'imposer) et Zénon un constestationnaire [sic]. Ce qui serait peut-être à souligner c'est qu'à part la passion de comprendre (luxe suprême chez Hadrien, pain et sel pour Zénon) ces deux hommes si différents de situation et de tempérament sont reliés par ce qu'Hadrien appelle " la décision d'être utile ". " Tout reste à faire " dit le vieil empereur, et c'est aussi à ses activités et ses

483

services de médecin que Zénon se raccroche jusqu'à la fin dans un monde de destruction et de changement. Il y a une discipline qu'il vaudrait la peine de faire remarquer, car je crois qu'on ne bâtit rien de solide, pas même la liberté, sans elle [28]. »

Marguerite Yourcenar reviendra souvent sur ce qui relie ou sépare Hadrien – « Verseau, le signe de l'abondance et du don [29] » – et Zénon – « Poissons, le signe secret et froid, le passage par l'abîme » – (elle avait fait établir leurs deux thèmes astrologiques) : « deux êtres profondément différents l'un de l'autre », écrit-elle dans les *Carnets de notes de « L'Œuvre au Noir »* :

« L'un reconstruit sur des fragments de réel, l'autre imaginaire, mais nourri d'une bouillie de réalité. Les deux lignes de force, l'une partie du réel et remontant vers l'imaginaire, l'autre partie de l'imaginaire et s'enfonçant dans le réel, s'entrecroisent. Le point central est précisément le sentiment de l'ÊTRE. (...) Hadrien croit à la possibilité d'une communication rationnelle d'homme à homme, au langage qui *traduit* la pensée (et c'est pourquoi on peut presque oratoirement lui faire raconter sa vie) ; Zénon sait que toute conversation a ses malentendus et ses mensonges, même avec l'amical prieur des Cordeliers [30]. » « Il y a aussi », dira-t-elle par ailleurs, « cette différence que la perspective adoptée par Hadrien est intellectuelle, et ne cesse d'être telle qu'à de très rares moments, et jamais complètement. Chez Zénon, il y a au contraire la dimension du visionnaire [31]. »

Dans une lettre au critique belge Michel Aubrion, elle fait l'hypothèse « qu'un Hadrien tombé au pouvoir de ses ennemis mourrait comme Zénon, et également " les yeux

484

ouverts ", si bien que les pensées et les visions qui hanteraient son agonie demeureraient différentes. Hadrien mourant se retourne vers les joies, les jeux, et les avantages intellectuels de la condition d'homme ; Zénon se concentre sur le grincement des portes qui s'ouvrent (...). Je ne nie certes pas la profonde différence entre les deux livres, et qui tient comme vous le dites aux temps les plus sombres de *L'Œuvre au Noir*, et aussi au fait qu'Hadrien est à peu près tout-puissant et Zénon obscur et persécuté, mais je sens profondément qu'il s'agit de deux étapes du même voyage, et c'est sans doute ce qui explique que j'ai pu rêver en même temps d'écrire ces deux livres vers la vingtième année, sans bien entendu y parvenir. J'étais déjà et devais rester engagée dans l'un et dans l'autre [32] ».

Pour autant que ces deux ouvrages aient été effectivement ceux dans lesquels elle se soit le plus « engagée », Marguerite Yourcenar mettra beaucoup d'insistance, lors de ses entretiens et dans sa correspondance, à se démarquer de leurs héros :

« Il y a là cette espèce de différence entre la substance et la personne. La substance, oui, la personne, non. Il y a une personne Zénon, un individu Zénon qui n'est pas moi le moins du monde, pas plus que je ne suis Hadrien. (...) Seulement quand j'imagine Hadrien malade ou fatigué, ou ayant une décision à prendre... C'est la même chose pour Zénon : je me base en partie sur ce que je sais d'un homme de science de la Renaissance et en partie sur ce que je fais dans des circonstances plus ou moins analogues. Quand Zénon fatigué s'offre un dîner un peu meilleur, ce jour-là j'aurais fait la même chose. J'attache énormément d'importance à cette base non intellectuelle, je ne veux pas dire non mentale, je ne veux pas dire non reliée à l'esprit, mais qui ne dépend pas de nos formules intellectuelles, et qui est notre corps, notre physiologie, notre comportement général, tout ce qu'on oublie un peu trop quand on est intelligent [33]. »

« Quand je parle d'avoir mis tout de moi-même dans mes livres », précisera-t-elle, « je suis loin de croire que je puisse jamais m'identifier à tel de mes personnages. Ce procédé d'identification, devenu une manie de la psychologie contemporaine, m'est profondément répugnant [34]. »

« En ce qui me concerne, affirme-t-elle dans une très longue réponse à un questionnaire, j'ai constamment, mais pas toujours consciemment, tenu à ce que les personnages principaux à l'aide desquels " je me suis exprimée " différassent de moi sur bien des points et d'abord dans leur aspect, leur tempérament, leur physiologie, ou n'héritassent qu'une toute petite partie des miens (...) Je suis de plus en plus persuadée que nous ne fructifions jamais mieux que lorsque nous consentons à nous greffer sur des êtres très différents de nous-mêmes [35]. »

Ce n'est pas l'identification à son personnage, mais la crédibilité et la cohérence de celui-ci que revendique Marguerite Yourcenar : « Tant qu'un être ne nous importe pas autant que nous-mêmes, il n'est rien », affirme-t-elle, toujours dans les *Carnets de notes de « L'Œuvre au Noir »* :

« Durant l'hiver 1954-1955, à Fayence, veillé souvent en compagnie de Zénon au bord de la grande cheminée de la cuisine de cette maison du début du XVIe siècle, où le feu semblait jaillir librement entre les deux pilastres de pierre avançant dans la pièce.

Plus tard, à partir de 1956-1957, que de fois devant la cheminée de " Petite Plaisance ".

Je le laissais d'ailleurs où je voulais. En quittant Salzbourg en 1964, je m'étais décidée à le quitter sur le banc de pierre de la vieille boulangerie. Il attendait, aussi sûr que je lui reviendrais, que j'irais le chercher, comme le sont sûrs certains de nos amis vivants.

Si j'écrivais ceci pour le public, dans quelque soigneux essai, il faudrait indiquer – mais comment? – qu'il ne s'agit pas d'hallucination. Je n'en ai jusqu'ici jamais eu. Je me disais souvent en composant Hadrien : " À quoi bon évoquer un fantôme, quand l'esprit même est à volonté toujours présent. " (...)

Quand G., traductrice, me demande d'expliquer pourquoi tel personnage à tel moment fait tel geste, j'hésite et je cherche une raison. Je l'ai *vu* faire tel geste.

Que de fois, la nuit, ne pouvant dormir, j'ai eu l'impression de *tendre la main* à Zénon se reposant d'exister, couché sur le même lit. (...) Ce geste *physique* de tendre la main à cet homme inventé, je l'ai plus d'une fois fait. Ajoutons tout de suite pour les imbéciles qui liraient cette note que, s'il m'est arrivé souvent de regarder mes personnages faire l'amour (et parfois avec un certain plaisir charnel de ma part), il ne m'est jamais arrivé de m'imaginer m'unissant à eux. On ne couche pas avec une partie de soi-même [36]. »

Et si l'on croit au « j'aimais Zénon comme un frère » si souvent répété par Marguerite Yourcenar – et l'on aurait tort de n'y pas croire –, on ne peut que voir en Zénon l'expression de son éthique de vie – mise en pratique ou rêvée. Il est du reste plaisant de constater que l'on a toujours préféré identifier Marguerite Yourcenar à Hadrien plutôt qu'à Zénon, personnage infiniment plus dérangeant, marginal, transgressif. Cela allait évidemment de

pair avec ce souci constant de ses zélateurs de la tirer
vers la norme, vers une conformité qui n'était que l'écho
de leur propre conformisme, d'où ses rappels constants,
multipliés à la fin de sa vie, sur la méprise entretenue
autour de son œuvre, sur les livres « beaucoup lus,
certes, mais souvent mal compris ». Passe encore qu'elle
pût dire comme Zénon qu'il lui déplaisait de « digérer
des agonies » et qu'elle s'abstînt de manger de la viande.
Mais comment tolérer qu'elle pût se reconnaître dans ce
portrait de Zénon :

> « Il avait haussé les épaules quand les pusil-
> lanimes bourgeois de Bâle s'étaient finale-
> ment refusés à lui accorder une chaire,
> effrayés par des bruits qui faisaient de lui un
> sodomite et un sorcier. (Il avait été à ses
> heures l'un et l'autre, mais les mots ne corres-
> pondaient pas aux choses ; ils traduisent seule-
> ment l'opinion que le troupeau se fait des
> choses.) (...) Il en allait de même du domaine
> compliqué des plaisirs charnels. Ceux qu'il
> avait préférés étaient les plus secrets et les
> plus périlleux, du moins en terre chrétienne,
> et à l'époque où le hasard l'avait fait naître ;
> peut-être ne les avait-il recherchés que parce
> que cette occultation et ces défenses en fai-
> saient un sauvage bris des coutumes, une
> plongée dans le monde qui bouillonne sous-
> jacent au visible et au permis. Ou peut-être ce
> choix tenait-il à des appétences aussi simples
> et aussi inexplicables que celles qu'on a pour
> un fruit plutôt que pour un autre : peu lui
> importait. L'essentiel était que ses débauches,
> comme ses ambitions, avaient somme toute
> été rares et brèves, comme s'il était dans sa
> nature d'épuiser rapidement ce que les pas-
> sions pouvaient apprendre ou donner. Cet
> étrange magma que les prédicateurs
> désignent du mot, point mal choisi, de luxure

(puisqu'il s'agit bien, semble-t-il, d'une luxu-
riance de la chair dépensant ses forces) défiait
l'examen par la variété des substances qui le
composent, et qui à leur tour se défont en
d'autres components peu simples. (...) Ces
passions si prenantes lui avaient paru une part
inaliénable de sa liberté d'homme : maintenant, c'était sans elles qu'il se sentait libre [37]. »

Il était plus facile à certains de ceux qui aimaient Marguerite Yourcenar pour son « classicisme » de parler de
sa réflexion sur le pouvoir avec Hadrien ou sur l'intolérance avec Zénon, que de considérer que les sens, le
corps et les expériences qu'ils induisent avaient été, et
seraient jusqu'au bout, sa préoccupation la plus
constante. Quand elle l'avait écrit dans *Feux*, on n'y avait
guère prêté attention. Même lorsqu'elle le dira clairement, répétant à l'envi son aversion pour le sentimental,
on refusera tout autant de l'entendre.

En dépit des malentendus, qui sont inévitables, et
peut-être souhaitables et salutaires, entre un écrivain et
ses lecteurs, pour que l'œuvre ne se fige pas en un sens
éternellement achevé, fût-il « conforme aux intentions
de l'auteur », pour qu'au contraire elle demeure une
force vive de proposition, *L'Œuvre au Noir* ayant été lu,
admiré, célébré, quelque chose, définitivement, avait
bougé dans le destin de Marguerite Yourcenar. Ce dont
elle avait rêvé dans sa désormais lointaine jeunesse était,
pour partie, accompli. Non pas seulement cette petite
phrase qu'elle avait mise dans la bouche d'Alexis –
« enfant, j'ai désiré la gloire » – mais cette volonté d'avoir
été utile, de laisser une trace, une preuve qu'on n'a pas
vécu en vain. Elle croyait désormais qu'il y aurait toujours, même dans ce monde dont elle craignait qu'il ne
retournât, par veulerie et par paresse intellectuelle, à
l'obscurité, à un illettrisme technicisé, des hommes et

489

des femmes « assez fous et assez sages » pour comprendre le message de Zénon, pour chercher, où qu'ils soient, à s'affranchir des contraintes, sans quêter la tolérance ou l'approbation, tout en sachant qu'ils auront à porter « bon gré mal gré la livrée de [leur] temps » et laisseront « le siècle imposer à [leur] intellect certaines courbes [38] ».

Elle pouvait donc rentrer à Petite Plaisance apaisée. Mais elle n'en avait aucune envie, avant le printemps du moins. Elle préférait se prêter à l'inévitable tournée en province des lauréats de prix littéraires, et, peut-être, faire une incursion en Espagne. Pendant toute cette période, Grace, sur son agenda, n'intervient pas en son nom propre. Moins que jamais. Elle se borne à noter des faits : 1er décembre, mort de Erika Vollger (leur vieille amie couturière); 5 décembre, Natalie Barney; 8 décembre, Anne Quellennec... Ce triomphe de Marguerite, elle l'a trop voulu pour ne pas en ressentir une fierté certaine. Mais, comme à chaque fois qu'elle ne contrôle plus rien, pas même les rendez-vous, qu'organise le service de presse de Gallimard, elle se raidit. Et se retranche, s'absente, manifestant même spectaculairement ce retrait, comme plusieurs, chez Gallimard, l'ont remarqué cette année-là. Quand Marguerite signait ses livres sur la longue table de la bibliothèque, Grace, assise par terre au pied du radiateur, écrivait sur ses genoux. Ce n'était certainement pas seulement parce qu'elle avait froid.

Avant de quitter Paris pour Saumur, puis Avignon, où elles passeront Noël, Marguerite Yourcenar et Grace Frick reçoivent, le 15 décembre 1968, quelques amis dans leur appartement de l'hôtel Saint-James. Grace avait préparé le traditionnel *eggnog*. Jean Chalon avait été invité. Il se rappelle s'être retrouvé seul au milieu d'un groupe de femmes – si d'autres hommes sont venus, ils n'étaient pas présents en même temps que lui. « C'est un peu lointain, dit-il, mais je me rappelle avoir rencontré là Pauline Carton, qui demeurait au Saint-James à l'année et Germaine Beaumont, l'une des jurées Femina de l'époque. Je crois m'être dirigé immédiatement vers Germaine Beaumont, une des seules convives qui m'était familière. Mais Grace Frick est bientôt venue nous séparer, insistant sur le fait que les gens devaient se rencontrer, et non pas rester dans leur coin avec ceux que, déjà, ils connaissaient. Elle m'a emmené vers un autre groupe. Elle ressemblait à l'un des personnages de cette vieille bande dessinée *L'Espiègle Lili*. » Dans la bande dessinée créée par les Français Vale et Vallet, en 1909, Lili était une petite blonde délurée. Physiquement, Grace Frick faisait plutôt penser à la cousine de Lili, Julia, mais ce serait forcer le trait que pousser plus loin l'identification avec ce personnage, une véritable « peste » : envieuse, acerbe et mesquine. « Quant à Marguerite Yourcenar, se souvient encore Jean Chalon, elle était assise dans un fauteuil et ne bougeait pas, alors que Grace s'agitait sans cesse. Lorsqu'on avait la chance de parler quelques minutes avec elle, on était comme toujours, repris par le charme de sa conversation. Mais Grace avait tôt fait d'interrompre le dialogue pour amener quelqu'un d'autre auprès de Marguerite et vous signifier d'aller ailleurs. »

Jusqu'en mars 1969, Marguerite et Grace arpenteront le sud de la France, aussi bien à l'est (Aix, Marseille, où elles iront beaucoup au concert et au théâtre) qu'à l'ouest (Perpignan, Toulouse). Le temps est très occupé par les interviews et les séances de signatures dans diverses librairies, auxquelles Marguerite se plie sans réel déplaisir en dépit de leur caractère répétitif : elle a toujours la curiosité de ces brèves rencontres, où passent parfois un peu de cette connivence et de cette fugitive proximité que donne au lecteur et à l'auteur le partage, même provisoire, d'un univers.

En janvier Marguerite Yourcenar a rédigé pour la *NRF*, un texte d'hommage à Jean Schlumberger, l'un des fondateurs de la revue, mort à quatre-vingt-onze ans, le 26 octobre 1968. « C'est vers 1930, rappelle-t-elle notamment, que je rencontrai pour la première fois dans un salon parisien cet homme vif, sec, et d'une courtoisie comme il n'en est plus. » Mais c'est vingt ans plus tard, à Paris et alors que venait d'être publié *Mémoires d'Hadrien*, que « la communication décidément s'était établie ». Dans cette œuvre apparemment trop sage, ordonnancée comme des « jardins à la française », Marguerite Yourcenar voit cependant une « poésie quasi tragique », et conclut : « Il semble bien, que la démarche caractéristiquement prudente de Jean Schlumberger ait été plus utile que nuisible à sa liberté véritable : le rigorisme puritain, mitigé, à l'en croire, assez tard dans sa vie, et jamais complètement rejeté, a longtemps favorisé chez lui une sorte de gourmandise de vivre discrètement présente dans ses œuvres, et qui serait à contraster avec l'avidité plus trépidante de Gide. (...) À bon entendeur, il semble parfois que cet homme comme volontairement en retrait sur notre génération, et même sur la sienne, ait poussé des pointes plus hardies que celles d'autres contemporains, supposés plus aventureux que lui [39]. »

Marguerite met également à profit ses quelques moments de solitude pour répondre au volumineux courrier que lui vaut *L'Œuvre au Noir*. Ainsi répond-elle notamment à une lettre de Montherlant reçue à la fin du mois de décembre, dans laquelle il lui disait son enthousiasme et confiait avoir donné sa voix à *L'Œuvre au Noir* pour le grand prix du roman de l'Académie française.

« Votre lettre reçue ce matin aura été pour moi la fève du gâteau des rois », écrit Marguerite Yourcenar. « Je suis infiniment touchée que vous ayez pris le temps et la peine de m'écrire. L'une des principales vertus de votre lettre est qu'elle me donne l'occasion de vous exprimer mon admiration mieux que je ne pouvais le faire dans quelques dédicaces. Je vous aurais déjà écrit – peut-être trop longuement – combien certains de vos livres avaient compté pour moi, si je ne vous savais pas de ceux qu'on importune vite. Je me borne à dire que *Le Chaos et la Nuit* me paraît l'un des plus grands livres qu'il m'ait été donné de lire, et que le moment, dans *La Rose de Sable*, où deux hommes voient venir la mort dans une medina est tout simplement inoubliable. La seule pièce que je suis allé voir pendant ce séjour assez vain et assez encombré à Paris, est *La Ville dont le Prince est un Enfant*, et j'ai été heureuse de constater que, contrairement à mes craintes, le théâtre ne la desservait pas. (...)

À mon tour, vos points d'interrogation autour de Zénon m'amusent, et j'y réponds... Bien qu'ils n'appellent pas de réponse. Zénon au départ se veut dieu ; il finit comme un saint lancé sur des pistes non chrétiennes. Ange ou archange ? Pas plus que nous tous, et j'ai essayé de lui laisser jusqu'au bout sa physiologie. Plutôt sentant en lui son Génie (avec majuscule) ou son dieu (sans majuscule). *Sequere deum*, disait dans ce sens Casanova, charlatan certes, mais plus hardi que ne le croient ceux qui pensent que sa seule audace était de relever les jupes [40]. »

À Marguerite Yourcenar, et à Grace, il reste tout de même, en ce début de 1969, quelques loisirs pour un peu de tourisme. Elles renoncent sans regret à l'Espagne où a été proclamé l'état d'exception, mais visitent les cloîtres de Saint-Michel-de-Cuxa, Saint-Guilhem-du-Désert et vont, le 17 mars, à Monségur où Marguerite se souvient que « exactement 725 ans plus tôt cette même prairie était noircie et couverte de braises encore chaudes [41] ». Elles profitent aussi de ce séjour pour rencontrer Joseph Delteil et son épouse américaine dans leur mas de la Tuilerie de Massane, près de Montpellier où vit Jeanne Galzy, l'une des jurées Femina, à laquelle Marguerite a téléphoné sur les conseils de Natalie Barney. Elles se voient de nombreuses fois. Jeanne Galzy, qui a du goût pour les femmes, est très séduite par Marguerite et restera en correspondance avec elle. Elle se plaindra même parfois de son silence : « écrivez donc tout de même un peu plus, à Natalie ou à moi. J'ai une longue amitié pour Natalie et une admiration pour le courage avec lequel elle a osé être elle-même en un temps et dans un milieu qui furent si conventionnels [42] ». Marguerite, qui n'a jamais cessé de se plaire à charmer, aime « la vigueur » et « la simplicité » de Jeanne Galzy « auvergnate d'origine, indestructible comme les granits de son pays ».

Lors de ce séjour dans l'Hérault, Marguerite a eu connaissance d'un fait divers survenu à Orange, qui l'a durablement impressionnée, comme le montre une lettre à Élizabeth Barbier, autre jurée Femina retrouvée brièvement en Avignon :

> « Je ne connais [ce fait divers] que par quelques lignes de *La Dépêche du Midi*, qui, depuis, me hantent. Un certain Marc Morel, lycéen de seize ans, qui faisait circuler des listes de signatures contre la guerre du Vietnam et le massacre des phoques, et rassemblait des dons pour le Biafra, s'est suicidé (par le feu) sur la colline Sainte-Europe. Et la décision n'était pas soudaine, car on a trouvé chez lui cette note (ou a-t-il dit à quelqu'un ?) " il faudra bien que je trouve un jour le courage de

mourir ". Cette image d'un être jeune (et il y en a beaucoup d'autres) qui n'accepte pas le monde où il est forcé de vivre, ne m'a pas quittée depuis. J'ai pensé écrire un article sur le sujet, mais je me suis dit que j'en savais trop peu pour faire de la littérature, même engagée dans le meilleur sens, sur son cas. Si j'avais été sur place, j'aurais essayé discrètement d'en savoir davantage. Peut-être ce garçon bouleversé était-il l'un des adolescents que j'ai croisés sans songer à les regarder dans les rues d'Orange, quand je m'y suis arrêtée le mois de mars dernier, avec Grace Frick en rentrant de Pont-Saint-Esprit où j'étais allée retourner sur les traces de mon Zénon [43]. »

On retrouve là un nouvel exemple de ce souci réel qu'elle avait de comprendre ces jeunes gens d'une tout autre génération, et dont témoignaient déjà, même si le ton en était parfois un peu sentencieux, les longues correspondances échangées avec tel jeune écrivain ou tel apprenti chercheur.

Le 20 mars 1969, Marguerite et Grace s'embarquent au Havre et atteignent New York six jours plus tard. Marguerite prononce à l'université Columbia une conférence sur « le roman historique, authenticité et actualité », et le 31, elles sont de retour à Petite Plaisance. Pour un printemps, un été et un automne très calmes : les visites de voisins, surtout les McGarr ; le champagne, le 8 juin, pour l'anniversaire de Marguerite, dans l'intimité d'autrefois retrouvée ; les photos – le 2 août – avec Hortense King (Flexner) pour les traductions de poèmes et la présentation critique d'Hortense Flexner par Marguerite Yourcenar qui sortira chez Gallimard à la fin octobre.

Et, toujours, et de plus en plus, une correspondance qui occupe une partie des journées de Marguerite à Petite Plaisance. C'est à cette époque-là que débute un bref échange de lettres entre elle et Patrick de Rosbo, un journaliste français qui souhaite venir à Mont-Désert enregistrer des entretiens. Cette relation, qui se terminera par une brouille violente, après les entretiens radiophoniques et leur publication en livre [44], se noue sous le signe d'une courtoisie de bon aloi. Marguerite Yourcenar répond bien volontiers aux questions préparatoires de Patrick de Rosbo, notamment dans une lettre du 26 avril 1969. Elle lui rappelle ses absences de France, de 1939 à 1951 et de 1956 à 1968 mais indique qu'avant 1939 elle passait à Paris une partie de l'année. Interrogée sur ses amis, elle est très évasive, comme presque toujours, n'ayant jamais pensé que la confidence était un mode de communication publique. « J'ai à la fois beaucoup d'amis et très peu, écrit-elle. Beaucoup de correspondants inconnus deviennent des amis, par ma tendance à m'installer assez vite dans l'amitié dès qu'un premier et sympathique contact a été établi. » Néanmoins, il lui reste peu d'amis proches « à cause des longues absences de Paris et des nombreux déplacements sur la carte (les rencontres intermittentes ne favorisent pas les amitiés intimes). Peut-être également à cause d' « une certaine indépendance ou singularité de pensée qui fait que je n'ai jamais appartenu à aucun groupe et ai vite quitté ceux qu'il m'était arrivé de fréquenter [45] ». Mais aussi, ce qu'elle ne dit pas, à cause de la jalousie de Grace qui lui aurait compliqué la vie : en restant auprès d'elle, Marguerite avait admis que, pour éviter cette complication-là, il lui fallait renoncer à l'approfondissement d'une amitié. Grace, en effet, ne supportait pas que Marguerite eût des amitiés intimes dont elle fût exclue. Or, par définition, nul n'est « l'ami intime » des deux personnes composant un couple. Le seul véritable espace d'intimité que laissait Grace à Marguerite, c'était son rêve et sa littérature. Et dans ses livres, justement, se révélait tout ce qui inquiétait Grace. Elle avait trop lu Marguerite, ligne à ligne, mot à mot, l'avait trop observée pour ne pas savoir que seule l'intéressait une approche sensuelle de l'univers, qu'elle était curieuse des autres, amusée à l'idée de séduire, heureuse d'être désormais admirée, courtisée, de fasciner des jeunes gens et des jeunes femmes, elle qui n'avait jamais cessé d'être amoureuse de la beauté physique et de la jeunesse. L'aggravation de la maladie de Grace va conduire cette raideur et cette manie du « contrôle » de Marguerite jusqu'à la crispation, puis l'obsession. D'où l'espèce de ressentiment qui grandira en Marguerite au cours des années soixante-dix, qu'elle ne se serait jamais laissé aller à exprimer devant Grace, si héroïque dans sa maladie, mais qui explique pour partie son attitude des années quatre-vingt : la mise à l'index non seulement du souvenir de Grace, mais de leur vie commune.

La décennie qui s'achève en cet automne 1969 clôt trente années d'amour fou – dans la pleine acception du mot – de Grace pour Marguerite, trente années d'existence d'un couple qui, à travers ses grands délires et ses menus rites, ses manies, ses générosités et ses exclusions a su, non seulement survivre, mais vivre. Les années soixante-dix vont être celles de la maladie, de la lente contamination de la vieillesse. Mais, comme toujours, ce glissement n'apparaît de manière flagrante qu'après coup.

À la fin de 1969, Marguerite Yourcenar repart en guerre contre les éditions Plon, qui viennent de publier la cinquième édition d'*Alexis* et la quatrième de *Denier du rêve*, toutes deux truffées d'erreurs : une « saloperie (car je ne trouve pas d'autre mot) », écrira Marguerite à ses amies Hélène Shakhowskoy et Anne Quellennec. « Une centaine de phrases ou partie de phrases manquent et les coq-à-l'âne abondent (...) ce qui fait que je ne corresponds plus avec ces gens-là que par avocat ou huissier [46]. » Une fois de plus, Marguerite aura gain de cause : les éditions fautives seront retirées du commerce, et l'affaire aboutira à la signature d'un contrat avec la maison Gallimard, le 3 septembre 1970, établissant – entre autres – la cession des droits pour ces deux ouvrages.

Apparemment, Marguerite et Grace sont dans « la bonne moyenne » des activités de leur vie américaine. Un dîner avec quelqu'un qui se propose de tirer un film d'*Hadrien* (Marguerite refuse) ; une commande de livres de Marguerite à un libraire français, toujours « pour vérifier si des éditions fautives sont encore en circulation » ; une conférence à Smith College pour le centenaire de la naissance de Gide ; une visite et des conférences à la librairie française de Boston ; l'envoi du manuscrit de *Rendre à César* – la pièce issue de *Denier du rêve* –, et celui à *La Revue de Paris*, d'un texte sur Oppien suivi de la traduction de quelques vers ; et une manifestation à Bar Harbor, le 13 décembre, pour « la paix maintenant » au Vietnam : c'est ce genre de manifestation très américaine où l'on se transforme en homme ou femme sandwich et où l'on passe une journée entière sur un morceau de trottoir, « pour témoigner ». « C'était l'expérience du pilori », dira Marguerite Yourcenar. À Bernard Pivot, dont l'étonnement de voir « Marguerite Yourcenar aller à la manif » l'amusera beaucoup, elle expliquera combien tout cela lui paraissait normal, comme de faire partie d'une quarantaine de sociétés « de défense, de protection, de conservation... » Si Marguerite Yourcenar a été, en quelque manière, américaine, c'est bien en cela, dans cette forme de civisme qui conduit à écrire ou à envoyer des télégrammes aux sénateurs ou gouverneurs pour protester contre tel ou tel projet. « Et ne croyez pas que c'est inefficace, soulignait-elle, devant la relative incrédulité de Bernard Pivot. Toutes ces lettres et ces télégrammes sont pointés soigneusement. C'est très important en termes électoraux. »

Avec l'élection à l'Académie Royale de Belgique et l'opération qu'elle doit subir le 27 août – on craignait à nouveau qu'elle n'eût, à son tour, un cancer du sein – se dessinent les deux axes dominants de la vie de Marguerite Yourcenar au cours de toute cette décennie. D'un côté, l'accumulation des manifestations de reconnaissance littéraire, de l'autre le vieillissement et la maladie. Grace, sans doute parce qu'elle se sent, en dépit de sa farouche volonté de vivre, tirée du côté de la mort, donne le sentiment, à travers ses notes qui vont en se raréfiant, que tout le monde autour d'elle – ce qui n'est pas toujours faux – entre en agonie. Il n'est question en 1970, dans son agenda, que de visites à des médecins, de biopsies et autres examens, du séjour de Marguerite à l'hôpital, de la dernière visite à Petite Plaisance de Charles Orengo – qui tombera malade l'année suivante et mourra d'un cancer en 1974 –, du codicille au testament de Marguerite, qu'elle signe chez son avocat le 25 août 1970, deux jours avant son opération.

Une semaine à peine après cette opération, le 2 septembre, Patrick de Rosbo arrive à Northeast Harbor pour réaliser ses entretiens radiophoniques. Il doit rester jusqu'au 10 septembre. Le moment est évidemment assez mal choisi, et tout concourt à l'exaspération de Grace, à commencer par le coup de téléphone qu'il donne le soir de son arrivée à vingt et une heures : il est à l'aéroport de Bangor, sur le continent, et il n'a pas de devises pour payer le taxi qui lui permettra de rejoindre l'île des Monts-Déserts. Grace lui indique à quel hôtel il doit se faire conduire, où l'argent l'attendra à la réception. De cette visite ne subsistent, du côté de Grace, que quelques phrases furibondes sur son agenda : 6 septembre, Rosbo pour dîner. Reste tard ; 8 septembre, MY épuisée. Rosbo campe ici ; 10 septembre, Rosbo repart enfin. La qualité ou la médiocrité des entretiens révélant toujours plus l'interviewer que l'interviewé, il est facile de voir – puisqu'on a aujourd'hui tout le loisir de relire ces conversations, publiées [47] – que Patrick de Rosbo n'avait pas du tout la maîtrise de la situation, et qu'à l'évidence nul courant de sympathie ne passait entre Marguerite Yourcenar et lui. Était-ce dû à la fatigue de Marguerite ? À la pression et la tension qu'imposait la muette réprobation de Grace ? Probablement un peu. Mais pas seulement. Les questions sont trop longues, mal formulées, elles découragent la réponse. Pourtant Marguerite Yourcenar possédait déjà ce « don de parler d'elle-même avec une éloquence aussi calme que voilée » que décrit Dominique Rolin [48], et Patrick de Rosbo a eu au moins le mérite d'être le premier à vouloir la faire parler longuement.

De la photo de Grace Frick posée sur une bibliothèque basse du salon, Marguerite Yourcenar avait coutume de dire : « C'est la dernière bonne photo de Grace. » Celle d'avant le désastre irréparable de l'aggravation de son cancer. La photographie a été prise en 1971, en Belgique. Grace a soixante-huit ans. C'est une des plus belles images qui subsistent d'elle. Elle a perdu la raideur de sa jeunesse, sous les rides que le temps et la douleur physique ont creusées. Sur son visage se mêlent une certaine lassitude, comme une usure sournoise, et une énergie inébranlable. Son regard dit ce qu'on ne répétera jamais assez d'elle, tant on est parfois arrêté et irrité par ses mauvais côtés maniaques et autoritaires – son intelligence, sa finesse, son humour.

1971, qui commence sous le blizzard, sera en effet, une année d'ultime tourmente, surtout pour Grace. Elle fera son dernier voyage en Europe pour accompagner Marguerite Yourcenar à l'Académie Royale de Belgique. Marguerite y sera reçue le 27 mars par Carlo Bronne, et prononcera l'éloge du professeur et essayiste Benjamin Mather Woodbridge [49]. Auparavant, parties des États-Unis le 7 mars par un paquebot qui fait route vers Algésiras, elles auront retraversé l'Espagne, où elles ont de si agréables souvenirs, en particulier des fêtes de la Semaine sainte à Séville et de leur semaine passée presque entière au musée du Prado, en 1960. Marguerite Yourcenar aime beaucoup revenir sur ses pas. Comme sur ses livres. Pour prendre totalement possession des lieux, pour s'approprier leur singularité et leur mouvance, pour pouvoir en jouir seule, sans guide, suivant un itinéraire purement intérieur. C'est une des constantes de son comportement, cette forme d'autarcie que l'on a maintes fois constatée et qui probablement remonte à son enfance singulière. L'hommage silencieux qu'elle rendra à Grace après sa mort – en dépit d'un discours qui voulait le démentir –, c'est, parallèlement à sa découverte de nouveaux pays, vers l'Orient surtout, de revenir sans cesse sur les lieux qu'elles ont aimés ensemble.

À Madrid, bien sûr, elles retournent au Prado. Encore une fois Marguerite pourra admirer *Les Ménines* de Vélasquez. Et s'interroger sur elles. Aura-t-elle jamais sa propre réponse à la question de la place du peintre dans le tableau? Elle qui prend conscience que son personnage secret, en retrait, insulaire et nomade, intrigue, fascine, irrite parfois, mais en tout cas amène des lecteurs de plus en plus nombreux, mesure qu'il lui va falloir se mesurer à cette question de sa propre « visibilité » dans le tableau... Il lui faudra l'affronter, ou biaiser, brouiller encore un peu plus les pistes, ce en quoi elle excelle...

À Bruxelles, les membres de la famille de Crayencour,

voyant Marguerite Yourcenar distinguée par l'Académie Royale de leur pays, se sont soudain avisés qu'elle existait et qu'elle leur était liée, bien qu'ayant renoncé à leur patronyme – ce dont certains ne sont pas fâchés, ayant en piètre estime les écrivains, surtout quand ils s'avisent de traiter de thèmes encore scabreux à leurs yeux, notamment des relations sexuelles n'ayant rien à voir avec la procréation et la pérennité de la sacro-sainte famille. Marguerite les rencontrera, ou plutôt les croisera, et aura une attitude variant entre la froide courtoisie et la franche hostilité, trouvant ces rapprochements tardifs d'assez mauvais goût. Le seul qu'elle aura plaisir à voir est l'un de ses demi-neveux, Georges de Crayencour, avec qui elle est d'ailleurs en relation depuis plusieurs années, depuis 1966, précisément, grâce à Louise de Borchgrave, que Marguerite a toujours beaucoup aimée. De Georges, Marguerite apprécie l'enthousiasme – qu'il ne craint pas d'exprimer alors que dans son milieu et sa famille, on lui a sans doute enjoint de toujours tout réprimer –, son goût pour le dessin et la littérature, et, évidemment, son intérêt pour elle. Georges de Crayencour, on l'a dit, l'aidera beaucoup dans la rédaction du deuxième volume de sa trilogie familiale *Archives du Nord*. Ils auront à ce moment-là, une longue, précise et passionnante correspondance [50].

Après Bruxelles, Marguerite et Grace voyagent pendant un mois et demi en Belgique et en Hollande, séjournant avec bonheur à Bruges. Marguerite se promène en rêvant à Zénon. Toutes deux revoient de vieux amis comme M. et Mme Jean Eeckhout, connus dans les années cinquante dans des circonstances assez cocasses. Marguerite, en effet, devait donner une conférence et l'un des organisateurs, Jean Eeckhout était passé la prendre à son hôtel. Elle voulait porter une robe avec une longue fermeture Éclair dans le dos mais elle ne pouvait la fermer seule, et Grace, coincée par un lumbago, était incapable de bouger. Ainsi Jean Eeckhout, à peine les présentations terminées, dût-il se transformer en camériste. Après la conférence, il s'avisa qu'« il y aurait bien une fermeture Éclair à descendre » : Marguerite accepta ce second secours avec un naturel tout aristocratique.

Les deux semaines parisiennes, du 16 au 30 mai 1971, seront sans histoires, avec leur lot de rencontres d'amis, de visites chez Gallimard – pour régler, puisqu'on est sur place, de menus problèmes – et d'entretiens avec des journalistes. Marguerite verra ainsi Jean Chalon, auquel elle porte de l'amitié. Cet entretien-là, paru dans *Le Figaro*, vaudra à son auteur une de ces lettres de mise au point pour lesquelles Marguerite Yourcenar semble avoir un singulier penchant : « Je n'ai sûrement pas dit cette phrase pour moi impensable : " mon anthologie des poètes grecs dort pour le moment... Qui se soucie encore d'Empédocle à notre époque ? ", comme si cette indifférence était ma raison de ne pas continuer et publier ce livre. Ceci, cher Jean Chalon, contredit toute mon orientation personnelle : quand me suis-je souciée de savoir si les gens se souciaient ou pas [51] ? » Pour ce dernier point, et Jean Chalon lui en donne volontiers acte dans la réponse qu'il lui fait le 1er août, elle a raison : dans son travail comme dans sa vie, Marguerite Yourcenar n'a pas d'abord cherché à plaire. Sinon à elle-même.

La dizaine de jours passée à Rouen et aux alentours, avant de s'embarquer au Havre le 13 juin, laissera à Marguerite et à Grace un souvenir apaisant de la douceur normande. Au Havre, elles prennent un paquebot soviétique qui doit les débarquer à Montréal : la route qui descend de Montréal vers Mount Desert leur paraît, surtout à cette saison, plus agréable que celle qui remonte de

New York – à travers ses faubourgs les plus sinistres –
vers le Maine, bien que, après Boston, et après Portland
surtout, la route N° 1, qui longe l'océan, ait conservé le
charme d'antan. Mais, comme si le hasard voulait signifier à Grace qu'elle entre dans une période cruelle, elle
fait, dès le départ du bateau, une chute grave. Elle se
déboîte le genou, et doit faire tout le voyage immobilisée
dans sa cabine, une jambe dans le plâtre. Elle qui n'aime
rien tant que la mer aura son dernier voyage transatlan-
tique gâché par cet accident. À son arrivée à Montréal,
elle n'est bien sûr pas en état de conduire – elle devra
même marcher avec des béquilles pendant plusieurs
semaines – et Marguerite s'étant toujours refusée à se
servir d'une automobile, elles rentreront avec un chauffeur à Petite Plaisance. On est à la fin juin, le temps est
printanier, le jardin coloré et agréable. Marguerite ne
sait pas encore que sa « maison de campagne » va être,
pendant plus de neuf ans, le lieu unique où se déroulera
son existence.

Juillet ramène Grace à l'hôpital de Bar Harbor où le
résultat des radios et de la mammographie n'incite guère
à l'optimisme : le cancer gagne du terrain. La visite de
Florence Codman égaie le mois d'août. On a toujours
plaisir à parler avec elle, à entendre son français raffiné,
qu'elle pratique avec la jubilation de qui aime cette
langue. Elle est cultivée, fine, aiguë. Elle a exactement
l'âge de Grace, puisqu'elles étaient ensemble à l'université. En voyant combien Florence semble plus jeune,
plus alerte, Marguerite mesure soudain les ravages que,
déjà, la maladie a faits sur Grace, et que le quotidien lui
avait dissimulé.

Ce même mois, elle écrit à la firme Nabisco une de ces
lettres de protestation qu'elle a évoqués dans sa conversation avec Bernard Pivot. Il est dommage qu'elle ne l'ait
pas eue sous la main et ne l'ait pas lue – ou plutôt traduite

– pour son interlocuteur. Il n'aurait pas manquer de la trouver savoureuse [52] :

> « De longue date acheteuse convaincue des gaufrettes de la firme Nabisco, je ne puis m'élever avec assez de vigueur contre la production des jouets d'épouvante commercialisés par votre nouvelle filiale, Aurora Plastic. Cette incroyable et répugnante brutalité montre dans quels abîmes est tombée ce que nous continuons de nommer une civilisation chrétienne. Cela jette l'opprobre sur le nom même d'Amérique.
>
> Il n'est évidemment plus question pour moi d'acheter un quelconque produit de votre firme avant que vous n'ayez officiellement annoncé que ces jouets révoltants avaient été retirés de la circulation, et j'ai la ferme intention de faire tout mon possible pour dissuader quiconque d'acheter vos produits, pour les mêmes raisons. »

1971 est aussi l'année de publication chez Gallimard des deux volumes de *Théâtre*, diversement appréciés par les critiques, dont plus d'un remarque que ces pièces sont davantage « à lire qu'à jouer » : « Les trois drames grecs que j'ai essayé d'écrire sont tous, d'une manière ou d'une autre, des allégories, précise Marguerite Yourcenar ; je veux dire que les personnages y comptent moins pour eux-mêmes que comme signes, ou comme composants d'une certaine expérience. (C'est presque le contraire de la technique d'*Hadrien* et de *L'Œuvre au Noir*.) La recherche d'hellénisme y est presque nulle [53]. »

Lorsque, au mois de septembre, paraît chez Seghers la première longue étude qui lui soit consacrée, signée de Jean Blot, Marguerite Yourcenar écrit à son amie Jeanne Carayon que cet ouvrage « a failli [la] plonger dans un noir découragement, bien que l'auteur s'imagine évidemment faire [son] éloge [54] ». Ce n'est qu'à la veille de la publication de cette étude que Jean Blot avait averti Marguerite : « Votre œuvre, son traitement du temps, son acceptation et son refus du mythe, son érotisme chaleureux, m'ont inspiré un essai (...). Vous-même critique – et admirable – vous ne serez pas étonnée que je n'ai pas cherché à entrer en contact avec vous avant d'avoir terminé mon essai. Rien ne gêne la libre approche d'une œuvre autant que d'en connaître l'auteur [55]. » Marguerite, qui a noté en haut de cette lettre « pas répondu » et qui indiquera plus tard – et à maintes reprises – à propos de l'auteur « je ne savais même pas qu'il existait », lui écrit le 1er septembre :

> « Des journaux m'avaient appris qu'un ouvrage de vous, sur moi, allait paraître chez Seghers. Je le lirai, comme vous le pensez bien, avec un très grand intérêt, le même que j'ai eu à lire naguère l'article que vous avez publié, à propos, je crois, de L'Œuvre au Noir, dans la NRF. Quant à votre désir de ne pas rencontrer en cours de travail l'auteur sur qui vous écrivez, je le comprends fort bien. En ce qui me concerne, passionnément désireuse, comme je le suis, de pénétrer le plus possible la complexe individualité des êtres, je crois que j'aurais beaucoup souhaité rencontrer, si je l'avais pu, Cavafy ou Mann, mais peut-être ces rencontres m'eussent-elles singulièrement décontenancée. Et il aurait fallu beaucoup de recul, ensuite, pour amalgamer ce qu'elles venaient de m'apprendre à ce que m'avaient appris leurs livres... Mais j'accepte aussi cette liberté du peintre qui tient à recréer le modèle à sa manière et avec les moyens tout à soi [56]. »

« C'est une attitude que je ne comprendrai jamais, écrira-t-elle cependant quelque temps plus tard, à l'un de

506

ses correspondants, moi qui aurais tant donné pour connaître Cavafy, ou avoir de Mann une autre expérience que celle d'un simple échange de lettres [57]. » « Moi qui aurais donné un an de ma vie pour rencontrer Hadrien, répétera-t-elle souvent, comment puis-je adhérer à l'attitude de Jean Blot ? »

Mais en vérité, ce que Marguerite Yourcenar reproche surtout à Jean Blot, c'est d'avoir centré son analyse sur les ouvrages parus avant-guerre, et d'avoir négligé ce qui est pour elle beaucoup plus important, *Mémoires d'Hadrien* et *L'Œuvre au Noir*. « J'ai écrit quelque part, à propos de la biographie critique, qu'on construisait toujours le monument à sa manière, mais que c'était déjà quelque chose que de se servir de pierres authentiques », répondra-t-elle à Marcel Lobet, auteur d'une critique favorable à Blot dans *La Revue Générale*. « Mais les pierres utilisées par Blot, j'entends les livres sortis de leur contexte chronologique, cessent d'être authentiques, et comme par hasard les pierres angulaires manquent toutes [58]. » Mis à jour, l'essai qui reparaîtra en 1980, lui semblera « bien préférable » – une appréciation tout juste courtoise, entourée de bien des réserves...

Avec l'automne, Marguerite et Grace profitent des plaisirs du jardin et particulièrement de ceux prodigués par le « verger » – plaisirs que Marguerite développe longuement pour son amie Jeanne Carayon [59]. « Je m'amuse à vous raconter tout cela, lui dit-elle, parce que, vivant à la campagne, vous me comprendrez. Les gens qui écrivent sur moi à Paris n'imaginent nullement mon genre de vie [60]. » L'objet principal de cette longue lettre, très amicale, est en fait une mise au point scrupuleuse de quelques détails relatifs à la correction d'épreuves d'ouvrages en réimpression. Marguerite rend tout d'abord hommage au travail de Grace dans l'élaboration de ces révisions : « Grace Frick aussi m'a été d'un grand secours, en vérifiant une à une après coup les corrections faites (travail qui demande des heures), et en les inscrivant le plus souvent elle-même sur les marges, de son écriture plus fine que la mienne. Aux moments où littéralement la tête me tournait, son acuité et son attention ont relayé les miennes. Mais j'ai naturellement toujours scrupule du temps pris de la sorte (et de bien d'autres) sur son travail de traductrice [61]. » Ce travail, exécuté en France « de moitié » par Jeanne Carayon, Marguerite – particulièrement exigeante en ce domaine – l'a jugé « admirable » : « Chaque fois que j'achevais la lecture d'un paquet d'épreuves, lui écrit-elle, j'avais envie de vous écrire longuement pour discuter en détail les corrections, vous remercier des suggestions suivies, et expliquer pourquoi j'en avais écarté d'autres. » Ce qu'elle ne manque pas de faire...

Mais cette lettre, que Marguerite achève le lendemain, 3 octobre, est prolongée par une mauvaise nouvelle, celle de la mort de la chienne Valentine :

> « 3 octobre, 2 heures et demie de l'après-midi.
>
> Un moment à peine après que j'ai terminé cette lettre, nous avons eu un très grand chagrin. J'étais sortie cueillir des fleurs, avec le petit chien. Valentine a traversé joyeusement la route, très déserte en cette période de l'année, pour aller courir dans le très grand jardin des voisins. J'ai traversé avec elle, ayant pour principe de n'être jamais sur un côté de la route opposé au sien, mais déjà elle avait bondi devant une voiture qui arrivait, à une allure d'ailleurs très modérée, et l'instant d'après, je l'ai vue étendue sur la route, le cou brisé. Elle n'a pas du tout souffert. Avec l'aide de notre excellent voisin, le jardinier, et de sa

femme, nous l'avons enterrée près de son pré-
décesseur, Monsieur, couchée sur des bras-
sées de fougères jaunies par l'automne. Un
petit atome de joie dans le monde. »

Grace, qui achève la dactylographie de cette lettre, est
impressionnée par la sobriété et l'absence apparente
d'émotion de ce récit écrit « sur le coup ». Au point de
rajouter cette note de sa main :

> « Chers amis, je commence à comprendre
> pourquoi les moins subtils de ses lecteurs
> trouvent que M. Yourcenar est un écrivain
> " froid ". Seuls ceux qui ont perdu un être ou
> une créature si brutalement peuvent savoir
> dans quel état d'angoisse elle a écrit ce post-
> scriptum, le même après-midi. Comme vous
> le savez, Valentine était toujours avec elle.
> Elle vivait littéralement à ses pieds, au bureau,
> dans le jardin, en voyage (...) Tristement à
> vous. G.F. »

On peut se demander quelles sombres réflexions suscita en Grace le constat, chez Marguerite, d'une douleur
si souverainement maîtrisée, face à la perte d'une créature chère...

De fait, Marguerite Yourcenar avouera longtemps
après, en racontant oralement cet accident, qu'elle a été
si « choquée » qu'elle est tombée à terre, répétant en
français, « ils ont tué le chien, ils ont tué le chien... »,
devant une femme qui ne comprenait rien et qui proposait seulement de l'argent pour le remplacer. « Comme
plusieurs fois dans ma vie à ces heures-là, je sentais tout
le poids du temps », dira-t-elle encore. Et quelques
années après, elle écrira dans ses *Carnets de notes de
« L'Œuvre au Noir »* :

« En 1971, j'ai refait dans les rues de Bruges chacune
des allées et venues de Zénon (...). Promenades du matin,

tout un mois d'avril, parfois au soleil, plus souvent sous la brume ou la pluie fine. Et avec moi Valentine la belle, la douce, la blonde, celle qui aboyait avec force contre les chevaux (et je l'en empêchais), celle qui courait joyeusement dans la cour de Gruuthuse, celle qui bondissait dans le jardin du Béguinage parmi les jonquilles – et maintenant (six mois plus tard, 3 octobre 1971) aussi morte qu'Idelette, que Zénon, qu'Hilzonde. Et personne ne me comprendra si je dis que je ne m'en consolerai jamais, pas plus que d'une mort humaine [62]. »

C'est en octobre qu'arrive à Petite Plaisance une équipe de l'O.R.T.F. qu'accompagne Matthieu Galey. « Perspective un peu accablante, commente-t-elle dans une lettre à Jeanne Carayon. Mais je suis heureuse qu'ils viennent pendant "l'été indien" quand les arbres commencent à prendre leurs belles couleurs alchimiques [63]. » Matthieu Galey : le début d'une longue amitié qui se terminera assez mal, après la publication de son livre d'entretiens, *Les Yeux ouverts*, en 1981. Comme si « commettre » un livre sur Marguerite Yourcenar était déjà, quel qu'il fût, une sorte de faute, voire de péché, une captation inadmissible, l'affirmation d'une autonomie inacceptable. C'est une évidence quand on connaît le rapport de Marguerite Yourcenar à l'écrit, ce rapport de totale appropriation, où la mégalomanie conduit presque à dénier à l'autre une manière propre de s'exprimer : « Je dis pour moi, je sais dire, c'est moi qui dis. »

En octobre 1971 la télévision française a donc fait le voyage de Northeast Harbor, marquant le début de la médiatisation de Marguerite Yourcenar, qui va aller s'accentuant. Le jardinier de Petite Plaisance, le voisin amical, serviable et fidèle, Elliott McGarr, est interviewé à ses côtés. Ce ne sera *jamais* le cas de Grace. Pour devancer le désir de Marguerite peut-être, et par orgueil sûrement, elle se l'interdisait. Grace restera comme une image en creux, la figure exemplaire de l'effacement.

Le signe du vrai pouvoir, peut-être ; la marque de l'élégance et de l'intelligence, à coup sûr.

CHAPITRE 4

Yourcenar, prénom Marguerite

Tandis que Marguerite Yourcenar, désormais intronisée « grand écrivain français » par *L'Œuvre au Noir*, va vers la gloire, la reconnaissance de ses pairs, et même d'une opinion publique qui dépasse le cercle déjà vaste de ses lecteurs, Grace Frick va vers la douleur et la mort : les rapports entre elles ne peuvent que se distendre et se dégrader.

Marguerite, pourtant, est d'une fidélité totale à ses engagements. Comme Grace avait été, de 1939 à 1945, son rempart contre la lente coulée vers une dépression dont on ignorait l'issue, elle sera désormais son point d'appui. Mais la différence est grande : on ne peut ignorer, cette fois-ci, ni l'issue, ni son imminence. Il s'agit moins d'un combat que d'une veille.

Grace veut que Marguerite demeure auprès d'elle et récuse toute idée de voyage. Selon certains amis de Marguerite Yourcenar, en particulier son infirmière Deirdre Wilson, Marguerite, privée de Grace, eût été incapable de voyager seule. On ne peut tout à fait régler l'abstention de Marguerite de cette manière simplificatrice. Toute la correspondance liée aux précédents préparatifs de voyages prouve qu'elle prenait sa part des demandes de réservations d'hôtels et autres formalités : le sens de l'organisation matérielle ne lui était pas totalement étranger. Et puis, il lui eût été alors facile d'obtenir d'autres cette solution des problèmes d' « intendance » – de son éditeur par exemple, qui ne souhaitait rien tant que la voir assurer sur place la promotion de ses livres. Comme toujours, avec ces deux femmes et leur étrange vie commune, les choses sont plus subtiles, plus violentes, plus perverses aussi sans doute. Comme si, de la claustration obligée de l'une à la claustration consentie mais détestée de l'autre pouvait naître une ultime émotion, et peut-être un ultime plaisir.

« Elle souhaitait que je reste auprès d'elle et c'était bien naturel. J'ai aimé aussi ces printemps, ces étés, ces automnes et ces hivers dans mon jardin », confiera plus tard Marguerite Yourcenar. Mais ce consentement à la sédentarité, qui, bien souvent déjà par le passé, a été pour elle insupportable, ne se fait pas aussi aisément qu'elle tentera de le faire croire, prise qu'elle était par son rôle de vieille dame parvenue à la sérénité et ayant prétendument traversé tous les orages d'une humeur égale.

En témoignent, dès le début de 1972, les lettres que Marguerite Yourcenar écrit au moment où elle reçoit le prix littéraire Prince-Pierre-de-Monaco, d'un montant de cinquante mille francs. Elle dit à Louise de Borchgrave qu'elle compte bien se rendre à Monaco, comme il est d'usage, afin de recevoir son prix : « Je pense que mon père aurait été amusé et content de ce prix Monaco, précise-t-elle. J'ai un peu l'impression de récupérer une partie des louis d'or qu'il aimait tant risquer[1]. » Marguerite Yourcenar n'ira pas à Monte-Carlo : Grace doit être hospitalisée quelques jours en avril et la situation ne sera pas meilleure en décembre, au moment de la remise du prix.

Sur son agenda, Grace ne note plus guère que les rendez-vous chez les médecins, les séjours à l'hôpital et les allées et venues des ouvriers qui s'emploient à la maintenance de la maison : pour la première fois depuis trente ans, elle ne relate pas fidèlement, sur son éphéméride, le travail de Marguerite, qui pourtant arrive à la fin de la rédaction de *Souvenirs pieux*. C'était toujours au moment où un manuscrit touchait à son terme que Grace manifestait, d'ordinaire, la plus grande activité, dont elle rendait dans ses agendas le compte le plus scrupuleux. De relectures en photocopies, « Le Livre » de Marguerite, quel qu'il fût, l'occupait totalement. Elle semble n'avoir pas du tout participé à *Souvenirs pieux*. Comme si elle était désormais en retrait de l'élaboration de l'œuvre. Peut-être parce que Marguerite était partie à la recherche de sa propre famille, en des lieux de mémoire où elle n'avait pas part. Entre la quête d'un passé qui la niait et un avenir littéraire dont sa maladie l'évinçait, elle ne pouvait que se sentir exclue et choisir l'absence, au moins pour ce qui est de « Yourcenar » car, pour ce qui est de « Marguerite », elle notera jusqu'à son dernier jour les faits et gestes, les rhumes et les migraines de son amie. Il faut pourtant bien voir dans ce désintérêt les premiers signes d'une fin. Marguerite et Grace s'éloignent l'une de l'autre, parce qu'elles sont désormais, et définitivement, face à face, condamnées l'une à l'autre, limitées à la maison et au jardin. Comme un vieux couple. Et pourtant ni l'une ni l'autre n'aurait imaginé cette fin.

Grace ne supporte pas l'idée que Marguerite puisse lui survivre. Le sentiment qui domine en elle, et qui est un trait constant de son caractère, est moins la peur de la mort qu'une extraordinaire envie de vivre – qui l'amènera même à vouloir entreprendre, à quelques semaines de sa mort, un nouveau traitement, encore au stade expérimental, contre sa maladie. En raison même de cette énergie, Grace s'est toujours pensée comme « la survivante ». Le greffier, alors, deviendrait le juge comme l'indispensable témoin. Son admiration et son amour pour Marguerite l'ont sans doute empêchée de se le formuler clairement, mais ces agendas, cette manière de « tout » noter, était une façon de posséder Marguerite et de la dissimuler aux autres tout à la fois. Que Grace les utilise après la mort de Marguerite ou qu'ils demeurent comme témoignage après sa propre mort – ce qui est le cas –, ils seraient certes la trace, au jour le jour, de l'existence de Marguerite Yourcenar. Mais on y trouverait plutôt les malaises que les lectures, plutôt la mention d'une promenade dans le jardin que la conversation qui s'y est tenue.

Marguerite Yourcenar l'a bien senti, en les relisant, et elle a apposé sur le dernier agenda, celui de 1979, une carte écrite en anglais et précisant : « Pour la Houghton library (ou si cette bibliothèque n'en veut pas, pour le fonds Grace Frick à Wellesley). Journaux de Grace Frick. Agendas des voyages ou des visites reçues à Petite Plaisance, ou encore – auparavant – de séjours à Hartford et Kansas City. Très peu (relativement) de mentions de MY. » À la première lecture de ce petit texte, on reste confondu. Dans ces agendas, il n'est évidemment question que de Marguerite Yourcenar ou presque. Mais bien plutôt d'une dame un peu maladive, assez plaintive, qui aime voyager tout en étant souvent lasse, voire déprimée, que d'un écrivain porté par le désir de faire une œuvre. Ainsi, alors qu'elle destine ses propres textes à Harvard, Marguerite anticipe – ou souhaite – la possible exclusion des agendas de Grace : le geste – et le symbole – donne le frisson.

Quand elle se sait condamnée, le dernier pouvoir qui reste à Grace est, par ses agendas lacunaires, de rétrécir la vie de Marguerite Yourcenar dans ces années soixante-dix, comme la sienne propre se rétrécit. Elle savait pourtant qu'on ne peut rien contre les livres – qui, eux, demeurent –, qu'on ne peut rien contre le moment où un écrivain rencontre son public ; rien contre le moment de la reconnaissance et de la gloire. Elle le savait, et cette manière, plus elle avance vers sa mort, de gommer l'œuvre de sa compagne de leur vie quotidienne apparaît comme la tentative désespérée de quelqu'un qui sait, depuis toujours, qu'être l'ombre du créateur, c'est n'être rien soi-même : rien sur le moment puisque, au lieu d'accomplir sa propre vie, on se voue au destin de l'autre, rien plus tard puisque le geste créateur est le seul garant d'une éventuelle postérité.

Grace est celle « grâce » à qui tout a été possible – Marguerite, en français, écrit toujours son prénom ainsi : Grâce. Elle en est au moment où elle se demande parfois si elle a été plus que cela, un « outil » auprès de Marguerite, dont l'égocentrisme et le narcissisme ont bien souvent passé la mesure. Mais sa dévotion au « génie » de Marguerite, la reconnaissance qu'elle lui voue pour avoir accepté de vivre avec elle, de se laisser aimer par elle jusqu'à l'enfermement, lui interdisent de pousser plus loin sa réflexion sur ce point. Quand bien même l'aurait-elle tenté, elle n'aurait abouti, comme chacun aujourd'hui, qu'à un nœud de contradictions. Même en observant ce qui s'est passé après sa mort, il est bien difficile de prendre la mesure de la singulière histoire de Grace Frick et de Marguerite Yourcenar.

Après la mort de Grace, Marguerite, prise dans une nouvelle passion, reprise par les « folies » et les démons de sa jeunesse, tentera de faire croire que leur vie commune n'était qu'une coexistence pas toujours pacifique. Mais quarante années passées si totalement ensemble ne peuvent se réduire à cette banale description. Tout ce qu'elle en a pensé ou dit pendant ses ultimes années ne sont que le dernier avatar d'un amour qui a résisté à tout, et pas seulement du fait de Grace et de sa supposée soumission. « Pendant des années, j'ai cru que Madame, si douce, si tranquille, était prisonnière de Grace, de son autorité, de son énergie, de son mauvais caractère, a coutume de raconter DeeDee Wilson. Quand je suis venue à Petite Plaisance pour soigner Grace, j'ai compris que je m'étais trompée : la prisonnière, c'était elle. » Si cette remarque est profondément révélatrice, c'est moins pour ce que DeeDee a cru être la vérité du rapport de dépendance entre ces deux femmes que pour l'indécision même où demeurent les témoins de cet étrange couple. Qui, de l'une ou de l'autre, imposait ses priorités, ses choix de vie, ses valeurs – et selon quel subtil partage ? Reste qu'en 1972, Grace est bien devenue la prisonnière, fût-ce d'une prison par elle-même bâtie : c'est une femme malade, totalement soumise au destin de la femme qu'elle aime, et cette femme n'est plus totalement préoccupée que d'elle-même. Car les pires années, qui commencent en 1972, permettent de mieux voir la complexité de ce couple qui n'était pas seulement, comme le disent, on l'a vu, la plupart des amis américains des deux femmes, « un bon mariage ».

Comme beaucoup de couples – mais plus encore parce que Marguerite Yourcenar était un écrivain – Grace et Marguerite ont vécu sur une fiction : constituer une entité singulière, qui, pour l'extérieur – le public dans son sens le plus large –, se nommait Marguerite Yourcenar, mais qui était en fait composée de deux personnes. On a vu – au travers de la correspondance notamment – comment Marguerite avait totalement, au fil des ans, après l'installation à Petite Plaisance, abandonné la notion de « vie privée », par rapport à Grace, qui voyait tout ce qui entrait et sortait de la maison (lettres, travaux littéraires, etc.), qui contrôlait tous les coups de téléphone et décidait elle-même de passer ou non le correspondant à Marguerite.

Marguerite n'avait d'autre intimité que celle de ses songeries et de ses lectures, dont il lui appartenait de révéler à Grace ce qu'elles lui inspiraient. Ou de faire silence. Mais contrairement à ceux qui, ayant accepté cette totale dépendance, n'ont plus d'issue, Marguerite pouvait toujours s'enfuir car elle possédait un lieu d'intimité absolue : elle écrivait. Dans sa langue – qui n'était pas celle de l'autre, même si celle-ci la parlait. Seule, dans un univers anglophone, dans une île bien plus symbolique de cet univers que ne l'aurait été une grande ville cosmopolite, elle maniait une langue presque perdue, le français dans sa forme la plus classique. Elle construisait une œuvre dans cette langue qu'elle préférait : le français, immergée dans une langue dont la forme dégradée, appauvrie par des gens qui l'avaient mal acquise et qui en avaient fait un simple outil, était en passe d'envahir la planète : l'anglais. Elle édifiait une œuvre particulière, qui ne se frottait pas aux recherches, ni sur la langue ni sur la structure du récit, qui toucherait seulement, pensait-elle, ceux qui comprendraient la singularité de son geste – et c'est pourquoi, toujours, elle les imaginait peu nombreux, et quand ils augmentaient, elle se plaignait, non sans raison, de leur incompréhension : se laisser enfermer pour construire sa propre forteresse.

Cette intimité inaltérable, cette absolue possession

de soi-même que l'écrivain met en spectacle, Grace va commencer de les haïr. Au cours de cette année 1972, qui marque un tournant dans sa vie et dans son rapport à Marguerite – Grace, qui ne l'avouera jamais, sait confusément qu'elle mourra probablement avant Marguerite –, elle se préoccupe beaucoup de la santé de sa compagne et très peu de son travail. Rien sur le livre en cours ; à peine une mention au 3 juin du doctorat *honoris causa* de Colby College, que Marguerite va recevoir à Waterville, dans le Maine, non loin de Mont-Désert. Tout, en revanche, sur les variations de la tension artérielle de Marguerite, les allergies, qui, en octobre, surviennent après les deux jours passés avec une équipe de télévision – ce qui confirme Grace dans l'idée que les visites sont néfastes à la santé de Marguerite.

Vers la fin d'octobre, Marguerite tombe malade. Pendant cinq semaines elle a des poussées de fièvre inexpliquées, des faiblesses, une intense fatigue. Elle est finalement hospitalisée à Bar Harbor du 31 décembre 1972 au 11 janvier 1973. Lorsqu'elle sort, « après douze jours d'hospitalisation et des examens douloureux, dit Grace, elle est très faible et gravement sous-alimentée ». Les médecins, bien entendu, n'ont décelé aucune maladie. L'hypocondrie de Marguerite Yourcenar est à son comble – et va devenir de plus en plus choquante au fur et à mesure que les douleurs physiques de Grace Frick deviennent plus intolérables. Marguerite décide de tenir un « journal de santé », « après deux mois et deux semaines de maladie non diagnostiquée, à moi donc d'essayer de guérir et de dessiner la courbe », écrit-elle au début de ce carnet qu'elle tiendra jusqu'à l'approche de la mort de Grace Frick (le journal se termine en mars 1979 et Grace mourra à la fin de novembre).

Elle aurait pu s'interroger sur les raisons qui l'avaient conduite à s'arrêter à cette date-là. Elle l'a peut-être fait, nous n'en savons rien. En tout cas, on sait qu'elle ne s'est guère interrogée, en 1973, l'année de ses soixante-dix ans, sur les véritables raisons de ses malaises, bien réels, même s'ils étaient « surévalués » à l'aune de ses comportements hypocondriaques. Impossibilité d'accepter que Grace soit « la » malade? Manière de transformer l'état sédentaire, insupportable, en nécessité : « Je suis malade moi aussi, donc nous ne pouvons plus bouger. » Et, puisqu'il n'est plus question de voyager, il faut se replier sur l'observation de soi-même.

Jamais, évidemment, le terme « psychosomatique » n'apparaît dans ce journal de santé. Elle veut qu'on donne « de vrais noms, bien scientifiques, à ses malaises », comme en témoigne le docteur Robert Wilson, qui, étant le mari de DeeDee, sera très proche d'elle dans les dernières années. « Avec l'âge, cette tendance est évidemment allée en s'aggravant, explique-t-il. J'ai fini par donner des noms bien ronflants à des inconvénients mineurs. Je crois que cela la rassurait. » C'est certain : quand, comme elle, on ne croit qu'au pouvoir des mots, il faut pouvoir nommer. Son « cas » est, dans ce domaine, d'une totale banalité. Mais on aurait pu attendre de son intelligence et de sa perspicacité qu'elles lui fassent prendre un peu de distance et de hauteur, qu'elles lui permettent de faire elle-même ce raisonnement-là : on n'en trouve pas la plus petite trace dans ce journal de santé.

Elle se perd en contestation systématique de ce que font et disent tous les médecins, sans le moindre retour critique sur elle-même. Ainsi, en 1973 : « aucune recherche sur l'asthme et autres bien que ceux-ci limitent gravement mon activité. Cf. interdiction de prendre le métro depuis 1968 à cause de crises graves ». Plus tard, en 1978, alors qu'elle a constaté un « problème d'œil » – « je vois des mouches volantes et des étincelles » – elle signale avec un quasi-dépit « mais pas de glaucome, pas de cataracte, pas de décollement de la rétine »... Molière n'est pas loin... Du reste elle ne craint pas de citer elle-même, avec le plus grand sérieux, *Le Malade imaginaire* : « À quelques exceptions près, la plupart des médecins que je connais font de leur mieux. Mais, dans l'ensemble, le Béralde du *Malade imaginaire* a toujours raison : " ils savent nommer, définir et diviser les maladies : ils ne savent pas les guérir ". Ou si peu [2]. »

Dès le mois d'août 1972, avant même de commencer la recension minutieuse de ses malaises, elle se plaignait de sa fatigue à Jeanne Carayon :

> « Si je ne commence pas mes lettres à mes amis de bon matin, avant le travail littéraire proprement dit, je suis souvent trop fatiguée pour m'y mettre le soir avec l'élan qu'il faudrait.
>
> La fatigue... Vous êtes la seule personne dont l'amicale attention ait noté ces deux mots dans la préface aux *Entretiens radiophoniques* [avec Patrick de Rosbo [3]] : oui, en effet, il y a la fatigue. Il y a même maladie, car au début d'août une petite crise d'angine de poitrine, mal dont je connais depuis plus de vingt ans les symptômes (c'est ce qui m'avait permis de les décrire dans *Hadrien*), a attiré l'attention des médecins (...) Je suis depuis assez sérieusement médicamentée, ce qui fatigue aussi. Je vais beaucoup mieux, sans aller parfaitement bien. Mais à la vérité, il y a des années que je ne vais pas parfaitement bien. Je crois que les médecins, même fort bons, comme le sont, paraît-il, les

miens, ne se font pas une idée de l'immense fatigue morale due au fait de vivre dans le monde où nous sommes, et de l'espèce d'angoisse impersonnelle qui pèse sur tant de nous [4]. »

Elle commente l'efficacité des médicaments qu'on lui donne (« Parabid : d'assez bons effets sur les spasmes et les réveils en sursaut »), dresse une liste de médicaments qu'on lui a prescrits, dont on lui a parlé ou qu'elle stocke sans les avoir utilisés, comme le Valium « supposé très bon calmant. J'en possède mais je n'en ai pas encore essayé ». Elle se prescrit elle-même, assez souvent, comme remontant, un cognac. C'est une habitude qu'elle a depuis longtemps, qui lui vient probablement de son père, et à laquelle elle ne renoncera jamais.

Le plus déplaisant, et le plus difficilement acceptable, dans ce journal, n'est pas tant l'extrême intérêt que Marguerite Yourcenar porte à elle-même – bien des femmes, et sans doute des hommes, notent scrupuleusement les variations de leur poids comme elle notait celle de sa tension et de sa température –, que la part prise par Grace malade à ces observations, notamment en janvier 1973, lorsque Marguerite rentre tout juste de l'hôpital. Marguerite se réveille chaque nuit plusieurs fois en sursaut et en sueur : Grace l'indique par écrit à chaque fois et précise si elle a dû, ou non sécher, ses cheveux avec son séchoir électrique. Elle le note également sur son propre agenda, alors qu'elle n'y parle jamais de ce qu'elle ressent, elle, et que Marguerite, dans son carnet de santé, ignore Grace, si ce n'est pour mentionner sa tension, lorsqu'on la leur prend à toutes deux ensemble. Grace fait même quelques commentaires, ce qui signifie qu'elle assistait à tous les menus malaises. Tout comme elle tient scru-

522

puleusement la courbe des températures, ce qui amène des constatations dont on a peine à imaginer qu'elle n'ait pas perçu le comique : « après le repas du soir Marguerite a 37°4 », écrit-elle un jour. « Puis la température tombe à 36°7 ; ce n'est pas assez. » Ou bien : « bonne soirée à 37° ! » (ce que Marguerite indique dans les mêmes termes). Il fallait être totalement enfermée dans la maladie, dans la vieillesse, dans la folle fascination morbide de l'autre comme l'était sans doute Grace pour écrire tout cela avec le plus grand sérieux. On est loin de l'ironique « Marguerite called to tell world she had a cold » des années quarante.

Le plus intéressant dans ce carnet est, appliquée à Marguerite Yourcenar elle-même, par elle-même, cette absence de dégoût du corps – même malade, même en proie à des affections jugées universellement répugnantes – qu'on retrouve dans toute son œuvre : elle y décrit avec une complaisance confinant au plaisir les divers saignements, sueurs, démangeaisons, spasmes et autres douleurs qu'elle éprouve...

L'existence commune de Grace Frick et de Marguerite Yourcenar, dès le début de 1973, est ainsi comme en état de raréfaction, ce qu'on est sans doute loin d'imaginer à Paris où, à partir de la sortie de *Souvenirs pieux*, en 1974, on va parler de plus en plus de Marguerite Yourcenar. À moins de disposer, comme c'est le cas aujourd'hui, des notes diverses et des correspondances, il était bien difficile de comprendre à quel point l'absence de voyage pesait sur sa vie, au quotidien. En revanche, quand on suit pas à pas les étapes d'un enfermement qu'elle ne choisit plus mais qu'elle subit, on s'explique mieux l'impression de retrouver sa jeunesse qu'elle aura en repartant en voyage, après la mort de Grace.

Quand arrivent les premières épreuves de *Souvenirs pieux*, en février 1973, Grace reprend ses activités habituelles en pareil cas : faire des copies du jeu d'épreuves pour faciliter la correction à deux, poster au fur et à mesure les chapitres corrigés, etc. Dans cet hiver vide, dominé par le vieillissement et la maladie, Marguerite Yourcenar est comme installée dans le silence. Aussi quand paraît dans le magazine *Gulliver* un article de Patrick de Rosbo extrêmement injurieux pour Grace, est-ce tout un événement, dans cet univers de tisanes. Il est vrai que les propos de Patrick de Rosbo sont plus que désagréables.

Le journaliste, on s'en souvient, s'était rendu à Mont-Désert en septembre 1970. La longue relation intitulée « Huit jours de purgatoire avec Marguerite Yourcenar », rend compte des multiples malentendus et frustrations dont il s'est senti victime lors de son séjour. Sous la plume de Patrick de Rosbo, Grace apparaît tel un cerbère malfaisant, au sexe indéterminé : « J'aperçois un petit visage osseux. Tête réduite ? Momie de Ramsès II ? Le cheveu gris, rare et en désordre, m'évoque tout de suite un vieux monsieur petit et très maigre, aux traits émaciés, une sœur très aînée de Nathalie Sarraute, une femme peintre des années vingt, un peu aussi la petite dame de Gide. J'hésite sur le sexe. » Ou encore : « Miss F... surgit de sa voiture, institutrice anglaise, sœur de Bismarck ; les yeux bleus, pâles et globuleux, surprennent par leur vigilance dénuée de la plus mince parcelle de bonté, squelette hermaphrodite, Cocteau en jupons, faciès médiéval inventé par Pasolini, sur le point de brûler quelque hérétique... » Grace – soucieuse que Marguerite ne se fatigue pas outre mesure – avait fixé des consignes très strictes pour la durée des entretiens, ce qui exaspéra

Rosbo : « À cinq heures exactement, surgissait de la cuisine la silhouette osseuse de celle que je serais tenté de nommer, peut-être, la Confidente, cette expression se justifiant par la présence fréquente, ou même quasi constante, de Miss F... aux heures où il m'était permis de voir la romancière. » Comme l'entretien n'était pas achevé, « Grace repartait, d'une mine assez revêche, sans sourire, chuchotant quelques mots d'un anglais inimitable – grisaille retournée à la grisaille ». À l'occasion d'une autre séance, il formule sa gêne de ce que Marguerite Yourcenar ne cesse de consulter Grace du regard : « Je ne saurais avoir mes yeux hors des yeux de Grace », lui aurait-elle répondu. « Loin de s'assouplir, nos échanges, pris sous le feu tenace, efficace, de cette anguleuse déesse de la Discorde, se guindaient à vue d'œil. Le contraste était frappant entre les rares moments où il nous était donné d'être seuls – instants presque d'abandon et où je pouvais enfin espérer être écouté sans scandale – et ceux hélas plus fréquents où, la Confidente revenue tout environnée du bruissement des flèches et du souffle des balles, la rigidité et la méfiance étaient alors à nouveau de rigueur [5]. »

Marguerite Yourcenar, qui a toujours eu la goujaterie en horreur et qui est, on le conçoit, violemment choquée par ce portrait-charge, dicte à Charles Orengo une lettre pour Pierre Belfond, directeur de la publication de *Gulliver*. Outre que le portrait fait de Grace Frick est absolument ignoble, explique-t-elle, toutes les affirmations de Patrick de Rosbo sont erronées : la voiture de location, le pamphlet anticatholique qu'elle aurait en préparation, les objets qu'il décrit. Bref, il n'y a dans les propos de M. de Rosbo, conclut-elle, « ni exactitude, ni véracité, ni décence, ni bienséance ».

« Il y a là, c'est vrai, un mélange de bassesse et de folie extraordinaire », commente-t-elle dans la lettre qu'elle envoie à l'une de ses amies. « Dans ce *Gulliver*, toutes les conversations sont inventées de toutes pièces. Il y a là un cas extraordinaire d'imagination délirante. » « C'est une assez plate histoire », explique-t-elle. « En 1969 (...) j'ai demandé à Gallimard (qui n'avait pas d'autre nom à proposer) de lui laisser faire un travail de moins d'une centaine de pages sur moi dans une collection « d'écrivains contemporains ». Les projets soumis par Rosbo dans l'année qui suivit durent être refusés ; ils étaient aussi fous que sa description de Northeast Harbor, mais dans le sens de l'adulation, et j'avais vainement correspondu avec lui pour essayer de clarifier ou de simplifier (...) Quelques mois avant la mort du projet, il m'annonça sa visite (non sollicitée) à Northeast Harbor pour prendre une série d'entretiens radiophoniques. Ce séjour prévu par lui pour quinze jours, que je réussis avec quelque effort à réduire à huit, tombait très mal pour moi dans une période de travail. Ce n'est pas la faute de Rosbo, si à la suite de meurtrissures causées par une chute on m'avait fait d'urgence une biopsie des deux seins (...) ; mais c'est sa faute, ayant appris à l'arrivée (on n'avait pu l'avertir plus tôt) que je n'étais rentrée de clinique que depuis deux jours, et assez affaiblie par cette opération, s'il persista pourtant à s'imposer. C'est ce qui explique l'animosité pour Grâce Frick qui s'efforçait de me défendre, sachant que je n'avais pas la force de le faire moi-même, et tentait de réduire un peu ces interminables visites journalières. La pauvre Grâce, dont le charmant vieux traducteur hollandais de mes livres disait si bien " qu'il avait cru voir en elle le visage même de la fidélité "... »

Dont acte pour la « pauvre Grâce ». Après quoi Marguerite revient à l'essentiel, c'est-à-dire son œuvre :

> « Je trouve que les *Entretiens radio-phoniques* sont tout de même un livre utile pour les gens, s'il en est, qui ont envie de creuser un peu mes ouvrages. J'ai beaucoup remanié, beaucoup ajouté sur épreuves. J'avais tâché de mon mieux de faire changer à l'interlocuteur le libellé de certaines questions, si vagues qu'il était difficile d'y répondre avec un peu de clarté, et beaucoup d'autres me semblaient à peine mériter d'être faites (mais c'est souvent ainsi) ; tout de même, cela m'a donné l'occasion de dire certaines choses sur mon œuvre que je n'aurais sûrement pas dites autrement [6]. »

Un an plus tard, Patrick de Rosbo revient à la charge, déversant cette fois-ci son amertume sur Marguerite Yourcenar :

> « J'ai déjà écrit, en d'autres circonstances, que ce séjour à Northeast Harbor fut pour moi un Purgatoire et je ne me dédis pas (...) Je ne reprends pas aujourd'hui sans appré-hension (du moins en pensée : je cours moins de risques) le chemin de l'État du Maine. Ce n'est pas sans raison que j'ai comparé l'écrivain à une forteresse franque pour la massive et superbe façon qu'elle a de vous ignorer, mais aussi pour les multiples et imperceptibles lézardes qui sillonnent ses murailles. (...) Yourcenar, altière, son béret, mi-écossais, mi-parachutiste, cachant à demi son profil de déesse guerrière, la narine que-relleuse, l'ample pèlerine volant au vent de la mer. (...) J'ai dit ailleurs que Marguerite Yourcenar veut être à la fois interdite et reconnue, découverte par l'intelligence, et

inaccessible à l'âme. Que ceux qui vont à sa rencontre éprouvent sa culture, interrogent sa pensée, et la méditation qui la prolonge : elle ne s'y opposera pas, le souhaitera même. Mais les ponts-levis se lèvent très vite à la seconde où l'on prétend s'immiscer à l'intérieur de ce Port-Royal, de ce Montségur. On sent bien alors que la violence, ou le mépris, jusque-là maîtrisés, n'attendent qu'un claquement de doigts pour faire irruption sur ce visage aux aguets (...) Se saisir de tout. Tout maîtriser. N'être jamais pris en défaut et au défaut de soi-même : quelle liberté attendre, dans ces conditions, d'un dialogue qui se veut spontané ? (...) Le rayonnement d'une œuvre exemplaire n'empêche pas qu'on juge parfois inutile, ou monocorde, la sérénité orgueilleuse de ses bulletins de victoire [7]. »

Pendant cette période, et jusqu'en 1979, c'est surtout dans les lettres à Jeanne Carayon que s'expriment les réflexions de Marguerite Yourcenar. Sur ses lectures, sur le vieillissement, sur les auteurs qu'elles aiment en commun. C'est le cas, en particulier de Montherlant, qu'elle évoque à de multiples reprises. En 1973, commentant un texte de Gabriel Matzneff, qui a dispersé les cendres de Montherlant à Rome, sur le Forum, elle précise : « même si ce personnage * se croit sincèrement (sait-on jamais ?) fils de l'écrivain, ce n'est pas à lui d'essayer de le faire proclamer, du moment que Montherlant lui-même n'a pas fait le nécessaire [8] ». Elle reproche à Montherlant ces « caricatures de funérailles antiques, qui font l'effet, non pas même d'un mauvais film, mais d'une mauvaise bande dessinée », « ses besoins compulsifs » de parler de sa vie privée, doublés

* Il s'agit de Jean-Claude Barat, héritier et exécuteur testamentaire de Montherlant.

de « la terreur d'en dire trop ». « En matière de vie privée, affirme-t-elle, il faut, ou bien dire tout fermement
et sans équivoque possible, ou au contraire ne rien dire
du tout [9]. » Cela évidemment n'altère en rien l'admiration qu'elle porte à une partie de l'œuvre de Montherlant. Pas plus que son jugement sur les textes qui lui
sont « odieux » : « je ne suis que trop sensible, chez ce
grand écrivain, à des coins de brutalité obtuse et grossière ; on dirait que par moments un sous-lieutenant
qui se veut désinvolte prend sa place, et que, par malheur, le substitut l'enchante. Il est extraordinaire
qu'un homme qui a si hautement et si justement protesté contre les bassesses de notre temps ne se soit pas
aperçu qu'il y donnait prise [10] ». « J'en veux à Montherlant d'avoir été si inférieur à sa propre grandeur [11]. »

C'est dans une autre lettre qu'elle commente la vitalité amoureuse de certains, même âgés ; elle cite
« Hugo, Pindare, Goethe, Ninon », et s'interroge sur ce
qu'elle nomme « les octogénaires amoureux » : « tout
de même les personnes âgées, ou parfois très âgées,
des deux sexes, que j'ai vues s'ingénier à obtenir
encore quelques plaisirs d'amour, ou en remâcher
continuellement le souvenir, m'ont toujours paru avoir
oublié qu'il y a un temps pour tout ». On a toujours tort
d'être tellement affirmatif, elle le rappelait elle-même
sans cesse : le jour où, sa vigilance prise en défaut, elle
se laisse aller à cette phrase assez banale et à cette idée
totalement conventionnelle, elle ignore que ce qu'elle
décrit est exactement ce qui va lui arriver. C'est Jeanne
Galzy qui lui avait fait remarquer, un jour qu'elle était
« accusée » d'être trop passionnée : « Pourquoi vous
étonner de tant de passion ? (...) il me paraît que le pouvoir d'aimer, s'il s'attendrit, ne faiblit pas [12]. » Marguerite Yourcenar elle-même avait été plus clairvoyante,
dans sa jeunesse, en mentionnant les désirs érotiques
du vieux Pindare.

Elle n'avait pas encore pris la mesure de tout cela quand elle écrit à Jean Chalon à propos de son *Portrait d'une séductrice*[13], un livre qui retrace le destin de Natalie Barney. Elle se dit en désaccord avec lui pour ce qui concerne « " l'amour " (au sens précis et restreint du mot) », entre Natalie, alors octogénaire, et Gisèle, le dernier amour de l'« Amazone », d'une trentaine d'années plus jeune : « Dans les dernières années de sa vie, l'amour-passion et le plaisir-passion étaient devenus pour notre amie de ces thèmes obsessionnels, légendaires, et, faut-il le dire, quelque peu rabâchés, qu'ils sont aussi pour certains vieux messieurs. Même de son vivant, c'était ce que j'appréciais le moins chez cette femme qui avait tant de qualités et de vertus d'un autre ordre. Il y a un temps pour tout, comme dit l'*Ecclésiaste*, et passé ce temps certaines insistances deviennent consternantes[14]. »

Temps d'écriture, temps de lecture. En dépit de ses réserves sur Montherlant, elle lit et relit – « je relis toujours entier un livre qui en vaut la peine, immédiatement après la première lecture » –, en 1975, les inédits posthumes. À propos du *Fichier parisien*, elle constate « combien Hugo et Montherlant se ressemblent par ce don de délinéer exactement l'actualité ». Dans *Tous feux éteints*, elle s'irrite des « redites » : « Oubli et fatigue de la part de l'écrivain vieilli et malade ? Maladresse des héritiers qui ont retenu, peut-être sans les apercevoir, les redites que l'auteur aurait éliminées ? En tout cas, il y a là une fâcheuse négligence[15]. » En mettant au point le texte du principal ouvrage posthume de Marguerite Yourcenar, *Quoi ? L'Éternité*, Yvon Bernier aurait gagné à connaître cette phrase et à travailler sur le manuscrit plutôt que de publier, dans la dévotion, un texte dont il appartiendra aux chercheurs de dire à quel point son édition première est une « fâcheuse négligence ».

Quoi? *L'Éternité*, justement, elle y pense déjà, alors même que *Souvenirs pieux* n'a pas encore paru. De même qu'elle mentionne, toujours dans sa correspondance avec Jeanne Carayon, des éléments qui appartiennent à *Archives du Nord*, qu'elle est en train d'élaborer. Pour elle cette remontée dans la mémoire familiale n'était qu'un seul geste, une identique manière d'inventer en se souvenant, et constituait un tout, qu'il ne fallait séparer que pour des commodités de composition littéraire. Aux prises avec la figure de Jeanne de Vietinghoff, Marguerite Yourcenar confie à sa correspondante : « Je revois Jeanne de V. en 1924. Elle n'était déjà plus qu'une ombre (...) elle n'a jamais été tout à fait un écrivain. Trop de choses s'interposaient (...) les timidités et les petits raffinements de la femme comme il faut [16]. » « *L'autre devoir*, de Jeanne de V., est un gros roman qui m'a paru nul, même quand je l'ai lu, âgée de vingt-cinq ans », précise Marguerite Yourcenar ultérieurement, à la même correspondante [17]. « Le seul détail qui m'y ait frappée est que Jeanne décrit sa première rencontre avec un homme qui de toute évidence est mon père, parmi les cyprès et les ruines de la villa Adriana. » Or la première rencontre, on le sait, a eu lieu au mariage de Fernande et de M. de Crayencour. « Mais ce décor imaginaire la rapproche curieusement de ma constellation », conclut Marguerite Yourcenar. De curieux « champs magnétiques » entouraient souvent, pour elle, dans toutes les relations affectives, les protagonistes, de ces « hasards objectifs » chers à Breton. On peut compter sur le sens du plaisir littéraire que possède Marguerite Yourcenar pour les perpétuer. Ainsi peut-on imaginer qu'elle a inventé, à cause de ce détail, l'épisode de

Quoi? L'Éternité où Jeanne croit apercevoir Michel de Crayencour à la villa Adriana [18]. Ce n'est bien sûr qu'une hypothèse, mais on ne saurait oublier qu'elle faisait constamment référence à *Quoi? L'Éternité*, pendant qu'elle le rédigeait, comme à un « roman », y désignant par avance la part de fiction qui était d'ailleurs déjà présente dans les deux premiers volumes de la trilogie sans qu'elle ait cru bon d'y insister.

Dans *Souvenirs pieux*, paru au début de 1974, au moment où Grace doit subir une nouvelle opération (le 18 janvier à l'hôpital de Bar Harbor), et où l'on trouve quelques pistes concernant son enfance et son rapport à l'absence de mère, Marguerite Yourcenar ne maîtrise pas encore totalement son procédé de recomposition du passé. Si le livre est passionnant lorsqu'on le relit dans une perspective biographique, à la première lecture, il est plus lourd qu'*Archives du Nord*, et parfois presque fastidieux. Certains portraits d'ancêtres sont trop longs, moins précis que dans *Archives du Nord*. Pourtant, dans la figure d'Octave Pirmez, le grand-oncle maternel de Marguerite Yourcenar, poète et écrivain, Jean Chalon a cru déceler un autoportrait de Marguerite Yourcenar et l'a écrit dans un article publié dans *Elle*, ce qui lui vaut une petite mise au point : « *unum sum et multi in me*, certes », lui écrit Marguerite Yourcenar [19]; « mais ces *multi*-là ne sont pas la même chose que notre petit moi. Et le livre ne contient ni "confessions", ni "aveux", surtout involontaires ». « Il se peut que j'écrive un jour un volume (un seul) sur ma propre vie, ou plutôt sur les personnes que j'ai connues et les événements auxquels j'ai assisté », lui avait-elle déjà précisé [20]. « Si je le fais (Deo volente), je sais d'avance que je n'y jouerai qu'un tout petit rôle. »

Pourtant, d'une manière générale, elle le confiera à

plusieurs reprises, les critiques lui paraissent pour ce livre « intelligentes et d'une chaleur réconfortante ». Elle distingue particulièrement celle de Dominique Aury, « belle comme un poème », parue dans la *N.R.F.* de juillet 1974. Au cours de son analyse, effectivement sensible et pertinente, Dominique Aury précisait : « À la puissance d'évocation, à la tranquille noblesse de pensée qui font la force du livre de Marguerite Yourcenar, à la compassion retenue et constante qui le rend si émouvant, il faut ajouter enfin un trait singulier, si singulier qu'il lui est absolument propre, et à elle seule : c'est qu'elle détruit, sans jamais avoir l'air d'y toucher, les frontières entre les règnes, je veux dire entre le végétal, l'animal et l'humain. Nous sommes tous du même sang (ou de la même glaise). Elle seule ne l'oublie jamais [21]. »

Grace, après son retour de l'hôpital, le 25 janvier 1974, ne prend aucune note sur son agenda pendant des mois. Elle se remet mal et on ne sent la vie reprendre pour elle difficilement son cours qu'à l'été, lorsqu'elle fait état, de nouveau, d'un concert, où elle se rend en compagnie de Marguerite le 23 juillet comme à une représentation théâtrale à Somesville le 1er août. Marguerite, elle, semble surtout vivre par son travail et sa correspondance, particulièrement celle, très suivie on l'a vu, avec Jeanne Carayon. Après avoir lu le discours de réception de Claude Lévi-Strauss à l'Académie française (il remplace Montherlant et est reçu par Caillois), elle le commente pour elle. Elle apprécie le début de ce discours, la comparaison entre la réception à l'Académie et l'initiation dans une société secrète, « d'une tribu quelconque, mais, dit-elle, il file trop l'idée » et la partie sur Montherlant est « terriblement pauvre ». Quant à Caillois, « sa sévère analyse des sciences sociales, avec leur côté incertain et tranchant », lui a beaucoup plu. Pour ce qui concerne l'Académie elle-même, « on hésite, écrit-elle, entre la beauté d'une institution qui dure depuis trois siècles même si les uniformes sont ceux des préfets napoléoniens » et « les intrigues et coups de chapeau que chaque élection représente, cet art du parler pour rien que pratiquent à la fois celui qui reçoit et celui qui est reçu. On est frappé, surtout, par une certaine futilité [22] ».

À partir de l'été de 1974, la médiatisation de Marguerite Yourcenar s'intensifie encore, et ne cessera de s'amplifier jusqu'à sa mort. Le phénomène est d'autant plus visible qu'on est désormais obligé de venir la voir. Elle ne se déplace plus. Ainsi se succèdent Radio Canada à la fin août, la télévision belge du 7 au 14 septembre. Du 26 au 30 septembre, Gisèle Freund vient photographier Marguerite Yourcenar. On peut comprendre que Grace, toujours souffrante même si elle n'en dit rien, supporte mal ces intrusions, la quasi-invasion de ce qui a toujours été son territoire, le lieu de sa possession – pour autant que Marguerite ait pu jamais lui appartenir. Si Marguerite lui échappe en ce lieu-là, elle lui échappe totalement. Elle ne peut donc voir les visites que d'un mauvais œil. Comme elle doit regarder sans plaisir les relations chaleureuses que Marguerite entretient avec certains journalistes parisiens, notamment avec Matthieu Galey de *L'Express* – qui avait fait le voyage de Petite Plaisance dès l'automne 1971 –, et auquel elle fait comme des confidences de petite fille : « les pommes ont bien donné. Dessert aux pommes trois jours sur quatre jusqu'au Nouvel an. C'est un peu monotone mais on en est très fier [23] ».

Comme par hasard, après la sortie de *Souvenirs*

pieux, extrêmement bien accueilli, après l'attribution du Grand Prix national de la culture, après toutes ces visites, signes de l'intérêt croissant que tout le monde francophone lui porte, Marguerite Yourcenar écrit à son ami Jacques Kayaloff le 17 décembre : « je vais beaucoup mieux que l'an dernier », qu'elle corrige immédiatement d'un « mais mes forces deviennent décidément plus limitées et ne restent tout à fait " reliable " [fiables] qu'à la table de travail [24] ». Elle a soixante et onze ans : quand on sait comment, à quatre-vingt-quatre ans, elle arpentait la planète, on peut mesurer ce qu'avaient de psychologique de tels propos...

Charles Orengo, malade d'un cancer, ne survit pas à l'année 1974. Avec sa mort, à l'âge de soixante et un ans, « c'est une amitié de 23 ans qui finit, l'espace entre *Hadrien* et *Souvenirs pieux* ». Étrange amitié. Orengo, dont son amie Anne Quellennec – seule survivante, à quatre-vingt-quatorze ans, de ceux qui ont rencontré Marguerite Yourcenar avant même la publication d'*Alexis* – dit encore aujourd'hui quelle admiration il portait à un écrivain qu'il considérait comme « l'un des grands esprits de ce siècle », a eu une correspondance régulière, pendant plus de vingt ans, avec Marguerite Yourcenar. Il l'a toujours soutenue, aidée, conseillée dans ses relations avec ses éditeurs, quels que fussent les aléas de sa propre carrière éditoriale. Et pourtant, dans le gros dossier déposé à Harvard qui rassemble ses lettres et celles de Marguerite Yourcenar, on trouve beaucoup plus la trace d'une relation professionnelle et utilitaire que d'une véritable amitié. Marguerite Yourcenar aurait-elle retiré ce qu'elle jugeait incompatible avec l'image qu'elle voulait donner d'elle, comme elle l'a fait pour ses lettres à Jacques Kayaloff ? C'est tout à fait possible. Reste que dans

535

chaque lettre à Jacques Kayaloff, même la plus anodine, on sent une chaleur qui n'est jamais perceptible
dans les échanges avec Orengo. Peut-être parce que,
Jacques Kayaloff l'ayant connue et aidée au temps de
ses « années noires », il en demeurait à jamais un lien
différent.

Avec Charles Orengo, Marguerite Yourcenar n'a pas
la liberté de parole, le plaisir de dire l'anodin, la rassurante banalité quotidienne qu'elle a avec Jeanne
Carayon, avec sa traductrice italienne Lidia Storoni, et
quelques autres. Toujours des femmes, force est de le
constater. Comme si, venue du gynécée et du harem, il
existait une ancestrale tradition des conversations de
femmes à laquelle on n'échappe jamais tout à fait. Marguerite Yourcenar, qui récusait cette forme de « clô-
ture », qui pensait pouvoir étendre à l'infini le champ
de sa liberté, aurait détesté qu'on fît une telle observation. Et pourtant...

C'est toujours à des femmes – peut-être aussi parce
que celles-ci se confiaient à elle, ce qui demeure un
signe de la même tradition – qu'elle parlait, par
exemple, du vieillissement : « Oserai-je vous demander
de ne pas trop penser à la vieillesse, écrit-elle à Jeanne
Carayon ; je n'ai jamais cru que l'âge était un critère. Je
ne me sentais pas particulièrement " jeune " il y a cinquante ans (j'aimais beaucoup, vers ma vingtième
année, la compagnie des vieilles gens) et je ne me sens
pas " vieille " aujourd'hui. Mon âge change (et a toujours changé) d'heure en heure. Dans les moments de
fatigue j'ai dix siècles ; dans les moments de travail quarante ans ; au jardin avec le chien j'ai l'impression
d'avoir quatre ans [25]. »

Pendant toute l'année 1975, Marguerite Yourcenar
travaille à *Archives du Nord* – qui s'intitule encore
alors *Le Labyrinthe du Monde*, titre que Marguerite

donnera finalement à la trilogie familiale – et prépare ce qui deviendra *Quoi? L'Éternité*. En témoignent ses demandes de recherches à Jeanne Carayon, et sa correspondance avec son demi-neveu Georges de Crayencour. Mais Grace n'en dit rien. À la fin du mois de septembre, elles ont la visite, pour quelques jours, de Mme Denise Lelarge, une amie de Georges de Crayencour qui l'a aidé dans la constitution de la documentation pour *Archives du Nord*. Grace ne fait, là non plus, aucun commentaire lié au travail littéraire de Marguerite.

Toutes ces années sont aussi celles de la disparition d'amis, complices d'une époque ou interlocuteurs intellectuels privilégiés. En février 1972, c'était celle de Natalie Barney, l' « Amazone » de l'hôtel particulier de la rue Jacob, rencontrée dans le Paris des années cinquante : « J'avais déjà l'impression d'une ombre légère et charmante qui s'attardait parmi nous. La voilà entrée pour de bon dans son royaume et sa légende déjà commencée », écrira-t-elle à Jean Chalon[26]. Après la mort de Charles Orengo, c'est celle, en novembre 1975, du philosophe et éditeur Jacques Masui (entre autres directeur de la revue *Hermès*), avec lequel Marguerite échangeait une correspondance suivie, surtout depuis le début de la décennie, alors qu'il dirigeait une collection de « Documents spirituels » chez Fayard[27]. « La mort de Masui a été pour moi une grande perte, écrira-t-elle à leur ami commun, Gabriel Germain. Nous étions amicalement liés; il avait même passé ici quelques journées dont le souvenir m'est cher. Je ne connaissais pas sa femme, mais son geste final m'émeut [elle s'est suicidée le lendemain de la mort de son mari]. Ce n'est pas seulement pour nous que sa disparition est une lacune qu'on ne comblera pas, mais aussi pour les études dont nous nous occupons.

537

L'effroyable baisse de la culture m'effraie. Il était une admirable exception [28]. » Gabriel Germain, dont Marguerite Yourcenar avait particulièrement apprécié *Le Regard intérieur*, disparaîtra trois ans plus tard, en octobre 1978...

Quand elle apprend, en septembre 1975, par leur ami commun Nico Calas (mort en janvier 1989 à New York), la mort d'André Embiricos, Marguerite Yourcenar, qui a soixante-douze ans, sait qu'elle est définitivement entrée dans cette période de la vie où l'on devient « le survivant », où les ultimes nouvelles qui parviennent des plus vieux amis, parfois presque oubliés, ne sont plus que celles de leur disparition et qu'avec elles resurgit le passé au moment même où il devient radicalement Le Passé, puisqu'il perd ses acteurs et ses témoins. André Embiricos « emporte avec lui une bonne part de notre vie passée, dont il était inséparable, écrit-elle à Nico Calas [29]. Je l'aimais beaucoup, en dépit du fait que je ne l'avais pas revu depuis 1939 et qu'il avait, semble-t-il, depuis, refusé tout contact, enfoncé qu'il était dans ses écrits et ses songes à lui (...) Je ne désire pas beaucoup revoir Athènes. Dans tous ces endroits qu'on a aimés, on a un peu l'impression quand on revient d'aller rendre une dernière visite à un ami frappé d'une maladie incurable. (Pour les endroits qu'on n'a pas connus et qu'on aurait voulu voir on se dit parfois qu'il n'est pas trop tard (Inde, Japon, Égypte).) »

L'aveu du désir de ces pays « qu'on aurait voulu voir » et dont « on se dit parfois qu'il n'est pas trop tard » porte en lui la terrible confession d'une attente : celle de la mort de Grace. Marguerite Yourcenar ne peut plus cacher que sa « " vie immobile " ressemble à celle de Zénon à Bruges, bouillonnant sur place ; et il y a des moments où, comme lui, je ne parviens plus à calculer exactement les dérives [30] ». Au fond, rien ne pourrait lui faire perdre l'envie de vivre. Elle sait que « ce que les astrologues appellent " la fin des choses " est proche » et « qu'il finit par y avoir en nous quelque chose qui dit " cela suffit ". Mais en dépit de l'immense tristesse du monde (...) ce miracle de sensibilité et de lucidité qu'est la vie me semble devoir être vécu jusqu'au bout sans découragement, et avec une sorte de confiance. On glisse si facilement de l'acquiescement sage et serein à tout ce qui est possible, ou un jour ou l'autre inévitable, à un consentement trop facile [31] ».

L'agenda de Grace Frick pour 1976 a été, semble-t-il, égaré. Et, curieusement, c'est à cette époque-là que la correspondance de Marguerite Yourcenar, notamment avec Jeanne Carayon, prend de plus en plus la forme d'un journal. Les lettres sont longues, nombreuses, rapprochées dans le temps et concernent de plus en plus la vie au quotidien, incluant les réflexions que l'on se fait, à part soi, sur tel ou tel détail, ou les positions que l'on prend, au jour le jour, sur tel incident ou tel événement. C'est, de plus en plus clairement, le substitut du journal intime que Marguerite Yourcenar ne tient pas. Elle le dit d'ailleurs puisque, selon sa volonté, les « Journaux intimes sous forme de lettres » adressées à Jeanne Carayon datant des années 1979 et 1980 ont été mis sous scellés pour une période de cinquante ans. Elle y note ce qu'elle a besoin de formuler, et que, sans doute, moins que jamais, elle ne veut garder pour elle seule, à un moment où Grace ne « répond » plus. Mais plus largement, on peut se demander si toute la correspondance, si soigneusement archivée, de Marguerite Yourcenar, n'a pas valeur, lue dans sa continuité, de journal. Puisqu'elle gardait tous les doubles de ses lettres, la trace laissée après sa mort en est identique et le rapport à la postérité semblable. La publication en est également possible, si ce n'est qu'elle est entravée par de nombreuses précautions légales. Mais une certaine jubilation de Marguerite Yourcenar à l'idée des complications créées après sa mort, par cette masse de correspondances, n'est certainement pas à exclure...

Ainsi, au cours de l'année 1976, voit-on apparaître, de lettre en lettre, la Marguerite Yourcenar de ce qui allait être la dernière décennie de son existence. Celle qui sacrifie aux rites villageois de Noël et du Nouvel An, « échange de petits cadeaux, biscuits, petits pains et confitures faits à la maison. J'exerce à cette époque mes médiocres talents de boulangère pour la fabrication de petits pains aux raisins, graines de cardamome, etc., galette des rois [32] ». Celle qui soutient le combat de Ralph Nader pour la protection des consommateurs, appartient à une association féminine luttant, entre autres, contre les « aliments frelatés » et se joint à la contestation de la société de consommation qui occupe une partie de la jeunesse, dans le monde entier, depuis le milieu des années soixante. Marguerite Yourcenar se plaint de « ces lugubres supermarchés aux murs ripolinés », avec leur « absence presque totale d'employés, qui élimine les contacts humains, et la musique mécanique coulant comme du sirop de mauvaise qualité. Et ces produits partout pareils, les trusts, les monopoles et l'étranglement de la concurrence finissant par donner aux épiceries capitalistes la même lugubre uniformité qu'aux magasins des États socialistes [33] ».

On la sent s'enfermant dans de menus gestes, essayant de se protéger de ce qui se passe à Petite Plaisance, de la détérioration de l'état de santé de Grace et de la dégradation de leurs relations – qui vont peu à peu devenir à la limite du tolérable –, à la fois repliée sur elle-même et cherchant, à travers sa correspondance, à garder et à accroître le contact avec l'extérieur. Encore ne faut-il peut-être pas se laisser abuser et se souvenir opportunément, pour la méditer, de la phrase d'Henri Michaux dans *Ecuador* : « Quand je songe qu'il y a deux ou trois ânes qui se sont imaginé avoir reconstitué la vie de Rimbaud d'après sa correspondance »...

Dans sa « vie immobile », Marguerite Yourcenar lit et relit. Montherlant, toujours, avec un regard très critique, comme si elle voyait en lui un adversaire privilégié. « Il lui arrive d'esquiver l'essentiel », constate-t-elle [34], et elle poursuit : « C'est de plus en plus une préoccupation chez moi que d'essayer d'évaluer l'œuvre d'un écrivain en tenant compte de tous ses comportements, comme j'ai essayé de le faire pour Cavafy, Mann ou Selma Lagerlöf. Je pense me livrer au même travail sur Mishima, mais en dépit de considérables lectures ne me sens pas arrivée au point où je pourrai même commencer. » Elle fera pourtant ce travail, qui ne sera pas un essai dans un recueil mais un petit livre qui paraîtra en 1981, *Mishima ou la Vision du vide*. L'intérêt qu'elle porte à Mishima va aussi la conduire à entreprendre l'étude de la langue japonaise et à traduire les *Cinq Nô modernes* en 1984. Plus largement, la littérature japonaise lui « paraît l'une des plus grandes », ainsi qu'elle l'a exprimé à l'occasion d'un questionnaire littéraire : « qu'il s'agisse de grands romans comme ceux de Murasaki, de notations poétiques comme celle de Shei Shonagon, de grands poètes du Haiku, comme Bashô et tant d'autres, ou de drames du Nô, que je place à côté du drame grec dans l'héritage humain [35] ». « Quand on me demande quelle est la romancière que j'admire le plus, devait-elle préciser à Matthieu Galey, c'est le nom de Murasaki Shikibu qui me vient aussitôt à l'esprit, avec un respect et une révérence extraordinaires. C'est vraiment le grand écrivain, la très grande romancière japonaise du XIe siècle, c'est-à-dire d'une époque où la civilisation était à son comble au Japon. En somme, c'est le Marcel Proust du Moyen Age nippon : c'est une femme qui a le génie, le sens des variations sociales, de l'amour, du drame humain, de la façon dont les êtres se heurtent à l'impossible. On n'a pas fait mieux, dans aucune littérature [36]. » Dans le *Tour de la Prison*, recueil d'essais et de récits inédits, Marguerite Yourcenar consacrera plusieurs textes aux formes théâtrales japonaises, plus particulièrement le *Nô*, qu'elle souligne avoir découvert très tôt, et dont l'influence se retrouverait dans la pièce en un acte de 1930, *Le Dialogue dans le Marécage* [37] : « Hâtons-nous de redire (on ne le dira jamais assez) que les *Nô* constituent l'un des deux ou trois triomphes du théâtre universel (...) En ce qui me concerne, il m'arrive de penser que ma sensibilité eût été différente, si le hasard ne m'avait fait connaître *Atsumori* et *Sumidagawa* en même temps qu'*Antigone* [38]. »

Elle relit aussi Céline, un peu; elle ne l'aime pas « sauf un petit livre technique publié sous son nom de famille [39] ». La précision est involontairement savoureuse : la référence, à l'époque, à une publication de Céline « sous son nom de famille » conduit à penser qu'il s'agit de *La Quinine en thérapeutique*, seul ouvrage donc à trouver grâce aux yeux de cette impénitente hypocondriaque... En anglais, elle retrouve, comme chaque année, *Far From the Madding Crowd (Loin de la foule déchaînée)* de Thomas Hardy. « J'aime beaucoup relire, confiera-t-elle encore à Matthieu Galey, comme les amateurs de musique aiment à rejouer un même morceau, à faire de nouveau tourner un même disque. Parmi les écrivains de la génération qui a précédé la mienne, je relis beaucoup Hardy, Conrad, Ibsen, Tolstoï... certains Tchekhov, certains Thomas Mann... Et le livre qui a peut-être été relu, sinon le plus souvent, du moins avec le plus grand bénéfice, c'est l'autobiographie de Gāndhī [40]. »

Les préoccupations spirituelles, voire religieuses, qui furent longtemps absentes de son univers mental, la portent désormais vers les sagesses orientales. Elle a déjà lu et relu les textes fondamentaux, mais elle les reprend sans cesse. Marguerite Yourcenar, pour qui « il est toujours dangereux de détenir en exclusivité une vérité ou un Dieu ou une absence de Dieu [41] », n'a jamais souhaité appartenir à telle ou telle confession. Cela dit, sa curiosité intellectuelle, le désir d' « aborder à toutes les aventures humaines » l'ont conduite à une réflexion sur le religieux, comme en témoignent sa longue et riche correspondance avec l'éditeur Jacques Masui et l'helléniste Gabriel Germain. Elle a aussi précisé au critique Michel Aubrion, qui lui a consacré une très longue étude dans la *Revue Générale* belge, au début de ces années soixante-dix :

> « Je sens très fortement dans tout ce que j'écris l'imprégnation d'une préoccupation, et j'oserais presque dire d'une ferveur religieuse qui ne passe si souvent inaperçue que parce qu'elle s'éloigne des formes dans lesquelles préoccupation et ferveur religieuse sont le plus souvent coulées autour de nous, et parce que liée à une sorte de radicalisme de pensée auquel d'ordinaire la religion n'a pas de part [42]. »

De ses investigations, elle a rapidement retracé l'itinéraire dans une lettre adressée à une jeune femme qui avait entrepris une thèse sur l'*Œuvre au Noir* :

« Vous avez parfaitement raison de dire que je ne suis ni cartésienne (je n'ai à tort ou à raison aucun goût pour Descartes), ni stoïcienne au sens populaire du mot (...), les bases ou les harmoniques de ma pensée ont été dès le départ la philosophie grecque (Platon dans mon adolescence, vite dépassé pour les néo-platonistes, et ceux-ci pour les présocratiques), les méditations des upanishads et des sutras, les axiomes taoïstes. Si je n'ai que très discrètement marqué dans mes livres ce plan sur lequel ils se situent, c'est que ce genre de recherches est trop peu pratiqué, surtout en France, pour ne pas donner lieu à un malentendu de plus. L'helléniste Gabriel Germain, l'auteur du très remarquable *Regard intérieur* (Le Seuil), s'est immédiatement aperçu qu'un bon nombre des méditations de Zénon dans *L'Abîme* étaient des exercices de méditation bouddhique (l'eau, le feu, les os, ce dernier plutôt et surtout chamanique) (...). Il n'est pas question d'ailleurs pour moi de rejeter ou de nier l'influence de mes origines chrétiennes, et particulièrement catholiques (...) Je me sens instinctivement moins à l'aise dans le protestantisme, bien que j'aie eu l'occasion d'en constater la grandeur (sans quoi, je n'aurais pu écrire *Fleuve profond, sombre rivière*). Je sens aussi la grandeur de l'Islam. Ce qui me gêne pourtant dans toutes les religions dites abrahamiques, ou définies assez redoutablement comme " le peuple du Livre ", c'est l'intransigeance et le dogmatisme, beaucoup plus poussés qu'ailleurs, et une tendance au littéralisme qui leur a fait sans cesse s'inventer des hérétiques et repousser en marge, quand ce n'est pas de

544

l'autre côté du fossé, leurs mystiques. L'ascète tantrique n'ignore pas que ces dieux qu'il visualise chaque jour plus exactement dans sa cellule, il peut aussi, par un effort de volonté contraire, les dissiper comme le vent dissipe les nuages au ciel. Pour l'esprit européen, ou méditerranéen si vous aimez mieux, le Réel, avec majuscule, a toujours été opposé à l'Imaginaire, et l'imaginaire n'a jamais constitué une puissante portion du réel, ce qu'on perçoit pourtant dès qu'on se livre à l'étude comparée des religions, des mouvements d'idées, et même des opinions politiques (...). C'est moins tel ou tel dogme qui me choque dans le christianisme (car l'idée d'une partie du divin engagé dans la peine humaine me paraît contenir une vérité, ou si voulez, une métaphore admirable) que, si je puis dire, le dogmatisme avec lequel sont traités les dogmes.

Quant à la pensée juive (...) je ne l'ai connue que très tard, et seulement quand je me suis aperçue qu'elle avait agi (il est vrai dans sa forme dissidente) comme un ferment sur un très grand nombre d'esprits en Occident (...). Personnellement, j'ai trouvé dans la Cabbale des éclairs sublimes, mais aussi beaucoup de fatras, une superstition numérologique poussée encore plus loin qu'ailleurs (disons obsession si le mot superstition est par trop désobligeant), cet élément de repliement sur soi et d'involution qui me semble avoir souvent caractérisé la pensée juive, sans doute du fait des conditions du judaïsme au Moyen Age [43]. »

Dans ses entretiens comme dans sa correspondance, Marguerite Yourcenar a par ailleurs maintes fois souligné son goût prononcé pour les rites, ainsi que son hostilité pour l'intolérance et le dogmatisme : « J'en veux terriblement à la religion telle qu'on nous l'a enseignée d'avoir à ce point faussé et desséché Dieu [44] », écrivait-elle à Jeanne Carayon. Mise en cause qu'elle reprend et développe dans une lettre – où elle exprime, par ailleurs, longuement son regret de la « modernisation » de l'Église –, adressée au Père Yves de Gibon en 1976 :

> « Oserait-on parler d'une sclérose de dogme, qui communique de moins en moins avec les pouvoirs de l'imagination, et de ce qu'il faut bien appeler l'âme humaine ? Je crains que oui. De toutes les grandes religions, le christianisme, et le catholicisme en particulier, me paraît la plus encombrée de dogmes. (L'Islam n'a pas défendu le sien avec moins d'inflexibilité, mais son dogmatisme est beaucoup plus simple.) Un bouddhiste peut méditer à l'infini sur la *bouddhéité* (...). Le catholicisme, au contraire, a insisté de plus en plus sur la littéralité des dogmes. On pourrait dire qu'il y a un fondamentalisme catholique comme il y a un fondamentalisme protestant (...). D'autre part, je suis toujours très frappée par le fait qu'un Français qui cesse d'être catholique devient quatre-vingt-quinze fois sur cent un " athée " ou un " matérialiste " au sens le plus primaire du terme. La raideur et l'étroitesse de l'enseignement religieux font les Homais. Non seulement la notion de religion est éliminée une fois pour toutes par ce genre d'esprits, mais une hostilité très nette demeure envers l'Église, et le dialogue ou l'altercation est repris, le cas échéant, au niveau le plus bas [45]. »

Contre ces « cloisonnements » et ces « rigidités », c'est le bouddhisme qui a la faveur de Marguerite

Yourcenar, « car c'est la seule religion qui se soit construit une psychologie vraiment profonde. Avec le sens de l'être et le sens du contraire de l'être ; le sens du passage *, le sens du mal dans l'univers, la douleur, le sens des particules qui composent la personnalité humaine. Ça va très loin sans dépendre d'un dogme. Une réussite très rare [46] ». Enfin, parce qu'elle estime « que se perfectionner est le principal but de vivre [47] », elle n'attend ni solution ni consolation définitives, et c'est encore le bouddhisme qui répond le mieux à cette vision des choses, ainsi qu'elle l'indiquait à Gabriel Germain :

> « Je comprends et je partage votre désir de ne rien perdre du domaine religieux, tant occidental qu'oriental, que nous autres, vivant au XXᵉ siècle, sommes les premiers à avoir pu explorer sur ses deux versants, mais il me semble que ce n'est encore qu'en nous, et presque secrètement, que nous pouvons favoriser le mélange de la charité chrétienne et de la compassion bouddhique, du sentiment stable du divin et du numineux, tel qu'il s'est exprimé dans le shinto, l'orthodoxie et le catholicisme, avec le génie dynamique de l'Inde, et avec la double notion, si grecque, de la dignité de l'homme et des limites de l'homme. (...) Je suis très loin de nier la valeur de l'extraordinaire joie ou calme, extase, intase, ou satori, que peut diffuser en nous la pratique de la vie religieuse, au moins pour une seconde éternelle. Elle n'empêche pas que l'énorme océan des

* Dans les notes préparatoires à *Quoi? L'Éternité*, on voit pourtant combien elle est encore dans l'incertitude, à la fin de sa vie : « Entre la notion hindoue de l'atman, l'errance éternelle, et celle, bouddhique, de l'éternel passage, je ne parviendrai jamais à choisir, tout en sentant que sans doute ces deux notions opposées l'une à l'autre se fondent dans un tout quelque part hors de notre vue. »

maux nous entoure, et que nous y sommes encore, nous les plus libres, au neuf dixièmes submergés (...). Que nous soyons heureux ou non n'a au fond pas d'importance, et c'est l'immense victoire du bouddhisme que d'avoir senti que la libération elle-même n'en a pas, et que de ne pas en avoir est peut-être sa secrète condition pour être. Le seul rapport effectif qui nous soit donné me semble l'admirable énoncé du dernier des Quatre Vœux : " Si innombrables que soient les êtres souffrants dans l'étendue des Trois Mondes... ", qui du reste nous met en présence de notre immense faiblesse. Mais c'est encore ce que l'âme humaine a trouvé de mieux [48]. »

Ces réflexions, et la correspondance abondante qu'elles entraînent, n'empêchent évidemment pas Marguerite Yourcenar de poursuivre son travail proprement littéraire, et c'est sans aucun doute ce qui la tient si alerte. Elle décide, à l'été 1976, de clore *Archives du Nord* car le livre est déjà « bien rempli » et va « jusqu'au picaresque tragique de la vie de Michel ». Elle songe déjà au troisième volume : « l'histoire de Monique [Jeanne de Vietinghoff] que je voudrais beaucoup écrire, mon éveil à moi et le spectacle d'un homme qui vieillit [49] ». Parallèlement à ce travail de création nouvelle et à la mise au point de ses projets, elle continue de relire avec un soin maniaque ses ouvrages réédités, en collection de poche par exemple, et de les corriger pour approcher au plus près de ce qu'elle veut exactement dire *.

C'est aussi pendant l'été 1976 que paraît le dernier

* En relisant *L'Œuvre au Noir* pour sa publication en « Folio », elle corrige, « la souffrance en fut pire » en « la souffrance aurait dû en être pire » et commente : « ce qui n'est pas absolument juste [50] ».

travail de Grace Frick : la traduction de *L'Œuvre au Noir* sous le titre *The Abyss*. Elle a mis dix ans à traduire ce texte, et Roger Straus, l'éditeur américain de Marguerite Yourcenar, se souvient d'avoir à plusieurs reprises supplié celle-ci de prendre un autre traducteur, pour qu'enfin ce roman paraisse aux États-Unis. Elle a toujours refusé, estimant que ce comportement eût été indigne de leur passé commun et insultant à l'égard de Grace, qui voulait croire sinon à sa guérison, du moins à sa survie. De même que, du vivant de Grace, Marguerite Yourcenar a toujours interdit qu'on entreprenne une traduction en anglais d'un quelconque de ses autres textes.

« L'été a été plus encombré que je ne saurais dire », écrit-elle à Georges de Crayencour pour excuser le retard pris dans la correspondance avec son demi-neveu. Les prix relativement bas faits par les compagnies d'aviation aux visiteurs du " Bi-Centenaire " américain ont amené ici toute une série de visiteurs dont la plupart s'étaient invités eux-mêmes, et dont il a fallu pourtant, plus ou moins, s'occuper. Ce serait peu de chose, si d'autres ennuis ou inquiétudes ne se profilaient à l'arrière-plan, la principale inquiétude étant celle que me cause l'état de santé de Grâce, qui a souffert pas mal d'accrocs [51]. »

Cette même année sort à Paris, chez Stock, *Ballade américaine*, le livre d'Elvire de Brissac qui était elle aussi passée par Petite Plaisance pour une conversation avec Marguerite. Ce livre, comme naguère l'article de Patrick de Rosbo dans *Gulliver*, contient un portrait-charge de Grace. À la date de la visite d'Elvire de Brissac, le 1ᵉʳ juillet 1972, Marguerite Yourcenar ajoutera après coup sur l'agenda : « elle rivalise de bassesse avec Rosbo et n'a même pas l'excuse du délire

(Rosbo l'avait) et de s'être vu refuser un essai critique sur moi par Gallimard ». Jean Chalon, qui a écrit pour *Le Figaro* une critique plutôt favorable du livre – sans bien sûr évoquer les propos tenus sur Grace –, se fait vertement tancer dans une lettre. Avec l'élégance et l'humour qu'on lui connaît, il n'a pas cherché à dissimuler ce qui restera comme un parfait exemple de l'art du règlement de compte que possédait Marguerite Yourcenar.

« En fait, lui écrit-elle, la ricanante caricature de Grâce Frick, qui en forme la plus grande partie, fait songer aux gloussements de joie de voyous jetant par terre et piétinant une quelconque passante, avec cette différence, toute à l'honneur des voyous, que ceux-ci d'abord ne s'étaient pas fait inviter chez leur victime. De plus, les voyous courent des risques, et Mademoiselle de Brissac n'en croit pas courir.

L'atmosphère de Paris est certainement bien toxique puisqu'elle vous empêche de sentir ce qu'il y a d'ignoble à insulter publiquement une femme qui s'est toujours tenue en retrait, que le lecteur français ne connaît pas, puisqu'il ignore naturellement ses admirables travaux de traductrice, et dont la seule faute est d'avoir reçu avec sa cordialité habituelle une visiteuse qui prétendait désirer me voir. (...) Que vous ayez fait l'éloge d'un tel ouvrage place évidemment sous un nouveau jour nos rapports, que je croyais amicaux. J'ai tardé à vous écrire, parce que je ne voulais pas paraître le faire sous le coup d'une irritation passagère. Je sens d'ailleurs que cette lettre sera inutile, si vous ne vous rendez pas compte que mon dégoût (c'est malheureusement le seul mot qui convienne) eût été aussi grand si je vous avais vu applaudir à un livre insultant grossièrement une inconnue. »

550

Et Marguerite clôt sa lettre par cette formule « sublime » :

« Croyez à mes sentiments changés [52]. »

Mais ces « sentiments changés » reprendront heureusement, assez rapidement, une tonalité plus amicale. Jusqu'à ce que Jean Chalon dise, avec sa sincérité coutumière, ce qu'il pense d'*Anna, soror*... réédité par Gallimard : un texte « pompier ». Marguerite Yourcenar ne le lui pardonnera pas, ce qui n'est pas à mettre à son crédit.

Toutes ces lettres, ces « divertissements » n'empêchent ni la sensation de confinement, ni la lucidité. Ainsi Marguerite écrit-elle à l'un de ses vieux amis parisiens, Max Heilbronn, traducteur et interprète de russe, et par ailleurs directeur des Galeries Lafayette : « Grâce a été reprise par le mal et en a souffert sans interruption depuis 1972, ce qui explique mon absence d'Europe. Elle continue à lutter avec une énergie étonnante, mais les spécialistes n'offrent plus aucun espoir [53]. » Lucidité cruelle : que l'on songe que Grace continuait d'archiver *toute* la correspondance... On constate aussi la sourde animosité qui grandit entre les deux femmes dans des petites phrases anodines, presque puériles, comme celle-ci, au sujet d'une photo de Marguerite avec la chienne Valentine, prise au moment de la sortie en France de *L'Œuvre au Noir* : « Grâce ne l'aime pas parce qu'elle estime que je tiens Valentine comme une poupée. Moi je l'aime. »

Mais faut-il vraiment voir là de la rancœur et une forme intolérable de mauvais goût, comme certains l'ont dit du dernier volume des mémoires de Simone de Beauvoir, *La Cérémonie des adieux*, où elle parle sans aucun détour de la décrépitude physique et intellectuelle de Sartre, de son incontinence comme de ses

« absences » ? Peut-être pas. Ou peut-être pas seulement. Plutôt le dernier signe, ambigu et déchirant,
d'un amour, le refus absolu de s'annexer l'autre, de lui
confisquer son destin en dissimulant son état. Marguerite Yourcenar et Simone de Beauvoir, de cinq ans sa
cadette, ne se connaissaient pas. Elles étaient pourtant,
dans leur volonté de lucidité, dans leur acharnement à
ne pas maquiller la réalité pour s'en cacher la dureté,
de la même trempe. Et il n'y a aucun hasard dans
l'identique réprobation dont elles sont l'objet de la part
de certains. Elles s'étaient croisées, un jour, dans une
ambassade, se souvenait Marguerite Yourcenar. Elles
ne s'étaient pas ou peu lues. Exilée dans l'espace et
dans le temps, prenant la matière de son œuvre le plus
à l'écart possible de l'actualité, Marguerite Yourcenar
pouvait difficilement attirer l'attention de Simone de
Beauvoir, dont elle prétendait ne pas comprendre la
démarche intellectuelle et littéraire. Elle ne voyait certainement pas à quel point celle-ci avait été la chroniqueuse irremplaçable – pas encore reconnue à son
exacte valeur – d'un milieu d'intellectuels auquel, il est
vrai, Marguerite Yourcenar portait, elle, peu d'intérêt.
   Marguerite Yourcenar avait cependant lu *Le
Deuxième Sexe*, n'étant pas de celles qui pouvaient
méconnaître l'importance d'une telle réflexion théo-
rique. Elle n'a pas fait de commentaire très précis sur
cette lecture, mais une lettre à Suzanne Lilar, à propos
d'un essai de cette dernière intitulé *Le Malentendu du
deuxième sexe*, donne quelques indications : « J'aurais
dû vous écrire au sujet du *Malentendu* immédiatement
après sa lecture, alors que je venais d'enregistrer
chaque passe de votre lutte avec Simone de Beauvoir.
Il m'a semblé parfois que vous faisiez mouche toutes
les deux. En principe, je suis passionnément pour tout
ce qui relève la dignité humaine, donc celle de la

femme. En pratique, je crois qu'on ne peut trop lutter pour obtenir cette égalité de fait, qui, comme vous le montrez très bien à propos des salaires, n'est pas encore atteinte [54]. »

À Petite Plaisance, l'année 1977 sera celle de l'ultime sursaut de vie de Grace, bien qu'elle doive être de nouveau hospitalisée du 6 au 14 février. Dans sa presque déraisonnable volonté, non plus seulement de continuer à survivre, mais de revivre, elle entreprend un nouveau traitement de chimiothérapie, assez épuisant. À son retour, le jour de la Saint-Valentin, elle trouve dans sa chambre une carte, gage d'amour, comme le veut la tradition, beaucoup plus forte aux États-Unis qu'en Europe et à laquelle Marguerite, malgré tout, n'a pas failli.

Bien qu'elle soit contrainte de retourner à l'hôpital du 13 au 21 avril, elle décide, dès sa sortie, de se rendre à un mariage auquel elle avait été conviée, puis de faire un voyage en Alaska. Le plan qu'elle a établi ne saurait souffrir de discussion. Marguerite et elle quitteront Petite Plaisance le 30 mai et seront de retour le 15 juin. Elles sont à Montréal le 31 mai, à Vancouver le 4 juin. Marguerite Yourcenar, quelle que soit sa réserve à l'égard de Grace durant les dernières années de sa propre vie, aimait à raconter ce voyage, non seulement parce que la beauté des paysages l'avait bouleversée, mais parce qu'il constituait à lui seul, sans qu'il fût besoin d'aucun commentaire, un hommage au courage de Grace Frick. « Nous avons fait quatre jours et quatre nuits de train à l'aller, et autant au retour, confiait-elle. Même coupé par deux arrêts sur deux points différents des Rocheuses, c'était éprouvant. Puis notre croisière a duré huit jours, au cœur de la beauté de ces immenses paysages encore inviolés. »

« En parcourant cet archipel d'îles et de promon-
toires surmontés de glaciers et où, le plus souvent, la
forêt descend jusqu'au ras de l'eau, écrivait Marguerite
Yourcenar à Jeanne Carayon en juillet 1977 [55], je me
suis souvent dit que c'était proprement indescriptible
et que seules les visions des poètes offraient çà et là un
équivalent. Rimbaud " j'ai vu des archipels sidéraux et
des îles "; Vigny " libre comme la mer au bord des
sombres îles "... les grands pays muets. Toute la fin du
Voyage de Baudelaire, moins le dernier vers qui
m'irrite toujours, et Hugo chez qui il s'agit moins d'un
vers ou d'un poème en particulier que du sens de la
mer dans toute l'œuvre. Ceux-là ont vu, même ceux qui
n'ont pas vu avec leurs yeux de chair. (...) Ce n'était pas
encore tout à fait ce soleil de minuit que j'ai tant aimé
dans le nord scandinave. Et au point de le donner à
Zénon pour dernière vision et comme symbole
d'immortalité. (...) Un *moose* énorme nageait dans une
rivière très large. » Enfin elle conclut qu'elle
n'oubliera jamais « le grand bruit priméval, pareil à
aucun autre, des glaciers vêlant leur iceberg ».

L'Alaska, Grace et elle le défendront publiquement
aux côtés des écologistes américains, auprès desquels
elles sont engagées depuis longtemps, moralement et
financièrement. Elles appartenaient du reste à de multiples sociétés de protection de la nature à travers le
monde. Si Marguerite a probablement été en ce
domaine beaucoup plus influencée par Grace – « hippy
et écologiste avant la lettre » selon ses amis – qu'elle
n'en convenait, son combat contre les dommages irré-
parables faits à la planète allait de pair avec son pessimisme croissant sur l'action des hommes, leurs relations floues aux notions de présent et d'avenir, leur
impossibilité à se penser, désormais, comme un mail-
lon d'une longue chaîne dont la pérennité doit être

assurée. La réflexion de Marguerite Yourcenar sur l'écologie ne se limitait pas à l'image qu'on en a trop souvent donnée, en filmant complaisamment une vieille dame regardant par la fenêtre les écureuils familiers ou allant remplir les mangeoires pour les oiseaux, dans son jardin, flanquée de son chien. « Je souffre de voir les villes polluées, le bord de mer inondé d'huile, de moins en moins d'espèces animales, précisait-elle à Matthieu Galey. Lorsque l'Italie des Romantiques, l'Italie dont on aimait encore l'image il y a trente ans, n'est plus qu'un mythe, quand on remplace les arbres par des pylônes, on voit un monde qui meurt. Alors je tâche de lutter par toutes sortes de moyens légaux, en assistant les gens qui tentent de protester. Les associations politiques et humanitaires jouent un rôle très considérable dans ma vie. En Amérique et en France j'appartiens à d'innombrables sociétés. J'écris [56], j'envoie des télégrammes (...). Mais je ne suis pas du tout faite, je crois, pour l'action directe. Ce n'est pas simplement en affirmant ses opinions, c'est en montrant un certain angle de vue, une certaine image du monde qu'un écrivain peut se manifester (...). Il faut rester proche de la nature, enfin de tout ce qui relie l'homme à son destin planétaire [57]. »

Grace, après le retour d'Alaska – ce territoire pour lequel elle était prête à mobiliser ses dernières forces –, « n'était plus, au fond que son propre fantôme, même si elle a tout fait pour le cacher jusqu'au bout », confiera bien plus tard Marguerite Yourcenar. Elle, Marguerite, est désormais comme partagée entre deux univers qu'elle n'arrive plus à faire coïncider. Celui de Petite Plaisance, de la maladie et de ses difficultés de tous ordres, et celui de Paris où déjà se prépare ce qui la conduira à être la première femme admise dans une institution dont elles étaient écartées : l'Académie française. L'Académie, précisément, lui attribue en 1977 le Grand Prix de littérature, qui vient récompenser l'ensemble de son œuvre. Grace, qui ne remplit plus guère ses fameux agendas, autrefois trop petits pour contenir, en dépit de son écriture fine et serrée, tous les détails qu'elle voulait y consigner, note toutefois au 30 octobre 1977 : « visite de M. et Mme Dausset, de l'Académie des sciences. Incitent MY à poser sa candidature à l'Académie française. Elle refuse ».

Avec la sortie d'*Archives du Nord* arrive une nouvelle consécration. À propos de « ce livre riche, exubérant, juvénile et passionné [58] », la critique – à quelques exceptions près – est particulièrement enthousiaste, voire dithyrambique : « C'est dru, c'est rond et subtil, sonore et noble, avec parfois un mot rare, cruel, admirablement choisi entre tous les mots possibles, et qui s'enfonce en nous comme une lame », écrit avec jubilation François Nourissier dans *Le Point*. « Cette langue est une des plus belles langues françaises, moins ductile que de l'Aragon, moins voulue que du Montherlant, plus juteuse que du Gracq ou du Mandiargues. Elle possède à la fois le sens de la grandeur et celui du trivial, du familier. On voit mal qui, aujourd'hui, pourrait rivaliser sur ce terrain avec Marguerite Yourcenar. (...) Elle a le sens des violences, des foules, des campagnes glacées comme l'eurent Breughel, Bosch ou Patinir. La plume brûlante et l'œil froid, elle raconte les naissances, les vanités, les agonies, la folie des hommes. C'est cela, un écrivain : non pas n'importe qui *plus* des livres, mais quelqu'un pour qui sa vie et les mots, ses livres et le Temps paraissent consubstantiels [59]. » « Elle crée ainsi un genre neuf où son talent d'écrivain réalise somptueusement l'assomption de la généalogie en littérature », juge Jacqueline Piatier dans

Le Monde. « Marguerite Yourcenar écrit sa Légende des siècles intime et personnelle [60]. » Pour *L'Humanité*, André Wurmser souligne que « l'aristocratie de la phrase, le rythme du récit sont sous-tendus par une philosophie stoïcienne et sceptique, peu soucieuse de prosélytisme », concluant : « Il a été question d'étendre l'égalité des sexes jusqu'à cette institution séculaire qui ignora Mme de Sévigné, George Sand, Marceline et même cette Anna qui pourtant était de Noailles et la grande Colette. L'Académie préférerait, murmure-t-on, Marguerite Yourcenar à quelque ministre. On s'en réjouirait [61]. » Dominique Fernandez émet, lui, des réserves : « D'un écrivain de cette stature, il était permis d'attendre autre chose que cette promenade à fleur de peau. Dès que le père entre en scène, le mode de narration choisi, par petits sondages anecdotiques, manifeste son insuffisance. » Ce qui lui apparaît difficilement admissible, c'est la distance que Marguerite Yourcenar a prise vis-à-vis de Michel de Crayencour : « Passe encore pour le grand-père, dont le premier bal remonte à soixante ans avant sa propre naissance. Mais pour le père, non. Le traiter en étranger, en membre quelconque de l'innombrable *gens*, en atome de poussière tombé par hasard des papiers de famille, en grain de sable ramassé dans les archives du Nord, c'est appauvrir volontairement son récit de toute la tension émotive, électréenne ou autre (je ne suis pas fanatique des complexes), qui fut dans la réalité. Conséquence beaucoup plus grave pour un écrivain, c'est rendre banal son style et bavarder au coin du feu, en vain [62]. » Dominique Fernandez a beau nier être un « fanatique des complexes », son propos « parle tout seul », si l'on ose dire : comment une femme a-t-elle osé ne pas rendre l'hommage chargé de « toute la tension émotive » qu'une fille doit avoir pour son père ?

Marguerite Yourcenar, très satisfaite de ces critiques, se montre tout aussi enchantée de la « merveilleuse lettre de Claude Gallimard au sujet d'*Archives*, pleine d'une chaleureuse compréhension à laquelle on n'ose jamais s'attendre [63] ». « J'ai d'abord été tenté en vous écrivant ici de souligner tout ce qui m'a frappé, mais finalement il y a tant de faits, de détails, de remarques fulgurantes, que j'ai eu surtout l'impression de pénétrer au cœur d'une vérité énoncée avec lucidité et liberté, lui écrit son éditeur. Votre propos est net, sans détour, marqué d'un humour imperturbable. Je suis persuadé qu'il s'agit d'une œuvre extraordinaire, il est possible d'en affronter le prestigieux labyrinthe grâce à la force de l'écriture aussi modeste que superbe de noblesse. Je voulais vous exprimer mon admiration avec sincérité mais avec pudeur ; je n'ai pu m'empêcher de le faire avec tout mon enthousiasme, tant il est rare de rencontrer une telle œuvre [64]. » Marguerite Yourcenar lui répond aussitôt, en tentant de préciser quel fut son projet. « Je m'étais dit qu'il faudrait bien une fois essayer d'évoquer le passé d'une famille, ou plutôt d'un groupe, sans larme au coin de l'œil, sans condescendance amusée cachant çà et là les bouffées de vanité des familles, sans récriminations, embarras, ou exaspération non plus. Rien que ce qu'on sait, et avec le courage de mettre des points d'interrogation quand on ne sait pas. Je ne me rends pas compte si un tel livre peut être ou non une réussite " littéraire ", mais c'était une passionnante expérience humaine à tenter. Que vous l'ayez si vite et si bien perçu me rassure sur le sort de l'ouvrage, et tout simplement me comble [65]. »

Si Marguerite Yourcenar en arrive à trouver des vertus
– surtout littéraires – à un éditeur, Grace a toutes raisons de craindre qu'elle ne soit revenue à l'Europe...
De fait, elle est plus en France, en pensée, qu'auprès de
son amie, pendant toute cette période où l'on parle
beaucoup d'elle et de son livre. Elle envoie, plus que
jamais, des mots de remerciements aux critiques littéraires, dont elle corrige les erreurs, avec, pour une
fois, plus d'humour que d'acrimonie tatillonne. Elle
indique notamment à Georges Frameries, qui a publié
un article très favorable sur *Archives du Nord*, dans
L'Unité [66] : « je n'ai pas 80 ans, mais 74. Six ans, ce n'est
rien et c'est tout un monde ! Et il faut toujours vivre
comme si on allait mourir dans dix minutes ou durer
toujours ». Et elle précise que si six ans lui sont donnés, elle pourra écrire *Quoi ? L'Éternité*, avancer un
peu dans l'étude du sanscrit et du japonais, voyager en
Extrême-Orient, revoir quelques coins d'Europe
qu'elle aime... et « continuer de lutter en faveur de la
protection de la nature, et conséquemment de
l'homme [67] ».

Dès le début de 1977, Marguerite Yourcenar a dû
affronter une expérience pour elle nouvelle et inattendue : la première adaptation cinématographique d'un
de ses livres, en l'espèce *Le Coup de grâce*, réalisée par
le jeune metteur en scène allemand Volker Schlöndorff. Le film est projeté le 1er janvier 1977, au cours
d'une séance privée, au Maine Coast Mall cinema, à
Ellsworth. Le lendemain, Marguerite commence une
longue lettre à Schlöndorff, qui ne sera terminée
qu'une semaine plus tard, et qui constitue une sorte de
réquisitoire contre sa lecture du roman. Tout en expri-
mant son respect pour sa liberté de création, pour son
travail propre de cinéaste, elle émet plus que des
réserves sur ses interprétations, en particulier sur son

traitement des personnages. Toutefois, quand elle précise qu'il y aurait en Éric « une hétérosexualité refou-
lée », on ne saurait guère faire reproche à Schlöndorff
de ne pas l'avoir remarquée à la lecture du roman : ne
faut-il pas savoir que le modèle d'Éric est André Fraigneau, dont Marguerite Yourcenar a été très amoureuse, et savoir à quel point – l'avenir le prouvera –
elle n'a jamais admis d'avoir été rejetée par lui pour
comprendre cette remarque? Elle sera mieux inspirée
quand elle évoquera, des années plus tard, avec André
Delvaux, l'adaptation de *L'Œuvre au Noir*.

Mais elle n'avait guère pris la peine de chercher à
comprendre, à l'époque, ce qui avait pu retenir l'attention de Schlöndorff, dont elle ignorait tout, dans son
roman. Comme elle l'écrit à son ami Joseph Breitbach : « J'ignorais en signant ce contrat que Schlöndorff était, comme vous le dites " engagé dans
l'extrême gauche allemande ". Je ne me sens pas particulièrement de droite, j'aimerais mieux ce que Jean
Schlumberger appelait si bien " le milieu juste ". Mais
ce n'est pas avec les images d'Épinal de la haine qu'on
écrit l'histoire [68]. » Elle insiste pourtant pour que Breitbach garde pour lui les remarques qu'elle fait : « je ne
désire pas nuire à Schlöndorff qui a fait son film
comme il a cru devoir le faire ». Elle ajoute en outre en
post-scriptum qu'elle a remercié Jean-Louis Bory pour
son article du *Nouvel Observateur* « et sa causerie à la
radio très favorables au film. Son enthousiasme prouve
que certains spectateurs peuvent malgré tout retrouver
là quelque chose de ce que j'avais voulu mettre dans le
livre ».

L'information qui lui parvient en avril 1977 sur la
fermeture de l'hôtel de Saint-James et d'Albany à Paris,
est plus anecdotique, certes, mais ajoute à la curieuse
liste des lieux qui se sont « détruits » derrière elle, des

maisons de son enfance à l'Hôtel Wagram. L'immeuble du Saint-James, classé, ne sera pas détruit, mais vendu par appartement *.

Marguerite, selon son habitude, avait laissé là-bas une malle contenant des éditions originales de ses ouvrages d'avant 1939, d'autres livres, des papiers et des revues. Elle les perdra et ne fera sur ce point qu'un rapide commentaire : « il m'est arrivé si souvent dans ma vie de perdre ainsi des objets laissés derrière moi (guerres, soudains départs, absences plus longues qu'on n'y comptait, pour cause de maladie ou tout autre) que j'ai fini par accepter philosophiquement ce genre de malchance [69] ».

En France, croît encore l'intérêt de la presse pour elle, le désir du public de la connaître, attiré qu'il est par sa réputation de « vivre dans une île dont elle ne sort pas » – on ignore alors que cette réclusion n'est en rien volontaire. « Je me rends compte qu'une légende s'est créée autour de ma prétendue solitude – devait-elle noter dans l'un des chapitres des *Yeux ouverts*, justement intitulé " La solitude pour être utile " –, due non à l'appellation de cette île, mais au fait que de tout temps, et même durant mes années de jeunesse, dès qu'il s'agissait de rapports humains durables ou brefs, intermittents ou continus, qui véritablement importaient, j'ai essayé qu'ils restassent dans la pénombre qui sied si bien à l'essentiel. De là, dès qu'on a commencé à prendre la peine de s'occuper de moi, une légende, ou plutôt des légendes. J'ai vu des visiteurs émoustillés arriver ici en s'imaginant que l'île des Monts-Déserts était une Caprée; plus tard, j'en ai vu

* Il subsiste, à cet endroit, un hôtel qui s'appelle toujours le Saint-James, mais qui n'a plus rien de commun avec celui qu'ont connu Marguerite Yourcenar et Grace Frick.

d'autres jeter des regards inquisiteurs sur les bocaux de ma cuisine en y flairant une odeur d'alchimie ou de magie. Et ceux qui... Et celles qui... Mais ces fabulateurs ont leur prix : ils apprennent à l'historien poète à se méfier des ragots de l'histoire [70]. »

Marguerite Yourcenar résiste encore un peu à un comportement – le discours public sur soi – que profondément et sincèrement elle désapprouve. Elle y consentira finalement, non sans en vouloir ensuite à ceux qui, comme Matthieu Galey, en auront été les témoins. En octobre 1977, elle refuse à la chanteuse Hélène Martin la permission de faire un spectacle inspiré par elle et précise : « j'ai horreur de cette espèce d'excitation maladive du public se ruant sur la vie de l'écrivain, comme si celui-ci ou celle-ci n'était pas un homme ou une femme comme les autres. Un écrivain vaut par ses livres. C'est là qu'il faut le chercher – ou plutôt, car il ne s'agit pas de le chercher – chercher les idées qu'il a à donner [71] ». Deux jours plus tard, cependant, Jean Montalbetti et André Matthieu sont là pour faire un entretien radiophonique. Marguerite, comme Grace qui le signale dans son carnet, apprécient « leur intelligence, leur gentillesse et leur sensibilité ». En novembre, ce sera une équipe de la télévision française, venue de Washington D.C. Marguerite Yourcenar sait bien qu'elle a besoin de cette chaleur-là, de cet intérêt-là, de la reconnaissance de son pays, elle qui va bientôt se retrouver seule sur un continent qu'elle n'avait « adopté » que pour Grace. Mais de cela, elle parle le moins possible, car là serait la véritable injure faite à son amie malade, bien plus que d'oser dire à ses correspondants que le cas de Grace est désormais désespéré. À tous les journalistes qui lui demandent quand elle reviendra à Paris, elle répond de manière évasive, tout comme à ceux qui l'incitent à une visite pour le printemps de 1978.

CHAPITRE 5

Le piano refermé

Les années 1978 et 1979 vont être plus encore insup-
portables et « schizophréniques » que les cinq qui
viennent de s'écouler, dans un pénible tête-à-tête. La
maladie de Grace n'est plus qu'une longue agonie et
Marguerite Yourcenar atteint l'aboutissement d'une
carrière d'écrivain : la gloire. Dès le 23 janvier 1978
Claude Gallimard téléphone : on insiste beaucoup
auprès de lui pour qu'il convainque Marguerite Yourcenar de poser sa candidature à l'Académie française.
Elle précise sa position, dont elle ne déviera pas. Elle
ne présentera en aucun cas sa candidature. Cela dit, si
on l'élisait, elle n'aurait pas la grossièreté de refuser.
« Ces messieurs » peuvent faire ce que bon leur
semble. Mais qu'on ne lui demande pas, à elle, de se
soumettre de son propre chef à leurs suffrages.

Que Grace vive – mais elle sait que ce ne sera pas le
cas – ou non, Marguerite lui échappe définitivement.
Ce qu'elle avait tant craint, et depuis si longtemps,
arrive : l'Europe lui reprend la femme qu'elle vénère.
On ne saurait affirmer sans réserve que Grace voit d'un
bon œil cette affaire académique. Bien sûr, assister à la
réception de Marguerite serait comme le couronnement de sa vie, justifiant sa dévotion, son abnégation,

sa foi aveugle en la grandeur de Marguerite Yourcenar. Et, dans ses derniers mois, persuadée qu'elle est de l'élection prochaine, elle ne supporte pas l'idée de manquer la cérémonie. Toutefois, pour Marguerite, devenir « immortelle » est une manière si absolue d'appartenir à la France, donc de s'éloigner d'elle, qu'elle ne saurait en concevoir une joie sans mélange. À cela s'ajoute une douleur physique constante et qui va en s'aggravant, une situation que nul ne pouvait, en France, exactement mesurer à l'époque, tant Marguerite Yourcenar, interviewée, filmée, apparaissait comme sereine, amusée de ce qui lui arrivait, ironique, parfois hautaine, mais jamais accablée.

Or l'atmosphère de Petite Plaisance devenait irrespirable. Ou plutôt, elle le serait devenue si l'exaspération réciproque, proche parfois de la haine, n'avait été contrebalancée par un amour de quarante ans. De part et d'autre. Avec toutes les ambiguïtés, les compromis, les choses jamais dites et d'ailleurs indicibles que suppose un tel nombre d'années passées ensemble. Cet amour, on ne peut pas affirmer qu'il se soit simplement transformé en ressentiment. Même si ce ressentiment a fortement pris le pas sur tout le reste dans les deux dernières années, se révélant dans de médiocres conflits, des refus butés. Ainsi Grace, pendant des mois, avait absolument interdit l'accès au grand placard de sa chambre. Quand il a été ouvert, après sa mort, confiait Marguerite Yourcenar, on y a trouvé des papiers relatifs à des problèmes qui auraient dû être réglés, des factures, des impôts impayés...

Les rares notes prises par Grace sur son agenda le sont d'une écriture défaite. « Ici les choses ne vont qu'à moitié », concède Marguerite dans plusieurs lettres. Mais elle insiste surtout sur l'énergie et le courage de Grace, qui forcent son estime. Elle qui, plus tard, reprochera à Grace d'avoir voulu, « sur la fin, sinon ignorer sa maladie, du moins ne plus la nommer », est si admirative qu'elle devient facilement violente à l'égard des Français lui parlant du silence qu'il conviendrait de faire, auprès des malades, sur le mot de cancer. « Oserai-je vous dire que la politique du silence ne me paraît pas du tout la meilleure, écrit-elle [1]. Je pense qu'on manque de respect en faisant autrement que dire la vérité. Je pense aussi que le malade qui est censé ne pas savoir, mais bien entendu se doute du danger où il est, souffre beaucoup plus dans ses incertitudes que celui qui sait. De plus je ne vois pas comment un malade peut collaborer intelligemment avec son médecin (...) s'il n'est pas entièrement au courant. Enfin, avec toute personne qui a des sentiments religieux ou des opinions philosophiques, il me semble qu'on a le devoir de la laisser se préparer à la mort comme elle l'entend. » Résumant la maladie de Grace Frick, elle conclut : « on a cru la perdre l'an dernier (...) mais depuis, tout en étant toujours très menacée, elle se maintient et fait le meilleur usage des forces qu'elle a. Je suis sûre que ce résultat admirable n'aurait pas été obtenu si on l'avait tenue dans l'ignorance ». Marguerite Yourcenar fustigera toujours cette attitude « très française » du silence, « cette manière assez indigne de confisquer aux gens leur destin ». Sa véhémence, lorsqu'elle se confiait sur ce sujet, était sans doute l'une de ses manières de rendre un hommage posthume à sa compagne.

En réalité, « les choses » ne vont pas du tout, même si Grace décide en juillet d'aller passer deux jours à Boston pour visiter avec Marguerite une exposition sur Pompéi. Ce sera son dernier voyage « d'agrément ». Il se fera en voiture et c'est évidemment Grace qui conduira – il faut quelque six heures pour rejoindre

Boston – puisqu'elle est la seule des deux à savoir conduire... Marguerite sur l'agenda met des xxx à la date du voyage les 7 et 8 juillet 1978, ces signes de ravissement qu'elles avaient l'habitude d'utiliser du temps de leur passion, et qui bientôt réapparaîtront sur les agendas tenus par Marguerite seule, lors de ses voyages avec Jerry Wilson.

Grace, qui par ailleurs s'est fracturé une épaule en mai 1978 en tombant, alors qu'elle essayait de poser la moustiquaire de la cuisine, enchaîne traitement sur traitement. Pour une efficacité relative. On ne parvient pas à endiguer les métastases. Son bras gauche enfle démesurément. Elle doit le bander pour le comprimer et, malgré cela, sur une photo prise par hasard à un moment où elle se retournait, il apparaît comme une protubérance monstrueuse, n'appartenant même plus à son corps. Son torse enfle aussi, et la douleur qui s'ensuit ne lui laissera plus de répit. Sa frénésie de tout contrôler se fixe désormais aussi sur elle-même et elle refuse de démissionner devant la maladie qui l'envahit. Le 3 janvier 1979, elle se rendra seule, en voiture, à Buffalo, dans le nord de l'État de New York, pour suivre un traitement expérimental. Elle reviendra deux semaines plus tard, toujours seule, au volant de la voiture.

Marguerite ne peut pas consentir, même si elle admire sincèrement la force et la dignité de Grace, à faire de cette maladie, de cette mort annoncée, le centre de son existence. « Ma vie immobile date de près de dix ans (1978) », écrit-elle dans ce qui deviendra les *Carnets de notes de « L'Œuvre au Noir »*. Puis : « À certains aspects, " prison " plutôt que " vie immobile " puisqu'il ne dépend plus de moi de franchir la porte ouverte. » Poursuivant sans autre commentaire : « L'obsession de la maladie observée sur autrui [2]. »

Elle commence de préparer « en pensée » dit-elle à Louise de Borchgrave, « le troisième et dernier panneau du triptyque, qui verra " Michel " vieillir. Mais je tiens à me donner un intervalle de réflexion avant de l'écrire [3] ». Elle continue son travail d'écrivain et correspond avec ses amis : « ici les choses ne vont pas très bien, redit-elle en décembre 1978 à Anne Quellennec, j'écris beaucoup, j'achève mon recueil de traductions du grec ancien *La Couronne et la Lyre*, mais quoique Grace soit toujours active et courageuse (trop active, trop courageuse), il y a des problèmes de santé auxquels il va falloir faire face, et sans doute par des médications dangereuses. Pour moi, je vais plus ou moins bien suivant les jours [4] ».

Savoir précisément ce que Marguerite Yourcenar pensait intimement cette année-là n'est pas simple si l'on ne veut pas substituer aux constatations – et aux conséquences qu'on peut raisonnablement en tirer – des interprétations qui tiendraient presque de la fiction. Que furent vraiment les premières visites de Jerry Wilson, ce jeune homme faisant partie d'une équipe de télévision française et qui deviendra son compagnon de voyage? Leur « rencontre » véritable eut-elle vraiment lieu dès son premier séjour? Ce que l'on peut relever, c'est qu' « après coup », les différences d'encre en font foi, après la mort de Grace – et peut-être même après la mort de Jerry Wilson – quand Marguerite Yourcenar a relu les agendas, elle a plié la page de la semaine du 1er mai 1978 et a noté à cette date « Maurice, Jerry ». Grace, elle, avait seulement mentionné au 3 mai : « équipe de télévision ; six personnes », et au 6 : « MY se promène avec eux ». De même Marguerite Yourcenar pliera-t-elle et annotera-t-elle la page de la semaine du 1er novembre de la même année, que

567

Grace avait remplie de manière anodine. 1ᵉʳ novembre
« Maurice Dumay arrive avec son ami Jerry Wilson
pour faire un ajout au film précédent. 3 novembre :
toute une journée de travail avec la télévision. Marguerite doit lire des extraits d'*Archives du Nord* mais elle
perd sa voix en descendant du Mont Cadillac.
4 novembre : départ du réalisateur de télévision et de
son ami photographe Jerry Wilson. » Marguerite Yourcenar dira souvent, plus tard, à quel point Grace avait
apprécié Jerry et se sentait proche de lui parce qu'ils
étaient tous deux originaires du sud des États-Unis – ce
qu'il n'y a pas de raison de mettre en doute a priori.
Mais l'unique commentaire écrit de Grace à propos de
Jerry Wilson indique seulement qu'elle le trouve « gentil garçon », ce qui n'est pas rien lorsqu'on sait à quel
point elle pouvait se montrer peu amène.

Marguerite elle-même ne manquera pas d'écrire à
plusieurs de ses amis pour dire à quel point elle a
trouvé stupide *Le Pays d'où je viens*, l'émission qui lui
a valu la visite de Maurice Dumay et de Jerry Wilson.
Mais curieusement, et à l'encontre de toutes ses habitudes, dans une lettre à son neveu, elle minimise la responsabilité de l'équipe qui est venue à Petite Plaisance,
ce qui ne saurait être chez elle le signe d'une soudaine
indulgence, mais celui d'une déjà grande sympathie.
« J'espère que vous n'aurez pas vu l'émission télévisée
" le Pays d'où je viens " pour laquelle on était venu
m'interroger ici », écrit-elle dans une première lettre.
« Le reste de l'émission, je ne l'ai appris que plus tard,
était d'une vulgarité incroyable. Une dame platinée, un
micro à la main, représentait, paraît-il, la Comtesse de
Flandre, fondatrice de l'hospice Comtesse, dont on
vient de faire un musée [5]. » « Le préposé à ce programme, reprend-elle une semaine plus tard, un
aimable garçon nommé Maurice Dumay, qui est venu

m'interroger ici, ne savait peut-être pas dans quelle séance de caf' conc' on l'entraînait, car il a rencontré pour la première fois à New York, quelques heures avant d'arriver ici, deux quelconques collaborateurs lillois qui l'ont accompagné à Northeast Harbor et n'ont rien dit de ce qui se préparait à Lille. Toutefois, Dumay *aurait dû* savoir en gros ce que les équipes régionales allaient produire, et je m'en veux d'avoir servi d'appeau à ce spectacle de music-hall dont j'ai pu constater la vulgarité par quelques photographies des journaux. L'avis des quelques amis dont Dumay m'avait demandé la liste pour les prévenir, poliment, du passage au petit écran de ce beau programme, est unanimement pareil au vôtre. Un de mes bons amis, peintre [il s'agit d'Elie Grekoff], de sa ferme aux environs de Saumur, m'écrit : " Un océan de crème pâtissière " [6]. »

On entre dans une période de l'existence de Marguerite Yourcenar où il devient encore plus malaisé qu'habituellement de faire la part de ce qui a été exactement et réellement vécu et de ce qui a été recomposé voire imaginé par la suite. Question toute rhétorique pour elle qui, de la figure d'Hadrien à celle de Jeanne de Vietinghoff, du personnage de Zénon à celui de son père, avait « vécu » tout ce qu'elle imaginait, et imaginé beaucoup de ce qu'elle avait vécu. Question moins oiseuse pour le biographe condamné à la confusion ou à des conclusions hasardeuses. Pourtant l'incertitude ne sera peut-être même pas levée en 2037, date à laquelle on ouvrira les documents scellés – on ne voit pas pourquoi la frontière entre le réel et l'imaginaire y serait plus nette que dans toutes les pseudo-« informations » laissées par Marguerite Yourcenar.

Mais s'il est une chose qui ne pourra être contredite,

c'est bien l'horreur, la folie, l'enfer de l'année 1979, préfiguration d'une autre année abominable, 1985. Plus aucun doute n'est possible, Grace Frick se meurt. Plus aucun doute n'est possible, Marguerite Yourcenar est en pleine gloire. Il devient clair que la bataille va être menée pour qu'elle soit la première femme à siéger sous la coupole du Quai Conti. Elle est, paradoxe des paradoxes, l'écrivain à la mode, qui se vend, qui parviendra même à faire acheter à un nombre imposant de lecteurs des « traductions » de poèmes grecs anciens, réunies sous le titre *La Couronne et la Lyre*, gros volume de 480 pages qui paraît en novembre 1979. Il demeure bien hasardeux de nommer traductions ces textes, qui de l'avis des spécialistes, à commencer par Constantin Dimaras – il connaît « l'art de traduire » de Marguerite Yourcenar pour l'avoir pratiqué avec elle à propos de Cavafy –, sont plutôt des adaptations. Des poèmes français librement inspirés de fragments de textes grecs. Textes que Marguerite Yourcenar comprenait, bien sûr : il ne viendrait à l'esprit de personne de prétendre que ce sont des traductions fautives. Mais comme l'explique fort bien Constantin Dimaras, Marguerite Yourcenar n'avait aucun sens de ce que doit être une traduction. Elle amendait très volontiers et très consciemment les textes, marquant sa volonté d'une phrase sans réplique possible : « C'est mieux ainsi. »

Cette anthologie de quelque cent dix poètes – du VIIe siècle avant Jésus-Christ jusqu'au règne de Justinien, vers 520 – a été, pour sa plus grande part, constituée à l'époque de la rédaction des *Mémoires d'Hadrien*, entre 1948 et 1951. « Les traductions de poèmes grecs anciens qu'on va lire ont été composées en grande partie pour mon plaisir, au sens le plus strict du mot, c'est-à-dire sans aucun souci de publication », souligne Marguerite Yourcenar dans sa longue introduction[7]. C'est aussi dans ces pages qu'elle définit la variété de ses choix et explique ses partis pris en matière de traduction : « Il n'y a, certes, de bonne traduction que fidèle, mais il en est des traductions comme des femmes : la fidélité, sans autres vertus, ne suffit pas à les rendre supportables. Sauf les traductions juxtalinéaires, les plus utiles peut-être, qui nous renseignent d'un coup d'œil sur les différences de structure entre deux langages, nulle bonne traduction en prose n'est jamais littérale : l'ordre des mots, la grammaire, la syntaxe, sans parler du tact du traducteur, s'y opposent (...) Qui de nos jours, traduit en vers risque chez nous de passer pour un retardataire ou un fantaisiste », prévient-elle plus loin. C'est pourtant le choix qu'elle a fait et qu'elle justifie longuement. De la même façon qu'interrogée par Matthieu Galey, elle reviendra sur cette nécessité du recours à la versification (à l'alexandrin en particulier) qui s'est imposée pour mieux transposer les rythmes et les incantations de ces pièces anciennes[8].

Par ailleurs, Marguerite continue d'avancer dans la rédaction d'*Un homme obscur*. Depuis qu'elle a survécu à son désespoir d'il y a bien longtemps, des années quarante, rien ne saurait l'empêcher d'écrire. Pourtant, à Petite Plaisance, les journalistes se succèdent : Matthieu Galey, Jacques Chancel, Bernard Pivot, Jean-Paul Kauffmann, pour ne citer que les plus connus. Grace continue de tout surveiller, de faire face aux obligations qu'on a envers des invités, de protéger Marguerite contre les « fatigues » des entretiens, ce qui est tout de même un comble. Qu'elle se montre courtoise ou plutôt désagréable, ses interlocuteurs doivent n'y voir que des particularités de son caractère et non ce qu'elle joue à ce moment-là : une manière de rôle héroïque.

Pourquoi Marguerite Yourcenar accepte-t-elle ce défilé au pire moment pour Grace? Est-ce un pur effet de son égocentrisme? Sans doute pas. Elle veut éviter le face-à-face permanent avec Grace, avec la mort de Grace qui lui est une angoisse profonde, ce qu'elle dira le moins possible, et comme par inadvertance. Par exemple, à la mort de Jacques Kayaloff en 1984, quand elle incitera sa veuve Anya à prendre grand soin d'elle-même : « Maintenant vous tenez le coup, mais vous verrez, c'est après que cela va être difficile », lui dira-t-elle au cours d'une conversation téléphonique. J'ai vu ça avec Grace. Sur le moment c'était presque comme une délivrance, et c'est après... »

Elle a besoin de se rassurer sur ce qui l'attend après la mort de Grace, besoin de sentir cet intérêt, voire cette chaleur qu'on a à son égard dans son pays. Ce qui tendrait à prouver que Jerry Wilson n'a pas pour elle à cette époque une existence qui soit de nature à la réconforter. Elle est – ce qu'elle n'admettra jamais, bien qu'elle parle un jour de son « fardeau de craintes » – au bord de la panique. « Je profite pour vous écrire d'une absence de Grâce, en visite chez son médecin. J'ai l'impression d'être dans un long tunnel très noir », avoue-t-elle dans une lettre qu'elle archive elle-même immédiatement (les indications portées en tête sont de sa main) pour la dissimuler à Grace [9].

La simple lecture de l'agenda de Grace pour cette dernière année de sa vie laisse l'impression d'une sorte de folie dans laquelle ces deux femmes se laissent entraîner, ne maîtrisant plus tout à fait ni l'une ni l'autre la réalité, une folie bien dans la manière de leur première rencontre, même si le tragique en provoque le malaise, la dernière folie qu'elles devaient, à soixante-seize ans, partager et qui confine parfois à l'atroce. Grace écrit d'un même mouvement : « apparition du projet Pivot. La douleur ne me quitte plus ». Ou, au 15 juillet, quatre mois avant sa mort : « la santé de Marguerite me donne du souci. Elle a perdu son bridge dentaire ». Le 15 mai, elle recopie à la main, comme elle l'a toujours fait, une carte de Marguerite à une amie portant ces mots : « Quant à la santé de Grâce, elle n'est pas brillante en ce moment, et surtout, elle souffre beaucoup [10] »...

Pourtant, quand Grace note les visites des uns et des autres, elle donne le sentiment que, de nouveau, rien d'autre que Marguerite, sa santé, son confort, ne compte. Matthieu Galey vient du 12 au 18 février 1979 pour faire les entretiens qui seront la matière de son livre *Les Yeux ouverts*. Ce séjour porte en germe tous les conflits qui surgiront entre Marguerite Yourcenar et lui au moment de la publication du livre. Elle est réellement très fatiguée. Et elle a sans doute un vrai besoin de parler. D'où son impression, plus tard, d'en avoir trop dit, de s'être – devant un interlocuteur intelligent, attentif, qui connaissait fort bien son œuvre, et avec lequel elle se sentait en confiance – « déshabillée ». C'est le mot qu'elle emploiera selon Matthieu Galey, qui le note en 1981 dans son *Journal* et ajoute : « Comme je proteste un peu, " c'est loin du strip-tease " : " je suis très décolletée ". Ce qui l'inquiète, l'énerve, c'est d'avoir été surprise par les circonstances et d'avoir ainsi baissé sa garde à son insu [11]. »

Entre Grace et Matthieu Galey, les relations ne sont pas d'une chaleur extrême, à moins qu'elle n'ait gardé ses récriminations pour son carnet : « il vient tous les jours de 2 à 6 heures de l'après-midi, voire de 2 à 7. Le 16 février MY est obligée de s'arrêter. Elle est trop fatiguée. Elle a un malaise cardiaque et on doit la transporter à l'hôpital. Le 17 février, Galey passe à l'hôpital pour lui dire au revoir. Il apporte une plante. Azalée. Il me raccompagne à la maison, et reste, et reste... Le 18 février Galey revient et insiste pour continuer, à l'hôpital, l'entretien, pour avoir la conclusion. J'appelle Marguerite pour lui demander instamment de le recevoir ce matin et de le réexpédier à Paris. Il reste avec elle une heure et dix minutes avant qu'elle ne se décide à le renvoyer pour de bon ».

Quant à Jean-Paul Kauffmann, avec lui tout se passe mal, comme son article [12] en portera la trace. « J'ai dû le chasser, au bout de cinq heures », dit Grace. En dépit de cela il n'a pas réussi à faire parler Marguerite, qui répondra par écrit, d'une manière assez déplaisante, aux questions supplémentaires qu'il a envoyées puisqu'elle a refusé de le revoir. On trouve dans ces réponses quelques exemples de ces colères froides, certainement moins liées à Jean-Paul Kauffmann lui-même qu'à son propre état du moment, qui la prenaient parfois, la rendant cassante, et même inutilement blessante : « Gardons-nous d'appeler " secrète " toute forme de savoir et de culture à laquelle, par paresse ou par inertie, nous refusons de participer. » « À quoi bon traverser l'océan pour me demander des renseignements sur Samuel Champlain qu'on peut trouver dans les dictionnaires ? À quoi bon traverser l'océan pour me demander combien de chambres a la maison que j'habite ? Ajoutons que le culte de la personnalité est une forme de badauderie qui est de tous les temps mais qui n'a peut-être jamais été aussi répandue qu'aujourd'hui. À quoi jugez-vous qu'une personne que vous ne connaissez pas ne se livre pas tout à fait? Ma personnalité, comme ma maison, est ouverte comme un moulin (...) il n'y a que les sots qui croient au secret et que les faiseurs qui prétendent en avoir [13] » – une phrase singulièrement proche de celle qu'elle mettait sous la plume d'Hadrien : « L'observation des hommes qui s'arrangent le plus souvent pour nous cacher leurs secrets ou pour nous faire croire qu'ils en ont. » On avait déjà eu un exemple de ce ton-là quelques années auparavant dans un échange de lettres avec Georges Wicks qui travaillait sur Natalie Barney. Wicks lui ayant soumis son texte, Marguerite Yourcenar l'avait corrigé et le lui avait indiqué sans excès de courtoisie : « J'ai supprimé les passages me concernant. D'abord parce qu'il est inutile de s'étendre sur moi, ensuite parce que ces lignes prouvent irréfutablement que vous ne savez rien de ce qui me concerne et n'avez pas lu mes livres, ce qui n'est, certes, pas un crime, mais alors pourquoi prétendre définir quelqu'un? Qu'est-ce que "les empereurs romains" (au pluriel) que j'ai "fréquentés dans ma vie littéraire"? Ou encore pourquoi cette description d'une bibliothèque quand vous ne savez pas de quoi elle se compose? Laissons cela [14]. »

Jacques Chancel, en revanche, eut les faveurs de Grace : « toute son équipe, pendant ces deux jours, les 12 et 13 mai, a été charmante et très efficace ». Et Marguerite de commenter : « en m'assurant sans cesse qu'on s'arrêterait quand je le voudrais, Chancel a obtenu de moi dix heures en tout de propos et je ne semble pas m'en trouver mal. Je suis fatiguée seulement de tant de paroles qui me semblent vaines ». À l'évidence, Marguerite Yourcenar se laisse aller à la pose ; elle n'est pas du tout ennuyée de parler, on l'entend très clairement dans ses *Radioscopies* comme on le verra quelques mois plus tard avec Bernard Pivot dans l'*Apostrophes* spécial qui lui est consacré.

« Nous avons eu il y a deux semaines trois jours de radio dirigée par Jacques Chancel, homme aimable, et les techniciens, comme toujours, très gentils. (...) On se demande pourquoi les *media* obligent un écrivain à parler sur tous les sujets, alors que son métier est d'écrire sur quelques-uns. Mais je sens que l'éditeur y tient pour des raisons publicitaires, encore qu'il ait la gentillesse de ne pas m'y obliger. Et surtout quand on vit à l'étranger, on ne peut guère couper tous les ponts (...). Franchement je ne sais pas si cela vaut la peine d'être entendu ou non [15]. »

Avec ces entretiens, Jacques Chancel inaugure une nouvelle formule de son émission. Sollicité pour cette raison par plusieurs journaux, il raconte son séjour dont il a retiré des impressions nettement plus positives que Patrick de Rosbo :

> « Nous avons ainsi enregistré plus de six heures. Nous arrêtant de temps en temps. (...) Elle répondait à mes questions de la même façon qu'elle travaille... très appliquée, très sérieuse, sévère presque. Avec une sorte d'autorité, de supériorité, qu'inconsciemment elle se reconnaît à elle-même. Jamais aucune familiarité, mais nous sentions bien plus, bien mieux que la familiarité dans sa manière de dire bonjour ou de proposer après le travail de marcher jusqu'à la mer, l'océan qu'on voit par la fenêtre. Nous repartions heureux et

je crois qu'elle aussi ne se sentait pas trop
" dérangée " (...) De son côté, Mrs Grace
veillait à ce que les choses se passent au
mieux, nous appelant le soir à l'hôtel pour
savoir si rien ne manquait, avec cette gentillesse attentive dont elle est prodigue.
Certains l'ont qualifiée d'ennuyeuse : non,
elle protège complètement Yourcenar qui
a besoin d'elle. C'est tout. Et c'est ce
dévouement qui est magnifique [16]. »

Lorsque Jacques Chancel l'interrogera sur Grace
Frick, Marguerite Yourcenar, pour la première et
unique fois, en public, ne pourra contenir son émotion. « Je voudrais vous dire combien cette femme
est remarquable, affirme Jacques Chancel. Elle nous
a accueillis, elle s'est occupée de nous... Mais je
crois savoir ce qu'elle représente à vos côtés...
  – Probablement la fidélité; un grand désir de
dévouement. »
  Puis à la question « Si un jour elle devait partir,
vous vous retrouveriez seule? », c'est d'une voix
étouffée que Marguerite Yourcenar répond : « je me
retrouverais seule », avant de se reprendre bien vite
quand Chancel insiste : « Elle est votre famille. –
Elle est ma famille pour le moment... Les choses
durent ce qu'elles peuvent. »
  Au moment de sa diffusion en France, du 11 au
15 juin, la presse se fait largement l'écho de cette
« Radioscopie » nouvelle manière, d'autant qu'on n'a
pas souvent entendu la voix de Marguerite. Dans *Les
Nouvelles Littéraires*, Jérôme Garcin s'étonne : « On
attendait un dialogue feutré, discret, timide, retenu;
on s'aperçoit, en vérité, qu'il n'en est rien : alerte,
vive, rapide, Marguerite Yourcenar attrape au vol
chaque question (...) rappelant volontiers ses souvenirs personnels (...). Bref, l'occasion est bonne de

rompre enfin le mythe installé de cette femme en exil, cloîtrée telle une religieuse sur la côte est des États-Unis, et se refusant aux confessions [17]. »

Plus surprenante encore sera l'*Apostrophes* spéciale que lui consacre Bernard Pivot, avec lequel elle entretient à l'antenne une sorte de complicité ironique. Elle s'amuse, visiblement, avec ce journaliste plein d'enthousiasme, qui l'a lue *, mais s'étonne que la réincarnation d'Hadrien soit une femme vivante et drôle, manifestant dans la rue contre la guerre au Vietnam, ou se moquant de l'excès de sentimentalisme des Français en matière amoureuse. Dans les commentaires de la presse où l'on relève cette complicité et le plaisir évident pris par Marguerite Yourcenar à cette conversation, le poncif sexiste n'est, comme c'est devenu l'habitude, pas absent : « une dame de soixante-seize ans, corpulente, l'œil malicieux, qui manie à la perfection la concordance des temps et des modes et balaie en trois phrases la vieille cendre féministe qu'on ne manque pas de répandre devant sa porte (...) Le secret de la force de cette femme qui sourit et cultive son jardin est sans doute ce pessimisme viril [18] ». Bertrand Poirot-Delpech est, lui, certes, un peu resté sur sa faim mais a goûté la performance, et l'écrit dans *Le Monde* : « En malicieuse qu'elle s'avoue, Yourcenar avait prévenu : à ce jeu de salon, le lieu commun triomphe toujours (...). Reste la visite guidée d'une très grande œuvre. Pivot y excelle (...). Miracle d'intelligence et de sensualité confondues, le visage de Marguerite Yource-

* Dans le numéro de juin 1990 du mensuel *Lire*, Bernard Pivot, évoquant ses souvenirs d' « Apostrophes », se rappelle l'émission spéciale avec Marguerite Yourcenar diffusée en décembre 1979, puis de nouveau au moment de sa mort : « A l'écoute des réponses de Marguerite Yourcenar, de ses mots qui tombaient si justes, de ses phrases pleines, lentes, charnues et cependant gracieuses et ondoyantes, jamais je n'ai autant éprouvé la conviction que je parle mal. »

nar aide à comprendre ce qu'ont de charnel pour l'écrivain l'emploi du subjonctif – ah! ce " bien que je pensasse " ! –, si exquisement naturel – ou la recherche du terme juste [19]. »

Dans la lettre à son demi-neveu, où elle évoquait le passage de l'équipe de Jacques Chancel, Marguerite confie un peu de la situation dramatique de Grace, tout en bouclant ces confidences sur ses propres désagréments physiques : « Les choses ici ne tournent pas très rond. L'état de santé de Grâce s'est plutôt aggravé depuis le début de l'année, et il lui arrive d'éprouver pas mal de souffrances. Mais son énergie n'abdique jamais complètement. Elle a passé une partie de la nuit du samedi et du dimanche à confectionner un grand pain digne du meilleur boulanger. Quant à moi, je me remets lentement de ma longue bronchite, peu secondée par un printemps humide et froid [20]. »

Entre deux appréciations sur les visiteurs de Marguerite et quelques aveux, sans aucun commentaire, de sa douleur, Grace continue de relever, comme elle l'a toujours fait, des détails dérisoires : « l'équipe de Chancel nous a fait le magnifique cadeau d'un radiocassette » ; « le 8 juin, pour l'anniversaire de Marguerite [le dernier qu'elles devaient fêter ensemble] nous avons mangé un gâteau aux fraises et c'est tout ». Ces manies de Grace, qui prêtaient à sourire, ces remarques minuscules et dépourvues d'intérêt, sinon en ce qu'elles dévoilaient du personnage, soudain deviennent presque pathétiques quand on connaît, comme c'est le cas aujourd'hui par le témoignage de DeeDee Wilson, l'envers du décor, cette année-là.

« Mlle Frick vivait dans des douleurs atroces et constantes. Elle avait la poitrine entièrement brûlée par un excès de radiations, la peau à vif. Son état demandait trop de soins pour qu'une seule personne pût les lui administrer. C'est pourquoi son infirmière, Ruth, m'en a parlé, raconte DeeDee Wilson. Moi, j'étais plutôt en froid avec Mlle Frick, non seulement parce qu'elle avait eu des mots avec mon mari, mais parce que j'étais agacée par sa manière de mettre son nez partout et d'abreuver de ses conseils des gens qui ne sollicitaient rien. Toutefois, devant l'embarras de Ruth, j'ai dit que si Mlle Frick en était d'accord, j'acceptais de prendre en charge une part des soins. Quand je suis arrivée à Petite Plaisance, le premier jour, je me sentais un peu mal à l'aise. Gênée, j'ai dit : " Bonjour Mlle Frick. " Elle a seulement répondu : " mon nom est Grace ". De jour en jour, mon admiration devant son courage a grandi. Elle était exemplaire. Les soins que je lui donnais ne soulageaient pas sa douleur et même sur le moment l'aggravaient. Je ne l'ai jamais entendue se plaindre. Encore aujourd'hui, la dignité de cette femme m'émeut. Avec Madame, en revanche, elle était extrêmement dure. Il faut dire que celle-ci, sans mauvaise volonté, faisait tout de travers. D'abord elle n'avait pas eu l'habitude de prendre en charge les travaux domestiques, et encore moins de s'occuper de Grace. Elle aurait voulu lui faire de menus plaisirs, l'inciter à manger, mais elle n'arrivait à rien. Grace n'était animée que de violence et d'une sorte d'obscur ressentiment. Madame, par distraction, par angoisse peut-être, ne manquait jamais d'entrer dans la chambre de la malade au pire moment. Grace alors hurlait " sortez immédiatement de ma chambre. Je vous * ai déjà interdit d'y entrer, surtout quand mon infirmière s'y trouve ".

* On sait qu'en présence de leurs amis anglophones, Marguerite Yourcenar et Grace Frick jugeaient déplacé de s'adresser la parole en français. Mais comme on sait par ailleurs, par le témoignage d'Anne Quellennec notamment, qu'en français Marguerite et Grace jouaient

580

« En redescendant, je trouvais Madame prostrée dans le salon. Désemparée. Dans ces moments-là il n'y avait plus de Marguerite Yourcenar, plus d'écrivain adulé par la femme qui avait choisi de tout faire pour sa gloire. Seulement deux vieilles femmes aux prises avec la souffrance et la mort. »

« Quel qu'en soit le prix en douleur Grace voulait survivre. Elle a tout fait pour cela. Jusqu'au bout. Elle serait même allée au-delà du tolérable si on ne l'en avait dissuadée. Quelques semaines avant sa mort, elle voulait encore se rendre, en voiture, je ne sais où, pour essayer un nouveau traitement expérimental. Je m'en suis alarmée, tant c'était absurde, et j'en ai informé son médecin qui a estimé qu'il était temps de lui parler, de lui faire comprendre que le processus était désormais irréversible. »

« Nous sommes allées toutes ensemble voir le médecin, Madame, Grace et moi. Je me demande si ce n'était pas tout juste huit jours avant sa mort. Le médecin a pris Madame à part pour lui dire que c'était la fin. À Grace, il a tenté de dire qu'il ne fallait plus essayer de traitement, qu'il n'y avait pas d'autre traitement possible que celui qu'on appliquait, mais que tout irait bien, qu'elle ne souffrirait pas.

« Sur le chemin du retour, dans la voiture que je conduisais, Grace n'a pas desserré les dents et affichait un air plus furieux que désespéré. À Petite Plaisance il y a eu ce soir-là une scène assez pénible mais si symbolique de ce qu'était cette personne, qu'il faut, je crois, la raconter, en hommage à sa force de caractère. Grace nous a convoquées, Madame et moi, dans sa chambre.

sans cesse sur le « tu » – réservé à l'évocation des souvenirs, aux moments paisibles – et le « vous », il n'est pas illégitime de traduire « you » de différentes manières, suivant le type de propos que l'on rapporte.

Elle était assise sur son lit, appuyée sur ses oreillers et elle nous a crié, en anglais bien sûr, car Grace et Madame ne parlaient jamais en français devant moi :

« – Eh bien, ça y est ! je suis mourante.

« – Je sais, a dit doucement Madame, déclenchant la colère de Grace.

« – Comment savez-vous ?

« – Le docteur me l'a dit.

« – Et vous ne m'en avez pas avertie immédiatement ? Comment osez-vous ? C'est indigne...

« Grace s'intoxiquait de sa propre colère, Madame laissait passer la tempête mais accusait le coup. J'ai pensé qu'il était temps d'intervenir et que mon métier d'infirmière, donc de " technicienne ", m'autorisait à prendre la parole. Je me suis montrée, pour la première fois depuis que je la soignais, assez sèche avec Grace.

« – Écoutez, vous ne vous sentez pas différente d'hier, ni d'il y a deux jours. Et vous ne serez pas différente demain. Alors cessez ce comportement et ces cris, voulez-vous. Et puis, puisque vous avez toujours voulu tout tenir en main, tout contrôler, on va voir comment, maintenant, vous allez prendre " ça " en main.

« Je m'étonnais moi-même. Mais je n'avais pas supporté l'immense et soudaine violence de cette femme si digne par ailleurs, à propos d'une mort si proche et si évidente qu'on l'y aurait crue, à soixante-seize ans, résignée. À partir de ce jour-là, il n'a plus jamais été question de la mort prochaine de Grace. La situation s'est dégradée de jour en jour. On administrait des médicaments contre la douleur. Il n'y avait rien d'autre à faire.

« À partir du 11 novembre, Grace a eu besoin d'être aidée par de l'oxygène. Vers le 15, elle n'était plus

582

consciente, mais comme elle se plaignait dans son semi-coma, nous avons continué de lui donner des calmants. Madame était silencieuse et très présente. Le 18 novembre je l'ai avertie qu'on approchait de la fin. » C'est là, dans l'après-midi, que Marguerite Yourcenar a fait jouer au chevet de Grace la petite boîte à musique dont elle parle dans ses entretiens avec Matthieu Galey : « l'humble petite boîte à musique suisse, qui joue pianissimo une ariette de Haydn, et que j'ai fait marcher au chevet de Grace, une heure avant sa mort, au moment où les contacts et les paroles ne l'atteignaient plus [21] ».

« Il y avait dans tout cela une infinie douceur, ajoute DeeDee, celle d'une femme pour une autre qu'elle avait auprès d'elle depuis quarante ans, celle d'une femme qui accomplit le geste de millions de femmes avant elle : accompagner à la mort. Grace est morte pacifiquement, presque imperceptiblement. Il était neuf heures du soir, précises. Madame m'a interrogée d'un air incrédule.

« – Est-ce fini ?

« – Oui.

« – En êtes-vous sûre ?

« – Oui.

« Alors elle s'est approchée de la fenêtre, l'a ouverte en grand en disant quelque chose comme : " Je ne sais pas... mais on dit qu'il faut laisser l'esprit s'échapper librement "...

« À ce moment précis le téléphone a sonné. Madame est allée répondre et est revenue affolée. C'était le frère de Grace qui venait aux nouvelles. Je lui ai dit de répondre qu'elle était au plus mal et qu'on le rappellerait très vite. Ce soir-là, Marguerite Yourcenar ne ressemblait plus du tout à l'écrivain célèbre et à la personne sûre de ses choix et de sa vie que les Français venaient de découvrir à la radio et à la télévision. Elle ne ressemblait pas non plus à la femme parfois trop exigeante et volontiers agressive que j'ai connue dans sa vieillesse. Elle faisait simplement peine à voir. »

Le soir même, Marguerite Yourcenar a repris la tradition des notes sur l'agenda de Grace, qui devenait le sien.

« 18 novembre : à neuf heures du soir mort de GF. XXX Belle journée ensoleillée. Préparée par Ruth, DeeDee et moi pour l'incinération. Vers onze heures et demie du soir, on l'emmène sur une civière. Je l'accompagne jusqu'au camion automobile à la lumière merveilleuse des étoiles.

« 19-20 novembre : rangements, visites, téléphones.

« 21 novembre : incinération à Bangor.

« 22 novembre : chez des amis, un repas de Thanksgiving dans l'intimité.

« 23 novembre : Ruth, DeeDee et moi au cimetière. »

Suit le récit de la mise en terre des cendres de Grace, mais l'écriture de Marguerite Yourcenar est, là, aussi peu lisible qu'elle le sera dans les dernières semaines de sa propre vie : « Toni a ouvert avec sa pelle le trou carré semblable à celui où l'on mettrait un arbre. Versé le contenu d'un grand vase de feuilles, de roses sèches au fond, et un peu de lavande. Puis versé (et touché) les cendres dans un très doré vieux panier indien doublé par moi de deux écharpes de soie brune [passage illisible]. Enveloppé le tout dans son écharpe de laine brune. DeeDee et Ruth ajoutent quelques brins de fleurs. Puis la terre est proprement refermée et la dalle mise en place. »

Le lundi 26 novembre, un service religieux à la mémoire de Grace Frick a eu lieu à l'église de l'Union de Northeast Harbor. Celui de Marguerite Yourcenar, plus de huit ans plus tard, en sera la réplique exacte. On y lira les mêmes textes.

« Ce service funèbre m'a impressionnée, se souvient DeeDee, tous les habitants du village s'étaient déplacés. On a mesuré alors, et sans doute Madame la toute première, combien Grace était appréciée dans la communauté, en dépit de son caractère étrange et difficile. Bien sûr on disait parfois, interrompant une conversation : " attention Grace rapplique ", mais il y avait, au fond, une tendresse profonde pour cette originale qu'elle était. Quel personnage ! On l'aimait tous, et chacun a admiré son courage devant la maladie et la douleur physique.

« Les jours suivants, Madame était accablée. Grace l'avait surprotégée. »

Jeannie Lunt, que Grace avait engagée pour l'aider dans divers travaux dès l'été de 1978, et qui restera la secrétaire de Marguerite Yourcenar – dont elle est l'exécutrice testamentaire – jusqu'à sa mort, se souvient des « leçons » que Grace lui répétait chaque jour pour l'inciter à être absolument silencieuse :

« " Madame travaille " revenait comme une antienne. Il fallait paraît-il marcher sur la pointe des pieds pour ne pas la déranger... Et quand je pense qu'ensuite j'ai constaté que quand " Madame travaillait ", elle avait un tel pouvoir de concentration qu'on aurait pu faire exploser une bombe à côté d'elle sans même la faire sursauter ! »

Marguerite Yourcenar confiera plus tard qu'elle ne connaissait même pas le numéro de téléphone de l'épicier auquel on demandait de livrer la nourriture, qu'elle n'avait jamais appelé un fournisseur ou un restaurant pour réserver une table, qu'elle avait même perdu l'habitude de décrocher le téléphone pour répondre, puisque « Grace s'en occupait ».

Selon DeeDee Wilson, « elle était désemparée, mais pas seulement pour ces raisons matérielles. Elle m'apparaissait comme en état de choc, un peu hagarde. Pourtant, on m'a dit par la suite qu'elle n'en avait rien laissé transparaître en France ». Assez peu en effet. Il n'y a guère que Georges de Crayencour auquel Marguerite se soit confiée aux heures les plus difficiles. Au début du mois de septembre, elle lui révélait la situation et toute l'ampleur de sa gravité :

> « Oui, l'ultime redoutable épreuve – en dehors même des liens d'affection, de gratitude et d'estime qu'on a pour quelqu'un – que de voir un être humain détruit lentement par une terrible maladie. Depuis 1972 (mon dernier séjour en Europe) Petite Plaisance n'a pas connu une seule journée sans maux ni soucis de toute sorte, et depuis le mois de janvier dernier, la maladie, naguère seulement très pénible (sauf pendant une très grande crise en 1977 due à une défaillance du cœur produite par les mauvais effets de la chimiothérapie – c'est à la suite de cette crise, et comme par défi qu'elle a tenu à faire un séjour d'un mois en Alaska, voyage admirable, mais angoissant) est devenue une véritable torture, car un cancer généralisé du système lymphatique attaque le corps presque tout entier. (...) Je suis en ce moment très bien secondée : l'infirmière du district habite à 500 mètres; cette excellente femme, très à la hauteur, vient deux fois, et parfois trois fois par jour (...). Enfin, de nombreuses dames du village, le vieux pêcheur Dick, les jardiniers Harry et Elliot apportent, qui des plats préparés ou des friandises, qui des légumes de leur potager, qui des offres de service avec leur voiture (...). Telles sont, dans les moments les plus difficiles, les douceurs de la vie au village

(...). Grâce est trop anglo-saxonne pour me confier ses pensées, soit sur son état, soit sur son avenir en ce monde et par-delà. Elle ne me paraît soutenue que par son courage, qui, bien entendu, défaille parfois dans les crises trop fortes.

Elle se lève d'ailleurs une partie de la journée, et tient à " porter beau " en présence des invités ou des émissaires de la radio et de la télévision, comme Jacques Chancel en mai, ou Bernard Pivot tout récemment. La semaine dernière, chancelante et essoufflée, elle a tenu à servir une équipe de 10 photographes [22] ! »

« Et maintenant, la nouvelle si triste et si prévue », lui écrit-elle trois mois plus tard. « Prévue par tout le monde, sauf par Grâce, qui a lutté jusqu'à l'avant-dernier jour. Depuis près de huit ans, elle souffrait d'une façon atroce, avec des semaines, et parfois même un ou deux mois de rémission, naturellement, mais depuis le début de l'année cela a été un tourment presque continu. De sorte que quand elle a cessé de vivre de façon si imperceptible que l'infirmière et moi n'en étions pas même tout de suite sûres, au cours d'un sommeil provoqué par une puissante injection (un dérivé de la morphine), on ne pouvait vraiment pas le regretter pour elle. Mais cette chute dans le vide après ce travail et cette existence en commun de tant d'années. C'est une sorte de nouveau rythme à acquérir. Je dis tout de suite, pour en finir avec ce qui me concerne, que je suis bien secondée et entourée du point de vue journalier et domestique : une bonne femme de ménage, une gentille secrétaire qui se débrouille dans l'océan de papiers laissés par Grâce, qui ne pouvait plus s'occuper de ses affaires depuis plusieurs semaines, des voisins bienveillants...

587

Il y aurait tant de choses à dire... Georges, si par hasard, cet été, l'envie vous prenait de choisir l'U.S.A. *[sic]* pour vacances, je puis facilement vous offrir huit jours à Petite Plaisance. Il faudra y penser [23]. »

Matthieu Galey rapporte sèchement dans son journal une phrase de Marguerite Yourcenar sur les réaménagements intervenus dans la maison depuis la mort de Grace : « Ai-je noté cette réflexion de Yourcenar il y a quelques semaines : " le piano de Grace me faisait trop de peine à voir. Je l'ai vendu et j'ai déjà fait faire une bibliothèque à sa place " [24] ». Bien sûr, on peut y voir le début d'une tentative d'« expulsion » posthume de Grace, qui, certes, a existé. Mais l'insupportable présence de ce piano dont plus personne ne jouerait n'est pas moins vraisemblable. La peine de Marguerite Yourcenar n'est pas forcément à mettre en doute, comme semble le faire Matthieu Galey. On trouve un écho du sentiment qui put être le sien dans le livre autobiographique qu'a publié à l'automne de 1989 l'écrivain grec installé en France Vassilis Alexakis : « la vue d'un piano fermé m'attriste toujours un peu. (...) Est-ce à cause de son aspect funèbre ? Il me semble qu'aucun autre instrument de musique au repos ne produit autant de silence qu'un piano fermé [25] ». Matthieu Galey mentionnera aussi plus tard, lors d'une rencontre en 1981 – mais ses relations avec Marguerite Yourcenar étaient alors franchement mauvaises – : « Sur la fin, quelques minutes émues sur la mort de Grace. Comme s'émeuvent les monuments. Une petite buée vite sèche [26]. »

Le plus sobrement émouvant fut sans doute le récit que fit Marguerite Yourcenar, dans un entretien avec Claude Servan-Schreiber, de la mise en terre des cendres de Grace Frick, pour illustrer sa fascination pour le rite et sa croyance en son pouvoir cathartique.

« J'avais apporté avec moi un panier, un de ces paniers indiens d'herbe douce qui gardent toujours leur parfum : il suffit de quelques gouttes d'eau pour que celui-ci renaisse. J'y ai versé les cendres qui en réalité ressemblaient plutôt à de petits graviers. J'ai mis le tout dans une écharpe de laine que cette personne avait souvent portée, qu'elle aimait bien. Nous avons recouvert le trou après y avoir mis quelques feuillages et la belle motte d'herbe a été replacée. On ne voyait plus rien. Nous sommes parties toutes les trois, les deux infirmières et moi, comme les éternelles femmes qui se sont occupées de soigner les malades et d'enterrer les morts. C'était un rite. (...) Vous voyez, nous avons évité l'urne en faux bronze, le socle en velours, le cercueil avec du satin, artificiel bien sûr. Nous avons échappé à tout cela. À chaque moment de la vie on peut réinventer un rite [27]. »

Bien sûr, elle dira ensuite qu'avant même la mort de Grace elle était déjà tournée vers son avenir, vers ce jeune Américain de trente ans, parfaitement bilingue, Jerry Wilson, l'ami de Maurice Dumay, qui se proposait de devenir son compagnon de voyage. Mais on verra, à travers les contradictions de ses propos et de ses attitudes au cours des années quatre-vingt, avec quelle prudence il faut désormais examiner son discours. Il est vrai que Jerry Wilson était venu peu avant la mort de Grace. Au 19 août celle-ci avait seulement signalé : « Jerry Wilson doit venir après le 22 août. » C'est plus tard que Marguerite Yourcenar a coché la semaine commençant le 16 septembre et pris quelques notes assez confuses : « 18 septembre : Jerry. 19 septembre : Jerry et MY à Rockefeller Garden. 20 sep-

tembre : visite de Jerry. Départ de Jerry ». Marguerite
Yourcenar a toujours affirmé que Grace lui avait
« recommandé » ce jeune homme. Peut-être. Dans la
« chronologie » de la Pléiade, à février-mars 1979, on
peut lire : « Dans un sursaut d'énergie, Grace Frick
écrit à ses amis parisiens une série de brefs messages,
parfois inachevés, leur recommandant un spectacle,
Gospel Caravan, conçu et imaginé par un jeune Américain, Jerry Wilson. Ce projet, qui la ramène à l'époque
où elle collationnait pour Marguerite Yourcenar des
negro spirituals, est le dernier auquel elle aura la force
de s'intéresser. » Rien de tout cela cependant ne peut
tenir lieu de certitude. Quelle que soit la réalité, Marguerite Yourcenar croyait si profondément en tous les
rites de transmission, elle voulait si fort que le « passage du témoin » ait eu lieu entre Grace, qui avait
constitué « le moule » de sa vie – comme elle le
confiera un jour –, et Jerry, qui allait prendre dans une
certaine mesure le relais qu'il lui eût été impossible de
ne pas tenir ce discours-là.

À cela s'ajoutait son désir presque incontrôlable de
bouger, de repartir, de voyager, son refus de la vieillesse dans laquelle elle s'était enfoncée depuis près de
huit ans. Tout ce qu'elle avait vécu, écrit, pensé, lui
imposait de ne pas rester à Petite Plaisance. Et plutôt
que d'y voir trop vite une trahison de la mémoire de
Grace, il faut d'abord remarquer que, en plus des pays
nouveaux qu'elle a voulu découvrir, avec Jerry, pour
tenter, suivant encore une fois Zénon, de ne pas mourir sans avoir fait « le tour de la prison [28] », elle a refait,
presque chaque année, un des voyages favoris de
Grace, dans le pays pour lequel celle-ci avait toujours
éprouvé un attrait tout particulier, l'Angleterre. Elle
évoquera dans *Quoi? L'Éternité* ces « moments inoubliables » : « je revois une jeune femme aux traits de

jeune sibylle assise sur une de ces barrières qui, là-bas, séparent les champs des pâtures ; nous sommes au bas du Mur d'Hadrien ; ses cheveux flottent au vent des cimes ; elle semble l'incarnation de cette étendue d'air et de ciel. Je revois la même dans le lit à baldaquin d'une vieille maison délabrée, à Ludlow, parlant de Shakespeare qu'elle imagine répétant avec ses acteurs, ou plutôt lui parlant comme si elle était là [29]. »

À l'évidence, Grace Frick a été trop indispensable dans la vie de Marguerite Yourcenar, la personne privée, et dans celle de Marguerite Yourcenar, l'écrivain, pour que celle-ci n'ait pas tenté, sinon de l'oublier, du moins de gommer ce souvenir. Mais sa colère – elle qui avait depuis longtemps banni les excès de langage – lorsque des journalistes voulaient la faire parler de Grace, son refus raide, puis le récit qu'elle en faisait immédiatement à ses amis, à la fois agacée et bouleversée, n'étaient certes pas le signe d'une indifférence. Et, après avoir suivi leur passion et observé leur cohabitation chaotique dans les dernières années à Petite Plaisance, comment croire encore à la fameuse phrase que Marguerite Yourcenar concédait à ses amis, quand ils opposaient un silence gêné à ses récriminations contre « ceux qui veulent absolument me faire parler de Grace Frick alors que ma vie a toujours été très différente de la sienne » : « enfin, c'est une chose très simple : d'abord une passion, ensuite une habitude, enfin seulement une femme qui soigne une autre femme malade ».

Qui pourrait croire cela ? Quelqu'un qui n'aurait pas vu son visage et son regard lorsqu'elle montrait, sur une étagère du salon, la photo de Grace Frick prise en Belgique en 1971 en murmurant « c'est la dernière bonne photo de Grace ». Quelqu'un qui n'aurait pas ressenti une étrange émotion en découvrant quelques lignes lapidaires sur un calendrier retrouvé après la mort de Marguerite Yourcenar dans les papiers laissés à Petite Plaisance. Elle avait entouré les 18, 23 et 26 novembre 1979 et seulement écrit :

« 18 novembre : (dimanche), la mort, 9 heures du soir, par un beau ciel étoilé. 23 novembre : le retour des cendres à la terre un beau matin brumeux et ensoleillé. 26 novembre : le service " in memoriam ". » Mais avec le calendrier se trouvait une lettre, reçue de Paris le 6 décembre 1979. Marguerite Yourcenar avait conservé l'enveloppe pour y porter cette simple mention : « la dernière lettre reçue adressée aux deux noms »...

Cinquième partie

La nomade
de l'Académie française

CHAPITRE 1

Le temps remonté

Le Nouvel An de 1980 est le premier passé sans Grace depuis au moins trente ans, depuis ces années quarante où elle allait parfois, pour les fêtes de la fin de l'année, dans sa famille à Kansas City. Marguerite Yourcenar ne peut pas ne pas penser à cette vie solitaire qui s'ouvre – pour combien de temps ? – devant elle. Mais elle est surtout préoccupée du voyage qu'elle veut entreprendre, elle qui n'a presque pas quitté sa maison depuis neuf ans. On ne dira jamais assez à quel point la fidélité absolue de Marguerite à Grace s'est révélée dans l'acceptation de cette contrainte, la pire de toutes à ses yeux : l'immobilité. Sans doute Marguerite Yourcenar a-t-elle majoré, dans des commentaires écrits et oraux faits a posteriori, la joie causée, à la fin de décembre 1979, par l'arrivée à Petite Plaisance de Jerry Wilson et de Maurice Dumay. Ils logeaient à l'hôtel voisin, et non dans la maison, et n'étaient pas encore considérés comme des intimes. Toutefois elle voyait déjà en Jerry le signe du voyage proche. Et cela lui était, à n'en pas douter, un intense bonheur.

Avec Jerry et Maurice Dumay, elle prépare ce voyage, qui doit notamment inclure une croisière dans les Caraïbes – précisément au moment que l'Académie

595

française a choisi pour l'élection au fauteuil de Roger Caillois. On ne peut pas exclure chez Marguerite Yourcenar la volonté d'affirmer que, quoi qu'il en soit de cette élection, elle sera radicalement « ailleurs ». Maurice et Jerry quittent l'île des Monts-Déserts le 5 janvier. Jerry, seul, doit revenir vers le 20 février et le départ, en direction de la Floride, se fera vers le 25.

Sitôt Jerry parti, Marguerite Yourcenar retourne à ses habituelles manies médicales, à leurs recensions minutieuses dans des carnets divers : tension, « crises de crampes gastriques », etc. S'y ajoutent les souvenirs (« 12 janvier : les deux anniversaires, la naissance de GF et la mort de Michel en 1929 »), les questions juridiques (« 25 janvier, visite à Fenton pour le testament et la constitution d'un " trust " »). Et l'habituelle correspondance. Elle y parle entre autres de son père et, à travers lui, de ce qu'elle veut redevenir, à l'aube de cette décennie nouvelle en évoquant cet « " homme aux semelles de vent ", chez soi partout et nulle part, ce goût de la vie et cette absence quasi totale de regard jeté sur le passé, et enfin un suprême et *instinctif* dédain des opinions et des préjugés ambiants [1] ». Une absence quasi totale de regard sur le passé, c'est sans doute ce qu'elle désire, après les éprouvantes années d'agonie de Grace. Sait-elle qu'elle est incapable d'y parvenir, et que l'oubli est un mot sans contenu, pour qui sans cesse refait, revit, reconstruit son passé ? Elle n'est pas encore cette femme en train de ressaisir sa jeunesse à bras-le-corps qu'on allait voir arpenter le monde dans les années quatre-vingt. « Elle ne se plaignait pas, elle faisait ce qu'il y avait à faire, disent ses voisins et amis. » « Si elle n'était plus en état de choc, comme au soir de la mort de Grace, on la sentait toujours désemparée », souligne son infirmière DeeDee Wilson. « Comme beaucoup de femmes au moment de leur veuvage, après la longue maladie d'un conjoint qu'elles ont dû veiller et accompagner, elle était accablée; mais aussi sortie d'un long tunnel, soulagée presque d'avoir retrouvé une forme de liberté, et ne sachant encore qu'en faire. »

Alors que Marguerite Yourcenar tente de s'accoutumer à une vie sans Grace, à une existence dont quarante ans viennent de basculer soudain dans un définitif passé, en France, on parle beaucoup d'elle. On s'agite même. C'est Jean d'Ormesson qui est à l'origine de cette « bataille de l'Académie française ». Il a décidé de présenter la candidature de Marguerite Yourcenar et est bien décidé à la faire élire. Elle a évidemment, aux yeux des académiciens, un défaut rédhibitoire : être une femme. Or « la compagnie » n'a jamais accueilli de femmes. Pour certains académiciens, elle a toutefois l'avantage du fameux « talent mâle » qu'on lui prête depuis si longtemps. Pour d'autres, plus nombreux, cette supposée « virilité » est un obstacle majeur : justement, elle n'est « pas assez femme » laissent-ils entendre dans de fines allusions à ce que l'on croit savoir de ses préférences sexuelles. Enfin ceux qui ne craignent pas l'humour douteux mêlent les deux arguments pour affirmer qu'elle est « un bon candidat de compromis ».

Ces péripéties, nées peut-être de la volonté de « réveiller » une institution apathique, l'Académie, ont eu aussi le mérite de « réveiller » les femmes, un peu démobilisées après leurs combats des années soixante-dix, en leur faisant brutalement reprendre conscience de la pérennité du discours des hommes à leur sujet. Les douteuses plaisanteries sur Marguerite Yourcenar, les jugements à l'emporte-pièce sur son œuvre n'étaient en rien différents des invectives lancées quelque quarante ans plus tôt contre Simone de Beauvoir à la sortie du *Deuxième sexe*, puis en 1954 lors de la publication des *Mandarins*. À l'accusation d' « écriture relâchée », de « langage de corps de garde », de « fourmi géante de l'existentialisme [2] », succédait celle de « style pompeux et pompier » d'une « femme qui se prend pour un monument ». Quand on n'allait pas jusqu'à dire, comme l'avait fait Albert Cohen au micro de Jacques Chancel, qu'étant « si grosse et si moche » elle ne saurait être un grand écrivain *.

Quant à sa sexualité, il suffit de reprendre une phrase qu'elle aimait à dire, à ce sujet et à beaucoup d'autres : « nous ferions un trop grand honneur à ceux qui en parlaient si nous rapportions leurs propos ». Ces propos ne mettent en lumière qu'une chose intéressante : l'homosexualité des femmes est beaucoup moins moquée, dénoncée, que celle des hommes, dans la vie de tous les jours. Elle tient un peu du jeu de pensionnat prolongé et témoigne d'une charmante mais incurable puérilité qui porte les hommes à une certaine indulgence. Mais dès que ces femmes sont en mesure d'accéder à une position sociale importante, leur préférence sexuelle est un handicap beaucoup plus lourd. Être une femme est déjà, aux yeux de beaucoup d'hommes, une incongruité, dès qu'il s'agit d'accéder à un statut qui leur était jusque-là réservé. Être une femme qui aime les femmes est l'incongruité – et la négation – absolue.

Comme si tout cela n'était pas suffisant ou pas suffisamment dissuasif, d'aucuns ont repris ici et là, plus ou

* Elle précisera du reste à l'un de ses correspondants : « Quant à maigrir, c'est fait. Les six mois passés (presque) depuis la mort de Grace Frick, avec leurs travaux et leurs voyages, m'ont fait perdre dix kilos après l'immobilité quasi complète de la vie, dans ces quatre ou cinq dernières années. Je ne m'en plains pas, il faut peser le moins possible sur la terre [3]... »

moins publiquement, dans les « couloirs », dans les « dîners en ville », les rumeurs, les accusations d'antisémitisme lancées parfois, au détour d'un commentaire sur un livre, contre Marguerite Yourcenar. L'argument était surprenant, s'agissant d'une Académie qui s'abstenait déjà trop – et allait le faire plus encore à l'avenir – de demander aux hommes des comptes sur leur passé. Cette confortable amnésie ayant rendu possible l'élection de Félicien Marceau – qui fut inquiété à la Libération –, on avait même assisté, en 1976, à un incident réputé impossible à l'Académie : une démission, celle du poète Pierre Emmanuel. Marguerite Yourcenar lui avait alors écrit pour l'assurer de son soutien et de son admiration. Cela dit, on ne saurait clore ainsi le débat sur l'antisémitisme présumé de Marguerite Yourcenar.

« Accuser Marguerite d'antisémitisme est tellement stupide que cela prête à rire, dit tranquillement son éditeur américain Roger Straus, et je sais de quoi je parle. Lors de l'une de mes visites à Petite Plaisance – c'était peut-être même la dernière – nous avons eu des conversations à ce sujet, parce que j'avais relevé l'attitude antisémite, très visible à mon égard, des tenanciers de l'hôtel où je logeais. Là-haut dans le Maine, il y a comme une " poche " d'antisémitisme. Cette attitude de rejet brutal, irrationnel, qu'est l'antisémitisme est tout le contraire de la démarche de Marguerite Yourcenar, de sa philosophie, de son éthique de vie. C'est tout simplement absurde [4]. » Roger Straus a raison. Accuser d'antisémitisme la femme qu'il a connue, fréquentée, est assez indigne. Mais, comme Marguerite Yourcenar l'avait elle-même relevé, les choses en ce domaine ne sont jamais simples. N'avait-elle pas, à dix-huit ans, entendu son père, « dreyfusard » convaincu, traiter de « sale juive » la femme du docteur Hirsch, le

médecin que Michel de Crayencour rendait responsable de la mort de sa première femme Berthe, et de la
sœur de celle-ci, Gabrielle? : « J'entendis des cris :
" Femme d'assassin ! Voleuse ! Meurtrière ! ", et,
comme si des bulles d'air malsain s'échappaient tout à
coup des sous-sols d'une maison en ruine : " Sale
Juive ! " *

« Je n'ignorais pas que Michel qui, pas plus que moi,
n'aimait l'Ancien Testament, ce livre réconfortant
pour les uns, odieux ou rebutant pour les autres, avait,
au contraire, une instinctive sympathie pour le peuple
juif de la dispersion, incompris et persécuté ; son préjugé était en faveur des membres riches ou pauvres,
banquiers ou tailleurs en chambre, de cette race parfois douée de génie et presque toujours de chaleur
humaine. Mais cet homme hors de soi faisait siennes
les insultes d'un Drumont ou des antidreyfusards qu'il
honnissait dans sa jeunesse [5]. »

Il est difficile, pour qui écrit ici et partage le point de
vue de Roger Straus, de ne pas être suspecte de vouloir
« défendre à tout prix » Marguerite Yourcenar. Pourtant il ne s'agit pas de cela. On admettra bien volontiers que Marguerite Yourcenar portait en elle, comme
son père, « les préjugés » hérités d'une classe sociale et
d'une famille imprégnées de la vieille tradition catholique antisémite. Qu'elle use et abuse dans son œuvre
de certains stéréotypes, comme celui de la prostituée
juive incarnée par Saraï dans *Un homme obscur*. En
revanche, seule la mauvaise foi peut, nous l'avons vu,

* Cet épisode l'a si fortement impressionnée qu'elle le rappelle dans
Quoi? L'Éternité : « en moins d'un instant les préjugés dont Michel se
croyait indemne lui remontent à la bouche comme une bile amère,
tout comme, quelques années plus tard, rencontrant par hasard la
veuve assez louche d'un médecin israélite qu'il soupçonnait non sans
cause de manœuvres abortives, cet homme que révolte l'antisémitisme
s'écriera : " Sales juifs ! " » (p. 198).

600

imputer à l'antisémitisme son usage du mot race, constamment employé par elle – et par la quasi-totalité des gens de sa génération – à la place de peuple : elle disait « la race française », « la race hollandaise » tout autant que « la race juive ».

Elle-même ne fuyait pas le débat sur ce point et n'était nullement choquée lorsqu'on la sommait de s'expliquer, comme le fit longuement Matthieu Galey. Elle a réfuté ainsi point par point les accusations d' « allusions antisémites » dans son œuvre, insistant notamment sur le fait que « l'auteur serait mauvais romancier » si ses personnages parlaient en son nom [6].

Le sujet avait aussi été évoqué dans ses entretiens avec Patrick de Rosbo, à propos de *Mémoires d'Hadrien*. Marguerite Yourcenar faisait notamment valoir l'incapacité d'Hadrien à comprendre que les juifs « (et il y a là, il faut bien le dire, une part chez lui de naïveté et d'aveuglement) » refusaient les « bienfaits de la civilisation gréco-romaine [7] ». Ces précisions, selon Thomas Gergely, l'auteur d'un article sur « La Mémoire suspecte d'Hadrien [8] », « n'enlèvent guère à certains passages des *Mémoires* leur caractère douteux ». Il s'appuie sur des confusions, des inexactitudes évidentes dans *Mémoires d'Hadrien* à propos de la tradition juive, pour affirmer que l'empereur du roman en dit « plus sur la facette cachée du monde intérieur de Marguerite Yourcenar que sur l'univers mental et physique de sa créature ». Thomas Gergely n'est pas nécessairement convaincant, ne craignant pas, lui non plus, les simplifications et les déductions hâtives, dont voici un exemple : « En Romain cultivé, Hadrien se gardera bien de confondre parmi les Juifs, les " *éclairés* " et les " *fanatiques* " (...). Ici le discours prêté à César renvoie à peine plus loin qu'aux hommes du Siècle des Lumières, lesquels se plaisaient à opposer,

en matière de religion et de comportement, Juifs
" fanatiques " et Juifs " éclairés ". De d'Holbach à Voltaire et Rousseau, la littérature philosophique française entière en témoigne. (...) L'idée de la " haine du
genre humain " imputée aux Juifs et aux chrétiens est
ordinaire dans la littérature latine (voir, par exemple,
Tacite *Annales*, livre XV, 44), mais combinée à celle
" d'ambitions à assouvir ", elle prend une autre coloration, celle du *Protocole des Sages de Sion*, ce faux
célèbre de la police tsariste du XIXe siècle, destiné à
répandre la fable d'un complot juif visant à dominer le
monde [9]. »...

Il est quand même passablement discutable de
s'autoriser de cette seule référence aux « ambitions à
assouvir » pour passer de Tacite au *Protocole des Sages
de Sion*...

Marguerite Yourcenar, ici comme ailleurs, n'avait
aucunement le sens du « discours interdit » : le mot
« juif » ne lui semblait pas devoir être exclu de la
langue, de sa langue, comme il l'est pour beaucoup,
avec souvent un sentiment trouble de mauvaise
conscience. C'est peut-être le signe qu'elle était peu
sensible à la mauvaise conscience, mais on ne peut en
inférer une inconscience, moins encore un antisémitisme avéré. Ainsi avait-elle eu, dans sa vie privée,
à se justifier de propos qualifiés de « suspects ». Rencontrant, dans les années soixante au Portugal,
Madame Oulman, l'héritière des éditions Calmann-
Lévy, Marguerite Yourcenar, qui avait apprécié la
manière dont cette femme l'avait reçue, sa compagnie
et sa culture, avait parlé à des amis du « sens si juif de
l'hospitalité que possédait Madame Oulman ». Elle
s'était fait vivement reprocher cette phrase, s'en était
expliquée dans sa correspondance et rappelait parfois
ce souvenir, non pour manifester de l'irritation ou de

l'agacement, mais dans le désir d' « y voir clair, disait-elle. Je comprends qu'après ce qui s'est passé pendant la dernière guerre, on traque partout l'antisémitisme, y compris celui qu'on dit inconscient. Les préjugés, les racismes sont des folies qui ne meurent pas. Mais il faudrait peut-être que l'on cesse de voir un antisémite en toute personne qui attribue aux juifs des qualités particulières. On pense, bien évidemment, que cette personne leur attribue des défauts particuliers aussi. Et, de fait, ce danger-là existe toujours. Moi, j'avais simplement voulu dire que toute communauté s'étant par force beaucoup déplacée, ayant été condamnée à de multiples migrations, était nécessairement plus ouverte à l'étranger, plus accueillante que les sédentaires. Ce que je crois. On ne m'a pas comprise ». On était, il est vrai, dans ces années soixante et soixante-dix où, par ailleurs, la moindre réticence à l'égard de la politique de l'État d'Israël était considérée comme un signe patent d'antisémitisme. Aujourd'hui il semble admis qu'on puisse désapprouver les partis de la droite israélienne sans être antisémite pour autant. « Le fanatisme juif n'est pas plus respectable qu'aucun fanatisme [10] », disait Marguerite Yourcenar à Matthieu Galey. Ce propos est-il antisémite ? Il peut l'être. Tout dépend de ce que l'on sait, ou croit savoir, de la personne qui le prononce. On n'apportera pas ici de réponse définitive car Marguerite Yourcenar n'a pas à être « justifiée ». Dans un tel domaine, on ne peut que laisser le débat ouvert : chacun, voyant la vie et les livres de cette femme, se forgera son « intime conviction ».

En ce premier trimestre de 1980, Marguerite Yourcenar, sans le savoir, était donc devenue un enjeu qui dépassait une simple élection à l'Académie. L'agitation et les mauvais jeux de mots ne pouvaient cacher la réalité : Marguerite Yourcenar était une femme, malgré qu'on en ait. Et si elle passait la porte de l'Académie, ce serait irréversible : on ferait désormais entrer *des* femmes dans un lieu encore « protégé ». Il ne déplaisait pas au président de la République, Monsieur Valéry Giscard d'Estaing, de clore son septennat – il s'achevait en mai 1981 – sur ce symbole : une femme à l'Académie française. « On a même dit que j'avais été " actionné " par le président de la République, ce qui est absolument faux », précise Jean d'Ormesson. Si le récit de Jean d'Ormesson [11] sur toute cette affaire est aujourd'hui savoureux, les conversations de l'époque n'étaient pas toujours empreintes de la courtoisie et de la hauteur de vue qu'on croirait de mise entre académiciens, et la « victoire » des partisans de Marguerite Yourcenar fut acquise au prix de marchandages douteux.

« L'affaire était assez simple au fond », dit Jean d'Ormesson, avec dans l'œil la malice de qui se souvient avoir monté un « beau coup ». « J'étais très lié à Roger Caillois. Nous travaillions ensemble à l'Unesco, où il dirigeait la revue *Diogène*. J'étais son adjoint. Caillois avait été élu à l'Académie en 1970, au troisième fauteuil, qu'occupèrent notamment Georges Clemenceau et Jérôme Carcopino. Moi, je suis entré à l'Académie trois ans plus tard. J'avais souvent parlé avec Caillois de Marguerite Yourcenar, qu'il connaissait depuis les années de la guerre. » De fait, Roger Caillois et Marguerite Yourcenar s'admiraient et se respectaient. En témoigne notamment la correspondance de Marguerite avec son ami Jacques Kayaloff, également lié à Caillois. À plusieurs reprises, elle lui parle de « l'extraordinaire intelligence de Caillois », précisant : « à ce qu'il semble, pas le moindre souci de briller [12] ». Lorsqu'elle reçoit de Jacques Kayaloff le livre de Cail-

604

lois *Méduse et Cie*, elle répond : « C'est un des plus beaux livres que j'ai lu depuis longtemps. Supérieur encore à *l'Incertitude qui vient des rêves* qui est pourtant un remarquable livre. On est encouragé de penser qu'à notre époque de presque totale dissociation, une sorte de pooling des esprits semble quand même se faire à notre insu, qui mènera peut-être un jour à une science plus complète des choses [13]. » Roger Caillois, après son élection à l'Académie, avait écrit à Jacques Kayaloff à propos du rituel « comité de l'épée » – qui réunit les amis du nouvel académicien pour lui offrir son épée – indiquant : « l'innovation consistera cette fois à introduire des étrangers [figuraient dans le comité Kawabata, Asturias, Borges entre autres] et des femmes. J'ai pensé à deux d'entres elles. Victoria Ocampo et notre amie Marguerite Yourcenar que j'ai désignée dans les journaux et à la radio comme une proie toute désignée pour l'Académie. Je n'ai pas son adresse. Mais vous pouvez, je crois, facilement la toucher. Voulez-vous le faire et obtenir son accord [14]? »

« Quand Caillois est mort, j'ai joué un peu, je l'avoue, les " veuves abusives ", me disant qu'il fallait lui trouver un successeur digne de lui, car il y aurait été sensible, raconte Jean d'Ormesson. Il disait souvent " c'est agaçant, cette Académie, on ne sait jamais qui va vous succéder ". Trois noms me sont venus à l'esprit : Raymond Aron, Aragon et Marguerite Yourcenar. Je n'ai pas pensé que j'allais " faire avancer la cause des femmes " en décidant d'obtenir l'élection de Marguerite Yourcenar au fauteuil de Caillois. Je pensais seulement que c'était la personne parfaite pour lui succéder. Mon intention n'était pas non plus d'abandonner les deux autres candidats qui m'étaient venus à l'esprit. Mais j'ai été si épuisé par la lutte pour l'élection de Marguerite Yourcenar, que j'ai finalement renoncé à pousser mes autres candidats. »

Jean d'Ormesson aurait-il sous-estimé les préjugés sexistes de ses confrères? Très certainement. Il avait prévu leurs objections sur des points « techniques », leurs questions – la toute première étant « Marguerite Yourcenar est-elle candidate? ». Marguerite ne l'est pas vraiment, mais elle est décidée à accepter son élection. Elle avait affirmé et écrit à plusieurs reprises qu'elle ne ferait ni acte de candidature, ni visite, mais que si l'Académie lui faisait l'honneur de l'élire, elle ne refuserait pas cet honneur. En revanche, elle a toujours dit qu'elle ne s'obligerait en aucun cas à passer plusieurs mois par an à Paris pour se rendre à l'Académie [15].

Ainsi elle ne voulait pas faire la traditionnelle visite aux Académiciens. Encore un obstacle. Pas du tout, fait valoir Jean d'Ormesson. C'est elle qui a raison. L'article 15 du règlement de l'Académie précise « les visites sont interdites ». Seule la coutume en a décidé autrement. Mais ce que Jean d'Ormesson n'avait pas imaginé, c'était la violence radicale de certains contre « la » femme. « Pour moi, elle était d'abord un grand écrivain, commente-t-il, et à ce titre, elle honorait l'Académie, beaucoup plus que certains hommes qui auraient été élus sans peine. J'ai eu contre moi les traditionalistes. Quelques gens de gauche comme André Chamson, qui la croyaient de droite, ce qui était faux. Claude Lévi-Strauss, ardemment contre la candidate, " parce qu'on ne change pas les règles de la tribu ". Cette agitation était au fond assez amusante. » Et les propos échangés, valent, au moins pour la petite histoire, d'être consignés. Jean d'Ormesson en a gardé en mémoire un délicieux florilège.

« L'Académie française, c'est comme la tour Eiffel, ça ne tient que par la peinture. Si on l'érafle, tout s'écroule. » « L'Académie repose sur une série de rites.

L'un des rituels est que nous sommes tous égaux, le seul ordre étant celui de l'ancienneté. Un ordre immuable. Alors comment faire avec une femme ? Laisserons-nous Madame Yourcenar passer avant nous ? Le costume est l'un des autres éléments importants du rituel. Quel uniforme portera Madame Yourcenar ? » « À l'Académie, nous vieillissons entre nous. Comment supporterons-nous de voir vieillir une femme ? » D'arguments spécieux en dérapages verbaux, la bagarre est devenue, selon le mot de Jean d'Ormesson, « insensée » : « Un article de *L'Express* a prétendu que des coups avaient été échangés. Un autre journal a précisé que j'avais reçu une gifle, ce qui est faux. Mais il est exact qu'André Chamson m'a traité de " galopin ", ajoutant : " notre jeune confrère, qui a tant de talents, fait cela parce qu'il aime tellement la télévision ". Je me suis levé et je suis sorti, suivi par Félicien Marceau, Maurice Rheims et cinq ou six amis favorables à Marguerite Yourcenar. Nous avons ensuite reçu un semblant d'excuses... »

À la discussion sur le règlement et l'« l'honneur de la tribu », a succédé celle sur la nationalité. On a d'abord fait courir le bruit que Marguerite Yourcenar était belge. C'était faux. Mais on s'est alors aperçu qu'elle était américaine et qu'elle avait omis de faire – nous l'avons vu en 1947 – les démarches lui permettant de conserver sa nationalité française. « Qu'à cela ne tienne, déclara Alain Peyrefitte, alors garde des Sceaux, et, à l'Académie, fervent partisan de la candidature Yourcenar, elle va redevenir française. Du reste, c'est déjà fait. Le consul de France à Boston est allé la voir. Elle est redevenue française. » « En fait nous avons mis les académiciens dans l'obligation de voter pour elle sous peine d'être ridiculement passéistes et notoirement agressifs envers les femmes, souligne avec gaieté Jean d'Ormesson. Je crois que jusqu'à la mort de Marguerite Yourcenar, ils ne me l'ont pas pardonné. Ils ont toujours eu l'impression que je leur avais forcé la main. Ils n'avaient pas envie d'elle dans la compagnie. C'est très clair. On les a amadoués en leur disant qu'elle ne serait jamais là. Et puis ils ont osé dire qu'elle avait " snobé " l'Académie. D'abord, elle a bien fait. Il faut voir comment ils l'avaient reçue. Et puis de quel droit se plaignaient-ils qu'elle ne vienne pas alors qu'ils n'avaient aucun désir de la voir ? » Sur son absence de l'Académie, Marguerite Yourcenar a toujours fait le même commentaire : « j'avais prévenu ». Quand on lui faisait remarquer que, lors de ses passages à Paris, elle pourrait peut-être honorer le quai Conti d'une visite, elle répondait invariablement : « J'y suis allée une fois. Ce sont de vieux gamins qui s'amusent ensemble le jeudi. Je crois qu'une femme n'a pas grand-chose à faire là-dedans. » Dès 1976, elle avait à ce sujet écrit à Madame Carayon : « J'ai pensé à ce que dit Françoise Giroud des clubs ou associations d'hommes politiques, qui, pas plus que les groupements sportifs, n'aiment accueillir une femme qui les empêcherait de se mettre en bras de chemise. Non que l'on ait l'habitude de tomber la veste au quai Conti, mais, psychologiquement, c'est la même chose [16]. »

Les Académiciens lui ont fait payer tout cela d'une manière particulièrement grossière : personne ne représentait l'Académie française au service funèbre célébré à sa mémoire le 16 janvier 1988 dans l'île des Monts-Déserts.

Jean d'Ormesson, qui réprouve la goujaterie dont on a fait preuve à l'égard de Marguerite Yourcenar, est toutefois moins à l'aise quand on fait allusion à la manière dont il aurait remporté la victoire que fut son élection. Le 6 mars 1980 était un jour de double élection. Ont été élus Marguerite Yourcenar et Michel Droit. Tous deux étant – surtout le second – peu susceptibles de réunir une majorité, on a tout de suite vu quelle avait été la manœuvre : un « troc ». Quand Marguerite Yourcenar l'a appris et, s'étant renseignée, a jugé que l' « autre partie » du marchandage n'était pas du tout à son goût, elle a écrit à Jean d'Ormesson, qui a répondu en l'assurant qu'il n'y avait eu aucun « échange » de cette sorte. « Je dois préciser notamment que je ne me suis livré à aucun " marchandage " où votre nom aurait été engagé (...) aucune stratégie, aucune manœuvre (...). Je n'ai fait, en présentant votre nom avec votre autorisation, que résister à une pression, il est vrai assez forte. C'est rigoureusement tout [17]. » Dix ans après, il confirme seulement : « S'il y a eu troc, je puis assurer que je n'étais pas au courant. » D'autres prétendent que Maurice Druon, assez lié à Michel Droit, aurait fait campagne sur le thème : « Il faut au moins donner à Michel Droit un " coup de chapeau " au premier tour, pour que sa défaite ne soit pas trop cruelle. » Il a, évidemment, été élu au premier tour. Marguerite Yourcenar aussi. Deux bien étranges élections, « dans un fauteuil »...

Pendant ces fiévreuses semaines, Marguerite Yourcenar est en proie, elle, à une autre fièvre, celle du départ. Jerry arrive le 23 février et ils partent deux jours plus tard en voiture, en direction du Sud : ils se rendent en Floride où ils doivent embarquer le 6 mars – jour de l'élection à l'Académie – pour la croisière prévue dans les Caraïbes, les menant notamment à la Jamaïque. Ce voyage est, pour Marguerite Yourcenar, comme un retour à la vie : chaque jour des kilomètres l'éloignant de Petite Plaisance, chaque soir un hôtel, des valises. Ce qu'elle a toujours considéré comme indispensable et qui lui a manqué pendant tant d'années. À cela s'ajoute la compagnie d'un jeune homme de trente et un ans, ébloui devant l'énergie d'une femme qui va vers ses soixante-dix-sept ans. « Le voyage est assez fatigant, note Jerry dans un carnet, mais elle ne perd pas son humour et rit beaucoup [18]. » Car, comme le souligne encore Jerry, « elle parlait à quelqu'un qui avait tout à apprendre, ce qui n'était pas arrivé depuis longtemps ». Ainsi lui raconte-t-elle comme « elle a écrit *Alexis* à vingt-quatre ans, en revenant du Portugal. Elle a failli placer l'action au Portugal, puis a finalement choisi l'Autriche ». Elle lui parle de Gide et de Zénon comme si l'un et l'autre avaient vécu. Et Jerry prend des notes, le soir, comme un enfant étonné : « De Gide, elle a dit trois choses : protestant ; a été un jour communiste ; préférait vivre avec des jeunes gens plutôt qu'avec sa femme. » « Nous avons aussi parlé du maquillage, et du fait qu'elle y a renoncé très jeune. » Ou encore : « Elle a le plus beau des sourires et un regard qui est plus jeune encore. » Il est surpris qu'elle ignore tant de choses de la vie quotidienne américaine : « Il est vrai qu'elle n'écoute pas la radio et ne regarde pas la télévision. » Marguerite lui confie « les difficultés des dernières années, avec Grace Frick malade. Psychologiquement, c'était aussi effrayant que physiquement, et elle admet bien volontiers n'être " pas sortie " de tout cela. J'espère que ce voyage va l'aider à reprendre pied ». Et enchaîne sur Cocteau « qu'elle a beaucoup aimé et qui, selon elle, disait toujours des choses intelligentes. Elle relève que son apparente ironie mondaine lui servait à cacher une sensibilité à vif. Elle aimait beaucoup sa poésie et " même ses pièces avaient toujours quelque chose ". Cocteau appréciait Grace Frick et s'amusait de la voir toujours insister pour qu'il mange plus, fume moins, etc. ».

En écoutant Marguerite Yourcenar, Jerry Wilson découvre un monde inconnu, où l'on croise les grands écrivains du siècle, où l'on passe de remarques sur Murasaki et la littérature japonaise au récit d'un périple en Grèce dans les années trente, « seule sur un cargo avec un ami, le capitaine et sa femme », puis à l'Italie « à Sienne, où Grace et elle, en compagnie d'une troisième personne, s'étaient garées près d'une terrasse où des chanteurs d'opéra se préparaient à jouer *Didon*. Ils ont tous ri ensemble, ont lié connaissance. Elles sont allées assister à la représentation. Mais MY n'aime pas beaucoup l'opéra ».

Le jeune homme, on le conçoit, est extrêmement séduit. Cela se conçoit sans doute moins aisément, mais elle l'est aussi.

Le 6 mars, au moment même où le bateau qui doit les conduire dans les îles va quitter Miami, on apprend l'élection de Marguerite Yourcenar à l'Académie. Jerry constate, dans ce style laconique et « plat » que relèvera Marguerite en relisant ses carnets après sa mort : « Quand je lui ai appris qu'elle venait d'être élue à l'Académie française, cela n'a pas provoqué chez elle beaucoup de réactions. Mademoiselle Pelletier, la photographe, était là aussi. Le capitaine avait préparé le champagne [et fait hisser les couleurs : une photo où il est en compagnie de Marguerite Yourcenar devant le drapeau français en porte le témoignage]. La " grande discrétion de la compagnie Paquet " commençait de sembler douteuse. Des télégrammes arrivèrent. Elle demanda qui était Raymond Barre. Les communications téléphoniques furent refusées. On s'est amusé en parlant des costumes de l'Académie. Elle riait d'une remarque d'un académicien [Jean Dutourd] qui a prétendu qu'elle avait trop lu pour être bon écrivain. »

« Moi, je pense désormais qu'elle avait tout prévu,

dit aujourd'hui DeeDee Wilson, mi-moqueuse, mi-admirative. Ce départ pour les îles au moment précis de l'annonce de l'élection, les couleurs hissées... elle aimait cela. Et il faut dire que cela avait de l'allure. » Le 7 mars est parvenu à bord une lettre d'une amie américaine, Katherine Gatch, que Marguerite a soigneusement conservée. Après les félicitations d'usage, Katherine Gatch déplorait que « Grace ait manqué le triomphe final » ; « mais ce que vous avez fait pour sa vie, ajoutait-elle, n'est pas le moindre de vos exploits [19] ».

Le reste du mois de mars est occupé par la croisière et le retour en voiture, comme l'aller, mais en passant cette fois-ci par New York – où Jerry a des amis, en particulier Stanley Crantson qui, après 1986, voyagera avec Marguerite Yourcenar – et le New Jersey. Ils atteignent Northeast Harbor le 29 mars. Marguerite trouve « une véritable montagne de courrier » arrivée depuis son élection à l'Académie. Jerry dormira désormais à Petite Plaisance. Il a été définitivement « choisi » et indique sur son agenda : « Elle m'a montré le premier étage, que je n'avais jamais vu, et ma chambre. » Cette chambre, c'est celle de Grace. Alors qu'il en existe deux autres à l'étage.

Les jours suivants – jusqu'au départ de Jerry, le 8 avril pour New York puis l'Arkansas, où demeure sa famille – Marguerite va beaucoup au cimetière de Somesville, où se trouvent les cendres de Grace. Elle commence aussi de trier son volumineux courrier. En jette beaucoup. Garde des lettres sur lesquelles elle porte « ne pas répondre ». Répond à d'autres, nombreuses. Outre de ses amis, les lettres viennent d'inconnus qui l'admirent, d'associations, généralement de protection de la nature, auxquelles elle appartient. Ces lettres ont été soigneusement archivées, bien que Grace ne soit plus là pour accomplir ce travail qui lui était réservé, et sont désormais à la Houghton library de Harvard. Parmi elles, une lettre de félicitations de l'A.V.S. (Association for Volontary Sterilization), dont Marguerite Yourcenar est membre [20]. Ainsi, en dépit de son attendrissement devant les enfants de ses proches – du petit Jeremy, le fils de Jeannie, au neveu de Jerry qu'elle tient doucement dans ses bras sur une photo –, sa répulsion pour la procréation, qu'on avait déjà pu constater, était poussée jusqu'à ce radicalisme. Elle s'en explique dans un petit carnet retrouvé par hasard en janvier 1990 dans son bureau, derrière une boîte à crayons, par Jean-Denis Bredin, venu à Petite Plaisance préparer son discours de réception à l'Académie française, au fauteuil de Marguerite Yourcenar. Dans la liste des vœux sur le monde où elle aimerait vivre, après « Un monde sans bruits artificiels et inutiles. Un monde sans vitesse (...) », on trouve brutalement : « Un monde où il serait honteux et illégal d'avoir plus de deux enfants (stérilisation au troisième enfant) [21] [Marguerite Yourcenar a indiqué à côté de cette phrase « 1980 »], « Un monde où toute mère non mariée serait à peu près dans la position d'une divorcée d'aujourd'hui (cela est presque acquis), et recevrait un soutien financier de l'État, mais qui serait stérilisée à la naissance d'un *second* enfant. Un monde où les contraceptifs jugés sans effets secondaires nocifs seraient en vente libre (cela est presque fait dans certains pays) [22] ».

Ces phrases, on ne peut le nier, donnent le frisson : avec le temps – et l'âge – certaines des obsessions de Marguerite Yourcenar (la surpopulation en est une) prennent des dimensions névrotiques redoutables.

Quand Jerry Wilson revient, le 1er juin, ils partent pour Boston, où doit avoir lieu une réception à la librairie française, en l'honneur de Marguerite, qui vient de recevoir une promotion dans l'ordre de la Légion d'honneur (elle devient officier). Là, elle rencontrera pour la première fois Yvon Bernier, un enseignant québécois passionné de son œuvre et qui lui écrit depuis quelques années. Ils se lieront d'amitié. C'est lui qui mettra au point la bibliographie de l'édition de la Pléiade et l'aidera dans la relecture des épreuves. Yvon Bernier est l'un des quatre « trustees » qu'elle a désignés par testament. Après la mort de Marguerite Yourcenar, il a travaillé sur deux de ses manuscrits posthumes, *Quoi? L'Éternité* et *En Pèlerin et en Étranger*, pour lequel il a rédigé la « Notice bibliographique ».

De retour à Petite Plaisance, le 11 juin, Marguerite Yourcenar commence la rédaction de son essai sur Mishima, qui doit paraître chez Gallimard en janvier, au moment où elle sera reçue à l'Académie. Jerry quitte Mont-Désert le 14 juin pour la Nouvelle-Calédonie. Il ne reviendra qu'un mois plus tard, pour repartir presque aussitôt. Marguerite pourra donc consacrer à son manuscrit de longs moments, entrecoupés d'une visite de Claude Gallimard, son éditeur, accompagné de son épouse Colette, ainsi que d'un ami, prêtre au Québec, André Desjardins. Elle a retrouvé, intact, l'incroyable pouvoir de concentration qui a toujours été le sien : *Mishima ou la Vision du vide* doit être terminé, ou en voie d'achèvement, le 23 septembre, date du retour de Jerry et des préparatifs pour un long voyage en Europe, et probablement en Afrique du Nord.

L'embarquement pour l'Angleterre, sur le paquebot *Queen Elisabeth* doit se faire à New York le 28 septembre. Dès le 25, Marguerite Yourcenar et Jerry Wilson se rendent, via Salem, à Boston, où ils voient Walter Kaiser, professeur à Harvard, ami de Marguerite depuis quelques années et l'un de ses traducteurs depuis la mort de Grace. Jusqu'à la fin de sa vie, Marguerite Yourcenar porta une très grande amitié à Walter Kaiser. Celui qu'elle désignait comme « un ami vrai, et tellement plus désirable que tout autre traducteur », était aux côtés de DeeDee et de Jeannie quand on remit à la terre les cendres de Marguerite Yourcenar. Ce fut lui qui, dans l'église de l'Union de Northeast Harbor prononça son éloge funèbre [23].

Après une traversée sans histoire, Marguerite Yourcenar débarque le 3 octobre 1980 à Southampton et entreprend de montrer l'Angleterre, qui lui est si chère depuis l'enfance, à son jeune compagnon de voyage. Pour la première fois depuis des années, elle est vraiment heureuse. On remarquera qu'elle ne fait nullement état de maladie ou de malaises pendant cette période. Il est vrai qu'elle ne tient plus ses agendas avec la minutie d'autrefois, et que Grace n'est plus là pour noter la moindre de ses variations de température. En outre, sa correspondance devient plus restreinte et plus brève. Elle a désormais « mieux à faire ». Elle apprend à Jerry à reconnaître les oiseaux. Avec lui, elle est prévenante, attentive. Elle aura toujours à son égard, quelle que soit par ailleurs l'intensité d'une passion amoureuse, réelle, fantasmée, réinventée, cette espèce d'indulgence absolue que seules possèdent les mères : elle admire son « beau visage endormi » ; elle trouvera toujours « magnifiques » les photographies qu'il prendra tout au long de leurs périples ; elle excusera toutes ses fautes, toutes ses violences à son endroit.

En Angleterre, pourtant, Grace ne peut être totalement absente. Marguerite pense à elle, dans une abbaye du comté de Dorset : « J'ai essayé d'imaginer la toute jeune femme que je n'ai pas connue, sac au dos, traversant l'Angleterre. » Jerry, elle n'a pas à l'imaginer. Il est là, elle le regarde, elle est émue : « Un jeune homme vêtu d'un chandail blanc à capuchon blanc descend d'un pied ferme un *Tor*, une de ces pyramides de rochers pointus dans la forêt de Dartmoor, plus vieilles que l'histoire, écrit-elle dans *Quoi? L'Éternité*. Son vêtement n'est d'aucun âge. C'est un jour froid d'automne ; le corps recroquevillé d'une brebis morte, tombée de la même hauteur quelques jours plus tôt, gît sur le sol. Le même encore, vêtu de même, visitant avec moi une réserve de cygnes. Le même, sur l'étroit palier d'une auberge de campagne d'Angleterre, pieds nus dans son kimono de coton gris, unissant nos bras en une étroite étreinte que rien ne semble pouvoir dénouer ; elle s'est dénouée pourtant [24]. »

Maurice Dumay, l' « ami » du moment de Jerry, les rejoint. C'est un étrange trio. Depuis le printemps déjà, Maurice, au téléphone le plus souvent, manifeste une jalousie – réelle ou simulée – à l'égard de Marguerite, ancrant ainsi la vieille femme dans l'idée qu'ils forment, Jerry et elle, un couple suscitant envies et haines. Ainsi le voyage en Nouvelle-Calédonie que Maurice et Jerry avaient projeté – et auquel Jerry avait déclaré renoncer – fait-il l'objet d'un petit drame où alternent les accusations de promesses bafouées et les feintes générosités. Marguerite est ainsi « prise en mains » et entre, sans le savoir, dans une période assez chaotique de son existence. Elle la recomposera par la suite, comme à son habitude, non en se donnant le beau rôle mais en s'attribuant une exacte conscience de tout ce qui se passait, alors qu'il n'est pas tout à fait évident qu'elle n'ait pas été insidieusement manipulée. Elle concédera tout de même un jour : « J'ignorais dans quelle complexe "trame" humaine j'allais m'engager. »

C'est au cours de ce voyage que Marguerite Yourcenar décide d'entreprendre, avant de se consacrer au troisième volume de sa trilogie familiale, le récit du tour du monde qu'elle a le projet d'accomplir. Elle souhaite faire enfin le voyage en Égypte auquel elle a dû renoncer en 1964 en raison d'une rechute de Grace. Elle veut découvrir l'Inde et le Japon auxquels elle s'est de plus en plus intéressée pendant ses « années immobiles ». Elle a même appris, seule, quelques rudiments de japonais. Ce livre, qu'elle nommera *Le Tour de la Prison* – en mémoire de la fameuse phrase de Zénon, « Qui serait assez insensé pour mourir sans avoir fait au moins le tour de sa prison ? » – a beaucoup dévié du projet initial. En fait, à quelques exceptions près, il s'agit bien moins d'une relation de voyages que d'une série de récits et d'essais – dont la majorité est consacrée au Japon. À la mort de Marguerite Yourcenar, ce volume demeurait dans un grand état d'inachèvement. Elle laissait quelque trois cents feuillets rédigés, dactylographiés et manuscrits [25], et de nombreuses notes préparatoires, très fragmentaires, dispersées et quasi inutilisables, sauf comme documents biographiques pour ce qu'elle y écrit de sa vie privée, en marge des remarques sur les paysages qu'elle traverse. Cet intérêt biographique sera surtout vrai pour les voyages de l'année 1982. En cette fin d'année 1980, on ne relève que quelques notations ; par exemple : « 27 octobre. Promenade [avec Jerry et Maurice]. La conversation émouvante et satisfaisante. Un des très beaux jours de ma vie. Le petit Mercure regardé avec Maurice. Sensualité dans toutes ces sculptures gréco-romaines. Même quand c'est un bas-relief comme celui-ci, on sent qu'on pourrait le prendre dans ses bras. »

Elle qui aime à revenir sur ses pas, refait avec Jerry l'un de ses voyages favoris : Copenhague, Hambourg, l'île de Texel, Amsterdam. À La Haye, elle revoit, au Mauritshuis, les *Deux Noirs* de Rembrandt sur lesquels elle écrira un très beau texte pour la réouverture du musée, après restauration [26]. À Bruxelles elle retrouve Louise de Borchgrave, la « tante Loulou », « dans l'extrême vieillesse encore très belle » [elle a quatre-vingt-quatorze ans]. À Bruges, où elle montre à Jerry les traces de Zénon, elle accepte une signature dans une librairie. « Quel cauchemar, note Jerry dans son journal. Je pense que c'est la dernière fois que je laisse faire cela. » Curieux propos. Découvrirait-il, comme Grace Frick trente ans plus tôt, à quel point il lui est désagréable que Marguerite Yourcenar ne lui appartienne pas ? Le 15 décembre, Marguerite est accueillie à Bailleul et au Mont-Noir, sur les lieux de son enfance, avec tous les honneurs. Toutes les photos de ce jour-là la montre étonnamment souriante et jeune. Elle a souvent raconté son vrai bonheur lorsque, voyant une vieille femme s'avancer vers elle, émue, en disant « Marguerite », elle a reconnu « Marie Joye », la fille des gardiens avec laquelle elle jouait enfant. « Nous seules voyions, dans ces deux vieilles femmes qui se regardaient, deux enfants rieuses, confiait-elle. Presque quatre-vingts ans avaient passé »... Jerry Wilson mesure soudain toute la célébrité de Marguerite Yourcenar, prend conscience du personnage public, de la « star » qu'elle est devenue depuis son élection si symbolique à l'Académie. Marguerite, elle, est naïvement, violemment bouleversée par Jerry. Pour elle, le temps s'abolit.

Ils atteignent Paris (ils logent alors chez Maurice Dumay, dans le Marais) le 17 décembre, jour du rendez-vous de Marguerite Yourcenar avec Yves Saint

Laurent, qui a dessiné sa tenue d'académicienne. Une longue robe en velours d'une sobriété et d'une élégance que seul Saint Laurent sait atteindre, et un grand châle en soie blanche qui couvrira ses cheveux lorsqu'elle entrera sous la Coupole, et qu'elle fera glisser sur ses épaules pour prononcer son discours – c'est ce châle qui enveloppe désormais le panier indien contenant ses cendres. Pas plus que de l'uniforme napoléonien, Marguerite Yourcenar ne voulait de l'épée d'académicien. L'ayant deviné, Jean d'Ormesson lui avait écrit plaisamment : « J'ai pris sur moi d'écarter l'épée. Mais désirez-vous une broche, un collier, un diadème, un éléphant vivant, une piscine de porphyre...? » « J'aurais bien aimé un objet dont je possède une version rustique, aimait à raconter Marguerite Yourcenar. C'est un " poignard à tuer le moi ". Mais j'ai craint que ces messieurs soient inaptes à comprendre... » On lui offrit finalement un aureus d'Hadrien, qui est aujourd'hui la propriété d'un de ses amis les plus chers des années quatre-vingt, Jean-Pierre Corteggiani, un égyptologue, bibliothécaire de l'Institut français du Caire.

Le 22 décembre, après la traditionnelle visite des nouveaux académiciens – Marguerite Yourcenar et Michel Droit, accompagnés par le duc de Castries – chez le président de la République (protecteur de l'Académie française), Marguerite se rend à un dîner chez Colette et Claude Gallimard avec, notamment, Bernard Pivot, Jacqueline Piatier, Pierre Nora, Maurice Rheims. Jerry, pas plus que Grace, n'aime ce qui se passe à Paris. Du moins dans toutes ces manifestations « officielles » où il est nécessairement en retrait, et où Marguerite ne fait d'ailleurs rien pour qu'il se sente accueilli.

Probablement Jerry n'est-il pas étranger à la brouille

entre Marguerite Yourcenar et Matthieu Galey dont le livre d'entretiens avec elle, *Les Yeux ouverts*, vient de sortir. Sur cette affaire, tout – et son contraire – a été dit. Marguerite Yourcenar, après la mort de Matthieu Galey, niait même qu'il y ait eu brouille, précisant : « si j'avais su que Matthieu Galey était malade, je serais, évidemment, allée lui rendre visite ». Il y eut bien une fâcherie, pourtant, au terme de laquelle, Marguerite Yourcenar, avec une certaine inélégance, refusa que Matthieu Galey fût présent à ses côtés sur le plateau d' « Apostrophes » *, le 16 janvier 1981 : seul Jean d'Ormesson, qui allait la recevoir six jours plus tard quai Conti, était là.

Aujourd'hui, avec le recul du temps, on peut dire qu'entre Marguerite Yourcenar et Matthieu Galey, les torts étaient partagés. *Les Yeux ouverts* est un livre passionnant, bien que Marguerite Yourcenar affirmât : « Matthieu Galey m'a interrogée sur les sujets qui l'intéressaient, lui. Pas sur mes véritables préoccupations. » Sans doute pensait-elle qu'elle s'était au contraire trop confiée. En revanche, elle avait raison de protester contre la couverture du livre. Sur la tranche on lit seulement « Marguerite Yourcenar, *Les Yeux ouverts* », et sur la page de couverture : en haut et en très gros « Marguerite Yourcenar, de l'Académie française, *Les Yeux ouverts* ». Puis, en petit, en bas,

---

* Elle y parlait de *Mishima ou la Vision du vide* qui venait de paraître, et dont Diane de Margerie venait d'écrire : « L'essai se déploie autour de l'œuvre, scrute son absence de message si ambiguë, énumère toutes les questions que le lecteur ne cessera (jamais) de se poser au sujet de Mishima (...). Ce qui paraît le plus frappant dans ces pages lucides, qui permettent d'approcher une œuvre incroyablement diverse et complexe, c'est que l'acquis finit par n'apporter ni consolation, ni espoir, au prodigieux créateur, acteur et témoin de son temps, que fut Mishima. La rencontre entre cette violente négation allant jusqu'à la mort, et la transmutation vitale que la romancière a toujours opérée à travers ses propres personnages, est passionnante. »[27]

sous une photo de Marguerite Yourcenar, « entretiens avec Matthieu Galey. » « On a la fâcheuse habitude de joindre ce titre à la liste de mes ouvrages, déplorait-elle. Je ne suis pas l'auteur de ce livre. » On ne saurait la contredire. Le procédé, sans doute lié à des raisons commerciales, n'était guère plus délicat que son geste à elle, interdisant d'« Apostrophes » l'auteur des *Yeux ouverts*. En matière d'inélégance pourtant, la palme revient à Matthieu Galey lui-même, dans son *Journal*. Il est vrai que nul n'est tenu à l'élégance dans ses pensées les plus intimes. Mais dès qu'on les couche sur le papier, un seuil est franchi, une volonté de formuler le ressentiment, de le faire durer. D'autant que derrière ce *Journal*, il devait bien y avoir, déjà, une arrière-pensée de publication. C'est au cours de l'année 1980 que grandit l'animosité de Matthieu Galey pour Marguerite Yourcenar.

« Dans le manuscrit de Yourcenar que je tape – et corrige – écrit-il notamment, elle déclare qu'elle n'est pas opposée à " l'abortion ", anglicisme à la rigueur excusable après quarante ans de séjour aux U.S.A., bien que pour une académicienne... Mais que penser de " propensité "? Sans parler, bien sûr, des phrases bancales et emberlificotées que j'essaie de remettre sur pied. Je me demande si Grace Frick, de son vivant, ne se livrait pas à ce petit travail... Elle va beaucoup manquer [28]. »

Même emporté par la colère, Matthieu Galey n'aurait jamais dû se laisser aller à insinuer que Grace Frick réécrivait Marguerite Yourcenar, ce qui est simplement absurde. Elle faisait, certes, un « travail de fourmi », pénible, considérable et indispensable. Marguerite Yourcenar ne l'a jamais caché. Les témoignages en sont multiples, des « Carnets de notes des *Mémoires d'Hadrien* » aux dédicaces faites à Grace, en passant par la correspondance privée.

L'exaspération monte : sans craindre d'être taxé de mercantilisme, ce qui est peut-être une preuve de qualité, Matthieu Galey rapporte aussi l'une de ses conversations téléphoniques avec Marguerite Yourcenar :

« 6 avril

« Cette nuit, j'appelle Yourcenar. Sereine, à peine aimable, durcie par la gloire, semble-t-il, jusqu'à l'acier inoxydable, je l'entends me dire très calmement que je n'aurai pas les vingt pages qui me manquent avant des mois, qu'elle n'a même pas ouvert le paquet d'épreuves, et que si vraiment sa notoriété ne doit pas passer l'été, cela ne présente guère d'intérêt. Que répondre ? Je ronge l'ébonite de mon téléphone, en songeant que Rosbo, seul sur le marché, rafle tranquillement toutes les ventes. Si encore elle me donnait un texte impérissable. Mais non, des banalités drapées, qui finiront par lasser tout le monde. Même au moment de sa réception, achètera-t-on ce livre ? Pour une fois que je tenais la chance par la queue, il y a de quoi grincer des dents [29]. »

Cette hostilité sourde, Marguerite Yourcenar l'a probablement décelée. Dans ces cas-là, elle n'était guère portée à l'indulgence. Plutôt encline à la raideur.

On s'en voudrait de manquer la description – talentueuse, mais exhalant une terrible détestation des femmes – que fait Matthieu Galey de la réception de Marguerite Yourcenar sous la Coupole, le jeudi 22 janvier 1981, en présence du président de la République, ce qui est tout à fait exceptionnel *.

> « Bien entendu, le seul événement historique auquel j'assiste, j'attends huit jours pour le noter. Car ce fut un véritable show

* Non moins exceptionnelle était la retransmission en direct de la cérémonie à la télévision, sur FR3. L'émission était produite par Maurice Dumay.

que cette réception, tout à fait insolite. Rien d'une réception académique : quelque chose comme une intronisation du Tastevin, ou le jubilé de la reine Victoria. Grande houppelande de velours noir, avec un col blanc et un châle, également blanc, sur la tête, l'entrée de Marguerite est assez stupéfiante.

Un sacre, au son du tambour. Une tertiaire de saint François, suivie d'un prêtre (le R.P. Carré), ou une vieille impératrice jugée en Haute Cour par tous ces bizarres magistrats à queue verte. Avec leur allure d'insectes, cela donnait aussi l'impression d'une mystérieuse frairie, comme si cette grosse termite, fécondée par ses insectes vibrionnant autour d'elle, allait pondre des œufs, sous l'œil du couple présidentiel, impassible sur ses fauteuils Louis XV.

Après quoi le lourd paquet, dans ses velours, se propulse jusqu'à une petite table, sous l'estrade du bureau directorial et commence à lire son beau – mais long – discours sur Caillois, où il est question de diamants, mais ce ne doit pas être volontaire... (...) À la fin, la salle entière se lève pour applaudir. Sauf les Giscard, qui se prennent pour des souverains [30]. »

Ce « beau discours » – Matthieu Galey le concède – commence, très ironiquement, par un hommage aux femmes accompagnant de leurs ombres celle à laquelle, enfin, les hommes viennent d' « avancer officiellement au fauteuil » :

« Vous m'avez accueillie, disais-je. Ce moi incertain et flottant, cette entité dont j'ai contesté moi-même l'existence, et que je ne sens vraiment délimité que par les quelques ouvrages qu'il m'est arrivé d'écrire, le voici, tel qu'il est, entouré, accompagné d'une

623

troupe invisible de femmes qui auraient dû, peut-être, recevoir beaucoup plus tôt cet honneur, au point que je suis tentée de m'effacer pour laisser passer leurs ombres.

Toutefois, n'oublions pas que c'est seulement il y a un peu plus ou un peu moins d'un siècle que la question de la présence de femmes dans cette assemblée a pu se poser. En d'autres termes c'est vers le milieu du XIXe siècle que la littérature est devenue en France pour quelques femmes tout ensemble une vocation et une profession, et cet état de choses était encore trop nouveau peut-être pour attirer l'attention d'une Compagnie comme la vôtre. Mme de Staël eût été sans doute inéligible de par son ascendance suisse et son mariage suédois : elle se contentait d'être un des meilleurs esprits du siècle. George Sand eût fait scandale par la turbulence de sa vie, par la générosité même de ses émotions qui font d'elle une femme si admirablement femme ; la personne encore plus que l'écrivain devançait son temps. Colette elle-même pensait qu'une femme ne rend pas visite à des hommes pour solliciter leur voix, et je ne puis qu'être de son avis, ne l'ayant pas fait moi-même [31]. »

Certains des « Messieurs » que Marguerite Yourcenar était censée remercier ont dû en concevoir quelque irritation. D'autant que dans la soirée, elle préféra aller fêter son admission dans la Compagnie avec Jerry, Maurice Dumay et quelques amis, plutôt qu'avec ses nouveaux confrères.

Comme le veut la tradition pour tout nouveau membre, Marguerite Yourcenar avait participé à une séance de travail sur le dictionnaire. « Le nouvel académicien doit commenter le mot du dictionnaire auquel on est arrivé, précise Jean d'Ormesson. Le mot qui

devait échoir à Marguerite Yourcenar était " follette ".
Nous nous sommes trouvés un peu embarrassés. Nous
avons triché et nous lui avons donné " follement ". »

Ignorant la supercherie, elle croira à un signe béné-
fique du hasard, elle qui aime déjà « follement » Jerry.
Une rumeur, qui persiste encore, plus de neuf ans plus
tard, prétend qu'elle aurait dû avoir à expliquer
« gousse », utilisé en argot pour « lesbienne »... Un trait
caractéristique d'humour masculin...

Cette femme « en gloire » a toutefois trouvé le temps,
et c'est là l'un de ses habituels paradoxes, de se faire
conduire dans une maison de retraite près de Chartres,
où s'est retiré Sherban Sidéry, l'une de ses vieilles
connaissances, un familier de Marie-Laure de Noailles,
qui avait écrit une adaptation théâtrale d'un roman
anglais anonyme que Marguerite appréciait particulièrement, *Madame Solario*.

Cette réception fastueuse à l'Académie, Marguerite
Yourcenar, profondément, considère qu'elle lui était
due. Il ne lui déplaît pas d'être la femme qui aura
« forcé la porte », et d'être passée, en quelques mois,
du maximum d'écart avec le siècle et l'actualité, au
maximum de conformité avec cette « société du spectacle » qu'elle a toujours réprouvée. Elle est sans doute
plus étonnée, en revanche, de s'être soudain retrouvée
porte-drapeau d'une « cause des femmes » qu'elle
comprenait mal, n'ayant jamais subi, pas même dans
son enfance, les contraintes qui d'ordinaire échoient à
son sexe.

Beaucoup de ses propos sur le féminisme trahissent
en effet une certaine incompréhension des problèmes
de femmes subissant la loi de leur milieu social et les
contraintes de leur milieu professionnel. Ils révèlent

toutefois une grande lucidité sur les pièges tendus aux « femmes libérées ». Si la « libération » est l'acquiescement aux « valeurs » de la société masculine, de la compétition sociale à tout crin jusqu'à la guerre, alors où est la vraie liberté ? Où est la possible nouveauté, l'expérience d'un monde enfin mixte ?

> « S'il s'agit de lutter pour que les femmes, à mérite égal, reçoivent le même salaire qu'un homme, je participe à cette lutte », dit-elle à Matthieu Galey. « S'il s'agit de défendre leur liberté d'utiliser la contraception, je soutiens activement plusieurs organisations de ce genre ; s'il s'agit même de l'avortement, au cas où la femme ou l'homme concerné n'auraient pas pu ou pas su prendre leur mesure à temps, je suis pour l'avortement, et j'appartiens à plusieurs sociétés qui aident les femmes en pareil cas, bien que personnellement l'avortement me paraisse toujours un acte très grave * [32]. »

Contrairement à ce qu'ont dit certains hommes – trop heureux de penser qu'une femme si célèbre parlait contre les femmes –, Marguerite Yourcenar n'assimilait pas le féminisme à une forme de racisme, ou plus exactement de sexisme. On l'a vu, sur des points précis – la contraception et l'avortement au tout premier chef – elle soutenait le combat des femmes. Si elle avait été aussi hostile à leur lutte qu'on le dit parfois, elle n'aurait certainement pas vu si souvent, au

---

* A ce propos, elle précisait même, curieusement, à l'une de ses correspondantes : « ... avortement... je n'aime pas beaucoup cela, mais l'époque l'exige ; encore que je voudrais qu'un rite de prière soit prévu pour le mari et la femme qui ont, même sagement et pour éviter le pire, éliminé une vie. Cela ne changerait rien à rien, certes, mais ferait réfléchir au sérieux de l'acte, et disposerait peut-être les intéressés à prendre des précautions moins tardives [33]. »

moment de sa réception à l'Académie et lors d'autres visites à Paris, Gisèle Halimi, l'une des figures éminentes du féminisme français.

L'Académie a probablement été pour Marguerite Yourcenar le premier lieu d'affrontement avec les hommes. Pour la première, et peut-être l'unique fois de sa vie, elle a senti leur réprobation. Irrationnelle. Uniquement fondée sur son appartenance à l'autre sexe. Leur hostilité à son égard a été, et demeure encore plus grande, que celle portée aux femmes qui défendent « la cause des femmes ». Car Marguerite Yourcenar ne s'est pas même socialement *opposée* aux hommes. Elle les a ignorés. Cela leur est durablement intolérable. Aujourd'hui encore, des jeunes gens ne craignent pas de la juger de manière hâtive et péremptoire. Ainsi, François Sureau – jeune auteur encore mais membre du Conseil d'État et directeur général adjoint d'une grande entreprise – parle tranquillement, en 1989, dans un dialogue avec Jean d'Ormesson, de la « conception religieuse et presque totalitaire de la littérature » qu'aurait eue Marguerite Yourcenar, avant de conclure : « Mon agacement est très superficiel. Cette attitude du grand écrivain polissant sa statue – voyez sa biographie dans la Pléiade –, solitude d'un côté, opinions sur tout de l'autre, ses fausses grandes manières me rendent peut-être injuste. Le style est froid, lourd, provincial, la philosophie pesante, mais il y a de belles choses, *Le Coup de grâce* [34]... » Pour ce qui est d' « avoir des opinions sur tout »... En la matière, on peut préférer l' « opinion » de Mishima, déclarant peu avant sa mort au *Figaro* que *Mémoires d'Hadrien* était l'un de ses romans français préférés. Ou celle du jeune écrivain autrichien Christoph Ransmayr qui, dit-il, n'aurait jamais écrit son roman *Le Dernier des mondes* [35] – mettant en scène le poète latin Ovide – si

Mémoires d'Hadrien n'avait pas existé. Ou encore celle de William Styron expliquant combien la force narrative de Marguerite Yourcenar dans *Mémoires d'Hadrien* l'a aidé, dans la difficile rédaction de son roman, *Les Confessions de Nat Turner* [36].

La vieille femme qui vient d'entrer, vivante, dans sa légende, n'y voyant que l'exacte mesure de son destin, est en proie à des désirs de jeune fille. À peine huit jours après sa réception, elle part, avec Jerry, pour un long voyage. Elle montre la France à son jeune compagnon, comme autrefois à Grace : La Rochelle, Saintes, Royan, Toulouse, l'abbaye du Thoronet. À Albi, le 12 février, elle visite le musée Toulouse-Lautrec et note : « Seules me plaisent vraiment les femmes des maisons closes dans leur [illisible] épaisse et divine du détail féminin, à peine plus vulgaires sans doute que les épouses des clients et probablement plus expertes. Leur absence totale de beauté leur enlève tout caractère aguicheur. Une fille à bas noirs, poncif de l'époque, intéresse par je ne sais quoi de plus sensible que les autres esquisses. Je ne trouve ici rien qui égale tout à fait le tableau vu je ne sais où, les deux amantes ébouriffées et fatiguées. »

Après une promenade en Camargue, Marguerite Yourcenar et Jerry Wilson se rendent à Saint-Paul-de-Vence chez James Baldwin, que Marguerite reverra plusieurs fois. En 1982, elle traduira en français sa pièce *Le Coin des « Amen »*, qui paraîtra l'année suivante. Elle apprécie la compagnie de cet homme « fin et chaleureux », dont elle remarque « les mains d'une sensitivité étonnante, féminines et très masculines à la fois ». Le 21 février, Marguerite et Jerry s'embarquent, à Marseille, pour l'Algérie. Ils passent ensuite trois semaines – « très heureuses » confiera Marguerite – au

Maroc, avant d'aller en Espagne, où ils fêteront, le 22 mars, le trente-deuxième anniversaire de Jerry. Au Portugal, début avril, Amalia Rodriguez et Alain Oulman – qui a composé beaucoup de ses chansons – leur offrent une soirée qualifiée de « délicieuse ». Mais leur manière, à tous deux, de voyager, prend soudain quelque chose d'étrangement excessif, comme une accélération aveugle. Ils rentrent à Paris le 14 avril, pour repartir à Bruges le 26. Le 29, ils sont en Angleterre, d'où ils font route vers les États-Unis. À New York, le 8 mai, ils visitent la Frick collection, où Marguerite montre à Jerry le fameux *Cavalier polonais* de Rembrandt, l'un des tableaux de sa vie. Une image pour elle étrangement obsédante, comme elle l'est pour le narrateur du roman de Philippe Sollers *Femmes* : « Il est là, oblique, farouche, surgi rouge du fond marron jaune du paysage... Bonnet de fourrure, arc et flèches... Apocalypse en éveil [37]... »

Jerry ne restera à Mont-Désert que jusqu'au 17 juin, date à laquelle il rentrera à Paris pour l'été, en compagnie de Maurice Dumay, arrivé le 12 juin. Marguerite passe un été studieux, entrecoupé de quelques visites, notamment celle de Colette et Claude Gallimard. Outre les épreuves du premier volume de ses œuvres dans la Bibliothèque de la Pléiade, qu'elle corrige au début d'août avec Yvon Bernier, elle travaille à *Un homme obscur*. Elle terminera le 7 septembre la rédaction de ce texte – l'un de ses ouvrages préférés – qu'elle dédie à Jerry, rentré le 26 août à Petite Plaisance. Tous deux repartent pour l'Europe le 9 octobre, après être passés au cimetière de Somesville, visite dont Marguerite a fait un passage obligé avant de quitter l'île. Ils débarquent, comme l'année d'avant, en Angleterre et retournent sur les lieux que Marguerite a fait découvrir à Jerry et qui sont – hasard? – ceux que Grace aimait par-dessus tout.

À partir de la fin octobre Marguerite Yourcenar est à Paris, qu'elle quitte quelques jours au début de décembre pour un rapide voyage à Amsterdam et à Bruges. Elle va souvent, le dimanche, à l'église russe de la rue Daru, comme autrefois avec son père. Jusqu'à la fin de sa vie, elle se conformera à ce rite. Elle se rend à l'Académie – ce sera la seule fois après sa réception – lors du vote pour le Grand Prix du roman. Ses faveurs vont à Michel del Castillo, qui n'est pas couronné. Ce n'est pas de nature à améliorer les relations de Marguerite, qui déteste perdre, avec ses confrères. Elle revoit Matthieu Galey qui, bien sûr, commente sa visite dans son *Journal* :

> « Yourcenar, revue pour la première fois depuis la brouille. À son hôtel, rue de l'Université. Pas changée, si ce n'est les cheveux taillés net sur la nuque, à la Gertrude Stein, et son ordinaire accoutrement bizarre, avec un pantalon informe, une blouse très chichi à bouillonnés et un gilet de valet de chambre, à rayures grises et noires, le tout agrémenté d'une petite cape noire de chez Saint Laurent... Notre thé est très " mondain " sans aller au fond de rien : les derniers prix d'Académie (elle a préféré Castillo, pour ses qualités " modernes "), l'Angleterre où elle vient de passer quelques semaines, à Salisbury, Stonehenge, Tintagel (?), Amsterdam, la Frise et ses réserves d'oiseaux, les oasis du Maroc, la petite vie à Northeastharbour, et bien sûr son travail. Accablée, dit-elle, par ses besognes : la Pléiade à corriger (...) Et puis la préparation de son prochain voyage au Japon, où elle compte passer six mois. *Quoi? L'Éternité*, troisième tome de ses Mémoires, elle n'en a écrit que le début, mais elle préfère laisser reposer. " Si dur de parler de soi, quand on est un cas, semble-t-il, particulier. "

Pourquoi réécrire ces mondes anciens au lieu d'en inventer d'autres ? " Parce que mes personnages ne me quittent jamais. Je me contente de les regarder vivre dans une circonstance différente en les enrichissant de mon expérience présente. " »

À propos des *Yeux ouverts*, elle lui indique : « en Hollande, à la télévision, on m'a fait lire les dernières pages, sur la mort : j'étais très embarrassée ». « Mais elle les a tout de même lues » commente-t-il [38].

Maurice Dumay est malade – il mourra d'un cancer quelques mois plus tard. Ses relations avec Jerry deviennent difficiles, agressives. « L'atmosphère, rue Pavée, était irrespirable en cette fin d'année » se souviendra Marguerite Yourcenar. Est-elle encore sûre d'avoir eu raison de dire en octobre à une amie, avant de quitter les États-Unis, que Grace et Jerry étaient « l'un des plus beaux accords » de sa vie ? Elle pensait alors que « si Grace savait et si elle était encore la Grace pas trop affaiblie et troublée par la maladie, elle dirait à Jerry " merci " ». Ayant « goûté avec tant de douceur pendant un an et demi la saveur de vivre », comme elle le confiait, n'a-t-elle pas imprudemment consenti à se laisser mêler aux petites intrigues d'un groupe d'amis qui, sans doute, lui ont rappelé sa jeunesse, mais qui sont loin d'avoir le panache et les talents de ses compagnons d'antan ? Et, bien qu'elle ne veuille plus le savoir, elle a eu, le 8 juin 1981, soixante-dix-huit ans. Elle n'est plus la jeune femme nomade et libre qui partait en croisière avec André Embiricos pour écrire *Feux* et calmer sa passion douloureuse pour André Fraigneau. Si elle veut continuer de voyager, dans le temps – son temps à elle – comme dans l'espace, elle doit, d'une certaine manière, se soumettre à Jerry.

CHAPITRE 2

Les trébuchements
et le « roman noir »

Les voyages que Jerry Wilson lui permet de faire sont, comme le dit Marguerite Yourcenar, « inespérés » pour une femme de son âge. Mais, à partir de janvier 1982, près de deux ans après leur premier départ de Petite Plaisance pour la Floride, leur cohabitation devient parfois difficile, ne serait-ce que parce qu'ils n'ont, ni l'un ni l'autre, ce qu'il est convenu d'appeler un « bon caractère ».

À posteriori, et après avoir recoupé les témoignages de ceux qui les ont vu vivre pendant cette période et ont recueilli certaines confidences, il semble que l'affectivité et la forte sensualité de Marguerite Yourcenar, trop longtemps mises en sommeil, aient soudain resurgi de manière débordante, presque obsédante. Voulait-elle obtenir de Jerry ce qu'André Fraigneau lui avait refusé, se venger de ce rejet qu'elle n'avait jamais admis ? L'a-t-elle obtenu, comme elle l'insinuait parfois à la toute fin de sa vie *,

---

* Selon tous ses amis, Marguerite Yourcenar a gardé intacte, jusqu'à son ultime maladie, sa vigilance d'esprit. Son infirmière et ses médecins confirment qu'elle n'a jamais été, avant novembre 1987, ni sénile, ni délirante. Ils précisent cependant qu'elle a peut-être eu, entre l'été 1986 et l'automne 1987, d'imperceptibles attaques cérébrales, et que son immense savoir et son art de manier sa culture ont pu masquer durablement, aux yeux de tous, de très légères défaillances de l'esprit.

ou comme l'affirment certains des amis proches de Jerry Wilson? A-t-elle fantasmé, et cru à un rêve plus fort que la réalité, comme on l'en sait capable? Mais est-il vraiment nécessaire de trancher sur ce point, de chercher à « faire la lumière », de refuser l'incertitude? Une incertitude probablement définitive, scellés ou non, et quelles que soient les affirmations contradictoires des uns et des autres, tant, on l'a vu à de multiples reprises, il sera toujours difficile de séparer ce que Marguerite Yourcenar a vraiment « vécu » de ce qu'elle a « recomposé ». Quoi qu'il en soit, on le sait, c'est probablement ce qu'elle a recomposé qu'elle a vécu le plus intensément.

Ce qui est certain – et bien qu'André Fraigneau, étonné de ce qu'on lui raconte, précise : « mais enfin, elle ne m'avait pas vu depuis trente ans! » –, c'est que de plus en plus, au cours des années quatre-vingt, l'image d'André Fraigneau et celle de Jerry se superposent pour Marguerite Yourcenar. De même que va s'opérer dans son esprit une identification entre Antinoüs et Hadrien d'un côté, Jerry et elle de l'autre. Cette femme, après presque quarante ans d' « absence » aux émotions du cœur et du corps, vit de nouveau une passion. En 1985, lors de sa grave opération cardiaque, Marguerite Yourcenar, dans les brumes du réveil, parlera sans cesse à Jerry en le désignant comme « André ». « C'est un moment où la confusion ne peut pas être maîtrisée », dit DeeDee Wilson. « Cette comparaison, qu'elle faisait sans doute souvent entre ces deux personnes à l'état de veille, surgissait là sans retenue. Quand je l'ai entendue prononcer le nom " André ", j'ai tout de suite pensé à cet homme dont elle m'avait parlé, qu'elle avait aimé avant la guerre et qu'elle n'était pas fâchée, disait-elle, d'avoir fui, car il avait pris le parti de l'ennemi. »

Non moins certain est le désir de Marguerite Yourcenar que Jerry et elle apparaissent comme un couple. On a vu ce que ce désir pouvait devoir à l'éventuelle jalousie des proches de Jerry. Il n'empêche qu'en janvier 1981, Marguerite a décidé de porter, sans plus le quitter, un collier en or que lui avait, disait-elle, offert Jerry. Elle l'enlèvera en 1983 « après une scène particulièrement pénible », mais le remettra à son cou deux jours plus tard. Jerry, bien sûr, tire profit de la passion qu'il suscite. Il se sent toutefois étrangement lié à cette vieille femme. Il n'y a pas de raison de douter qu'il ait eu, lui aussi, dans cette étrange relation sa part de sincérité. Et comme pour Grace, il est bien difficile de dire qui, de Marguerite ou de Jerry, était le plus prisonnier de l'autre.

Avant de faire ce voyage en Égypte attendu depuis près de vingt ans – ce sera une croisière d'un mois, du 12 janvier au 13 février 1982, de Venise à Venise – Marguerite Yourcenar veut passer par Vérone, la ville qu'elle a tant aimée dans les années vingt. Elle y revoit « les portes plaquées de bronze de l'Église san Zeno, et les Pisanello » – dont la femme magnifique, inoubliable, du fameux saint Georges terrassant le dragon. La première étape du voyage est Alexandrie, dont Marguerite Yourcenar ne dit rien dans son carnet de bord [1], mais où l'on sait qu'elle se plut à retrouver les traces de Constantin Cavafy. Puis le bateau, remontant le Nil, fait escale au Caire. Marguerite Yourcenar et Jerry Wilson descendent à l'hôtel Méridien : « La tuyauterie, vieille de six ans, y était déjà en mauvais état, se souvenait-elle. Je me suis fait presque un ami du plombier, que je devais faire appeler sans cesse. Pour " réparer ", il tournait des cotonnades autour des tuyaux défaillants. J'aimais à le voir faire. En partant, il me baisait la main. Ou l'épaule. »

Marguerite Yourcenar, dont on a plus que jamais le sentiment qu'elle se promène à travers le monde pour voir si la réalité ressemble à ce qu'elle en a imaginé, note que « le Sphinx est aussi beau que sur ses photos » et ajoute : « étrange absence d'émotion, pourtant ». Les pyramides ne la touchent guère non plus : « De derrière, comme on a dégagé le terrain, les pyramides sont plus belles. Mais les grandioses triangles à quatre faces me semblent, sans plus, et admirablement d'ailleurs, ce qu'ils sont : de grands monuments funéraires d'une race qui croyait encore à la durée (...). L'énorme disproportion entre la réussite technique et l'effet obtenu est finalement la même que dans nos cathédrales et nos complexes industriels (...). Mais les cathédrales, élevées pour unir l'homme à Dieu, n'ont pas davantage rempli leur but, qui était d'exalter Dieu en sanctifiant l'homme, et les complexes industriels créés prétendument pour apporter à l'homme la prospérité auront été sa perdition (...). Il semble que de tout temps la fourmi humaine veuille créer des constructions réelles ou mentales qui finalement l'écrasent. » La « mosquée d'un sultan », en revanche, lui paraît d'une « beauté bouleversante » : « il me semble parfois l'avoir vue en songe. »

Pour visiter le musée du Caire, Marguerite Yourcenar se laisse guider par Jean-Pierre Corteggiani, le bibliothécaire de l'Institut français. Il lui propose de l'emmener sur le site d'Antinoé et de rejoindre seulement ensuite, en amont, le bateau sur lequel Jerry et elle poursuivront leur croisière. Elle accepte avec joie. Elle sera à Antinoé le 22 janvier 1982, premier anniversaire de sa réception à l'Académie française. « Quand nous sommes arrivés à Antinoé, c'était comme si elle revenait sur des lieux familiers, raconte Jean-Pierre Corteggiani [2], comme si elle se souvenait de ce qu'Hadrien avait vu, de ce qu'elle avait fait voir à Hadrien et qu'elle avait vu à travers lui. C'était fascinant à observer. Depuis longtemps, je l'admirais comme écrivain. Mais lors de cette rencontre, dont je ne savais pas encore qu'elle inaugurait une amitié qui me fut infiniment précieuse, j'ai été ébloui par cette femme. Par sa culture. Par son incroyable capacité d'attention et de concentration, par sa curiosité intellectuelle encore si vive à soixante-dix-huit ans, et dont j'ai pu mesurer l'ampleur quand nous avons visité le musée du Caire. J'ai été surpris aussi par cette manière qu'elle avait, d'être, comme elle le disait à propos de son père, " chez elle partout et nulle part ". Jerry Wilson, lui, ne m'a pas été particulièrement sympathique. Il demeurait très silencieux et l'on se demandait si c'était, ou non, un signe d'hostilité. » Jerry, à coup sûr, n'aimait pas voir Marguerite Yourcenar prendre trop de plaisir à la compagnie de quelqu'un, et encore moins commencer de nouer des relations amicales. Et les conversations érudites ne pouvaient que le tenir à l'écart. Ce silence, on ne saura jamais s'il lui était imposé ou non. En Europe, les amis de Marguerite Yourcenar – ceux qui n'étaient pas aussi ceux de Jerry – l'ont toujours connu silencieux en sa présence, et comme en retrait de celle qu'il appelait, avec déférence, « Madame »; dès qu'elle n'était plus là en revanche, il avait pris l'habitude de parler tranquillement en son nom. Ceux qui les ont vus vivre à Mont-Désert, DeeDee et Jeannie en particulier, ont été fort étonnés d'apprendre cette réserve : à Petite Plaisance, Jerry, dès la fin de 1981, régnait en maître.

À Antinoé, Marguerite a sans cesse « pensé à [sa] description d'Hadrien " soutenu par une ivresse lucide " ». « J'ai pensé aussi aux escaliers de marbre que j'avais devinés, reliant la ville au fleuve. Je pense enfin pendant tout cela à la scène de lamentation et de deuil des premiers jours du mois d'Athyr. »

« Nous avons pris une barque, ajoute Jean-Pierre Corteggiani, et, à quelque dix mètres du rivage, à l'endroit où, peut-être, s'était noyé Antinoüs, Marguerite Yourcenar, symboliquement, a jeté une petite bourse pleine de pièces de monnaie. » Dans ses notes de voyage, Marguerite Yourcenar attribue ce geste à Jerry Wilson... Et elle ajoute : « J'aurais voulu visiter, sur l'autre rive, l'endroit où Hadrien porte son ami aux embaumeurs. Mais outre que je ne voulais rien superposer à Antinoé, il était temps que nos amis reprissent la route pour rentrer au Caire. Bien nous en a pris, d'ailleurs, puisque rentrés au bateau nous avons été témoins d'une scène inoubliable (...) J'étais dans ma cabine. Jerry sur le pont. Jerry vient me chercher en hâte. Il a vu un policier poursuivre une femme qui se précipitait vers le fleuve et la ramener. Elle hurlait. D'autres femmes sont venues, hurlant aussi, de ce long criage d'Orient qui est celui du deuil. Toutes agitaient leurs châles d'un geste rythmique répété, jetant en avant comme des ailes les longs pans noirs. Un homme de trente ans venait de se noyer, sa felouque s'étant retournée (...). La femme hurlante était sa femme. Une femme plus âgée, la mère, sans doute, descend vers le fleuve sans que personne l'en empêche et va frotter ses cheveux et son visage de boue avant de rejoindre le chœur. Pendant tout ce temps, les hommes du village, présents eux aussi, regardent, silencieux. Un homme s'essuie les cheveux de son ample robe. Un peu plus tard, il ira s'asseoir sur le rebord de pierre, la tête sur les genoux, image muette, très digne et infiniment émouvante, de la douleur (Hadrien peut-être s'est aussi discrètement essuyé les yeux de sa toge, peut-être s'est-il assis la tête posée sur les genoux, entre ses bras). Les hommes priaient. Beauté de ces prières qu'on sent convaincues. Oui, j'appartiens assez au monde immémorial pour croire que les ponts irritent les grands fleuves. Je songe à cette étrange coïncidence qui nous a fait assister à cette scène de deuil pour un noyé le jour même de la visite à Antinoé. Corteggiani nous a raconté qu'Hadrien est qualifié d' " âme du Nil ", lui qui a divinisé son ami. Il a dû entendre cette épithète avec un pli d'ironie. »

C'est dans la constante compagnie d'Hadrien qu'elle poursuit cette visite de l'Égypte : « On nous dit, alors que nous faisons route vers Louqsor, que le 24 janvier 131 Hadrien a célébré là son anniversaire, note-t-elle. Si ce fait, que je ne me rappelle pas avoir vu mentionné est vrai, à quoi aura pensé ce jour-là cet homme de cinquante-cinq ans ? » Elle aimait à rapporter un incident qui a probablement contribué à intensifier l'assimilation qu'elle rêvait entre Antinoüs et Jerry. Un soir, du bateau, il a plongé dans le Nil. Il avait mésestimé le courant et il a eu du mal à revenir à bord. Assez effrayé, « ruisselant d'eau glacée », il se serait réfugié dans les bras de Marguerite Yourcenar, comme un enfant, et lui aurait dit : « J'aurais dû me noyer comme Antinoüs »... À distance, on se prend à trouver l'anecdote un peu forte et à soupçonner Jerry de grossière manipulation. Mais l'histoire est-elle vraie ou, une fois encore, fantasmée ? Et à supposer qu'elle soit vraie, de quelle formidable pesée sur l'esprit du jeune homme pouvaient être ces jours, ces lieux, ces propos habités, hantés par un jeune mort auquel Marguerite lui enjoignait de s'identifier ?

À partir du 28 janvier, Marguerite Yourcenar se sent fatiguée. Elle laisse souvent Jerry faire seul certaines visites. Du bateau accosté, elle regarde le quai et écrit ce qu'elle voit : « un vieux joueur de viole [qui] rejoue perpétuellement un air triste, un peu grinçant, obsédant et mince », ou : « Dans la solitude presque absolue entre les fournées [de touristes] la vie quotidienne du misérable petit embarcadère [où] de malheureux ânes entravés se couchent dans la poussière pour s'y rouler et se relèvent avec peine, ou vont, museau bas, à la recherche de quelque herbe improbable dans le sable. » De retour au Caire, le 5 février, elle indique qu'elle ne quitte pas sa chambre pendant trois jours. Le bateau repart le 8 février. Jerry semble en proie à certains mouvements d'humeur. Sans doute cette femme sans cesse fatiguée lui est-elle parfois pesante. Et elle note, elliptiquement : « il est dur de s'apercevoir qu'on manque de forces ». Avant de regagner Venise, le bateau fait escale au Pirée. Marguerite Yourcenar ne veut pas descendre. A-t-elle peur de revoir Athènes, après quarante-trois ans d'absence? Son éditeur Jeannette Hadzinicoli, qui souhaite la voir, lui rend visite à bord. Marguerite Yourcenar promet de revenir en Grèce. Elle le fera.

À Venise, où le bateau accoste le 13 février à 7 heures du matin, Marguerite Yourcenar se met à prendre ses notes de voyage en italien. Une manière de se sentir plus en accord avec la ville où elle se trouve, ou la volonté de cacher à son compagnon – qui ne lit pas l'italien – ce qu'elle consigne de son séjour? « Si je mets toutes ces journées à la file, 13-14-15 février, sans les distinguer les unes des autres, c'est qu'elles se fondent, pour qui sait voir et vivre, dans une espèce d'étrange songe. » Venise est envahie par son Carnaval. Marguerite s'installe chaque jour sur la place Saint-Marc, au Florian, pour un long moment. Elle regarde passer « le flot des masques ». Elle a toujours aimé le travestissement, et la « beauté mystérieuse » des gens masqués. Elle remarque cependant un homme déguisé en SS, « un nazi solitaire qui me fait un peu horreur ». Le 18, elle pensait passer une bonne soirée, dînant avec Paolo Zacchera, un ami italien qui partage ses préoccupations écologiques et avec lequel elle restera liée tout au long des années quatre-vingt. On dîne sur les Zatterre. Jerry propose de rentrer à pied à l'hôtel. Marguerite n'ose pas dire non. À mi-chemin, elle a un malaise. Quand enfin ils regagnent leur hôtel, Jerry est « en proie à une noire colère, notera-t-elle plus tard, me blâmant d'avoir embarrassé nos hôtes par mon malaise. Je ne parviens pas à glisser entre ses apostrophes le simple fait que je m'attendais à rentrer en bateau des Zatterre ». Selon elle, Jerry nourrit sa fureur « de la crainte que je lui ai causée et du fond d'exaspération qu'on a pour ceux avec qui l'on vit, même quand on les aime ». De la violence verbale, Jerry en vient à la brutalité physique, ce que Marguerite Yourcenar ne semble pas considérer comme scandaleux. C'est avec une étonnante placidité qu'elle constate : « La nuit j'y repense et m'étonne du choix inconscient qui m'a fait à plusieurs reprises me lier à des êtres d'une intransigeance et d'une violence soudain révélées à travers la douceur de la vie commune. Je me dis que je dois à J. deux ans de bonheur et peut-être de vie, chose inouïe dans les circonstances où j'étais et à cette époque de mon existence. On accepte les êtres tels qu'ils sont. Le lendemain nous nous retrouvons avec l'amicale nuance de tendresse habituelle. » Se disait-elle qu'il valait mieux cette preuve-là d'intérêt, de passion peut-être, que la tranquille indifférence manifestée jadis par un André Fraigneau? Que cette reconnaissance de son existence physique, fût-ce dans la violence, valait mieux que l'ignorance de son corps? La Sophie du *Coup de grâce* ne pensait pas autrement... Et se demandait-elle seulement, parfois, d'où elle tenait l'art de pousser les gens avec lesquels elle entretenait des relations passionnelles au bout de leur patience?

Quand ils arrivent à Paris, au début du mois de mars, Maurice Dumay va très mal. Il meurt le 24 mars. Marguerite Yourcenar entre alors dans une période étrange de son existence. Elle a deux vies, comme étanches l'une à l'autre. Celle du travail et du bonheur de retrouver Paris qu'elle aime bien plus qu'elle ne le dit, ainsi qu'elle le note dans un carnet : « Revoir Paris, chaque fois aussi *prenant* que de revoir Rome ou Athènes. Plus prenant même, parce que je me sens davantage conditionnée par ce décor existant en lui (...) Que resterait-il de Paris si l'on rasait pour y bâtir des immeubles de rapport l'espace qui va de Saint-Germain-l'Auxerrois à l'Étoile et de la Sainte-Chapelle à la Madeleine et à l'Opéra? Que resterait-il d'un certain esprit français [3]? » En ces mois de mars et d'avril 1982, elle relit la « chronologie » de la Pléiade, traduit des blues qui paraîtront en album en 1984, et commence la rédaction de *Quoi? L'Éternité*. Elle est célèbre et célébrée. On lui demande audience. On s'occupe d'elle, de sa famille *.

Depuis un an elle voit des gens nouveaux, comme Gisèle Halimi et d'autres, qu'attire le symbole de son élection à l'Académie. Elle « dîne en ville », comme au temps de Grace, notamment le 21 mars avec Robert Kanters – « pour moi adorable et chaleureux critique, mais je n'arrive pas à me sentir sur un terrain d'amitié ». Ceux-là ne soupçonnent pas ce qui se joue entre Jerry Wilson et elle. Il leur apparaît comme le proto-

* C'est cette année-là que sont restaurés par les soins d'une dame de Suarlée les tombeaux de la famille maternelle.

type du jeune compagnon de vieille personne riche ou célèbre – ou les deux à la fois. Leur coexistence est toujours le fruit d'un « arrangement » où chacun des protagonistes trouve son compte. Ainsi Jerry a-t-il, sans avoir un projet très clair, décidé de « monter un spectacle ». Marguerite pense qu'elle se doit de l'aider. Leur rendent donc visite Patrice Chéreau et Antoine Vitez. Mais rien n'aboutira.

Les vieux amis de Marguerite et de Grace, comme Anne Quellennec, sont en revanche plus perplexes devant cette femme soudain « sous influence » et qui les délaisse pour un jeune homme « dont on ne savait rien, sinon qu'il sortait beaucoup la nuit », se souvient Anne Quellennec. « Il aimait la vie de plaisir, et je pense que Marguerite n'était pas femme à réprouver ce goût-là. » Elle avait même gardé de sa jeunesse une attirance secrète pour les excès sensuels, elle qui avait aussi fait dire à Hadrien au terme d'une fort belle réflexion sur le plaisir et l'amour : « On finirait par préférer aux stratagèmes éventés de la séduction les vérités toutes simples de la débauche, si là aussi ne régnait le mensonge [4]. » Ce qui préoccupe surtout ces familiers d'autrefois, c'est que Marguerite ne semble pas se sentir aussi bien qu'elle tente de le faire croire. En effet, elle note dans un carnet : « 1er avril. Je suis décidément intellectuellement et physiquement souffrante. Choquée jusqu'au fond de l'âme. ». « Tous les rapports de ma vie – ou disons de la vie telle que je l'aurai connue – ont été étrangement biaisés, et d'autant plus intenses qu'ils l'étaient. »

Marguerite Yourcenar vient tout juste de regagner les États-Unis avec Jerry Wilson – qui reviendra, lui, passer l'été à Paris – lorsque paraît chez Gallimard, en mai, *Comme l'eau qui coule*, recueil de trois textes : *Anna, soror...; Un homme obscur* et *Une belle matinée*.

À la publication d'*Anna, soror...* (édité une première fois en 1981), la critique s'était montrée très partagée. Angelo Rinaldi, particulièrement agacé par la « copieuse » postface de l'ouvrage, avait longuement protesté contre l'exhumation de cet écrit de jeunesse. « Montherlant, par exemple, était un spécialiste de la reprise des vieux textes rapetassés à grand renfort de préfaces, postfaces et variantes : on échappe de justesse aux factures de son teinturier. Mme Yourcenar l'imite dans la complaisance (...) Même goût de l'histoire drapée, de l'empesage dans l'expression des sentiments. Et si l'on était désagréable, on ajouterait même tendance à sculpter de nobles bas-reliefs dans l'onctueux savon de Marseille, avec le burin emprunté à quelque grand prix de Rome du siècle dernier (...). À peine si l'on se permet de regretter que, résurrection pour résurrection, Mme Yourcenar n'ait pas choisi de ressortir sa biographie de Pindare[5]. »

Ce « récit d'une ténébreuse affaire d'inceste entre un frère et une sœur, dans la Naples de la fin du XVIe siècle », n'a pas inspiré davantage de clémence à Jean Chalon, qui concluait ainsi son article : « Mais quel démon a poussé Yourcenar à publier cet ouvrage prémonitoire de son entrée au quai Conti puisque l'on y respire déjà ce que Cocteau nommait justement, " le mortel ennui de l'immortalité "[6] ? » « Il faut maintenant prier le ciel, implorer Gallimard, se jeter aux genoux de Yourcenar, pour éviter une troisième édition d'*Anna, soror...* », écrit-il à la sortie de *Comme l'eau qui coule*, s'irritant, lui aussi, qu'une genèse trop détaillée, où Marguerite s'étonnait elle-même de la précocité de ses ébauches, accompagne les textes. « La royale Marguerite n'a jamais joué les modestes violettes mais, jusqu'à maintenant, elle attendait les louanges et ne les devançait point (...) Des louanges,

643

elle en recueillera surtout avec *Un homme obscur* (...)
Dans cet *homme obscur*, Yourcenar n'est plus le
peintre pompier d'*Anna, soror...*, elle s'y révèle un
incomparable peintre de marines, un nouvel Horace
Vernet de tempêtes où les mots remplacent les couleurs [7]. »

Elle passe, comme cela va devenir l'usage, l'été à
Petite Plaisance. Elle prépare un recueil d'essais *Le
Temps, ce grand sculpteur*, et traduit la pièce de Baldwin *Le Coin des « Amen »*. Elle est assez satisfaite de
son travail mais attend avec une certaine impatience le
retour de Jerry pour partir vers l'Orient, l'un de ses
plus vieux rêves qui va enfin se réaliser. Jerry arrive à
Petite Plaisance le 4 septembre 1982 et, deux jours plus
tard, tous deux sont en route pour le Japon via le
Canada, la Californie et Hawaii. C'est en mer que Marguerite termine la traduction du *Coin des « Amen »* et
en rédige la préface. Elle se plaisait à dire, longtemps
après – était-ce pour s'en persuader elle-même? –,
combien Hawaii et le voyage en mer de la fin septembre, pour rejoindre Yokohama, lui avait été un
intense bonheur. Les notes prises pendant son voyage
au Japon – descriptions de sites, de sculptures, de gens
entrevus, comme Madame Mishima – sont assez
confuses et peu lisibles. De ces quelque trois mois, on
sait les lieux traversés et visités dont la liste figure dans
la « chronologie » de la Pléiade, et les anecdotes dont
elle aimait à se souvenir. Par exemple, les hôtels tradi-
tionnels japonais dans lesquels elle descendait et où
Jerry partageait sa chambre. « On nous déroulait de
petits matelas, à même le sol. À une heure que nous
n'avions pas choisie, on nous réveillait, on repliait les
lits sans nous demander notre avis. Et il était temps de
passer à la toilette. »

Marguerite Yourcenar se trouve au Japon – où elle entreprend, avec Jun Shiragi, la traduction des *Cinq Nô modernes* de Mishima (qui paraîtra début 1984) – quand est publié le premier volume de ses œuvres dans la Pléiade. Après Saint-John Perse et André Malraux, juste avant René Char, Marguerite Yourcenar est l'un des rares auteurs à faire, de son vivant, son entrée dans ce Panthéon de la littérature française. Une entrée diversement commentée dans la presse. Sous la plume de François Weyergans, dans *Le Matin*, l'édition des *Œuvres romanesques* a donné prétexte, sur un ton particulièrement méprisant qui ne sied guère à une prétendue analyse, au petit divertissement des phrases relevées çà et là dans différents textes ; le tout visant à faire « reconsidérer une œuvre sans doute surfaite [8] » : « Je viens de lire mille pages. La moitié ne sert à rien, écrit-il notamment. On peut biffer dix à quinze adjectifs par page. Yourcenar donne à ses lecteurs l'illusion qu'ils sont en train de lire des textes profonds écrits en très bon français, comme Viollet-le-Duc a fait croire qu'il comprenait l'architecture gothique. (...) Yourcenar oscille entre la préciosité du XVIIe siècle et l'écriture artiste du XIXe. C'est une précieuse. Je n'invente rien : elle en parle elle-même. Je n'ajouterai que : ridicule. » Au lieu de ce florilège de citations sorties de leur contexte et de mots fautifs (on peut se livrer à ce petit jeu avec bonheur à propos de n'importe quel écrivain), on aurait pu faire remarquer que ce volume était une « fausse Pléiade », puisqu'il ne propose aucun appareil critique. Marguerite Yourcenar l'avait exigé et son éditeur n'était guère en mesure de refuser quoi que ce soit à la première académicienne de l'histoire. Pourtant, l'étude des variantes, chez quelqu'un qui a passé sa vie à se corriger, serait passionnante. Mais on reconnaît bien dans cette interdiction d'appareil critique la volonté qu'on a vue cent fois à l'œuvre chez Marguerite Yourcenar : tout contrôler, ne pas permettre que l'on juge son travail, ses retouches, ses hésitations parfois.

C'est en Thaïlande que commence pour Marguerite et Jerry l'année 1983, avant leur séjour d'un mois en Inde, du 14 janvier au 19 février. « J'ai égaré beaucoup de mes carnets, disait-elle, mais je me souviens de curieuses anecdotes. À Bangkok, un soir, pendant un dîner, un homme s'est écroulé sans bruit derrière le fauteuil dans lequel j'étais assise. Sans plus de bruit on est venu le ranimer. Jerry m'a raconté la scène après coup. J'ai eu peur d'une fin. L'impression que cette mésaventure aurait pu m'arriver. » Sur le séjour en Inde, il demeure quelques notes éparses [9] très difficilement utilisables par qui que ce soit d'autre qu'elle. Elles étaient prises au fil de la plume et sans doute destinées au *Tour de la Prison*. En voici un exemple, qui, en dépit d'un certain embarras, demeure compréhensible : « l'Inde aura été, se surajoutant au Japon, une des grandes expériences de ma vie – ou plus exactement de la vie. Que dire qui ne sonne pas faux ? Le Japon, si secret, si différent de presque tout ce qu'on en dit, est une expérience humaine isolée, poussée à bout pendant des siècles dans un coin de monde qui jusqu'en 1570 (1670 ?) et beaucoup plus qu'on ne le croit jusqu'au temps présent, dans ce domaine mental qui va par-delà les faits, a tout tiré de soi, sauf le grand enrichissement causé par la présence de l'art et de la pensée chinoise qui lui est venue progressivement, pacifiquement, sans conquête et le plus souvent grâce à des Nippons s'étant courageusement enfouis dans la couleur jaune ». Reste que le degré d'élaboration de ces fragments est trop fruste pour qu'on puisse y voir même un « premier jet ».

Comme elle l'avait promis à Jeannette Hadzinicoli, Marguerite Yourcenar retourne en Grèce. Elle y est malade. Une longue grippe, comme elle le dit, ou un accès de dépression et de complications psycho-somatiques lié au poids du passé ? Jeannette Hadzinicoli parle de crise d'asthme, d'étouffements, ce qui semble bien plaider en faveur de la seconde hypothèse. Elle revisite tout de même Nauplie, Mycènes, Epidaure. On a le sentiment, en suivant ses déplacements géographiques à travers la « chronologie » de la Pléiade, ou ses propres notes, qu'elle est de nouveau en proie à une sorte d'urgence, qu'il lui faut être dans un lieu différent chaque soir ou presque. À quoi cherche-t-elle à échapper ? Ses commentaires deviennent quasi inexistants : « Rome, agression dans la rue ; l'enfer de Pise ; agréable à Portofino avec Paolo [Zacchera] ; Marseille et les Defferre ; Carpentras ; Lyon, MY très grippée revient en ambulance à Paris ; six semaines de travail et de confusion à Paris. »

« 15 mai, douceur du retour à Petite Plaisance. Dans les jours suivants, rangements, jardin, douceur de vivre. » Elle va, croit-elle, se réinstaller dans le rythme studieux de ses étés. Elle lit « avec émerveillement » un essai que Walter Kaiser a écrit sur elle, relit *L'Élu* de Thomas Mann et constate une fois de plus « à quel point c'est un chef-d'œuvre ». Mais elle signale : « 27 mai : douceur quand même, mais teintée de tristesse ; 28 mai : l'un des pires accès de dépression et ses suites. » De quelles suites s'agit-il ? De brutalité ? « Elle avait peur », se souvient sa secrétaire Jeannie. « Jerry buvait beaucoup. Il n'était plus le gentil garçon que nous avions connu. Un soir, Madame m'a appelée très tard. Elle était très effrayée. Je lui ai proposé de venir la chercher. Elle a refusé. Je lui ai dit : " Si Jerry est ivre, ne lui parlez pas, restez dans votre chambre et faites semblant de dormir. Il va bien s'arrêter de crier. Sinon rappelez-moi. " Je n'ai compris que bien plus tard qu'elle craignait sans doute qu'il ne la frappe. Heureusement, il est parti pour le sud du pays. » Pour la première fois de sa vie, Marguerite Yourcenar est un personnage pathétique.

Elle se met tout de même sérieusement au travail du *Tour de la Prison* et continue de traduire des Blues et des Gospels, tout en décrivant son état : « Beaucoup de courage, mais le corps s'en ressent trop. Allergies. Aphonies. Sueurs froides. Tension nerveuse extrême. Orage qui n'éclate pas et semble s'accumuler en soi au-dessus et au-delà des organes eux-mêmes ; mais assuré-ment usure. » On n'a plus envie de moquer son hypo-condrie. La vie qu'elle mène est très éprouvante. Elle se distrait avec « beaucoup de visites de quelques jours », dont Yvon Bernier et Silvia Baron Supervielle – « bonne traductrice douée du sens poétique » – qui la traduit en espagnol. « Seule sans Jerry, bonheur et tris-tesse mêlés, j'ai essayé de vivre de toutes mes forces », note-t-elle comme pour s'en convaincre, « pour n'être pas celle qui dépend de quelqu'un, souffre sans lui et l'étouffe de son affection comme certains nageurs leur sauveur. Tâché de beaucoup travailler (épreuves, (...) *Le Tour de la Prison*, quelque soixante-quinze pages terminées), de beaucoup sortir, de beaucoup vivre, de profiter des délices du jardin (" chaque herbe du jardin c'est un morceau de moi "). Et faire confiance à la vie qui nous porte. Et ne pas projeter des inquiétudes sur l'avenir. Merveilleusement aidée par Jeannie (et par l'enfant), par Georgia [la femme de ménage et cuisi-nière], et Zoé [la chienne] ». Jeannie, justement, essaie de dissuader Marguerite Yourcenar de repartir en voyage avec Jerry. DeeDee et elle doutent qu'il renonce à abuser de l'alcool. Mais Marguerite, comme

648

chaque année désormais, attend son retour avec une certaine fébrilité, parce qu'il est signe de départ.

En France, est publié *Le Temps, ce grand sculpteur*, recueil d'essais et d'articles prépubliés dans divers périodiques, d'un intérêt inégal. Le meilleur texte en est sans doute celui qui donne son titre à l'ouvrage, et qui débute ainsi : « Le jour où une statue est terminée, sa vie, en un sens, ne fait que commencer [10]. »

> « Échappée au chaos sous l'impulsion de la pensée et de la main de l'artiste, la pierre y retourne peu à peu sous la violence de la nature et des hommes : oui, le temps a repris ses droits », commentera Danièle Sallenave. « L'œuvre serait donc un court entracte entre deux éternités d'insignifiance (...). Mais le travail du temps dans l'œuvre est bien autre chose : en se soumettant à lui, l'œuvre ne rejoint pas immédiatement la région de ténèbres qu'elle avait provisoirement quittée. Le temps ne s'acharne pas seulement à défaire ce que l'artiste avait fait : il l'achève, non comme son ennemi mais comme son rival [11]. »

Dès le retour de Jerry, les valises sont bouclées pour l'Europe. La première étape sera Amsterdam, où Marguerite doit recevoir le prix Érasme. Dans la « chronologie » de la Pléiade, elle place cette réception le 5 octobre. Dans ses carnets et ceux de Jerry, il en va tout autrement. Jerry revient le 15 octobre, heureux du travail qu'il vient de mener à bien : *Saturday Night Blues*, un film sur le Sud et les Noirs *.

* Ce film – dans lequel apparaît Marguerite Yourcenar – sera diffusé en novembre 1983 à la télévision française (FR 3) et obtiendra un prix du documentaire.

Le 18 octobre, ils sont à New York, d'où ils s'envolent le 20 pour Amsterdam. Marguerite Yourcenar, qui a très peu voyagé en avion, souffre beaucoup du décalage horaire. Elle se remettra vite, comme toujours lorsqu'elle doit être en représentation. Quoi qu'elle en dise, elle goûte assez hommages officiels et distinctions. En outre, elle a plaisir à revoir son éditeur hollandais Johan Polak, dont elle apprécie particulièrement la compagnie, et d'être rejointe par ses amis et traducteurs : Walter Kaiser, l'Américain – qui prononcera un discours sur elle lors de la remise du prix – et Jeannette Hadzinicoli, la Grecque. Surtout, elle a invité son ami d'enfance, le baron Egon de Vietinghoff, « le fils d'Alexis », dira-t-elle à Walter Kaiser. Marguerite, pour avancer dans la rédaction de *Quoi?* *L'Éternité* aimerait en savoir plus sur le père d'Egon, Conrad, qui, nous l'avons vu, servit de modèle à Alexis. « Mais Egon dit d'une manière vague " mes parents ", déplore-t-elle. La figure de Conrad reste incertaine. Egon ne l'a sans doute pas non plus complètement connu. Je lui dis que j'ai revu sa mère [Jeanne] trois ans avant sa mort. Je ne lui parle ni de la visite au médecin, ni du cercle où elle avait vécu à Genève et à Berne, ni de ma visite à Zurich. Je mentionne, comme en passant, qu'elle est enterrée près de Lausanne, mais ne parle pas de mes visites à sa tombe. » Marguerite veut réserver à son livre l'aveu de ce « culte » secret qu'elle vouait à Jeanne. « Certains détails font rêver », précise-t-elle, dans ce qui devait lui servir de documents préparatoires à *Quoi? L'Éternité* [12]. « Je dis que j'ai vu Jeanne pour la dernière fois par hasard, au Cap-Ferrat. Egon m'indique qu'elle avait acheté une villa à Roquebrune. Michel habitait près de Roquebrune et Jeanne le savait. Egon dit que la vie de sa mère fut assez malheureuse. Voulait-elle s'éloigner de Conrad ?

Rien de tout cela ne semble beaucoup effleurer la conscience d'Egon. Je me rends compte que ce qui manque le plus pour *Quoi? L'Éternité*, ce sont les précisions des rapports entre Conrad et Michel. Il y a dans toute cette histoire je ne sais quoi de magique que j'ai jusque-là hésité à partager avec le lecteur ou avec n'importe qui. » « Quand je considère ma vie, je suis épouvantée de la trouver informe », écrit-elle en mettant au féminin une phrase de *Mémoires d'Hadrien* [13], « mais celle d'Egon l'est-elle moins? ».

De la réception officielle pour le prix Érasme, elle ne retient que le discours de Walter Kaiser, « émouvant et beau », et le sien, pour lequel elle fait un commentaire qui est bien dans son orgueilleuse manière : « Mon allocution bien reçue. Peut-être par un ou deux comprise. »

Elle note aussi un détail, attendrissant de coquetterie : « Le prince Bernhard, m'offrant les rituelles gerbes de fleurs après le discours, me dit " personne ne devinerait votre âge ". J'en ai malgré moi une bouffée de joie pour des raisons supposées inavouables. »

Dans la journée, elle aime, comme depuis toujours, revisiter les musées qu'elle connaît bien. Le soir, elle dîne avec Jerry et des amis – « échanges de propos sur la vie », note-t-elle un soir indéterminé. « Mariage ou liberté? Finalement s'équivalent. » Moins banales sont ses promenades nocturnes dans ce qu'elle nomme « le quartier aux lumières rouges », traduisant probablement ainsi l'anglais « red light district ». Elle racontait volontiers ces nuits de 1983, et d'autres, dans d'autres pays, soulignant : « J'aime tendrement ces femmes en vitrine. » Peut-être en aurait-elle parlé dans *Le Tour de la Prison*. Elle avait évoqué dans ses notes indiennes « le quartier des filles la nuit à Bombay. Les filles en sari, assez usées. Une seule très belle dans un sari argent. Bien moins sensuel qu'Amsterdam ou Hambourg. La passivité tranquille... Une fille se fait quasi écraser. Beauté presque indéfinissable de toutes les scènes. » « Quant aux Geishas, disait-elle, sont-elles des prostituées ? Pas dans le sens grossier que le mot avait pour les boys américains descendant des navires de guerre et réclamant à cor et à cri des geishas. » À Amsterdam, en 1983, son récit est plus précis : « Nous sortons de nouveau dans le quartier aux lumières rouges. Je retrouve l'affiche explicite et naïve avec les différentes postures de l'amour et les ombres chinoises, les sex-shops aux phallus démesurés. Une femme jeune dit en français " messieurs et dames, vous ne voulez pas une petite fantaisie ? ". Mais le groupe cherche un taxi car il commence à pleuvoir. J. n'a pas entendu, il regardait un beau garçon espagnol et ses marionnettes. On ne voit et n'entend jamais les mêmes choses ensemble. Seule avec J. ou même avec Jeannette, je crois que j'aurais tenté la fantaisie et voulu voir où elle menait. À quatre, c'était impossible. À cinq intolérable. J'ai repensé plusieurs fois depuis à cette inconnue offrant aux premiers et aux premières venues le plus doux d'elle-même. Puis l'image a pris quelque chose de spectral, une eros [écrit en grec] funèbre. Mais je tâche de laisser s'écarter toute cette mythologie : rien qu'une jeune femme, un peu désabusée, un peu timide, s'offrant sous la pluie à un groupe d'étrangers. »

Après un court séjour à Bruges au début de novembre et une quinzaine de jours passés à Paris, pour les habituelles activités professionnelles – éditoriales et mondaines – en particulier une visite du ministre de la Culture Jack Lang –, Marguerite Yourcenar et Jerry Wilson partent pour le Kenya. Ils doivent y visiter des réserves d'animaux. « Jerry voulait y faire des photographies », soulignera Marguerite. Jerry Wilson, que Marguerite Yourcenar avait tendance à prendre pour meilleur photographe qu'il ne l'était, laissera à sa mort beaucoup de photographies des paysages qu'ils traversèrent ensemble, des animaux qu'ils observèrent. En témoigne aujourd'hui un petit livre, que Marguerite Yourcenar a explicitement voulu comme un hommage à son compagnon, *La Voix des choses*, un recueil qui rassemble des textes choisis par Marguerite Yourcenar (des citations relevées au cours de ses lectures, et qui l'ont accompagnée toute sa vie) et des photographies de Jerry Wilson [14].

C'est le 14 décembre au soir, après une conférence à l'Institut français de Nairobi, que Jerry et Marguerite sont victimes d'un accident de la circulation qui les immobilisera pour l'hiver au Kenya. Marguerite Yourcenar en faisait le récit, avec, comme presque toujours pour les choses graves, un mélange d'humour et de sérénité [15] : « Les journaux ont dit que j'avais été renversée par un minibus. D'autres par un autobus! Et pourquoi pas un tank? C'était une simple automobile. Nous avions décidé, Jerry et moi, de rentrer à pied à notre hôtel, qui n'était pas très loin de l'Institut français. Une voiture a quitté la route et nous a heurtés alors que nous étions sur le trottoir. Elle a à peine touché Jerry, mais m'a projetée à plusieurs mètres. Le conducteur a pris peur et s'est enfui – j'ai appris plus tard qu'il était policier, et qu'étant ivre ce soir-là il avait craint de gros ennuis. J'étais à terre, inconsciente, en sang, car j'avais l'arcade sourcilière ouverte, ce qui fait toujours beaucoup saigner. Jerry essayait d'arrêter des voitures pour qu'on nous porte secours. En vain. À Nairobi, il n'est pas rare que l'on simule des accidents pour se livrer à des agressions. Enfin, un providentiel " Monsieur Siméon ", que je ne

653

remercierai jamais assez, s'est arrêté. Selon lui, il était inutile de chercher à appeler une ambulance. On perdrait trop de temps. Jerry et lui m'ont donc chargée comme ils ont pu dans la voiture, inquiets, car ne sachant pas quelles étaient mes blessures et se demandant s'ils n'étaient pas en train de les aggraver. Nous sommes enfin arrivés à l'hôpital. En fait, je n'étais pas gravement blessée. Des contusions, des côtes et une jambe en mauvais état. J'ai dû témoigner en faveur de Monsieur Siméon. On refusait de nettoyer sa voiture tant qu'il n'aurait pas prouvé que les taches de sang maculant les sièges n'étaient pas " suspectes ". Je suis restée cinq semaines à l'hôpital de Nairobi où j'ai été très bien soignée * et nous sommes demeurés, Jerry et moi, jusqu'à la fin de l'hiver au Kenya. »

En mars 1984, le jour même du printemps, tous deux arrivent à Marseille. Ils y resteront quelque temps. Marguerite Yourcenar y verra Gaston Defferre et Edmonde Charles-Roux, dont elle apprécie la compagnie. Après un court séjour à Londres, qu'ils quittent à la fin avril pour Boston, ils sont de retour au début de mai à Petite Plaisance, avec la perspective, pour Marguerite, de l'habituel été consacré au travail littéraire. Jerry part le 7 juin, avant que n'arrive, pour leur traditionnelle visite d'été, Colette et Claude Gallimard. Jerry, à son retour à la fin de l'été, tourne un documentaire sur Mont-Désert, *L'Ile heureuse*, auquel participe Marguerite Yourcenar. Seuls l'indulgence de Marguerite à l'égard de Jerry et le fétichisme qui commençait de s'exercer en France à son endroit ont pu permettre de faire de ce film, diffusé à la fin de l'année à la télévision française, un événement. En novembre, à Paris, une projection privée du film avait

* C'est là qu'elle a rencontré la jeune infirmière Monicah qui l'accompagnera dans ses voyages en 1986.

été organisée, pour un public choisi, au premier rang duquel était le ministre de la Culture, Jack Lang. Peut-on pourtant imaginer un film plus plat et plus naïvement « illustratif »? Marguerite Yourcenar prononce-t-elle le mot « fleur »? Gros plan sur une fleur... Et tout est de ce style. Marguerite Yourcenar est elle-même très mal filmée, dans des vêtements inadéquats. Quant à ses propos, force est d'avouer qu'ils sont d'une affligeante banalité. Subsiste uniquement de ce film qu'on préfère oublier le souvenir de sa voix, une mélodie qui faisait, au moins pour certains, « passer » et le texte et les images.

Le lendemain de cette projection, le 15 novembre, Marguerite Yourcenar avait accepté de donner, pour *Le Monde*, l'entretien * que j'avais sollicité et qui a été publié le 7 décembre. Il est, au fond, à l'origine de ce livre. Non que l'idée en soit née ce jour-là, au hasard de la conversation mais parce qu'il n'a pas été sans suite, et que – c'est rarement le cas – la relation professionnelle s'est muée en relation privée.

Cet après-midi-là, comme ensuite à chacune de nos rencontres, Marguerite Yourcenar a joué, pendant plus de deux heures, de sa séduction, de son ironie, de son humour souvent féroce : être devant quelqu'un qui était d'avance conquis, mais n'en perdait tout de même pas le sens du jeu, visiblement l'amusait. Après les courtoisies d'usage, elle m'a laissé poser les premières questions en m'observant avec acuité, sans doute pas fâchée de me voir tendue, impressionnée. Je savais ce qu'elle voulait percer à jour : avais-je lu ses livres? Dès qu'elle en fut convaincue, l'entretien prit un autre

* Venaient de paraître chez Gallimard une réédition des *Charités d'Alcippe* [16], dans un très élégant recueil gris, et l'album *Blues et Gospels* [17], des traductions de Marguerite Yourcenar avec des photos de Jerry Wilson et d'un de ses amis, bien meilleur photographe, Jean-Marie Grénier.

tour, comme si je venais d'être « admise », de sortir du groupe de « ces gens qui viennent vous parler de tout et de rien alors qu'ils n'ont jamais lu vos livres », comme elle disait sèchement. Nous nous sommes séparées sur l'une de ces étonnantes coquetteries qu'elle avait parfois : quand je lui avouai que cet entretien m'avait permis de lier l'exercice de mon métier et le désir que j'avais, depuis des années, de la rencontrer, elle commenta : « Eh bien ? n'avez-vous pas été trop déçue ? »

Marguerite Yourcenar ne devait plus revenir à Paris avant 1986. Nous nous sommes alors plusieurs fois revues, cette année-là et la suivante. La plupart de ces rencontres sont dues à Yannick Guillou qui, chez Gallimard, était désormais son principal interlocuteur et était devenu l'un de ses amis proches *.

Un soir de mars 1987, à Paris, Marguerite Yourcenar, apprenant au cours du dîner que j'allais souvent aux États-Unis, lança : « Si vous passez du côté de l'île des Monts-Déserts... la maison vous est ouverte. » Je savais qu'elle avait banni de son langage toutes ces formules que l'on dit sans y penser, par pure mondanité et indifférence aux autres – « on va se revoir » ; « on se téléphone » –, que pour elle toute parole valait engagement.

C'est ainsi qu'au début de juin 1987, Marguerite Yourcenar m'ouvrit, au sens propre, la porte de Petite Plaisance, où elle était avec Yannick Guillou, venu lui rendre visite pour quelques jours. Plus encore qu'à Paris, elle se plaisait, chez elle, dans la maison qu'elle aimait faire partager, à jouer de son charme singulier. Probablement pour se montrer à elle-même – et voir dans le regard des autres – qu'elle était vivante. Elle en

---

* Il est, aux côtés de Claude Gallimard et de Mᵉ Marc Brossollet, son exécuteur littéraire.

était infiniment touchante. Chaque matin, lorsqu'elle descendait de sa chambre pour le petit déjeuner, après que DeeDee fut venue l'aider à sa toilette, elle portait un peignoir en soie, d'une couleur différente de celui de la veille. Coquette comme la jeune femme qu'elle ne pouvait tout à fait cesser d'être, elle changeait de vêtements et de bijoux plusieurs fois dans la journée. Si on oubliait de le remarquer, elle racontait soudain l'histoire de la broche de famille qui fermait son chemisier, ou de la parure de grenats achetée en Inde... Elle maniait avec maîtrise un art presque perdu, celui de la conversation, passant, avec la même simplicité et le même sens de la phrase juste, de la description d'un temple indien à celle d'une fleur du jardin, où elle tentait d'acclimater des espèces rares, puis à des souvenirs légers ou graves : nombre de propos rapportés ici viennent de ces moments. Elle aimait parler, elle aimait sentir qu'on l'écoutait, qu'on admirait sa langue. Elle était attentive à ses interlocuteurs. Elle n'avait perdu ni sa curiosité des autres, ni son désir de les séduire.

Avoir Marguerite Yourcenar pour guide sur les routes de l'île ; l'accompagner au cimetière de Somesville, ou sur le continent... Pour ne pas se croire dans un rêve, il aurait fallu n'avoir pas été une adolescente des années soixante, lisant dans un triste lycée de province *L'Œuvre au Noir*, *Hadrien* et songeant, avec le désir d'en savoir plus, à cette femme singulière qu'on disait vivre dans une île perdue, prétendument « recluse », partageant la maison avec sa traductrice, et dont les yeux et la bouche en disaient long sur l'appétit de la vie.

Dans la période qui devait être la dernière de son existence, il y eut, entre nous, quelques lettres et beaucoup de « téléphonages », selon le mot qui avait sa faveur. Nous avions rendez-vous le 9 décembre à Copenhague, où elle devait donner une conférence sur Borges. Elle n'y sera pas : depuis un mois déjà elle était entrée en agonie.

« Il n'y a pas de meilleure chance », selon l'une de ses formules, que d'avoir remonté le temps avec elle, d'avoir pu la retrouver enfant, puis jeune femme, de l'avoir aimée, de s'en être lassée, d'avoir découvert avec bonheur ses défauts, ses manies – tout ce qui la rend plus exaspérante qu'on ne le pensait, plus émouvante aussi. Et de pouvoir se dire, en l'ayant accompagnée aussi loin qu'on le peut dans son mystère, qu'on avait raison, il y a quelque vingt-cinq ans, dans ce lycée provincial, d'avoir pour Marguerite Yourcenar une infinie curiosité, et déjà une instinctive sympathie.

Rien de tout cela sans doute n'aurait eu lieu sans les événements qui se produisirent « juste après notre première rencontre », précisait Marguerite Yourcenar dans une lettre du 27 mars 1986, un mois avant son retour en Europe : « L'année 1985 tout entière – ainsi que les deux mois qui l'ont précédée et suivie – ont été un long roman noir avec de bien rares éclaircies [18]. »

Jerry vient de rencontrer un jeune homme, Daniel, et il insiste pour que celui-ci les accompagne en Inde, où ils doivent se rendre à nouveau au début de janvier. Marguerite Yourcenar y consent. « J'ai passé avec eux un Noël épouvantable à Amsterdam », dira-t-elle simplement en racontant ce qu'elle nommait « l'horrible année » (novembre 1984-février 1986). Sur son carnet on trouve, écrit de sa main pour la première fois, ce seul mot – « pleure ». Elle savait que plus rien ne la consolerait, elle, d'avoir atteint « l'âge où la nuit sert à dormir [19] ».

« Voyant le beau Daniel, un de mes amis hollandais a

dit d'une manière prémonitoire " c'est l'ange de la mort ", rapportait-elle. Avant même qu'on atteigne l'Inde, ce voyage s'annonçait comme une franche catastrophe. » Dès son arrivée à Bombay, le 2 janvier, Marguerite Yourcenar se sent mal. Elle éprouve « amèrement l'usure physique », note-t-elle. Elle a des nausées, et autres troubles psychosomatiques. Elle ne supporte pas ce compagnonnage entre Jerry et Daniel, dont elle est exclue. Mais elle ne perd pas son acuité, son goût d'observer les corps. Après un dîner plus ou moins officiel où se trouve Rudolf Noureïev, elle note : « Corps devenu un peu lourd, plus romain que grec mais admirablement contrôlé. Très beau à sa manière. » Elle trace un portrait de Daniel où elle s'efforce à la neutralité : « Discret, prévenant, avec pourtant je ne sais quoi de désinvolte et de négligé qui semble dû à l'indolence. Mais on le sent d'ailleurs et d'un ailleurs indéfini : totalement illettré bien sûr, mais avec un goût très fin. » Tous les liens se distendent, ceux du présent comme ceux du passé ; quand elle apprend la mort, à Mont-Désert, de sa chienne Zoé, elle constate : « elle n'a pas beaucoup voyagé. Mais c'est un lien qui se brise. Zoé appartenait à Grace * ».

À la fin du mois de janvier, Jerry se plaint de malaises répétés, notamment de poussées de fièvre. Le 5 février, alors qu'ils sont à Jaipur, il est de plus en plus sérieusement malade. On croit à des fièvres paludéennes, mais très vite Marguerite, comme Jerry lui-même, soupçonne qu'il pourrait être atteint du SIDA. « Dès l'apparition de cette maladie, que l'on savait

---

* Elle sera remplacée par un petit caniche noir, Fu-Ku acheté par Marguerite Yourcenar à son retour d'Inde, le 9 avril 1985. Fu-Ku lui non plus ne voyagera pas. Marguerite Yourcenar le « partageait », en quelque sorte, avec sa secrétaire Jean Lunt, chez qui il est désormais. Marguerite Yourcenar a couché le chien sur son testament, pour qu'il ne soit, financièrement, à la charge de personne.

sexuellement transmissible, nous en avions parlé, Jerry et moi, confiait-elle. Il avait indiqué qu'il ne souhaitait rien changer à ses habitudes de vie, quels que soient les risques encourus. Je ne partageais pas cette opinion, mais je n'allais tout de même pas me mettre à faire de la morale. »

Marguerite est aux prises d'un côté avec Jerry, dont l'état s'aggrave constamment à partir de la mi-février, de l'autre avec Daniel, qui a sans cesse besoin d'argent. Une fois de plus, bien plus tard, elle racontait avec une placidité singulière, une sorte d'indifférence, les incidents auxquels cela donnait lieu : « Jerry et Daniel me demandaient soudain combien j'avais d'argent dans mon sac. Et Daniel prenait tous les billets. » Un jour, le jeune homme est arrêté et Marguerite Yourcenar doit elle-même se rendre à la police pour le faire libérer. Elle s'est inspirée de cet épisode dans *Quoi? L'Éternité* en le transposant dans l'histoire de Jeanne de Vietinghoff, de son mari et de l'ami de celui-ci, Franz, alors que ce dernier se trouve « inculpé de possession et de trafic de stupéfiants ». « La blanche poudre, avec ses ampoules et ses seringues, le chanvre pareil à du tabac haché disparurent dans des bruits de chasse d'eau ; on jeta aussi quelques dragées aphrodisiaques dont Jeanne n'avait jamais accepté qu'il se servît pour elle. Aucun blâme ne sortit de sa bouche ; elle savait seulement qu'une de ses craintes s'était réalisée, et aurait aussi bien pu l'être à Paris qu'à Rome. Mais l'angoisse d'Egon la torturait [20]. » Quand elle a fait le récit de ce terrible hiver indien à DeeDee, toujours en parlant comme si tout était très normal, celle-ci a réagi par un : « Au fond ce qui vous sauve, c'est que tout devient un matériau pour vos livres. » Et Marguerite Yourcenar a livré son unique et définitif commentaire : « Mais bien sûr. »

D'ailleurs, en Inde, pour échapper à la réalité souvent sordide, elle écrit. « Dans le désarroi des derniers jours, souligne-t-elle, je me suis mise avec élan à *Quoi? L'Éternité*, qu'il me semble maintenant maîtriser. J'interromps pour l'instant *Le Tour de la Prison* où j'en suis aux dernières pages sur le Japon et que je ne puis continuer en Inde, sans la distance de ce que j'ai immédiatement sous les yeux et d'un exotisme un peu autre. Michel et Jeanne, au contraire, sont dans mes moelles. »

Jerry n'est plus en état de poursuivre le périple qui devait les mener au Népal. Il rentre aux États-Unis le 17 mars et est immédiatement hospitalisé. Les médecins lui confirment ce qu'il suspectait de sa maladie. Jerry sait qu'il va mourir. Le 22 mars sera son trente-sixième et dernier anniversaire, qu'il passera à l'hôpital de Bar Harbor, celui-là même où mourra Marguerite Yourcenar. Comme ce fut naguère le cas avec Grace, l'étrange relation que Jerry Wilson entretient avec Marguerite Yourcenar depuis cinq ans laisse place à ce qu'elle décrit comme « une animosité grandissante envers moi ».

Du début du mois de mai, date à laquelle Jerry quitte l'île pour New York, jusqu'à sa mort en février, Marguerite Yourcenar vit des mois déraisonnables, surtout pour une femme de son âge : elle a quatre-vingt-deux ans le 8 juin 1985. Lorsqu'on a su, au village, la vérité sur la maladie de Jerry, la femme de ménage qui travaillait à Petite Plaisance depuis des années a refusé d'y revenir. Et on ne trouvait personne pour la remplacer. DeeDee, que Marguerite désignait à cette époque comme « l'indispensable », se souvient d' « avoir essayé de les raisonner, toutes ces femmes. Mais il y avait cette sorte d'hystérie à propos de cette maladie et de sa contagion, qui rendait toute argumentation rationnelle impossible ».

Certains jours, Jerry, qui est hospitalisé à New York, puis dans l'Arkansas où habite sa famille, est en proie à la fureur. D'autres jours, il n'est plus qu'un enfant perdu. Il téléphone à Marguerite, pleure parfois, lui fait longuement lire les recettes de *Suicide mode d'emploi*. « C'était éprouvant, mais je comprenais son désir de ne pas supporter plus longtemps cette maladie dont il connaissait l'issue, confiait-elle. Je comprends que l'on puisse tenter d'avoir une belle mort. » « Entièrement sain d'esprit, beau malgré la tragique maigreur, mourant d'un mal ancré dans des passions auxquelles il s'était toujours livré avec fougue, Jerry, au fond, est mort dans son style de vie. Je n'oublierai jamais la fin d'une de nos dernières conversations téléphoniques. Il me disait : " Ne vous dites pas c'est un grand malheur, dites-vous c'est une grande expérience. " »

Marguerite Yourcenar, heureusement, reçoit quelques visites, dont celle, à la fin juin, de Colette et Claude Gallimard. Pour « ne pas sombrer », elle tente de continuer la rédaction de *Quoi? L'Éternité*. Mais elle n'avance guère. Et en dépit d'un travail acharné après la mort de Jerry, le livre demeurera, à sa propre mort, inachevé.

Jerry revient à Petite Plaisance du 5 au 9 septembre, avant de partir pour Paris où il doit suivre un nouveau traitement. Jean-Pierre Corteggiani, qui était alors en visite chez Marguerite Yourcenar, va s'installer à l'hôtel le plus proche. « Elle était nerveuse et inquiète, se souvient-il. Elle avait peur de revoir ce jeune homme qui allait mourir, peur de son exaspération contre elle, peur de ses possibles fureurs soudaines. Mais elle gardait cette incroyable capacité de faire face à tout, d'accepter tous les aléas de la vie. » À peine dix jours plus tard, le 18 septembre, elle a une crise cardiaque. « Je pense, disait-elle, que j'ai été minée par cette très dure année. » De l'hôpital de Bar Harbor, où on la transporte en urgence, on la transfère à Bangor, sur le continent, puis à Boston où on l'opère le 9 octobre, lui faisant cinq pontages coronariens. Dès que Jerry la sait malade, il la rejoint, le 30 septembre. Bien qu'il se sache lui-même perdu. Ce qui devrait inciter à s'abstenir de conclusions hâtives sur leurs complexes relations. « Je crois que je n'aurais pas tenu le coup sans cette présence amicale », écrira Marguerite à son demi-neveu [21]. Dans sa préface à *La Voix des choses*, elle racontera un épisode d'une des premières visites de Jerry à l'hôpital, qui donne l'explication du titre de ce recueil dédié à sa mémoire : « Jerry Wilson, arrivé de Paris deux ou trois jours plus tôt pour me soigner, et lui-même malade, me mit entre les mains l'admirable plaque de malachite que j'avais marchandée à plusieurs reprises, en 1983 et 1985 à New Delhi pour la lui offrir, et lui avais finalement donnée le 22 mars précédent, pour son anniversaire, quand il était lui-même hospitalisé dans le Maine. Elle ne l'avait pas quitté depuis. Mais sans doute mes mains étaient faibles, ou moi-même un peu assoupie, car j'ai senti glisser quelque chose : un bruit léger, fatal, irréparable, me réveilla de mon sommeil. (...) Le son même de sa fin avait été beau... " Oui, me dit-il, la voix des choses " [22]. »

Après que Marguerite a été ramenée le 19 octobre à l'hôpital de l'île des Monts-Déserts, Jerry regagne Paris, le 20. Marguerite Yourcenar et lui ne se reverront plus. Le 28 octobre, Marguerite Yourcenar revient, très affaiblie, dans sa maison. Elle ne peut pas monter l'escalier. On a donc installé un lit dans l'une des pièces du bas. Elle vit sa convalescence au rythme de l'aggravation de l'état de Jerry, à Paris, des questions d'appartement à louer, des cautions à envoyer aux propriétaires, de problèmes d'argent divers. Tout en essayant de travailler au manuscrit de *Quoi ? L'Éternité*, seul gage, à ses yeux, qu'elle n'est pas uniquement une vieille femme malade *.

Jerry Wilson meurt le 8 février 1986 à Paris, à l'hôpital Laënnec. Comme Hadrien auquel, on l'a vu, elle s'identifiait parfois, faisant de Jerry une sorte d'Antinoüs, elle était abandonnée par son jeune compagnon. Elle n'allait pas manquer de méditer, sans doute, pendant le temps qui lui restait à vivre et qui serait un long voyage, un étrange pèlerinage sur les lieux que Jerry et elle avaient vus ensemble, cette phrase d'Hadrien après la mort d'Antinoüs : « Mes remords même sont devenus peu à peu une forme amère de possession, une manière de m'assurer que j'ai été jusqu'au bout le triste maître de son destin [23]. »

---

* De Petite Plaisance, elle écrit à Yannick Guillou [24] : « Je ne sais pas si quelque information vous a permis de suivre les derniers développements de la situation de Jerry. Ils sont incroyables : trois tentatives de suicide, dont deux dans un salon du Ritz (j'y crois à peine moi-même !), ont chaque fois abouti à la clinique Sainte-Anne où il est encore en ce moment. Vous pouvez vous imaginer combien tout cela me navre, et aussi combien je suis impuissante à faire quoi que ce soit, d'autant plus que tout en me remettant peu à peu, je demeure très faible. »

CHAPITRE 3

Le dernier voyage

Jerry mort, Marguerite Yourcenar se sent vieille et
infiniment lasse *. Malgré l'indifférence qu'elle aura
désormais face au « temps qui reste à vivre », elle est
pourtant encore cette femme qui, retrouvant dans un
carnet une pensée notée au hasard, « Je crois que j'ai
finalement réussi à détruire totalement en moi l'*avidité* », avait précisé en marge : « 1980. Non [1]. » Ainsi,
dès la fin de mars, elle écrit : « Les forces me revenant
peu à peu, je compte me rendre en Europe à partir du
20 avril [2]. » Le 20 avril comme prévu, elle arrive à Amsterdam en compagnie de Stanley Crantson, un ami de
longue date de Jerry et de Monicah, l'infirmière

---

* Elle qui détestait tant se « laisser aller », se montrer faible ou
démunie, écrivit pourtant le 23 février 1986 à Yannick Guillou [3] :
« Très cher Ami, votre lettre m'est allée droit au cœur. Ce n'est pas un
vain cliché. Une lettre comme la vôtre (et peut-être une douzaine
d'autres) prouve qu'on n'est pas tout à fait seul. (...) Délivré, comme
vous le dites. Délivré de la maladie, si déplorable, mais aggravée
encore par le labyrinthe de fumées, de malentendus, de jeux de miroirs
dans lequel il s'est finalement trouvé pris. Délivré de cela aussi, je
l'espère. Je ne me consolerai jamais de n'avoir pas été là jusqu'au bout
du fait de mon état de santé encore trop incertain, mais je ne crois pas
que ma présence eût amélioré grand-chose. (Lui, du moins, a été
jusqu'à la limite fidèle en interrompant son traitement à Paris pour
venir me rejoindre durant mon opération.)

kenyanne qu'elle avait tant appréciée lors de son hospitalisation de 1983.

Avant d'aller passer quelques jours à Bruges, elle fait
un détour par Bruxelles où elle veut rencontrer le
cinéaste André Delvaux qui, depuis plusieurs années
déjà, souhaite tirer un film de *L'Œuvre au Noir*, et dont
le projet est désormais très avancé. Marguerite Yourcenar, qui ne connaît pas les films de Delvaux, est « très
favorablement impressionnée » par « cet homme fin,
cultivé et possédant un grand sens littéraire ». Elle a
envie que *L'Œuvre au Noir* soit tournée par lui. Elle ne
verra jamais ce film dont elle aurait aimé les clairs-
obscurs, la violence et la délicatesse mêlées *, mais
elle en suivra de près, jusqu'à la fin de sa vie, toutes les
étapes.

André Delvaux se souvient de sa satisfaction « de voir
comment cette femme, si éloignée du cinéma, avait
parfaitement compris les problèmes de transposition
de l'écrit à l'image, comment elle sentait ce qui était
possible ou non, ce qu'il convenait de garder au plus
près du texte, et ce qu'il était nécessaire de réinterpréter ». « Nous avons trouvé un terrain d'accord parfait,
étant tous deux persuadés que le film ne pouvait porter
que sur la fin de la vie de Zénon, avec, bien sûr, quelques retours en arrière. Spontanément, alors que nous
parlions du début du film, elle a eu l'idée que j'allais lui
proposer, de commencer par le retour de Zénon à
Bruges, en calèche, avec le prieur des Cordeliers.
C'était un plaisir de la rencontrer ou de lui écrire, car
elle avait une attention vraie. Elle était tout entière disponible pour ce dont on lui parlait [4] ». Marguerite
Yourcenar avait approuvé le choix de Gian Maria
Volonte, qui fut un Zénon fiévreux, brûlant, mais avec

* Elle devait assister à la fin du tournage en décembre 1987, qui fut
le mois de sa mort. Le film est sorti au mois de mai 1988.

ce côté « muet des eaux » dont elle avait parlé à André Delvaux dans une lettre. Elle y traçait un portrait de Zénon en citant des vers d'Empédocle, traduits dans *La Couronne et la Lyre*. « Je fus au cours des Temps le garçon et la fille/l'arbre, l'oiseau ailé, et le muet des eaux [5]. » Le « muet des eaux » est le poisson (signe sous lequel elle avait fait naître Zénon), silencieux jusque dans la mort hors de l'eau [6].

À Paris, où elle arrive le 3 mai, elle s'est décidée, après bien des hésitations, à descendre au Ritz. De cet hôtel, elle disait en s'amusant : « pour de vieilles personnes encore convalescentes, comme moi, cela peut tenir lieu de maison de repos. C'est un peu coûteux, bien sûr. Mais quel calme, en pleine ville ! Et on peut s'y faire servir des œufs à la coque – ou tout ce qu'on veut – à toute heure ». Ce n'est pourtant pas tant en raison de ces commodités qu'elle avait choisi le Ritz, que pour revenir sur les traces de Jerry, qui y avait séjourné et y avait fait deux tentatives de suicide. « Ce voyage avait quelque chose de morbide, se rappelle Stanley Crantson. Madame voulait refaire le chemin de Jerry dans ses moindres détails. Tout voir. Fixer les lieux dans sa mémoire. » Ce qui lui avait toujours été indispensable pour « refaire l'histoire ». Ainsi, après avoir vu à plusieurs reprises la chambre du Ritz qu'occupait Jerry, Marguerite Yourcenar avait voulu voir la chambre de l'hôpital Laennec où il était mort, puis se rendre au crématorium du Père-Lachaise où il avait été incinéré.

De tout cela, pas plus que de sa fatigue, elle ne parle dans sa vie « officielle », celle qui lui vaut de déjeuner le 13 mai chez Claude Gallimard avec François Mitterrand, le président de la République, qu'elle respecte moins pour son talent de politique, sur lequel elle n'a que peu d'informations, que parce qu'il a lu ses livres *. Elle fait, comme souvent après ce genre de « repas cérémonieux », selon sa formule, des commentaires aigus et féroces sur les convives et leurs propos, leur manière de tenter de se faire remarquer « jusqu'à la sottise » par le président de la République, qui, disait-elle, « ne peut tout de même pas être dupe ».

Pourquoi se rend-elle ensuite en Autriche ? Pour y revoir des villes qui sont loin dans sa mémoire, Salzbourg, Innsbruck ? Pour y retrouver et Zénon et Grace, chercher leurs traces, comme quelques semaines auparavant à Bruges elle avait cherché longuement la rue où elle promenait autrefois la chienne Valentine ? D'abord, à coup sûr, pour « être ailleurs ». Elle a une raison précise d'aller en Italie : elle veut revoir son ami Paolo Zacchera. Et en Suisse, à Genève, elle va faire une visite à Jorge Luis Borges, à l'hôtel où il séjourne avant de s'installer dans un nouvel appartement. Elle en était revenue très émue. « Je l'ai trouvé pâle, fatigué [il est mort le 14 juin 1986], mais si présent, si attentif, confiait-elle lors de son nouveau séjour parisien du début juin. Je suis allée visiter, pour le lui décrire, son futur appartement. Il pourrait sortir d'un de ses livres. Un curieux endroit. Avec des miroirs. Je ne lui ai pas décrit ce qui ne me plaisait pas dans la décoration. Puis nous avons causé. Je lui ai demandé quand il sortirait du labyrinthe et il a répondu : " quand tout le monde

* Le 5 décembre 1979 dans un entretien au *Monde* sur « les libertés et l'État », François Mitterrand, alors Premier secrétaire du Parti socialiste, parlait de Zénon comme d'un modèle de liberté : « Zénon est l'un des personnages les plus passionnants de la littérature moderne. Il cherche et il meurt, apparemment vaincu mais l'esprit libre, vainqueur. A cet égard j'ai été très intéressé, tout autour de Zénon, par la vie et l'activité des sectes qui, comme maintenant, n'avaient pour objet que de s'autodétruire, la seule préoccupation de chacun étant d'avoir d'abord raison contre son frère. L'esprit de secte ou l'anti-liberté. Tout dogme qui veut prouver par la contrainte tue l'homme avec la liberté [7]. »

en sera sorti ". Après de tels moments, trop brefs, avec ceux qu'on admire, on regrette toujours ce qu'on n'a pas eu le temps, ou la présence d'esprit, de demander. J'aurais tant voulu qu'il commente pour moi cette phrase de lui qui m'obsède : " un écrivain croit parler de beaucoup de choses, mais ce qu'il laisse, s'il a de la chance, c'est une image de lui ". »

De retour à Petite Plaisance, à la mi-juin, elle croit qu'elle ne survivra pas à l'été. « Je m'étais habituée, avec Jerry, au délice de parler toute la journée ma propre langue, dira-t-elle, et soudain je devais attendre le passage de quelques amis pour le faire. » Sa fatigue est si réelle que son hypocondrie l'a quittée. Elle tente plutôt d'ignorer ses malaises. Elle se sent très seule. Tout à fait seule. Mais la profonde volonté de vie qui lui a permis de surmonter tous les découragements, et qui tient à son désir de continuer à écrire, est plus forte que tout. Elle reprend la rédaction de *Quoi? L'Éternité* qu'elle décide de mener non plus jusqu'en 1937, mais jusqu'en 1939, pour pouvoir y inclure sa rencontre avec Grace et parler de l'immédiat avant-guerre. « Après, je ne sais pas, répondait-elle invariablement. Si le temps m'en est donné, je continuerai peut-être, dans un autre volume. »

Comment revenir en Europe? Stanley n'est plus libre, Monicah non plus. Il faut pourtant trouver un moyen « car rester un hiver ici est désormais impensable », souligne Marguerite Yourcenar. Elle propose à Janet Hartlief, une jeune infirmière hollandaise avec laquelle elle entretient une correspondance, de l'accompagner. Janet accepte. Elles se retrouvent le 11 novembre à Amsterdam où DeeDee a accompagné Marguerite Yourcenar. Après un séjour d'une dizaine de jours, au cours duquel elle revoit « avec un plaisir à chaque fois identique » son éditeur, Johan Polak, Marguerite Yourcenar va avec Janet à Zurich où elle retrouve une dernière fois Egon de Vietinghoff. Toujours à la recherche de matériaux pour *Quoi? L'Éternité*, elle constate, comme à chaque rencontre avec lui, que sa mémoire est « bien lacunaire ».

Le mois de décembre est parisien et studieux. Marguerite Yourcenar travaille avec Yannick Guillou, à qui elle a remis la première moitié de *Quoi? L'Éternité* et avec lequel elle prépare ce qui allait être le dernier ouvrage publié de son vivant, *La Voix des choses*. Elle quitte Paris le 27 décembre pour le Maroc, où elle passera deux mois entiers, dont un dans le Sud avec Jean-Marie Grénier, vieil ami de Jerry devenu le sien : ils iront ensemble à Ouarzazate, Zagora, Agdz, Aït-Benhaddou notamment. « En janvier à Fès, se souvient Christian Lahache, un autre ami de Jean-Marie Grénier, qui avec Janet a fait une partie de ce périple marocain, il est arrivé un incident qui nous a tous effrayés, sauf la victime elle-même, Marguerite Yourcenar. Elle tenait absolument à se rendre dans la Médina, car elle cherchait une espèce particulière de bougies, que Jerry et elle aimaient beaucoup. Elle voulait en faire brûler le jour anniversaire de la mort de Jerry *. Elle ne s'est pas aperçue que les rues qu'elle prenait, dans la Médina, étaient en pente, parce qu'elles descendaient. Janet et moi n'y avons pas non plus prêté attention. Comme elle a eu beaucoup de mal à trouver l'endroit où l'on vendait les bougies, elle a fait beaucoup plus de chemin qu'elle n'aurait dû. Quand il s'est

* Pour ce jour d'anniversaire, Marguerite Yourcenar avait écrit à une de ses amies, religieuse à Bruges, Sœur Marie-Laurence, afin que fût célébrée une messe à la mémoire de Jerry : « Il m'a demandé de ne jamais cesser de penser à lui. Je tâche de m'acquitter de ce devoir [8]. » De même faisait-elle, chaque année depuis la mort de Grace, dire des messes à sa mémoire.

agi de revenir, donc de remonter, elle avait de la peine à marcher. Soudain, elle s'est arrêtée. Elle avait le souffle court et ne pouvait plus faire un pas. Elle avait les lèvres violettes, le teint blanc, le nez pincé. Curieusement, elle ne montrait aucune inquiétude. Nous, nous ne savions que faire. Finalement, un homme qui remontait avec sa charrette a proposé de nous aider à sortir de la Médina. Nous avons hissé Marguerite Yourcenar, à demi inconsciente, dans la charrette qui tentait de se frayer un passage, suivie par les enfants intrigués et curieux, criant " vieille maman est malade, vieille maman est malade ". Nous l'avons ramenée à l'hôtel, et couchée. Elle s'est remise assez vite. Pendant ce voyage, elle ne se plaignait jamais. [9] » Elle racontait même en riant comment elle avait failli mourir « en dormant » : « Un soir, je m'enfonçais dans un sommeil très doux, quand j'ai été réveillée en sursaut par Janet qui me secouait et par l'air froid qui venait du dehors. Janet avait ouvert la fenêtre en grand. En entrant dans la chambre, elle s'était aperçue que le poêle dégageait du gaz carbonique et que j'étais en train de m'asphyxier. »

Au Maroc comme à Paris, où elle passe un mois à partir du 8 mars, Marguerite Yourcenar travaille avec une certaine fébrilité à *Quoi ? L'Éternité*, mais aussi à la conférence qu'elle doit donner à Harvard en mai sur Borges *.

Ce qui ne l'empêche ni de revoir des amis, ni de recevoir de nouveau André Delvaux pour parler de son film. Quand elle quitte Paris pour l'Angleterre, au début d'avril, elle se sent beaucoup mieux que l'année précédente. Elle pense être de retour à l'automne,

---

* La conférence sera reportée à octobre en raison de son état de santé.

alors qu'elle avait quitté la ville en juin 1986, en se disant qu'elle n'y reviendrait pas. Elle ne reverra pas Paris et elle revoit Londres pour la dernière fois. Elle va, en compagnie de Carlos Freire, l'un de ses récents amis, photographe brésilien installé à Paris, assister à la relève de la garde, comme elle y allait autrefois avec son père. Les photographies de Carlos Freire ce jour-là montrent une vieille femme brusquement bouleversée, dans le regard de qui passent soixante-treize ans de souvenirs. Puis elle se reprend et son visage retrouve sa sérénité.

À Petite Plaisance, qu'elle regagne à la fin avril, tout a été mis en place par DeeDee et Jeannie pour que la vie quotidienne lui soit la plus aisée possible. « Tout est parfait », disait Marguerite Yourcenar, « toute une équipe de femmes s'occupe de moi, pour faire le ménage, les courses, et que je ne passe pas la nuit seule dans la maison. Mais parfois, je ne sais même pas qui va être là le soir. C'est tout de même un peu éprouvant. Et puis nous n'avons pas grand-chose à nous dire ». Pour parler de ce qu'elle écrivait ou avait écrit, il lui fallait s'en tenir à la visite de DeeDee, le matin, et pour parler le français, ce qui devenait de plus en plus pour Marguerite une incessante obsession, il fallait attendre les coups de téléphone de Paris ou du Caire, ou les visites, toujours trop courtes à son goût – alors que la plupart des visiteurs écourtaient leur séjour de peur de paraître s'imposer. « Mon agenda est désespérément vide de rendez-vous », confiait-elle au téléphone. Après la visite de Yannick Guillou en juin, elle aura pourtant celle de Carlos Freire et de son épouse Héloïsa, et plusieurs autres, dont celles de Jean-Marie Grénier et de Jean-Pierre Corteggiani. Ce dernier se rappelle l'intensité avec laquelle elle travaillait chaque jour à *Quoi? L'Éternité* : « Lorsqu'elle était dans le jardin, on pouvait l'observer de loin. On a rarement vu un tel pouvoir de concentration. Elle pouvait s'asseoir n'importe où, écrire sur ses genoux. Parfois elle jetait des pages, mais elle raturait très peu. Elle pouvait s'interrompre, dire deux mots à qui passait près d'elle. Puis elle reprenait. Elle s'absentait. »

À partir de la fin de septembre, la vie, pense Marguerite Yourcenar, va être moins morne, d'autant qu'elle a réussi à organiser son voyage d'hiver. Elle ne se contentera plus cette fois-ci de revoir des paysages traversés avec Jerry ou Grace. Elle ira au Népal voir fleurir les fleurs de janvier. Le parcours est programmé presque tout entier : Amsterdam, Copenhague, la Belgique, Paris, Zurich et l'envol pour l'Inde le 22 décembre. Elle passe les derniers jours de septembre à Québec, comme elle l'a promis à Yvon Bernier qui vient la chercher en voiture à Petite Plaisance. DeeDee les accompagne. « Pour la première fois, je me suis vraiment inquiétée, dit-elle. Le visage de Madame accusait la fatigue. Outre que les longues heures de route, sans arrêt, l'avaient épuisée, le côté officiel de sa réception à Québec était une lourde contrainte. Je me disais : " Cette vieille femme est malade et personne ne semble s'en apercevoir. On la fait trop parler, on la traite comme si elle était au mieux de sa forme physique, alors qu'elle est aux limites de sa résistance ". Elle-même a eu le sentiment qu'on ne mesurait pas son âge et que, puisqu'elle était là, il fallait " en profiter ". Elle est revenue assez fatiguée à Petite Plaisance. » Pourtant, il lui plaît de faire enfin, à Harvard le 14 octobre, sa conférence sur Borges, « qui se passe merveilleusement bien » et de savoir qu'elle va, encore, repartir.

Une fois de plus les valises sont bouclées. Le départ est prévu pour le 11 novembre, et ses amis sont prévenus qu'à partir du 12, on pourra l'appeler à l'hôtel de l'Europe à Amsterdam. Sur l'agenda que Marguerite Yourcenar allait emporter en voyage, tout était noté jusqu'à la fin de l'année. Les indications portées entre le 11 et le 15 ont été rayées, Stanley ayant remis le départ de quelques jours en raison de l'état de santé de sa mère. Ensuite, on pouvait lire : « 6-9 décembre, Copenhague : Yannick, Josyane » – elle devait y refaire sa conférence sur Borges. Puis « 19 décembre [en anglais] : départ de Paris pour Zurich. » « 22 décembre [toujours en anglais] : départ pour l'Inde. »

Depuis le milieu d'octobre et sa conférence à Harvard, Marguerite Yourcenar se plaignait de douleurs dans le dos. Elle a même noté au 16-17 octobre « back trouble ». Elle disait aussi, presque à chaque conversation téléphonique, souffrir d'un mal de tête persistant. Ces malaises-là, personne ne les mettait au compte de son hypocondrie et tout le monde, à commencer par DeeDee, l'incitait à consulter le médecin. Mais en bonne hypocondriaque, elle ne faisait guère la différence entre les maux mineurs, qu'elle amplifiait, et les maladies qu'elle surmontait « avec une force de caractère peu commune », disaient tous ceux qui ne l'avaient jamais entendue parler de ses rhumes...

Le 7 novembre toutefois, DeeDee, en arrivant pour le bain du matin, trouve Marguerite Yourcenar extrêmement fatiguée. « Il me semblait qu'elle avait quelques problèmes d'équilibre. Et elle parlait de son insomnie de la nuit passée, comme quelqu'un de mal réveillé. Cette confusion m'a inquiétée. Je l'avais déjà notée certains matins, mais Madame se reprenait si vite qu'aucun de mes interlocuteurs, sauf Jeannie, ne voulait croire que le vieillissement l'avait atteinte. Et en lisant son dernier livre, écrit jusqu'au dernier soir,

674

on a toujours, je le sais, du mal à le croire. Pourtant les faits sont là. » Ce samedi 7 donc, DeeDee insiste longuement pour emmener Marguerite Yourcenar chez le médecin. L'argument selon lequel il était bon de « faire le point juste avant de partir pour l'Europe » finit par l'emporter.

« Une fois de plus, se souvient DeeDee avec émotion, elle m'a donné un exemple de sa force de caractère, de son obstination, de sa dignité, de ce qui faisait que je la croyais, comme tous ses amis, indestructible, même si, à la place que j'occupais, je pouvais observer mieux que personne l'affaiblissement et les dégâts progressifs et irrémédiables du grand âge. » « Très vite le médecin acquit le sentiment que si quelque chose la menaçait, c'était un accident cérébral. Je lui avais signalé les problèmes d'équilibre et la légère confusion mentale. Il demanda à Madame de marcher. Je la vis se redresser, tendre le dos comme elle en avait l'habitude, prendre sa démarche dominatrice et solennelle que nous connaissions tous mais qui n'a jamais manqué de nous impressionner, et s'avancer, très droite vers le fond de la salle. Arrivée au mur, elle a seulement dit, un rien provocatrice " et maintenant, voulez-vous que je fasse demi-tour? ". Le médecin a alors commencé une sorte d'interrogatoire, pour tester l'état de sa mémoire. Elle a biaisé sans cesse, avec une hauteur, une malice, une ironie qui forçaient l'admiration. Par exemple à la question : " Madame Yourcenar, pouvez-vous me dire votre date de naissance? " elle répondait " Et vous, pouvez-vous me donner la date de naissance de l'empereur Hadrien? Moi, je le peux. " Cela dit, elle n'en donnait aucune. »

Le médecin insiste pour qu'elle reste en observation à l'hôpital, et y passe, au moins, une nuit. Elle refuse. « C'était une décision sans appel, affirme Dee-

675

Dee. Je l'ai ramenée, la mort dans l'âme, à Petite Plaisance. Son attitude me paraissait déraisonnable. Mais personne n'aurait pu la faire changer d'avis. »

Le lendemain matin, dimanche 8 novembre, quand DeeDee, peu après sept heures, entre, comme tous les jours, à Petite Plaisance, Marguerite Yourcenar ne peut dissimuler son état d'épuisement. Elle n'a pas dormi de la nuit. « Je lui ai proposé de ne pas bouger. Elle a accepté que sa toilette lui soit faite dans le lit. Puis elle s'est endormie. Je ne voulais pas rentrer chez moi tant qu'elle n'était pas réveillée. Je venais voir, à intervalles réguliers, toutes les dix minutes à peine, ce qu'il en était. À ma troisième ou quatrième visite, j'ai constaté qu'elle venait d'avoir une attaque. L'ambulance est arrivée très vite, mais si elle avait été à l'hôpital comme nous le souhaitions, nous aurions tout de même perdu moins de temps. » Le 8 novembre 1987, quatre-vingt-sept ans jour pour jour après le mariage de Michel de Crayencour et de Fernande de Cartier de Marchienne, leur fille, Marguerite de Crayencour, née le 8 juin 1903, entrait dans la mort. Mais, au cours de sa longue vie, elle était devenue Marguerite Yourcenar, écrivain admiré, puis célébré. Et depuis quelques années, elle avait survécu à tant d'incidents, d'accidents, de maladies et de drames que personne ne voulait voir, en cette attaque cérébrale, le début d'une agonie.

À l'hôpital, quand elle reprend connaissance, on constate une alternance de lucidité et de confusion « pas très étonnante dans ce cas, confirme le docteur Robert Wilson. Mais lorsque cet état de choses se prolonge au-delà de quarante-huit heures, il est à craindre que les lésions soient irrémédiables. » « J'ai cru, moi, que la partie était gagnée, affirme DeeDee, quand, alors que j'essayais de lui expliquer, pour la dixième

676

fois au moins sans qu'elle semble me comprendre, qu'elle avait eu un malaise et qu'elle était à l'hôpital, elle s'est redressée, irritée, et m'a jeté d'un ton cassant : " C'est la troisième fois que vous me le dites, cela me semble suffisant. " Je croyais la retrouver telle qu'en elle-même. Je me trompais. »

Le 11 novembre, puis les jours suivants, DeeDee qui parle chaque matin avec Yannick Guillou, à Paris, se veut rassurante. Mais celle qui ne quitte plus le chevet de « Madame » que pour rentrer dormir, sait que « Marguerite Yourcenar », elle, est déjà « morte ». Cette immense intelligence vient, sans encore sombrer tout à fait, de se fissurer. Celle qui, comme le disait Elliott, le jardinier, « parlait à livre ouvert », celle qu'on aurait pu écouter des heures, tant elle donnait, même à des banalités, une formulation et un timbre singuliers, n'a plus qu'un combat à mener : mourir dans la dignité, et, comme elle l'avait toujours voulu, les yeux ouverts.

Elle a oublié, désormais, cette phrase de *Souvenirs pieux* où tout, pourtant, avait été annoncé. Elle est simplement en train de la vivre : « L'enfant [elle-même à sa naissance] qui ne sait pas encore (ou ne sait déjà plus) ce que c'est qu'un visage humain, voit se pencher vers elle de grands orbes confus qui bougent et dont sort du bruit. Ainsi, bien des années plus tard, brouillés cette fois par la confusion de l'agonie, verra-t-elle peut-être s'incliner sur elle le visage des infirmières et du médecin [10]. »

Pendant les deux premières semaines, DeeDee tient aux amis français de Marguerite un discours apaisant, tout en les dissuadant gentiment, mais fermement, de venir. « Les périodes de lucidité et de confusion alternent. Mais physiquement, elle se remet. Elle se lève, elle marche jusqu'au bout du couloir. Il faut attendre un peu et vous pourrez de nouveau lui rendre visite. Mais si vous veniez dès maintenant, elle ne vous pardonnerait jamais de l'avoir vue quand elle était en état de faiblesse extrême, pas tout à fait lucide et démunie. » En fait, les périodes de lucidité étaient terribles, Marguerite Yourcenar convoquant les médecins pour exiger qu'« on en finisse, qu'on fasse cesser cet état de choses, qui n'avait aucun sens, immédiatement », et les périodes de confusions mentales étaient souvent des moments de violence et de colère.

À Paris, il avait été décidé de ne rien dire de ce qui se passait à Mont-Désert. Yannick Guillou, en annulant tous les rendez-vous de Marguerite Yourcenar, indiquait seulement que son départ avait été remis parce qu'elle était un peu souffrante. Après l'indigne photo de Salvador Dali – grabataire, amaigri, bardé de sondes et de tuyaux divers –, qui venait de faire la couverture du *Figaro Magazine*, on pouvait tout craindre de la rapacité et de la morbidité des amateurs de « scoops » à la petite semaine. Mais, à l'hôpital de Bar Harbor, Dee-Dee et Jeannie veillaient. En dépit de cela, un académicien – Maurice Schumann – qui, pour des raisons familiales, connaissait quelqu'un à Mont-Désert, eut vent de ce qui se passait. Il prévint, comme il est d'usage, ses collègues. Fidèle à l'exquise délicatesse dont elle avait su faire preuve avec Marguerite Yourcenar, l'Académie commença de faire courir le bruit de sa maladie « terminale ». Elle était, disait-on d'un air entendu, « déjà dans le coma ».

De coma, point. Au contraire, après deux semaines de maladie, « Madame était, physiquement, aussi bien qu'on peut être après un accident de ce type », raconte DeeDee. Mais elle était aussi, ce qui, s'agissant d'elle, est plus terrible, dans une totale confusion mentale. « Elle ne nous reconnaissait plus. Mais elle était, enfin, apaisée, et dans son délire même, elle était fascinante.

Elle racontait, tantôt en anglais, tantôt en français, ses voyages, elle se voyait au théâtre et commentait la pièce, approuvait, applaudissait. Encore une fois, elle était singulière, ne ressemblant à aucune autre vieille femme divaguant. Son discours était toujours aussi beau et avait sa cohérence. Simplement, il n'était plus en rapport avec la réalité. » Marguerite Yourcenar n'était plus le créateur, elle était le personnage : toute distance était abolie.

Cette étrange folie, liée à la puissance de sa parole, dans laquelle elle entraînait tout le monde, interdisait le « discours de raison » qui avait été, au départ, celui de tous : « Si elle n'est plus Marguerite Yourcenar, il vaut peut-être mieux que " ça " ne dure pas très longtemps. » Une fois encore, la littérature gagnait. Revues aujourd'hui, dans la distance, les deux semaines de ce « délire pacifique », selon le mot de DeeDee, semblent comme irréelles. Marguerite Yourcenar, comme toujours, s'était imposée à son entourage. DeeDee, comme nous tous, ses interlocuteurs, avons peine à croire maintenant à nos conversations d'alors. Après avoir donné des nouvelles sur la santé physique de la patiente, DeeDee, sans que quiconque trouve cela incongru, transmettait les récits de Marguerite Yourcenar : « Aujourd'hui elle était au Japon... elle s'était égarée dans la ville, avec Jerry. Personne ne voulait les aider à retrouver leur chemin » ; « Elle assistait à une représentation théâtrale, *Madame de Sade* de Mishima ; elle a beaucoup applaudi ». Quand est parvenu à l'hôpital *La Voix des choses* qui, ironiquement, est un petit recueil des phrases qui l'ont accompagnée au long de sa vie, elle s'est mise à traduire les textes pour les infirmières, qui, en venant la soigner, regardaient le livre...

« Quand elle a vu le livre, se souvient DeeDee, elle l'a parfaitement identifié. Elle le serrait contre elle, le portait à ses lèvres. Elle était heureuse, elle avait ce sourire magnifique que nous lui avons connu. Et pourtant elle était toujours incapable de mettre mon nom sur mon visage et continuait de me dire : " Vous demanderez à DeeDee... ". Devant ma protestation " Mais je suis DeeDee ", elle répondait invariablement " Je sais, mais je vous parle de l'autre DeeDee. " De DeeDee, il n'y avait que moi, bien sûr. »

Pour tous ceux qui avaient fréquenté Marguerite Yourcenar durant les dernières années, une évidence s'imposait. Lucide ou non, elle avait besoin, si elle devait mourir bientôt, d'entendre parler le français. Après quatre semaines d'hospitalisation, son état physique était stationnaire. Plutôt bon. Mais on ne pouvait « jurer de rien ». On envisageait toutefois sa sortie de l'hôpital et on attendait une chambre dans une maison de repos, où l'on pourrait apporter des objets de Petite Plaisance pour que l'irruption de son univers familier, non pas la ramène à la réalité, ce qui semblait désormais exclu, mais l'en rapproche, et, surtout, la réconforte.

Les amis parisiens de Marguerite Yourcenar étaient partagés. Certains pensaient que c'était Yannick Guillou, le plus proche d'elle dans les derniers mois, qui devait se rendre au plus vite à son chevet. Dès que DeeDee cessa de le dissuader de venir, il quitta Paris – le lundi 14 décembre. Mais au lieu de prendre le chemin le plus rapide, il fit un détour par Québec pour céder à l'insistance d'Yvon Bernier. Celui-ci, qu'il connaissait peu mais qui était régulièrement en contact avec lui depuis l'hospitalisation de Marguerite Yourcenar, lui avait suggéré de « passer le prendre » à Québec. L'idée, en plein hiver nord-américain, était singulière. Et d'autant plus inopportune qu'Yvon Bernier avait décidé de rejoindre l'île des Monts-Déserts

680

par la route. Craignait-il de s'y rendre seul ? Peut-être. Car, comme aimait à le répéter Marguerite Yourcenar – et chacun a pu le constater dans sa propre vie –, l'évolution des sociétés n'a guère changé un ancestral sentiment : accompagner les malades et les mourants, c'est « l'affaire des femmes ». Devant la maladie et la mort, les hommes sont presque toujours sinon démunis, du moins en proie à un curieux malaise.

En arrivant à Québec, Yannick Guillou apprit que la secrétaire de Marguerite Yourcenar leur demandait de ne pas prendre la route immédiatement, d'attendre une journée. Ce qu'ils firent. Quand ils quittèrent enfin Québec, ils furent pris dans une tempête de neige et ne purent atteindre l'île que le mercredi soir.

Entre-temps, la situation s'était considérablement aggravée. Marguerite Yourcenar avait eu pendant deux jours – réaction à une certaine médication, probablement – un œdème du visage, « absolument monstrueux », selon DeeDee. « En trente-cinq ans de métier, je n'avais jamais vu cela. Évidemment, comme j'étais seule à son chevet, c'est à moi que les médecins ont demandé de prendre une décision : morphine, avec toutes les conséquences que l'on sait, ou attente ? J'étais très perplexe, accablée de ma responsabilité. Quand soudain Madame a dit : " Je ne tolérerai pas cette atroce douleur dans ma gorge. " Nous avons alors commencé à lui administrer de la morphine. Comme souvent les agonisants, elle avait retrouvé sa lucidité et elle avait pris la décision d'en finir le plus vite possible, refusant tout ce qu'on essayait de lui faire boire. »

Quand Yannick Guillou et Yvon Bernier arrivèrent, le matin du jeudi 17 décembre, à l'hôpital de Bar Harbor, chacun savait, là-bas, que Marguerite Yourcenar avait, tout au plus, un ou deux jours encore à vivre. « Dès que je l'ai vue, au milieu de la matinée, j'ai su que j'étais devant une agonisante », se souvient Yannick Guillou *. Quand elle m'a reconnu, elle a eu ce sourire si jeune qui la caractérisait et qui, à ce moment-là précisément, devenait bouleversant. Dès que j'ai commencé à parler, en français bien sûr, j'ai vu sur son visage une sorte de soulagement, un air presque heureux. »

Contrairement à ce qu'elle avait cru, surtout depuis trois jours, depuis qu'elle se sentait mourir, elle entendait, avant sa fin, parler sa langue. La langue qui avait fait d'elle un écrivain, la langue qui lui assurait une postérité ; la seule chose, au fond, qu'elle ait aimée sans un instant de doute. Ce qui lui avait permis d'échapper à tout et à tous, de survivre à tout, de vivre jusqu'au bout cette vie humaine dont elle avait affirmé qu'elle « n'était pas nécessairement une bonne chance ». Elle qui disait avoir frôlé, à sa naissance, « la chance qui consiste à ne pas être » avait été durablement sauvée, non par le médecin qui, sans doute, au

* Quelques jours plus tard, à son retour en France, Yannick Guillou écrivait à l'un de ses amis, le claveciniste italien Luciano Sgrizzi : « Il ne ressortait pas du tout de ma dernière conversation téléphonique avec l'infirmière qu'elle était mourante. J'ai appris en arrivant que son état s'était aggravé le dimanche 13, qu'elle refusait depuis lors toute alimentation et qu'on lui faisait de la morphine. Quand je suis entré dans sa chambre – ni perfusion ni tuyau nulle part – ses bras reposant le long de son corps étaient, comme le visage, recouverts de rougeur (une allergie, m'a-t-on dit, à un médicament), mais ce visage avait tout à coup trente ans de moins : plus une ride, une distinction, une majesté, une finesse de traits lumineuse, les yeux mi-clos, la bouche à demi ouverte, la langue déjà noire, le bout des doigts bleu. On lui avait dit la veille que je venais et elle avait essayé de battre des mains. En me voyant, elle a marqué un mouvement de la tête, ses yeux se sont complètement ouverts et elle a souri (...) elle m'a pris la main droite, et, doucement, l'a menée vers ses lèvres et l'a embrassée. Elle a aussi voulu me parler mais les mots étaient inarticulés et je ne les ai pas compris (...). Il était onze heures du matin (...). Nous sommes revenus, l'infirmière et moi en début d'après-midi. Elle était dans le coma. Je me suis mis à genoux au pied de son lit et j'ai prié. »

chevet de Fernande, avait choisi l'enfant contre la mère, mais par son amour absolu d'une langue dont elle voulait perpétuer et transmettre l'héritage, par la certitude, forgée dès l'adolescence, qu'elle entrerait dans la lignée des grands « manieurs » de cette langue, par la fascination de tout comprendre et de tout vivre, en le disant. Par là, elle avait échappé à la tentation qui l'avait longtemps hantée, celle, à ses yeux, du geste suprême de la liberté humaine : reprendre, par sa volonté propre, une vie qui vous a été donnée par hasard.

Cette liberté, elle l'avait donnée à Zénon décidant de se suicider dans sa prison de Bruges, et c'était comme si elle l'avait prise elle-même :

« Et cependant sa décision était prise : il le reconnaissait moins au signe sublime du courage et du sacrifice qu'à on ne sait quelle obtuse forme de refus qui semblait le fermer comme un bloc aux influences du dehors, et presque à la sensation elle-même. Installé dans sa propre fin, il était déjà Zénon *in aeternum*.

D'autre part, et placée pour ainsi dire en repli derrière la résolution de mourir, il en était une autre, plus secrète, et qu'il avait soigneusement cachée au chanoine, celle de mourir de sa propre main [11]. »

Elle, au contraire, avait résolu d'écrire, « jusqu'au moment où la plume me tombera des mains. On verra bien [12] ». Elle le disait dans *Archives du Nord* où elle avait tracé, rapidement, la courbe de sa vie.

> « L'enfant qui vient d'arriver au Mont-Noir est socialement une privilégiée ; elle le restera. Elle n'a pas fait, du moins jusqu'au moment où j'écris ces lignes, l'expérience du froid et de la faim (...) elle n'aura pas, sauf au cours de sept ou huit ans tout au plus, " gagné sa vie " au sens monotone et quoti-

dien du terme; elle n'a pas, comme des millions d'êtres de son temps, été soumise aux
corvées concentrationnaires, ni, comme
d'autres millions qui se croient libres, mise
au service de machines qui débitent en série
de l'inutile ou du néfaste, des gadgets ou des
armements. Elle ne sera guère entravée,
comme tant de femmes le sont encore de
nos jours, par sa condition de femme, peut-
être parce que l'idée ne lui est pas venue
qu'elle dût en être entravée. (...) Elle tombera et se relèvera sur ses genoux écorchés;
elle apprendra non sans efforts à se servir de
ses propres yeux, puis, comme les plon-
geurs, à les garder grands ouverts. (...) Sa vie
personnelle, pour autant que ce terme ait un
sens, se déroulera du mieux qu'elle pourra à
travers tout cela. Les incidents de cette vie
m'intéressent surtout en tant que voies
d'accès par lesquelles certaines expériences
l'ont atteinte. C'est pour cette raison, et pour
cette raison seulement, que je les consigne-
rai peut-être un jour si le loisir m'en est
donné et si l'envie m'en vient [13]. »

L'envie lui en était venue et elle était en train, dans
Quoi? L'Éternité, de « consigner » quelques-uns des
« incidents » de cette existence – et peut-être plus
qu'elle n'avait pensé en commençant – quand la maladie, sa dernière maladie, avait interrompu son geste.
En remettant une partie du manuscrit, quelques mois
plus tôt, à Yannick Guillou, elle lui avait dit, avec son
sens si particulier de l'euphémisme : « Désormais,
même si je suis " empêchée ", on pourra publier. » Il
était donc l'unique personne à pouvoir lui assurer une
mort pacifique, lui signifier que, quels que soient sa foi
ou ses doutes, elle avait, elle, un avenir. Ce matin du
17 décembre 1987, elle n'entendait sans doute que
confusément ce qu'il lui disait et lui ne comprenait pas

684

une seule de ses paroles déjà assourdies et brouillées par la mort. Mais chacun savait que tout était en ordre.

L'après-midi, lorsque Yannick Guillou est revenu pour une seconde visite, Marguerite Yourcenar n'était plus qu'une gisante. Rien ne pouvait l'atteindre. Il ne restait, si on savait le faire, qu'à prier puis à partir. Dee-Dee le raccompagna à son hôtel, mais décida de retourner, elle, à l'hôpital.

« Rien n'avait changé depuis notre dernière visite, dit-elle. Madame respirait doucement, paisiblement, pas du tout comme une mourante. On pouvait se dire qu'elle allait passer la nuit ainsi. Et peut-être au-delà. Pourtant je voulais rester auprès d'elle. C'était un sentiment étrange de veiller cette femme que tant de gens aimaient sans l'avoir jamais vue, cette femme dont le monde entier allait bientôt apprendre et commenter la mort et que je voyais, comme endormie, dans la petite chambre 114 du modeste hôpital de Bar Harbor, modeste à l'image de la petite maison qu'elle avait voulu garder, sur notre île. Je n'étais pas à ses côtés seulement parce que les infirmières ont pour mission d'être là au dernier instant, si le hasard veut que personne d'autre n'y soit. J'étais là parce que je l'aimais. Je repensais à sa curieuse phrase, prononcée quand elle avait compris qu'elle allait mourir : " Il doit bien y avoir un paradis quelque part. " Ce Dieu dont elle était incertaine, dont elle disait toujours " qui que ce soit qu'il soit ", le priait-elle ? Je me revoyais, huit ans avant, au chevet de Grace, avec le son ténu de la petite boîte à musique dans le silence de la maison. Mais cette fois-ci, Madame ne m'accompagnait pas dans ma veille. Elle était la mourante et je me refusais à l'admettre. Deux jours plus tôt, j'avais dit à une de ses amies de Paris qui voulait savoir si " c'était la fin " : " pour tout autre qu'elle je dirais oui, mais avec elle, on ne sait jamais ".

« Professionnellement, je savais bien, plus le soir avançait, que ce n'était qu'une question d'heures. Mais je ne voulais pas entendre ce que me disait mon expérience. Je la regardais, si calme. Il n'y avait aucun bruit, aucun râle.

« Madame prit soudain une grande inspiration. Il était vingt et une heures trente quand Marguerite Yourcenar ouvrit les yeux pour la dernière fois, et les garda ouverts. Toujours du même bleu, de la même transparence. Je serais la dernière à les voir. Il me fallait les fermer et accomplir un dernier geste, en mémoire d'elle, en mémoire de ce que nous avions vécu ensemble le 18 novembre 1979, il y avait huit ans et un mois, à un jour près, et à neuf heures du soir. » Et comme Marguerite Yourcenar l'avait fait pour Grace Frick, DeeDee ouvrit la fenêtre, attendit un petit moment – l'air était glacé – et la referma.

Mademoiselle de Crayencour venait, à quatre-vingt-quatre ans, de clore la vie d'un singulier personnage de roman, qui allait lui survivre, pour longtemps peut-être : Marguerite Yourcenar.

Marguerite Yourcenar, elle, rejoignait le titre du livre qu'elle n'aurait pas le temps de finir : l'éternité, ou le néant, ce qui, aurait-elle dit, est peut-être la même chose. DeeDee, comme tout le monde, ignorait encore qu'elle laissait, comme dernière phrase de ce texte, une allusion dont elle eût aimé l'ironie : « Le télégramme qu'il avait expédié la veille arriva après lui. »

NOTES

PREMIÈRE PARTIE : LE NOM SOUS LE NOM

CHAPITRE 1 : L'ENFANT ET LES SERVANTES

1. « Chronologie » in *Œuvres romanesques*, Bibliothèque de la Pléiade, 1982.

2. *Souvenirs pieux, Le Labyrinthe du Monde I*, Gallimard, collection Blanche, 1974, pp. 27-28.

3. *Ibid.*, p. 43.

4. *Ibid.*, pp. 43-44.

5. *Archives du Nord, Le Labyrinthe du Monde II*, Gallimard, collection Blanche, 1977, p. 357.

6. Souvenirs de Michel, Fernand, Marie, Joseph Cleenewerck de Crayencour, relatés in « Marguerite Yourcenar de 0 à 25 ans », par Georges de Crayencour; *Dossiers du CACEF* (Centre d'action culturelle de la communauté d'expression française), n°s 82-83, décembre 1980-janvier 1981, p. 5.

7. *Archives du Nord, op. cit.*, pp. 340-341.

8. *Souvenirs pieux, op. cit.*, p. 265.

9. *Archives du Nord, op. cit.*, p. 359.

10. *Ibid.*, pp. 360-361.

11. *Ibid.*, pp. 367-368.

12. Lettre à Daniel Ribet, avocat à Lille, du 14 juillet 1968, fonds Harvard.

13. « Marguerite Yourcenar de 0 à 25 ans », *op. cit.*, pp. 6 et 7.

14. Voir le chapitre intitulé « Les miettes de l'enfance », in *Quoi? L'Éternité, Le Labyrinthe du Monde III*, Gallimard, collection Blanche, 1988, pp. 201-228.

15. Lettre à Georges de Crayencour, Noël 1966, archives Georges de Crayencour.

16. Joseph est en fait le quatrième prénom du fils de Michel René; c'est celui que Marguerite Yourcenar a choisi pour évoquer son demi-frère : « Nous dirons Michel-Joseph pour faire court », décidait-elle dans *Archives du Nord* (*op. cit.*, p. 295). Selon l'usage, Georges de Crayencour, quant à lui, désigne son père par ses deux premiers prénoms : Michel, Fernand.

17. « Marguerite Yourcenar de 0 à 25 ans », *op. cit.*, p. 7.

18. *Archives du Nord*, *op. cit.*, pp. 179-180.

19. *Ibid.*, pp. 183-184.

20. *Quoi? L'Éternité*, *op. cit.*, p. 203.

21. *Ibid.*, p. 206.

22. *Ibid.*, p. 210.

23. « Marguerite Yourcenar de 0 à 25 ans », *op. cit.*, pp. 8-9.

24. Documents préparatoires à *Quoi? L'Éternité*, fonds Harvard.

25. « En mémoire de Diotime : Jeanne de Vietinghoff » a été publié dans *La Revue mondiale* du 15 février 1929, pp. 413-418, et repris intégralement, sans variantes, au sein du chapitre intitulé « Tombeaux », dans le recueil d'essais *Le Temps, ce grand sculpteur*, Gallimard, collection Blanche, 1983.

26. *Souvenirs pieux*, *op. cit.*, p. 237.

27. *Ibid.*, pp. 239-240.

28. *Quoi? L'Éternité*, *op. cit.*, pp. 82-83.

29. Jeanne de Vietinghoff adopte ici la graphie française, de préférence à Scheveningen, tout comme le fera Marguerite Yourcenar, qui s'en explique dans *Quoi? L'Éternité*, p. 123 : « Est-ce à cause de la désinence doucement étirée de ce nom prononcé à la française (car Scheveningen n'est qu'un nom néerlandais comme un autre) que cette plage est restée pour moi l'archétype de toutes les plages du Nord? »

30. *Quoi? L'Éternité*, *op. cit.*, pp. 78-79.

31. Entretien avec Egon de Vietinghoff, mars 1988.

32. *Quoi? L'Éternité*, *op. cit.*, p. 127.

33. Documents préparatoires à *Quoi? L'Éternité*, *op. cit.*

34. « Apostrophes », émission littéraire de Bernard Pivot, Antenne 2, 7 décembre 1979. De la même façon, lorsque Jacques Chancel, à l'occasion de l'enregistrement de ses « Radioscopie » (France-Inter, 11-15 juin 1979), insistera sur la nostalgie d'une mère que l'on n'a pas connue, Marguerite Yourcenar fera la réponse suivante : « Ça me paraît du roman. C'est possible, mais pourquoi? »

35. « Apostrophes », *op. cit.*

36. *Quoi? L'Éternité*, *op. cit.*, pp. 127-128.

37. *Ibid.*, p. 304.

38. *Ibid.*, p. 253.

39. *Ibid.*, p. 128.

1. *Quoi? L'Éternité*, *Le Labyrinthe du Monde III*, Gallimard, collection Blanche, 1988, pp. 153-154.

2. *Archives du Nord*, *Le Labyrinthe du Monde II*, Gallimard, collection Blanche, 1977, pp. 346-347.

3. *Quoi? L'Éternité*, *op. cit.*, p. 154.

4. *Ibid.*

5. *Ibid.*

6. *À la recherche du temps perdu : Du côté de chez Swann*, de Marcel Proust, Gallimard, Bibliothèque de la Pléiade 1987, p. 13.

7. Documents préparatoires à *Quoi? L'Éternité*, fonds Harvard.

8. *Ibid.*

9. *Quoi? L'Éternité*, *op. cit.*, pp. 220-221.

10. *Souvenirs pieux*, *Le Labyrinthe du Monde I*, Gallimard, collection Blanche, 1974, p. 55.

11. *Quoi? L'Éternité*, *op. cit.*, p. 221.

12. *Ibid.*

13. *Ibid.*, p. 222.

14. *Ibid.*, p. 224.

15. *Ibid.*

16. « Marguerite Yourcenar de 0 à 25 ans », par Georges de Crayencour, in *Dossiers du CACEF* (Centre d'action culturelle de la communauté d'expression française), n°s 82-83, décembre 1980-janvier 1981, p. 10.

17. *Quoi? L'Éternité*, *op. cit.*, p. 22.

18. *Ibid.*, p. 226.

19. *Ibid.*, p. 274.

20. *Archives du Nord*, *op. cit.*, p. 268.

21. *Ibid.*, p. 271.

22. *Ibid.*, pp. 271-272.

23. Lettre à Georges de Crayencour, du 21 septembre 1977, archives Georges de Crayencour.

24. *Quoi? L'Éternité*, *op. cit.*, pp. 31-32.

25. « Marguerite Yourcenar de 0 à 25 ans », *op. cit.*, pp. 9-10.

26. *Quoi? L'Éternité*, *op. cit.*, p. 274.

27. *Souvenirs pieux*, *op. cit.*, p. 284.

28. « Apostrophes », magazine littéraire de Bernard Pivot, Antenne 2, 7 décembre 1979.

29. « Ode à la gloire », in *Les Dieux ne sont pas morts*, paru sous le nom de Marg Yourcenar, Paris, éditions Sansot, R. Chiberre, éditeur, 1922.

30. « Les Rafales », in *Les Dieux ne sont pas morts*, *op. cit.*

31. Il s'agit du chapitre intitulé « Fidélité » in *Quoi? L'Éternité*, *op. cit.*, pp. 183-199.

32. *Quoi? L'Éternité*, *op. cit.*, p. 304.

33. *Cf.* note 25, in Première partie, chapitre 1.

34. « Tombeaux » : « En mémoire de Diotime : Jeanne de Vietinghoff », in *Le Temps, ce grand sculpteur*, Gallimard, collection Blanche, 1983, pp. 223-224.

35. *Quoi? L'Éternité*, *op. cit.*, p. 209.

36. *Ibid.*, p. 274.

37. *Ibid.*, p. 210.

CHAPITRE 3 : PREMIERS APPRENTISSAGES

1. Souvenirs de Michel, Fernand, Marie, Joseph Cleenewerck de Crayencour, relatés in « Marguerite Yourcenar de 0 à 25 ans », par Georges de Crayencour; in *Dossiers du CACEF* (Centre d'action culturelle de la communauté d'expression française), n°s 82-83, décembre 1980-janvier 1981, p. 13.

2. *Souvenirs pieux, Le Labyrinthe du Monde I*, Gallimard, collection Blanche, 1974, p. 269.

3. *Quoi? L'Éternité, Le Labyrinthe du Monde III*, Gallimard, collection Blanche, 1988, pp. 265-266.

4. *Ibid.*, p. 271.

5. *Ibid.*, pp. 268-269.

6. *Ibid.*, pp. 270-271.

7. *Ibid.*, p. 271.

8. Fonds Harvard.

9. *Quoi? L'Éternité*, *op. cit.*, p. 275.

10. *Ibid.*

11. « Marguerite Yourcenar de 0 à 25 ans », *op. cit.*, p. 12.

12. *Quoi? L'Éternité*, *op. cit.*, p. 277.

13. Voir le poème qu'elle écrivit pour sa gouvernante, Camille Debocq, à l'occasion de Noël 1915, reproduit dans le cahier photos, et en annexe.

14. *Quoi? L'Éternité*, *op. cit.*, p. 70.

15. *Ibid.*, p. 69.

16. *Ibid.*

17. *Archives du Nord, Le Labyrinthe du Monde II*, Gallimard, collection Blanche, 1977, p. 237.

18. *Ibid.*, p. 238.

19. Lettre à Jean Guéhenno, du 7 mars 1978, correspondance inédite. La « correspondance inédite » représente un ensemble de lettres destiné au fonds Harvard, provisoirement déposé aux éditions Gallimard, dans la perspective d'une sélection et de la publication d'un recueil.

20. Lettre à Gabriel Germain, du 15 juin 1969, correspondance inédite.

21. « Chronologie », in *Œuvres romanesques*, Bibliothèque de la Pléiade, 1982.

22. Documents préparatoires à *Quoi? L'Éternité*, fonds Harvard.

23. *Les Yeux ouverts*, entretiens avec Matthieu Galey, Le Centurion, 1980, p. 48.

24. *Ibid.*, p. 29.

25. *Ibid.*, pp. 44-45.

26. *Ibid.*, pp. 48-49.

27. Lettre à Denise Lajoie, du 26 mars 1977, correspondance inédite.

28. *Les Yeux ouverts, op. cit.*, pp. 52-53.

29. Lettre à Olga Peters, du 20 mai 1950, correspondance inédite.

30. Lettre à Denys Magne, du 15 avril 1973, correspondance inédite.

31. *Quoi? L'Éternité, op. cit.*, p. 151.

32. *Ibid.*

33. *Ibid.*, p. 165.

34. *Ibid.*, p. 166.

35. Archives Marguerite Yourcenar.

36. Lettre à Georges de Crayencour, datée du 31 juillet-3 août 1980, archives Georges de Crayencour.

37. *Archives du Nord, op. cit.*, p. 301.

38. « Apostrophes », émission littéraire de Bernard Pivot, Antenne 2, 7 décembre 1979.

39. *Les Yeux ouverts, op. cit.*, p. 53.

40. « Aujourd'hui », in *Les Dieux ne sont pas morts*, signé Marg Yourcenar. Paris, éditions Sansot, R. Chiberre, éditeur, 1922, pp. 89-91.

41. « Le Travail », in *Les Dieux ne sont pas morts, op. cit.*, pp. 27-30.

42. Lettre à Olga Peters, *op. cit.*.

43. Lettre à Denys Magne, *op. cit.*.

44. Lettre du 18 juillet 1920, signée M. de Crayencour, « Villa Loretta, boulevard d'Italie, Monte-Carlo », archives Plon.

45. Lettre du 27 septembre 1920, signée M. de Crayencour, archives Plon.

46. Lettre du 4 octobre 1920, signée Marguerite de Crayencour, archives Plon.

CHAPITRE 4 : JE, SOUSSIGNÉE, MARGUERITE YOURCENAR

1. Lettre à N. Chatterji, du 17 juillet 1964, correspondance inédite.

2. *Souvenirs pieux, Le Labyrinthe du Monde I*, Gallimard, collection Blanche, 1974, pp. 213-214.

3. *Anna, soror...*, « Postface », in *Œuvres romanesques*, Bibliothèque de la Pléiade, 1982, p. 903.

4. Dans l'édition d'*Anna, soror...*, réalisée en 1981, chez Gallimard, Marguerite Yourcenar indiquait en postface (pp. 132-133) : « *Anna, soror...* n'est que la prépublication partielle d'un recueil qui, cette fois, s'appellera *Comme l'eau qui coule*, titre qui se rapproche un peu de *Remous*, mais substitue à l'image des poussées et des ressacs de l'océan celle de la rivière, ou parfois du torrent, tantôt boueux et tantôt

limpides, qu'est la vie. » Publié en 1982 (Gallimard, collection Blanche), *Comme l'eau qui coule* rassemble *Anna, soror...* (avec quelques modifications), *Un homme obscur* et *Une belle matinée*, ces deux derniers textes ayant fait l'objet d'une nouvelle édition en 1985 (N.R.F., Gallimard). Par ailleurs, les trois textes ont été repris dans l'édition des *Œuvres romanesques*, Bibliothèque de la Pléiade, 1982.

5. « Chronologie », in *Œuvres romanesques*, Bibliothèque de la Pléiade, 1982.

6. *Ibid.*

7. « Radioscopie », émission de Jacques Chancel, France-Inter, 11-15 juin 1979.

8. *Carnets de notes de « L'Œuvre au Noir » :* à paraître dans la revue *NRF*, livraisons de septembre et octobre 1990.

9. *Les Yeux ouverts*, entretiens avec Matthieu Galey, Le Centurion, 1980, p. 161.

10. *Archives du Nord, Le Labyrinthe du Monde II*, Gallimard, collection Blanche, 1977, pp. 141-142.

11. *Ibid.*, pp. 134-136.

12. Fonds Harvard.

13. *Anna, soror...*, in *Œuvres romanesques, op. cit.*, p. 879.

14. *Anna, soror...*, « Postface », *op. cit.*, p. 907-908.

15. *Anna, soror..., op. cit.*, p. 866.

16. *Anna, soror...*, « Postface », *op. cit.*, p. 908.

17. *Souvenirs pieux, op. cit.*, p. 193.

18. Carte postale à Camille Debocq, du 19 juin 1927, archives Gallimard, fonds Letot.

19. « Kâli décapitée », publiée in *La Revue Européenne*, n° 4, avril 1928, pp. 392-396; reprise in *Nouvelles orientales*, collection « Renaissance de la Nouvelle » dirigée par Paul Morand, Gallimard, 1938, et in *Œuvres romanesques, op. cit.*, pp. 1206-1210.

20. « Diagnostic de l'Europe », in *Bibliothèque Universelle et Revue de Genève*, n° 68, juin 1929, pp. 745-752.

21. *La Défaite de la pensée*, d'Alain Finkielkraut, Gallimard, collection Blanche, 1987.

22. Lettre à Émilie Noulet, du 20 novembre 1973, correspondance inédite.

23. « L'Esprit des Livres », par Edmond Jaloux, in *Nouvelles Littéraires*, 26 avril 1929.

24. « Diagnostic de l'Europe », *op. cit.*, voir l'intégralité du texte et des commentaires portés par Marguerite Yourcenar en annexe.

25. Carte postale à Camille Debocq, du 25 août 1928, archives Gallimard, fonds Letot.

26. Le 2 juin 1952, Roger Martin du Gard écrira à Marguerite Yourcenar, qui lui a fait envoyer un exemplaire de la deuxième édition d'*Alexis*, parue chez Plon : « ... *Alexis*, que j'ai retrouvé ici dans la petite édition du " Sans Pareil ", et que j'étais curieux de reprendre, après

Hadrien. (Je comprends parfaitement pourquoi ce livre m'avait tant frappé en 29 : il reste, pour moi, aussi particulier, aussi émouvant et j'y reconnais d'un bout à l'autre la plume qui a su donner à la mort d'Antinoüs et au désespoir d'Hadrien un accent *inoubliable*...) », fonds Harvard.

27. « Chronologie », in *Œuvres romanesques, op. cit.*

28. *Alexis ou le Traité du vain combat*, in *Œuvres romanesques*, Bibliothèque de la Pléiade, 1982, p. 67.

29. *Les Yeux ouverts, op. cit.*, p. 75.

30. *Alexis ou le Traité du vain combat, op. cit.*, « Préface », pp. 4-5.

31. « Chronologie », in *Œuvres romanesques, op. cit.*

32. *Quoi ? L'Éternité, Le Labyrinthe du Monde III*, Gallimard, collection Blanche, 1988, pp. 141-142.

33. *Souvenirs pieux, op. cit.*, p. 284.

34. « Le premier Soir », in *Revue de France*, n° 23, décembre 1929, pp. 435-449. Cette nouvelle a reçu le 2ᵉ prix des abonnés de la revue (deux mille francs), derrière René Bris pour « Leçons d'anglais ». Les résultats ont été communiqués dans le numéro d'avril 1930.

35. *Souvenirs pieux, op. cit.*, pp. 283-285.

36. *Les Yeux ouverts, op. cit.*, p. 72.

37. *Quoi ? L'Éternité, op. cit.*, p. 142.

38. À la mort de son père, en janvier 1929, Marguerite avait vingt-cinq ans et demi.

39. *Les Yeux ouverts, op. cit.*, pp. 25-26.

40. Carnet intitulé « Notes sur " Michel " pour servir à *Quoi ? L'Éternité* », et déjà utilisées dans *Archives du Nord*, archives Gallimard. Voir l'intégralité du texte en annexe.

41. *Quoi ? L'Éternité, op. cit.*, p. 122.

42. *Archives du Nord, op. cit.*, pp. 301-302.

43. *Ibid.*, pp. 304-305.

44. Dans une lettre adressée à Camille Debocq, le 7 juillet 1966, Marguerite précisera toutefois : « Je ne l'ai plus revu (...) sauf pendant une période 1929-1933, où ma belle-mère Christine s'était installée en Belgique, et cette nouvelle rencontre n'a pas été heureuse... », archives Gallimard, fonds Letot.

45. *Archives du Nord, op. cit.*, pp. 306-307.

46. Lors de son récit, René Hilsum a évoqué le refus du manuscrit d'*Alexis* par Gallimard. Dans la biographie qu'il a consacrée à Gaston Gallimard (Balland, 1984), Pierre Assouline affirme au contraire : « Ainsi cette jeune femme de vingt-sept ans qui en 1929 envoie le manuscrit de son premier roman simultanément à Gallimard et à Hilsum, car elle apprécie ses livres, ne reçoit même pas de réponse du premier et un mot enthousiaste du second (...) », p. 206.

47. Entretiens avec René Hilsum, printemps 1988.

48. « Radioscopie », *op. cit.*

49. Chronique « L'Esprit des Livres », par Edmond Jaloux, in *Les Nouvelles Littéraires*, 29 avril 1930.

50. « *Alexis ou le Traité du vain combat*, par Marg Yourcenar », par Paul Morand, in *Le Courrier Littéraire*, n° 15, avril 1930, p. 158.

51. *Anna, soror...*, « Postface », *op. cit.*, pp. 910 et 913 (note 6). Extrait de la lettre du 23 décembre 1853, de Flaubert à Louise Colet, in *Correspondance de Gustave Flaubert*, Bibliothèque de la Pléiade, tome II, p. 483.

52. *Alexis ou le Traité du vain combat*, in *Œuvres romanesques*, *op. cit.*, p. 10.

53. *Ibid.*, préface, p. 3.

54. « Marguerite Yourcenar : 1929-1938 », par Gonzague Truc, in *Études Littéraires* (Canada), volume I, avril 1979, pp. 11-27, numéro spécial consacré à Marguerite Yourcenar, réalisé sous la direction d'Yvon Bernier. Étant donné son caractère inédit jusqu'à sa publication dans cette revue, la date précise à laquelle Gonzague Truc a prononcé cette conférence fait défaut. Elle a été située entre 1938 et 1939, et est de toute façon antérieure à la publication du *Coup de grâce*, en mai 1939.

55. Lettre de Marguerite Yourcenar, du 28 septembre 1977, correspondance inédite.

DEUXIÈME PARTIE : « LA VIE ERRANTE »

CHAPITRE 1 : LES NOMADISMES DU CŒUR ET DE L'ESPRIT

1. *Les Yeux ouverts*, entretiens avec Matthieu Galey, Le Centurion, 1980, p. 25.

2. Entretiens avec André Fraigneau, 1989.

3. « Chronologie », in *Œuvres romanesques*, Bibliothèque de la Pléiade, 1982.

4. *Les Yeux ouverts*, *op. cit.*, pp. 82-83.

5. *La Nouvelle Eurydice*, de M. Yourcenar, collection « Pour mon Plaisir » IV, Bernard Grasset, 1931, pp. 159-160.

6. « L'Actualité littéraire », par Pierre Audiat, in *Revue de France*, tome 6, 1er novembre 1931, pp. 141-144.

7. « Revue des Livres : romans et nouvelles, *La Nouvelle Eurydice* », par Louis de Mondadon, in *Études*, volume 210, janvier 1932, p. 376.

8. « L'Esprit des Livres », par Edmond Jaloux, in *Les Nouvelles Littéraires*, 13 février 1932.

9. Voir bibliographie chronologique en fin de volume.

10. *Pindare*, de Marguerite Yourcenar, Bernard Grasset, 1932.

11. *Ibid.*, p. 243.

12. *Ibid.*, p. 252.

13. *Ibid.*, p. 261.

14. *Ibid.*, pp. 269-272.

15. *Ibid.*, p. 284.

16. « Le Dialogue dans le marécage », in *Revue de France*, tome 12, n° 4, 15 février 1932, pp. 637-665.

17. « Note sur " Le Dialogue dans le marécage " », datée décembre 1969, in *Théâtre I*, Gallimard, collection Blanche, 1971, p. 176.

18. *Ibid.*

19. « Sixtine », in *Revue Bleue*, n° 22, novembre 1931, pp. 684-687, repris in *Le Temps, ce grand sculpteur*, Gallimard, collection Blanche, 1983.

20. « Note sur " Dialogue dans le marécage " », *op. cit.*, p. 177.

21. Entretien avec J.-L. Wolff, accordé à Camillo Faverzani le 6 février 1988, repris in « Marguerite Yourcenar et la culture italienne » (thèse de doctorat, arrêté du 23 novembre 1988), volume I, p. 377.

22. Né en 1873 en Moravie méridionale, le philosophe et essayiste Rudolph Kassner est mort le 3 avril 1959. Ami de Rilke, Hofmannsthal, Gide et Valéry, il s'est fait connaître par un essai intitulé *Bases de la Physiognomonie*, publié à Leipzig au début du siècle. Deux de ses ouvrages ont été publiés en français : *Éléments de la grandeur humaine* (Gallimard, 1931), et *Le Livre du Souvenir* (Stock, 1942). « Il s'agit d'une des plus hautes et des plus nobles intelligences de notre temps, et aussi d'une de ces " consciences " qui sont en même temps l'ornement et l'honneur d'une époque », dira de lui Marcel Brion.

23. Né en 1882, et mort en 1939, Charles Du Bos a fait partie du groupe de la *Nouvelle Revue française*, et fonda avec Mauriac, en 1930, la revue *Vigile*. De son œuvre, on retiendra surtout les *Approximations*, recueils de conférences, études et chroniques littéraires, écrites entre 1922 et 1937, ainsi que son *Journal* (5 volumes parus entre 1948 et 1949, en cours de réédition).

24. Né à Albi, en 1900, et mort le 5 novembre 1977, Gaston Baissette, docteur en médecine, est auteur de plusieurs essais et romans, notamment *Le Soleil de Maguelonne* et *Le Vin de feu* (Julliard). Très jeune, il avait publié des poèmes et des nouvelles. Collaborateur des *Cahiers du Sud*, il avait par ailleurs dirigé, à Toulouse, les Cahiers de « Feuilles au Vent », dont il consacra le premier numéro aux poètes fantaisistes.

25. « Autour de Ariane et Thésée », préface d'André Fraigneau au numéro spécial intitulé « Retour aux mythes grecs » des *Cahiers du Sud*, n° 219, août 1939, p. 59.

26. Graphie française du nom, en grec : Andreas Embirikos.

27. *Entretiens radiophoniques avec Marguerite Yourcenar*, par Patrick de Rosbo, Mercure de France, 1972, p. 146.

28. Dans *Le Voyage en Grèce*, Marguerite Yourcenar a notamment publié « Apollon tragique » (été 1935) et « Dernière Olympique » (printemps 1936). Remaniés, ces textes ont été repris dans le recueil d'essais intitulé *En pèlerin et en étranger*, Gallimard, collection Blanche, 1989.

29. Lettre à Éthel Thornbury, du 9 décembre 1954, fonds Harvard.

30. Lettre à Denys Magne, du 15 avril 1973, correspondance inédite.

31. « Préface » à *Denier du Rêve*, in *Œuvres romanesques*, *op. cit.*, p. 161. *Denier du rêve* a été publié une première fois chez Bernard Grasset, en 1934, puis, dans une version profondément remaniée, chez Plon, en 1959.

32. *Ibid.*, p. 162.

33. *Les Yeux ouverts*, *op. cit.*, p. 84.

34. *Ibid.*, pp. 86-87.

35. « Préface à *Denier du rêve*, *op. cit.*, pp. 164-165.

36. « L'Esprit des Livres », par Edmond Jaloux, in *Les Nouvelles Littéraires*, 17 mars 1934.

37. « Romans et Nouvelles : Marguerite Yourcenar, Denier du rêve », par Louis de Mondadon, in *Études*, volume 221, octobre 1934, p. 414.

38. *La Mort conduit l'Attelage* (« D'après Dürer, D'après Greco, D'après Rembrandt »), éditions Bernard Grasset, 1934. *Cf.* chapitre précédent.

39. « Revue des Livres, Marguerite Yourcenar – *La Mort conduit l'Attelage* », par Louis de Mondadon, in *Études*, volume 223, avril 1935, p. 573.

40. « L'Esprit des Livres », par Edmond Jaloux, in *Les Nouvelles Littéraires*, 9 mars 1935.

CHAPITRE 2 : L'IMPOSSIBLE PASSION

1. Entretiens avec Dimitri T. Analis, 1989.

2. *Les Voyageurs transfigurés*, d'André Fraigneau, Gallimard, collection « Une œuvre, un portrait ».

3. *L'Amour vagabond*, d'André Fraigneau, éditions du Rocher, 1987, p. 100.

4. Entretien avec Jeannette Hadzinicoli, octobre 1989.

5. *Archives du Nord, Le Labyrinthe du Monde II*, Gallimard, collection Blanche, 1977, pp. 151-152.

6. *Les Yeux ouverts*, entretiens avec Matthieu Galey, Le Centurion, 1980, pp. 286-287.

7. *Ibid.*, p. 289.

8. « Avertissement » à *Feux*, éditions Bernard Grasset, 1936, pp. 9-10.

9. « Avertissement » à *Feux*, éditions Plon, 1957, pp. 1-3.

10. « Préface » à *Feux*, datée du 2 novembre 1967, Plon, 1968.

11. *Feux*, in *Œuvres romanesques*, Bibliothèque de la Pléiade, 1982, pp. 1077-1078.

12. *Ibid.*, p. 1078.

13. *Ibid.*, p. 1077.

14. *Ibid.*, p. 1055.

15. *Ibid.*, p. 1071.

16. *Ibid.*, p. 1069.

17. « Notes, *Feux*, par Marguerite Yourcenar », d'Émilie Noulet, in *La Nouvelle Revue française*, janvier 1937, pp. 104-105.

18. « L'Esprit des Livres », par Edmond Jaloux, in *Nouvelles Littéraires*, 19 décembre 1936.

19. La transposition en français est devenue Cavafy, après avoir longtemps été Kavafis.

20. « Présentation de Kavafis », in *Fontaine*, mai 1944, pp. 38-40, suivi de quelques poèmes.

21. Lettres de Nelly Liambey à Josyane Savigneau, 17 janvier 1989 et 2 juin 1990.

CHAPITRE 3 : GRACE ET *LE COUP DE GRÂCE*

1. « Le Prince Genghi », repris sous le titre « Le Dernier Amour du prince Genghi », in *Nouvelles orientales*, éditions de la *NRF*, collection « La Renaissance de la nouvelle », 1938. Pour toutes les prépublications des textes du recueil *Les Nouvelles orientales*, voir la bibliographie chronologique.

2. Daté de 1932, et publié le 6 février 1937 dans *la Revue Bleue*, « Mozart à Salzbourg » a été repris, avec de très nombreuses modifications effectuées par Marguerite Yourcenar en 1980, dans le recueil d'essais *En pèlerin et en étranger*, Gallimard, collection Blanche, 1989, pp. 91-97.

3. Note de Paul Morand à Emmanuel Boudot-Lamotte, du 7 décembre 1936, archives Gallimard.

4. Lettre de Marguerite Yourcenar à Paul Morand, du 25 janvier 1937, archives Gallimard.

5. Lettre de Marguerite Yourcenar à Emmanuel Boudot-Lamotte, du 13 février 1937, archives Gallimard.

6. Lettre à Barbara Kneubuhl, du 8 juin 1976, correspondance inédite.

7. Les textes intitulés « Visite à Virginia Woolf » (1937) et « Une femme étincelante et timide » (1972), ont été tous deux repris sous ce dernier titre, dans le recueil d'essais *En pèlerin et en étranger*, op. cit., pp. 107-120.

8. « Une femme étincelante et timide », in *En pèlerin et en étranger*, op. cit., p. 116.

9. *Ibid.*, p. 118.

10. *Journal*, tome 7, de Virginia Woolf, « Nouveau Cabinet cosmopolite », Stock, 1989, p. 36.

11. Entretien avec Florence Codman, mars 1989.

12. Lettre à Emmanuel Boudot-Lamotte, du 16 novembre 1937, archives Gallimard.

13. Lettre à Emmanuel Boudot-Lamotte, du 20 novembre 1937, archives Gallimard.

14. Lettre à Emmanuel Boudot-Lamotte, du 16 novembre 1937, op. cit.

15. Lettre à Charles Du Bos, datée novembre 1937, fonds Jacques Doucet, répertoriée sous la référence MS 23 976.

16. Lettre de Charles Du Bos, du 16 novembre 1937, fonds Harvard.

17. Lettre à Charles Du Bos, datée 21-23 décembre 1937, fonds Harvard et fonds Jacques Doucet.

18. Lettre à Michèle Leleu, du 27 novembre 1964, fonds Havard.

19. Lettre à Charles Du Bos, du 27 avril 1938, fonds Harvard et fonds Jacques Doucet.

20. *Le Coup de grâce*, in *Œuvres romanesques*, Bibliothèque de la Pléiade, 1982, p. 85.

21. *Ibid.*, p. 89.

22. *Ibid.*, p. 94.

23. *Ibid.*, p. 93.

24. *Ibid.*, p. 98.

25. *Ibid.*, p. 99.

26. *Ibid.*, p. 157.

27. Entretien avec Alix De Weck, novembre 1989.

28. *Journal 1974-1986*, de Matthieu Galey, Grasset, 1989, p. 92.

29. *La Grâce humaine*, d'André Fraigneau, réédité en 1989 aux éditions du Rocher.

30. *Le Coup de grâce, op. cit*, p. 91.

31. *Ibid.*, p. 102.

32. *Ibid.*, p. 126.

33. *Ibid.*, p. 120.

34. *Ibid.*, p. 145.

35. *Ibid.*, p. 146.

36. « Propos romains », in *Les Étonnements de Guillaume Francœur*, d'André Fraigneau, Plon, 1960. Réédition au Rocher, 1985.

37. Lettre à Claude Chevreuil, du 2 septembre 1963, correspondance inédite.

38. Préface au *Coup de grâce, op. cit.*, p. 83.

39. Carte postale à Charles Du Bos, juin 1938, fonds Doucet.

40. Carte postale à Charles Du Bos, du 14 juillet 1938, fonds Doucet.

41. Préface à *Les Songes et les Sorts*, éditions Bernard Grasset, 1938, p. 8.

42. *Ibid.*, pp. 10-11.

43. *Ibid.*, p. 11.

44. *Ibid.*, pp. 12-13.

45. « L'Esprit des Livres », chronique d'Edmond Jaloux, in *Les Nouvelles Littéraires*, 8 octobre 1938.

46. *Ibid.*

47. « L'Olympe de Marguerite Yourcenar », par François Nourissier, in *Le Point*, 8 décembre 1975.

48. Lettre à Emmanuel Boudot-Lamotte, du 6 janvier 1939, archives Gallimard.

49. *Les Yeux ouverts*, entretiens avec Matthieu Galey, Le Centurion, 1980, p. 241.

50. Lettre à Jean Ballard, du 5 juin 1939, fonds Harvard.

51. « Retour aux mythes grecs », in *Cahiers du Sud*, n° 219, août-septembre 1939, préface d'André Fraigneau, « Triptyque », par André Fraigneau, « Thésée », par Gaston Baissette, « Ariane et l'Aventurier », par Marguerite Yourcenar.

52. Lettre à Jean Ballard, du 18 juin 1939, fonds Harvard.

53. « L'Esprit des Livres », chronique d'Edmond Jaloux, in *Les Nouvelles Littéraires*, 5 août 1939.

54. « Une tragédie racinienne », par Henri Hell, in *Cahiers des Saisons*, été 1964, pp. 294 et 295.

55. Lettre à Henri Hell, du 1er septembre 1964, correspondance inédite.

56. « Commentaires sur soi-même », inédit Gallimard. Voir l'intégralité du texte en annexe.

57. Archives Gallimard.

TROISIÈME PARTIE :
LA MÉMOIRE RECONQUISE

CHAPITRE 1 : LES ANNÉES NOIRES

1. *Archives du Nord, Le Labyrinthe du Monde II*, Gallimard, collection Blanche, 1977, p. 305.

2. « Commentaires sur soi-même », inédit, Gallimard. Voir l'intégralité du texte en annexe.

3. *Quoi ? L'Éternité, Le Labyrinthe du Monde III*, Gallimard, collection Blanche, 1988, p. 278.

4. Lettre à Jean Ballard, 1939, fonds Harvard.

5. Carte postale à Lucy Kyriakos, devrait être sous scellés, fonds Harvard.

6. Lettre à Emma Trebbe, du 1er août 1959, fonds Harvard.

7. Lettre de Constantin Dimaras, du 25 novembre 1940, fonds Harvard.

8. « Forces du passé et forces de l'avenir », in *En pèlerin et en étranger*, Gallimard, collection Blanche, 1989, pp. 55-62.

9. Il s'agit de *L'Anthologie de l'humour noir*, achevé d'imprimer en juin 1940. L'ouvrage, interdit par la censure vichyssoise, a été réédité en 1951.

10. Lettre de Jacques Kayaloff, du 22 juillet 1941, fonds Harvard.

11. *Les Nouvelles Littéraires*, 22 mai 1952, entretien avec Jeanine Delpech.

12. Lettre de Jules Romains, du 25 décembre 1951, fonds Harvard.

13. Lettre à Jacques Kayaloff, du 8 août 1941, archives Anya Kayaloff.

14. Lettre à Jacques Kayaloff, du 7 décembre 1941, archives Anya Kayaloff.

15. Lettre à Jacques Kayaloff, du 20 janvier 1942, archives Anya Kayaloff.

16. Ile des Monts-Déserts, selon l'appellation que lui a donnée Samuel de Champlain, lors de sa découverte de l'île, en 1604 ; en anglais : Mount Desert Island, singulier parfois repris en français : île de Mont-Désert. Les trois graphies interviendront alternativement dans le texte.

17. « Examen d'Alceste », in *Le Mystère d'Alceste, Théâtre I*, Gallimard, collection Blanche, 1971, p. 99. Cet avant-propos est repris en partie de l'article intitulé « Mythologies III, Alceste », paru dans *Les Lettres françaises*, n° 15, de janvier 1945.

18. Fonds Harvard.

19. *Le Monde* des Livres, 7 décembre 1984. Entretien avec Josyane Savigneau.

20. Cette date de 1943 est reprise dans la « chronologie » de la Pléiade, alors que la préface de la pièce donne 1944, ce qui est improbable.

21. « Carnets de notes, 1942 à 1948 », in *La Table Ronde*, n° 89, mai 1955. Repris dans le recueil d'essais *En pèlerin et en étranger, op. cit.*

22. *Voix dans la nuit*, de Frederic Prokosch, collection 10-18, p. 250.

23. Lettre à Gaston Gallimard, du 26 août 1939, archives Gallimard.

24. *Voix dans la nuit, op. cit.*, pp. 189 et 308.

25. *Ibid.*, p. 309.

26. « Mythologie grecque et mythologie de la Grèce », in *En pèlerin et en étranger, op. cit.*, pp. 28-34.

27. *Le Mystère d'Alceste*, in *Théâtre II*, Gallimard, collection Blanche, 1971, pp. 81-161.

28. *Électre ou la Chute des masques* et *Qui n'a pas son Minotaure ?*, in *Théâtre II, op. cit.*

29. *Discours de réception de Madame Marguerite Yourcenar à l'Académie française*, Gallimard, 1981, pp. 14-15. Repris dans le recueil d'essais *En pèlerin et en étranger*, sans le remerciement, et sous le titre « L'homme qui aimait les pierres », pp. 181-182.

30. Entretiens radiophoniques avec Jacques Chancel, *Radioscopie*, France-Inter, 11-15 juin 1979.

31. Titre de la « Une » du quotidien *Le Monde*, daté 8 août 1945.

32. « Carnets de notes, 1942-1948 », in *En pèlerin et en étranger, op. cit.*, p. 175.

33. Fonds Harvard.

34. Lettre à Jean Ballard, du 4 septembre 1946, fonds Harvard.

CHAPITRE 2 : LA TENTATION DE LA BANALITÉ

1. Titre du premier chapitre du troisième volet du *Labyrinthe du Monde, Quoi ? L'Éternité*, Gallimard, collection Blanche, 1988.

2. Entretien avec Harold Taylor, février 1989.

3. Lettre à Madame René Lang, du 18 juin 1957, fonds Harvard.

4. Entretien avec Charlotte Pomerantz-Marzani, mars 1989.

5. Lettre de Olga Harrington, fonds Harvard.

6. Lettre à Jean Lambert, du 14 mai 1956, fonds Harvard.

7. En témoignent de très nombreuses lettres de la correspondance inédite.

8. *Carnets de notes de « Mémoires d'Hadrien »*, in *Œuvres romanesques*, Bibliothèque de la Pléiade, 1982, p. 525.

9. Lettre à Albert Camus, du 14 novembre 1946, archives Gallimard.

10. Lettre de Gaston Gallimard, du 3 avril 1947, archives Gallimard.

11. Lettre à Jean Ballard, du 14 février 1947, fonds Harvard.

12. *Archives du Nord, Le Labyrinthe du Monde II*, Gallimard, collection Blanche, 1977, pp. 167-168.

13. Lettre à Jeanne Carayon, du 21 juin 1974, fonds Harvard.

14. À propos de *Qui n'a pas son Minotaure ?*, « divertissement sacré en dix scènes », Marguerite Yourcenar signalera, d'une part dans la « chronologie » de la Pléiade, et d'autre part dans la « Préface » à cette pièce, que le remaniement du texte s'est fait trois ans plus tôt : « ... après la réfection de 1944, la pièce inachevée et négligée pour d'autres projets fut mise de côté pour un assez grand nombre d'années ; en 1956 ou 1957, elle fut récrite (...) Elle rentra ensuite dans son tiroir dont je ne l'ai sortie que dernièrement » (*Qui n'a pas son Minotaure ?*, « Aspects d'une légende et histoire d'une pièce », in *Théâtre II*, Gallimard, collection Blanche, 1971, p. 179).

CHAPITRE 3 : HADRIEN RETROUVÉ

1. *Les Yeux ouverts*, entretiens avec Matthieu Galey, Le Centurion, 1980, p. 146.

2. *Carnets de notes de « Mémoires d'Hadrien »* in *Œuvres romanesques*, Bibliothèque de la Pléiade, 1982, p. 524.

3. Lettre à Joseph Breitbach, du 7 avril 1951, fonds Harvard.

4. *Carnets de notes de « Mémoires d'Hadrien »*, op. cit., p. 520.

5. Lettre de Marguerite Yourcenar à Fasquelle, du 28 juin 1926, collection particulière.

6. *Carnets de notes de « Mémoires d'Hadrien »*, op. cit., p. 521.

7. Lettre à Joseph Breitbach, op. cit.

8. *Carnets de notes de « Mémoires d'Hadrien »*, op. cit., p. 520.

9. *Ibid.*, p. 526.

10. Lettre à Olga Peters, du 8 mars 1950, correspondance inédite.

11. *Les Yeux ouverts*, op. cit., pp. 147-148.

12. *Carnets de notes de « Mémoires d'Hadrien »*, op. cit., p. 523.

13. *Ibid.*, p. 525.

14. *Ibid.*, p. 526.

15. *Ibid.*, p. 524.

16. *Ibid.*, p. 535.

17. « Carnets de notes, 1942-1948 », in *En pèlerin et en étranger*, Gallimard, collection Blanche, 1989, p. 170.

18. « *Carnets de notes de « Mémoires d'Hadrien »*, *op. cit.*, pp. 537-538.

19. Lettre à Olga Peters, du 20 mai 1950, correspondance inédite.

20. Lettre à Georges de Crayencour, datée 31 juillet-3 août 1980, archives Georges de Crayencour.

21. Archives Plon.

22. Lettre à Violet Paget, juillet 1883. Reprise dans le chapitre « Sur Marius l'Épicurien de Walter pater », in *Approximations*, de Charles Du Bos, pp. 743-769, Fayard, 1965.

23. *Approximations*, *op. cit.*, p. 746.

24. *Les Yeux ouverts*, *op. cit.*, p. 151.

25. *Ibid.*, p. 152.

26. *Ibid.*, p. 163.

27. *Ibid.*, p. 155.

CHAPITRE 4 : PETITE PLAISANCE

1. *Les Yeux ouverts*, entretiens avec Matthieu Galey, Le Centurion, 1980, pp. 141-142.

2. Lettre à Ethel Adrian, du 30 juillet 1955, fonds Harvard.

3. « Une autre Marguerite Yourcenar », entretien avec Nicole Lauroy, in *Femmes d'Aujourd'hui*, 25 mai 1982.

4. Lettre à Ethel Adrian, *op. cit.*

5. « L'art de vivre de Marguerite Yourcenar, une leçon de sagesse sous un toit de bois », par P. Pompon Bailhache, in *Marie-Claire*, avril 1979.

6. Lettre à Jacques Kayaloff, non datée, archives Anya Kayaloff.

7. Lettre à Jacques Kayaloff, datée décembre 1967, archives Anya Kayaloff.

8. Lettre à Natalie Barney, du 15 juin 1953, NCBC 2365, fonds Doucet.

9. Lettre à Georges de Crayencour, du 25 décembre 1973, archives Georges de Crayencour.

10. Lettre à Carmen d'Aubreby, du 25 janvier 1959, fonds Harvard.

11. Lettre à Jean Lambert, du 23 septembre 1956, fonds Harvard.

12. « Marguerite Yourcenar s'explique », entretien avec Claude Servan-Schreiber, in *Lire*, juillet 1976.

13. « Marguerite Yourcenar, une femme sous la Coupole », entretien avec Jean-Claude Lamy, première partie, in *France-Soir*, 5 mars 1980.

14. Entretien avec Jean-Claude Lamy, deuxième partie, in *France-Soir*, 6 mars 1980.

15. « L'art de vivre de Marguerite Yourcenar », *op. cit.*

16. Lettre au Dr Roman Kyczun, du 29 juin 1954, « De Bad Homburg, en route vers Munich », fonds Harvard.

17. « L'art de vivre de Marguerite Yourcenar », *op. cit.*

18. Lettre à Jeanne Carayon, du 2 octobre 1971, correspondance inédite.

19. Entretien radiophonique avec Jean Montalbetti, RTL, 22 avril 1978.

CHAPITRE 5 : PREMIÈRE NOTORIÉTÉ

1. Lettre de Constantin Dimaras, du 11 février 1951, fonds Harvard.

2. Lettre à Joseph Breitbach, du 7 avril 1951, fonds Harvard.

3. *Ibid.*

4. « André Gide revisited », in *Cahiers André Gide*, n° 3 : « Le Centenaire », Paris, Gallimard, 1972, pp. 21-44.

5. Lettre à Jean Schlumberger, du 15 août 1956, correspondance inédite.

6. Lettre à Jean Schlumberger, du 20 février 1962, correspondance inédite.

7. Lettre à Constantin Dimaras, du 8 juillet 1951, fonds Harvard.

8. Lettre à Jacques Kayaloff, non datée, archives Anya Kayaloff.

9. *La Bourgeoisie qui brûle. Propos d'un témoin, 1890-1940*, d'André Germain, éditions Sun, Paris, 1950, p. 237.

10. Lettre à Natalie Barney, du 5 juillet 1951, NCBC (Natalie Clifford Barney Correspondance), 2353, fonds Jacques Doucet. Toute la correspondance échangée entre Marguerite Yourcenar et Natalie Clifford Barney (du 5 juillet 1951 au 11 décembre 1969) est conservée à la bibliothèque littéraire Jacques Doucet, cataloguée sous les références NCBC 2353 à 2408. Quatre de ces lettres (NCBC 2373 du 15 mars 1954, NCBC 2389 du 5 juin 1960, NCBC 2393 du 29 juillet 1963, et NCBC 2397, du 11 décembre 1963) sont reproduites dans le catalogue intitulé *Autour de Natalie Clifford-Barney*, établi en 1976 par François Chapon, conservateur de la bibliothèque littéraire Jacques Doucet. Enfin, sept lettres échangées avec Grace Frick sont répertoriées sous les références NCBC 2358, 2362, 2363, 2374-2376 et 2395.

11. *La Poudre de sourire*, entretiens entre Marie Métrailler et Marie-Magdeleine Brumagne, éditions du Rocher, 1982.

12. Lettre à Jenny de Margerie, du 27 août 1951, fonds Harvard.

13. Lettre à Joseph Breitbach, du 7 avril 1951, fonds Harvard.

14. Note manuscrite de Jean Paulhan à Claude Gallimard, archives Gallimard.

15. Archives Gallimard.

16. *Ibid.*

17. Lettre à Roger Martin du Gard, du 11 septembre 1951, archives Gallimard.

18. Lettre de Roger Martin du Gard à Gaston Gallimard, du 24 septembre 1951, archives Gallimard.

19. Lettre de Marguerite Yourcenar à Jean Schlumberger, du

19 septembre 1951, mot manuscrit de Jean Schlumberger à Gaston Gallimard, archives Gallimard.

20. Note de Maurice Bourdel, du 21 septembre 1951, archives Gallimard.

21. Lettre de M. Godemert à Marguerite Yourcenar, du 24 septembre 1951, archives Gallimard.

22. Télégramme de Gaston Gallimard, du 24 septembre 1951, archives Gallimard.

23. Archives Gallimard.

24. Échange de lettres entre Gaston Gallimard et Maurice Bourdel, du 8 octobre et 11 octobre 1951, archives Gallimard.

25. Lettre de Gaston Gallimard, du 22 octobre 1951, archives Gallimard.

26. Lettre de Marguerite Yourcenar à Gaston Gallimard, du 27 octobre 1951, archives Gallimard.

27. Archives Grasset.

28. Lettre à Claude Gallimard, du 23 novembre 1951, archives Gallimard.

29. Lettre de Gaston Gallimard à Marguerite Yourcenar, du 11 décembre 1951, archives Gallimard.

30. Lettre à Joseph Breitbach, du 7 avril 1951, *op. cit.*

31. Lettre de Constantin Dimaras à Marguerite Yourcenar, du 18 août 1951, fonds Harvard.

32. Lettre à Constantin Dimaras, du 21 août 1951, d'Évolène, Valais, fonds Harvard.

33. « *Mémoires d'Hadrien*, par Marguerite Yourcenar », par Jean Ballard, in *Cahiers du Sud*, n° 310, 2ᵉ semestre 1951, pp. 493-497.

34. Lettre de Jules Romains, du 25 décembre 1951, fonds Harvard.

35. Cité par Jacques Brenner, in *Histoire de la littérature française de 1940 à nos jours*, Fayard, 1978, p. 243.

36. « Mémoires supposés d'un empereur romain », par Émile Henriot, de l'Académie française, in *Le Monde*, 9 janvier 1952.

37. « Instantané : Marguerite Yourcenar », par Jeanine Delpech, in *Les Nouvelles Littéraires*, 22 mai 1952.

38. « Portraits d'écrivains : Mme Marguerite Yourcenar l'auteur des " Mémoires d'Hadrien " », par Aloys-J. Bataillard, in *Gazette de Lausanne*, 16-17 février 1952.

39. Lettre à Jacques Folch-Ribas, du 4 mars 1973, archives personnelles.

40. *Mémoires d'Hadrien*, Gallimard, Bibliothèque de la Pléiade, 1982, p. 353.

41. *Les Yeux ouverts*, entretiens avec Matthieu Galey, Le Centurion, 1980, pp. 157-158.

42. *Histoire de la littérature française, op. cit.*

43. *Les Yeux ouverts, op. cit.*, pp. 164-165.

44. Robert Kanters : *L'Air des Lettres ou Tableau raisonnable des Lettres françaises d'Aujourd'hui*. Bernard Grasset, 1973, pp. 173-175.

45. Lettre à Hélène Schakhowskoy, du 10 août 1954, fonds Doucet.

46. Pour le prix Femina Vacaresco, dix voix sont allées à *Mémoires d'Hadrien*, une voix à Marcelle Maurette, pour *La Vie privée de Madame de Pompadour*, une à P. O. Martin, pour *L'Inconnu nommé Napoléon*, et une voix à Jean Luchaire, pour *Boccace*.

47. Lettre à Mme Horast, 17 janvier 1957, archives Plon.

48. *Les Yeux ouverts, op. cit.*, p. 165.

49. Lettre à Gabriel Marcel, du 10 mars 1968, correspondance inédite.

50. Lettre à Jean Ballard, du 23 octobre 1952, fonds Harvard.

51. Lettre à Natalie Barney, du 15 octobre 1952, NCBC 2360, fonds Doucet.

52. Lettre à Natalie Barney, du 15 juin 1953, NCBC 2365, fonds Doucet.

53. *Les Yeux ouverts, op. cit*, p. 165.

54. Lettre à Natalie Barney, du 21 décembre 1952, NCBC 2364, fonds Doucet.

CHAPITRE 6 : L'ÉQUILIBRE

1. *Mémoires d'Hadrien*, in *Œuvres romanesques*, Bibliothèque de la Pléiade, 1982, p. 424.

2. Lettre à Natalie Barney, du 15 juin 1953, NCBC 2365, fonds Doucet.

3. Lettre à Natalie Barney, du 27 décembre 1957, NCBC 2386, fonds Doucet.

4. *Mémoires d'Hadrien, op. cit.*, p. 381.

5. Lettre de Victoria Ocampo, du 21 janvier 1951, fonds Harvard.

6. Lettre à Jeanne Carayon, du 3 juin 1973, fonds Harvard.

7. Lettre à Marcel Jouhandeau, du 6 mai 1954, fonds Harvard.

8. Lettre à Natalie Barney, du 29 décembre 1953, NCBC 2370, fonds Doucet.

9. Lettre de Grace Frick à Natalie Barney, du 23 mars 1954, NCBC 2376, fonds Doucet.

10. *Cynégétique*, d'Oppien, traduction de Florent Chrestien, gravures originales de Pierre-Yves Trémois, Paris, Les Cent-Une, 1955. La préface de Marguerite Yourcenar a été reprise, avec quelques retouches, sous le titre « Oppien ou les Chasses », dans le recueil d'essais *Le Temps, ce grand sculpteur*, Gallimard, collection Blanche, 1983.

11. Lettre à la princesse Hélène Schakhowskoy, du 10 août 1954, première des six lettres de Marguerite Yourcenar concernant la préface à la *Cynégétique*, d'Oppien, indexées Ms 22608 à Ms 22613 et conservées à la bibliothèque littéraire Jacques Doucet.

12. « Le Temps, ce grand sculpteur », in *La Revue des voyages*, n° 15, décembre 1954, pp. 6-9. Réédité dans *Voyages*, Paris, Olivier Orban, 1981. Repris dans le volume d'essais intitulé *Le Temps, ce grand sculpteur, op. cit.*

13. « Les Spectacles, "Électre" ou "la Chute des masques" », par Robert Kemp, in *Le Monde*, 11 novembre 1954.

14. Louise de Borchgrave, Hollandaise née Sloet van Oldruiteb-borgh, avait épousé Robert de Borchgrave, frère de Solange, elle-même épouse de Michel Fernand Joseph, le demi-frère de Marguerite Yourcenar.

15. « Une visite à Marguerite Yourcenar », par Ghislain de Diesbach, in *Combat*, 21 février 1963.

16. Carnets de Jerry Wilson, fonds Harvard.

17. *Ibid.*

18. *Les Yeux ouverts*, entretiens avec Matthieu Galey, Le Centurion, 1980, pp. 197, 198, 199.

19. Lettre à Florence Codman, du 16 février 1956, fonds Harvard.

20. Lettre à Natalie Barney, du 11 mars 1956, NCBC 2385, fonds Doucet.

21. *Souvenirs pieux, Le Labyrinthe du Monde I*, Gallimard, collection Blanche, 1974, pp. 57 et 66.

22. *Ibid.*, pp. 54-56.

23. Lettre à Julia Tissameno, du 4 février 1957, fonds Harvard.

24. Texte repris sous le titre « Ah, mon beau château », dans le recueil *Sous bénéfice d'inventaire*, Gallimard, collection Blanche, 1962 et 1978.

25. Lettre de Jean Cocteau, du 28 juillet 1957, fonds Harvard.

26. Note à Mme Mikander, du 17 janvier 1970, correspondance iné-dite.

27. Lettre à Dominique Le Buhan, du 23 décembre 1978, correspon-dance inédite.

28. Lettre à André Connes, du 23 novembre 1978, correspondance inédite.

29. *Le Monde* des Livres, entretien du 7 décembre 1984 avec Josyane Savigneau.

30. Lettre à Jean Roudaut, du 18 novembre 1978, fonds Harvard.

31. Lettre à Louise de Borchgrave, du 10 mars 1957, fonds Harvard.

32. Lettre de Gaston Gallimard, du 13 septembre 1956, et réponse de Marguerite Yourcenar, du 14 octobre 1956, archives Gallimard.

33. « La conversation à Innsbruck », in *NRF*, n° 141, septembre 1964.

34. Lettre à Ethel Adrian, du 7 septembre 1957, fonds Harvard.

35. Réponses à un questionnaire proposé par la revue *Prétexte*, n° 1, septembre 1957.

36. Lettre de Bernard Grasset à Maurice Bourdel, non datée, archi-ves Grasset.

37. Archives Grasset.

38. Lettre à Natalie Barney, du 12 août 1957, NCBC 2387, fonds Doucet.

CHAPITRE 1 : L'ENFERMEMENT CONSENTI

1. *Présentation critique de Constantin Cavafy, 1863-1933, suivie d'une traduction des* Poèmes, par Marguerite Yourcenar et Constantin Dimaras, Gallimard, 1958 et 1978, collection Poésie/Gallimard, pp. 10, 30, 32-33, 34, 41.

2. Lettre à Natalie Barney, du 26 juin 1958, NCBC 2388, fonds Doucet.

3. *Ibid.*

4. Lettre à Elie Grekoff, du 27 août 1959, fonds Harvard.

5. Cf. deuxième partie, chapitre i : « Les nomadismes du cœur et de l'esprit ».

6. « Préface » à *Denier du rêve,* in *Œuvres romanesques,* Bibliothèque de la Pléiade, 1982, pp. 162-163.

7. « Marguerite Yourcenar, une revenante à découvrir », par Guy Dupré, in *Arts,* 19-25 août 1959.

8. Lettre à Natalie Barney, du 1er janvier 1967, NCBC 2402, fonds Doucet.

9. La dédicace à Edmond Jaloux figure à nouveau dans l'édition des *Œuvres romanesques, op. cit.*

10. Lettre à Jean Lambert, du 9 mai 1974, correspondance inédite.

11. Lettre à Balmelle, du 2 avril 1959, fonds Harvard.

12. Entretien avec Eugénio de Andrade, propos recueillis par Valérie Cadet, mai 1990.

13. Lettre à Jeanne Carayon, du 27 avril 1974, correspondance inédite.

14. Lettre à Jacques Masui, du 22 mars 1975, correspondance inédite.

15. Lettre à Jean-Louis Côté, du 5 juillet 1979, fonds Harvard.

16. Lettre à Niko Calas, du 18 février 1962, correspondance inédite.

17. Lettre à Denys Magne, du 15 avril 1973, correspondance inédite.

18. « L'homme qui signait avec un ruisseau », in *Le Nouvel Observateur,* 16-22 décembre 1983, repris in *En pèlerin et en étranger,* Gallimard, collection Blanche, 1989, pp. 219-223.

19. « " Deux Noirs ", de Rembrandt. » Inédit, *Le Monde* des Livres, du 16 décembre 1988, repris in *En pèlerin et en étranger, op. cit.,* pp. 225-231.

20. *Une Exposition Poussin à New York,* in *En pèlerin et en étranger, op. cit.,* p. 78.

21. « Peut-être y a-t-il dans ce tableau de Vélasquez, comme la représentation de la représentation classique, et la définition de l'espace qu'elle ouvre », in *Les Mots et les Choses,* de Michel Foucault, Gallimard, « Bibliothèque des sciences humaines », 1966. Premier chapitre, « Les Suivantes ».

22. Lettre du 25 avril 1960, hôtel Miramar de Malaya, à sa traductrice italienne Lidia Storoni, fonds Harvard.

23. Lettre à Isabelle Garcia Lorca, du 10 mai 1960, fonds Harvard.

24. Lettre à François Augiéras, du 16 mai 1953, fonds Harvard.

25. *Ibid.*

26. Lettre à François Augiéras, datée 9 juin 1959, plus vraisemblablement du 9 juin 1960, selon la logique des énoncés, correspondance inédite.

27. Lettre de François Augiéras, du 21 juin 1960, Périgueux, correspondance inédite.

28. Lettre à François Augiéras, du 28 mars 1964, correspondance inédite.

29. Lettre de François Augiéras, du 16 avril 1964, correspondance inédite.

30. Lettre à Natalie Barney, du 5 juin 1960, NCBC 2389, fonds Doucet.

31. Lettre à Jean Ballard, du 11 décembre 1960, fonds Harvard.

32. Entretien avec Guy Le Clec'h, in *Nouvelles Littéraires*, du 4 juin 1971.

33. Patrick de Rosbo : *Entretiens radiophoniques avec Marguerite Yourcenar*, Mercure de France, 1972, pp. 19-20.

34. « Marguerite Yourcenar s'explique », entretien avec Claude Servan-Schreiber, in *Lire*, juillet 1976.

35. Préface à *Rendre à César*, in *Théâtre I*, Gallimard, collection Blanche, 1971, p. 16.

36. Lettre à Jacques Kayaloff, du 4 janvier 1961, archives Anya Kayaloff.

37. *La Loi*, prix Goncourt 1957.

38. Lettre à Mme Calza, du 18 avril 1962, correspondance inédite.

39. Lettre à Miss Sibley, du 2 février 1962, fonds Harvard.

40. Lettre au Dr Pals Kolka, du 31 juillet 1962, fonds Harvard.

41. La *Saga de Grettir* est l'un des fleurons des sagas islandaises. Ce texte, qui conte les pérégrinations de Grettir le proscrit, date du XIVᵉ siècle.

42. Lettre à Lidia Storoni, datée Noël 1962, fonds Harvard.

43. « Marguerite Yourcenar : " Sous bénéfice d'inventaire " », par Adrien Jans, in *Le Soir*, 3 janvier 1963.

44. « Une classique moderne, " Sous bénéfice d'inventaire " de Marguerite Yourcenar », par Jacqueline Piatier, in *Le Monde* des Livres, 19 janvier 1963.

45. « Le Livre de la semaine », par Pierre de Boisdeffre, in *Les Nouvelles Littéraires*, 3 janvier 1963.

46. *Nouvelles orientales*, 2ᵉ édition révisée, Gallimard, 1963. À propos de cette édition, Marguerite Yourcenar signale dans un « Postscriptum » que « cette réimpression des *Nouvelles orientales*, en dépit de très nombreuses corrections de pur style, les laisse en substance ce

qu'elles étaient lorsqu'elles parurent pour la première fois en librairie en 1938 (...). *Les Emmurés du Kremlin*, tentative très ancienne de réinterpréter à la moderne une vieille légende slave, a été supprimé comme décidément trop mal venu pour mériter des retouches ». Enfin, les récits originellement intitulés « Le Chef rouge » et « Les Tulipes de Cornélius Berg » sont devenus respectivement « La Veuve Aphrodissia » et « La Tristesse de Cornélius Berg ».

47. Il s'agit de *L'Incertitude qui vient des rêves* paru en 1956.

48. Lettre à Roger Caillois, du 24 février 1963, correspondance inédite.

49. Lettre à Natalie Barney, du 29 juillet 1963, NCBC 2393, fonds Doucet. Un fragment de cette lettre a été repris en exergue du livre que Jean Chalon a consacré à Natalie Barney, *Portrait d'une séductrice*, éditions Stock, 1976.

50. Lettre à Suzanne Lilar, du 19 mai 1963, correspondance inédite.

51. Lettre à Natalie Barney, du 29 novembre 1963, NCBC 2396, fonds Doucet.

CHAPITRE 2 : *L'ŒUVRE AU NOIR* ET LES CONFLITS

1. Lettre à Natalie Barney, du 11 décembre 1963, NCBC 2397, fonds Doucet.

2. *Ibid.*, du 30 mars 1964, NCBC 2398.

3. Lettre à Gaston Gallimard, du 18 janvier 1964, archives Gallimard.

4. *Ibid.*

5. *Ibid.*

6. Lettre à Jacques Kayaloff, du 13 mai 1964, archives Ania Kayaloff.

7. Carte de vœux datée décembre 1964, à Natalie Barney, NCBC 2400, fonds Doucet.

8. *Chansons de revendication*, traduction de Sim Copans, éditions Lettres modernes, collection « Études nord-américaines », 1965.

9. *Fleuve profond, sombre rivière, Les « Negro Spirituals », commentaires et traductions* de Marguerite Yourcenar, Gallimard, 1966.

10. *Le Monde* des Livres, 27 mars 1965.

11. Lettre à Natalie Barney, du 17 août 1965, archives Jean Chalon.

12. Lettre à Elie Grekoff, du 27 janvier 1965, fonds Harvard.

13. Lettre à Louise de Borchgrave, du 10 mars 1957, fonds Harvard.

14. *L'Œuvre au Noir* (« La vie immobile, les désordres de la chair »), in *Œuvres romanesques*, Bibliothèque de la Pléiade, 1982, p. 749.

15. Post-scriptum de la lettre du 27 février 1967, à Natalie Barney, NCBC 2403, fonds Doucet.

16. Voir la bibliographie chronologique en fin de volume.

17. Télégramme de Marguerite Yourcenar à Georges Roditi, mai 1965, archives Plon.

18. Lettre à Natalie Barney, du 27 février 1967, *op. cit.*

19. Lettre de Georges Roditi, du 5 août 1965, archives Plon.

20. Entretien avec Me Marc Brossollet, mars 1988.

21. Lettre à Gabriel Germain, du 27 octobre 1964, correspondance inédite.

22. Lettre à Elemire Zolla, du 11 octobre 1964, correspondance inédite.

23. Lettre à Jean-Louis Côté, du 28 décembre 1965, correspondance inédite.

24. « Présentation et traduction de quelques épigrammatistes de l'Époque Alexandrine », in *NRF*, n° 167, novembre 1966.

25. Propos rapporté plusieurs fois, notamment dans sa lettre à Elie Grekoff, du 13 décembre 1963, fonds Harvard.

26. Lettre à Elie Grekoff, du 15 décembre 1966, fonds Harvard.

27. *Ibid.*

28. *Ibid.*

29. *Archives du Nord, Le Labyrinthe du Monde II*, troisième partie : « Ananké », Gallimard, collection Blanche, 1977, pp. 295-307.

30. Lettre à Camille Debocq, du 1er mai 1961, archives Gallimard, fonds Letot.

31. *Ibid.*, du 7 juillet 1966, archives Gallimard, fonds Letot.

32. Carte postale à Camille Debocq, du 25 août 1928, archives Gallimard, fonds Letot.

33. Lettre de Lucien Maury à M. Ahlénius, du 22 décembre 1951.

34. Publié dans la *Revue Bleue*, n° 22, du 21 novembre 1931 (pp. 674-687), « Sixtine » a été depuis repris dans le recueil d'essais intitulé *Le Temps, ce grand sculpteur*, Gallimard, collection Blanche, 1983, pp. 17-28.

35. Lettre à Mrs. Kenneth B. Murdock, du 19 août 1966, correspondance inédite.

36. Lettre à Roger Lacombe, du 8 février 1967, correspondance inédite.

37. Lettre à Natalie Barney, du 27 février 1967, *op. cit.*

38. « Sven Nielsen : un vendeur avant tout », in *Le Monde*, 15 mars 1967.

39. Lettre à Jacques Kayaloff, du 2 avril 1967, archives Anya Kayaloff.

40. Lettre à Jean-Louis Côté, du 29 juillet 1965, correspondance inédite.

41. Lettre de Bernard Privat, du 27 juillet 1967, archives Grasset.

42. Lettre de Bernard Privat à Charles Orengo, du 8 août 1967, archives Grasset.

CHAPITRE 3 : LA RECONNAISSANCE PUBLIQUE

1. *Les Yeux ouverts*, entretiens avec Matthieu Galey, Le Centurion, 1980, pp. 170-171.

2. Archives Gallimard.

3. Lettre à Jean Mouton, du 7 avril 1968, correspondance inédite.

4. *Portrait d'une séductrice*, de Jean Chalon, Stock, 1976.

5. Lettre à Jean Chalon, du 9 avril 1976, archives Jean Chalon.

6. *Les Yeux ouverts, op. cit.*, p. 173.

7. Entretien avec Jean Chalon, in *Le Figaro Littéraire*, 20 mai 1968.

8. *Les Murs ont la parole, Sorbonne, Mai 68*, Éditions Tchou, Paris, Préface de Julien Besançon.

9. « L'Express va plus loin avec Marguerite Yourcenar », in *L'Express*, 10-16 février 1969.

10. Lettre à Jacques Kayaloff, du 17 novembre 1969, fonds Harvard.

11. Lettre à Gabriel Germain, du 11 janvier 1970, correspondance inédite.

12. Lettre au baron Étienne Coche de La Ferté, du 9 septembre 1968, correspondance inédite.

13. « Marguerite Yourcenar : *L'Œuvre au Noir* », par André Billy, de l'Académie Goncourt, in *Le Soir*, 6 juin 1968.

14. « Une rigueur prophétique », par Patrick de Rosbo, in *Les Lettres françaises*, 12 juin 1968.

15. « " L'Œuvre " de Marguerite Yourcenar », par Robert Kanters, in *Le Figaro Littéraire*, 14 juin 1968.

16. « La Revue littéraire », par Henri Clouard, in *La Revue des Deux Mondes*, 1ᵉʳ août 1968.

17. « Un Descartes sans " cogito ", *L'Œuvre au Noir*, de Marguerite Yourcenar », par José Cabanis, in *Le Monde*, 25 mai 1968.

18. « Zénon, ou le drame de la pensée critique », par Édith Thomas, in *La Quinzaine Littéraire*, 1ᵉʳ juillet 1968.

19. « Pourquoi oublier que la vie est aussi un bal? », par Kléber Haedens, in *Paris Presse*, 2 novembre 1968.

20. « La Renaissance ressuscitée », par Jacques Brenner, in *Le Nouvel Observateur*, 9 septembre 1968.

21. Lettre à Charles Orengo, du 1ᵉʳ août 1968, fonds Harvard.

22. Lettre à Charles Orengo, du 26 octobre 1968, fonds Harvard.

23. Lettre à Elie Wiesel, du 20 juillet 1972, correspondance inédite.

24. Académie Royale de Langue et de Littérature Françaises : « Séance publique du 22 avril 1989 ; Réception de Madame Dominique Rolin. » Discours de M. Jacques-Gérard Linze et Mme Dominique Rolin, Palais des Académies, Bruxelles.

25. *L'Œuvre au Noir*, « L'abîme », in *Œuvres romanesques*, Bibliothèque de la Pléiade, 1982, p. 684.

26. « Les visages de l'Histoire dans l'*Histoire Auguste* », in *Sous bénéfice d'inventaire*, Gallimard, collection Blanche, 1978 (édition définitive), p. 15.

27. « Les explorations de Marguerite Yourcenar », par Claude Mettra, in *Les Nouvelles Littéraires*, 27 juin 1968.

28. Lettre à Jean-Paul Tapié, du 20 janvier 1969, correspondance inédite.

713

29. *Carnets de notes de « L'Œuvre au Noir »*. À paraître dans la revue *NRF*, livraisons de septembre et octobre 1990.

30. *Ibid.*

31. Lettre à Ljerka Mifka, du 1er août 1970, correspondance inédite.

32. Lettre à Michel Aubrion, du 19 mars 1970, correspondance iné-dite.

33. « Marguerite Yourcenar parle de *L'Œuvre au Noir* », entretien avec C.G. Bjurström, in *La Quinzaine Littéraire*, 16 septembre 1968.

34. Lettre à Alexandre Coleman, du 2 octobre 1976, fonds Harvard.

35. Lettre à Ljerka Mifka, *op. cit.*

36. *Carnets de notes de « L'Œuvre au Noir », op. cit.*

37. *L'Œuvre au Noir, op. cit.*, pp. 693-695.

38. *Ibid.*, p. 693.

39. « Ébauche d'un Jean Schlumberger », in *La Nouvelle Revue française*, 1er mars 1969, pp. 321-326. Repris sans modifications dans le recueil d'essais *Le Temps, ce grand sculpteur*, Gallimard, collection Blanche, 1983, pp. 225-230.

40. Lettre à Henry de Montherlant, du 6 janvier 1969, fonds Harvard.

41. Lettre à Élizabeth Barbier, du 18 mars 1969, de l'Hôtel des Comtes, Toulouse, fonds Harvard.

42. Lettre du 30 octobre 1970, fonds Harvard.

43. Lettre à Élizabeth Barbier, *op. cit.*

44. Patrick de Rosbo : *Entretiens radiophoniques avec Marguerite Yourcenar*, Mercure de France, 1972.

45. Lettre à Patrick de Rosbo, du 26 avril 1969, fonds Harvard.

46. Lettre à Hélène Shakhowskoy et Anne Quellennec, du 6 janvier 1970, fonds Doucet, MS 23 172.

47. *Entretiens radiophoniques avec Marguerite Yourcenar, op. cit.*

48. Discours à l'Académie Royale de Belgique, « séance du 22 avril 1989 », *op. cit.*

49. « Séance publique du 27 mars 1971, en présence de S.M. la Reine, Réception de Madame Marguerite Yourcenar : Discours de M. Carlo Bronne, Discours de Mme Marguerite Yourcenar », in *Bulletin de l'Académie Royale de Langue et de Littérature Françaises*, tome XLIX, n° 1, Bruxelles, Palais des Académies, 1971.

50. Les archives de M. Georges de Crayencour, relatives à la correspondance reçue de sa demi-tante Marguerite Yourcenar, consistent en une centaine de lettres, cartes et dédicaces, inédites, échelonnées de 1964 à novembre 1987.

51. Lettre à Jean Chalon, du 9 juillet 1971, fonds Harvard.

52. Lettre à la société Nabisco, du 16 septembre 1971, fonds Harvard.

53. Lettre à Ljerka Mifka, du 1er août 1970, *op. cit.*

54. Lettre à Jeanne Carayon, du 2 octobre 1971, correspondance inédite.

714

55. Lettre de Jean Blot, du 20 août 1971, correspondance inédite.
56. Lettre à Jean Blot, du 1er septembre 1971, correspondance inédite.
57. Lettre à Jean-Louis Côté, du 16 juin 1973, correspondance inédite.
58. Lettre à Marcel Lobet, du 8 mars 1973, correspondance inédite.
59. *Cf.* Troisième partie, chapitre IV : « Petite Plaisance ».
60. Lettre à Jeanne Carayon, datée 2 octobre 1971, correspondance inédite.
61. *Ibid.*
62. *Carnets de notes de « L'Œuvre au Noir »*, *op. cit.*
63. Lettre à Jeanne Carayon, datée 2 octobre 1971, *op. cit.*

CHAPITRE 4 : YOURCENAR, PRÉNOM MARGUERITE

1. Lettre à Louise de Borchgrave, du 25 avril 1972, correspondance inédite.
2. Lettre à Jeanne Carayon du 27 avril 1974, correspondance inédite.
3. Patrick de Rosbo : *Entretiens radiophoniques avec Marguerite Yourcenar*, Mercure de France, 1972 (entretiens diffusés sur France-Culture, du 11 au 16 janvier 1971).
4. Lettre à Jeanne Carayon, du 20 août 1972, correspondance inédite.
5. « Huit jours de purgatoire avec Marguerite Yourcenar », par Patrick de Rosbo, in *Gulliver*, n° 4, février 1973, pp. 30-35.
6. Lettre à Marthe Lamy, du 27 juin 1973, fonds Harvard.
7. « Marguerite Yourcenar en liberté surveillée », par Patrick de Rosbo, in *Le Quotidien de Paris*, 25 avril 1974.
8. Lettre à Jeanne Carayon, du 3 juin 1973, fonds Harvard.
9. *Ibid.*
10. Lettre à Jeanne Carayon, du 18 janvier 1976, fonds Harvard.
11. Lettre à Jeanne Carayon, du 8 avril 1976, fonds Harvard.
12. Lettre de Jeanne Galzy, du 9 août 1975, fonds Harvard.
13. *Portrait d'une séductrice*, de Jean Chalon, Stock, 1976.
14. Lettre à Jean Chalon, du 9 avril 1976, archives Jean Chalon.
15. Lettre à Jeanne Carayon, du 25 juillet 1975, fonds Harvard.
16. Lettre à Jeanne Carayon, du 31 août 1973, écrite de l'hôpital de Bar Harbor, où Marguerite Yourcenar est soignée pour un déplacement d'un disque de la région lombaire, fonds Harvard.
17. Lettre à Jeanne Carayon, du 29 octobre 1973, fonds Harvard.
18. *Quoi? L'Éternité, Le Labyrinthe du Monde III*, Gallimard, collection Blanche, 1988, pp. 184-186.
19. Lettre à Jean Chalon, du 9 mai 1974, fonds Harvard.
20. Lettre à Jean Chalon, du 29 mars 1974, fonds Harvard.
21. « Marguerite Yourcenar, *Souvenirs pieux* », par Dominique Aury, in *NRF*, n° 259, juillet 1974.

22. Lettre à Jeanne Carayon, du 14 août 1974, fonds Harvard.

23. Lettre à Matthieu Galey, du 14 décembre 1974, fonds Harvard.

24. Archives Anya Kayaloff.

25. Lettre à Jeanne Carayon, du 2 janvier 1975, fonds Harvard.

26. Lettre à Jean Chalon, du 7 février 1972, archives Jean Chalon.

27. Voir le « Tombeau de Jacques Masui » (1976), repris dans le recueil d'essais *Le Temps, ce grand sculpteur*, Gallimard, collection Blanche, 1983, pp. 231-236.

28. Lettre à Gabriel Germain, du 8 mai 1976, correspondance inédite.

29. Lettre à Nico Calas, du 26 septembre 1975, fonds Harvard.

30. Lettre à Jeanne Carayon, datée 20-28 juillet 1976, fonds Harvard.

31. Lettre à Jeanne Carayon, du 19 février 1977, fonds Harvard.

32. Lettre à Jeanne Carayon, du 18 janvier 1976, fonds Harvard.

33. *Ibid.*

34. Lettre à Jeanne Carayon, du 23 mars 1977, fonds Harvard.

35. Lettre à Nobuyuki Kondo, éditeur en chef de la revue *Umi*, du 26 janvier 1969, fonds Harvard.

36. *Les Yeux ouverts*, entretiens avec Matthieu Galey, éditions du Centurion, 1980, p. 117.

37. *Le Dialogue dans le Marécage*, in *Revue de France*, tome 12, n° 4, du 15 février 1932. Repris in *Théâtre I*, Gallimard, collection Blanche, 1971, pp. 173-201. Voir notamment dans cette édition, la « note sur *Le Dialogue dans le marécage* », rédigée en décembre 1969, pp. 175-177.

38. *Le Tour de la Prison*, inédit Gallimard.

39. Lettre à Jeanne Carayon, du 8 avril 1976, *op. cit.*

40. *Les Yeux ouverts*, *op. cit.*, p. 250.

41. *Ibid.*, p. 263.

42. Lettre à Michel Aubrion, du 19 mars 1970, correspondance inédite.

43. Lettre à Anat Barzilai, du 22 septembre 1977, correspondance inédite.

44. Lettre à Jeanne Carayon, du 2 octobre 1971, correspondance inédite.

45. Lettre au Père Yves de Gibon, du 1ᵉʳ avril 1976, correspondance inédite.

46. « Yourcenar : "Il ne faut jamais être défaitiste" », propos recueillis par François-Marie Samuelson, in *Le Figaro Magazine*, 31 octobre 1980.

47. *Les Yeux ouverts*, *op. cit.*, p. 262.

48. Lettre à Gabriel Germain, du 13 juin 1969, correspondance inédite.

49. Lettre à Jeanne Carayon, datée 20-28 juillet 1976, *op. cit.*

50. Lettre à Jeanne Carayon, du 8 avril 1976, *op. cit.*

51. Lettre à Georges de Crayencour, du 22 septembre 1977, archives Georges de Crayencour.

52. Lettre à Jean Chalon, du 3 février 1977, archives Jean Chalon.

53. Lettre à Max Heilbronn, du 17 avril 1977, fonds Harvard.

54. Lettre à Suzanne Lilar, du 16 mars 1971, correspondance inédite.

55. Lettre à Jeanne Carayon, du 6 juillet 1977, fonds Harvard.

56. Voir notamment la lettre que Marguerite Yourcenar a envoyée au journal *Le Monde* (2-3 mars 1969), à propos de « la chasse aux phoques », ainsi que les textes « Bêtes à fourrure » (1976), et « Qui sait si l'âme des bêtes va en bas ? » (1981), repris dans le recueil d'essais *Le Temps, ce grand sculpteur, op. cit.*

57. « C'est une reine Yourcenar... », portrait-entretien par Matthieu Galey, *Réalités* n° 345, octobre 1974, pp. 70-75.

58. « Marguerite Yourcenar : les avatars d'une hérédité », par Jean Duvignaud, in *Les Nouvelles Littéraires*, 27 septembre 1977.

59. « Yourcenar dialogue avec le Temps », par François Nourissier, in *Le Point*, n° 260, 12 septembre 1977.

60. « Marguerite Yourcenar et la " Légende des siècles " », par Jacqueline Piatier, in *Le Monde* des Livres, 23 septembre 1977.

61. « Marguerite Yourcenar de ses origines à nos jours », par André Wurmser, in *L'Humanité*, 28 octobre 1977.

62. « *Archives du Nord*, de Marguerite Yourcenar. Promenade à fleur de peau », par Dominique Fernandez, in *Le Matin*, 30 septembre 1977.

63. Lettre à Jeanne Carayon, du 19 février 1977, *op. cit.*

64. Lettre de Claude Gallimard à Marguerite Yourcenar, du 6 février 1977, archives Gallimard.

65. Lettre à Claude Gallimard, du 18 février 1977, archives Gallimard.

66. « La vieille dame et la mer », par Georges Frameries, in *L'Unité*, 14 octobre 1977.

67. Lettre à Georges Frameries, novembre 1977, fonds Harvard.

68. Lettre à Joseph Breitbach, du 4 février 1977, fonds Harvard.

69. Lettre à Mme Heilbronn, d'avril 1977, fonds Harvard.

70. *Les Yeux ouverts, op. cit.*, note de la page 246.

71. Lettre à Hélène Martin, du 19 octobre 1977, fonds Harvard.

CHAPITRE 5 : LE PIANO REFERMÉ

1. Lettre du 28 avril 1978, fonds Harvard.

2. *Carnets de notes de « L'Œuvre au Noir »*, à paraître dans la revue *NRF*, livraisons de septembre et octobre 1990.

3. Lettre à Louise de Borchgrave, du 5 décembre 1978, fonds Harvard.

4. Lettre à Anne Quellennec, du 14 décembre 1978, fonds Harvard.

5. Lettre à Georges de Crayencour, du 14 juillet 1978, archives Georges de Crayencour.

6. Lettre à Georges de Crayencour, du 23 juillet 1978, archives Georges de Crayencour.

7. Préface à *La Couronne et la Lyre*, poèmes traduits du grec, Galli-mard, collection Blanche, 1979, pp. 9-40.

8. *Les Yeux ouverts*, entretiens avec Matthieu Galey, Le Centurion, 1980. Voir notamment le chapitre intitulé « L'art de traduire », pp. 201-212.

9. Lettre à Denise Lelarge, du 25 septembre 1979, fonds Harvard.

10. Carte à Denise Lelarge, du 15 mai 1979, fonds Harvard.

11. *Journal 1974-1986*, de Matthieu Galey, Grasset, 1989, p. 183.

12. « Le système Yourcenar » (interview-portrait sous forme d'abé-cédaire), par Jean-Paul Kauffmann, in *Le Matin*, 10 juin 1979.

13. Lettre à Jean-Paul Kauffmann, du 11 mai 1979, fonds Harvard.

14. Lettre à Georges Wicks, du 12 mars 1975, fonds Harvard.

15. Lettre à Georges de Crayencour, du 28 mai 1979, archives Georges de Crayencour.

16. « Une semaine chez Marguerite Yourcenar ; La grande radio-scopie », entretien avec Jacques Chancel, propos recueillis par Mathilde La Bardonnie, in *Le Monde*, 10 juin 1979.

17. « Une femme volubile », par Jérôme Garcin, in *Les Nouvelles Lit-téraires*, 14 juin 1979.

18. « Yourcenar en son île », par M. Mt, in *Valeurs Actuelles*, 3 décembre 1979.

19. « Yourcenar à " Apostrophes ", " Plénitude, voilà le mot "... », par Bertrand Poirot-Delpech, in *Le Monde*, 9 décembre 1979.

20. Lettre à Georges de Crayencour, du 28 mai 1979, *op. cit.*

21. *Les Yeux ouverts*, *op. cit.*, p. 332.

22. Lettre à Georges de Crayencour, du 7 septembre 1979, archives Georges de Crayencour.

23. Lettre à Georges de Crayencour, du 8 décembre 1979, archives Georges de Crayencour.

24. *Journal 1974-1986*, de Matthieu Galey, *op. cit.*, p. 143.

25. *Paris-Athènes*, de Vassilis Alexakis, Le Seuil, 1989, p. 33.

26. *Journal 1974-1986*, de Matthieu Galey, *op. cit.*, p. 183.

27. « L'ordre des choses de Marguerite Yourcenar », entretien avec Claude Servan-Schreiber, in *F. Magazine* n° 25, mars 1980.

28. *L'Œuvre au Noir*, in *Œuvres romanesques*. Bibliothèque de la Pléiade, 1982, p. 564 : « Qui serait assez insensé pour mourir sans avoir fait au moins le tour de sa prison ? »

29. *Quoi ? L'Éternité, Le Labyrinthe du monde III*, Gallimard, collec-tion Blanche, 1988, p. 278.

CINQUIÈME PARTIE :
LA NOMADE DE L'ACADÉMIE FRANÇAISE

CHAPITRE 1 : LE TEMPS REMONTÉ

1. Lettre à André Lebon, du 3 février 1980, fonds Harvard.

2. Réactions de la presse aux *Mandarins*, de Simone de Beauvoir, citées par Julia Kristeva, in « À propos des *Samouraïs* », entretien avec Elisabeth Bélorgey, revue *L'Infini*, n° 30, été 1990, p. 66.

3. Lettre à Wilhem Ganz, du 12 mai 1980, archives Wilhem Ganz.

4. Entretien avec Roger Straus, décembre 1988.

5. *Archives du Nord, Le Labyrinthe du Monde II*, Gallimard, collection Blanche, 1977, pp. 365-366.

6. À propos de la question de l'antisémitisme, voir le chapitre intitulé « Des racismes », in *Les Yeux ouverts*, entretiens avec Matthieu Galey, Le Centurion, 1980, pp. 275-282.

7. *Entretiens radiophoniques avec Marguerite Yourcenar*, par Patrick de Rosbo, Mercure de France, 1972, p. 106.

8. « La Mémoire suspecte d'Hadrien », par Thomas Gergely, in *Revue de l'Université de Bruxelles* (numéro spécial consacré à Marguerite Yourcenar), mars-avril 1988, pp. 45-50.

9. *Ibid.*, pp. 48-49.

10. *Les Yeux ouverts, op. cit.*, p. 279.

11. Entretien avec Jean d'Ormesson, printemps 1989.

12. Lettre à Jacques Kayaloff, du 6 décembre 1962, archives Anya Kayaloff.

13. Lettre à Jacques Kayaloff, du 4 janvier 1961, archives Anya Kayaloff.

14. Lettre de Roger Caillois à Jacques Kayaloff, du 9 mars 1971, archives Anya Kayaloff.

15. Marguerite Yourcenar a notamment formulé les conditions de sa candidature à l'Académie française dans les lettres à Louis Pélissier, du 17 décembre 1977 et à Thérèse de Saint-Phalle, du 19 février 1978, fonds Harvard.

16. Lettre à Jeanne Carayon, du 8 avril 1976, fonds Harvard.

17. Lettre de Jean d'Ormesson, fonds Harvard.

18. Carnets de voyage de Jerry Wilson, fonds Harvard.

19. Lettre de Katherine Gatch, du 7 mars 1981, fonds Harvard.

20. Fonds Harvard.

21. Sur le manuscrit, Marguerite Yourcenar avait d'abord écrit : « illégal d'avoir plus de trois enfants (stérilisation au quatrième enfant) ».

22. Carnet de notes de Marguerite Yourcenar, archives Gallimard.

23. Voir le texte intégral, annexe V.

24. *Quoi ? L'Éternité, Le Labyrinthe du Monde III*, Gallimard, collection Blanche, 1988, p. 278.

25. *Le Tour de la Prison* sera publié aux éditions Gallimard, début 1991.

26. « *Deux Noirs* de Rembrandt », in *En pèlerin et en étranger*, Gallimard, collection Blanche, 1989, pp. 225-231.

27. « Sous le regard de Marguerite Yourcenar », par Diane de Margerie, in *Le Monde* des Livres, 2 janvier 1981.

28. *Journal 1974-1986*, de Matthieu Galey, Grasset, 1989, p. 123.

29. *Ibid.*, 126.

30. *Ibid.*, p. 161.

31. « Discours de réception de Mme Marguerite Yourcenar à l'Académie française ». (Séance du jeudi 22 janvier 1981), Gallimard, 1981. Le texte qui constitue l'éloge de Roger Caillois est repris sous le titre « L'homme qui aimait les pierres » dans le recueil d'essais *En pèlerin et en étranger*, *op. cit.*

32. *Les Yeux ouverts*, *op. cit.*, p. 283.

33. Lettre à Odette Schwartz, du 31 décembre 1977, fonds Harvard.

34. *Garçon de quoi écrire*, dialogue entre Jean d'Ormesson et François Sureau, Gallimard, collection Blanche, 1989, p. 28.

35. *Le Dernier des mondes*, de Christoph Ransmayr, Flammarion, 1989. Propos recueillis dans divers articles de presse.

36. Entretien avec William Styron, mai 1990.

37. *Femmes*, de Philippe Sollers, Gallimard, collection Blanche, 1983. Édition Folio, 1985, p. 491.

38. *Journal 1974-1986*, de Matthieu Galey, *op. cit.*, p. 183.

CHAPITRE 2 : LES TRÉBUCHEMENTS ET LE « ROMAN NOIR »

1. Archives Gallimard.

2. Entretiens avec Jean-Pierre Corteggiani, novembre 1988.

3. Archives Gallimard.

4. *Mémoires d'Hadrien*, in *Œuvres romanesques*, Bibliothèque de la Pléiade, 1982, p. 298. À propos de la réflexion d'Hadrien sur le plaisir, voir également les pages 294 à 298, commençant ainsi : « Les cyniques et les moralistes s'accordent pour mettre les voluptés de l'amour parmi les jouissances dites grossières, entre le plaisir de boire et celui de manger, tout en les déclarant d'ailleurs, puisqu'ils assurent qu'on s'en peut passer, moins indispensables que ceux-là. Du moraliste, je m'attends à tout, mais je m'étonne que le cynique s'y trompe. »

5. « Montherlant, soror... », par Angelo Rinaldi, in *L'Express*, 23 octobre 1981.

6. « Yourcenar peintre pompier », par Jean Chalon, in *Le Figaro*, 11 septembre 1981.

7. « Yourcenar toujours recommencée », par Jean Chalon, in *Le Figaro-L'Aurore*, 11 juin 1982.

8. « En effeuillant la Marguerite Yourcenar », par François Weyergans, in *Le Matin* des Livres, 24 novembre 1982.

9. Archives Gallimard.

10. « Le Temps, ce grand sculpteur », in *Le Temps, ce grand sculpteur*, Gallimard, collection Blanche, 1983, p. 61.

11. « Aux confins du monde et du temps », par Danièle Sallenave, in *Le Monde* des Livres, 25 décembre 1987.

12. Documents préparatoires à *Quoi? L'Éternité*, fonds Harvard.

13. *Mémoires d'Hadrien, op. cit.*, p. 304.

14. *La Voix des choses*, textes recueillis par Marguerite Yourcenar, photographies de Jerry Wilson, Gallimard, 1987.

15. Entretien avec Marguerite Yourcenar, 15 novembre 1984.

16. *Les Charités d'Alcippe*, Gallimard, 1984.

17. *Blues et Gospels*, textes traduits et présentés par Marguerite Yourcenar, images réunies par Jerry Wilson, Gallimard, 1984.

18. Lettre à Josyane Savigneau, du 27 mars 1986, archives Josyane Savigneau.

19. « Comment Wang-Fô fut sauvé », *Nouvelles orientales*, in *Œuvres romanesques*, Bibliothèque de la Pléiade, 1982, p. 1144.

20. *Quoi? L'Éternité, Le Labyrinthe du Monde III*, Gallimard, collection Blanche, 1988, p. 187.

21. Lettre à Georges de Crayencour, du 7 novembre 1985, archives Georges de Crayencour.

22. « Préface » à *La Voix des choses, op. cit.*, p. 7.

23. *Mémoires d'Hadrien, op. cit.*, p. 420.

24. Lettre à Yannick Guillou, non datée, archives Yannick Guillou.

CHAPITRE 3 : LE DERNIER VOYAGE

1. Archives Gallimard.

2. Lettre à Josyane Savigneau, du 27 mars 1986, archives Josyane Savigneau.

3. Lettre à Yannick Guillou, du 23 février 1986, archives Yannick Guillou.

4. Entretien avec André Delvaux, décembre 1988.

5. *La Couronne et la Lyre*, Gallimard, collection Blanche, 1979, p. 177.

6. Le récit des relations entre André Delvaux et Marguerite Yourcenar, ainsi que l'analyse de son travail sur *L'Œuvre au Noir* ont été faits dans l'ouvrage : *André Delvaux, Une œuvre, un film : « L'Œuvre au Noir »*. Éditions Labor et Méridiens Klincksieck, 1988.

7. « Les libertés et l'État », entretien avec François Mitterrand, in *Le Monde*, 5 décembre 1979. Propos recueillis par Philippe Boucher et Josyane Savigneau.

8. Carte à Sœur Marie-Laurence, 7 février 1987, correspondance inédite.

9. Entretiens avec Christian Lahache, 1988.

10. *Souvenirs pieux, Le Labyrinthe du Monde I*, Gallimard, collection Blanche, 1974, p. 31.

11. *L'Œuvre au Noir*, in *Œuvres romanesques*, Bibliothèque de la Pléiade, 1982, p. 827.

12. *Archives du Nord, Le Labyrinthe du Monde II*, Gallimard, collection Blanche, 1977, p. 14.

13. *Archives du Nord, op. cit.*, pp. 372-373.

ANNEXES

ANNEXES

Sonnet offert par Marguerite Yourcenar à sa gouvernante, Camille Debocq, pour Noël, en 1915 *

Sonnet

Dans la coupe d'argent ou dans l'urne d'argile
Le parfum éternel de la plus tendre fleur
Reste toujours le même énervant et fragile
En conservant sa force il garde sa douceur

L'urne indispensable ne garde la liqueur
Si la coupe est fêlée elle s'en va docile
Prendre dans d'autre vase une prison facile
Gardant comme jadis son étrange saveur

Quoi, mon admiration que j'ai dit immortelle
Dut briser l'idéal, la sève maternelle
Pour avoir pu briser quelque songe défunt ?

Si je prends telle ou telle amphore et que j'y verse
Tout mon rêve divin, ou que je la renverse
C'est dans une autre coupe le sublime parfum !

* Archives Gallimard, fonds Letot. Référencé dans la première partie, chapitre III, intitulé « Premiers apprentissages ».

Diagnostic de l'Europe *

Ce texte a été publié en juin 1929 (Marguerite Yource-nar avait alors vingt-six ans), dans le numéro 68 de la Bibliothèque Universelle et Revue de Genève, *pp. 745-752. On trouvera à sa suite les commentaires manus-crits, que Marguerite Yourcenar a portés sur la première page, et dont la rédaction est très probablement posté-rieure aux années soixante-dix.*

L'Europe moderne est menacée d'ataxie locomo-trice.

Qui voudrait définir la foi devrait s'adresser aux Sémites ; le mysticisme a revêtu sa forme la plus parfaite chez les sages indiens tout engourdis d'extase ; et la morale sous tous ses aspects, depuis l'honneur militaire jusqu'au cérémonial mondain, n'a jamais été mieux codifiée que par l'Asie jaune, dans le Japon des Samou-raï roidi d'héroïsme guerrier. L'intelligence à l'état pur n'existe guère qu'entre la Baltique et la mer Égée. Accli-matée ailleurs, elle garde sa marque d'origine. Qui l'acquiert s'européanise. Entre l'Asie, cœur immense, et l'inépuisable matrice africaine, l'Europe a la fonction d'un cerveau.

* Référencé dans la première partie, chapitre IV, intitulé « Je sous-signée, Marguerite Yourcenar ».

C'est autre chose que la science : une science, empirique il est vrai, peut à la rigueur exister sans intelligence objective. C'est autre chose que l'art : il s'est volontiers passé d'elle. C'est autre chose que la piété, la bonté, la vertu, et tout ce qu'on appelle communément sagesse. C'est plus et mieux que la pensée même : la pensée logique. Comme d'autres races disent : Bouddha, Confucius, Jésus, nous disons : Aristote, Galilée, Bacon, Descartes, Spinoza, Claude Bernard. Aujourd'hui, la raison européenne est menacée de mort.

Il y a longtemps qu'elle est atteinte.

A vrai dire, son existence n'avait jamais été que précaire. Même aux meilleures époques, – surtout aux meilleures époques – elle demeurait exceptionnelle. L'immense matière animale, traitée par des procédés de plus en plus perfectionnés, ne donnait qu'un résidu comparativement petit d'intelligence. Mais cette intelligence était sûre d'elle-même. L'esprit européen pouvait se mettre dans l'attitude du scepticisme absolu à l'égard des choses : cette défiance universelle ne faisait que le confirmer dans son rôle de mesure unique et stable à laquelle tout fut rapporté. De Socrate à Voltaire, l'intelligence ne doutait pas d'elle-même ; c'était la foi qui doutait. On se souvient du doute de Pascal. Aujourd'hui, l'intelligence européenne commence à douter d'elle-même.

On pourrait presque assigner une date à ces commencements d'inquiétude. Après le magnifique effort intellectuel de la Renaissance, après l'époque du relatif équilibre que fut le XVIIe siècle, se produisit l'admirable poussée du libre intellectualisme qui précéda et amena la Révolution. C'est vers ce moment que l'esprit humain, trop chargé, fléchit.

De même que la Révolution française n'est qu'un prologue aux révolutions futures, de même que les guerres napoléoniennes ne furent que le premier acte d'une plus grande guerre dont celle de 1914 n'est peut-être qu'un épisode, les écrivains modernes, au spectateur placé à une distance de plusieurs siècles, apparaîtraient comme une variété des Romantiques. De Jean-Jacques à Gide, de Chateaubriand à Claudel, les nuances qui distinguent les individualités perdraient leur importance, – et un observateur situé assez loin pour ne voir que l'ensemble reconnaîtrait chez ces analystes du Moi souffrant la même prédominance du sentiment sur la raison, la même mystique diffuse, la même préoccupation de morale ou d'immoralisme, la même prépondérance donnée à la femme, ou du moins au féminin. La thèse de Jean-Jacques affirmant que la science et les arts ne contribuent pas au bonheur de l'homme mènera Ruskin et Tolstoï à leur évangile final du simplisme. L'analyse des états à demi conscients où le sentiment se confond avec l'instinct ira s'approfondissant de Balzac à Proust; le mécanisme des réactions instantanées, accéléré de Stendhal à Dostoïevsky, en vient à intervertir ses mouvements, et, au lieu de transformer la sensation en pensée, transforme la pensée en sensation. De Chateaubriand à Barrès, il y a surenchère perpétuelle de non-culture objective. L'idéal n'est plus la connaissance, il est l'hyperesthésie. Les idées et les faits ne sont acceptés qu'autant qu'ils s'accordent avec les sympathies instinctives. Loti prétendait ne jamais rien lire; Barrès, visitant la Grèce, feint de s'intéresser moins à Lacédémone qu'à ces forteresses franques qui lui rappellent sa race; Gide, dépréciateur évangélique de l'intelligence, demande à l'humilité du cœur le secret des béatitudes. Incrédules ou croyants, anarchistes ou nationalistes, ils le sont pour des raisons de sentiment où la raison n'entre pas. Les années qui précédèrent 1914, exposition internationale guerrière, ont vu s'exaspérer cette fièvre subjective. Elle atteint son paroxysme dans le désordre de cette paix qui n'est qu'une guerre non finie.

Il y a quelque beauté tragique dans cet individualisme d'un monde prêt à mourir. Le vieil ennui romantique de la vie suffoque ce grand malade ; il ne s'en rattache que plus désespérément à la vie qui s'en va. L'économie traditionnelle n'a pas disparu seule dans le désastre financier ; la civilisation tout entière s'est aperçue qu'elle cessait d'être. Étrange spectacle que celui d'une machine dont les rouages faussés par la catastrophe s'arrêtent ou tournent à vide. L'expression populaire est la plus juste : tournent fou.

L'esprit de Goethe et de Vinci était ferme en même temps qu'agile : l'esprit européen n'est plus qu'agile. La terre manque sous ces constructeurs de fumée et ces analystes du brouillard. L'intelligence a perdu ses moyens de discrimination et de pesée : balance faussée, elle a été mise au rebut. Nous assistons à une fabuleuse inflation de toutes les valeurs fiduciaires : après avoir cherché à rendre conscient l'inconscient on en vient à accorder à l'inconscient une prépondérance justifiée, mais qu'applaudit la fatigue.

Celle-ci est immense. Les cerveaux mal préparés ploient sous la diversité des connaissances ; les cadres de la culture, à force de s'élargir, se sont brisés. L'étroite instruction aristotélicienne et catholique du passé a formé plus d'un esprit libre ; une qualité compensait ici les lacunes ; des textes peu nombreux, vénérés, toujours les mêmes, enseignaient du moins la méthode. Pour faire Descartes et Spinoza, il a suffi du latin et des mathématiques. Aujourd'hui, le prodigieux effort vulgarisateur du livre et du journal, hâtif toujours, maladroit souvent, permet à l'inexpérience du plus grand nombre l'illusion de l'universel savoir. Oubliant que la discipline de la recherche, pour la culture de l'esprit, importe autant et parfois plus que les résultats trouvés, la masse ruée dans ce laboratoire ouvert saute à pieds joints la méthode pour atteindre aux formules. Par malheur, celles-ci, brutalement utilisées, simpli-fiées en affirmations, passées du monde de la pensée pure à celui des applications circonstancielles, se faussent. On pense à de délicats instruments de phy-sique employés aux usages de la vie courante. Finances, politique, histoire, littérature de tous les temps, de toutes les races : le cerveau européen, au XXe, s'embou-teille comme les carrefours.

Quelques intelligences assimilent ces accablantes matières; la plupart se changent en appareils enregis-treurs; d'autres, et non des moins saines, les vomissent. Jamais l'intellect n'a montré, devant la brutalité des faits, tant de passivité lassée. Tandis que l'âme, livrée à l'imprévu des sensations, cesse même de les coordonner, l'esprit, à la recherche désespérée d'une éthique, n'aboutit qu'à l'hygiène sportive. Dans les deux cas, le corps en réaction triomphe. Tous, chacun à son heure, recourent aux anesthésiants mystiques. On se demande ce qu'eût pensé de ce mysticisme le solide christianisme du passé. Paradis : mais artificiel. Le corps, l'âme aussi : entre le corps et l'âme profonde, entre l'instinct et l'inconscient, la raison meurt.

Vains efforts d'une morale qui s'improvise... Toute conception philosophique de la vie est un legs lente-ment accru par l'histoire. Chaque race, chaque siècle, a la sienne et n'en a qu'une : tentative faite par un groupe d'hommes pour s'adapter et résister. De nos jours, ces legs d'époques différentes, objets d'interminables controverses, accablent par leur multiplicité. Dans cette Europe qui s'organise péniblement en État unique, le passé est un immense héritage en litige. Les théories, antagonistes éternels, jouent devant les consciences un drame qui conclut au scepticisme. Traditionalistes ou disponibles, les combattants ont pour massue leurs croyances : ces vivants s'assomment à coups de cadavres. Il ne leur manque, après la victoire, que de pouvoir les ressusciter.

Ils le voudraient, éperdument. Ou plutôt, ils voudraient vouloir.

On affirme d'autant plus que l'on croit moins : c'est une façon de se résigner à ne pas croire. De toutes parts, les artisans de la pensée s'efforcent de dérouiller les vieilles formules ou d'en forger de nouvelles ; concepts aussi intransigeants les uns que les autres, finissant par se ressembler dans l'absurde. Nationalisme, internationalisme, bolchevisme, fascisme, pacifisme, rêve asiatique de la non-résistance à la force qui n'est qu'un aveu d'impuissance à se saisir de la force, matérialisme brutal qui glorifie la force substituée au droit, et n'est qu'un aveu d'impuissance à découvrir où est le droit. Ces concepts vont se déformant avec une rapidité singulière : les doctrines les plus opposées, dans un moment de lucidité, en viennent à s'apercevoir identiques.

Et voici paraître la longue série des dilettantes de l'absurde, jonglant avec les débris d'un monde. Toute époque de décadence peut s'appeler l'ère des sophistes et des prophètes. Dans la Rome d'Antonin à Romulus Augustule, dépeuplée dans ses campagnes, hypertrophiée de fonctionnarisme, malade d'une monnaie malsaine, tandis que l'autorité cherchait à diminuer la cherté de la vie par d'inopérants édits, que des dictateurs, habiles ou convaincus, improvisés on ne sait comment, mettaient leur entêtement et leur orgueil en travers d'un courant d'histoire, que les associations

731

populaires, subversives, formes originelles de l'église et de la commune, croissaient, pareilles aux syndicats et aux cellules modernes, de dessous les vastes organisations légales qu'elles devaient un jour remplacer, tandis qu'on entendait, sans trop y prendre garde encore, commencer en Asie le lent remuement des hordes, les Sophistes et les Prophètes encombraient la scène. Époque des sophistes, des apologies paradoxales, des biographies amoureuses, des poésies de cénacle, des romans d'analyse pour lesquels la finesse suffit, des romans d'aventures par lesquels l'ennui d'une existence trop calme est commodément compensé. Époque de prophètes : époque de profession de foi et de confessions publiques. De la Russie à l'Espagne, de la Hongrie à la Norvège, par-dessus l'effrayant brouhaha des villes, jamais plus surprenant concert de voix ne s'est élevé pour célébrer le dénuement, la paix intérieure, l'humilité, Dieu. Romain Rolland, biographe de Gandhi, Gide, traducteur de Tagore, Barbusse, évangéliste du Christ : les sommets de cette Europe bouleversée s'éclairent vaguement d'une aube d'Asie.

Le style, lui aussi, se déforme pour s'élargir. A celui des Goncourt, perpétuellement tremblant comme la lumière du gaz, succède une sèche écriture qui semble électrisée. Nietzsche, admirable miroir d'intelligence brisée par la folie, Rimbaud, vitrine défoncée d'une taverne dont les éclats diamantent la nuit, ont légué à leurs successeurs, l'un, le secret de sa démence, moins celui de sa grandeur, l'autre, le secret de son angoisse, moins celui de son énergie. La dissociation croissante du style, n'est qu'un aspect de la dissociation des pensées, l'incapacité du cerveau à rétablir la suite logique des images. Elles sautent et s'échappent par saccades, comme les étincelles du moteur détraqué qui va cesser sa marche. Ce qui disparaît de l'art, c'est surtout la composition. Le style de Proust subdivisé à l'extrême, confus à force d'abondance, débordé sans cesse par les pensées subies et non dirigées, le style de Breton, spasmodique et sec, tout en détentes et en tensions, alternent comme la prostration et l'excitation nerveuses. Dynamisme unique dans l'histoire littéraire d'Occident. Il semble que la vie, peut-être parce qu'elle nous échappe, peut-être parce que nous commençons d'en douter, contienne seule pour nous sa justification et sa preuve : l'être, qui jadis regardait agir, apprend à regarder vivre. L'intérêt accordé à l'enfant, que l'art classique ignorait presque, mesure la part sans cesse plus grande faite pour nous à l'inconscient et à l'informe. L'homme moderne, découvrant soudain combien petit est le champ de la conscience, même organique, se met à la recherche du mécanisme intérieur. Par malheur, cette conscience, d'origine tout utilitaire, demeure encore purement superficielle, et l'introspection profonde paraîtra longtemps anormale et dangereuse. Le roman qui ne se contente plus d'une humanité toute faite oscille entre l'aboulie et le dédoublement.

On tourne. Le cinématographe a enseigné la décomposition du mouvement : les romanciers l'imitent ; la vie, tournée par l'un au ralenti, s'accélère entre les mains d'un autre opérateur. Les langues étrangères, connaissances qui ne font que juxtaposer et interchanger des mots, finissent par user la valeur propre de chaque idée. L'esprit règle son rythme sur celui d'une vie de plus en plus agitée ; il travaille au millième de seconde. L'art, jadis lent élaborateur, se spécialise dans l'instantané. On peut dire que l'esprit européen acquit, dans les dernières années du XIXe siècle, la sensibilité d'une pellicule photographique.

Les poètes, gardiens des disciplines héréditaires de la

pensée, s'affranchissent eux aussi, et leur libération a les aspects d'une déchéance. Un instrument admirable, façonné, accordé par les siècles, auquel chaque génération ajoutait ses perfectionnements, se rompt entre des mains convulsives. Symboles d'une intelligence habituée à s'obéir, la métrique et la rythmique désindividualisaient l'idée qu'elles enfermaient dans une forme nette, rigide, durable, accessible à toutes les mémoires, et assez consistante pour résister aux flottements du langage. Les esthétiques modernes de la pensée, comme celles des arts linéaires, par dédain de la virtuosité ou par fatigue peut-être, retombent, de libération en libération, aux conventions inquiétantes des civilisations qui cessent : couleurs tranchées, dessin gauche, formes sommaires, – le parti-pris de la mode donne à la beauté féminine un aspect exsangue, anguleux et roidi des mosaïques ravennates, où l'art abdiquant d'un siècle a fixé l'image des dernières patriciennes. La trépidation de la vie, les secousses transmises au cerveau par les brusques séries de vues cinématographiques, l'exotisme des voyages, les obsessions sensuelles ou les inquiétudes financières usent jusqu'à la corde les nerfs de cette élite qui ne fait plus confiance à l'avenir. De la paresse des employés à l'hamlétisme littéraire, même lassitude agitée, au sens médical du mot, même *angoisse*. Ce n'est pas tant le plaisir que peint le roman moderne, que la recherche du plaisir. Ce n'est pas tant la souffrance que la peur de la souffrance. Ce n'est pas tant la sensualité, – et ceci est peut-être plus frappant encore – que la névrose. Et, scandant les phrases bruyantes et heurtées de cette étonnante agonie, la musique afro-américaine, passion subite, emporte à la rencontre d'un monde barbare un monde qui redevient barbare.

On peut nier la gravité des symptômes. Mais la seule

maladie dont une civilisation finisse par mourir, c'est sa durée. La nôtre est vieille. Des vieilles civilisations, elle a les aspects disparates et comme rapiécés d'histoire, le matérialisme lourd du plus grand nombre opposé au fol idéalisme du plus petit, l'humanitarisme à crises sanglantes, et ces raffinements qui sont les embellissements de l'usure, – tout le pathétique de l'irréparable. Faire trouver fades les âges classiques, c'est le danger des décadences. Et je n'ai tant dit que notre époque est malade, que pour me réserver de dire à la fin qu'elle est belle.

Que nos successeurs paieront ces dépenses nerveuses, certes. Nous-mêmes, peut-être. Nous payons déjà. Mais le prix dûment acquitté nous donne le droit de jouir d'un spectacle si divers. N'assiste pas qui veut à celui d'un achèvement. Achevé : fini, – le mot contient à la fois le sens de la perfection et celui de l'arrêt. Un Rilke, un Pirandello, un Gide représentent assez bien ce point d'aboutissement. L'époque qui suivra la nôtre, disciplinée, récupératrice, sera sûrement d'un ennui morne. N'affirmons pas trop vite qu'elle sera meilleure ; ce mot est exclus d'un vocabulaire un peu précis, et nous savons que l'histoire se balance entre les siècles d'économies et les années de dépenses. Si toute désorganisation engendre une nouvelle discipline, toute discipline longuement supportée promet l'anarchie future. En attendant que d'autres prodigues, quelques siècles après nous, dilapident les richesses accumulées par nos successeurs, soyons sensibles à la chance d'être les gaspilleurs d'une race. Renan disait qu'être pape à une époque de totale corruption était l'un des meilleurs billets qu'on pût tirer à la loterie du monde. Il en est peut-être un meilleur encore : celui de simple témoin. Jouissons d'un spectacle qui ne revient sur l'affiche que deux ou trois fois par millénaire, – ou plutôt, résignés d'avance aux ténèbres qui vont suivre, assistons, reconnaissants d'une telle aubaine, au bouquet final du feu d'artifice d'un monde.

COMMENTAIRES MANUSCRITS

Essai publié en 1929 (revue de Genève) écrit en 1928.
Comme presque tous les coups d'œil sur l'avenir, et même sur le présent, celui-ci était faux. La [description] des écrivains du temps, par exemple Gide, est [fausse]. Avais-je lu seulement *Numquid et tu*?
Les prévisions étaient fausses parce que j'imaginais une ère de discipline qui allait suivre : c'est au contraire un chaos bien plus total qui était vrai, et qui fait paraître 1928 comme une période d'encore quasi-stabilité. Je n'avais pas pu imaginer : la tragédie écologique, qui allait éclipser toutes les autres, parue dès les années cinquante. Les crimes politiques monstrueux et les génocides par tous pays; le bris des cultures considérées comme centrales; l'effroyable vague d'inculture causée par les *media* et renforcée par un sentiment d'inutilité et d'à quoi bon?

« *Ce qui ouvre un instant certaines échappées* * »

Notes inédites extraites du carnet manuscrit intitulé par Marguerite Yourcenar «Notes sur "Michel" pour servir à Quoi? L'Éternité *et déjà en partie utilisées dans* Archives du Nord ».

En marchant un jour ensemble dans le vieil Antibes, nous parlons de je ne sais quoi. Nous nous asseyons sur un banc, devant une maison très ancienne, de type XVIIe ou même XVIe siècle provençal. La maison de Nostradamus à Salon est un peu du même type. Michel s'absorbe dans sa contemplation. « Oui, dit-il rêveusement, on s'imagine que quelqu'un pourrait passer toute sa vie, dans une petite ville, seul, occupé de magie. »

Une autre fois, à propos de la manière d'employer les dernières heures d'une vie. « Si j'étais sur un bateau échoué, qu'il soit impossible de renflouer, et qu'on serait sûr de voir sombrer dans une heure, à supposer qu'il n'y eût pas de femmes à bord, je prendrais un jeune garçon, un mousse. »

Ces remarques, je ne les consigne que parce que je

* Archives Gallimard. Référencé dans la première partie, chapitre III, intitulé « Je, soussignée, Marguerite Yourcenar ».

crois n'avoir jamais vu Michel montrer le moindre intérêt pour la magie, ni, en ce qui le concernait, pour ce qu'on appelle l'homosexualité. Il est vrai que méprisant les invertis adultes, il ne méprisait pas les pédérastes. Néanmoins, la phrase qui précède est de celles que dit seulement un homme sensuel qui aime passionnément les femmes. Le garçon serait un substitut et un pis-aller. Elle n'en témoigne pas moins, chez l'homme dit « normal » de l'extraordinaire plasticité du désir.

Une autre remarque, faite un beau jour en me regardant lire : « Si tu mourais, je prendrais tes livres, tes vêtements, tout ce qui est à toi, j'en remplirais un canot que je mettrais à la remorque d'une barque, et je coulerais le tout en pleine mer. » J'avais dix-huit ans. Cette image violente, ce sacrifice de Viking frappa mon imagination. Mais déjà, il pensait à autre chose.

Échappées qui ont tout l'air de venir des parties inconnues, inutilisées de l'être lui-même, d'un ancêtre peut-être, ou peut-être du vague remugle d'une vie passée. Sans rapports sensibles avec le reste de l'homme.

Durant les années pendant lesquelles je l'ai connu, entre cinquante-cinq et soixante-quinze ans, il s'évanouissait, ou quasi, à la vue du sang. (Deux exemples.)

Durant ces années-là, en présence d'un accident, une collision d'autos, un chien écrasé, il avait, l'espace d'un instant, le geste involontaire qui est aussi le mien en pareil cas, se boucher les oreilles, comme si on s'attendait à un cri dont on sait d'avance qu'on ne le supportera pas.

Le second mouvement – mais auquel on s'oblige – est d'aller à l'aide.

Vers la fin de sa vie, les quatre ou cinq dernières années, cet homme qui aimait passionnément toutes les bêtes avait peur des grands chiens. Le berger allemand d'un voisin lui sauta un jour, par affection, à la poitrine. Je l'ai vu pâlir et chanceler. J'en suis à mon tour là, moi aussi, à peu près au même âge. Effets d'un cœur sur lequel on ne peut plus compter.

Je ne l'ai jamais entendu, toujours pendant ces années-là, « dire du mal » de quelqu'un. Il lui arrivait de parler d'un être humain avec mépris, et de raconter une mauvaise action, ou une action scandaleuse, impersonnellement, pour l'intérêt factuel ou psychologique qu'elle pouvait avoir. Mais jamais médire, jamais insinuer, et dans la plupart des cas, jamais juger. Soit qu'il s'agît de misérables, comme un vieux mendiant obscène qui traînait autour de la maison, soit que le cas lui parût trop compliqué pour être apprécié.

Ce qu'il jugeait avec une extrême sévérité était les erreurs, non des personnes, mais des groupes; celles de la bourgeoisie, par exemple, qu'il avait observées avec indignation toute sa vie.

Toute forme d'érotisme un peu surexcitée, « fouettée » artificiellement, si l'on ose dire, lui déplaisait instinctivement. (Je ne veux pas forcer la nuance, et dire : lui répugnait.) Il ne trouvait pas cela sérieux.

Je ne l'ai jamais entendu employer une expression toute faite, ou se laisser atteindre par la contagion du moment. Durant la guerre de 1914, il n'a jamais dit « les Boches » ou « Guillaume ». (Proust fait la même remarque au sujet de Saint-Loup.)

Je ne l'ai jamais vu essayer d'obtenir quelque chose. Je ne l'ai jamais entendu être impoli, querelleur, ou aigre dans l'intimité, avec personne.

Ses violentes crises de fureur (réciproques) avec son fils étaient autre chose.

Son langage pouvait être d'une obscénité extra-ordinaire.

Il était naturellement gai de caractère, et d'esprit naturellement sombre.

Son sens de la diction était exquis.

Je ne lui ai jamais connu de parti pris d'admiration ou de respect de commande. Il s'enthousiasmait et critiquait en toute liberté – personne n'admirait plus Shakespeare ou Racine, et n'était plus sensible à leurs défauts à tous deux.

« *Commentaires sur soi-même* » *

*Il s'agit d'un texte – incomplet – de cinq pages dacty-
lographiées, comportant de nombreuses corrections
(ajouts ou ratures) manuscrites. Les passages indé-
chiffrables de ces corrections sont signalés par le signe
[...].*

En Grèce, je travaillais à une traduction de Constantin Cavafis, j'avais retenu passage sur le *Nieuw Amsterdam* dont le voyage inaugural devait se faire en septembre, comptant faire à une amie américaine une
visite de plusieurs mois. Rentrée en Europe, comme
c'était l'usage de le dire en Grèce quand on repartait
pour l'Occident, j'y trouvais presque immédiatement la
guerre. Cette guerre que nous attendions d'un jour à
l'autre depuis des années, comme nous continuons à le
faire aujourd'hui et dont la présence ou la prévision
n'aura [...]. Le *Nieuw Amsterdam* ne partit pas. Les premières hostilités me furent annoncées ce matin-là par
la radio d'un café de Sierre, décrivant l'entrée des
troupes hitlériennes en Pologne. Le même jour, traver-

* Référencé dans les chapitres « Grace et *Le Coup de grâce* »
(deuxième partie, chapitre III) et « Les années noires » (troisième partie, chapitre I).

sant le lac Léman sur un paquebot à peu près vide, j'entendais, tant du côté Savoie que du côté Suisse, le tocsin sonner, annonçant la guerre. Les grandes vagues de son venaient l'une après l'autre envelopper le paquebot; prise au milieu de ce filet sonore, me rappelant inévitablement le tocsin belge que j'avais entendu sonner au cours de mon enfance, le long d'un chemin dans la dune, au cours d'une villégiature sur la côte belge. Cette fois, c'étaient les cloches de sept ou huit villes ou villages qui sonnaient à la fois, parmi lesquelles se détachait le grand bourdon de la cathédrale de Lausanne. Seule comme je l'étais, libre comme je l'étais, n'étant en somme attachée à aucun lieu en particulier, sauf par mon choix, à aucun être, sauf par mon choix, il me parut un long moment que ma propre vie s'effaçait, n'était qu'un carrefour où s'engouffraient ces ondes de bruits; ce tocsin n'était déjà plus le signal d'un danger, mais un glas, celui de tous ceux qui allaient mourir dans cette aventure, comme peut-être moi-même; et si loin dans l'horreur que mon imagination m'entraînât, je n'allais pas jusqu'à inventer les millions de morts des camps de concentration, les fosses communes de l'Ukraine et de Stalingrad, les centaines de milliers de brûlés de Dresde et d'Hiroshima, les victimes des raids sur l'Angleterre et ceux des longues marches dans la jungle birmanienne ou des combats en Cyrénaïque, ou dans les forêts de Finlande, les résistants pendus de la Norvège à la Yougoslavie. Ce n'en était pas moins sur eux que se disait ce *Requiem* ou du moins ce *Dies Irae*.

A Lausanne, dans un salon d'hôtel, au milieu des visages consternés, j'entendis la déclaration de guerre à retardement de la France, après celle, plus rapide, de l'Angleterre. Suivit de peu la nouvelle du torpillage de l'*Athinia* coulé sur les côtes de l'Irlande. Le *Nieuw*

Amsterdam annonça qu'il retardait indéfiniment son nouveau voyage, préférant aux dangers de la haute mer la sécurité du port de Rotterdam, qui allait d'ailleurs être bombardé de fond en comble quelques mois plus tard. Pour la plupart des gens, pris dans les obligations d'un métier, d'un ménage ou d'une carrière, la guerre introduisait le danger, mais n'obligeait immédiatement à aucun choix : pour moi, au contraire, elle devenait une occasion de repenser l'avenir. J'ai toujours tenté d'interpréter un genre de petit fait de ce genre, un bateau qui lève l'ancre, ou ces [...] à quai, comme un présage. Convenait-il d'abandonner le projet de passer quelques mois aux États-Unis, où ne m'attendait qu'une amitié, mais d'une qualité unique, et de se retourner vers la Grèce sans laquelle, à cette époque, je ne m'imaginais pas déjà pouvoir longtemps vivre ? J'en parlais à une amie grecque installée depuis des années à Lausanne dans un exil volontaire qui aimait assez jouer les sibylles : « Si j'étais de vous, me dit-elle, révélant ce penchant à l'étonnant et au sensationnel qui était dans sa nature, je m'arrangerais pour faire du reportage, et pour choisir les occurrences les plus extraordinaires : soyez à Paris le jour où il brûle et à Berlin le jour où Hitler se rendra. » Je n'écoutais que d'une oreille ces propos faciles : je savais que ce n'est pas ainsi que se faisait ma prise de contact avec les événements ; j'étais commise à des méthodes plus lentes et à de moins voyants résultats.

Edmond Jaloux, avec qui je pris comme d'habitude plusieurs repas dans les tavernes de Lausanne ou les jardins d'Ouchy, était sombre. Il imaginait, se basant comme on le fait presque toujours sur les dangers d'hier plutôt que prévoyant ceux de demain, une guerre de position pareille à celle de 1914 avec des armées immobilisées pour des années dans leurs lignes

743

Maginot ou leurs lignes Siegfried, la vie civile réduite à rien, et la révolution s'installant à l'arrière. Comme toujours, ses sympathies d'homme, qui par sagesse ou par tempérament déteste les foules, allaient à droite; je l'avais entendu une fois, quelques mois plus tôt me dire, sans ironie : « une revue qui a publié les textes d'Hitler, et à laquelle j'ai l'honneur de collaborer »; et j'avais été frappée, à l'époque, du fait que cet homme qui ne voyageait pas et ne connaissait pas l'Allemagne hitlérienne, tombait dans l'erreur habituelle qui était de voir en Hitler un homme d'ordre, et non le monstrueux et grossier génie de l'aventure. Quoi qu'il en pût être, Jaloux en septembre 1939 semblait bien revenu de ces admirations naïves et néfastes. « Hitler nous a amusés, parce qu'il est en somme une sorte de Wallenstein », disait-il, montrant du coup cette incurable superficialité qui est celle de tant de Français en présence des faits politiques, « mais la situation présente passe la mesure. Cet homme est dangereux, et nous détruira, et Dieu sait par quel genre de mort ». Et attablé devant une assiette de petits gâteaux, il rêvait lugubrement. Je n'ajouterais pas, comme on serait tenté de le faire, qu'il s'inquiétait à tort en ce qui le concernait, sa mort, somme toute paisible, ayant eu lieu quelques années plus tard d'un arrêt soudain du cœur, devant une table à thé. Je l'ai trop bien connu pour ne pas savoir que cet homme livré aux pouvoirs de l'imagination était mort et mourrait de nouveau cent fois, moins par sympathie et par pitié, vertus qu'il se refusait presque, de peur d'en trop souffrir, mais par une aptitude presque excessive à donner les proportions du réel à ce qu'il imaginait, aux images qu'il se créait. [...]

Malgré mon horreur des bureaux, j'étais allée en septembre rendre visite à celui du ministre de l'Information que dirigeait Giraudoux : rentrée de Grèce quelques semaines plus tôt, j'imaginais, non sans naïveté, que je pourrais me rendre utile à la cause française dans ce pays que je connaissais bien, et que je venais de quitter; et plus naïvement encore, que le ministère de l'Information pourrait m'y offrir un emploi. Je n'ai jamais eu le pouvoir de convaincre, et m'aperçus vite que la réponse était négative. Plus tard, André Morize, qui savait que j'avais fait l'année précédente une assez longue visite aux États-Unis, me conseilla d'aller plutôt, à mes frais, propagandiser dans ce dernier pays pour la France. Cette dernière entrevue fut du reste quelque peu écourtée par une alerte qui réunit dans un corridor du métro de l'Opéra des secrétaires du ministère, alors tout proche, et les marmitons du Café de la Paix : aucune bombe d'ailleurs ne tomba; la drôle de guerre avait de ces drôles d'alertes qui semblaient avoir surtout [pour but] de persuader les Parisiens de la gravité du moment. [Variante manuscrite : qu'on était bien en guerre.] Pendant quelque temps encore, je restais dans ce Paris où l'on allait errant, dans la nuit sans lumière et dans les rues peu passantes, de la Madeleine à la Concorde, et de la Concorde à la place Vendôme, comme dans un décor romain gravé par Piranèse, non sans appréhender, avec un serrement de cœur, les ruines futures, qui du reste n'eurent pas lieu cette fois-là. L'incertitude de l'avenir avivait les quelques rencontres amicales dans cette ville que la plupart des gens que j'y connaissais avaient quittée (beaucoup devaient y revenir sous peu pour la quitter encore au moment de l'exode de juin 1940); je revois, un peu au hasard, Cocteau au bar du Ritz, plus préoccupé, comme toujours, de charmer et d'éblouir que des événements, par lesquels il n'était pas encore atteint; Dadelsen léger, rejoignant son régiment, Marianne Oswald rêvant d'établir à New York une boîte de nuit, exclusivement pour femmes, projet qui, je crois bien, ne se réalisa pas; Julien Gracq en uniforme, entrevu dans un salon d'un ami anglais peuplé de Chirico, aussi désert que le Paris nocturne, et où j'entendis un soir une voix de femme chanter une chanson gaëlique dont je ne me rappelle plus le nom, mais dont le rythme passa plus tard dans *La Petite Sirène*, et çà et là, incertains comme tout le monde, des Allemands de race juive, se demandant s'il convenait de rester à Paris ou d'obtenir un passeport pour le Portugal. Atmosphère de début d'orage, où les oiseaux volent avec agitation et au bas du ciel; une nuit, après une petite réception rue du Bac que mouvementa une vaine alerte, et la descente à la cave agrémentée par les propos de la concierge, qui nous parla tous de [...], il m'arriva dans la rue toute noire de tomber dans une excavation du service de voirie, et d'y perdre dans la boue mes chaussures, que j'allai retrouver le len[demain].

ANNEXE V

*Le dernier hommage
à Marguerite Yourcenar*

Le 16 janvier 1988, a eu lieu à l'église de l'Union de Northeast Harbor, une cérémonie à la mémoire de Marguerite Yourcenar, dont les cendres avaient été mises en terre quelques jours auparavant. Elle en avait réglé par avance tous les détails, et l'avait voulue en tous points semblable à celle qu'elle avait organisée pour Grace Frick, en 1979. Le pasteur, jeune pourtant, était le même qu'en 1979. D'emblée il indiqua que « Marguerite Yourcenar ayant ses propres convictions », ce service serait un peu inhabituel. On y a lu les textes qu'elle avait choisis : le Sermon sur la montagne, tiré de l'Évangile de Matthieu ; la première épître aux Corinthiens de saint Paul (chapitre XIII) ; le cantique de saint François ; deux fragments de Chang-Tzu ; quatre préceptes bouddhistes ; le poème de Ryo-Nan, religieuse bouddhiste du XIXᵉ siècle : « Soixante-six fois mes yeux ont contemplé les scènes changeantes de l'automne. / J'ai assez parlé du clair de lune. / Ne me demandez plus rien. / Mais prêtez l'oreille aux voix des pins et des cèdres quand le vent se tait. »

Puis Walter Kaiser, professeur à Harvard, traducteur et ami de Marguerite Yourcenar a prononcé l'éloge funèbre dont voici la traduction :

Dans le discret et charmant petit cimetière de Somesville, Jeannie, DeeDee, Fu-Ku et moi avons remis à la terre gelée les ultimes restes temporels du vaste esprit que nous honorons aujourd'hui. Le jour lui-même était tout d'ivoire et d'or. Au-dessus de nous, un soleil étincelant brillait dans le plus bleu des ciels et la terre sous nos pieds s'enveloppait de la première neige, profonde et vierge. Elle eût aimé un tel jour. Pendant que, selon ses instructions, nous préparions ses cendres, qui furent d'abord déposées dans une étole blanche, puis placées, recouvertes d'une autre étole qui portait le symbole bouddhiste des grues ailées, dans un panier indien tressé d'herbes aromatiques lui-même enveloppé dans le châle de soie blanche qu'elle portait le jour de sa réception à l'Académie française, pendant ce temps donc, Fu-Ku gambadait alentour, accomplissant silencieusement dans la neige poudreuse une sorte de danse de célébration. Puis, sentant que quelque chose de grave allait advenir, il s'arrêta net et vint s'immobiliser auprès de la petite tombe où nous déposâmes le panier et répandîmes des pétales de rose.

J'ai pensé alors à ce jeune prêtre français dont elle décrit les derniers mots, « *Satis, amice* », chuchotés dans la Prairie des Jésuites, un mile ou deux au sud de Somesville ; à Hadrien renonçant sereinement à l'existence dans les chaleurs de juillet à Baïes ; à la vie de Zénon refluant de ses veines dans son obscure cellule de Bruges ; à Nathanaël, lovant son dernier sommeil au creux des dunes de l'île de Texel. Ce matin-là, dans le grand froid immobile du Maine, l'air lumineux résonnait d'une paix si cristalline qu'on eût presque cru, un bref instant, pouvoir entendre la musique des sphères. Nous confiâmes alors ce qui restait de Marguerite Yourcenar à ce coin de terre qu'elle avait si tendrement aimé.

Ce n'était que ses restes mortels. Elle avait depuis longtemps rejoint l'immortalité – non seulement celle que confère l'Académie française, mais l'immortalité suprême qu'elle-même s'était acquise par une œuvre que nulle mort ne pouvait atteindre. Car aussi long-temps que, dans l'éphémère de ce monde sublunaire, des hommes et des femmes s'enquerront du sens de leur humanité, Marguerite Yourcenar est un des auteurs vers qui ils se tourneront pour quêter une réponse. C'est la question à laquelle elle s'est mesurée toute sa vie, la question que tous ses livres s'acharnent à élucider. Et c'est pour la sagesse de sa réponse qu'ils seront lus éternellement.

Elle avait beaucoup réfléchi à la mort. En vérité, à ma connaissance, nul autre auteur, dans toute la litté-rature mondiale, n'a si continûment dépeint au plus vif l'acte de mourir. Mais bien qu'elle ait eu, comme Montaigne, affection et respect pour ceux qui se pré-parent à leur mort et qu'elle ait dit qu'elle la tenait « *pour la forme suprême de la vie* », tout comme Mon-taigne, elle savait que la grande affaire est de vivre, non de mourir.

Peu de temps avant sa mort, elle avait dit : « On se doit de peiner et de lutter jusqu'à la fin amère, de nager dans le flot qui à la fois nous porte et nous emporte, tout en sachant par avance qu'il n'est d'autre issue que l'engloutissement dans l'infini de la mer béante. Mais qui sombre et s'engloutit? Il faut accep-ter les peines, les maux et afflictions qui nous assaillent, nous et les autres, et il faut accepter notre propre mort et la mort d'autrui comme une part naturelle de la vie... Il nous faut penser à la mort comme à une amie. »

Un jour, il y a quelques années à peine, parlant de la mort, elle se plut à donner une sorte de vue de surplomb de sa vie et pour cela – parce qu'il s'agit non de mort mais de vie, de sa vie – j'aimerais vous lire ce qu'elle avait dit alors :

« Un de mes amis, avait-elle dit, ranimé après avoir failli se noyer, m'a dit qu'était vraie la croyance populaire qui veut qu'on revoie toute sa vie, de façon fulgurante ; si cela est, ce sera parfois désagréable. Il faudrait être plus sélectif ; mais que voudrais-je revoir ?

Peut-être les jacinthes du Mont-Noir ou les violettes du Connecticut au printemps ; les oranges astucieusement suspendues aux branches par mon père, dans un jardin du Midi ; un cimetière en Suisse, croulant sous les roses ; un autre sous la neige et parmi les bouleaux blancs et d'autres encore, dont je ne connais même pas l'emplacement, ce qui après tout n'importe pas. Les dunes, tant en Flandre que plus tard dans les îles-barrières de Virginie, avec le bruit de la mer qui dure depuis le commencement du monde ; l'humble petite boîte à musique suisse, qui joue pianissimo une ariette de Haydn, et que j'ai fait marcher au chevet de Grace, une heure avant sa mort, au moment où les contacts et les paroles ne l'atteignaient plus ; ou encore les longues coulées de glaçons sur les rochers de Mount Desert, le long desquels, en avril, l'eau trouve sa pente et rejaillit avec un bruit de source. Le cap Sounion, au couchant ; Olympie, à midi ; des paysans sur une route de Delphes, offrant pour rien à l'étrangère les sonnailles de leur mule ; la messe de la Résurrection, dans un village d'Eubée, après une traversée nocturne, à pied, dans la montagne; une arrivée matinale, à Ségeste, à cheval, par des sentiers alors déserts et pierreux et qui sentaient le thym. Une promenade à Versailles, par un après-midi sans soleil, ou ce jour, à Corbridge, dans le Northumberland, où couchée au milieu d'un champ de fouilles envahi par les herbes je me suis laissée passivement imprégner par la pluie, comme les ossements des morts romains. Des chats ramassés avec André Embiricos dans un village d'Anatolie; le " jeu de l'ange " dans la neige; une folle descente en toboggan, du haut d'une colline tyrolienne, sous des étoiles pleines de présages. Ou encore, plus proches, à peine assez décantés pour être déjà des souvenirs, la mer verte des Tropiques, çà et là souillée d'huile; un vol triangulaire de cygnes sauvages en route vers l'Arctique, le soleil levant de Pâques (qui ne savait pas qu'il était le soleil de Pâques), vu cette année d'un éperon rocheux de Mount Desert, avec en bas un lac encore à demi gelé, craquelé aux approches du printemps...

Je jette en vrac ces images sans prétendre en faire des symboles. Et sans doute devrais-je y ajouter quelques visages aimés, vivants ou morts, mêlés aux visages imaginaires, ou tirés de l'histoire.

Ou rien de tout cela, peut-être, mais seulement le grand vide bleu-blanc que contemple sur sa fin, dans le dernier roman de Mishima, terminé quelques heures avant sa mort, l'octogénaire Honda, le juge à l'œil perspicace, qui est en même temps, au sens le plus fâcheux du mot, un voyeur. Vide flamboyant comme le ciel d'été, qui dévore les choses, et au prix de quoi le reste n'est plus qu'un défilé d'ombres. »

Pour Marguerite Yourcenar, la vie en ce monde était une expérience intense, riche de dons perpétuels et de perpétuels éblouissements. Et néanmoins, elle avait de l'existence humaine une vision sombre et grave. Comme le personnage de Valentine dans *Anna, soror...*, il semblait que jeune, elle eût acquis « une singulière gravité, et le calme de ceux qui n'aspirent pas même au bonheur ». Des Grecs qu'elle aimait tant, mais plus encore de sa propre perception de l'expérience, elle savait que le destin de l'homme est inexorablement tragique et que, comme le chante Job, « l'homme, né de la femme, a la vie courte, mais des tourments à satiété ». Elle savait aussi, comme Pindare, que l'homme n'est que l'ombre furtive d'un rêve et, comme Hamlet, qu'il n'est qu'une transitoire quintessence de poussière. Elle savait les empires éphémères, les amours fugitives, la terre elle-même périssable. On sentait qu'elle pensait avec Keats que ce monde est « une vallée où se forge l'âme », où notre intelligence ne devient âme que dans la brûlante alchimie des douleurs et des maux. Elle était pessimiste quant à l'avenir d'une humanité acharnée à détruire son environnement, incapable d'entendre les leçons du passé, et son regard s'endeuillait au spectacle de ce qu'elle nommait « le document humain, le drame de l'homme aux prises avec les forces familiales et sociales qui l'avaient fait et qui, bribe après bribe, le détruiraient ».

Et cependant, dans le même temps, son infinie compassion pour l'entière création, homme ou animal, végétal ou minéral, et sa rayonnante certitude du caractère sacré de la vie, toute brève et ployée par le destin qu'elle soit, la sauvait de l'aride désespoir du nihilisme. Son aptitude à saisir et savourer l'instant dans la riche plénitude de ses moindres détails et ce regard de surplomb par quoi elle liait organiquement cette succession d'instants pour les muer en flux de temps et d'histoire lui donnaient, sinon à proprement parler l'espérance, du moins une profonde et suffisante adhésion au monde. Dans son dernier grand ouvrage, où elle-même voyait une sorte de testament au terme d'un long itinéraire de vie et d'écriture – et dont elle m'avait dit une fois qu'il serait une mise à l'épreuve de la maturité du lecteur – son héros Nathanaël, avant sa mort, médite sur ce qui fonde son identité d'être humain. Et peu à peu, sa méditation se transmue en une somptueuse célébration de tolérance émue à l'égard de toute la création, en célébration de l'essentielle fraternité qui unit tous les êtres. Ses mots, sans aucun doute, reflètent l'ultime credo de Marguerite Yourcenar :

« Mais qui était cette personne qu'il désignait comme étant soi-même ? Il ne se sentait pas, comme tant de gens, homme par opposition aux bêtes et aux arbres ; plutôt frère des unes et lointain cousin des autres. Il ne se sentait pas non plus particulièrement mâle en présence du doux peuple des femelles ; il avait ardemment possédé certaines femmes, mais, hors du lit, ses soucis, ses besoins, ses servitudes à l'égard de la paie, de la maladie, des tâches quotidiennes qu'on accomplit pour vivre ne lui avaient pas paru si différents des leurs. Il avait, rarement, il est vrai, goûté la fraternité charnelle que lui apportaient d'autres hommes ; il ne s'était pas de ce fait senti moins homme. On faussait tout, se disait-il, en pensant si peu à la souplesse et aux ressources de l'être humain, si pareil à la plante qui cherche le soleil et l'eau et se nourrit tant bien que mal des sols où le vent l'a semée. La coutume, plus que la nature, lui semblait marquer les différences que nous établissons

753

entre les rangs, les habitudes et les savoirs acquis depuis l'enfance, ou les diverses manières de prier ce qu'on appelle Dieu. Même les âges, les sexes, et jusqu'aux espèces, lui paraissaient plus proches qu'on ne croit les uns des autres : enfant ou vieillard, homme ou femme, animal ou bipède qui parle et travaille de ses mains, tous communiaient dans l'infortune et la douceur d'exister. »

Tous étaient également réunis dans son amour. Car le sentiment qui, au plus intime, habite ce passage dans son expression de profonde fraternité avec toutes choses créées – le sentiment qui, pourrais-je dire, a le plus intensément habité sa vie – est un amour éperdu de compassion (...).

Nous qui sommes réunis cet après-midi pour témoigner une dernière fois notre affection et notre respect à cet être hors du commun qui marqua si profondément chacune de nos vies, nous sommes des privilégiés, de ceux que Stendhal nommait les « happy few ». Car ce fut bien notre privilège que de la connaître personnellement, de l'aimer et d'en être aimés. C'est un don que nous partageons désormais et que les années ne sauraient, pour nous, amoindrir. Un être d'une qualité et d'une sagesse inégalables fit, un temps, partie de notre vie, et il n'est pas un d'entre nous qui ne fût changé par cette affection qu'elle nous dispensait avec une telle prodigalité.

Dans cet univers de Mount Desert dont elle était si proche et où elle avait fait sa maison, son esprit, j'en suis sûr, planera toujours sur monts et rivages, répandant sur ces lieux la bénédiction de son affectueuse sagesse. Et en ce jour où nous lui disons au revoir, je voudrais pour elle prononcer cette ancienne formule propitiatoire qu'Hadrien sans nul doute savait : *Sit tibi terra levis Margarita...* Puisse la terre, cette terre que vous avez aimée d'une si profonde tendresse, être sur vous légère, infiniment.

(Le texte de Walter Kaiser a été traduit de l'anglais par Monique Nemer.)

Remerciements

Je tiens à remercier tous ceux qui m'ont apporté leur aide pour entreprendre et mener à bien ce travail, tous ceux qui par leurs informations, leurs témoignages, leurs avis, leurs encouragements, ont permis à ce livre d'exister :

Dimitri T. Analis, Eugénio de Andrade, Gilles Andriveau, Dominique Aury, Silvia Baron-Supervielle, Patricia Baudoin, Ulrike Bergweiler, Jean-Paul Bertrand, Jean Blot, François Bott et l'équipe du « Monde des livres », Philippe Boucher, Jean-Denis Bredin, Anna Cancogni, Philippe Catinchi, Jean Chalon, Jean-Loup Champion, Jacques Chancel, Florence Codman, Susan Cohen, Jean-Pierre Corteggiani, Stanley Crantson, André Delvaux, Alix De Weck, Hélène et Constantin Dimaras, Gérard Dubuisson, Christian Dumais-Lvowski, Jean Eeckhout, Didier Eribon, Bernard de Fallois, Camillo Faverzani, William Fenton, Jacques Folch-Ribas, André Fontaine, André Fraigneau, Carlos Freire, Colette Gallimard, Wilhem Ganz, Anne Garréta, Jeannette Hadzinicoli, la Houghton Library de l'Université de Harvard, Walter Kaiser, Anya Kayaloff, Christian Lahache, Jean Lambert, Antoine Lebègue, Yvan Leclerc, Nelly Liambey, Marguerite Liberaki, Durlin

Lunt, David Lustbader, Diane de Margerie, Shirley et Elliott McGarr, Jean Mouton, Claude et Ivan Nabokov, Eugène Nicole, Heloïsa Novaes, Jean d'Ormesson, Alain Oulman (†), Bernard Pivot, Bertrand Poirot-Delpech, Charlotte Pomerantz-Marzani, Anne Quellennec, Dominique Rolin, Hélène de Saint-Hippolyte, Danièle Sallenave, Barbara Solonche-Lustbader, Louis Sonneville, Raphaël Sorin, Roger Straus, William Styron, Harold Taylor, le baron Egon de Vietinghoff, François Wasserfallen, le Dr Robert Wilson.

René Hilsum, qui est, au fond, à l'origine de ce livre puisqu'il publia, en 1929, *Alexis ou le Traité du vain combat*, est mort le 14 avril 1990 dans sa quatre-vingt-quinzième année. Je l'avais rencontré pour la première fois en 1986, en compagnie de Marguerite Yourcenar, qui avait gardé une grande estime et une forme d'affection pour cet homme brillant, plein de charme et d'humour, que l'on croyait indestructible. Il avait survécu à deux guerres, à la déportation, et avait conservé intacts sa curiosité et son goût de la vie. Il m'a reçue, à plusieurs reprises, dès le début de mon enquête. Il a mis à ma disposition ses documents. Il a rassemblé pour moi ses souvenirs. Retrouvant les réflexes de l'éditeur qu'il n'avait, malgré la « retraite », jamais cessé d'être, il m'a encouragée à mener ce projet à son terme. Ce livre lui doit beaucoup, et, malheureusement, nous ne pourrons pas en parler ensemble.

Cet ouvrage doit également beaucoup à la compréhension de Jean-Pierre Dauphin et du service des archives des éditions Gallimard ; du service des archives des éditions Grasset ; de Jean-Luc Pidoux-Payot, qui m'a autorisée à consulter et à reproduire des archives de Plon ; de François Chapon, conservateur en chef du fonds Doucet et exécuteur littéraire de Natalie Barney.

Je voudrais remercier tout particulièrement :

Antoine Gallimard, pour m'avoir incitée à entreprendre ce livre.

Marc Brossollet, Claude Gallimard et Yannick Guillou, les exécuteurs littéraires de Marguerite Yourcenar, qui m'ont fait confiance et ont facilité mes recherches.

Hector Bianciotti et Philippe Sollers, pour leurs lectures, leurs conseils, leur soutien.

Éric Vigne pour son attention et sa précision.

Jean E. Lunt et Deirdre Wilson, qui m'ont accueillie à Northeast Harbor, m'ont constamment aidée dans mon enquête sur place et permis de travailler dans la maison de Marguerite Yourcenar.

Georges de Crayencour, qui m'a apporté son témoignage et a mis à ma disposition ses documents personnels.

Je tiens à souligner l'exceptionnelle qualité du travail de documentation de Valérie Cadet; sa précision, son intelligence, ainsi que son ampleur dont ce seul volume ne peut que partiellement rendre compte. Valérie Cadet a aussi mis au point les notes, l'index, les annexes et la bibliographie de ce livre.

Enfin, un remerciement tout spécial va à Monique Nemer et à Françoise Verny, qui, par pure amitié, ont bien voulu être des lectrices inlassables.

BIBLIOGRAPHIE CHRONOLOGIQUE
ÉTABLIE PAR VALÉRIE CADET

I. ŒUVRES PUBLIÉES

Par souci de clarté, cette liste ne prend en compte que les premières éditions, suivies des éditions postérieures, uniquement en cas de révision notable. Sont également mentionnées : l'édition en format poche, la reprise de l'ouvrage dans le volume des *Œuvres romanesques* de la Bibliothèque de la Pléiade, ainsi que la traduction anglaise (États-Unis), puisque Marguerite Yourcenar a vécu aux États-Unis de 1939 à sa mort.

1921 : *Le Jardin des Chimères*, signé Marg Yourcenar, Paris, Librairie Académique Perrin (épuisé).

1922 : *Les Dieux ne sont pas morts*, signé Marg Yourcenar; Paris, éditions Sansot R. Chiberre, éditeur (épuisé).

1929 : *Alexis ou le Traité du vain combat*, signé Marg Yourcenar, Au Sans Pareil. [Plon 1952, et pour la préface définitive, 1965. Comprenant *Le Coup de grâce*, Gallimard, collection Blanche, 1971 ; collection Folio n° 1041. Repris in *Œuvres romanesques*, Bibliothèque de la Pléiade, 1982. Traduit en anglais (États-Unis) par Walter Kaiser, sous le titre *Alexis*, New York, Farrar, Straus & Giroux, 1984.]

1931 : *La Nouvelle Eurydice*, signé M. Yourcenar, Bernard Grasset, collection « Pour mon Plaisir », IV (épuisé).

1932 : *Pindare*, signé Marguerite Yourcenar, Bernard Grasset. Repris in *Essais et mémoires*, Bibliothèque de la Pléiade, 1991.

1934 : *La Mort conduit l'Attelage*, Bernard Grasset (épuisé).
   Denier du rêve, Bernard Grasset (version épuisée).

1936 : *Feux*, Grasset. [Plon 1957, et pour la préface définitive, 1968. Gallimard, collection Blanche, 1974. Repris in *Œuvres romanesques*, Bibliothèque de la Pléiade, 1982. Traduit en anglais par Dori Katz, Farrar, Straus & Giroux, 1981.]

1937 : Traduction de *The Waves* (*Les Vagues*), de Virginia Woolf, éditions Stock, 1937 et 1974. [Le Livre de Poche, collection « Biblio », n° 3011.]

1938 : *Les Songes et les Sorts*, Grasset. Repris in *Essais et mémoires*, Bibliothèque de la Pléiade, 1991.

Nouvelles orientales, Gallimard, collection « Renaissance de la nouvelle », dirigée par Paul Morand (version épuisée).

1939 : *Le Coup de grâce*, Gallimard [le Livre de Poche n° 2011 pour la préface définitive. Comprenant *Alexis ou le Traité du vain combat*, Gallimard, collection Blanche, 1971; collection Folio n° 1041. Repris in *Œuvres romanesques*, Bibliothèque de la Pléiade, 1982. Traduit en anglais par Grace Frick, sous le titre *Coup de grâce* Farrar, Straus & Cuhady, 1957].

1947 : Traduction de *What Maisie Knew* (*Ce que savait Maisie*), de Henry James, préface d'André Maurois, Laffont [réédition Laffont, 1968].

1951 : *Mémoires d'Hadrien*, librairie Plon. [Édition suivie des « Carnets de notes de *Mémoires d'Hadrien* », Club du Meilleur Livre, 1953, et Plon 1958; Gallimard, collection Blanche, 1974; collection Folio n° 921. Repris in *Œuvres romanesques*, Bibliothèque de la Pléiade, 1982. Traduit en anglais par Grace Frick, sous le titre *Memoirs of Hadrian*, Farrar, Straus, 1954].

1954 : *Électre ou la Chute des masques*, librairie Plon [repris in *Théâtre II*; Gallimard, collection Blanche, 1971].

1956 : *Les Charités d'Alcippe*; La Flûte enchantée, Liège (version épuisée). [Nouvelle édition augmentée, Gallimard, 1984.]

1958 : *Présentation critique de Constantin Cavafy 1863-1933, suivie d'une traduction intégrale de ses* Poèmes *par Marguerite Yourcenar et Constantin Dimaras*; Gallimard, collection Blanche [édition mise à jour, 1978].

1959 : *Denier du rêve* (nouvelle version, profondément remaniée, avec préface définitive), librairie Plon [Gallimard, collection Blanche,

1971; collection L'Imaginaire, 1982. Repris in *Œuvres romanesques*, Bibliothèque de la Pléiade, 1982. Traduit en anglais par Dori Katz, sous le titre *A Coin in Nine Hands*, Farrar, Straus & Giroux, 1982].

1962 : *Sous bénéfice d'inventaire*, Gallimard, collection Blanche [édition définitive, 1978; collection Folio/Essais n° 110. Repris in *Essais et mémoires*, Bibliothèque de la Pléiade, 1991. Traduit en anglais par Richard Howard, sous le titre *The Dark Brain of Piranesi and other Essays*, Farrar, Straus & Giroux, 1986].

1963 : *Le Mystère d'Alceste* et *Qui n'a pas son Minotaure?* librairie Plon [repris in *Théâtre II*, Gallimard, collection Blanche, 1971].

Nouvelles orientales (édition révisée) Gallimard [collection Blanche, 1975, collection L'Imaginaire n° 302, augmentée de « La Fin de Marko Kralievitch ». Éditions partielles : *Comment Wang-Fô fut sauvé*, édition adaptée pour enfants; illustrations de Georges Lemoine, Gallimard, collection « Enfantimages », 1979 et Folio Cadet n° 67, 1984; *Notre-Dame-des-Hirondelles*; illustrations de Georges Lemoine, collection « Enfantimages », 1982. Repris in *Œuvres romanesques*, Bibliothèque de la Pléiade, 1982. Traduit en anglais par Alberto Manguel, sous le titre *Oriental Tales*, Farrar, Straus & Giroux, 1985].

1964 : *Fleuve profond, sombre rivière*, « *Negro Spirituals* » *commentaires et traductions*; Gallimard, collection Blanche [collection Poésie/Gallimard n° 99].

1968 : *L'Œuvre au Noir*, Gallimard, collection Blanche [collection Folio n° 798. Repris in *Œuvres romanesques*, Bibliothèque de la Pléiade, 1982. Traduit en anglais par Grace Frick, sous le titre *The Abyss*, Farrar, Straus & Giroux, 1976].

1969 : *Présentation critique d'Hortense Flexner suivie d'un choix de Poèmes*, Gallimard.

1971 : *Théâtre I : Rendre à César, La Petite Sirène, Le Dialogue dans le Marécage*, Gallimard, collection Blanche.

Théâtre II : Électre ou la Chute des masques, Le Mystère d'Alceste, Qui n'a pas son Minotaure?, Gallimard, collection Blanche.

Discours de réception de Marguerite Yourcenar à l'Académie Royale Belge de Langue et de Littérature françaises, précédé du discours de bienvenue de Carlo Bronne, Gallimard, collection Blanche.

1974 : *Le Labyrinthe du Monde, I : Souvenirs pieux*, Gallimard, collection Blanche [collection Folio n° 1165]. Repris in *Essais et mémoires*, Bibliothèque de la Pléiade, 1991.

1977 : *Le Labyrinthe du Monde, II : Archives du Nord*, Gallimard, collection Blanche [collection Folio n° 1328]. Repris in *Essais et mémoires*, Bibliothèque de la Pléiade, 1991.

1979 : *La Couronne et la Lyre, présentation critique et traduction d'un choix de poètes grecs*, Gallimard, collection Blanche [collection Poésie/Gallimard n° 189].

1981 : *Anna, soror...*, Gallimard (Édition épuisée).

Mishima ou la Vision du vide, Gallimard, collection Blanche. Repris in *Essais et mémoires*, Bibliothèque de la Pléiade, 1991. [traduit en anglais par Alberto Manguel, sous le titre *Mishima : A Vision of the Void*, Farrar, Straus & Giroux, 1986].

Discours de réception à l'Académie française de Mme Marguerite Yourcenar et Réponse de M. Jean d'Ormesson, Gallimard, collection Blanche, [repris, sans le remerciement, dans le recueil d'essais *En pèlerin et en étranger*, sous le titre « L'homme qui aimait les pierres », Gallimard, collection Blanche, 1989].

1982 : *Comme l'eau qui coule (Anna, soror..., Un homme obscur, Une belle matinée)*, Gallimard, collection Blanche (ne sera pas réédité). [Pour *Un homme obscur* suivi de *Une belle matinée*, Gallimard, 1985. Les trois titres sont repris in *Œuvres romanesques*, Bibliothèque de la Pléiade, 1982.]

Œuvres romanesques, Bibliothèque de la Pléiade. (Il faut signaler que selon les dispositions de l'auteur, cette édition ne comporte pas d'appareil critique, chaque ouvrage repris est accompagné de la préface, note, ou postface qui figurait dans l'édition courante, et révisée par Marguerite Yourcenar. Avant-propos de l'auteur et Chronologie ; Bibliographie d'Yvon Bernier.)

1983 : *Le Temps, ce grand sculpteur*, essais, Gallimard, collection Blanche. Repris in *Essais et mémoires*, Bibliothèque de la Pléiade, 1991.

Traduction de *Le Coin des « Amen »*, de James Baldwin, Gallimard, collection « Le Manteau d'Arlequin ».

1984 : Traduction et présentation de *Cinq Nô modernes*, de Yukio Mishima [traduits avec la collaboration de Jun Shiragi (Silla)], Gallimard, collection Blanche.

Traduction et présentation de *Blues et Gospels* (images réunies par Jerry Wilson), Gallimard.

1985 : *Le Cheval noir à tête blanche*. Traduction et présentation de contes d'enfants indiens, Gallimard, album jeunesse.

1987 : *La Voix des choses* (textes recueillis; photographies de Jerry Wilson), Gallimard.

1988 : *Le Labyrinthe du Monde, III : Quoi? L'Éternité;* Gallimard, collection Blanche [collection Folio n° 2161]. Repris in *Essais et mémoires*, Bibliothèque de la Pléiade, 1991.

1989 : *En pèlerin et en étranger*, essais, Gallimard, collection Blanche. Repris in *Essais et mémoires*, Bibliothèque de la Pléiade, 1991.

1991 : *Le Tour de la prison*. Édition établie par Valérie Cadet, Gallimard, collection Blanche. Repris in *Essais et mémoires*, Bibliothèque de la Pléiade, 1991.

Essais et mémoires, Bibliothèque de la Pléiade. (Comme pour les *Œuvres romanesques*, ce volume de la Pléiade, établi par l'éditeur, ne comporte pas d'appareil critique, selon les dispositions de l'auteur. Selon ces mêmes dispositions, ont été publiés des textes que Marguerite Yourcenar souhaitait voir repris en caractères réduits. Ces « Textes oubliés » regroupent *Pindare*, *Les Songes et les Sorts* suivi de *Dossier des « Songes et les Sorts »*, et quatre *Articles non recueillis en volumes.)*

1993 : *Conte bleu. Le premier soir. Maléfice.* Préface de Josyane Sevigneau. Gallimard.

II. ARTICLES ET PRÉPUBLICATIONS

On trouvera ici la liste (non exhaustive) des textes de Marguerite Yourcenar publiés dans les périodiques – presse, revues littéraires ou éditions à tirage limité. Poèmes, nouvelles, récits, essais ou fragments d'ouvrage, à quelques exceptions près, ces textes ont été repris en volumes, et le plus souvent modifiés de variantes, retraits ou ajouts. Les titres des ouvrages dans lesquels ils ont été ultérieurement insérés sont indiqués entre parenthèses, et figurent, dans l'ordre d'apparition, sous les abréviations suivantes :

N.O : *Nouvelles orientales*, P.E. : *En pèlerin et en étranger;* C.A. : *Les Charités d'Alcippe;* T.C.G.S. : *Le Temps, ce grand sculpteur;* P. : *Pindare;* Th. I : *Théâtre I;* M.C.A. : *La Mort conduit l'Attelage;* C.E.Q.C. : *Comme l'eau qui coule;* F. : *Feux;* Th. II : *Théâtre II;* P.C.C.C. : *Présentation critique de Constantin Cavafy;* M.H. : *Mémoires d'Hadrien;* S.B.I. : *Sous bénéfice d'inventaire;* L'.N. : *L'Œuvre au Noir;* C.L. : *La Couronne et la Lyre;* S.P. : *Souvenirs pieux.*
En cas de modification de titre, celui-ci est mentionné en fin de notice.

1926 : « L'Homme », in *L'Humanité* (13 juin), écrit sous le titre « L'homme couvert de dieux », signé Marg Yourcenar.

« La Faucille et le Marteau » (poème), in *L'Humanité* (20 novembre), signé Marg Yourcenar.

1928 : « Kâli décapitée », in *La Revue Européenne*, n° 4 (avril), pp. 392-396. (N.O.)

« L'Ile des Morts : Boecklin », signé Marg Yourcenar in *Revue Mondiale* 29ᵉ année (15 avril), pp. 394-399. (P.E., sous le titre « L'Ile des Morts » de Böcklin ».)

« Pierrot pendu » (poème), signé Marg Yourcenar (Monaco, 1928) in *Revue Point et Virgule*, n° 7 (mai), p. 20.

1929 : « Endymion », in *Mercure de France*, n° 212 (janvier), pp. 295-297 (C.A.).

« En mémoire de Diotime : Jeanne de Vietinghoff », in *Revue Mondiale* (15 février), pp. 413-418 (T.C.G.S.).

« Un dialogue d'Éleuthérios », in *Le Rouge et le Noir*, tome I (avril-mai), p. 174.

« Diagnostic de l'Europe », in *Bibliothèque Universelle et Revue de Genève*, n° 68 (juin), pp. 745-752. Repris in *Essais et mémoires*, Bibliothèque de la Pléiade, 1991.

« Caprée », in *Revue Bleue*, 67ᵉ année, n° 12, p. 371.

« Abraham Fraunce traducteur de Virgile : Oscar Wilde », in *Revue Bleue*, n° 20 (19 octobre), pp. 621-627. (P.E., sous le titre « Wilde, rue des Beaux-Arts ».)

« Les Charités d'Alcippe », in *Le Manuscrit Autographe*, 4ᵉ année, n° 24 (novembre-décembre), pp. 112-117. (C.A.)

« Le premier Soir » (Sur une idée de Michel de Crayencour), in *Revue de France*, 9ᵉ année, tome 6, n° 23 (décembre), pp. 435-449. Repris in *Conte bleu. Le premier soir. Maléfice*, Bibliothèque de la Pléiade, 1993.

1930 : « La symphonie héroïque », in *Bibliothèque Universelle et Revue de Genève*, tome 2 (août), pp. 129-143. Repris in *Essais et mémoires*, Bibliothèque de la Pléiade, 1991.

« Catalogue des idoles », in *Le Manuscrit Autographe*, 5ᵉ année, n° 30 (novembre-décembre), pp. 96-97 (P.E.).

« L'improvisation sur Innsbruck », in *La Revue Européenne*, n° 12 (décembre), pp. 1013-1025 (P.E.).

1931 : « Recoins du cœur » (six poèmes), in *Le Manuscrit Autographe*, 6ᵉ année, n° 31 (janvier-février), pp. 103-105 (C.A.).

« Sixtine », in *Revue Bleue*, 69ᵉ année, n° 22 (novembre), pp. 684-687 (T.C.G.S.).

« Sept poèmes pour Isolde morte », in *Le Manuscrit Autographe* (mai-juin), pp. 85-88. (C.A., sous le titre « Sept poèmes pour une morte ».)

« Un poète grec, Pindare (I) : L'Enfance et l'adolescence », in *Le Manuscrit Autographe*, 6ᵉ année, n° 32 (mars-avril), pp. 81-91 (P.).

« Un poète grec, Pindare (II) : L'Œuvre », in *Le Manuscrit Autographe*, n° 33 (mai-juin), pp. 88-97 (P.).

« Un poète grec, Pindare (III) », in *Le Manuscrit Autographe*, n° 34 (juillet-août), pp. 92-102 (P.).

« Un poète grec, Pindare (IV) », in *Le Manuscrit Autographe*, n° 36 (novembre-décembre), pp. 95-98 (P.).

« Suite d'estampes pour Kou-Kou-Haï », in *Le Manuscrit Autographe*, 6ᵉ année, n° 36 (novembre-décembre), pp. 49-58 (repris in *Virbac Informations*, n° 4, 15 janvier 1978 et P.E.).

1932 : « Le Changeur d'or », in *Europe*, tome 29, n° 116 (15 août) pp. 566-577. Repris in *Essais et mémoires*, Bibliothèque de la Pléiade, 1991.

« Le dialogue du marécage », in *Revue de France*, n° 4 (15 février), pp. 637-665. (Th. I., sous le titre *Le Dialogue dans le marécage*.)

1933 : « Maléfice », in *Mercure de France*, 44ᵉ année, n° 829 (janvier), pp. 113-132. Repris in *Conte bleu. Le premier soir, Maléfice*, Gallimard, 1993.

« D'après Greco », in *Revue du Siècle*, 1ʳᵉ année, n° 6 (octobre), pp. 5-12 : première partie, n° 7 (novembre), pp. 33-40 : deuxième partie.

1934 : « D'après Greco », in *Revue du Siècle*, 2ᵉ année, n° 9 (janvier) pp. 38-58 : troisième partie (M.C.A. et presque intégralement pour *Anna, soror...*, in C.E.Q.C.).

« Essai de généalogie du saint », in *Revue Bleue*, 72ᵉ année, n° 12 (16 juin) pp. 460-466. Repris in *Essais et mémoires*, Bibliothèque de la Pléiade, 1991.

1935 : « D'après Rembrandt », in *Revue Bleue*, 73ᵉ année, n° 1 (5 janvier), pp. 11-20 : première partie.

765

« D'après Rembrandt », in *Revue Bleue* (19 janvier), pp. 53-61 : deuxième partie. (M.C.A.)

« Éloge de Don Ramire », in *La Revue argentine* (mars), pp. 26-27. (P.E., sous le titre « A un ami argentin qui me demandait mon opinion sur l'œuvre d'Enrique Larreta ».)

« Ravenne ou le Péché mortel », in *Balzac* (15 juin), pp. 1 et 3 (P.E.).

« Apollon tragique », in *Le Voyage en Grèce* (été), p. 25 (P.E.).

« Feux », in *La Revue de France*, tome 4 (août), pp. 491-498 (F.).

« Deux amours d'Achille », in *Mercure de France* (octobre), tome 263, 1) « Dédamie », pp. 118-123, 2) « Penthésilée », pp. 123-127. (F., sous les titres « Achille ou le mensonge » et « Patrocle ou le destin ».)

« Poème du joug », in *La Phalange*, n° 1 (nouvelle série, 9ᵉ année, 15 décembre), p. 77 (C.A.).

1936 : « Comment Wang-Fô fut sauvé », in *Revue de Paris* (15 février), tome 1, pp. 848-859 (N.O.).

« Complainte de Marie-Thérèse », in *Cahiers du Sud* (février), 23ᵉ année, n° 180, pp. 129-137. (F., sous le titre « Marie-Madeleine ou le salut ».)

« Dernière Olympique », in *Le Voyage en Grèce*, n° 4 (printemps) p. 22. (P.E., sous le titre « La Dernière Olympique ».)

« Aveux de Clytemnestre », in *Revue de France*, 16ᵉ année, tome 3 (mai), pp. 54-62. (F., sous le titre « Clytemnestre ou le crime ».)

« Enquête » (contribution), in *Le Voyage en Grèce*, n° 5 (été), p. 20. (P.E., sous le titre « A quelqu'un qui me demandait si la pensée grecque vaut encore pour nous ».)

« Antigone-Phèdre », in *Revue Bleue*, n° 13 (4 juillet), pp. 442-445. (F., sous les titres « Phèdre ou le désespoir » et « Antigone ou le choix ».)

« Suicide de Sappho », in *Cahiers du Sud* (novembre), 23ᵉ année, n° 188, pp. 803-811. (F., sous le titre « Sappho ou le suicide ».)

« Le sourire de Marko », in *Les Nouvelles Littéraires* (28 novembre), pp. 1-2 ; (voir aussi *1962*) (N.O.).

« Faust 1936 », in *Les Nouvelles Littéraires*, n° 723 (22 août), p. 6 (P.E.).

Les Vagues, de Virginia Woolf (traduction d'un fragment), in *Revue Hebdomadaire*, tome 8 (août), pp. 133-153.

1937 : « *Notre-Dame-des-Hirondelles* », in *Revue Hebdomadaire*, tome 1 (2 janvier), pp. 40-49 (N.O.).

« Mozart à Salzbourg », in *Revue Bleue*, n° 75 (6 février), pp. 88-89 (N.O.).

« Le lait de la mort », in *Nouvelles Littéraires* (20 mars), pp. 1-2. (Voir aussi *1962*.) (N.O.)

« Nouvelles lettres de Gobineau à deux Athéniennes », in *Le Voyage en Grèce* (printemps), pp. 15 et 18. (P.E., sous le titre « Lettres de Gobineau à deux Athéniennes ».)

« L'Homme qui a aimé les Néréides », in *Revue de France*, tome 3 (mai-juin), pp. 95-103 (N.O.).

« Visite à Virginia Woolf », in *Nouvelles Littéraires* (10 juillet), pp. 1-2. Repris dans la préface de la traduction du roman *Les Vagues* – publié aux éditions Stock en 1937 et en 1974 ; aux éditions Plon en 1957, puis dans le Livre de Poche, collection « Biblio », n° 3011 (P.E.).

« Le prince Genghi », in *Revue de France*, tome 4 (15 août), pp. 845-854. – Voir aussi *1962*. (N.O., sous le titre « Le dernier amour du prince Genghi ».)

1939 : « Ariane et l'aventurier », in *Cahiers du Sud*, tome 19, n° 219 (août-septembre), pp. 80-106. (A inspiré *Qui n'a pas son Minotaure ?*, in Th. II).

1940 : « Essai sur Kavafis », in *Mesures*, tome 6, n° 1, janvier, pp. 13-30 (repris partiellement in P.C.C.C.).

1943 : « Les sept fugitifs », de Frederic Prokosch (traduction d'un fragment, in *Fontaine*), t. 4, pp. 231-256.

1944 : « Essai sur Kavafis », in *Fontaine* (mai), pp. 38-40, suivi de quelques poèmes traduits (repris partiellement in P.C.C.C.).

« Mythologie », in *Lettres françaises*, n° 11 (janvier), pp. 41-46. (P.E., sous le titre « Mythologie grecque et mythologie de la Grèce ».)

« Mythologies II : Alceste », in *Lettres françaises*, n° 14 (octobre), pp. 33-40. (Repris en partie dans la préface du *Mystère d'Alceste*, in Th. II.)

1945 : « Mythologies III : Ariane, Électre », in *Lettres françaises*, n° 15 (janvier), pp. 35-45. (« Ariane » est repris dans la préface de *Qui n'a pas son Minotaure ?*, et « Électre » est repris dans l'avant-propos de la pièce du même nom, in Th. II.)

1947 : « Le mystère d'Alceste » (fragment), in *Cahiers du Sud*, n° 284, tome 26, 2ᵉ semestre, pp. 576-601 (Th. II.).

« Électre ou la chute des masques » (intégrale), in *Le Milieu du Siècle*, n° 1, pp. 21-66. (Th. II.)

1951 : « Mémoires d'Hadrien (première partie) : Animula vagula blandula », in *La Table Ronde*, n° 43 (juillet), pp. 71-84 (M.H.).

« Mémoires d'Hadrien (suite) : Varius multiplex multiformis », in *La Table Ronde*, n° 44 (août), pp. 94-118 (M.H.).

« Mémoires d'Hadrien (fin) : Tellus stabilita », in *La Table Ronde*, n° 45 (septembre), pp. 36-59 (M.H.).

1952 : « Regard sur les Hespérides », in *Cahiers du Sud*, n° 315 (second semestre, tome 36), p. 230-241. (T.C.G.S., sous le titre : « L'Andalousie ou les Hespérides ».)

« Comment j'ai écrit les *Mémoires d'Hadrien* », in *Combat* (17 mai).

« Carnets de notes des *Mémoires d'Hadrien* », in *Mercure de France*, n° 316 (novembre), pp. 415-432. (M.H. 2ᵉ édition.)

1953 : « Électre », in *La Table Ronde* (mai), n° 65, pp. 45-57. (Correspond à l'avant-propos de la pièce, in Th. II.)

1954 : « Carnets de notes d'*Électre* », in *Théâtre de France*, tome 4, pp. 27-29.

« Présentation critique de Kavafis », in *La Table Ronde* (avril), pp. 9-35. (Repris intégralement avec modifications et ajouts in P.C.C.C.)

Huit poèmes de Constantin Cavafis, traduits par Marguerite Yourcenar et Constantin Dimaras, précédé de « La poésie de Constantin Cavafis », par Edouard Roditi, in *Preuves* (mai), pp. 33-41 (P.C.C.C.).

« Le Temps, ce grand sculpteur », in *La Revue des voyages*, n° 15 (décembre), pp. 6-9 (T.C.G.S.).

1955 : « Carnets de notes (1942 à 1948) », in *La Table Ronde*, n° 89 (mai), pp. 83-90. « Ces extraits proviennent d'un carnet de notes tenu entre 1942 et 1948, donc pendant une période de six ans. On n'a daté que les rares passages se référant visiblement à des événements extérieurs » (P.E.).

« Oppien ou les chasses ». « Préface » à la *Cynégétique*, d'Oppien ; traduction de Florent Chrestien, gravures de Pierre-Yves Trémois (Paris, Société des Cent-Une, pp. i-vi, 1955 (T.C.G.S.).

« Humanisme et hermétisme chez Thomas Mann », in *L'Hommage de la France à Thomas Mann*. (S.B.I.)

1957 : « Sur quelques thèmes érotiques et mystiques de la Gita-Govinda », in *Cahiers du Sud*, n° 342 (septembre), pp. 218-228. « Préface » au texte de la *Gita-Govinda* (Émile-Paul, Paris, 1957) (T.C.G.S.).

1959 : « Histoire Auguste : Quand l'histoire dit-elle la vérité? », in *Le Figaro littéraire* (13 juin). (S.B.I., sous le titre « Les visages de l'Histoire dans l'Histoire Auguste ».)

1961 : « Les Prisons imaginaires de Piranèse », in *N.R.F.* (janvier). (S.B.I. – avec remaniement de la « Préface » à l'édition in-folio des *Prisons*, de Piranèse, Kieffer, 1964.)

« Celle qui aima Henry III », in *Le Figaro* (décembre). (S.B.I., sous le titre « Ah, mon beau château ».)

1962 : « Le sourire de Marko », in *Le Nouveau Candide* (18-25 janvier), p. 14 (N.O., 2ᵉ édition).

« Il n'en avait oublié qu'une », in *Le Nouveau Candide* (15-22 mars 1962), p. 15. (N.O., 2ᵉ édition, sous le titre, « Le dernier amour du prince Genghi ».)

« Le lait de la mort, in *Le Nouveau Candide* (25 juillet-1ᵉʳ août), p. 14. (N.O., 2ᵉ édition.)

1964 : « Les derniers voyages de Zénon », in *Livres de France*, n° 5 (mai), pp. 8-10. (L'.N.)

« La conversation à Innsbruck », in *N.R.F.*, n° 141 (septembre), pp. 399-419 (L'.N.).

« Lettres à Charles Du Bos », in *Cahiers Charles Du Bos* (n° 9, novembre), pp. 53-54.

1965 : « La mort à Münster », in *N.R.F.*, n° 149 (mai), pp. 859-875 (L'.N.).

« Les temps troublés », in *Revue Générale belge*, n° 6 (juin), pp. 15-30 (L'.N.).

1966 : « Présentation et traduction de quelques épigrammatistes de l'Époque Alexandrine », in *N.R.F.* n° 167 (novembre) (C.L.).

1969 : « Ébauche d'un Jean Schlumberger », in *N.R.F.*, (1ᵉʳ mars), pp. 321-326. (T.C.G.S., sous le titre « Tombeau de Jean Schlumberger ».)

« La chasse aux phoques » (lettre), in *Le Monde* (3 mars).

« Lettre à Alain Bosquet » du 6 juin 1963, in *Marginales* (revue bimestrielle des idées et des lettres); n° 125, avril, pp. 85-86.

1970 : « Empédocle d'Agrigente », in *Revue Générale*, 106ᵉ année, nᵒ 1, pp. 31-46. (Repris pour « Empédocle » in C.L.).

« Cette facilité sinistre de mourir », in *Le Figaro* (10 février), p. 1 (T.C.G.S.).

« Animaux vus par un poète grec », in *La Revue de Paris* (février, pp. 7-11). (Il s'agit d'une présentation d'Oppien, suivie de la traduction du poème : « L'amour des animaux pour leurs jeunes chez les bêtes de la mer, des bois et de l'étable », traduction reprise avec un avant-propos différent in C.L.).

1971 : « Le Rêve, l'invention romanesque et l'apport du réel », in *Cahiers Littéraires de l'ORTF*, 9ᵉ année, nᵒ 19, été, pp. 35-39. (Correspond à la préface de *Rendre à César*, Th. I.)

1972 : « Une civilisation à cloisons étanches », in *Le Figaro* (16 février), p. 1 (T.C.G.S.).

« André Gide revisited », in *Cahier André Gide nᵒ 3*, « Le Centenaire », Paris, Gallimard, 1972, pp. 21-44 (conférence faite à Smith College, Massachusetts, 1969).

« Des recettes pour un art du mieux-vivre » (critique du livre de Julius Evola : *Le Yoga tantrique*), in *Le Monde* (21 juin). (T.C.G.S., sous le titre « Approches du tantrisme ».)

« Ton et langage dans le roman historique », in *N.R.F.*, nᵒ 238 (octobre), pp. 101-123 (T.C.G.S.).

« Saint-Just à Marchienne », in *N.R.F.*, nᵒ 238 (octobre), pp. 58-68. (Constitue un fragment de S.P.)

« Une femme étincelante et timide, Virginia Woolf », in *Adam International Review*, nᵒ 364-366, pp. 16-17 (P.E.).

1975 : « Jeux de miroirs et feux follets », in *N.R.F.*, nᵒ 269 (mai), pp. 1-15 (T.C.G.S.).

1976 : « Sur quelques lignes de Bède le Vénérable », in *N.R.F.*, nᵒ 280 (avril), pp. 1-7 (T.C.G.S.).

« Glose de Noël », in *Le Figaro* (22 décembre), p. 30 (T.C.G.S.).

1977 : « Sur un rêve de Dürer », in *Hamsa* (publié dans le second des deux numéros, 7 et 8, consacrés à l'ésotérisme d'Albrecht Dürer), pp. 42-45 (T.C.G.S.).

« Séquence de Pâques : une des plus belles histoires du monde », in Le Figaro (7 avril), p. 1 (T.C.G.S.).

« *Fêtes oubliées* », *in Le Figaro* (22 juin), p. 30. (T.C.G.S., sous le titre « Feux du solstice ».)

1978 : « La fin de Marko Kralievitch », in *N.R.F.*, n° 302 (mars), pp. 46-50. (N.O., 4ᵉ édition.)

Questionnaire sur le « Roman noir » suivi de « Sur un rêve de Dürer », in *Cahiers de l'Herne*, « Romantisme noir », n° 34, pp. 161-282. (T.C.G.S. pour le second texte.)

1979 : « Incident dans l'Acadie de Champlain », in *Études Littéraires* (Québec), 2ᵉ année, n° 1 (avril), pp. 37-41. (Repris en partie pour *Un homme obscur*, in C.E.Q.C.).

1980 : « Le Japon de la mort choisie », in *L'Express* (1ᵉʳ mars), pp. 96-98. (T.C.G.S., sous le titre « La noblesse de l'échec ».)

« Lettres à Mademoiselle S. (20.07.69-17.01.71) à Léonie Siret », in *N.R.F.*, n° 327 (avril), pp. 181-191.

« Écrit dans un jardin. » Édition à tirage limité chez Fata Morgana (Montpellier, 1980) (T.C.G.S.).

1981 : « L'homme qui aimait les pierres » ; discours de réception à l'Académie française (Éloge de Roger Caillois), in *Le Monde* (23 janvier), pp. 17-18 et 20, puis Gallimard, 1981. (P.E., sans le remerciement.)

« Qui sait si l'âme des bêtes va en bas? », in *Raiz e Utopia*, nᵒˢ 17-19, Lisbonne. (Conférence Lisbonne, Fondation Gulbenkian, avril 1981) (T.C.G.S.).

1982 : « Les charmes de l'innocence – Une relecture d'Henry James », in *N.R.F.*, n° 359 (1ᵉʳ décembre), pp. 666-673. (P.E.)

1983 : « Amrita Pritam : Poèmes », par Marguerite Yourcenar, Rajesh Sharma, et Charles Brasch, in *N.R.F.*, n° 365 (juin), pp. 166-178.

« L'homme qui signait avec un ruisseau » (à propos de Jacob Van Ruysdael), in *Le Nouvel Observateur* (16-22 décembre). (P.E.)

1986 : « Les Trente-trois noms de Dieu », in *N.R.F.*, n° 401 (juin), pp. 101-117.

« Mishima : A vision of the void », in *The New York Times Book Review* (november, 23th).

III. CHOIX D'OUVRAGES, EXTRAITS D'OUVRAGES, ARTICLES GÉNÉRAUX ET NUMÉROS SPÉCIAUX DE REVUES CONSACRÉS À MARGUERITE YOURCENAR

1960 : *Histoire de la littérature française du symbolisme à nos jours. Tome 2 : 1915 à 1960,* par Henri Clouard (nouvelle édition remise à jour (p. 584). Paris, Albin Michel.

1963 : *Combat* (21 février) : Marguerite Yourcenar, « prix Combat 1963 »; Christian Murciaux : Portrait d'un écrivain, Ghislain de Diesbach : Une visite à Marguerite Yourcenar; Jacques de Ricaumont : L'exégèse d'une humaniste.

1964 : *Biblio. Bibliographie Littérature* (mai) : Alain Bosquet : Marguerite Yourcenar et la perfection; Gabriel Marcel : Le théâtre de Marguerite Yourcenar (Le Mystère d'Alceste; Électre; Qui n'a pas son Minotaure?); L'Œuvre au Noir : extraits de la seconde version; Marguerite Yourcenar répond au questionnaire de Marcel Proust.

Cahiers des Saisons (n° 38, été) : Portrait de Marguerite Yourcenar par : Ghislain de Diesbach, Jean-claude Ollier, Jacques Brenner, Henri Hell, Jacques Brosse, Jacques de Ricaumont, Étienne Coche de La Ferté (pp. 285-305).

1970 : *Revue Générale* (n° 1, janvier) : Michel Aubrion : Marguerite Yourcenar ou la mesure de l'homme.

1971 : *La Libre Belgique* (26 mars) : J.P. : Des « Mémoires d'Hadrien » à l'Académie de Belgique. Pour saluer Marguerite Yourcenar.

Marguerite Yourcenar, par Jean Blot. Éditions Seghers. (Nouvelle édition révisée : 1980, 179 p.)

1973 : *L'Air des Lettres ou Tableau raisonnable des Lettres françaises d'aujourd'hui,* de Robert Kanters. Grasset, 1973 (pp. 173-182).

1974 : *Réalités* (n° 345, octobre) : Matthieu Galey : C'est une reine Marguerite Yourcenar... et elle gouverne ses livres et sa vie avec un tel talent (pp. 70-76).

1976 : *Marseille* (n°s 141-143, avril) : Marc Faigre : Un long combat : Marguerite Yourcenar et les *Cahiers du Sud.* (Ayant trait à la correspondance échangée entre Jean Ballard et Marguerite Yourcenar, soit 21 lettres et cartes autographes, et 19 lettres dactylographiées, de 1935 à 1960, conservées dans le fonds des *Cahiers du Sud* aux archives de la ville de Marseille.)

1977 : *Spectacle du monde* (décembre) : Robert Poulet : Marguerite Yourcenar, écrivain.

Le Monde (22 juillet) : Bertrand Poirot-Delpech : Calme Yourcenar (à l'occasion du Grand Prix de littérature décerné par l'Académie française).

1978 : *Histoire de la littérature française de 1940 à nos jours*, de Jacques Brenner. Fayard, 1978 (pp. 241 à 249 : « Marguerite Yourcenar, historienne et romancière »).

1979 : *Études Littéraires* (Canada ; avril) : numéro spécial réalisé sous la direction d'Yvon Bernier. Articles d'Yvon Bernier, Gonzague Truc, Jacques Vier, Alain Denis-Christophe, Jean Darbelnet, Maurice Lebel, Vincent Nadeau.

Magazine Littéraire n° 153 (octobre) : Marguerite Yourcenar. Matthieu Galey : Le songe et les sorts ; « La poésie et la religion doivent rester obscurs », entretien avec Matthieu Galey ; Odile Gandon : Un regard en biais sur la Grèce antique ; Entretien avec Constantin Dimaras ; Catherine Clément : L'androgynie imaginaire de Marguerite Yourcenar ; Jean d'Ormesson : Marguerite Yourcenar ou la rigueur de l'art.

The New York Times (3 décembre) : Nan Robertson : Marguerite Yourcenar's Tranquil Literary Life on Maine Coast.

1980 : *Arcadie* (février) (Mouvement homophile de France) : Christian Gury : Marguerite Yourcenar ou éloge de la discrétion.

Paradoxes (31 mars) : Pierre de Boisdeffre : Pour un portrait de Marguerite Yourcenar.

Voyelles, n° 8 (avril) : Éliane Boucquey : La première académicienne : Marguerite Yourcenar.

Femmes d'Aujourd'hui (16 avril) : Matthieu Galey : Une femme à l'Académie française... enfin.

La Revue nouvelle (Bruxelles, 5 juin) : Éliane Boucquey : Marguerite Yourcenar, notre nostalgie d'un ordre.

4 millions 4 (hebdomadaire belge, 26 juin) : G. de Crayencour : Marguerite Yourcenar.

Nouvelle Revue des Deux Mondes (3e trimestre) : Pierre de Boisdeffre : Marguerite Yourcenar (pp. 591-597).

Dossiers du CACEF (décembre) : (Centre d'action culturelle de la communauté d'expression française). G. de Crayencour : Marguerite Yourcenar de 0 à 25 ans.

773

Marguerite Yourcenar de retour en Flandre, par Louis Sonneville, in C.R.D.P. (Lille, 15 décembre, album illustré, 77 p.)

1981 : *Nouvelles de France*, n° 86 : Dominique Cadernay : Marguerite Yourcenar de l'Académie française.

The New York Times Book Review (15 janvier) : Deborah Trustman : France's First Woman « Immortal ».

Masques, n° 8 (Printemps) : Nella Nobili : L'amour, les femmes, le féminisme, l'homosexualité à travers l'œuvre de Marguerite Yourcenar ; Tonia Cariffa : Marguerite Yourcenar ou le bonheur d'écrire.

1983 : *La Revue universelle des faits et des idées* (avril) : Yves-Alain Favre : Marguerite Yourcenar ou la sérénité tragique.

TLS (22 juillet) : John Weightman : Falling towards death.

Marguerite Yourcenar in Counterpoint, par C. Frederick et Edith R. Farrel. New York, University Press of America (118 p.).

1984 : *Sud* (Revue littéraire bimestrielle, 15ᵉ année, n° 55, décembre) : Marguerite Yourcenar. Articles de Christiane Baroche, Jacques Lovichi, Osman Necmi Gürmen, Diane de Margerie, François Salvaing, Jean-Bernard Vray, Hubert Nyssen, Michel Tournier (pp. 5-87).

1985 : *Nord'* (Revue de critique et de création littéraires du Nord-Pas-de-Calais, n° 5, juin) : Marguerite Yourcenar. Dossier réalisé sous la direction de Paul Renard (pp. 7-83).

Marguerite Yourcenar, par Georges Jacquemin. Collection « Qui suis-je ? », La Manufacture (250 p.).

Encyclopaedia Universalis : Marianne Alphant : Yourcenar, Marguerite (pp. 1520-1521).

1986 : *Il Confronto Letterario* (Quaderni del Dipartimento di Lingue e Letterature Straniere Moderne dell'Universita di Pavia, supplemento al numero 5) : Giornata Internazionale di Studio sull'opera di Marguerite Yourcenar : Actes de la journée internationale d'études sur l'œuvre de Marguerite Yourcenar ; Université de Pavie, 8 novembre 1985, présentés par Giorgetto Giorgi (98 p.).

1987 : *Marguerite Yourcenar, À Reader's Guide*, par Georgia Hooks Shurr. University Press of America (135 p.).

Marguerite Yourcenar. Sagesse et Mystique, par Madeleine Boussuges. Éditions des Cahiers de l'Alpe. Société des Écrivains Dauphinois ; Grenoble (260 p.).

1988 : *Dictionary of Literary Biography* : C. Frederick Farrell, Jr., and Edith R. Farrell : Marguerite Yourcenar (8 June 1903-17 December 1987).

Universalia : Jacques Lecarme : Marguerite Yourcenar.

N.R.F. (avril) : Jean Blot : Reconnaissances : Marguerite Yourcenar.

Marguerite Yourcenar : Biographie, Autobiographie (Actes du colloque international, Valencia, 1986). Textes réunis par Elena Real. Departemento de Filologia Francesa, Universitat de València (275 p.).

Histoire et critique des idées, n° 12 (Pise, Editrice Libreria Goliardica) : Voyage et connaissance dans l'œuvre de Marguerite Yourcenar. Mélanges coordonnés par Carminella Biondi et Corrado Rosso (288 p.).

1989 : *Revue de l'Université de Bruxelles* (dirigée par Jacques Sojcher. Éditions de l'Université de Bruxelles, mars-avril) : Marguerite Yourcenar, dossier composé des textes de : André Delvaux, Yvon Bernier, Rémy Poignault, Maurice Delcroix, Thomas Gergely, François Wasserfallen, Michel Grodent, Jean-Pierre Lebrun, Carminella Biondi, Elena Real, Michèle Goslar, Camille Van Woerkum, Marcel Voisin, Patricia De Feyter, Dominique Rolin.

Équinoxe (revue romande de sciences humaines, n° 2, automne) : Marguerite Yourcenar. Textes réunis par François Wasserfallen (pp. 7-158).

1990 : *Sud* (revue littéraire bimestrielle, numero hors série, mai) : Marguerite Yourcenar, une écriture de la mémoire. Recueil de communication prononcées à Tours en mai 1985, lors du colloque international « Marguerite Yourcenar ». Textes réunis par Daniel Leuwers et Jean-Pierre Castellani (278 p.).

Roman 20-50 (Revue d'étude du roman du xxᵉ siècle, n° 9, mai) : Marguerite Yourcenar, *L'Œuvre au Noir*. Études réunies par Anne-Yvonne Julien (pp. 7-131).

Marguerite Yourcenar et l'art, L'art et Marguerite Yourcenar : Actes du colloque tenu à l'université de Tours en novembre 1988, avec l'aide du groupe de recherche interuniversitaire « Littérature et Nation » ; numéro spécial (mai) du bulletin de la Société internationale d'études yourcenariennes -SIEY- (380 p.).

1993 : « *L'Œuvre au Noir* » *de Marguerite Yourcenar*, de Anne-Yvonne Julien. Gallimard, collection « Foliothèque » n° 26.

IV. PRINCIPAUX ENTRETIENS ET PORTRAITS-ENTRETIENS

Recueils :

Entretiens radiophoniques avec Marguerite Yourcenar, par Patrick de Rosbo, Mercure de France, 1972.

Les Yeux ouverts, entretiens de Marguerite Yourcenar avec Matthieu Galey ; Le Centurion, 1980.

Articles :

1952 : *Gazette de Lausanne* (16 février) : Aloys-J. Bataillard : Portraits d'écrivains : Madame Marguerite Yourcenar, l'auteur des *Mémoires d'Hadrien.*

Nouvelles Littéraires (22 mai) : Jeanine Delpech : Instantané Marguerite Yourcenar.

1959 : *Nouvelles Littéraires* (29 avril) : Marguerite Yourcenar ; entretien avec Gabriel d'Aubarède.

1968 : *Le Figaro Littéraire* (22 mai) : interview par Jean Chalon.

Le Monde (25 mai) : Jacqueline Piatier : Portrait : Une femme dans une île.

Nouvelles Littéraires (27 juin) : Claude Mettra : Les explorations de Marguerite Yourcenar.

Quinzaine Littéraire (16 septembre) : Marguerite Yourcenar parle de *L'Œuvre au Noir.* Propos recueillis par C.G. Bjurström.

Le Figaro (26 novembre) : J.J. : De l'Histoire à l'actualité.

Nouvel Observateur (2 décembre) : Françoise Mallet-Joris : Le kimono blanc de Marguerite Yourcenar.

Carrefour (4 décembre) : Maurice Tassart : Prix Fémina 1968 (au premier tour et à l'unanimité) : Marguerite Yourcenar aux œuvres si patiemment mûries.

1969 : *L'Express* (10 février) : *L'Express* va plus loin avec Marguerite Yourcenar.

1971 : *Nouvelles Littéraires* (4 juin) : Guy Le Clec'h : entretien avec Marguerite Yourcenar.

La Croix (19 septembre) : Jean-C. Texier : Rencontre avec Marguerite Yourcenar.

1972 : *Nouvelles Littéraires* (12 juin) : Patrick de Rosbo : Marguerite Yourcenar : ma rencontre avec Hadrien.

1974 : *Le Figaro* : Jean Chalon : Marguerite Yourcenar : Seule une « fatalité du bien » pourrait sauver le monde.

1976 : *Lire* (juillet) : Claude Servan-Schreiber : Marguerite Yourcenar s'explique.

1977 : *Figaro* (26 novembre) : Entretien avec Jean Montalbetti.

1979 : *Marie-Claire* (avril) : P. Pompon Bailhache : L'art de vivre de Marguerite Yourcenar, une leçon de sagesse sous un toit de bois.

Le Figaro (9 juin) : Marcel Jullian : Marguerite Yourcenar : un génie à l'heure du thé.

Le Matin (10 juin) : Jean-Paul Kauffmann : Le système Yourcenar. (Abécédaire d'une rencontre.)

Le Figaro (14 octobre) : Entretien avec Jacques Chancel.

Le Quotidien (7 décembre) : Jean-Marie Rouart : La dame à l'habit vert, interview de Jean d'Ormesson.

1980 : *France-Soir* (5 mars) : Jean-Claude Lamy : Marguerite Yourcenar : une femme sous la Coupole ; entretien avec Marguerite Yourcenar, première partie.

France-Soir (6 mars) : Jean-Claude Lamy : Entretien, deuxième partie.

L'Éveil normand (Bernay) (13 mars) : Brigitte Méaulle : Rencontre avec Marguerite Yourcenar.

F. Magazine (25 mars) : Entretien avec Claude Servan-Schreiber.

Europe (avril) : Pour solde de tout compte, entretien de Jean-Marie Le Sidaner avec Marguerite Yourcenar.

Le Figaro Magazine (31 octobre) : François-Marie Samuelson : entretien avec Marguerite Yourcenar.

1981 : *Le Point* (12 janvier) : Pierre Desgraupes fait le point avec Marguerite Yourcenar, entretien.

Elle (19 janvier) : Françoise Ducout : entretien avec Marguerite Yourcenar.

Valeurs actuelles (26 janvier) : Michel Mourlet : Le regard de Yourcenar.

1982 : *Femmes d'aujourd'hui* (25 mai) : Une autre Marguerite Yourcenar ; entretien avec Nicole Lauroy.

1983 : *The Washington Post* (8 août) : Michael Kernan : The Main Stay. Marguerite Yourcenar : The Soul of French Writing down East.

1984 : *Le Monde* (7 décembre) : Josyane Savigneau : La bienveillance singulière de Marguerite Yourcenar; entretien : « Un certain goût de la langue et de la liberté ».

J.D.D. (décembre) : La seule Académicienne s'est confiée à Michèle Stouvenot, Yourcenar : « On n'est pas prêt d'élire une autre femme. »

1985 : *Journal de Genève* (9 novembre) : Serge Bimpage : Marguerite Yourcenar, écrivain subversif.

1987 : *Sunday Times* (19 avril) : Shusha Guppy : One of that rare breed of women.

Epoca (octobre) : Giovanni Minoli : Yourcenar; il piacere e'tutto dio.

Normal (hiver) : Jean-Pierre Corteggiani interviewed Marguerite Yourcenar.

INDEX

Cet index prend en compte toutes les personnes ainsi que les œuvres de Marguerite Yourcenar mentionnées dans le texte. On trouvera entre crochets soit la formulation différente d'une dénomination, soit son complément. Par souci d'allègement, Grace Frick ne figure pas dans cette liste. A l'exception de Louise de Borchgrave, Georges de Crayencour, et Camille Debocq-Letot, les membres de la famille et les proches de Marguerite Yourcenar (évoqués dans les trois volumes du Labyrinthe du Monde) n'ont pas été répertoriés. Enfin le nom de Matthieu Galey n'a pas été retenu lorsqu'il s'agissait de l'interlocuteur des Yeux ouverts (les extraits de ces dialogues étant référencés en notes).

BALDWIN, James [Le Coin des « Amen »] : 628, 644.
BALLARD, Jean : 211, 214, 221, 253, 269, 342, 353, 422.
BALMAIN, Pierre : 351.
BALZAC, Honoré de : 87, 295, 481.
BARAT, Jean-Claude : 528.
BARBIER, Élizabeth : 494.
BARBUSSE, Henri : 114.
BARNEY (CLIFFORD BARNEY), Natalie : [« l'Amazone »] : 24, 275, 310, 331-332, 351-354, 356-358, 362, 365-367, 374, 379, 391, 395, 402, 406, 421, 433, 435, 437-438, 441-442, 445, 461, 469-470, 490, 493, 530, 537, 575.
BARON SUPERVIELLE, Silvia : 648.
BARRATIN, Marguerite : 366.
BARRE, Raymond : 611.
BARRÈS, Maurice : 130.
BARTLETT, Phyllis : 188.
BASHÔ : 541.
BATAILLARD, Aloys J. : 343.
BAUDELAIRE, Charles : 208, 554.
BAUR, Mme Harry : 363, 371.
BEACH, Sylvia : 351.
BEAUMONT, Germaine : 491.
BEAUVOIR, Simone de : 551-552, 598.
BECKETT, Samuel : 348.
BECKFORD, William : 413.
BEETHOVEN, Ludwig van : 181.
BELFOND, Pierre : 525.
BEN BELLA, Ahmed : 381.
BERGER, Yves : 441, 463-464.
BERGSON, Henri : 294, 421.
BERNHARD, prince : 651.
BERNIER, Yvon : 530, 614, 629, 648, 673, 680-681.
BLANZAT, Jean : 268.
BLOT, Jean : 505-507.
Blues et Gospels : 648, 655.
BOISDEFFRE, Pierre de : 431-432.
BONNEFOY, Yves : 387.
BORCHGRAVE, Louise de : 373, 389, 444, 454, 502, 513, 567, 618.

BORGES, Jorge Luis : 364, 605, 658, 668, 671, 673-674.
BORY, Jean-Louis : 560.
BOSCH, Jérôme : 405, 556.
BOSQUET, Alain : 431.
BOUDOT-LAMOTTE, Emmanuel : 181-182, 185, 191-192, 199, 209.
BOUDOT-LAMOTTE, Madeleine : 181.
BOURDALOUE, Louis : 119.
BOURDEL, Maurice : 336, 338, 340, 394.
BOURDET, Denise : 343.
BOWLES, Jane : 185.
BRANCUSI, Constantin : 456.
BRASSEUR, Pierre : 331.
BRECCIA, Evaristo : 347.
BREDIN, Jean-Denis : 203, 613.
BREITBACH, Joseph : 280-281, 326-327, 335, 340, 560.
BRENNER, Jacques : 346, 478.
BRETON, André : 228, 387, 392, 531.
BREUGHEL, Jan : 415, 556.
BRISSAC, Elvire de : 549-550.
BRONNE, Carlo : 501.
BROOKS, Romaine : 374.
BROSSOLLET, Marc : 446-448, 465, 656.
BUBER, Martin : 258.
BUTOR, Michel : 431.
BILLY, André : 476.

CABANIS, José : 476.
CADILLAC, marquis de : 305.
CAILLOIS, Roger : 152, 248, 431-432, 533, 596, 604-605, 623.
CALAS, Niko [Nico] : 228, 415, 538.
CAMUS, Albert : 268, 336.
CARCOPINO, Jérôme : 604.
CARAYON, Jeanne : 22, 271, 413, 505, 507-508, 510, 521, 528, 531, 533, 536-537, 539, 546, 554, 608.
CARTON, Pauline : 491.

786

COLLECTION FOLIO

Composé chez Firmin-Didot
Impression Maury-Eurolivres S.A.
45300 Manchecourt
le 14 mai 1993.
Dépôt légal : mai 1993
Numéro d'imprimeur : 93/05/M1619
ISBN 2-07-038738-0 / Imprimé en France